완역
성리대전
❼

이 저서는 2010년 정부(교육과학기술부)의 재원으로 한국연구재단의 지원을 받아 수행된 연구임(NRF-2010-322-A00065)

완역
성리대전 **7**

윤용남·이충구·김재열·윤원현
추기연·이철승·심의용·김형석
이치억·김현경 역주

道統·聖賢
諸儒
學

學古房

성리대전 총목차

性理大全書目錄　성리대전서 목록

道統 · 聖賢　도통 · 성현

道統
도통

[38-1-1]

朱子曰: "道之在天下者未嘗亡, 惟其託於人者或絶或續, 故其行於世者有明有晦. 是皆天命之所爲, 非人智力之所能及也. 夫天高地下, 而二氣五行紛紜錯糅, 升降往來於其間. 其造化發育, 品物散殊, 莫不有固然之理.¹ 而其最大者, 則仁·義·禮·智之性, 君臣·父子·昆弟·夫婦·朋友之倫是已. 而其周流充塞, 無所虧間, 夫豈以古今治亂爲存亡者哉! 然氣之運也, 則有醇漓·判合之不齊; 人之稟也, 則有淸濁·昏明之或異. 是以道之所以託於人而行於世者, 惟天所畀, 乃得與焉.²

주자朱子[朱熹]가 말했다. "천하에 존재하는 도道는 없어진 적이 없지만, 오직 사람에게 기탁한 것이 혹은 끊어지기도 하고 혹은 이어지기도 했기 때문에, 세상에 행해지는 것은 밝을 때도 있었고 어두울 때도 있었다. 이것은 모두 천명天命이 그렇게 하는 것이지 사람이 지력智力으로 할 수 있는 것이 아니다. 무릇 하늘은 높고 땅은 낮으며, 음양·오행은 어지럽게 뒤섞여서 하늘과 땅 사이에 오르내리고 왕래한다. 천지가 조화造化하여 발육함에 만물을 생겨나게 하는 것이 제각기 다르지만, 각기 본디 그러한 이치를 가지고 있지 않음이 없다. 그 가운데 가장 큰 것은 인·의·예·지의 성性과 군신·부자·형제·부부·친구 사이의 인륜이라는 것이다. 그것은 두루 유행하여 꽉 채워져 있고 조금도 이지러짐이나 틈이 없으니, 어찌 예와 지금이 다르고 다스려지거나 혼란함에 따라 존재하거나 없어지는 것이겠는가! 그러나 기氣의 운행은 진함과 엷음, 나뉨과 합함이라는 가지런하지 않음이 있고, 사람이 품부 받은 것은 맑음과 흐림, 어두움과 밝음이라는 서로 다름이 있기도 하다. 이 때문에 도가 사람에 기탁하여 세상에 행해지는 것은, 오직 천天이 내린 사람이라야 거기에 관여할 수 있다.

· ·

1 莫不有固然之理.: 주희의 『朱文公文集』 권78 「江州重建濂溪先生書堂記」에는 "莫不各有固然之理"라고 되어 있다.

2 乃得與焉.: 주희의 『朱文公文集』 권78 「江州重建濂溪先生書堂記」에는 이 구절 뒤에 "決非巧智果敢之私所能億度而强探也.(결코 사적인 교묘한 지략과 과감함으로 억측하고 억지로 탐구할 수 있는 것이 아니다.)"라는 말이 더 있다.

『河圖』出而八卦畫, 『洛書』呈而九疇叙. 而孔子於斯文之興喪, 亦未嘗不推之於天.[3] 自周衰孟軻氏沒, 而此道之傳不屬. 至宋受命,[4] 五星集奎, 開文明之運, 而周子出焉.[5] 不由師傳, 黙契道體, 建圖屬書, 根極領要. 當時見而知之, 有程氏者, 遂擴大而推明之,[6] 而周公 · 孔子 · 孟氏之傳煥然復明於時,[7] 非天所畀, 其孰能與於此?[8]

『하도河圖』가 나오자 팔괘가 그려졌고, 『낙서洛書』가 드러나자 「홍범구주洪範九疇」가 서술되었다.[9] 공자는 이 학문의 흥망에 대하여 또한 천天에 미루어보지 않은 적이 없었다.[10] 주나라가 쇠퇴하고 맹자가 죽으면서부터 이 도는 더 이상 전수되어 이어지지 않았다. 송나라가 천명을 받게 되자, 오성五星[11]이 규수奎宿[12]에 모여들어 문물이 밝아지는 운수運數를 열었고 주자周惇頤가 나왔다. (주돈이는) 스승의

• •

3 亦未嘗不推之於天.: 주희의 『朱文公文集』 권78 「江州重建濂溪先生書堂記」에는 이 구절 뒤에 "聖人于此, 其不我欺也, 審矣. 若濂溪先生者, 其天之所畀而得乎斯道之傳者與! 不然, 何其絶之久而續之易, 晦之甚而明之亟也?(여기에서 성인이 우리를 속이지 않음을 알 수 있다. 염계 선생과 같은 사람은 天이 내어서 우리 유학의 도를 전수한 분일 것이다! 그렇지 않다면, 어찌 그토록 오랫동안 끊어진 것을 쉽게 이었겠으며, 매우 어두웠던 유학의 도를 이렇게 빨리 밝혔겠는가?)"라는 말이 더 있다.

4 至宋受命: 주희의 『朱文公文集』 권78 「江州重建濂溪先生書堂記」에는 "更秦及漢, 曆晉隋唐, 以至于我有宋, 聖祖受命(다시 秦나라와 漢나라, 그리고 晉나라, 隋나라, 唐나라를 거쳐 우리 송나라에 이르렀다. 우리 송나라 태조가 천명을 받으니)"이라고 되어 있다.

5 開文明之運, 而周子出焉.: 주희의 『朱文公文集』 권78 「江州重建濂溪先生書堂記」에는 "實開文明之運, 然後氣之漓者醇, 判者合, 清明之稟得以全付乎人, 而先生出焉.(실로 문명의 운행을 개창하였으며, 그런 뒤에 엷은 기는 진해지고 흩어진 기는 모여서, 清明한 기가 온전하게 사람에게 부여되어 선생[周惇頤]이 태어났다.)"이라고 되어 있다.

6 遂擴大而推明之: 주희의 『朱文公文集』 권78 「江州重建濂溪先生書堂記」에는 이 구절 뒤에 "使夫天理之微 · 人倫之著 · 事物之衆 · 鬼神之幽, 莫不洞然畢貫于一.(은미한 천리, 두드러진 인륜, 수많은 사물들, 그윽한 귀신들을 분명하게 하나로 관통시켰다.)"이라는 말이 더 있다.

7 而周公 · 孔子 · 孟氏之傳煥然復明於時: 주희의 『朱文公文集』 권78 「江州重建濂溪先生書堂記」에는 이 구절 뒤에 "有志之士得以探討服行而不失其正, 如出于三代之前者. 嗚呼! 盛哉!(뜻 있는 선비라면 탐구하고 토론하며 몸에 간직하고 실천함으로써 그 올바름을 잃지 않아야 한다. 아! 성대하도다.)"라는 말이 더 있다.

8 朱熹, 『朱文公文集』 권78 「江州重建濂溪先生書堂記」

9 『河圖』가 나오자 … 서술되었다.: 『易』「繫辭上」에서, "황하에서 그림이 나오고 낙수에서 글이 나오니, 성인이 그것을 본받았다.(河出圖, 洛出書, 聖人則之.)"라고 하였다.
  『前漢書』 권27上에는, "劉歆이 다음과 같이 말했다. '복희씨가 하늘을 계승하여 왕 노릇을 할 때에 「河圖」를 받아서 그것을 본받아 획을 그으니 8괘가 이것이다. 우임금이 홍수를 다스릴 때에 「雒書」를 하사받아서 그것을 본받아 펼치니 九疇가 이것이다.'(劉歆以爲虙義氏繼天而王, 受「河圖」則而畫之, 八卦是也. 禹治洪水, 賜「雒書」法而陳之, 「洪範」是也.)"라고 하였다.

10 공자는 유학의 … 없었다.: 『論語』「子罕」에서 공자는 "(文王이 이미 죽었으니 文이 나에게 있지 않겠는가? 天이 장차 이 文을 없애려 하였다면 '뒤에 죽는 사람(내 자신)'이 이 학문에 참여하지 못했을 것이다. 그러나 天이 아직 이 文을 없애려 하지 않으니, 匡땅 사람들이 나를 어떻게 하겠는가?(文王旣沒, 文不在玆乎? 天之將喪斯文也, 後死者不得與於斯文也; 天之未喪斯文也, 匡人其如予何?)"라고 하였다.

11 五星: 태양계에서 지구에 가까이 있는 다섯 개의 행성, 즉 金星, 木星, 水星, 火星, 土星을 가리킨다.

전수를 받지 못하고도 묵묵히 도의 본체를 깨달아 『태극도』를 그리고 그에 대한 글을 지었는데, 그 근본 되는 내용이 아주 핵심적이었다. 당시 그것을 보고 안 사람으로는 정씨程氏(程顥·程頤)가 있었는데, 마침내 그것을 확대하고 추론해 밝혀서 주공周公·공자·맹자의 전수가 당시에 다시 환하게 밝혀졌으니, 하늘이 내린 사람이 아니라면 그 누가 여기에 참여할 수 있었겠는가?"

[38-1-2]
"'天不生仲尼, 萬古如長夜.' 唐子西嘗於一郵亭梁間見此語. 蔡季通云, '天先生伏羲·堯·舜·文王, 後不生孔子亦不得, 後又不生孟子亦不得, 二千年後又不生二程亦不得.'"[13]
(주자가 말했다.) "'천天이 공자를 낳지 않았다면 세상은 영원히 칠흑같이 긴 밤이었을 것이다.'[14]라는 구절이 있는데, 당자서唐子西[唐庚][15]가 어떤 역참의 객사 대들보에서 이 말을 보았다고 한다. 채계통蔡季通[蔡元定]이 말했다. '천天이 먼저 복희·요임금·순임금·문왕을 낳고, 그 뒤에 공자를 낳지 않을 수 없었으며, 또 그 뒤에 맹자를 낳지 않을 수 없었고, 2천년 뒤에 또 이정二程(程顥·程頤)을 낳지 않을 수 없었다.'"

"此道更前後聖賢, 其說始備. 自堯舜以下, 若不生箇孔子, 後人去何處討分曉? 孔子後若無箇孟子, 也未有分曉. 孟子後數千載, 乃始得程先生兄弟發明此理. 今看來漢·唐以下諸儒說道理見在史策者, 直是說夢. 只有箇韓文公依稀說得略似耳."[16]
(주자가 말했다.) "이 도는 전후로 성현을 번갈아가면서 그 이론이 비로소 갖추어졌다. 요임금·순임금 이래로 만약 공자가 생겨나지 않았다면 후세 사람들이 어디에서 그 이론을 분명하게 찾을 수 있었겠는가? 공자 뒤에 만약 맹자가 없었다면 역시 그 이론을 분명하게 찾을 수 없었을 것이다. 맹자 뒤 수천 년 만에 비로소 '정선생 형제(程顥·程頤)'가 이 이치를 드러내 밝힐 수 있었다. 지금 보건대, 한나라·당나라 이래로 사책史策에 실려 있는 것으로서 여러 학자들이 도리를 말한 것은 다만 꿈같은 얘기를 한 것일 뿐이다. 다만 한문공韓文公[韓愈]이 어렴풋이나마 비슷하게 말했을 따름이다."

---

12 奎宿: 중국 전통 별자리인 二十八宿의 열다섯째 별자리로서, 문장을 주관하는 별의 상징으로 일컬어진다.
13 『朱子語類』 권93, 3조목
14 '天이 공자를 … 것이다.': 唐庚의 『唐子西文錄』에, "蜀道 관사의 벽에 한구절의 대련이 있었는데, '天이 공자를 낳지 않았다면 세상은 영원히 칠흑같이 긴 밤이었을 것이다.'라고 쓰여 있었다. 그런데 어떤 사람의 시인지 알 수 없다.(蜀道館舍壁間題一聯云, '天不生仲尼, 萬古如長夜.' 不知何人詩也.)"라고 하였다.
15 唐庚(1070~1120) : 자는 子西이고, 蘇軾과 고향이 같아서 小東坡라 불렸으며, 眉州丹棱(현 사천성 미주시 단릉현) 사람이다. 북송시대 유명한 시인으로 哲宗 紹聖 연간(1094)에 진사에 급제하여 宗子博士, 提擧京畿常平, 提擧上清太平宮 등을 역임했다. 뒤에 蜀道로 돌아가는 도중에 병사했다. 저서에 『唐子西集』 24권과 『唐子西文錄』 1권이 있다.
16 『朱子語類』 권93, 2조목

"自鄒孟氏沒, 而聖人之道不傳. 世俗所謂儒者之學, 内則局於章句·文詞之習, 外則雜於老子·釋氏之言. 而其所以脩己治人者, 遂一出於私智人爲之鑿, 淺陋乖離, 莫適主統. 使其君之德不得比於三代之隆, 民之俗不得躋於三代之盛, 若是者蓋已千有餘年於今矣.

(주자가 말했다.) "추鄒나라의 맹자가 죽고 나자 성인의 도가 전해지지 않았다. 세속에서 말하는 이른바 '학자들의 학문儒者之學'이란 안으로는 장구章句나 문장을 익히는 것에 국한되고, 밖으로는 노자와 석씨釋氏(불교)의 말과 뒤섞였다. 그리하여 그들이 자신을 수양하고 사람들을 다스리려고 하는 까닭은 마침내 한결같이 사사로운 지혜로 인위적인 일을 벌이는 천착에서 나왔으니, 천박하고 어그러져서 정통을 좇을 수 없었다. 가령 그 군주의 덕은 삼대三代(夏·商·周나라 삼대)의 융성함과 견줄 수가 없고, 백성들의 풍속도 삼대의 흥성함에 오르게 할 수 없었다. 이와 같이 된 것이 이미 지금으로부터 천 여 년이 넘었다.

濂溪周子奮乎百世之下, 乃始深探聖賢之奧, 疏觀造化之原, 而獨心得之. 立象著書, 闡發幽秘, 詞義雖約, 而天人性命之微, 脩己治人之要, 莫不畢舉. 河南兩程先生旣親見之而得其傳, 於是其學遂行於世. 士之講於其說者, 始得以脫於俗學之陋, 異端之惑, 而其所以脩己治人之意, 亦往往有能卓然不惑於世俗利害之私, 而慨然有志於堯舜其君民者. 蓋三先生者, 其有功於當世, 於是爲不小矣."[17]

염계 주자濂溪周子[周惇頤]가 오랜 세월에 걸친 세대 뒤에 분연히 떨쳐 일어나니, 이에 성현의 심오한 도를 처음으로 깊이 탐구하여 조화造化의 본원을 꿰뚫어 살피고 홀로 마음으로 깨달았다. 상象을 정립하고 글을 지어서[18] 심오하고 신비한 도를 드러내 밝히니, 말의 의미는 비록 간략하지만 천명天命과 인성人性의 은미함과 자신을 수양하고 사람들을 다스리는 요체를 다 제기하지 않음이 없었다. 하남河南의 두 정선생(程顥·程頤)이 이미 직접 찾아뵙고 그 전수를 얻게 되니, 이에 그 학문이 마침내 세상에 행해지게 되었다. 그 학설을 강론하는 선비는 비로소 세속의 비루한 학문과 이단의 미혹에서 벗어날 수 있었으며, 자신을 수양하고 사람들을 다스리려는 생각을 하는 까닭 역시 종종 세속적인 이해관계의 사사로움에 탁월하게 미혹되지 않을 수 있었으며, 비분강개[慷慨]해서 요임금과 순임금이 백성들을 다스렸던 것에 뜻을 품는 자가 있게 되었다. 대개 세 선생이 오늘날에 끼친 공로는 이에 적지 않을 것이다."

[38-1-4]
勉齋黃氏曰: "道原於天, 具於人心, 著於事物, 載於方策. 明而行之, 存乎其人. 聖賢迭興, 體道經世, 三綱旣正, 九疇旣叙, 則安且治; 聖賢不作, 道術分裂, 邪說誣民, 充塞仁義, 則危且亂. 世之有聖賢, 其所關繫者甚大. 生而榮, 死而哀, 秉彝好德之良心所不能自已也. 堯·舜·

· ·

17 朱熹, 『朱文公文集』 권78 「袁州州學三先生祠記」
18 象을 정립하고 글을 지어서: 주돈이가 『太極圖』를 그리고, 『圖說』과 『通書』를 지은 것을 말한다.

禹·湯·文·武·周公生, 而道始行; 孔子·孟子生, 而道始明. 孔孟之道, 周·程·張子繼之 ; 周·程·張子之道, 文公朱先生又繼之. 此道統之傳, 歷萬世而可考也."[19]

면재 황씨勉齋黃氏[黃榦]가 말했다. "도는 천天에 근원하는데, 사람의 마음에 갖추어지고 사물에 드러나며 전적典籍에 실려 있다. 그것을 밝혀서 실행하는 것은 그 사람에 달려 있다. 성현이 번갈아 흥기하여 도를 체현해서 세상을 다스리게 되자, 삼강三綱[20]이 바르게 되고 구주九疇[21]가 서술되었으니 평안하고 다스려지게 되었다. 성현이 일어나지 않아 도를 체인하는 방법이 분열되자, 사악한 이론이 백성을 속이고 인의를 꽉 막았으니 위험하고 혼란하게 되었다. 세상에 성현이 있을 때 그와 관련되는 것은 매우 크다. 태어나면 영화롭고 죽으면 애통해 하니, 떳떳한 성품을 가지고 아름다운 덕을 좋아하는 양심良心이 스스로 그만 둘 수 없는 것이다. 요임금·순임금·우왕·탕왕·문왕·무왕·주공이 태어나서 도가 처음 행해졌고, 공자와 맹자가 태어나서 도가 비로소 밝아졌다. 공맹의 도를 주자周子·정자程子·장자張子가 계승하였고, 주자·정자·장자의 도를 문공 주선생文公朱先生[朱熹]이 또 계승하였다. 이 도통道統의 전수는 만세를 지나가도 고찰할 수 있다."

[38-1-5]

"有太極而陰陽分, 有陰陽而五行具. 太極·二五妙合而人物生. 賦於人者秀而靈, 精氣凝而爲形, 魂魄交而爲神, 五常具而爲性, 感於物而爲情, 措諸用而爲事. 物之生也, 雖偏且塞, 而亦莫非太極·二五之所爲, 此道原之出於天者然也.

(면재 황씨가 말했다.) "태극이 있고서 음양이 나누어졌고, 음양이 있고서 오행이 갖추어졌다. 태극과 음양오행이 오묘하게 결합하여 사람과 만물이 생겨났다.[22] 사람에게 부여된 것은 빼어나고 영험하니,

• • • • • • • • • • • • • • • • • • • •

19 黃榦, 『勉齋集』 권19 「徽州朱文公祠堂記」
20 三綱: 삼강은 君臣, 父子, 夫婦관계에서 "군주는 신하의 벼리가 되고(君爲臣綱), 아버지는 아들의 벼리가 되며(父爲子綱), 남편은 아내의 벼리가 된다.(夫爲婦綱)"라는 것이다. 漢代 董仲舒의 『春秋繁露』 「基義」에, "하늘은 군주가 되어 덮고 드러내며, 땅은 신하가 되어 지지하고 실으며, 양은 남편이 되어 낳고 음은 부인이 되어 도우며, 봄은 아버지가 되어 낳고 여름은 아들이 되어 기르니, 왕도의 삼강은 하늘에서 구할 수 있다.(天爲君而覆露之, 地爲臣而持載之, 陽爲夫而生之, 陰爲婦而助之, 春爲父而生之, 夏爲子而養之, 王道之三綱可求於天.)"라고 하여 '三綱'이라는 낱말을 처음 언급하였다.
21 九疇: 『書經』 「洪範」에서 箕子가 周 武王에게 대답하는 내용으로, 天이 禹임금에게 하사하였다고 하는 천하를 다스리는 아홉 가지의 큰 방법을 말한다. 그 아홉 가지는 다음과 같다. "첫째는 五行이고, 둘째는 공경하기를 5가지 일로 하는 것이고, 셋째는 농사짓기를 8가지 政事로 하는 것이고, 넷째는 (天時에) 조화롭게 하기를 5가지 기강으로 하는 것이고, 다섯째는 확립하기를 임금의 표준으로 하는 것이고, 여섯째는 다스리기를 3가지 덕으로 하는 것이고, 일곱째는 명백히 하기를 의심을 살핌으로 하는 것이고, 여덟째는 생각하기를 여러 조짐으로 하는 것이며, 아홉째는 향하게 하기를 五福(5가지 복록)으로 하고 위압하기를 六極(6가지 극악)으로 하는 것이다.(初一曰五行, 次二曰敬用五事, 次三曰農用八政, 次四曰協用五紀, 次五曰建用皇極, 次六曰乂用三德, 次七曰明用稽疑, 次八曰念用庶徵, 次九曰嚮用五福·威用六極.)"
22 태극이 있고서 … 생겨났다.: 『易』 「繫辭上」에는 "그러므로 易에 太極이 있으니, 태극이 兩儀를 낳고 양의가 四象을 낳으며 사상이 八卦를 낳는다.(是故, 易有太極, 是生兩儀, 兩儀生四象, 四象生八卦.)"라고 하였다.

정精과 기氣가 응결하여 형形(형체)이 되고, 혼과 백이 교차하여 신神(정신)이 되며, 오상五常이 갖추어져서 성性이 되고, 외물에 감촉하여 정情이 되며, 여러 쓰임에 시행하여서 사事(일)가 된다. 만물이 생겨나는 것은 비록 치우치고 막혔지만 그것 또한 태극과 음양오행이 그렇게 하지 않은 것이 없으니, 이것은 천天에서 나온 도의 근원이 그렇게 한 것이다.

聖人者又得其秀之秀而最靈者焉. 於是繼天立極, 而得道統之傳, 故能叅天地, 贊化育, 而統理人倫, 使人各遂其生·各全其性者, 其所以發明道統以示天下後世者, 皆可考也.

성인은 또 그 빼어난 것 가운데 빼어난 것을 얻어서 가장 영험한 자이다. 이에 천天을 계승하여 인도人道의 표준을 세우고 도통道統의 전수를 얻었으므로, 천지와 셋이 되어 화육을 도울 수 있고[23] 인륜을 총괄해서 다스릴 수 있으니, 사람마다 각각 그 생명을 이루게 하고 각각 그 성性을 온전하게 하도록 하는 것과, 도통을 드러내 밝혀서 천하의 후세 사람들에게 보여준 까닭을 모두 고찰할 수 있다.

堯之命舜, 則曰'允執厥中.' '中'者, 無所偏倚·無過不及之名也. 存諸心而無偏倚, 措之事而無過不及, 則合乎太極矣. 此堯之得於天者, 舜之得統於堯也.

요임금은 순임금에게 명하여, '진실로 그 중中을 잡아라.'고 하였다.[24] 여기에서 '중中'은 편벽됨과 치우침이 없으며 지나침과 모자람이 없는 것을 이름지은 것이다.[25] 마음속에 보존하되 편벽됨과 치우침이 없으며 일에 시행하되 지나침과 모자람이 없으면, 태극에 합치된다. 이것은 요임금이 천天에서 얻은 것이고, 순임금이 요임금에게서 도통을 얻은 것이다.

舜之命禹, 則曰'人心惟危, 道心惟微, 惟精惟一, 允執厥中.' 舜因堯之命而推其所以執中之由, 以爲人心, 形氣之私也 ; 道心, 性命之正也 ; 精以察之, 一以守之, 則道心爲主, 而人心聽命

주돈이의 『太極圖說』에서는 "무극의 진실함과 음양·오행의 순수함이 오묘하게 결합하여 응취한다. 하늘의 도는 남성을 이루고 땅의 도는 여성을 이룬다. 두 기가 교접하고 감응하여 만물을 변화·생성한다. 만물이 낳고 낳아 변화가 끝이 없다.(無極之眞, 二五之精, 妙合而凝. 乾道成男, 坤道成女. 二氣交感, 化生萬物. 萬物生生而變化無窮焉.)"라고 하였다.

23 천지와 셋이 … 있고 : 『中庸』 22장에서, "오직 천하에 至誠한 사람만이 그 性을 다 발휘할 수 있으니, 그 성을 다 발휘할 수 있으면 다른 사람들의 성을 다 발휘할 수 있을 것이고, 사람의 성을 다 발휘할 수 있으면 사물의 성을 다 발휘할 수 있을 것이며, 사물의 성을 다 발휘할 수 있으면 천지의 化育을 도울 수 있고, 천지의 화육을 도울 수 있으면 천지와 더불어 셋이 될 수 있을 것이다.(唯天下至誠, 爲能盡其性 ; 能盡其性, 則能盡人之性 ; 能盡人之性, 則能盡物之性 ; 能盡物之性, 則可以贊天地之化育 ; 可以贊天地之化育, 則可以與天地參矣.)"라고 하였다.

24 요임금은 순임금에게 … 하였다. : 『書經』 「禹書·大禹謨」의 『集傳』에서, "요임금이 순임금에게 고해줄 때에는 다만 '진실로 그 中을 잡아라.'고만 말했다.(堯之告舜, 但曰'允執其中.')"라고 하였다.

25 '中'은 편벽됨과 … 것이다. : 주자는 『中庸章句』에서 "중은 편벽되지 않고 치우치지 않으며 지나침과 모자람이 없는 것을 이름지은 것이며, 庸은 平常이다.(中者, 不偏不倚·無過不及之名 ; 庸, 平常也.)"라고 하였다.

焉. 則存之心, 措之事, 信能執其中. 曰精曰一, 此又舜之得統於堯, 禹之得統於舜者也.

순임금은 우임금에게 명하여, '인심人心은 위태롭고 도심道心은 은미하니, 정밀하고 한결같아야 진실로 그 중中을 잡을 것이다.'고 하였다.[26] 순임금은 요임금의 명에 따라서 그 중中을 잡아야 하는 까닭을 미루어서, 인심人心은 형기形氣의 사사로운 것이고 도심道心은 성명性命의 바른 것이니, 그것을 정밀하게 살피고 한결같이 지키면 도심이 주인이 되고 인심이 도심의 명령을 따르게 될 것이라고 여겼다. 그렇게 되면 마음속에 보존하는 것과 일에 시행되는 것이 진실로 그 중中을 잡을 수 있을 것이다. '정밀하다.'와 '한결같다.'라고 말한 것은 또 순임금이 요임금에게서 도통을 얻은 것이고 우임금이 순임금에게서 도통을 얻은 것이다.

其在成湯, 則曰'以義制事, 以禮制心', 此又因堯之中, 舜之精一, 而推其制之之法. 制心以禮, 制事以義, 則道心常存, 而中可執矣. 曰'禮'曰'義', 此又湯之得統於禹者也.

그것이 탕임금에게 있어서는, '의義로써 일을 제재制裁하고 예禮로써 마음을 제재制裁할 것이다.'[27]라고 하였다. 이것은 또 요임금의 중中과 순임금의 정精·일一을 따라서 그것을 제재하는 법도를 미루어 나간 것이다. 예禮로써 마음을 제재하고 의義로써 일을 제재하면 도심道心이 항상 보존되고 중中을 잡을 수 있을 것이다. '예'와 '의'를 말한 것은 또 탕임금이 우임금에게서 도통을 얻은 것이다.

其在文王, 則曰'不顯亦臨, 無射亦保', 此湯之以禮制心也; '不聞亦式, 不諫亦入', 此湯之以義制事也. 此文王之得統於湯者也.

그것이 문왕文王에게 있어서는, '드러나지 않은 곳에도 임한 듯이 하고 싫어함이 없는 데에도 또한 지킴이 있다.'[28]라고 하였으니, 이것은 탕임금의 예禮로써 마음을 제재하는 것이며, 또 '듣지 않아도 또한 법도에 맞고 간諫하지 않아도 또한 선善에 들어간다.'[29]라고 하였으니, 이것은 탕임금의 의義로써 일을 제재하는 것이다. 이것은 문왕이 탕임금에게서 도통을 얻은 것이다.

....

26 순임금은 우임금에게 … 하였다. : 『書經』「禹書·大禹謨」

27 '義로써 일을 … 것이다.' : 『序』「仲虺之誥」에서 "덕이 날로 새로워지면 萬邦이 그리워하고, 마음이 자만하면 九族이 마침내 離反할 것입니다. 王께서는 힘써 큰 덕을 밝혀서 백성들에게 中을 세우십시오. 義로 일을 制裁하고 禮로 마음을 制裁하여야 후손들에게 넉넉함을 드릴 것입니다.(德日新, 萬邦惟懷; 志自滿, 九族乃離. 王懋昭大德, 建中于民. 以義制事, 以禮制心, 垂裕後昆.)"라고 하였다.

28 '드러나지 않은 … 있다.' : 『詩』「大雅·文王之什·思齊」에서 "화락하게 궁중에 있을 때나 엄숙히 사당에 있을 때나, 드러나지 않은 곳에도 임한 듯이 하고 싫어함이 없는 데에도 또한 지킴이 있다.(雝雝在宮, 肅肅在廟. 不顯亦臨, 無射亦保.)"라고 하였다.

29 '듣지 않아도 … 들어간다.' : 『詩』「大雅·文王之什·思齊」에서 "큰 난을 끊지 못하였으나 빛나고 위대하여 하자가 없었으며, 듣지 않아도 또한 법도에 맞고 諫하지 않아도 또한 善에 들어간다.(肆戎疾不殄, 烈假不瑕. 不聞亦式, 不諫亦入.)"라고 하였다.

其在武王, 受丹書之戒, 則曰'敬勝怠者吉, 義勝欲者從.' 周公繫易爻之辭, 曰'敬以直內, 義以方外.' 曰'敬'者, 文王之所以制心也 ; 曰'義'者, 文王之所以制事也. 此武王 · 周公之得統於文王者也.

그것이 무왕武王에게 있어서는 단서丹書의 경계로 받았으니, '경건함이 태만을 이기는 자는 길하고, 의로움이 욕망을 이기는 자는 순조롭다.'30라고 하였다. 주공은 『역』의 효사爻辭에 붙여서 '경건하여 안을 곧게 하고 의로움으로 밖을 바르게 한다.'31라고 하였다. '경건함'이라고 말한 것은 문왕이 그렇게 마음을 제재한 것이고, '의로움'이라고 말한 것은 문왕이 그렇게 일을 제재한 것이다. 이것은 무왕과 주공이 문왕에게서 도통을 얻은 것이다.

至於夫子, 則曰'博學於文, 約之以禮.' 又曰'文 · 行 · 忠 · 信.' 又曰'克己復禮.' 其著之『大學』, 曰'格物 · 致知 · 誠意 · 正心 · 脩身 · 齊家 · 治國 · 平天下', 亦無非數聖人制心 · 制事之意焉. 此又孔子得統於周公者也.

공자에 이르러서는 '문헌을 널리 배우고 예禮로써 요약한다.'32라 하였고, 또 '문文[學文] · 행行[修行] · 충忠 · 신信'을33 말씀 하였으며, 또 '자기를 극복하여 예에 돌아간다.'34라고 하였다. 그것이 『대학』에 드러나서는, '격물 · 치지 · 성의 · 정심 · 수신 · 제가 · 치국 · 평천하'35이니, 그 또한 여러 성인들이 마음을 제

....

30 '경건함이 태만을 … 순조롭다.': 『大戴禮記』 권6 「武王踐阼」에서 "경건함이 태만을 이기는 자는 길하고, 태만함이 경건함을 이기는 자는 멸망한다. 의로움이 욕망을 이기는 자는 순조롭고, 욕망이 의로움을 이기는 자는 흉하다.(敬勝怠者吉, 怠勝敬者滅 ; 義勝欲者從, 欲勝義者凶.)"라고 하였다.

31 '경건하여 안을 … 한다.': 『易』 「坤 · 文言」에서 "直은 그 바름이고 方은 그 義다. 군자가 경건함으로 안을 곧게 하고 의로움으로 밖을 바르게 하여, 경건함과 의로움이 확립되면 德이 외롭지 않다. '곧고 바르고 위대하다. 익히지 않아도 이롭지 않음이 없다.'라고 한 것은 그 행하는 바를 의심하지 않는 것이다.(直, 其正也 ; 方, 其義也. 君子敬以直內, 義以方外, 敬義立而德不孤. '直方大, 不習无不利, 則不疑其所行也.')"라고 하였다.

32 '문헌을 널리 … 요약한다.': 『論語』 「雍也」에서 공자는 "군자가 문헌을 널리 배우고 禮로써 요약한다면 또한 도에 어긋나지 않을 것이다.(君子博學於文, 約之以禮, 亦可以弗畔矣夫.)"라고 하였다.

33 '文[學文] · 行[修行] · 忠 · 信'을: 『論語』 「述而」에서 "공자께서는 네 가지로써 가르쳤으니, 文[學文] · 行[修行] · 忠 · 信이었다.(子以四敎, 文, 行, 忠, 信.)"라고 하였다.

34 '자기를 극복하여 … 돌아간다.': 『論語』 「顏淵」에서 "顏淵이 仁에 대해 물었다. 공자가 대답했다. '자기를 극복하여 예에 돌아가는 것이 仁을 실천하는 것이다. 하루 동안이라도 자기를 극복하여 예에 돌아가면 천하 사람들이 인을 인정할 것이다. 인을 실천하는 것은 자기 몸에 달려 있지, 남에게 달려있는 것이겠는가?(顏淵問仁. 子曰, '克己復禮爲仁. 一日克己復禮, 天下歸仁焉. 爲仁由己, 而由人乎哉?')"라고 하였다.

35 '격물 · 치지 · 성의 · 정심 · 수신 · 제가 · 치국 · 평천하': 『大學』에서 "옛날에 明德을 천하에 밝히려고 하는 자는 먼저 그 나라를 다스리고, 그 나라를 다스리려고 하는 자는 먼저 그 집안을 가지런히 하고, 그 집안을 가지런히 하려고 하는 자는 먼저 그 몸을 닦고, 그 몸을 닦으려고 하는 자는 먼저 그 마음을 바르게 하고, 그 마음을 바르게 하려는 자는 먼저 그 뜻을 성실히 하고, 그 뜻을 성실히 하려고 하는 자는 먼저 그 知識을 지극히 하였으니, 지식을 지극히 함은 사물의 이치를 궁구함에 있다.(古之欲明明德於天下者, 先治其國 ; 欲治其國者, 先齊其家 ; 欲齊其家者, 先脩其身 ; 欲脩其身者, 先正其心 ; 欲正其心者, 先誠其意 ; 欲誠其意者, 先致

재하고 일을 제재하는 뜻이 아닌 것이 없다. 이것은 또 공자가 주공에게서 도통을 얻은 것이다.

顔子得於‘博文約禮’·‘克己復禮’之言, 曾子得之『大學』之義. 故其親受道統之傳者如此. 至於子思, 則先之以‘戒懼謹獨’, 次之以‘知·仁·勇’, 而終之以‘誠’. 至於孟子, 則先之以‘求放心’, 而次之以‘集義’, 終之以‘擴充.’ 此又孟子得統於子思者然也.

안자顔子顔回는 ‘문헌을 널리 배우고 예禮로써 요약한다.’와 ‘자기를 극복하여 예에 돌아간다.’라는 말에서 얻었고, 증자曾子曾參은 『대학』의 뜻을 얻었다. 그러므로 그 몸소 도통을 받은 것이 이와 같다. 자사子思孔伋의 경우는 먼저 ‘경계하여 삼가고 홀로 있을 때를 삼간다.’[36]라는 것으로부터 시작하여, ‘지知·인仁·용勇’[37]을 다음으로 하고, ‘성誠’으로 끝맺었다.[38] 맹자의 경우는 먼저 ‘잃어버린 마음을 찾는다.’[39]라는 것으로부터 시작하여, ‘의義를 축척한다.’[40]라는 것을 다음으로 하고, ‘확충하는 것’[41]으로 끝맺었다.

. . . .

其知 ; 致知在格物.)”라고 하였다.

36 ‘경계하여 삼가고 … 삼간다.’: 『中庸』 제1장에서 “道는 잠시도 떠날 수 없는 것이니, 떠날 수 있으면 도가 아니다. 이 때문에 군자는 그 보지 않는 것에도 경계하여 삼가고 그 듣지 않는 것에도 몹시 두려워한다. 은미한 것보다 더 잘 드러나는 것이 없고 미세한 것보다 더 잘 나타나는 것이 없으니, 군자는 홀로 있을 때를 삼간다.(道也者, 不可須臾離也, 可離非道也. 是故君子戒愼乎其所不睹, 恐懼乎其所不聞. 莫見乎隱, 莫顯乎微, 故君子愼其獨也.)”라고 하였다.

37 ‘知·仁·勇’: 『中庸』 제20장에서 “천하의 공통된 道가 다섯인데 그것을 실천하는 것은 세 가지이다. 군신관계와 부자관계와 부부관계와 형제관계와 친구관계의 사귐, 이 다섯 가지는 천하의 공통된 도이다. 知·仁·勇, 이 세 가지는 천하의 공통된 덕인데, 이것을 실천하는 것은 한 가지이다. … 공자가 말했다. ‘학문을 좋아하는 것은 知에 가깝고, 힘써 실천하는 것은 仁에 가까우며, 부끄러움을 아는 것은 勇에 가깝다. 이 세 가지를 알면 몸을 닦는 것을 알 것이고, 몸을 닦는 것을 알면 남을 다스리는 것을 알 것이며, 남을 다스리는 것을 알면 천하와 국가를 다스리는 것을 알 것이다.’(天下之達道五, 所以行之者三. 曰君臣也, 父子也, 夫婦也, 昆弟也, 朋友之交也, 五者天下之達道也. 知·仁·勇, 三者天下之達德也, 所以行之者一也. …子曰 : ‘好學近乎知, 力行近乎仁, 知恥近乎勇. 知斯三者, 則知所以脩身 ; 知所以脩身, 則知所以治人 ; 知所以治人, 則知所以治天下國家矣.’)”라고 하였다.

38 ‘誠’으로 끝맺었다. 『中庸』 제20장에서 “誠은 하늘의 道이고 誠하려고 하는 것은 사람의 道이다. 誠한 자는 힘쓰지 않고도 적절하며 생각하지 않고도 터득해서 조용히 道에 맞으니, 聖人이다. 誠하려고 하는 자는 善을 택하여 군게 잡는 자이다.(誠者, 天之道也 ; 誠之者, 人之道也. 誠者不勉而中, 不思而得, 從容中道, 聖人也. 誠之者, 擇善而固執之者也.)”라고 한 것 그 이하 각 장에서 ‘誠’에 대해 논한 전부를 가리킨다.

39 ‘잃어버린 마음을 찾는다.’: 『孟子』「告子上」에서 “맹자가 말했다. ‘仁은 사람의 마음이고, 義는 사람의 길이다. 그 길을 버리고 따르지 않으며, 그 마음을 잃어버리고 찾을 줄을 모르니, 애처롭다! 사람이 닭이나 개가 도망가면 찾을 줄을 알지만, 마음을 잃어버리고는 찾을 줄을 모른다. 學問하는 방법은 다른 것이 없으니, 그 잃어버린 마음을 찾는 것일 뿐이다.’(孟子曰, 仁, 人心也 ; 義, 人路也. 舍其路而弗由, 放其心而不知求, 哀哉! 人有雞犬放, 則知求之 ; 有放心, 而不知求. 學問之道無他, 求其放心而已矣.’)”라고 하였다.

40 ‘義를 축척한다.’: 『孟子』「公孫丑上」에서 “‘감히 묻겠습니다. 무엇을 浩然之氣라 합니까?’ 맹자가 대답했다. ‘말하기 어렵다. 그 氣됨이 지극히 크고 지극히 강하니, 정직함으로써 잘 기르고 해침이 없으면, 호연지기가 천지 사이에 꽉 차게 된다. 그 氣됨이 義와 道에 짝이 되니, 이것이 없으면 굶주리게 된다. 이 호연지기는 義를 축적하여 생겨나는 것이지, 義가 갑자기 엄습하여 취해지는 것은 아니다. 행하고서 마음에 부족하게

이것은 또 맹자가 자사에게서 도통을 얻은 것이 그러하다.

及至周子, 則以誠爲本, 以欲爲戒, 此又周子繼孔孟不傳之緒者也. 至二程子, 則曰'涵養須用敬, 進學則在致知.' 又曰'非明則動無所之, 非動則明無所用.' 而爲「四箴」以著克己之義焉, 此二程得統於周子者也.

주자周子[周惇頤]에 이르면, 성誠을 근본으로 삼고[42] 욕망을 경계할 것으로 삼았으니,[43] 이것은 또 주자周子가 공·맹이 전수하지 못한 단서를 계승한 것이다. 두 정선생(程顥·程頤)에 이르면, '함양涵養은 반드시 경敬공부를 통해서 해야 하며, 학문의 진전은 치지致知에 달려 있다.'[44]라고 하고, 또 '밝음이 아니면 행동이 지향할 곳이 없고, 행동이 아니면 밝음을 쓸 데가 없다.'[45]라고 하였으며, 「사잠四箴」으로 자기를 극복하는 의미를 드러내었으니,[46] 이것은 두 정선생이 주자周子에게서 도통을 얻은 것이다.

· · · · · · · · · · · · · · · · · · · ·

여기는 바가 있으면 호연지기가 굶주리게 된다. 나는 그 때문에 告子가 아직 義를 알지 못했다고 말한 것이니, 이는 義를 밖이라고 여기기 때문이다.('敢問何謂浩然之氣?' 曰, '難言也. 其爲氣也, 至大至剛, 以直養而無害, 則塞于天地之間. 其爲氣也, 配義與道; 無是, 餒也. 是集義所生者, 非義襲而取之也. 行有不慊於心, 則餒矣. 我故曰, 告子未嘗知義, 以其外之也.')라고 하였다.

41 '확충하는 것': 『孟子』「公孫丑上」에서 "사람이 이 四端을 가지고 있는 것은 마치 사람이 四肢를 가지고 있는 것과 같다. 이 사단을 가지고 있으면서도 스스로 仁義를 행할 수 없다고 말하는 자는 자신을 해치는 자이고, 자기 군주가 仁義를 행할 수 없다고 말하는 자는 군주를 해치는 자이다. 무릇 사단이 나에게 있는 것을 모두 다 확충할 줄 알면, 마치 불이 처음 타오르고 샘물이 처음 나오는 것과 같을 것이다. 만약 이것을 확충할 수 있으면 四海를 보호하기에 충분하지만, 만약 이것을 확충하지 못한다면 부모도 섬길 수 없을 것이다.(人之有是四端也, 猶其有四體也. 有是四端而自謂不能者, 自賊者也; 謂其君不能者, 賊其君者也. 凡有四端於我者, 知皆擴而充之矣, 若火之始然, 泉之始達. 苟能充之, 足以保四海; 苟不充之, 不足以事父母.)"라고 하였다.

42 誠을 근본으로 삼고: 주돈이는 『通書』「誠上」에서 "誠은 성인의 본령이다.(誠者, 聖人之本.)"라고 하였다.

43 욕망을 경계할 것으로 삼았으니: 주돈이는 『通書』「聖學」에서 "聖은 배울 수 있습니까? 대답했다. '그렇다.' 물었다. '요점이 있습니까? 대답했다. '있다.' '듣기를 청합니다.' 대답했다. '하나가 중요하다. 하나란 욕망이 없는 것이다. 욕망이 없으면 고요할 때 비어 있고, 움직일 때 곧아진다. 고요할 때 비어 있으면 밝고, 밝으면 통한다. 움직일 때 곧으면 공정하고, 공정하면 두루 미친다. 밝음과 통함과 공정함과 두루 미침은 거의 성인에 가깝다.'(聖可學乎? 曰, 可. 曰, 有要乎? 曰, 有. 請聞焉. 曰, 一爲要. 一者, 無欲也. 無欲, 則靜虛動直. 靜虛則明, 明則通. 動直則公, 公則溥. 明通公溥, 庶矣乎.)"라고 하였다.

44 '涵養은 반드시 … 있다.': 『河南程氏遺書』 권18

45 '밝음이 아니면 … 없다.': 程頤는 『伊川易傳』 권4 「豊」괘 初九에 대한 傳에서, "밝음이 아니면 비출 수 없고 행동이 아니면 행할 수 없으니, 서로 필요로 함이 形體와 그림자와 같고 서로 依賴함이 表裏와 같다. 初九는 밝음의 처음이고 九四는 움직임의 처음이니, 마땅히 서로 필요로 하여 그 쓰임을 이루어야 한다. 그러므로 비록 대등하나 서로 應하는 것이다. 자리가 서로 應하고 쓰임이 서로 依賴한다. … 밝음이 아니면 움직임이 갈 곳이 없고 움직임이 아니면 밝음이 소용이 없으니, 서로 資賴하여 씀을 이룬다.(非明无以照, 非動无以行, 相須猶形影, 相資猶表裏. 初九明之初, 九四動之初, 宜相須以 成其用. 故雖句而相應. 位則相應, 用則相資. … 蓋非明則動无所之, 非動則明无所用, 相資而成用.)"라고 하였다.

46 「四箴」으로 자기를 … 드러내었으니: 程頤는 『河南程氏文集』 권8 「四箴」에서, "顏淵[顏回]이 克己復禮의 條目을 묻자, 공자가 '禮가 아니면 보지 말고, 예가 아니면 듣지 말며, 예가 아니면 말하지 말고, 예가 아니면

先師文公之學見之四書, 而其要則尤以『大學』爲入道之序. 蓋持敬也, 自格物·致知·誠意·正心·脩身, 而見於齊家·治國·平天下, 外有以極其規模之大, 而內有以盡其節目之詳. 此又先師之得其統於二程者也.

선사先師(돌아가신 스승) 문공文公[朱熹]의 학문은 사서四書에 나타나는데, 그 요점은 특히 『대학』을 도에 들어가는 차례로 삼은 것이다. 경敬을 지키는 것이 격물·치지·성의·정심·수신으로부터 제가·치국·평천하에 나타나니, 밖으로는 그 규모가 지극히 커지게 되었고, 안으로는 그 절목節目이 매우 상세하게 되었다.[47] 이것은 또 선사先師[朱熹]가 두 정선생에게서 도통을 얻은 것이다.

· ·

움직이지 말라.'라고 하였다. 視·聽·言·動 이 네 가지는 몸의 작용이다. 마음속에서 말미암아 밖으로 응하는 것이니, 밖에서 제재하는 것은 그 마음속을 기르는 것이다. 안연이 이 가르침에 종사하였기 때문에 성인에 나아갔다. 후세에 성인을 배우는 자들은 마땅히 이것을 가슴속에 두고 잃지 말아야 할 것이다. 이에 箴을 지어서 스스로 경계한다. 視箴은, '마음은 본래 虛하니, 사물에 응함에 자취가 없다. 마음을 잡는 데는 요점이 있으니, 보는 것이 그 법이 된다. 사물의 눈앞에서 가려져 교착하면 그 마음은 그리로 옮겨가니, 이것을 밖에서 제재하여 그 안을 편안히 해야 한다. 克己復禮하여 오래되면 誠하게 될 것이다.' 聽箴은, '사람이 떳떳한 성품을 가지는 것은 天性에 근본 하였으나, 知가 외물에 유혹되고 외물과 동화하여 마침내 그 바름을 잃게 된다. 저 탁월한 선각자들은 그칠 데를 알아 定함이 있었다. 邪를 막고 誠을 보존해서 禮가 아니면 듣지 않았다.' 言箴은, '人心의 움직임은 말로 인하여 베풀어지니, 말을 할 때에 조급함과 경망함을 금해야 안이 고요하고 專一해지는 것이다. 하물며 이 말은 몸의 관건[樞機]으로서 전쟁을 일으키기도 하고 友好를 맺기도 하니, 길함과 흉함, 榮華와 모욕은 오직 말이 부르는 것이다. 말을 쉽게 하는 문제점은 허망해지고, 말을 번거롭게 하는 문제점은 支離해지며, 자신이 말을 함부로 하면 남도 거슬리고, 나가는 말이 도리에 어그러지면 오는 말도 이치에 어그러지는 것이다. 법도에 맞지 않으면 말하지 말아서 훈계하는 말을 공경해야 한다.' 動箴은, '哲人은 幾微를 알아 생각할 때에 성실히 하고, 志士는 행실을 힘써 행위에 지킨다. 天理를 순종하면 여유가 있고, 人欲을 따르면 위험하니, 다급할 때에도 잘 생각해서 전전긍긍하여 스스로를 잡아야 한다. 습관이 천성과 더불어 이루어지면 聖賢과 함께 돌아갈 것이다.'(顔淵問克己復禮之目, 夫子曰, '非禮勿視, 非禮勿聽, 非禮勿言, 非禮勿動.' 四者身之用也. 由乎中而應乎外, 制於外所以養其中也. 顔淵事斯語, 所以進於聖人. 後之學聖人者, 宜服膺而勿失也. 因箴以自警. 視箴, '心兮本虛, 應物無跡. 操之有要, 視爲之則. 蔽交於前, 其中則遷, 制之於外, 以安其內. 克己復禮, 久而誠矣.' 聽箴, '人有秉彝, 本乎天性, 知誘物化, 遂亡其正. 卓彼先覺, 知止有定. 閑邪存誠, 非禮勿聽.' 言箴, '人心之動, 因言以宣, 發禁躁妄, 內斯靜專. 矧是樞機, 興戎出好, 吉凶榮辱, 惟其所召. 傷易則誕, 傷煩則支, 己肆物忤, 出悖來違. 非法不道, 欽哉訓辭! 動箴, '哲人知幾, 誠之於思; 志士勵行, 守之於爲. 順理則裕, 從欲惟危; 造次克念, 戰兢自持. 習與性成, 聖賢同歸.')"라고 하였다.

47 敬을 지키는 … 되었다. : 주희는 『大學章句』「序」에서, "周나라가 쇠퇴하게 되자 어질고 성스러운 군주가 나오지 못하고, 학교의 정사가 닦아지지 못하여 교화가 침체되고 풍속이 무너지니, 이러할 때에는 공자 같은 성인이 있어도 군주와 스승의 지위를 얻어 정사와 가르침을 행할 수 없었다. 이에 홀로 先王의 법도를 취하여, 암송하면서 전해주는 방법으로 후세에 알려주었다. 『曲禮』·『少儀』·『內則』·『弟子職』 같은 여러 책은 진실로 小學의 支流와 분파이며, 이 책은 小學의 성공으로 인하여 大學의 밝은 법을 드러내었으니, 밖으로는 그 규모가 지극히 커지게 되었고, 안으로는 그 節目이 매우 상세하게 되었다.(及周之衰, 賢聖之君不作, 學校之政不修, 敎化陵夷, 風俗頹敗, 時則有若孔子之聖, 而不得君師之位以行其政敎. 於是, 獨取先王之法, 誦而傳之以詔後世. 若『曲禮』·『少儀』·『內則』·『弟子職』諸篇, 固小學之支流餘裔, 而此篇者, 則因小學之成功, 以著大學之明法, 外有以極其規模之大, 而內有以盡其節目之詳者也.)"라고 하였다.

聖賢相傳, 垂世立教, 粲然明白, 若天之垂象昭昭然而不可易也.[48] 故嘗撮其要指而明之, 居敬以立其本, 窮理以致其知, 克己以滅其私, 存誠以致其實. 以是四者而存諸心, 則千聖萬賢所以傳道而教人者, 不越乎此矣."[49]

성현이 서로 전수하여 세상에 드리우고 가르침을 세운 것이 찬연히 명백하니, 마치 천天이 그 모습을 드리운 것이 매우 밝아서 바뀔 수 없는 것과 같다. 그러므로 그 요지를 간추려서 밝힌 적이 있으니, 거경居敬으로 그 근본을 확립하고, 궁리窮理로 그 지식을 다 이루며, 극기克己로 그 사사로움을 없애고, 존성存誠(誠을 보존함)으로 그 진실을 다 이룬다는 것이다. 이 네 가지를 마음에 보존하면, 수많은 성현들이 도를 전수하여 사람들을 가르친 것이 이것을 벗어나지 않을 것이다."

[38-1-6]

北溪陳氏曰: "粵! 自羲皇作『易』, 首闢渾淪. 神農·黃帝相與繼天立極, 而宗統之傳有自來矣. 堯·舜·禹·湯·文·武更相授受, 中天地爲三綱五常之主. 皋陶·伊·傅·周·召又相與輔相, 施諸天下爲文明之治. 孔子不得行道之任, 乃集群聖之法, 作六經爲萬世師. 而回·參·伋·軻實傳之, 上下數千年無二說也.

북계 진씨北溪陳氏[陳淳][50]가 말했다. "아! 복희가 『역』을 지으니 처음으로 혼륜渾淪한 세상을 개벽하였다. 신농神農과 황제黃帝가 서로 교대로 천天을 계승하여 사람의 표준을 정립하니, 종통宗統(종족계통)의 전해짐이 유래가 있게 되었다. 요임금·순임금·우왕·탕왕·문왕·무왕이 번갈아 서로 주고받으니, 천지의 가운데에서 삼강오상의 주체가 되었다. 고요皋陶·이윤伊尹·부열傅說·주공周公·소공召公이 또 서로 교대로 재상으로 보좌하였으니, 온 세상에 베푼 것은 문명의 다스림이 되었다. 공자는 도를 시행하는 임무를 얻지 못하여 이에 여러 성인들의 법도를 모았으니, 육경을 지어 만세萬世의 스승이 되었다. 그리고 안회顔回·증삼曾參·공급孔伋·맹가孟軻가 그것을 전했으니, 아래위로 수 천년동안 두 가지 학설이 없었다.

軻之後失其傳, 天下騖於俗學, 蓋千數百餘年, 昏昏冥冥, 醉生夢死, 不自覺也. 及濂溪先生,[51]

....

48 若天之垂象昭昭然而不可易也.: 황간의 『勉齋集』 권3 「聖賢道統傳授總叙說」에는 이 구절 뒤에 "雖其詳畧之不同, 愈講而愈明也, 學者之所當遵承而固守也, 違乎是則差也.(비록 그것이 상세함과 간략함의 차이가 있지만, 강론하면 할수록 더욱 밝아져서, 배우는 사람들이 받들어 따르고 굳게 지켜야 할 것이니, 이것에 어긋나면 잘못된다.)"라는 말이 더 있다.

49 黃榦, 『勉齋集』 권3 「聖賢道統傳授總叙說」

50 陳淳(1159~1223): 자는 安卿이고, 호는 北溪이다. 송대 龍溪(현 복건성 漳州) 사람으로 주희가 장주 지사일 때 제자가 되어, 주희에게 '남쪽에 와서 나의 도가 진순 한 사람을 얻었다.'라는 칭찬을 받았다. 시호는 文安이다. 저서는 『字義詳講』·『論孟學庸口義』·『北溪大全集』 등이 있다.

51 及濂溪先生: 陳淳의 『北溪字義』「嚴陵講義·師友淵源」에는 "及我宋之興, 明聖相承, 太平日久, 天地眞元之氣復會. 於是, 濂溪先生.(우리 송나라가 일어나서 훌륭한 황제가 대를 이으니, 태평한 시절이 오래되어 천지의 眞元의 氣가 다시 모였다. 이에 염계선생이)"라고 되어 있다.

與河南二程先生, 卓然以先知先覺之資, 相繼而出. 濂溪不由師傳, 獨得於天. 提綱啓鑰, 其妙具在『太極』一圖, 而『通書』四十章, 又以發圖之所未盡. 上與羲皇之『易』相表裏, 而下以振孔·孟不傳之墜緒, 所謂再闢渾淪.

맹가孟軻 뒤에 그 전수가 실전失傳되어 세상 사람들은 세속적인 학문에 힘을 쏟았으니, 천 몇 백 여년 동안 암흑 속에서 취생몽사하면서도 스스로 깨닫지 못했다. 염계선생濂溪先生[周惇頤]에 이르러 하남河南 두 정선생(程顥·程頤)과 함께 탁월하게 선지선각先知先覺의 자질로 서로 이어서 세상에 나타났다. 염계는 스승의 전수를 거치지 않고 홀로 천天에서 얻었다. 그 제요提要와 관건은 그 오묘함이 『태극도』에 갖추어졌고, 『통서』 40장은 또 『태극도』가 다 밝히지 못한 것을 발휘하였다. 위로는 복희의 『역』과 서로 표리 관계를 이루고, 아래로는 공·맹이 전수하지 못한 잃어버린 단서를 진작시켰으니, 이른바 다시 혼륜한 세상을 개벽한 것이다.

二程親受其旨, 又從而光大之. 故天理之微, 人倫之著, 事物之衆, 鬼神之幽, 與凡造道入德之方, 脩己治人之術, 莫不秩然有條理, 備見於『易傳』·『遺書』, 使斯世之英才·志士得以探討服行, 而不失其所歸.

두 정선생(程顥·程頤)은 몸소 주돈이의 가르침을 받고 또 좇아서 그것을 빛나고 성대하게 했다. 그러므로 천리天理의 은미함과 인륜人倫의 두드러짐, 사물의 많음과 귀신의 그윽함 및 무릇 도에 나아가고 덕에 들어가는 방도와 자신을 수양하고 사람들을 다스리는 방법이, 질서정연하게 조리가 있지 않음이 없이 모두 『역전易傳』과 『유서遺書』에 갖추어져 있으니, 설령 요즘 세상의 영재英才와 지사志士라도 그것을 연구 토론하고 받들어 실천할 수 있으면, 그 귀착점을 잃지 않을 수 있을 것이다.

河洛之間, 斯文洋洋, 與洙泗並聞而知者, 有朱文公, 又卽其遺言遺旨,[52] 益精明而瑩白之. 上以達群聖之心, 下以統百家而會于一, 蓋所謂集諸儒之大成, 而嗣周·程之嫡統, 粹乎洙泗·濂洛之淵源者也."[53]

황하와 낙수洛水 사이에서[54] 이 학문이 충만할 때 수사洙泗(공자의 유학)[55]를 함께 듣고 안 사람으로 주문

....

52 又卽其遺言遺旨 : 진순의 『北溪字義』「嚴陵講義·師友淵源」에는 "又卽其微言遺旨"라고 되어 있다.

53 陳淳, 『北溪字義』「嚴陵講義·師友淵源」

54 황하와 洛水 사이에서 : 황하와 그 지류인 洛水 사이에서 살았던 二程의 학문을 말한다. 주자는 『朱文公文集』 권75 「語孟集義序」에서, "송나라가 일어난 지 100년 만에 황하와 洛水 사이에서 두 정선생(程顥·程頤)이 나온 뒤에 우리 도의 전수가 이어지게 되었다. 두 정선생은 공자와 맹자의 마음에 대하여 시대는 다르지만 부절처럼 일치했다.(宋興百年, 河洛之間, 有二程先生者出, 然後斯道之傳有繼. 其於孔子孟氏之心, 蓋異世而同符也.)"라고 하였다.

55 洙泗(공자의 유학) : 현 중국 산동성에 있는 洙水와 泗水를 가리킨다. 옛날에는 이 두 갈래 물이 泗水縣 북쪽에서 합류하여 내려오다가 曲阜 북쪽에서 둘로 나누어져 洙水는 북쪽으로 흐르고 泗水는 남쪽으로 흘렀다고 한다. 공자가 수수와 사수 사이에서 제자들을 모아 강학을 했기 때문에 洙泗는 공자 및 공자의 유학을 가리킨다.

공朱文公[朱熹]이 있었으니, 또 그가 남긴 말과 남긴 요지를 보면 더욱 정밀하고 분명하여 우리의 도를 밝게 빛냈다. 위로는 여러 성인의 마음에 도달했고 아래로는 여러 학파를 통괄하여 한 곳으로 모았으니, 이른바 유학을 집대성하였고 주돈이와 두 정선생의 적통嫡統을 이어서 수사洙泗(공자의 유학)와 염락濂洛 (주돈이와 두 정선생)[56]의 연원에 순수하게 접속한 사람이다.”

[38-1-7]
果齋李氏曰: “太極之妙, 立乎形氣未具之先, 而行乎氣形已具之內, 蓋'造化之樞紐, 品彙之根 柢'也. 人之生也, 全而得之, 其體則有仁·義·禮·智之性, 其用則有惻隱·羞惡·辭讓·是 非之情, 而心兼統焉. 以之應事接物, 莫不各有當然之則而自不容已者, 是則所謂道也.

과재 이씨果齋李氏[李方子][57]가 말했다. “태극의 오묘함은 형체와 기氣가 아직 갖추어지기 전에 정립되어, 기와 형체가 이미 갖추어진 것 속에서 유행하니, 대개 '조화의 중심축[58]이고 만물의 뿌리이다.'[59] 사람이 생겨남에 그것을 온전히 얻었으니, 그 본체[體]는 인·의·예·지의 성性을 가지고 있고, 그 작용[用]은 측은·수오·사양·시비의 정情을 가지고 있으며, 심心이 그것들을 겸해서 통괄한다. 그것을 가지고 사물에 대응하고 접촉할 때 각각 당연한 법칙이 있어서 스스로 그만둘 수 없는 것이 있으니,[60] 이것이

· ·

56 濂洛(주돈이와 두 정선생): 濂溪에 살던 주돈이와 洛水 부근에 살던 두 정선생(程顥·程頤)을 가리킨다.

57 李方子: 자는 公晦이고, 호는 果齋이다. 송대 昭武(현 복건성 邵武) 사람으로 1214년에 진사에 급제했고 泉州觀察推官·國子錄·通判辰州 등을 역임하였다. 泉州에 있을 때 眞德秀와 친밀하여 뒤에 탄핵당하기도 하였다. 주희의 고족제자로서 저서는 『朱子年譜』·『禹貢解』·『傳道精語』 등이 있다.

58 조화의 중심축: 樞紐의 樞는 북극성이나 문의 지도리와 같이 사물의 핵심 또는 핵심적 추동장치이고 뉴는 손잡이 끈과 같은 것으로, 요즘의 기계를 작동시키는 버튼 같은 것이다. 여기서는 앞으로 '중심축'으로 번역한다.

59 '조화의 중심축이고 … 뿌리이다.': 주자는 『太極解義』에서 “하늘의 일은 소리도 없고 냄새도 없지만' 실제로는 조화의 중심축이고 만물의 뿌리이다. 그러므로 '무극이면서 태극이다.'라고 말했으니, 태극 밖에 다시 무극이 있는 것이 아니다.('上天之載, 無聲無臭', 而實造化之樞紐, 品彙之根柢也. 故曰'無極而太極', 非太極之外復有無極也.)”라고 하였다.

60 각각 당연한 … 있으니: 주자는 『四書或問』 권2「大學或問」에서 “天道가 유행하여 造化하고 발육시킴에, 소리나 색깔 및 모습이 있으면서 천지간에 가득 차 있는 모든 것은 사물이다. 이미 어떤 사물이 있고나면 그 사물이 되는 근거는 각각 당연한 법칙이 있어서 스스로 그만둘 수 없는 것이 있다. 이것은 모두 天이 부여한 것을 얻은 것이지 사람이 그렇게 할 수 있는 것이 아니다.(天道流行, 造化發育, 凡有聲色貌象而盈於天地之間者, 皆物也. 既有是物, 則其所以爲是物者, 莫不各有當然之則, 而自不容已. 是皆得於天之所賦, 而非人之所能爲也.)”라고 하였다.

또 이 구절에 대해『朱子語類』권18, 82조목에서는, “天이 이 사물을 낳음에는 반드시 당연한 법칙이 있다. 그러므로 사람들은 그것을 붙잡아서 불변하는 도리로 삼으니 이 아름다운 덕을 좋아하지 않음이 없다. 사물마다 법칙이 있으니, 대개 임금은 임금의 법칙이 있고 신하는 신하의 법칙이 있다. '임금이 되어서는 仁에 머무른다.'는 것은 임금의 법칙이고, '신하가 되어서는 敬에 머무른다.'는 것은 신하의 법칙이다. 예컨대 귀에는 귀의 법칙이 있고, 눈에는 눈의 법칙이 있다. '멀리 보아서 밝은 것'은 눈의 법칙이고, '덕을 들어서 총명한 것'은 귀의 법칙이다. '언사가 유창하여 조리가 있는 것'은 말의 법칙이고, '공경해서 엄숙한 것'은 용모의 법칙이다. 팔다리 사지와 온 몸의 뼈(사람의 신체)·만물만사가 각기 그 당연한 법칙을 가지지 않음이 없으니

이른바 도道이다.

斯道也, 無物不有, 大而至於天地之運, 小而至於一塵之微, 不能外也. 無時不然, 遠而至於古
今之變, 近而至於一息之頃, 不能違也. '分而言之, 一物各具一太極也 ; 合而言之, 萬物體統
一太極也.' 是故, 自一而萬, 則體統燦然而不可亂 ; 自萬而一, 則根本渾然而未嘗離. '體用一
源也. 隱顯無間也.' 朱子之道之至, 其與太極爲一者歟!

이 도는 그 어떠한 사물도 없는 것이 없으니, 크게는 천지의 운행에 이르고 작게는 먼지같이 미세한
것에 이르기까지 벗어날 수 없다. 또 그 어떤 때에도 그렇지 않음이 없으니, 멀게는 고금의 변화에 이르
고 가깝게는 숨 한 번 쉬는 순간에 이르기까지 위배할 수 없다. '나누어서 말하면 하나의 사물마다 각각
하나의 태극을 구비하고 있으며, 종합해서 말하면 만물의 통체는 하나의 태극이다.'[61] 이 때문에 하나에
서부터 만 가지로 가면 통체는 찬연燦然하여 어지럽힐 수 없으며, 만 가지에서 하나로 가면 근본이 혼연
渾然하여 분리된 적이 없다. '본체와 작용은 근원이 하나이고, 현저한 것과 은미한 것은 틈이 없다.'[62]

· · · · · · · · · · · · · · · · · ·

자세하게 추론해 보면 모두 알 수 있다.(天之生此物, 必有箇當然之則. 故民執之以爲常道, 所以無不好此懿德.
物物有則, 蓋君有君之則, 臣有臣之則. '爲人君, 止於仁', 君之則也 ; '爲人臣, 止於敬', 臣之則也. 如耳有耳之則,
目有目之則. '視遠惟明', 目之則也 ; '聽德惟聰', 耳之則也. '從作乂', 言之則也 ; '恭作肅', 貌之則也. 四肢百骸,
萬物萬事, 莫不各有當然之則, 子細推之, 皆可見.)"라고 하였다.

61 '나누어서 말하면 … 태극이다.' : 주자는 『太極解義』에서 "남성과 여성의 측면에서 보면 남성과 여성이 각각
그 성을 하나씩 가지고 있으나 남성과 여성은 하나의 태극이다. 만물의 측면에서 보면 만물이 각각 그 성을
하나씩 가지고 있으나 만물은 하나의 태극이다. 종합해서 말하면 만물의 통체는 하나의 태극이며, 나누어서
말하면 하나의 사물마다 각각 하나의 태극을 구비하고 있다. 이른바 세상에는 성을 벗어난 사물이 없고 성은
있지 않은 곳이 없다는 것은 여기에서 더욱 그 전모를 볼 수 있다. 子思가 '군자는 큰 것을 말하면 세상
어느 것도 그것을 싣지 못하고, 작은 것을 말하면 세상 어느 것도 그것을 깨뜨리지 못한다.'라고 한 것이
이것을 말한다.(自男女而觀之, 則男女各一其性, 而男女一太極也. 自萬物而觀之, 則萬物各一其性, 而萬物一
太極也. 蓋合而言之, 萬物統體一太極也, 分而言之, 一物各具一太極也. 所謂天下無性外之物, 而性無不在者,
於此尤可以見其全矣. 子思子曰, '君子語大, 天下莫能載焉, 語小, 天下莫能破焉', 此之謂也.)"라고 하였다.

62 '본체와 작용은 … 없다.' : 이 말은 본래 程頤의 말이다. 程頤는 『易傳』「序」에서 "지극히 은미한 것은 理이고
지극히 드러나는 것은 象이다. 본체와 작용은 근원이 하나이고, 현저한 것과 은미한 것은 틈이 없다.(至微者,
理也 ; 至著者, 象也. 體用一源, 顯微无間.)"라고 하였다.
주자는 『太極解義』에서 이 구절에 대하여 "이른바 '본체와 작용은 근원이 하나이다.'라는 것은 程子(程頤)의
말이 이미 치밀하다. 그가 '본체와 작용은 근원이 하나이다.'라고 말한 것은 지극히 은미한 리의 관점에서
말한 것이니, 텅 비고 고요하여 아무런 조짐이 없는 가운데 온갖 모습이 환히 이미 갖추어져 있다는 것이다.
그가 '현저한 것과 은미한 것은 틈이 없다.'라고 말한 것은 지극히 드러난 모습의 관점에서 말한 것이니,
일과 사물에 이러한 리가 있지 않음이 없다는 것이다. 리를 말하면, 본체가 먼저이고 작용이 나중인데 이는
본체를 제시함에 작용의 리가 이미 갖추어져 있다는 것이니, 이것이 근원이 하나가 되는 근거이다. 일을
말하면 현저함이 먼저이고 은미함이 나중인데 이는 일에서 리의 본체를 볼 수 있다는 것이니, 이것이 틈이
없게 되는 근거이다. 그렇다면 이른바 '근원이 하나이다.'라는 것이 어찌 정교함과 조잡함, 먼저와 나중을
자유롭게 말할 수 없는 것이겠는가? 더구나 이미 본체가 정립된 뒤에 작용이 유행한다고 말했으니, 또한

주자朱子의 도의 지극함은 아마 태극과 하나가 됨일 것이다!

蓋自夫子設教洙泗, 以'博文約禮'授學者. 顔子·子思·孟子相與共守之, 未嘗失墜. 其後正學
失傳, 士各以意爲學. 其務於該洽者, 旣以聞見積累自矜, 而流於泛濫駁雜之歸. 其溺於徑約
者, 又謂不立文字可以識心見性, 而陷於曠蕩空虛之域.

공자가 수사洙泗에서 가르침을 펼쳐, '글을 널리 배우고 예禮로써 요약한다.'라는 것을 배우는 사람들에게
가르쳐 주었을 것이다. 안자와 자사와 맹자는 서로 교대로 함께 그것을 지켰으니 그 가르침이 실추된
적이 없었다. 그 뒤에 바른 학문이 실전失傳되니 선비들은 각자 자신이 생각하는 것을 학문이라고 여겼
다. 그 가운데 너르기에 힘쓰는 사람들은 이미 보고들은 것이 누적된 것을 가지고 스스로 자랑하여
흘러넘치고 잡박한 데로 귀결되어 버렸다. 또 그 가운데 요약하는 데에 빠진 사람들은 문자에 의지하지
않고도 심心을 인식하고 성性을 알 수 있다고 말하면서 끝없이 아득한 공허의 지경에 빠졌다.

寥寥千載, 而後周·程·張子出焉. 歷時未久, 浸失其眞. 朱子出, 而後合伊洛之正傳, 紹鄒魯
之墜緒, 前賢後賢之道, 該徧全體, 其亦可謂盛矣.

공허하게 천년이 지나간 뒤에 주돈이, 두 정선생, 장자張子(張載)가 나왔다. 그러나 그리 오래지 않아
그 진수를 점점 잃어버리게 되었다. 주자朱子(朱熹)가 나온 뒤에 이락伊洛(程顥·程頤를 가리킴)[63]의 바른
전수에 합치되었고, 추로鄒魯(공자·맹자를 가리킴)[64]의 실추된 단서를 이어서 앞의 현인과 뒤의 현인의
도道가 두루 전체가 갖추어졌으니, 또한 성대하다고 할 수 있겠다.

. . . .

먼저 이것이 있고 나중에 저것이 있다는 것도 문제되지 않는다.(若夫所謂 '體用一源'者, 程子之言蓋已密矣.
其曰, '體用一源'者, 以至微之理言之, 則沖漠無朕而萬象昭然已具也. 其曰'顯微無間'者, 以至著之象言之, 則卽
事卽物而此理無乎不在也. 自理則先體而後用, 蓋擧體而用之理已具, 是所以爲一源也. 言事則先顯而後微, 蓋
卽事而理之體可見, 是所以爲無間也. 然則所謂一源者, 是豈漫無精粗先後之可言哉? 況旣曰體立而後用行, 則
亦不嫌於先有此而後有彼矣.)"라고 하였다.

또한 주자는 『朱文公文集』 권40 「答何叔京」에서, "'본체와 작용은 근원이 하나이다.'라는 것은, 리로부터 보면
리는 본체가 되고 모습은 작용이 되어 리 가운데 모습이 있으니, 이것이 '근원이 하나이다.'라는 것이다. '현저
한 것과 은미한 것은 틈이 없다.'라는 것은 모습으로 보면 모습은 현저하고 리는 은미하여 모습 가운데 리가
있으니, 이것이 '틈이 없다.'라는 것이다. … 또 이미 리가 있고 난 뒤에 모습이 있다고 말하면, 리와 모습은
하나가 아니므로 伊川(程頤)은 다만 '근원이 하나이다.'와 '틈이 없다.'라고 말했을 뿐이다. 실제로는 본체와
작용, 현저함과 은미함의 구별이 없을 수 없다.('體用一源'者, 自理而觀, 則理爲體, 象爲用, 而理中有象, 是一
源也. '顯微無間'者, 自象而觀, 則象爲顯, 理爲微, 而象中有理, 是無間也. … 且旣曰有理而後有象, 則理象便非
一物, 故伊川但言其一源與無間耳. 其實體用顯微之分, 則不能無也.)"라고 하였다.

63 伊洛(程顥·程頤를 가리킴): 원래 洛陽 부근의 伊水와 洛水를 가리키는데, 여기에서 살면서 성리학을 강론한
程顥·程頤 형제를 지칭하게 되었다.

64 鄒魯(공자·맹자를 가리킴): 춘추전국 시대 공자의 고향인 魯나라와 맹자의 고향인 鄒나라를 가리키는 것으
로서, 공자와 맹자 혹은 유학을 지칭하게 되었다.

蓋古者『易』更三古而混於八索,『詩』·『書』煩亂,『禮』·『樂』散亡, 而莫克正也. 夫子從而贊
之定之, 刪之正之. 又作『春秋』, 六經始備, 以爲萬世道德之宗主. 秦火之餘, 六經旣已爛脫,
諸儒各以己見妄穿鑿爲說, 未嘗有知道者也.

옛날에 『역』은 삼고三古(세 번의 고대)를 번갈아 가면서[65] 『팔삭八索』[66]에 섞였고, 『시』와 『서』는 산란해졌
으며, 『예』와 『악』은 흩어져 없어졌으니 바르게 할 수 없었다. 공자는 그것을 좇아서 보태어 확정하고
덜어내어 바로잡았다.[67] 또 『춘추』를 지어 육경이 비로소 갖추어지니, 그것으로 만세토록 영원한 도덕의
종주宗主를 삼았다. 진秦나라의 분서갱유를 겪은 뒤에 육경이 이미 불길에 문드러져 떨어져나가, 여러
학자들은 각각 자신의 견해로 망령되이 천착한 것을 가지고 학설을 삼으니, 도를 아는 사람이 없었다.

周·程·張子, 其道明矣, 然於經言未暇釐正, 一時從游之士, 或殊其旨遁而入於異端者有矣.
朱子於是考訂訛謬, 探索深微, 總裁大典, 勒成一家之言, 仰包純古之載籍, 下採近世之文獻,
集其大成以定萬世之法. 然後斯道大明, 如日中天, 有目者皆可觀也. 夫子之經, 得先生而正
; 夫子之道, 得先生而明. 起斯文於將墜, 覺來裔於無窮, 雖與天壤俱弊可也. 後世雖有作者,
其不可及也夫!"[68]

주돈이, 두 정선생, 장자張子(張載)는 그 도道가 분명하였지만, 경전의 말에 대하여 정리할 겨를이 없었으
니, 한 때 그들을 따르던 선비들 가운데 혹 그 취지를 달리하여 이단에 숨어 들어간 자도 있었다. 주자朱
子(朱熹)가 이에 잘못된 것을 고증해서 교정하고, 깊고 은미한 이치를 탐색함으로써, 대전大典(유학의 주요
경전)을 총괄하여 한 학파의 학설을 확실히 이루었으니, 위로 우러르는 순수한 고대의 전적典籍을 포괄하
고 아래로는 근세의 문헌을 채취한 것으로써 집대성하여 만세토록 영원한 법도를 확정하였다. 그런
뒤에 이 도는 크게 밝아졌으니, 마치 해가 중천中天에 떠 있어 눈이 있는 사람이라면 모두 볼 수 있는
것과 같이 되었다. 공자의 경전은 선생(주자를 가리킴)을 얻어서 바로잡혔고, 공자의 도는 선생을
얻어서 밝아졌다. 이 학문을 추락하려는 데에서 일으켜 세우고 후예들을 무궁히 깨닫도록 한 것은, 비록

---

65 옛날에 『易』은 … 가면서 : 『前漢書』 권30 「藝文志」에서, "『易』의 도는 심오하니, 사람으로는 세 사람의 성인
을 번갈아 들었고, 시대로는 세 번의 고대를 거쳤다.(『易』道深矣, 人更三聖, 世歷三古.)"라고 하였다. 이 구절
에 대해 孟康은 다음과 같이 주석하였다. "『易』「繫辭傳」에서 『易』이 흥성한 것은 아마 中古시대였을 것이다!
라고 하였다. 그렇다면 복희 시대는 上古시대가 되고, 문왕 시대는 中古시대가 되며, 공자시대는 下古시대가
된다.(『易』「繫辭」曰, 『易』之興, 其於中古乎? 然則伏羲為上古, 文王為中古, 孔子為下古.)"
66 『八索』 : 『八索』은 『春秋左傳』「昭公 12년」에 보이는데, 孔穎達의 疏에서, 孔安國의 『尚書』「序」의 "8괘에
대한 이론을 『八索』이라고 한다. '삭'은 그 의미를 찾는다는 것이다.(八卦之說, 謂之『八索』. '索', 求其義也.)"
라는 말을 인용하였고, 또 賈逵의 "팔삭은 8왕의 법도이다.(八索, 八王之法.)"라는 말도 인용하였다.
67 보태어 확정하고 … 바로잡았다. : 공자가 평생 이룩한 『周易』의 주석을 짓고(贊周易) 『禮』·『樂』을 정하고(定
禮樂), 『詩』·『書』를 덜어내고(刪詩書) 『春秋』를 정리한(修春秋) 것을 말한다. 위에서는 '修'를 '正'으로 바꾸어
표현한 것이다.
68 眞德秀의 『西山讀書記』 권31 「朱子傳授」에서 李方子의 말로 실려 있다.

천지와 함께 없어질 것이라고 해도 맞을 것이다. 후세에 비록 뛰어난 사람이 생기더라도 아마 주자를 미치지 못할 것이다!"

[38-1-8]

西山眞氏曰: "道之大原出於天', 其用在天下, 其傳在聖賢. 此子思子之『中庸』所以有性·道·敎之別也. 蓋性者, 智愚所同得; 道者, 古今所共由. 而明道闡敎以覺斯人, 則非聖賢莫能與. 故自堯·舜至於孔子, 率五百歲而聖人出.

서산 진씨西山眞氏[眞德秀][69]가 말했다. "'도道의 큰 근원은 천天에서 나왔고',[70] 그 작용은 천하에 있으며, 그 전수는 성현에게 있다. 이것이 자사子思[孔伋]의 『중용』에서 성性과 도道와 교敎(가르침)의 구별이 있게 된 까닭이다.[71] 성性은 지혜로운 사람이나 어리석은 사람이라도 똑같이 얻는 것이고, 도道는 예로부터 지금까지 공통적으로 경유해온 것이다. 그런데 도를 밝히고 교敎(가르침)를 펼쳐서 사람들을 깨닫게 하는 것은 성현이 아니면 참여할 수 없다. 그러므로 요임금·순임금으로부터 공자에 이르기까지 대략 5백 년 만에 성인이 나왔다.

孔子旣沒, 曾子·子思與孟軻氏復先後而推明之. 百有餘年之間, 一聖三賢, 更相授受, 然後堯·舜·禹·湯·文·武·周公之所以開天常立人紀者, 粲然昭陳, 垂示罔極. 然則天之生聖賢也, 夫豈苟然哉?

공자가 죽은 뒤 증자·자사와 맹자가 다시 앞뒤로 그것을 미루어 밝혔다. 백여 년 사이에 한 분의 성인과 세 분의 현인이 번갈아 가면서 서로 주고받은 뒤에, 요임금·순임금·우임금·탕임금·문왕·무왕·주공이 천天의 불변하는 도리를 열어서 사람의 표준을 정립한 것이 찬연히 환하게 펼쳐졌고, 후세에 드리워 보여준 것이 끝이 없게 되었다. 그렇다면 천天이 성현을 생겨나게 한 것이 어찌 구차하게 한 것이겠는가?

· ·

69 眞德秀(1178~1235): 자는 希元·景元·景希이고, 호는 西山이며, 시호는 文忠이다. 송대 浦城(복건성 蒲城) 사람으로 1199년에 진사에 급제하여 太學正·參知政事에 이르렀다. 어려서는 주희의 문인인 詹體仁에게 배우고, 스스로 '주희를 사숙하여 얻은 것이 있다'라고 하였다. 특히 『대학』을 중시하여 窮理·持敬을 강조하였다. 저서는 『大學衍義』·『四書集編』·『讀書記』·『文章正宗』·『唐書考疑』·『西山文集』 등이 있다.

70 '도의 큰 … 나왔고': 『前漢書』 권56 「董仲舒傳」에서 동중서는 "도의 큰 근원은 天에서 나왔다. 천이 변하지 않으니 도 또한 변하지 않는다. 이렇기 때문에 우임금은 순임금을 계승하였고 순임금은 요임금을 계승하였다. 세 분의 성인이 서로 받으면서도 하나의 도를 지켰으니, 폐단을 구제하는 정사가 없었다. 그러므로 거기에서 덜어내고 보탠다고 말하지 않았다.(道之大原出於天, 天不變, 道亦不變. 是以禹繼舜, 舜繼堯. 三聖相受而守一道, 亡救弊之政也. 故不言其所損益也.)"라고 하였다.

71 『中庸』에서 性과 … 까닭이다.: 『中庸』 제1장에서 "天이 명령한 것을 性이라 하고, 性을 따르는 것을 道라 하며, 道를 닦는 것을 敎라 한다.(天命之謂性, 率性之謂道, 脩道之謂敎.)"라고 한 것을 가리킨다.

不幸戰國贏秦以後, 學術渙散, 無所統盟. 雖以董相·韓文公之賢, 相望于漢·唐, 而於淵源之正, 體用之全, 猶有未究其極者. 故僅能著衛道之功於一時, 而無以任傳道之責於萬世. 迨至我宋,[72] 大儒繼出, 以主張斯文爲己任. 蓋孔·孟之道至周子而復明, 周子之道至二程子而益明, 二程之道至朱子而大明. 其視曾子·子思·鄒孟氏之傳, 若合符節, 豈人之所能爲也哉? 天也!"[73]

불행하게도 전국시대 진秦왕조 이후에 학술이 흩어져서 통합적으로 동맹하는 것이 없었다. 비록 동상董相[董仲舒]과 한문공韓文公[韓愈] 같은 현인으로 한漢나라와 당唐나라를 이어왔지만, 연원의 바름과 체용의 온전함에 대해서는 여전히 아직 그 궁극을 연구하지 못한 점이 있다. 그러므로 다만 한 때 도를 호위한 공로를 드러낼 수 있지만 만세토록 도를 전수하는 책임을 맡을 수 없었다. 우리 송宋나라에 이르러 큰 학자가 계속 나와서 이 학문을 주장하는 것을 자기의 임무로 여겼다. 공자·맹자의 도는 주자周子[周惇頤]에 이르러 다시 밝아졌고, 주자周子의 도는 두 정선생(程顥·程頤)에 이르러 더욱 밝아졌으며, 두 정선생의 도는 주자朱子[朱熹]에 이르러 크게 밝아졌다. 그것을 증자·자사·맹자가 전수한 것과 비교해 보면 마치 부절이 합치되는 것 같으니, 어찌 사람이 그렇게 할 수 있는 것이겠는가? 천天이 그렇게 했을 것이다!"

[38-1-9]

臨川吳氏曰: "'道之大原出於天.' 羲·農·黃帝繼天立極, 是謂三皇. 道統之傳, 實始於此. 黃帝而後, 少暭·顓帝·高辛繼之, 通堯·舜謂之五帝. 堯·舜·禹·皋君臣也, 而並生唐虞之際, 所以爲盛也. 成湯·伊尹生於商之初興, 而傅說生於商之中世. 文·武·周·召生於周之盛際, 而孔子生於周之旣衰.

임천 오씨臨川吳氏[吳澄][74]가 말했다. "'도의 큰 근원은 천天에서 나왔다.'[75] 복희·신농·황제黃帝가 천天을 계승하여 사람의 표준을 정립하였으니, 이를 일러 삼황三皇이라고 한다. 도통의 전수는 실로 여기에서 시작하였다. 황제 뒤에 소호少暭·전제顓帝·고신高辛이 뒤를 이었고 요임금·순임금과 통틀어 오제五帝라고 한다. 요임금·순임금·우임금·고요皋陶는 군신관계로 함께 당우唐虞[堯舜] 시대에 살았기 때문에

. . . .

72 迨至我宋: 眞德秀의 『西山文集』 권26 「南雄州學四先生祠堂記」에는 "天啓聖朝, 文治休洽, 於是, 天禧·明道以來, 迄於中興之世(天이 성스러운 조정을 열어 文治가 두루 넓혀지니, 이에 天禧·明道 연간 이래로 중흥의 세상에 이르기까지)"라고 되어 있다.

73 眞德秀, 『西山文集』 권26 「南雄州學四先生祠堂記」

74 吳澄(1249~1333): 자는 幼淸이고, 세칭 草廬先生이라 한다. 宋元 교체기의 崇仁(현 강서성 소속) 사람으로 國子監司業·翰林學士를 역임하였다. 시호는 文正이다. 그의 학문은 주로 주희와 육구연의 사상을 절충하는 경향이 있으며, 특히 주희 이래의 道統을 은연중에 자임하고 있다. 저서는 『學基』·『學統』·『書·易·春秋·禮記纂言』·『吳文正公集』·『孝經章句』 등이 있고, 『皇極經世書』·『老子』·『莊子』·『太玄經』·『八陣圖』·『郭璞葬書』를 교정했다.

75 '도의 큰 … 나왔다.' : [38-1-8]의 각주 참조

융성하게 되었다. 탕湯임금과 이윤伊尹은 상商나라가 처음 일어났을 때 태어났고 부열傳說은 상나라 중엽에 태어났다. 문왕·무왕·주공周公·소공召公은 주周나라가 융성할 때 태어났고 공자는 주나라가 이미 쇠퇴해진 뒤에 태어났다.

夫子以來始不得位, 而聖人之道不行. 於是始敎授弟子, 而惟顔·曾得其傳. 顔子早死. 曾子傳之子思, 子思傳之孟子, 孟子沒而不得其傳焉. 至周子始有以接乎孟子之傳於千載之下. 二程子則師於周子而傳其學. 後又有朱子, 集周·程之大成. 是皆得夫道統之傳者也. 聖賢繼作, 前後相承, 吾道正脈, 賴以不墜."

공자 이래 비로소 (군주의) 지위를 얻지 못해 성인의 도가 시행되지 못했다. 이에 처음으로 제자들을 가르쳤는데 오직 안자顔子[顔回]와 증자曾子[曾參]만이 그 전수를 얻었다. 안자는 일찍 죽었다. 증자는 자사子思에게 전수해 주고 자사는 맹자에게 전수해 주었는데 맹자가 죽자 그 전수를 얻을 수 없었다. 주자周子[周惇頤]에 이르러 처음으로 맹자가 전수한 것을 천 년 뒤에 접할 수 있었다. 두 정선생(程顥·程頤)은 주자周子를 스승으로 삼아 그 학문을 전수받았다. 뒤에 또 주자朱子[朱熹]가 나와서 주자周子와 두 정선생(程顥·程頤)의 학문을 집대성하였다. 이것이 모두 도통의 전수를 얻은 사람들이다. 성현이 계속해서 나오고 앞뒤로 서로 계승하니, 우리 도의 정맥正脈이 그것에 의지하여 추락하지 않았다."

聖賢
성현

總論 총론

[38-2-1]

程子曰: "氣化之在人與在天, 一也, 聖人於其間有功用而已."[1]

정자가 말했다. "기화氣化(세상사의 변천)는 사람에게 있는 것과 천天에 있는 것이 마찬가지인데, 성인은 그 사이에서 공용功用(공효와 작용)이 있을 뿐이다."

[38-2-2]

問揚子云"觀乎天地, 則見聖人."

曰: "不然. 觀乎聖人, 則見天地."[2]

양자揚子(揚雄)가 "천지를 살펴보면 성인을 알 수 있다."라고 한 말에 대해 묻습니다.

(정자가) 대답했다. "그렇지 않다. 성인을 살펴보면 천지를 알 수 있다."

[38-2-3]

"聖人卽天地也. 天地中善惡一切函容覆載.[3] 故聖人之志, 止欲'老者安之, 朋友信之, 少者懷

---

1 『河南程氏粹言』권下「天地篇」

2 『河南程氏外書』권11「時氏本拾遺」

3 天地中善惡一切函容覆載. : 『河南程氏遺書』권2上에는 "天地中何物不有? 天地豈嘗有心揀別善惡? 一切涵容覆載, 但處之有道爾. 若善者親之, 不善者遠之, 則物不與者多矣, 安得爲天地?(천지 가운데에는 그 어떤 것도 있지 않은 것이 없다. 천지가 어찌 心을 가지고 선과 악을 분별한 적이 있었는가? 일체를 포용하여 덮고 싣고 있지만 처리하는 데에 도가 있을 뿐이다. 만약 선한 것은 친근하게 처리하고 선하지 않은 것은 소원하게

之.'"4

(정자가 말했다.) "성인은 곧 천지이다. 천지 가운데에는 선과 악 등 일체를 포용하여 덮고 싣고 있다. 그러므로 성인이 지향하는 것은 다만 '늙은이를 편안하게 해주고 친구들을 믿게 해주며, 나이가 적은 사람들을 품어 주려고 할'5 뿐이다."

[38-2-4]

"聖人天地之用也."6

(정자가 말했다.) "성인은 천지의 작용[用]이다."

[38-2-5]

"聖人之心, 如天地之造化, 生養萬物而不尸其功, 應物而見於彼, 復何存於此乎?"7

(정자가 말했다.) "성인의 마음은 마치 천지의 조화[造化]와 같아 만물을 생겨나게 하고 기르지만 그 공로를 차지하지 않으니, 사물에 대응하면 사물에서 나타나지 다시 자신에게 무엇을 남겨두겠는가?"

[38-2-6]

"聖人一言卽全體用, 不期然而然也."8

(정자가 말했다.) "성인의 한 마디 말은 곧 체體와 용用을 전부 담고 있으니, 그렇게 하려고 기약하지 않아도 그렇게 된다."

[38-2-7]

"因是人有可喜則喜之, 聖人之心本無喜也 : 因是人有可怒則怒之, 聖人之心本無怒也."9

(정자가 말했다.) "사람들이 기뻐할 만한 것이 있으면 그것을 기뻐하니, 성인의 마음에는 본래 기뻐함이 없으며, 사람들이 노여워할 만한 것이 있으면 그것을 노여워하니, 성인의 마음에는 본래 노여워함이 없다."

[38-2-8]

"聖人之德無所不盛, 古之稱聖人者, 自其尤盛而言之. 尤盛者, 見於所遇也. 而或以爲聖人有

. . . .

처리한다면 사물이 함께하지 못할 것이 많으니, 어찌 천지가 될 수 있겠는가?)"라고 되어 있다.
4 『河南程氏遺書』 권2上
5 '늙은이를 편안하게 … 할' : 『論語』 「公冶長」
6 『河南程氏粹言』 권下 「人物篇」 ; 『河南程氏外書』 권3 「陳氏本拾遺」
7 『河南程氏粹言』 권下 「人物篇」
8 『河南程氏粹言』 권下 「人物篇」
9 『河南程氏粹言』 권下 「人物篇」

能有不能, 非知聖人者也."[10]

(정자가 말했다.) "성인의 덕은 융성하지 않은 곳이 없는데, 옛날 성인에 대해 말하는 사람은 그 가운데 더욱 융성함을 가지고 말했다. 더욱 융성하다고 하는 것은 그가 만났던 일에서 나타났다. 그런데 어떤 사람은 성인이 잘 하는 것도 있고 잘 하지 못하는 것도 있다고 말하는데 이런 사람은 성인을 아는 사람이 아니다."

[38-2-9]

"惟聖人善通變."[11]

(정자가 말했다.) "오직 성인만이 변통變通을 잘 한다."

[38-2-10]

"一行豈所以名聖人? 至於聖, 則自不可見, 何嘗道聖人孝 · 聖人廉?"[12]

(정자가 말했다.) "한 가지 행실로 어떻게 성인이라고 이름 붙일 수 있겠는가? 성인의 경지에 이르면 본래 볼 수 없으니, 어떻게 성인이 효성스럽다거나 성인이 청렴하다고 말한 적이 있었는가?"[13]

[38-2-11]

"聖人濟物之心無窮, 而力或有所不及."[14]

(정자가 말했다.) "성인이 만물을 구제하려는 마음은 끝이 없지만 힘이 간혹 미치지 못함이 있다."[15]

[38-2-12]

"聖人之責人也常緩, 便見只欲事正, 無顯人過惡之意."[16]

(정자가 말했다.) "성인이 다른 사람을 책망할 때는 늘 느슨한데, 이것은 곧 그가 다만 일이 바르게 되기를 바랄 뿐 다른 사람의 과오를 드러내려는 의도가 없다는 것을 알 수 있다."[17]

· · · · · · · · · · · · · · · · · · · ·

10 『河南程氏粹言』 권下 「人物篇」
11 『河南程氏粹言』 권下 「人物篇」
12 『河南程氏遺書』 권3
13 "한 가지 … 있었는가?" : 呂柟이 편찬한 『二程子抄釋』 권2에서는 이 구절에 대해, "성인의 도는 커서 이름 붙일 수 없다는 것을 설명했다.(釋聖道大不可名也.)"라고 주석하였다.
14 『河南程氏粹言』 권下 「人物篇」
15 "성인이 만물을 … 있다." : 『河南程氏經說』 권7 「論語說」에는 "'널리 백성들에게 베풀어서 많은 사람을 구제할 수 있다.' 널리 베푼다는 것은 두텁게 베푼다는 것이다. 넓어서 많은 사람들에게 미치는 것은 요임금 · 순임금도 그 어려움을 근심했다. 성인이 만물을 구제하려는 마음은 끝이 없지만 힘이 미치지 못할까 근심하였을 뿐이다.('博施於民, 而能濟衆.' 博施, 厚施也. 博而及衆, 堯 · 舜病其難也. 聖人濟物之心無窮已也, 患其力不能及耳.)"라고 하였다.
16 『河南程氏外書』 권7 「胡氏本拾遺」

[38-2-13]

"聖人無優劣, 有則非聖人也."[18]

(정자가 말했다.) "성인은 우열이 없으니, 있다면 성인이 아니다."[19]

[38-2-14]

"凡人有己必用才. 聖人忘己何才之足言."[20]

(정자가 말했다.) "보통 사람들은 '사사로운 자기를 가져[有己]' 반드시 자기의 재주를 써보려 하지만, 성인은 '사사로운 자기를 잊었는데[忘己]' 무슨 재주를 말할 필요가 있겠는가?"

[38-2-15]

"聖人責己感處多, 責人應處少."[21]

(정자가 말했다.) "성인의 자신에 대한 책망은 느끼는 곳이 많고, 남에 대한 책망은 대응하는 곳이 적다."

[38-2-16]

"聖人之心未嘗有, 志亦無不在. 蓋其道合內外, 體萬物."[22]

(정자가 말했다.) "성인의 마음은 있은 적이 없지만, '뜻을 둔 곳[志]'은 또한 있지 않는 데가 없다. 대개 성인의 도는 안팎을 합치하고 만물을 체찰體察하였다.[23][24]

---

17 "성인이 다른 … 있다." : 茅星來의 『近思錄集註』 권10에서는 이 구절에 대해, "다만 일이 바르게 되기를 바랄 뿐이라는 것은 공정함[公]이며, 다른 사람의 과오를 드러내려는 의도가 없다는 것은 恕이다. 公하고 恕하므로 다른 사람을 책망할 때는 늘 느슨하다.(只欲事正, 公也 ; 無顯人過惡之意, 恕也. 公而恕, 所以責人常緩.)"라고 주석하였다.

18 『河南程氏遺書』 권24

19 "성인은 우열이 … 아니다." : 呂柟이 편찬한 『二程子抄釋』 권6에서는 이 구절에 대해, "공자와 伊尹 및 柳下惠는 또한 같지 않음이 있다는 것을 설명했다.(釋孔子伊惠亦有不同.)"라고 주석하였다.

20 『河南程氏粹言』 권下 「人物篇」

21 眞德秀의 『西山讀書記』 권27 「廣大學」에서 程子의 말로 인용하였다.

22 『河南程氏粹言』 권下 「人物篇」

23 만물을 體察하였다. : 주자는 『朱子語類』 권101, 34조목에서 "마음이 광대해진 다음에 비로소 만물을 體察하였다. 대개 마음이 광대해지면 만물을 다 포용할 수 있기 때문에 이것을 體察할 수 있다. '體'는 '여러 신하를 체찰한다.'라고 할 때의 '체찰'이다.(心廣大後, 方能體萬物. 蓋心廣大, 則包得那萬物過, 故能體此. '體', 猶'體群臣'之'體'.)"라고 하였다.

24 "성인의 마음은 … 체찰하였다." : 『河南程氏遺書』 권3에는, "성인의 마음은 어디에 있은 적도 없고 있지 않은 곳도 없다. 대개 그 도는 안팎을 합치하였고 만물을 체찰하였다.(聖人之心, 未嘗有在, 亦無不在, 蓋其道合內外, 體萬物.)"라고 하였다.

[38-2-17]

"聖人之心, 雖當憂勞, 未嘗不安靜. 其在安靜, 亦有至憂, 而未嘗勞也."[25]

(정자가 말했다.) "성인의 마음은 비록 걱정되고 힘든 일을 당해도 조용하고 평온하지 않은 적이 없다. 조용하고 평안한 가운데에서도 또한 지극히 걱정하지만 힘든 적은 없다."

[38-2-18]

"元氣會, 則生賢聖."

(정자가 말했다.) "원기元氣가 모이면 현인과 성인을 낳는다."

[38-2-19]

"體道, 少能體卽賢, 盡能體卽聖."[26]

(정자가 말했다.) "도를 체득함에서, 조금 체득할 수 있으면 곧 현인이고, 완전히 체득할 수 있으면 곧 성인이다."

[38-2-20]

"人多昏其心, 聖賢則去其昏."[27]

(정자가 말했다.) "사람들은 대부분 그 마음이 어둡지만, 성현은 그 어두움을 제거했다."

[38-2-21]

或曰 : "賢聖氣象何自而見之?"

曰 : "姑以其言觀之亦可也."[28]

어떤 사람이 물었다. "성현의 기상은 무엇으로부터 볼 수 있겠습니까?"

(정자가) 대답했다. "우선 그의 말을 통해 살펴보는 것도 괜찮다."

[38-2-22]

"聖賢之處世, 莫不於大同之中有不同焉. 不能大同者, 是亂常拂理而已 ; 不能不同者, 是隨俗習汚而已."[29]

(정자가 말했다.) "성현이 세상에 대처하는 것은 '크게 같음[大同]' 가운데 '다름[不同]'이 있지 않음이 없다.

----

25 『河南程氏粹言』권下「人物篇」
26 『河南程氏遺書』권7
27 『河南程氏遺書』권6
28 『河南程氏粹言』권上「論書篇」
29 『河南程氏粹言』권下「人物篇」

크게 같이 하지 못하는 것은 인륜을 혼란시키고 도리를 위배하는 것뿐이며, 다르게 하지 못하는 것은 세속을 따라 나쁜 것을 익히는 것뿐이다."[30]

[38-2-23]
"學者必識聖賢之體. 聖人猶化工也, 賢人猶巧工也. 翦綵以爲花, 設色以畫之, 非不宛然肖之, 而欲觀生意之自然則無之也."[31]

(정자가 말했다.) "배우는 사람은 반드시 성인과 현인의 본체를 알아야 한다. 성인은 마치 화공化工(자연의 조화자造化者를 가리킴)과 같고, 현인은 마치 교공巧工(기술이 뛰어난 장인을 가리킴)과 같다. 비단을 오려서 꽃을 만들 때, 채색을 해서 꽃을 그리니 흡사하게 닮지 않은 것은 아니지만 생의生意의 자연스러움을 보려고 하면, 그것이 없다."[32]

[38-2-24]
"聖人愈自卑, 而道自高 ; 賢人不高, 則道不尊. 聖賢之分也."[33]

• • • • • • • • • • • • • • • • • • •

30 "성현이 세상에 … 것뿐이다.": 程頤는 『伊川易傳』「睽·象傳」에서, "위는 불이고 아래는 못이어서 두 사물의 성질이 어긋나고 다르니, 이 때문에 분리[睽離]의 象이 된 것이다. 군자는 다름[睽異]의 象을 관찰하여 '크게 같음大同' 가운데에서 마땅히 다르게 할 것을 안다. 성현이 세상에 대처함에 사람의 道理의 떳떳함에 있어서는 크게 같지 않음이 없고, 세속에서 똑같이 하는 것에 대해서는 때로 홀로 다르게 할 때가 있다. 대개 떳떳한 성품 측면에서는 같지만, 세속의 잘못 측면에서는 다르다. 크게 같이 하지 못하는 자는 인륜을 혼란시키고 도리를 위배하는 사람이고, 홀로 다르게 하지 못하는 자는 세속을 따라 나쁜 것을 익히는 사람이니, 요컨대 같으면서 달리함에 있을 뿐이다. 『中庸』에 '和하면서도 흐르지 않는다.'고 한 것이 이것이다.(上火下澤, 二物之性違異, 所以爲睽離之象. 君子觀睽異之象, 於大同之中而知所當異也. 夫聖賢之處世, 在人理之常, 莫不大同 ; 於世俗所同者, 則有時而獨異. 蓋於秉彛則同矣, 於世俗之失則異矣. 不能大同者, 亂常拂理之人也 ; 不能獨異者, 隨俗習非之人也, 要在同而能異耳. 『中庸』曰'和而不流', 是也.)"라고 하였다.
주자는 이 구절에 대해『朱子語類』권72, 64조목에서, "또 예컨대 요즘 지리를 말하는 사람들이 반드시 땅이 吉한 곳을 선택하려고 하는 것은 같이하는 것이지만, 세속에서 오로지 부귀를 구하는 것을 일삼아 혹시라도 이 마음을 혼란시키는 것과는 같지 않게 하는 것은 다르게 하는 것이다. 예컨대 선비가 과거에 응시하는 것은 같이하는 것이지만, 자기의 학문을 왜곡시켜 세상에 아부하지 않는 것은 다르게 하는 것이다. 일마다 미루어 가면 이에 그 취지를 얻을 수 있을 것이다.(又如今之言地理者, 必欲擇地之吉, 是同也 ; 不似世俗專以求富貴爲事, 惑亂此心, 則異矣. 如士人應科擧, 則同也 ; 不曲學以阿世, 則異矣. 事事推去, 斯得其旨.)"라고 보충 설명하였다.

31 『河南程氏粹言』권下「人物篇」

32 "배우는 사람은 … 없다.":『河南程氏遺書』권11에는 "배우는 사람은 반드시 성인과 현인의 본체를 알아야 한다. 성인은 化工(자연의 造化者를 가리킴)이고, 현인은 巧(기술이 뛰어난 장인을 가리킴)이다.(學者須識聖賢之體. 聖人化工也, 賢人巧也.)"라고 하였다.
呂柟이 편찬한『二程子抄釋』권2에서는 이 구절에 대해, "化工(자연의 造化者를 가리킴)은 天이 만들어내는 것이고, 巧工(기술이 뛰어난 장인을 가리킴)은 사람이 하는 것임을 설명했다.(釋化工天造, 巧工人爲.)"라고 주석하였다.

33 『河南程氏外書』권3「陳氏本拾遺」

(정자가 말했다.) "성인은 스스로 낮추려고 할수록 도道가 저절로 높아지지만, 현인은 높이지 않으면 도가 존귀해지지 않는다. 이것이 성인과 현인의 구분이다."

[38-2-25]

"合天·人, 通義·命, 此大賢以上事."[34]

(정자가 말했다.) "천天과 사람人을 합치시키고 의義와 명命을 소통시키는 것은, 대현大賢의 경지 이상 사람의 일이다."

[38-2-26]

"或謂'賢者好貧賤而惡富貴', 是反人之情也. 所以異於人者, 以守義安命焉耳."[35]

(정자가 말했다.) "어떤 사람이 '현자賢者는 빈천을 좋아하고 부귀를 싫어한다.'라고 말했는데, 이 말은 인지상정에 반대된다. 현자가 다른 사람들과 다른 까닭은 의義를 지켜서 운명命에 편안한 것일 뿐이다."

[38-2-27]

張子曰 : "賢人當爲天下知,[36] 聖人當受命. 雖不受知不受命, 然爲聖爲賢, 乃吾性分當勉爾."[37]

장자張子[張載]가 말했다. "현인은 당연히 천하 사람들이 알아주어야 하고 성인은 명命을 받아야 한다. 비록 알아주지 않고 명命을 받지 못하더라도 성인이 되고 현인이 되는 것은 우리의 성분性分 상 마땅히 힘써야 한다."[38]

[38-2-28]

"洪鐘未嘗有聲, 由扣乃有聲 ; 聖人未嘗有知, 由問乃有知. 或謂'聖人無知, 則當不問之時其猶木石乎? 曰 : '有不知則有知, 無不知則無知. 故曰「聖人未嘗有知, 由問乃有知也.」 聖人無私無我, 故功高天下, 而無一介累於其心. 蓋有一介存焉, 未免乎私己也."[39]

(장자가 말했다.) "큰 종은 소리를 낸 적이 없지만 종을 치면 소리를 내며, 성인은 안 체하지 않지만 질문하면 앎을 드러낸다. 어떤 사람이 '성인이 앎이 없다면 질문하지 않았을 때에는 목석과 같은가?'라고 말했다. (내가) 대답했다. '알지 못하는 것이 있다고 하면 아는 것이 있고, 알지 못하는 것이 없다고 하면 아는 것이 없다. 그러므로 「성인은 안 체하지 않지만 질문하면 앎을 드러낸다.」고 했다. 성인은

---

34 『河南程氏外書』 권7 「胡氏本拾遺」

35 『河南程氏粹言』 권上 「論事篇」

36 賢人當爲天下知 : 『張子全書』 권12 「語錄」에는 "賢人爲天下知"라고 되어 있다.

37 『張子全書』 권12 「語錄」

38 "현인은 천하 … 한다." : 呂柟이 편찬한 『張子抄釋』 권5 「語錄」에서는 이 구절에 대해, "사람은 다만 자신에게 있는 것을 다 발휘해야 된다는 것을 설명했다.(釋人止可盡其在我.)"라고 주석하였다.

39 『張子全書』 권14 「性理拾遺」

사사로움이 없고 자신의 것으로 여기는 것이 없으므로, 공로가 세상에서 가장 크지만 그 마음에 조금의 얽매임도 없다. 조금이라도 두고있는 것이 있다면 사사로운 자기를 벗어나지 못함이다."⁴⁰

[38-2-29]

五峰胡氏曰 : "聖人之應事也, 如水由於地中, 未有可止而不止, 可行而不行者也."⁴¹

오봉 호씨五峰胡氏胡宏가 말했다. "성인이 일에 대응하는 것은 마치 물이 땅속에서 흘러나오는 것과 같으니, 멈출 만한데 멈추지 않는 것도 없고, 흘러갈 만한데 흘러가지 않는 것도 없다."

[38-2-30]

"'窮則獨善其身, 達則兼善天下'者, 大賢之分也. 達則兼善天下, 窮則兼善萬世者, 聖人之分也."⁴²

(오봉 호씨가 말했다.) "'궁窮하면 그 몸을 홀로 선善하게 하고, 영달榮達하면 천하를 겸하여 선하게 하는 것'⁴³은 대현大賢의 분수이다. 영달하면 천하를 겸하여 선하게 하고 궁하면 만세萬世를 겸하여 선하게 하는 것은 성인의 분수이다."

. . . .

40 "큰 종은 … 못함이다." : 『禮記』 권18 「學記」에서 "잘 묻는 사람은 마치 견고한 나무를 다듬는 것과 같으니, 쉬운 것을 먼저 하고 세부적인 것을 나중에 한다. 그렇게 하는 것이 오래되면 (묻는 사람과 대답하는 사람이) 서로 기쁘게 문제를 풀어나간다. 잘 묻지 못하는 사람은 이것과 반대이다. 질문에 잘 응대하는 사람은 마치 종을 치는 것과 같으니, 작게 두드리는 사람에게는 작게 울리고, 크게 두드리는 사람에게는 크게 울린다. 조용하기를 기다린 다음에 그 소리를 다한다. 질문에 잘 답하지 못하는 사람은 이것과 반대이다. 이것은 모두 학문을 진전시키는 도이다.(善問者如攻堅木, 先其易者, 後其節目. 及其久也, 相說以解. 不善問者反此. 善待問者如撞鐘, 叩之以小者則小鳴, 叩之以大者則大鳴, 待其從容, 然後盡其聲. 不善答問者反此. 此皆進學之道也.)"라고 하였다.
王植은 『正蒙初義』 권8 「中正篇」에서, "소리가 종에 감추어져 있으니, 소리가 없어도 소리를 낼 곳이 있으므로 두드리면 바로 소리가 난다. 성인이 아는 것은 마음에 간직되어 있으니, 아는 것이 없어도 알 수 있는 곳이 있으므로 질문하면 바로 대답한다.(聲藏於鐘, 無聲而有聲在, 故扣之即響. 聖人之知蘊於心, 無知而有知在, 故問之即答.)"라고 하였다.
41 胡宏, 『知言』 권4
42 胡宏, 『知言』 권3
43 '窮하면 그 … 것' : 『孟子』 「盡心上」에서, "덕을 높이고 義를 즐거워하면 자득하면서도 욕심이 없을 수 있다. 그러므로 선비는 窮해도 義를 잃지 않으며, 榮達해도 道를 떠나지 않는 것이다. 궁해도 의를 잃지 않기 때문에 선비가 자신의 지조를 지키며, 榮達해도 도를 떠나지 않기 때문에 백성들이 실망하지 않는 것이다. 옛사람들은 뜻을 얻으면 은택이 백성에게 더해지고, 뜻을 얻지 못하면 몸을 닦아 세상에 드러낸다. 窮하면 그 몸을 홀로 善하게 하고, 榮達하면 천하를 겸하여 선하게 하는 것이다.(尊德樂義, 則可以囂囂矣. 故士窮不失義, 達不離道. 不失義, 故士得己焉 ; 達不離道, 故民不失望焉. 古之人, 得志, 澤加於民 ; 不得志, 修身見於世. 窮則獨善其身, 達則兼善天下.)"라고 하였다.

[38-2-31]

朱子曰：“聖人萬善皆備. 有一毫之失, 此不足爲聖人.”[44]

주자朱熹가 말했다. “성인은 온갖 선을 모두 구비하였다. 조금이라도 잘못이 있으면 이는 성인이 되기에 부족하다.”

[38-2-32]

“聖人不知己是聖人.”[45]

(주자가 말했다.) “성인은 자기가 성인이라는 것을 알지 못한다.”

[38-2-33]

問：“聖人憂世覺民之心, 終其身至死而不忘耶? 抑當憂世覺民非其時, 此意亦常在懷, 但不戚戚發露也? 若終其身常不忘, 則不見聖人胸中休休焉和樂處；若時或恬然不戚戚發露, 則又不見聖人於斯人其心相關甚切處. 若憂世之心與和樂之心並行而不悖, 則二者氣象又爲如何?”

물었다. “성인이 세상을 걱정하고 백성을 일깨우는 마음은 그 생명을 다해 죽음에 이르러도 잊지 못하는 것입니까? 그렇지 않으면 세상을 걱정하고 백성을 일깨우는 일이 시기가 적절하지 않을 때는 이 뜻도 역시 항상 가슴에다 품고, 다만 근심하는 마음을 드러내지 않는 것입니까? 만약 그 생명을 다하도록 항상 잊지 못한다면, 성인의 가슴속에 느긋하여 화락한 곳을 보지 못합니다. 만약 때때로 편안히 여겨 근심하는 마음을 드러내지 않는다면, 또한 성인이 사람들에게 대해 서로 매우 긴밀하게 관련하고 있는 마음을 보지 못합니다. 만약 세상을 걱정하는 마음과 화락한 마음이 병행하면서도 어그러지지 않는다면, 이 두 가지의 기상氣象은 또 어떠합니까?

曰：“聖人之心, 樂天知命者, 其常也；憂世之心, 則有感而後見爾.”[46]

(주자가) 대답했다. “성인의 마음이 천리天理를 즐거워하고 천명天命을 아는 것[47]은 평상적인 것이고,

---

44 『朱子語類』 권13, 63조목
45 『朱子語類』 권13, 64조목
46 朱熹, 『朱文公文集』 권57 「答陳安卿」
47 天理를 즐거워하고 … 것 : 『易』 「繫辭上」에서 “천지와 서로 비슷하므로 어기지 않으니, 지혜가 만물에 두루하고 道가 天下를 구제하기 때문에 지나치지 않으며, 두루 행하되 잘못된 곳으로 흐르지 아니하여 天理를 즐거워하고 天命을 알기 때문에 근심하지 않으며, 자리에 편안하여 仁을 돈독히 하기 때문에 사랑할 수 있는 것이다.(與天地相似, 故不違, 知周乎萬物而道濟天下, 故不過, 旁行而不流, 樂天知命, 故不憂, 安土敦乎仁, 故能愛.)”라고 하였다.
주자는 이 구절에 대하여 『周易本義』에서, “이는 성인이 性을 다 발휘하는 일이다. 천지의 道는 知와 仁일 뿐이니, 知가 만물에 두루한다는 것은 天이요, 道가 천하를 구제한다는 것은 地이니, 知하고 仁하면 지혜롭되 지나치지 않은 것이다. 두루 행한다는 것은 權道를 행하는 知이고, 잘못된 곳으로 흐르지 않는 것은 바름을 지키는 仁이다. 이미 天理를 즐거워하고 또 天命을 알기 때문에, 근심이 없어 그 지혜가 더욱 깊으며, 어디에

세상을 걱정하는 마음은 감촉한 뒤에 드러날 뿐이다."

[38-2-34]

"聖賢之心正大光明, 洞然四達, 故能春生秋殺, 過化存神, 而莫知爲之者. 學者須識得此氣象
而求之, 庶無差失. 若如世俗常情, 支離巧曲, 瞻前顧後之不暇, 則又安能有此等氣象?"[48]

(주자가 말했다.) "성현의 마음은 정대하고 광명하여 환히 사방으로 미쳐가기 때문에, 봄처럼 만물을
낳고 가을처럼 죽이며, 지나가는 곳은 교화되고 마음에 보존된 것은 신묘하여[49] 그것이 그렇게 되는
연유를 알지 못한다. 배우는 사람은 이러한 기상氣象을 알고 성인이 되기를 구해야 거의 잘못이 없을
것이다. 만약 세속의 일상적인 감정처럼 지리支離하고 교묘하게 파고들고 눈앞에 있는가 하고 쳐다보다
가 홀연히 뒤를 돌아보기에 겨를이 없을 것 같으면 또 어찌 이러한 기상이 있을 수 있겠는가?"

[38-2-35]

魯齋許氏曰: "聖人以中道 · 公道應物而已. 無我無人, 無作爲, 以天下才治天下事, 應之而
已. 但精微之理, 聖人之能事也."[50]

노재 허씨魯齋許氏(許衡)[51]가 말했다. "성인은 중도中道와 공도公道로써 만물에 대응할 따름이다. 나도 없고

....

서든지 모두 편안하여 한번 숨 쉴 때라도 仁하지 않음이 없기 때문에, 만물을 구제하려는 마음을 잊지 않아
仁이 더욱 돈독하다. 仁은 사랑의 理이고, 사랑은 仁의 用이다. 그러므로 서로 表裏가 됨이 이와 같다.(此,
聖人盡性之事也. 天地之道, 知仁而已, 知周萬物者, 天也 ; 道濟天下者, 地也, 知且仁, 則知而不過矣. 旁行者,
行權之知也 ; 不流者, 守正之仁也. 旣樂天理而又知天命, 故能无憂而其知益深, 隨處皆安而无一息之不仁이라
故能不忘其濟物之心而仁益篤. 蓋仁者, 愛之理 ; 愛者, 仁之用.라 故其相爲表裏, 如此.)"라고 주석하였다.

48 朱熹, 『朱文公文集』권33 「答呂伯恭」

49 지나가는 곳은 … 신묘하여 : 『孟子』「盡心上」에서, "군자는 지나가는 곳은 교화되고, 마음에 보존된 것은
신묘하다. 그러므로 위아래로 천지와 함께 흐르니, 어찌 조금 보탬이 있다고 하겠는가?(夫君子, 所過者化,
所存者神. 上下與天地同流, 豈曰小補之哉?)"라고 하였다.
주자는 이 구절에 대하여 『集註』에서 "군자는 聖人의 통칭이다. 지나가는 곳이 교화된다는 것은 그 사람이
지나가는 곳에 곧 사람들이 교화되지 않음이 없다는 것이다. 예컨대 舜임금이 歷山에서 밭을 갊에 농사짓는
사람들이 밭두둑을 양보하였고, 河濱에서 질그릇을 만듦에 그릇이 거칠거나 나쁘지 않았다는 것과 같은 것이
다. 마음에 보존하면 신묘해진다는 것은 마음에 보존하여 주인이 되는 곳에 곧 神妙하여 헤아릴 수 없다는
것이다. 예컨대 공자가 세우면 이에 서고, 인도하면 이에 행하며, 편안히 하면 이에 오고, 움직이면 이에
和함과 같아서 그것이 그렇게 되는 까닭을 알지 못하고 그렇게 되는 것이다. 이는 그 德業의 융성함이 천지의
造化와 함께 같이 운행되어 온 세상을 들어서 陶治하는 것이니, 霸者들이 단지 小小하게 그 틈과 새는 곳을
땜질하고 보충할 뿐인 것과는 같지 않다. 이는 王道가 위대하게 되는 까닭이니, 배우는 자는 마땅히 마음을
다해야 할 것이다.(君子, 聖人之通稱也. 所過者化, 身所經歷之處, 卽人無不化. 如舜之耕歷山而田者遜畔, 陶
河濱而器不苦窳. 所存者神, 心所存主處, 便神妙不測. 如孔子之立斯立 · 道斯行 · 綏斯來 · 動斯和, 莫知其所
以然而然也. 是其德業之盛, 乃與天地之化, 同運並行, 擧一世而甄陶之, 非如霸者但小小補塞其罅漏而已. 此則
王道之所以爲大, 而學者所當盡心也.)"라고 주석하였다.

50 許衡, 『魯齋遺書』권1 「語錄上」

남도 없으며, 작위함이 없이 천하의 뛰어난 재능으로 천하의 일을 다스려, 대응할 뿐이다. 다만 정밀하고 은미한 리理는 성인만이 잘 하는 일이다."

[38-2-36]

"天運時刻不暫停. 聖人明睿所照, 見於無形, 非常人智慮所及者."[52]

(노재 허씨가 말했다.) 하늘의 운행은 어느때도 잠시 멈추지 않는다. 성인의 밝은 지혜가 비추는 곳은 형체가 없는 것을 보니, 보통 사람들의 지혜와 사려가 미칠 수 있는 것이 아니다."

[38-2-37]

"先賢言語皆格言. 然亦有一時一事有爲而言者, 故或不可爲後世法, 或行之便生弊. 唯聖人言語萬世無弊, 雖有爲而言, 皆可通行無弊."[53]

(노재 허씨가 말했다.) "선현先賢의 말은 모두 격언格言이다. 그러나 또한 어떤 때나 어떤 일에 까닭이 있어 말한 것이 있기 때문에, 혹은 후세의 본보기가 될 수 없는 것도 있고, 혹은 그것을 행하면 바로 폐단이 생기기도 한다. 오직 성인의 말은 만세토록 폐단이 없으니, 비록 까닭이 있어 한 말일지라도 모두 통용할만하여 폐단이 없다."

孔子 공자

[38-3-1]

周子曰 : "道德高厚, 教化無窮, 實與天地參而四時同, 其惟孔子乎!"[54]

주자周子周惇頤가 말했다. "도가 높고 덕이 두터우며 교화가 끝이 없어,[55] 실로 천지와 셋이 되고 사계절과 같이하는[56] 사람은 아마 오직 공자일 것이다!"

••••••••••••••••••••

51 許衡(1209~1281) : 원 河內 출신. 이름은 衡. 자는 仲平. 호는 魯齋. 程朱學者로 魯齋先生이라고 불린다. 시호는 文正. 經學, 子史, 禮樂, 名物, 星曆, 兵刑, 食貨, 水利에 널리 통달했다. 특히 程朱의 학을 받들었다. 劉因과 함께 원의 두 大家라고 불렸다. 世祖 때 벼슬에 나아가 國子祭酒, 中書左丞을 지냈다. 阿哈馬特의 擅權을 논하고 관직을 떠났다. 가르치기를 잘하여 따라서 배우는 사람이 많았다. 저서에 『讀易私言』·『魯齋心法』·『魯齋遺書』가 있다.

52 許衡, 『魯齋遺書』 권1 「語錄上」

53 許衡, 『魯齋遺書』 권1 「語錄上」

54 周敦頤, 『通書』 제39 「孔子下」

55 교화가 끝이 없어 : 이 구절에 대해 熊節 저, 熊剛大 註의 『性理羣書句解』 권19에서는, "저서와 훌륭한 말을 남긴 것이 만세의 본보기가 되므로, 그 교화가 끝이 없음이 꼭 마치 사계절과 같다.(著書立言, 萬世所法, 其教化不窮, 正如四時.)"라고 주석하였다.

[38-3-2]

程子曰: "孔子之道著見於行, 如「鄉黨」之所載者, 自誠而明也."[57]

정자程子가 말했다. "공자의 도가 행위에 나타난 것으로 예컨대『논어』「향당鄉黨」편에 실려 있는 것은 성誠으로부터 밝아진 것이다."[58]

[38-3-3]

朱子曰: "孔子天地間甚事不理會過? 若非許大精神, 亦呑許多不得."[59]

주자朱子[朱熹]가 말했다. "공자는 천지간의 무슨 일을 이해하지 못하였겠는가? 만약 더 없이 큰 정신이 아니면 그 많은 것을 포용하지 못할 것이다."

[38-3-4]

問: "孔子不是不欲仕, 只是時未可仕."

曰: "聖人無求仕之義. 君不見用, 只得且恁地做."[60]

물었다. "공자는 벼슬하기를 바라지 않은 것이 아니라 다만 시대가 벼슬하기에 좋지 않았을 뿐입니다."

(주자가) 대답했다. "성인은 벼슬자리를 구하는 뜻이 없다. 군주에게 등용되지 않아서 다만 그렇게 했을 뿐이다."

[38-3-5]

問: "孔子當衰周時, 可以有爲否?"

曰: "聖人無有不可爲之事, 只恐權柄不入手. 若得權柄在手, 則兵隨印轉, 將逐符行. 近溫『左氏傳』, 見定·哀時煞有可做的事."

물었다. "공자가 주周나라가 쇠퇴할 때를 맞아 훌륭한 사업을 해 낼 수 있었겠습니까?"

(주자가) 대답했다. "성인은 할 수 없는 일이 없으니 다만 권력이 손에 들어오지 않을까 염려했을 뿐이다.

---

56 실로 천지와 … 같이하는: 이 구절에 대해 熊節 저, 熊剛大 註의『性理羣書句解』권18에서는, "높고 밝으면 하늘과 짝을 이룬 것이니 陽이고, 넓고 두터움은 땅과 짝을 이룬 것이니 陰이며, 교화가 끝이 없음은 마치 사계절이 운행하는 것과 같고, 봄에서 여름이 되고, 여름에서 가을이 되며, 가을에서 겨울이 되고, 겨울에서 다시 봄이 되는 것이 五行이다.(高明則配天陽也, 博厚則配地陰也, 敎化无窮猶四時運轉. 春而夏·夏而秋·秋而冬·冬而復春, 五行也.)"라고 주석하였다.

57 『河南程氏粹言』권下「聖賢篇」

58 誠으로부터 밝아진 것이다. :『中庸』제21장에서, "誠으로 말미암아 밝아짐[明]을 性이라 하고, 밝음[明]으로 말미암아 성실해짐[誠]을 敎라 이르니, 誠하면 밝아지고, 밝아지면 誠해진다.(自誠明謂之性, 自明誠謂之敎, 誠則明矣, 明則誠矣.)"라고 하였다.

59 『朱子語類』권93, 4조목

60 『朱子語類』권93, 8조목

만약 권력이 손에 들어왔다면 군사들의 따름은 도장을 이리저리 바꾸고 장수들의 따름은 부절이 시행되는 것 같았을 것이다. 근래『춘추좌전』을 연구해보니, 정공定公・애공哀公 때[61]에도 할 만한 일이 많이 있었다.”

問: “固是聖人無不可爲之事, 聖人有不可爲之時否?”

曰: “便是聖人無不可爲之時, 若時節變了, 聖人又自處之不同.”

물었다. “본디 성인은 할 수 없는 일이 없으나, 성인도 할 수 없는 때가 있습니까?”

(주자가) 대답했다. “참으로 성인이 할 수 없는 때는 없으나, 만약 시절이 바뀌면 성인이 또 스스로 대처하는 것도 동일하지 않다.”

又問: “孔子當衰周, 豈不知時君必不能用己?”

曰: “聖人却無此心. 豈有逆料人君能用我與否? 到得後來說‘吾不復夢見周公’, 與‘鳳鳥不至, 河不出圖, 吾已矣夫’時, 聖人亦自知其不可爲矣. 但不知此等話是幾時說. 據陳恒弑其君, 孔子沐浴而朝請討之時, 是獲麟之年, 那時聖人猶欲有爲也.”[62]

또 물었다. “공자는 쇠퇴한 주周나라를 만났으니, 어찌 당시 군주가 반드시 자기를 등용할 수 없었을 것이라는 것을 알지 못했겠습니까?”

(주자가) 대답했다. “성인은 이러한 마음이 없다. 어찌 군주가 자기를 등용할 수 있을지 여부를 미리 짐작했겠는가? 나중에 와서 ‘나는 다시는 꿈속에서 주공周公을 만나지 못했다.’[63]라 말하고 ‘봉황이 오지 않고, 황하에서 도圖(그림)가 나오지 않으니, 나는 그만이다!’[64]라고 말했을 때, 성인도 역시 할 수 없다는 것을 알았다. 그러나 이러한 말들이 언제 한 말인지 모르겠다. 진항陳恒이 그 군주를 시해하여 공자가 목욕재계하고 조정에 나아가 그를 토벌하기를 요청한 때[65]가 기린을 잡은 해(즉 노나라 哀公 14년)라는 것에 의거하면, 그 때에도 성인은 여전히 일을 하려고 했다.”

- - - - - - - - - - - - - - - - -

61 定公・哀公 때: 『春秋』의 마지막 두 제후로서 춘추말기 극단적인 혼란기를 가리킨다.

62 『朱子語類』 권93, 9조목

63 ‘나는 다시는 … 못했다.’: 『論語』「述而」에서 “공자가 말했다. ‘심하다. 나의 쇠함이여! 오래되었다. 나는 다시는 꿈속에서 周公을 만나지 못했다.’(子曰, ‘甚矣! 吾衰也. 久矣! 吾不復夢見周公.’)”라고 하였다.

64 ‘봉황이 오지 … 그만이다!’: 『論語』「子罕」
   주자는 이 구절에 대하여 『集註』에서, “봉황은 신령스러운 새이니 舜임금 때에 나타나서 춤을 추었고, 文王 때에는 岐山에서 울었으며, 河圖는 황하에서 나온 龍馬의 등에 그려진 그림인데 伏羲 때에 나왔으니, 모두 聖王의 祥瑞이다.(鳳, 靈鳥, 舜時來儀, 文王時鳴於岐山 ; 河圖, 河中龍馬負圖, 伏羲時出, 皆聖王之瑞也.)”라고 주석하였다.

65 陳恒이 그 … 때: 『春秋左傳』「哀公 14년」에 “齊나라 陳恒이 舒州에서 그 군주 壬(簡公)을 시해했다. 공자는 3일 동안 재계하고 제나라를 토벌하기를 세 번이나 요청했다.(齊陳恒弑其君壬于舒州. 孔丘三日齊, 而請伐齊三.)”라고 하였다.

[38-3-6]

問: "看聖人汲汲皇皇, 不肯沒身逃世. 只是急於救世, 不能廢君臣之義. 至於可與不可, 臨時依舊裁之以義."

曰: "固是. 但未須說急於救世, 自不可不仕."

물었다. "성인이 총망恩忙해 하는 것을 보면 죽을 때까지 세상을 도피하려고 하지 않았습니다. 다만 세상을 구원하는 데에 급급해 한 것은, 군신간의 의義를 폐지할 수 없어서입니다. 가능한지 불가능한지의 여부는 때를 만났을 때 여전히 의義로 재단할 따름입니다."

(주자가) 대답했다. "진실로 옳다. 다만 세상을 구원하는 데에 급해 했음을 말할 필요가 없고 본래 벼슬하지 않을 수 없다."

又問: "若據'危邦不入, 亂邦不居', '有道則見, 無道則隱'等語, 却似長沮·桀溺之徒做得是?"

曰: "此爲學者言之. 聖人做作, 又自不同."

또 물었다. "만약 '위태로운 나라에는 들어가지 않고, 어지러운 나라에는 살지 않는다.'라 하고 '도道가 있으면 나타나 벼슬하고, 도가 없으면 숨는다.'66라고 한 말에 의거하면, 장저長沮와 걸닉桀溺의 무리들이 한 일67이 옳은 것 같습니다?"

(주자가) 대답했다. "이것은 배우는 사람을 위하여 말한 것이다. 성인이 하시는 일은 또 본래 같지 않다."

又問: "聖人亦明知世之不可爲否?"

曰: "也不是明知不可. 但天下無不可爲之時, 苟可以仕則仕, 至不可處便止."68

- - - - - - - - - - - - - - - - - - - -

66 '위태로운 나라에는 … 숨는다.': 『論語』 「泰伯」에서 "위태로운 나라에는 들어가지 않고, 어지러운 나라에는 살지 않으며, 천하에 道가 있으면 나타나 벼슬하고, 도가 없으면 숨는다.(危邦不入, 亂邦不居; 天下有道則見, 無道則隱.)"라고 하였다.

67 長沮와 桀溺의 … 일: 『論語』 「微子」에서, "長沮와 桀溺이 함께 밭을 가는데 공자가 지나가다가 子路에게 나루를 묻게 하였다. 長沮가 말했다. '수레 고삐를 잡고 있는 사람이 누구인가?' 자로가 대답했다. '孔丘입니다.' 장저가 물었다. '이 사람이 魯나라의 공구인가?' 자로가 대답했다. '그렇습니다.' 장저가 말했다. '그 사람은 나루를 알 것이다.' 桀溺에게 물으니, 걸닉이 물었다. '당신은 누구인가?' 子路가 대답했다. '仲由(자로의 성명)입니다.' 걸닉이 물었다. '그대가 바로 魯나라 孔丘의 무리인가?' 자로가 대답했다. '그렇습니다.' 걸닉이 말했다. '滔滔하게 흐르는 것이 천하가 모두 이러한데, 누가 이것을 바꾸겠는가? 또 그대는 사람을 피하는 선비를 따르는 것이 차라리 세상을 피하는 선비를 따르는 것만 하겠는가?' 그러고는 씨앗 덮는 일을 그치지 않았다. 子路가 돌아와서 아뢰니, 공자는 실망스러워 하며 말했다. '鳥獸와 더불어 무리 지어 살 수는 없으니, 나는 사람의 무리와 함께하지 않고 누구와 함께하겠는가? 천하에 도가 있으면 내가 함께 바꾸려 하지 않을 것이다.'(長沮·桀溺耦而耕, 孔子過之, 使子路問津焉. 長沮曰, '夫執輿者爲誰?' 子路曰, '爲孔丘.' 曰, '是魯孔丘與?' 曰, '是也.' '是知津矣.' 問於桀溺, 桀溺曰, '子爲誰?' 曰, '爲仲由.' 曰, '是魯孔丘之徒與?' 對曰, '然.' 曰, '滔滔者天下皆是也, 而誰以易之? 且而與其從辟人之士也, 豈若從辟世之士哉?' 耰而不輟. 子路行以告. 夫子憮然曰, '鳥獸不可與同群, 吾非斯人之徒與而誰與? 天下有道, 丘不與易也.')"라고 하였다.

또 물었다. "성인도 역시 세상을 어떻게 할 수 없다는 것을 분명하게 알았습니까?"

(주자가) 대답했다. "또한 세상을 어떻게 할 수 없다는 것을 분명하게 안 것은 아니다. 그렇다면 천하는 어떻게 할 수 없는 때는 없으니, 만약 벼슬을 할 만하면 벼슬을 하고, 할 수 없는 곳에 이르면 곧 그쳤다."

[38-3-7]

東萊呂氏曰: "禹稷思天下飢溺由己飢溺, 孔子歷聘諸國以至'誨人不倦', 皆是合當做事. 自古聖人之於天下皆如此."[69]

동래 여씨東萊呂氏(呂祖謙)[70]가 말했다. "우禹임금과 후직后稷은 천하에 굶주린 자와 물에 빠진 자가 있으면 마치 자신이 그를 굶주리게 하고 물에 빠뜨린 것과 같이 생각하였으며,[71] 공자가 여러 나라를 두루 방문하며 '사람 가르치기를 게을리 하지 않는 데에'[72] 이른 것은 모두 마땅히 그렇게 해야 할 일이었다. 예로부터 성인은 천하에 대해서 모두 이와 같이 했다."

顔子 안자

[38-4-1]

程子曰: "聖人之德行, 固不可得而名狀. 若顔子底一箇氣象, 吾曹亦心知之. 欲學聖人, 且須學顔子."[73]

정자程子가 말했다. "성인의 덕행은 본디 말로 표현할 수 없다. 안자顔子(顔回)와 같은 기상은 우리들도

---

68 『朱子語類』 권93, 10조목

69 呂祖謙, 『東萊集』(外集) 권6 「門人周公謹所記介」

70 呂祖謙(1137~1181): 자는 伯恭이고, 세칭 東萊先生이라 한다. 송대 金華(현 절강성 소속) 사람으로 주희·張栻과 함께 '東南三賢'으로 불리었다. 直秘閣著作郞·國史院編修·實錄院檢討를 역임하였다. 『詩』·『書』·『春秋』에 대하여 많은 古義를 궁구했다. 1175년 주희와 『近思錄』을 편찬하였고, 信州(현 강서성 上饒) 鵝湖寺에 주희와 육구연을 초청하여 두 사람의 논쟁을 중재하려 하였다. 저서는 『古周易』·『東萊左氏博議』·『東萊集』 등이 있다.

71 禹임금과 后稷은 … 생각하였으며: 『孟子』 「離婁下」에서 "禹임금은 천하에 물에 빠진 자가 있으면 마치 자신이 그를 빠뜨린 것과 같이 생각하였고, 后稷은 천하에 굶주리는 자가 있으면 마치 자신이 그를 굶주리게 한 것처럼 생각하였다. 이 때문에 이와 같이 급하게 한 것이다.(禹思天下有溺者, 由己溺之也; 稷思天下有飢者, 由己飢之也. 是以, 如是其急也.)"라고 하였다.

72 '사람 가르치기를 … 데에': 『論語』 「述而」에서, "공자가 말했다. '묵묵히 기억하고, 배우고 싫어하지 않으며, 사람 가르치기를 게을리 하지 않는 것, 이 가운데 어느 것이 나에게 있겠는가?(子曰, '黙而識之, 學而不厭, 誨人不倦, 何有於我哉?')"라고 하였다.

73 『河南程氏遺書』 권2上

역시 마음속으로 그것을 안다. 성인을 배우려고 한다면 또한 안자를 배워야 할 것이다."[74]

[38-4-2]

"學者要學得不錯, 須是學顔子有準的.[75]"[76]

(정자가 말했다.) "배우는 사람이 배움에서 어긋나지 않으려면 모름지기 안자를 배우는 것을 기준으로 삼아야 한다."[77]

[38-4-3]

問: "顔子如何學孔子到此深邃?"

曰: "顔子所以大過人者, 只是得一善, 則拳拳服膺, 與能屢空耳."[78]

물었다. "안자는 공자를 어떻게 배웠기에 이렇게 심오한 경지에 이르렀습니까?"

(정자가) 대답했다. "안자가 남들보다 크게 뛰어난 것은 다만 한 마디 선한 말을 들으면 받들어서 가슴에 새기는 것[79]과 자주 궁핍한 것을 잘 견디는 것[80]일 뿐이다."

. . . .

74 "성인의 덕행은 … 것이다.": 呂柟이 편찬한 『二程子抄釋』 권1에서는 이 구절에 대해, "안자가 공자의 태도를 배웠다는 것을 설명했다.(釋顔子是學孔子的樣子.)"라고 주석하였다.

75 須是學顔子有準的.: 『河南程氏遺書』 권3에는 "有準的"이 原註로 되어 있다.

76 『河南程氏遺書』 권3

77 "배우는 사람이 … 한다.": 呂柟이 편찬한 『二程子抄釋』 권2에서는 이 구절에 대해, "배움은 참되고 절실해야만 된다는 것을 설명했다.(釋學要眞切始得.)"라고 주석하였다.

78 『河南程氏遺書』 권22上

79 한 마디 … 것: 『中庸』 제8장에서, "공자가 말했다. '顔回의 사람됨이 中庸을 가려서 하나의 善을 얻으면 받들어서 가슴속에 두어 잃지 않는다.'(子曰, '回之爲人也, 擇乎中庸, 得一善, 則拳拳服膺而弗失之矣.')"라고 하였다.
주자는 이 구절에 대해 『集註』에서, "拳拳은 받들어 잡는 모양이다. 服은 붙여 두는 것과 같고 膺은 가슴이다. 받들어 잡아서 마음속에 붙여 둔다는 것이니, 잘 지킨다는 것을 말한다. 안자는 참으로 알았다. 그러므로 잘 선택하고 잘 지킴이 이와 같았으니, 이는 행위가 過·不及이 없어서 道가 밝아지게 된 이유이다.(拳拳, 奉持之貌. 服, 猶著也; 膺, 胸也. 奉持而著之心胸之間, 言能守也. 顔子蓋眞知之, 故能擇能守如此, 此行之所以無過不及而道之所以明也.)"라고 주석하였다.

80 자주 궁핍한 … 것: 『論語』 「先進」에서 "공자가 말했다. '顔回는 거의 道에 가까웠는데, 자주 궁핍했다.(子曰, '回也, 其庶乎, 屢空.)"라고 하였다.
주자는 이 구절에 대해 『集註』에서, "庶는 가까움이니, 道에 가까움을 말한다. 屢空은 자주 궁핍함에 이르는 것이다. 가난으로 마음을 움직여 富를 구하지 않았으므로, 자주 궁핍함에 이르렀다. 그는 道에 가까웠고 또 가난을 편안하게 여겼음을 말한다.(庶, 近也, 言近道也. 屢空, 數至空匱也. 不以貧窶動心而求富, 故屢至於空匱也. 言其近道, 又能安貧也.)"라고 주석하였다.

[38-4-4]

問 : "顏子勇乎?"

曰 : "孰勇於顏子? 觀其言曰, '舜何人也, 予何人也? 有爲者亦若是.' 孰勇於顏子? 如'有若無, 實若虛, 犯而不校'之類, 抑可謂大勇矣."[81]

물었다. "안자는 용감합니까?"

(정자가) 대답했다. "누가 안자보다 용감하겠는가? 그가 '순舜임금은 어떠한 사람이고 나는 어떠한 사람인가? 하려 함을 두는 자는 또한 이 순舜임금과 같다.'[82]라고 말한 것을 보면, 누가 안자보다 용감하겠는가? 예컨대 '있어도 없는 것 같고, 꽉 차있어도 빈 것 같으며, 침해를 받아도 따지지 않는다.'[83]는 것과 같은 것이라면, 크게 용감한 것이라고 할 수 있을 것이다."[84]

[38-4-5]

"孔子弟子少有會問者. 只顏子能問, 又却終日如愚."[85]

(정자가 말했다.) "공자 제자들 중에 질문을 잘하는 자가 적었다. 다만 안자가 질문을 잘 했는데, 또한 종일토록 어리석은 사람인 듯하였다.[86]"[87]

---

81 『河南程氏遺書』 권18

82 '舜임금은 어떠한 … 같다.' : 『孟子』「滕文公上」에서 "成覵이 齊景公에게 '저들(聖賢을 가리킴)도 丈夫이고 나도 장부이니, 내 어찌 저 저들(聖賢을 가리킴)을 두려워하겠는가?'라고 말했으며, 顏淵은 '舜임금은 어떠한 사람이고 나는 어떠한 사람인가? 하려함을 두는 자는 또한 이 舜임금과 같다.'라고 말했으며, 公明儀는 '周公이 「文王은 내 스승이다.」라고 하였으니, 주공이 어찌 나를 속이겠는가?'라고 말했다.(成覵謂齊景公曰, '彼丈夫也, 我丈夫也, 吾何畏彼哉?' 顏淵曰, '舜何人也, 予何人也? 有爲者亦若是.' 公明儀曰, 「文王我師也」 周公豈欺我哉?')"라고 하였다.

83 '있어도 없는 … 않는다.' : 『論語』「泰伯」에서 "曾子가 말했다. '잘 하면서 잘하지 못한 사람에게 묻고, 학식이 많으면서 적은 사람에게 물으며, 있어도 없는 것 같고, 꽉 차있어도 빈 것 같으며, 침해를 받아도 따지지 않는 것을 옛적에 내 벗이 일찍이 이 일에 종사하였었다.'(曾子曰, '以能問於不能, 以多問於寡, 有若無, 實若虛, 犯而不校, 昔者, 吾友嘗從事於斯矣.')"라고 하였다.

84 "누가 안자보다 … 것이다." : 呂柟이 편찬한 『二程子抄釋』 권4에서는 이 구절에 대해, "이와 같이 말하는 것이 있고 이와 같이 행위하는 것이 있어야 비로소 용감하다는 것을 설명했다.(釋有如此言, 有如此行, 方是勇.)"라고 주석하였다.

85 『河南程氏遺書』 권7

86 종일토록 어리석은 … 듯하였다. : 『論語』「爲政」에서 "공자가 말했다. '내가 回顏回와 더불어 온종일 이야기를 하였으나, 내 말을 어기지 않아 어리석은 사람인 듯하였다. 물러간 뒤에 그 사생활을 살펴보니 역시 충분히 발휘하고 있었다. 안회는 어리석지 않다!'(子曰, '吾與回言終日, 不違如愚. 退而省其私, 亦足以發. 回也不愚!')라고 하였다.

87 "공자 제자들 … 듯하였다." : 呂柟이 편찬한 『二程子抄釋』 권2에서는 이 구절에 대해, "잘 질문하는 것도 어렵지만 또한 반드시 이해하는 것이 있어야 한다는 것을 설명했다.(釋善問亦難, 亦必有所見.)"라고 주석하였다.

聖賢 · 51

[38-4-6]

"顔子作得禹·稷·湯·武事功. 若德則別論."[88]

(정자가 말했다.) "안자는 우禹임금, 후직后稷, 탕湯임금, 무왕武王과 같은 공적을 이룩했다. 그런데 덕德이라면 별도로 논해야 된다."

[38-4-7]

問 : "陋巷貧賤之人亦有以自樂, 何獨顔子?"

曰 : "貧賤而在陋巷, 俄然處富貴, 則失其本心者眾矣. 顔子簞瓢由是, 萬鐘由是."[89]

물었다. "누추한 동네에서 빈천하게 사는 사람 중에서도 스스로 즐거워하는 사람이 있는데, 어찌 유독 안자뿐이겠습니까?"

(정자가) 대답했다. "빈천해서 누추한 동네에 살다가 갑자기 부귀해지면 그 본심을 잃는 자가 많다. 안자는 한 그릇의 밥과 한 표주박의 마실 것으로도 이와 같았을 것이며 만종萬鐘(부귀를 상징함)으로도 이와 같았을 것이다."[90]

[38-4-8]

問 : "顔子得淳和之氣, 何故夭?"

曰 : "衰周天地和氣有限, 養得仲尼已是多也."[91]

물었다. "안자는 순박하고 온화한 기氣를 얻었는데 무엇 때문에 요절했습니까?"

(정자가) 대답했다. "쇠퇴한 주周나라에 천지의 화기和氣가 한계가 있었으니, 공자를 길러낸 것만으로도 이미 과분하였다."

---

88 『河南程氏遺書』 권5

89 『河南程氏粹言』 권下 「聖賢篇」

90 "빈천해서 누추한 … 것이다.": 『論語』 「雍也」에서 "공자가 말했다. '어질다, 顔回여! 한 그릇의 밥과 한 표주박의 마실 것으로 누추한 동네에 살고 있구나. 다른 사람들은 그 근심을 견디지 못하는데, 안회는 그 즐거움을 고치지 않는다. 어질다, 안회여!'(子曰, '賢哉, 回也! 一簞食, 一瓢飲, 在陋巷. 人不堪其憂, 回也不改其樂. 賢哉, 回也!')"라고 하였다.
   이 구절과 관련해서 정자는 『河南程氏經說』 권7 「論語說」에서, "안자의 즐거움은 한 그릇의 밥과 한 표주박의 마실 것 및 누추한 동네를 즐거워 한 것이 아니라, 가난으로 그 마음을 얽매어 그 즐거움을 고치지 않은 것이다. 그러므로 공자가 그의 어짊을 칭찬하였다.(顔子之樂, 非樂簞瓢陋巷也, 不以貧窶累其心而改其所樂也. 故夫子稱其賢.)"라 하였다.

91 『河南程氏外書』 권11 「時氏本拾遺」. 『河南程氏外書』에는 다음과 같은 原註가 첨부되어 있다. "聖賢以和氣生, 須和氣養. 常人之生, 亦藉外養也.(성현은 和氣로 생겨나고 반드시 화기로 길러진다. 보통 사람들의 생명도 역시 외부의 것에 의지해서 길러진다.)"

[38-4-9]

張子曰: "顔子知當至而至焉, 故見其進也. 不極善則不處焉, 故未見其止也. 知必至者, 如志於道, '致廣大, 極高明', 此則儘遠大, 所處則直是精約. 極善者, 須以中道方謂極善. 蓋過則便非善, 不及亦非善. 此極善是顔子所求也. 所以瞻之在前, 忽焉在後. 夫子高遠處又要求, 精約處又要至. 顔子之分必是入神處又未能, 精義處又未至. 然顔子雅意則直要做聖人."[92]

장자張子張載가 말했다. "안자는 마땅히 머물러야 할 데를 알아서 머물기 때문에 그의 진전하는 모습을 볼 수 있었다. 지극히 선한 것이 아니면 처하지 않기 때문에 그 멈춤을 볼 수 없었다. 반드시 머물러야 할 데를 아는 것은 예컨대 '도에 뜻을 두고',[93] '광대廣大함을 지극히 하며 고명高明을 끝까지 하는 것'[94]과 같은 것이니, 이런 것은 원대遠大함을 다하는 것이나, 처하는 곳은 다만 정밀하고 간략함일 뿐이다. 지극히 선한 것은 반드시 도에 꼭 들어맞는 것이라야 비로소 지극히 선한 것이라고 할 수 있다. 지나치면 곧 선함이 아니고 미치지 못하는 것도 선함이 아니다. 이 지극히 선한 것은 안자가 추구한 것이었다. 이것이 '바라보니 앞에 있었는데 홀연히 뒤에 있다.'[95]라고 한 것이다. 공자의 고원高遠한 경지를 추구하려고 하였으며, 정밀하고 간략한 경지를 이르려고 하였다. 안자의 분수는 틀림없이 '입신入神의 경지'에는 아직 들어갈 수 없었고, '정의精義의 경지'[96]에도 아직 이르지 못하였다. 그러나 안자의 본래 뜻은 다만 성인이 되려는 것이다."

[38-4-10]

"學不能推究事理, 只是心麤. 至如顔子未至於聖人處, 猶是心麤."[97]

<hr>

92 『張子全書』권12 「語錄」

93 '도에 뜻을 두고': 『論語』「述而」에서 "공자가 말했다. '도에 뜻을 두고 덕에 의거하며, 仁에 의지하고 藝에 노닌다.'(子曰, '志於道, 據於德, 依於仁, 游於藝.')"라고 하였다.

94 '廣大함을 지극히 … 것': 『中庸』제27장에서 "위대하다, 성인의 道여! 충만하게 만물을 발육하여 높음이 하늘에 다하였다. 넉넉히 크다. 禮儀가 3백 가지요, 威儀가 3천 가지이나, 그 사람을 기다린 뒤에 행해진다. 그러므로 '만일 지극한 덕이 아니면 지극한 도가 모이지 않는다.'고 말한 것이다. 그러므로 군자는 덕성을 높이고 학문을 말미암으니, 廣大함을 지극히 하고 精微함을 다 발휘하며, 高明을 끝까지 하고 中庸을 따르며, 옛 것을 잊지 않고 새로운 것을 알며, 두터움을 돈독히 하고 禮를 높이는 것이다.(大哉, 聖人之道! 洋洋乎! 發育萬物, 峻極于天. 優優大哉! 禮儀三百, 威儀三千. 待其人而後行. 故曰'苟不至德, 至道不凝焉.' 故君子尊德性而道問學, 致廣大而盡精微, 極高明而道中庸. 溫故而知新, 敦厚以崇禮.)"라고 하였다.

95 '바라보니 앞에 … 있었다.': 『論語』「子罕」에서 "안연이 크게 탄식하며 말하였다. '공자의 도는 우러러볼수록 더욱 높고, 뚫을수록 더욱 견고하며, 바라보니 앞에 있었는데 홀연히 뒤에 있다.'(顔淵喟然歎曰, '仰之彌高, 鑽之彌堅, 瞻之在前, 忽焉在後.')"라고 하였다.

96 '入神의 경지', … 경지': 『易』「繫辭下」에서 "자벌레가 몸을 굽히는 것은 폄을 구하기 위해서이고, 용과 뱀이 칩거하는 것은 몸을 보존하기 위해서이다. 義를 정밀히 하여 神靈한 경지에 들어가는 것은 用을 지극히 하기 위해서이고, 用을 이롭게 하여 몸을 편안히 하는 것은 德을 높이기 위해서이다. 이것을 넘어선 이후는 혹시라도 알 수 없으니, 神靈함을 궁구하여 造化를 아는 것이 덕의 융성함이다.(尺蠖之屈, 以求信也 ; 龍蛇之蟄, 以存身也. 精義入神, 以致用也 ; 利用安身, 以崇德也. 過此以往, 未之或知也, 窮神知化, 德之盛也.)"라고 하였다.

(장자가 말했다.) "배움이 사물의 이치를 미루어 추구할 수 없는 것은 다만 마음이 거칠기 때문이다. 예컨대 안자가 아직 성인의 경지에 이르지 못한 것도 여전히 마음이 거칠기 때문이다."[98]

[38-4-11]

問: "顏子初時只是天資明睿而學力精敏, 於聖人之言皆深曉默識. 未是於天下之理廓然無所不通.[99] 至於所謂卓爾之地, 乃是廓然貫通, 而知之至極, 與聖人'生知'意味相似矣. 不審是否."

朱子曰: "是如此."[100]

물었다. "안자는 처음에 다만 타고난 자질이 밝고 슬기로우며 배우는 힘이 정밀하고 민첩하여 성인의 말이라면 모두 깊이 이해하여 묵묵히 알았을 뿐이지, 아직 천하의 이치에 툭 트여 통하지 않음이 없었던 것이 아니었습니다. 이른바 우뚝하였다의 경지에 이르러서야, 이에 툭 트여 관통해서 지식의 지극함이 성인의 '나면서부터 안다.'는 의미[101]와 서로 비슷해진 것입니다. 옳은지 그른지 모르겠습니다."

주자가 대답했다. "참으로 이와 같다."

[38-4-12]

問: "顏子之學, 莫是先於性情上著工夫否?"

曰: "然."[102]

물었다. "안자의 학문은 먼저 성性·정情에 대하여 우선 공부를 한 것이 아닙니까?"

· ·

97 『張子全書』 권6 「義理」

98 "배움이 사물의 … 때문이다.": 呂柟이 편찬한 『張子抄釋』 권3 「理窟義理」에서는 이 구절에 대해, "아직 化하지 못했기 때문이라는 것을 설명했다.(釋未化故也.)"라고 주석하였다.
   주자도 이 구절에 대하여 『朱子語類』 권98, 116조목에서, "물었다. '안자의 마음이 거칠다고 한 말은 너무 지나친 것이 아닙니까?' (주자가) 대답했다. '안자는 보통 사람과 비교하면 순수하지만 공자와 비교하면 곧 거칠다. 예컨대 (정자가)「善하지 않은 것이 있으면 일찍이 알지 못한 적이 없고, 알면 일찍이 다시 행한 적이 없다.」라고 하였으니 안자의 세밀함이 이와 같다. 그러나 여전히 이렇듯 선하지 않은 것이 있다는 것은 곧 거친 것이다. 이천이 「아직 힘쓰지 않고도 中하며 생각하지 않고도 터득할 수 없으면 곧 잘못이다.」라고 한 말이 훌륭하다.'(問, 顏子心粗之說, 恐太過否? 曰, 顏子比之衆人純粹, 比之孔子便粗. 如「有不善未嘗不知, 知之未嘗復行」, 是他細膩如此. 然猶有這不善, 便是粗. 伊川說「未能不勉而中, 不思而得, 便是過」一段, 說得好.)"라고 하였다.

99 未是於天下之理廓然無所不通.: 주희의 『朱文公文集』 권57 「答陳安卿」에는 이 구절 뒤에 "猶未得全謂之物已格·知已至, 而復其本心光明·知覺之全體處. 蓋是時猶有待於聖人之言故也.(오히려 전적으로 사물의 이치가 이미 이르고 지식이 이미 지극해져서 그 본심의 광명과 지각의 전체를 회복한 경지라고 말할 수는 없습니다.)"라는 말이 더 있다.

100 朱熹, 『朱文公文集』 권57 「答陳安卿」

101 성인의 '나면서부터 … 의미: 『論語』 「述而」에서 "공자가 말했다. '나는 나면서부터 안 사람이 아니라, 옛것을 좋아하여 민첩하게 그것을 구하는 사람이다.'(子曰, '我非生而知之者, 好古敏以求之者也.')"라고 하였다.

102 『朱子語類』 권93, 20조목

(주자가) 대답했다. "그렇다."

[38-4-13]

問: "顏子比湯如何?"

曰: "顏子只據見在事業, 未必及湯. 使其成就, 則湯又不得比顏子. 前輩說禹與顏子雖是同道, 禹比顏子又粗些. 顏子比孟子, 則孟子當麤看, 磨稜合縫, 猶有未盡處.[103]"[104]

물었다. "안자를 탕湯임금과 비교하면 어떻습니까?"

(주자가) 대답했다. "안자를 다만 눈앞의 사업에만 의거해 본다면 틀림없이 탕임금에게 미치지 못할 것이다. 그러나 가령 그 성취를 말한다면 탕임금은 또 안자에게 비교될 수 없을 것이다. 선배 학자들은 우禹임금과 안자가 비록 도道를 같이했지만 우임금은 안자에 비하여 또 조금 거칠다고 말했다. 안자를 맹자에 비교하면 맹자가 당연히 거칠 것이나, 모서리를 갈고 솔기를 봉합하는 것[105]이라면 여전히 미진한 점이 있다."

[38-4-14]

問: "先生舊云'顏子優於湯·武', 如何見得?"

曰: "這般處說不得.[106] 據自看, 覺得顏子渾渾無痕迹."[107]

물었다. "선생(주자)께서는 예전에 '안자가 탕湯임금이나 무왕武王보다 낫다.'고 말했는데, 어찌 그렇게 볼 수 있습니까?"

(주자가) 대답했다. "이러한 것은 설명하기 어렵다. 내가 보기에 안자는 온전하여 흔적이 없는 것 같다."

[38-4-15]

南軒張氏曰: "顏子之所至亞於聖人, 孔門高弟莫得而班焉. 及考『魯論』師友之所稱, 有曰'不遷怒, 不貳過'而已, 有曰'以能問於不能, 以多問於寡, 有若無, 實若虛, 犯而不校'而已. 自學者觀之, 疑若近而易識. 然而顏子之所以爲善學聖人者, 實在乎此. 則聖門之學, 其大略亦可見

---

103 猶有未盡處.: 『朱子語類』권93, 20조목에는 이 구절 뒤에 "若看諸葛亮, 只看他大體正當, 細看不得.(만약 제갈량을 보면, 다만 그의 大體가 정당하다는 것을 볼 수 있을 뿐 자세히는 볼 수 없다.)"이라는 말이 더 있다.

104 『朱子語類』권93, 18조목

105 모서리를 갈고 … 것: 주자는 성인의 말씀에 대하여 이 비유를 쓰고 있다. 『朱子語類』권19, 26조목에서 "성인의 말은 모서리를 갈고 솔기를 봉합한 것과 같고, 물을 가득 담고 있어도 새지 않는 것과 같다.(聖人說話, 磨稜合縫, 盛水不漏.)"라고 하였다.

106 這般處說不得.: 『朱子語類』권93, 19조목에는 이 구절 앞에 "公只且自做工夫.(그대는 다만 스스로 공부를 해야 할 것이오.)"라는 말이 더 있다.

107 『朱子語類』권93, 19조목

矣."108

남헌 장씨南軒張氏[張栻]109가 말했다. "안자가 이른 경지는 성인에 버금가니, 공자 문하의 고족제자도 그와 같은 등급이 될 수 없다. 『노론魯論』110에서 스승과 벗이 칭송한 말들을 살펴보면, 안자에 대해서 스승은 '노여움을 남에게 옮기지 않고 잘못을 두 번 다시 저지르지 않았다.'111라 하였을 뿐이고, 벗은 '잘 하면서 잘하지 못한 사람에게 묻고, 학식이 많으면서 적은 사람에게 물으며, 있어도 없는 것 같고, 꽉 차있어도 빈 것 같으며, 침해를 받아도 따지지 않는다.'112라고 하였을 뿐이다. 배우는 사람의 입장에서 보면 천근하여 쉽게 알 수 있을 것 같은 의심이 든다. 그러나 안자가 성인을 잘 배울 수 있었던 까닭은 실로 여기에 있었다. 그렇다면 성인 문하의 학문은 그 대략을 또한 알 수 있을 것이다."

[38-4-16]
問 : "張子云'顔子未到聖人處, 猶是心麤', 如何?"

潛室陳氏曰 : "聖人心如百分秤,113 體統光明, 査滓渾化, 故分毫處皆照. 顔子未到査滓渾化地位, 猶未免有暗處, 故謂之心麤."114

. . . .

108 張栻, 『南軒集』 권33 「跋希顔錄」

109 張栻(1133~1180) : 자는 敬夫・欽夫・樂齋이고, 호는 南軒이다. 송대 한주 漢州(錦竹 : 현 사천성 廣漢縣) 사람이다. 그의 부친 張浚은 宋 高宗, 孝宗 양 조정에서 丞相을 지냈다. 知撫州・知嚴州・湖北安撫使・吏部侍郞兼侍講 등을 역임하였다. 주희보다 세 살 어리지만 呂祖謙과 더불어 친구로 지냈으며, 후대에 이들 셋을 '東南三賢'이라고 부른다. 장식은 스승 胡宏으로부터 이어지는 胡湘學派를 정립하였으며, 그의 察識端倪說은 주희의 中和舊說을 확립하는데 중요한 역할을 하였다. 저서는 『南軒易說』・『論語解』・『孟子說』・『伊川粹言』・『南軒集』 등이 있다.

110 『魯論』 : 漢나라 때 전해 온 세 가지 『論語』 가운데 하나로 현행 『論語』의 저본이다. 세 가지 『論語』는 魯나라에 전해진 것이 『魯論』이고, 齊나라에 전해진 것이 『齊論』이며, 공자의 옛 집 벽속에서 나온 것이 『古論』인데, 한나라 이후에 『魯論』만 남아 전해졌다.

111 '노여움을 남에게 … 않았다.' : 『論語』 「雍也」에서 "哀公이 '제자 가운데 누가 학문을 좋아합니까?' 하고 묻자, 공자가 대답했다. '顔回라는 자가 학문을 좋아하여 노여움을 남에게 옮기지 않고 잘못을 두 번 다시 저지르지 않았는데, 불행히도 명이 짧아 죽었습니다. 그리하여 지금은 없으니, 아직 학문을 좋아한다는 자를 듣지 못하였습니다.'(哀公問, '弟子孰爲好學?' 孔子對曰, '有顔回者好學, 不遷怒, 不貳過, 不幸短命死矣. 今也則亡, 未聞好學者也.')"라고 하였다.

112 '잘 하면서 … 않는다.' : 『論語』 「泰伯」에서 "曾子가 말했다. '잘 하면서 잘하지 못한 사람에게 묻고, 학식이 많으면서 적은 사람에게 물으며, 있어도 없는 것 같고, 꽉 차 있어도 빈 것 같으며, 자신에게 잘못을 범하여도 따지지 않는 것을 옛적에 내 벗이 일찍이 이 일에 종사하였다.'(曾子曰, '以能問於不能, 以多問於寡, 有若無, 實若虛, 犯而不校, 昔者, 吾友嘗從事於斯矣.')"라고 하였다.

113 聖人心如百分秤 : 陳埴의 『木鍾集』 권10 「近思雜問附」에는 이 구절 앞에 "心麤是暗處多・明處少, 故只見得明白道理. 若精微處則分析不去, 只爲有寸而無分也.(마음이 거칠다는 것은 어두운 곳이 많고 밝은 곳이 적은 것이므로 다만 명백한 도리만을 알 수 있을 뿐이다. 만약 정미한 곳이라면 분석할 수 없으니 다만 寸(큰 눈금, 즉 큰 구별)만 있지 分(작은 눈금, 즉 작은 구별)은 없기 때문이다.)"라는 말이 더 있다.

114 陳埴, 『木鍾集』 권10 「近思雜問附」

물었다. "장자張子張載가 '안자가 아직 성인의 경지에 이르지 못한 것도 여전히 마음이 거칠기 때문이다.'[115]라고 한 말은 어떻습니까?"

잠실 진씨潛室陳氏陳埴[116]가 대답했다. "성인의 마음은 마치 백분百分의 눈금이 있는 저울 같아서, 통체統體는 밝게 빛나고 찌꺼기는 혼연히 융화되었으므로 분分·호毫(작은 눈금)의 곳까지 모두 환하다. 안자는 아직 찌꺼기가 혼연히 융화되는 경지에 도달하지 못하여, 여전히 어두운 곳이 있는 것을 아직 벗어나지 못했기 때문에, 마음이 거칠다고 말했다."

曾子 증자

[38-5-1]

程子曰 : "曾子傳聖人學, 其德後來不可測, 安知其不至聖人? 如言'吾得正而斃', 且休理會文字, 只看他氣象極好, 被他所見處大. 後人雖有好言語, 只被氣象卑, 終不類道."[117]

정자程子가 말했다. "증자曾子曾參는 성인의 학문을 전했으며 후학에 끼친 덕이 헤아릴 수 없을 정도인데 어찌 그가 성인의 경지에 이르지 않았다는 것을 알겠는가? 예컨대 '나는 바름을 얻어서 죽으려는 것뿐이다.'[118]라고 말한 것과 같은 것은 글자를 이해하려고 하지 말고 다만 그의 기상이 지극히 좋아서

· · · · · · · · · · · · · · · · · · · ·

115 '안자가 아직 … 때문이다.' : 『張子全書』 권6 「義理」에서 "배움이 사물의 이치를 미루어 추구할 수 없는 것은 다만 마음이 거칠기 때문이다. 예컨대 안자가 아직 성인의 경지에 이르지 못한 것도 여전히 마음이 거칠기 때문이다.(學不能推究事理, 只是心麤. 至如顔子未至於聖人處, 猶是心麤.)"라고 하였다.

116 陳埴 : 자는 器之이고, 호는 木鐘이며, 세칭 潛室先生이라 하였다. 송대 永嘉(현 절강성 溫州) 사람으로 通直郞을 역임하였다. 어려서는 葉適에게 배우고 나중에는 주희에게서 배웠다. 저서는 『木鐘集』·『禹貢辨』·『洪範解』 등이 있다.

117 『河南程氏遺書』 권15

118 '나는 바름을 … 것뿐이다.' : 『禮記』 권3 「檀弓上」에서, "증자가 병으로 자리에 누워있는데 병이 위중해졌다. 樂正子春(증자의 제자)은 침상 밑에 앉아 있고 증자의 아들 曾元·曾申이 발밑에 앉아 있었는데 방구석에 촛불을 잡고 있던 童子가 말했다. '화려하고 아름답습니다. 대부의 대나무 자리입니다!' 악정자춘이 말했다. '말을 그만두라!' 증삼이 이 말을 듣고 놀라서 '아!'라고 탄식했다. 동자가 거듭 '화려하고 아름답습니다. 대부의 대나무 자리입니다!'라고 말을 하자 증자가 말했다. '그렇다. 이것은 바로 季孫이 준 것이다. 나는 병 때문에 이를 바꿀 수 없다. 元아, 일어나서 대나무 자리를 바꾸어라!' 증원이 말했다. '아버님은 병이 위중하시므로 자리를 바꿀 수 없으시니 내일 아침에 이르러 이를 바꾸십시오.' 증자가 말했다. '너희가 나를 사랑함이 저 동자만도 못하다. 군자는 사람을 사랑함에 덕으로써 하고 소인은 사람을 사랑함에 임시변통으로써 한다. 내가 무엇을 구할 것인가? 나는 바름을 얻어서 죽으려는 것뿐이다.' 모두 증자를 부축해서 자리를 바꾸었는데, 자리로 옮겨 아직 몸을 편안히 하기도 전에 죽었다.(曾子寢疾, 病, 樂正子春坐於牀下, 曾元·曾申坐於足, 童子隅坐而執燭, 童子曰, '華而睆, 大夫之簀與!' 子春曰, '止!' 曾子聞之, 瞿然曰, '呼!' 曰, '華而睆, 大夫之簀與!' 曾子曰, '然. 斯季孫之賜也. 我未之能易也. 元起易簀!' 曾元曰, '夫子之病革矣, 不可以變. 幸而至

그가 보는 곳도 커졌다는 점을 보아야 한다. 후세 사람들은 비록 좋은 말은 하지만 단지 기상이 비천함으로 인해 끝내 도道와 비슷하지 않다."

[38-5-2]

"曾子傳聖人道, 只是一箇誠篤, 『語』曰, '參也魯.' 如聖人之門, 子游·子夏之言語, 子貢·子張之才辯, 聰明者甚多, 卒傳聖人之道者, 乃質魯之人. 人只要一箇誠實, 聖人說忠信處甚多. 曾子, 孔子在時甚少, 後來所學不可測. 且'易簀'之事, 非大賢已上作不得. 曾子之後有子思, 便可見."[119]

(정자가 말했다.) "증자가 성인의 도를 전수한 것은 다만 성실하고 돈독함이었을 뿐이니, 『논어』에서 '삼參[曾參]은 노둔魯鈍하다.'라고 하였다.[120] 예컨대 성인의 문하에 자유子游·자하子夏의 말솜씨와, 자공子貢·자장子張의 재주와 변론 등 총명한 자들이 매우 많았지만[121] 끝내 성인의 도를 전수한 자는 바로 기질이 노둔한 사람이었다. 사람은 오직 성실해야 하니 성인이 충忠·신信을 말한 것이 매우 많다.[122]

. . . .

於旦, 請敬易之.' 曾子曰, '爾之愛我也不如彼. 君子之愛人也以德, 細人之愛人也以姑息. 吾何求哉? 吾得正而斃焉, 斯已矣.' 舉扶而易之, 反席未安而沒.)"라고 하였다.

119 『河南程氏遺書』권18

120 『論語』에서 '參[曾參]은 … 하였다. : 『論語』「先進」에서 "柴[高子羔]는 어리석고, 參[曾參]은 魯鈍하며, 師[子張]는 한쪽만 잘하고, 由[子路]는 거칠다."라고 하였다.

121 성인의 문하에 … 많았지만 : 『論語』「先進」에서 "공자가 말했다. '나를 陳나라와 蔡나라에서 따르던 자들이 지금은 모두 門下에 있지 않구나!' 德行에는 顔淵·閔子騫·冉伯牛·仲弓이었고, 言語에는 宰我·子貢이었고, 政事에는 冉有·季路였고, 文學에는 子游·子夏였다.(子曰, '從我於陳·蔡者, 皆不及門也!' 德行, 顔淵·閔子騫·冉伯牛·仲弓, 言語, 宰我·子貢, 政事, 冉有·季路, 文學, 子游·子夏.)"라고 하였다.

122 성인이 忠 … 많다. : 『論語』「學而」에서 "공자가 말했다. '군자가 厚重하지 않으면 위엄이 없으니, 학문도 견고하지 못하다. 忠信을 위주로 하며, 자기만 못한 자를 벗으로 삼지 말고, 허물이 있으면 고치기를 꺼려하지 말아야 한다.'(子曰, '君子不重則不威, 學則不固. 主忠信, 無友不如己者, 過則勿憚改.')"라고 하였다.
『論語』「公冶長」에서는 "공자가 말했다. '10戶쯤 되는 조그만 고을에도 반드시 나처럼 忠信하는 자는 있지만, 나처럼 학문을 좋아하는 사람은 없을 것이다.'(子曰, '十室之邑, 必有忠信如丘者焉, 不如丘之好學也.')"라고 하였다.
『論語』「述而」에서는 "공자는 네 가지로써 가르쳤으니, 文·行·忠·信이었다.(子以四敎, 文, 行, 忠, 信.)"라고 하였다.
『論語』「顔淵」에서는 "子張이 덕을 높이며 의혹을 변별하는 것에 대해 물었다. 공자가 대답하였다. '忠信을 위주로 하며 義로 옮겨가는 것이 덕을 높이는 것이다.'(子張問崇德·辨惑. 子曰, '主忠信, 徙義, 崇德也.')"라고 하였다.
『論語』「衛靈公」에서는 "子張이 행해짐에 대해 물었다. 공자가 대답하였다. '말이 忠信하고 행실이 篤敬(篤厚하고 공경함)하면 비록 오랑캐의 나라라고 하더라도 행해질 수 있지만, 말이 忠信하지 못하고 행실이 篤敬하지 못하면 州里(사는 마을)라 하더라도 행해질 수 있겠는가?(子張問行. 子曰, '言忠信, 行篤敬, 雖蠻貊之邦行矣 ; 言不忠信, 行不篤敬, 雖州里行乎哉?')"라고 하였다.
이 외에도 공자가 忠과 信을 따로 말한 것은 더욱 많다.

증자는 공자가 살아있을 때는 매우 어렸지만 후일 배워낸 것은 헤아릴 수 없다. 또 '자리를 바꾼[易簀] 일[123]은 대현大賢 이상이 아니면 할 수 없는 일이었다. 증자의 뒤에 자사子思가 있었으니, 곧 알 수 있다."[124]

[38-5-3]

"曾子易簀之際, 志於正而已矣, 無所慮也. 與'行一不義·殺一不辜而得天下, 不爲'者同心."[125]
(정자가 말했다.) "증자가 '자리를 바꿀[易簀]' 때 바름에 뜻을 둘 뿐이라고 한 것은 생각할 것이 없다는 것이다. 이것은 '한 가지 일이라도 불의不義를 행하고, 한 사람이라도 죄 없는 이를 죽여서, 천하를 얻는 것은 모두 하지 않는다.'[126]라고 한 것과 마음이 같다."

[38-5-4]

朱子曰: "曾子之爲人, 敦厚質實, 而其學專以躬行爲主. 故其眞積力久, 而得以聞乎'一以貫之'之妙. 然其所以自守而終身者, 則固未嘗離乎孝·敬·信·讓之規. 而其制行立身, 又專以輕富貴, 守貧賤, 不求人知爲大. 是以從之游者, 所聞雖或甚淺, 亦不失爲謹厚脩潔之人. 所記雖或甚疏, 亦必有以切於日用躬行之實."[127]
주자朱子[朱熹]가 말했다. "증자의 사람됨은 돈후敦厚하고 질박·성실하며, 그 학문은 오로지 몸소 실천하는 것을 위주로 했다. 그러므로 참됨이 누적되고 힘씀이 오래되어 (공자에게서) '하나로 관통하는 도'의 오묘함에 대하여 들을 수 있었다.[128] 그러나 그가 평생 동안 스스로 지킨 것은 진실로 효孝·경敬·신信·

....

123 '자리를 바꾼[易簀]' 일: [38-5-1]의 각주 참조
124 "증자가 성인의 … 있다.": 呂柟이 편찬한 『二程子抄釋』 권2에서는 이 구절에 대해, "『論語』에서 공자가 '독실하게 믿으면서도 학문을 좋아하며, 죽음으로써 지키면서도 道를 잘 실행한다.'라고 한 말은 아마 증자를 두고서 한 말일 것이다.(『語』云, '篤信好學, 守死善道', 其曾子乎!)"라고 주석하였다.
125 『河南程氏粹言』 권下 「聖賢篇」
126 '한 가지 … 않는다.': 『孟子』 「公孫丑上」에서 "(공손추가 물었다.) '伯夷와 伊尹이 공자에 대해서 이와 같이 같은 등급입니까?' (맹자가) 대답했다. '아니다. 사람이 있은 이래로 공자 같은 분이 있지 않았다.' (공손추가) 물었다. '그렇다면 같은 점이 있습니까?' (맹자가) 대답했다. '있다. 百里되는 땅을 얻어서 군주 노릇을 하면 모두 제후들에게 조회 받고 天下를 소유할 수 있으며, 한 가지 일이라도 不義를 행하고 한 사람이라도 죄 없는 이를 죽여서 천하를 얻는 것은 모두 하지 않을 것이니, 이것이 같은 점이다.'(伯夷·伊尹於孔子, 若是班乎?' 曰, '否. 自有生民以來, 未有孔子也.' 曰, '然則有同與?' 曰, '有. 得百里之地而君之, 皆能以朝諸侯有天下 ; 行一不義·殺一不辜而得天下, 皆不爲也. 是則同.')"라고 하였다.
127 朱熹, 『朱文公文集』 권81 「書劉子澄所編曾子後」
128 '하나로 관통하는 … 있었다.: 『論語』 「里仁」에서 "공자가 말했다. '參아! 내 道는 하나로 모든 것을 꿰뚫고 있다.' 증자는 '예!'라고 대답했다.(子曰, '參乎! 吾道一以貫之.' 曾子曰, '唯!')"라고 하였다.
주자는 이 구절에 대하여 『集註』에서, "聖人의 마음은 渾然한 하나의 理이지만, 널리 대응하고 곡진히 마땅하여 用이 각각 같지 않다. 증자는 그 用의 곳에 대하여 이미 일을 따라 정밀히 살피고 힘써 행하였지만, 단지 그 體가 하나임을 아직 알지 못했을 뿐이었다. 공자는 그가 진지하게 누적하고 오랫동안 힘을 기울여서 장차 터득함이 있을 것이라는 것을 알았다. 이 때문에 이름을 부르고 말해 주었다. 증자는 과연 그 뜻을

양讓의 규범을 벗어난 적이 없다. 그 행위준칙과 처신은 또 오로지 부귀를 가볍게 보고 빈천을 지키며 남들이 알아주기를 추구하지 않는 것을 중대한 것으로 여겼다. 이 때문에 그를 좇아서 교유하는 사람은 배운 것이 비록 혹시 매우 천박하다고 하더라도 역시 삼가고 돈후하며 고상하고 순결한 사람임을 잃지 않았으며, 기록하여 남긴 것이 비록 매우 거칠더라도 역시 반드시 일상생활의 실천에 절실함이 있었다."

[38-5-5]
"曾子說話, 盛水不漏."[129]
(주자가 말했다.) "증자의 말은 한 방울의 물도 새나가지 않는다."

[38-5-6]
"曾子父子相反. 參合下不曾見得, 只從日用間應事接物上積累做去, 及至透徹, 那小處都是自家底了. 點當下見得甚高, 做處却又欠闕."[130]
(주자가 말했다.) "증자 부자간은 서로 반대이다. 증삼曾參은 원래 깨달은 것이 없었고 다만 일상생활의 일을 처리하고 사물을 대하는 곳에서 쌓아나가, 투철한 경지를 이룸에 이르러선 소소한 곳마저 모두 자신이 이뤄냈다. 증점曾點은 깨달은 것은 매우 고원하지만 실천에서는 또한 흠결이 있었다."

[38-5-7]
"曾子之學, 大抵力行之意多."[131]
(주자가 말했다.) "증자의 학문은 대체로 힘써 실천하는 뜻이 많다."

子思 자사

[38-6-1]
龜山楊氏曰："孔子歿, 群弟子離散, 分處諸侯之國. 雖各以所聞授弟子, 然得其傳者蓋寡. 故子夏之後有田子方, 子方之後爲莊周, 其去本寖遠矣. 獨曾子之後子思·孟子之傳得其宗. 子

· ·
묵묵히 알고서 곧바로 빨리 대답했으니 의심이 없었던 것이다.(聖人之心, 渾然一理, 而泛應曲當, 用各不同. 曾子於其用處, 蓋已隨事精察而力行之, 但未知其體之一爾. 夫子知其眞積力久, 將有所得. 是以呼而告之. 曾子果能黙契其指, 卽應之速而無疑也.)"라고 주석하였다.
129 『朱子語類』 권93, 28조목
130 『朱子語類』 권93, 26조목
131 『朱子語類』 권21, 42조목

思之學『中庸』是也."[132]

구산 양씨龜山楊氏[楊時]가 말했다. "공자가 죽자 여러 제자들은 뿔뿔이 흩어져서 제후국에 나뉘어 거주하였다. 비록 각각 공자에게 들은 것을 제자들에게 알려주었지만, 그것을 전수받은 자들이 대체로 적었다. 그러므로 자하子夏의 뒤에 전자방田子方[133]이 있었고 전자방의 뒤에 장주莊周가 있었지만, 그 근본과의 거리가 점점 멀어졌다. 유독 증자의 뒤인 자사子思와 맹자의 전수가 그 정통을 얻었다. 자사의 학문은 『중용』이다."

[38-6-2]

朱子曰 : "曾子大抵偏於剛毅, 這終是有立脚處. 所以其他諸子皆無傳, 惟曾子獨得其傳. 到子思也恁地剛毅, 孟子也恁地剛毅. 惟是有這般人, 方始湊合得著 ; 惟是這剛毅等人, 方始立得定. 子思別無可考, 只孟子所稱, 如'摽使者出諸大門之外, 北面再拜稽首而不受', 如云'事之云乎, 豈曰友之云乎'之類, 這是甚麼樣剛毅?"[134]

주자朱子[朱熹]가 말했다. "증자는 대체로 강하고 굳센 측면으로 치우쳤지만, 이 점이 끝내 근거를 세우는 것이 있게 되었다. 그러므로 기타 여러 제자들이 모두 전수가 없는데 오직 증자만이 그 전수를 얻었다. 자사도 그렇게 강하고 굳세었으며, 맹자도 그렇게 강하고 굳세었다. 오직 이러한 사람이라야 비로소 한데 모을 수 있으며, 오직 이렇게 강하고 굳센 사람이라야 비로소 확정하여 세울 수 있다. 자사는 별로 고증할 만한 것이 없지만, 단지 맹자가 그를 칭찬한 것에서, 예컨대 '사자使者를 손짓하여 대문의 밖으로 내보내고, 북면北面하여 머리를 조아려 재배再拜하고는 (삶은 고기를) 받지 않았다.'[135]라 하고, '섬긴다고는 하였을지언정 어찌 벗한다고 했겠습니까?'[136]라고 한 것 등을 보면 이 얼마나 강하고 굳센 것이었는가?"

· ·

132 楊時, 『龜山集』 권25 「中庸義序」

133 田子方 : 전국 시대 때 魏나라 사람으로 字가 子方이고, 이름은 無擇이다. 子夏에게 공부했고, 魏文侯의 스승이 되었다. 그 사람됨이 의지가 굳세고 과단성이 있으며 권세와 부귀를 가볍게 여겨서 당시 명망이 높았다고 한다.

134 『朱子語類』 권93, 21조목

135 '使者를 손짓하여 … 않았다.' : 『孟子』 「萬章下」에서 "(萬章이) 말했다. '군주가 구휼해 주면 받는다고 하는데, 항상 계속할 수 있는지 모르겠습니다.' (맹자가) 대답했다. '繆公이 子思에 대하여 자주 문안하고 자주 삶은 고기를 주었다. 子思는 기뻐하지 않았다. 맨 마지막에는 使者를 손짓하여 대문의 밖으로 내보내고, 北面하여 머리를 조아려 再拜하고는 (삶은 고기를) 받지 않았다. 그러면서 말하기를, 「지금에야 군주께서 개와 말로 나를 기르는 것을 알았습니다.」라고 하였다. 이 뒤로부터 하인들이 물건을 가져다 주는 일이 없었다. 賢者를 좋아하되, 천거하여 등용하지 못하고 또 봉양도 못한다면, 현자를 좋아한다고 이를 수 있겠는가?(曰, '君餽之, 則受之, 不識可常繼乎.' 曰, '繆公之於子思也, 亟問, 亟餽鼎肉. 子思不悅. 於卒也, 摽使者出諸大門之外, 北面稽首再拜而不受. 曰, 「今而後知君之犬馬畜伋.」 蓋自是臺無餽也. 悅賢不能擧, 又不能養也, 可謂悅賢乎?')"라고 하였다.

136 '섬긴다고는 하였을지언정 … 했겠습니까?' : 『孟子』 「萬章下」에서 "또 군주가 그를 만나보고자 함은 어째서인가? (萬章이) 대답했다. '그 견문이 많기 때문이고 어질기 때문입니다.' (맹자가) 말했다. '견문이 많기 때문이라면 天子도 스승을 부르지 않는데, 하물며 제후는 어떻겠는가? 어질기 때문이라면 나는 아직까지

孟子 맹자

[38-7-1]

程子曰 : "孟子言己志, 有德之言也. 論聖人之事, 造道之言也."[137]

정자程子가 말했다. "맹자가 자신의 뜻을 말한 말은 덕을 갖춘 사람의 말이며, 성인의 일을 논한 말은 도에 나아가는 말이다."[138]

[38-7-2]

張子曰 : "孟子於聖人, 猶是麤者."[139]

장자張子張載가 말했다. "맹자는 성인에 비하면 여전히 거친 사람이다."

[38-7-3]

龜山楊氏曰 : "道之不行久矣. 自周衰以來, 處士橫議, 儒墨異同之辨起, 而是非相勝非一日也. 孟子以睿智剛明之材, 出於道學陵夷之後. 非堯舜之道不陳於王前, 非孔子之行不行於身, 思以道援天下, 紹復先王之令緒, 其自任可謂至矣.

구산 양씨龜山楊氏楊時[140]가 말했다. "도가 행해지지 않은지 오래 되었다. 주周나라가 쇠퇴한 이래로 재

. . . .

賢者를 만나보려고 하면서 불렀다는 말은 들어보지 못했다. 魯나라 繆公이 자주 子思를 뵙고 「옛날에 千乘의 나라의 군주로서 선비와 벗하였다고 하는데, 어떻습니까?」라고 말하자, 子思는 기뻐하지 않으면서 「옛사람의 말에 이르기를 섬긴다고는 하였을지언정 어찌 벗한다고 했겠습니까?」라고 말했다. 子思가 기뻐하지 않은 것은, 어찌 「지위로 보면 그대는 군주요, 나는 신하이니, 내 어찌 감히 군주와 벗할 수 있으며, 德으로 보면 그대는 나를 섬기는 자이니, 어찌 나와 더불어 벗할 수 있겠는가?」라고 생각한 것이 아니었겠는가? 千乘의 군주가 더불어 벗하기를 구해도 될 수 없는데, 하물며 부를 수 있겠는가?('且君之欲見之也, 何爲也哉?' 曰, '爲其多聞也, 爲其賢也.' 曰, '爲其多聞也, 則天子不召師, 而況諸侯乎? 爲其賢也, 則吾未聞欲見賢而召之也. 繆公亟見於子思, 曰, '古千乘之國以友士, 何如?' 子思不悅, 曰, '古之人有言, 曰事之云乎, 豈曰友之云乎?' 子思之不悅也, 豈不曰, 「以位則子君也 ; 我 臣也, 何敢與君友也? 以德則子事我者也, 奚可以與我友?」千乘之君求與之友, 而不可得也, 而況可召與?')」라고 하였다.

137 『河南程氏粹言』 권下 「聖賢篇」. 『河南程氏遺書』 권11에는 "有有德之言, 有造道之言. 孟子言己志者, 有德之言也 ; 言聖人之事, 造道之言也."라고 되어 있다.

138 "맹자가 자신의 … 말이다." : 呂柟이 편찬한 『二程子抄釋』 권2에서는 이 구절에 대해, "말이 나오면 마음이 드러난다는 것을 설명했다.(釋言出心見.)"라고 주석하였다.

139 『張子全書』 권14 「性理拾遺」

140 楊時(1053~1135) : 자는 中立이고 호는 龜山이며 시호는 文靖이다. 북송 將樂(현 복건성 장락현) 사람이다. 관직은 高宗 때 龍圖閣直學士에 이르렀다. 程顥 · 程頤 형제에 師事했는데, 특히 형 정호의 신임을 받았다. 閩學의 창시자이자 정문 4대 제자 가운데 한 사람이다. 그는 오래 살면서 二程(程顥 · 程頤)의 도학을 전하여 洛學(이정의 학파)의 大宗이 되었으며, 그 學系에서는 朱熹 · 張栻 · 呂祖謙 등 뛰어난 학자가 많이 배출되었

야의 선비들이 제멋대로 의론하여 유가와 묵가의 서로 반대 되는 논변이 일어나, 옳고 그름이 서로 이기고 진 것이 하루 이틀이 아니었다. 맹자가 지혜롭고 굳센 재질로 도학道學이 점점 쇠퇴해진 뒤에 나왔다. 그는 요임금과 순임금의 도가 아니면 임금 앞에 진술하지 않았고, 공자가 행한 것이 아니면 자신에게 행하지 않았으며, 도로써 천하를 구원하여 선왕의 위대한 사업을 계승·회복할 것을 생각했으니, 자신의 임무로 삼은 것이 지극하다고 할 수 있겠다.

當是之時, 人不知存亡之理, 恃强威弱, 挾衆暴寡, 以謂久安之勢在此而已. 夫由其道, 則七十里而興; 不由其道, 雖天下而亡, 古今之常理也. 彼方恃强挾衆, 而驟以仁義之言誘之, 動逆其所順, 則不悟其理者, 宜其迂闊而不足用也. 故輒環於齊·魯·晉·宋之郊而道終不行, 亦其勢然矣.

이 당시 사람들은 존망存亡의 이치를 몰라서, 강함을 믿고서 약한 것을 위협하고, 많은 것을 옆에 끼고서, 적은 것을 괴롭히며, 오래오래 편안할 수 있는 형세가 여기에 있다고 여길 뿐이었다. 무릇 도리를 따르면 70리의 땅으로도 흥성하지만[141] 도리를 따르지 않으면 비록 천하의 땅을 가지고도 멸망하는 것이 고금의 불변하는 이치이다. 저들이 한창 강함을 믿고 많은 것을 옆에 끼고 있는데, 갑자기 인의仁義의 말로 그들을 유도하면 번번이 그들이 따르는 것을 거스르니, 그 이치를 깨닫지 못하는 자들은 마땅히 그것을 우원迂遠하다고 하여 사용하기에 충분하지 않았다. 그러므로 제齊·노魯·진晉·송宋나라 등을 두루 돌아다녔지만 도는 끝내 행해지지 못했으니 또한 형세가 그러했다.

雖膏澤不下於民, 其志不施於事業, 而世之賴其力, 亦豈鮮哉? 方世衰道微, 使儒墨之辯息, 而姦言詖行不得逞其志, 無君無父之敎不行於天下, 而民免於禽獸, 則其爲功非小矣. 古人謂孟子之功不在禹下, 亦足爲知言也."[142]

비록 은택이 백성들에게 내려가지 않고 그 뜻이 사업에 시행되지 못했지만 세상에서 그 힘에 의뢰하는 것은 역시 어찌 적겠는가? 막 세상이 쇠퇴해지고 도가 없어졌을 때, 유가와 묵가의 논변이 그치도록 하고, 간사한 말과 치우친 행위가 그 뜻을 드러낼 수 없도록 하며, 임금도 무시하고 부모도 무시하는 가르침이 천하에서 행해지지 않도록 하여 백성들이 금수가 되는 것을 벗어나게 한 것은 그 공로는 작지 않다. 옛 사람들이 맹자의 공로가 우禹임금보다 못하지 않다고 한 것도 역시 말을 알기에 충분하다."

. . . .
　　다. 저서에 『龜山集』·『龜山語錄』·『二程粹言』 등이 있다.
141 도리를 따르면 … 흥성하지만: 도덕자는 작은 지역으로도 천하를 다스릴 수 있음을 말함. 『孟子』「公孫丑上」
　　에 "덕을 위주로 인의를 행하는 이는 王者이니, 왕자는 대국을 소유할 필요도 없다. 옛날에 탕왕은 사방
　　70리의 땅을 가지고 일어났고, 문왕은 100리의 땅을 가지고 일어났다.(力假仁者霸, 霸必有大國, 以德行仁者
　　王, 王不待大. 湯以七十里, 文王以百里.)"라고 하였다.
142 楊時, 『龜山集』 권25 「孟子義序」

[38-7-4]

和靖尹氏曰: "趙岐謂孟子通五經, 尤長於『詩』·『書』, 岐未爲知孟子者. 某謂孟子精通於『易』, 孟子踐履處, 皆是『易』也. 試讀『易』一遍, 然後看『孟子』便見. 揚子謂孟子知言之要, 知德之奧, 非苟知之, 亦允蹈之', 此最善論孟子者."

화정 윤씨和靖尹氏[尹焞][143]가 말했다. "조기趙岐[144]는 맹자가 오경五經에 능통하였고 특히 『시詩』와 『서書』에 뛰어났다고 했는데, 조기는 맹자를 아는 사람이 아니다. 내 생각에, 맹자는 『역易』에 정통精通하였으니, 맹자가 실천한 것은 모두 『역』이다. 시험 삼아 『역』을 한 번 읽어본 뒤에 『맹자』를 보면 바로 알 수 있다. 양자揚子[揚雄]는 '맹자는 말의 요지를 알았고 덕의 심오함을 알았는데, 대충 아는 것이 아니라 또한 참으로 그것을 실천했다.'라고 했는데,[145] 이것은 맹자에 대하여 가장 잘 논한 것이다."

[38-7-5]

五峰胡氏曰: "孟子生世之大弊, 承道之至衰, 蘊經綸之大業. 進退辭受, 執極而不變, 用極而不亂, 屹然獨立於橫流. 使天下後世曉然知强大威力之不可用, 士所以立身, 大夫所以立家, 諸侯所以立國, 天王所以保天下, 必本諸仁義也. 偉哉!"[146]

오봉 호씨五峰胡氏[胡宏]가 말했다. "맹자는 크게 퇴폐한 세상에 태어나 지극히 쇠퇴한 도道를 받아서, 세상을 다스리려는 대업大業을 품었다. 나아감과 물러남, 거절과 받아들임에 중용을 잡고 변하지 않았으며, 중용을 쓰고 혼란스러워지지 않아서 물이 마구 흐르듯 혼란한 세상에 우뚝하게 홀로 섰다. 천하의 후세 사람들에게 강대한 위력이 쓸 데 없음을 알게 하여, 선비들이 자신을 세우는 것과 대부가 가家를 세우는 것과 제후가 나라를 세우는 것 및 천왕天王이 천하를 보존하는 것이 반드시 인의仁義에 근본하게 하였다. 위대하다!"

· · · · · · · · · · · · · · · · · · ·

143　尹焞(1071~1142): 자는 彦明·德充이고, 호는 三畏齋와 황제가 하사한 호인 和靖處士가 있으며, 시호는 肅公이다. 송대 洛陽(현 하남성 낙양) 사람으로 과거에 응시하지 않았으나, 천거에 의해 崇政殿說書 겸 侍講을 역임하였다. 어려서부터 程頤에게 사사하여 스승의 학설을 가장 돈독하게 이어받았다고 한다. 저서는 『論語解』·『孟子解』·『和靖集』 등이 있다.

144　趙岐(108~201): 후한 京兆 長陵(현 섬서성 咸陽) 사람이다. 초명은 嘉이고, 자는 邠卿 또는 臺卿이다. 처음에 州郡에서 벼슬했는데, 청렴하고 강직해서 미움을 받아 사람들이 꺼렸다. 桓帝 때는 京兆尹工曹를 역임하였는데, 靈帝 때 黨錮를 당해 10여 년의 금고 생활을 보냈다. 獻帝 때 다시 議郎에 오르고 太常으로 옮겼다. 馬融의 형의 딸에게 장가들어 마융에게 『周禮』에 대해 묻기도 했다. 당시 학풍과 달리 『論語』와 『孟子』의 가치를 매우 높게 평가했다. 저서에는 『孟子章句』가 十三經注疏에, 『三輔決錄』이 茆泮林의 十種古逸書에 각각 수록되어 있다.

145　揚子[揚雄]는 '맹자는 … 했는데: 揚雄은 『揚子法言』 권9 「君子篇」에서 "어떤 사람이 '맹자가 말의 요지를 알았고 덕의 심오함을 알았다.'는 것에 대해 물었다. (양웅이) 대답했다. '대충 아는 것이 아니라 또한 참으로 그것을 실천했다.'(或問孟子知言之要·知德之奧.' 曰, '非苟知之, 亦允蹈之.')"라고 하였다.

146　胡宏, 『知言』 권1

[38-7-6]

"孟子云, '萬物皆備於我矣, 反身而誠, 樂莫大焉.' 自孟子而後, 天下之人能立身建功就事者, 其言其行豈不皆有合於道? 然求如孟子知性者, 不可得也."[147]

(오봉 호씨가 말했다.) "맹자는 '만물이 모두 나에게 갖추어져 있으니, 몸에 돌이켜보아 성실하면 즐거움이 이보다 더 클 수 없다.'[148]라고 말했다. 맹자 이후로 천하의 사람들 가운데 자신을 세워 공로를 세우고 일을 성취할 수 있는 자가 그 언행이 어찌 모두 도에 합치됨이 있지 않았겠는가? 그러나 맹자처럼 성性을 알기를 추구한 자는 볼 수 없었다."

[38-7-7]

朱子曰 : "孟子比之孔門原憲, 謹守必不似他. 然他不足以及人, 不足以任道, 孟子便擔當得事."[149]

주자朱子[朱熹]가 말했다. "맹자를 공자의 문인 원헌原憲[原思]에 비교하면 신중하게 지키는 것은 반드시 그와 같지 않을 것이다.[150] 그러나 원헌은 남에게 미치기에 충분하지 않고 도를 담당하기에 충분하지 않지만, 맹자는 곧 일을 담당할 수 있다."

[38-7-8]

"孟子不甚細膩. 如大匠把得繩墨定, 千門萬户自在."[151]

(주자가 말했다.) "맹자는 별로 세밀하지 않다. 예컨대 대장大匠(목공의 우두머리)이 승묵繩墨(먹줄 즉 법도)을 확정하면, 수많은 문이나 창이 저절로 그 속에 존재함과 같다."

---

147 胡宏, 『知言』 권5
148 '만물이 모두 … 없다.' : 『孟子』「盡心上」에서 "맹자가 말했다. '만물이 모두 나에게 갖추어져 있으니, 몸에 돌이켜보아 성실하면 즐거움이 이보다 더 클 수 없고, 恕를 힘써서 행하면 仁을 구함이 이보다 가까울 수 없다.'(孟子曰, '萬物皆備於我矣, 反身而誠, 樂莫大焉. 强恕而行, 求仁莫近焉.')"라고 하였다.
149 『朱子語類』 권93, 42조목
150 맹자를 공자의 … 것이다 : 『論語』에서 원헌에 관한 말은 『論語』「憲問」에서 "原憲이 수치에 대하여 물었다. 공자가 대답했다. '나라에 道가 있을 때에 祿만 먹으며, 나라에 도가 없을 때에 녹만 먹는 것이 수치스러운 일이다.'(憲問恥. 子曰, '邦有道, 穀 ; 邦無道, 穀, 恥也.')"라고 한 말이 대표적이다.
　　주자는 이 구절에 대하여 『集註』에서, "나라에 道가 있을 때에 훌륭한 일을 하지 못하고, 나라에 道가 없을 때에 홀로 善하게 하지 못하면서, 다만 祿을 먹을 줄만 아는 것은 모두 수치스러울 만한 일이다. 原憲의 지조는 나라에 道가 없을 때에 祿을 먹는 것이 수치스러운 일이라는 것에 대해서는 진실로 알고 있었으나, 나라에 道가 있을 때에 祿만 먹는 것이 수치스러운 일이라는 것에 대해서는 반드시 알지 못했을 것이다. 그러므로 공자가 그의 질문에 따라 이것까지 아울러 말하여, 그의 뜻을 넓혀서 스스로 힘쓸 것을 알게 하고 일을 하는 데 나아가게 한 것이다.(邦有道不能有爲, 邦無道不能獨善, 而但知食祿, 皆可恥也. 憲之狷介, 其於邦無道穀之可恥, 固知之矣 ; 至於邦有道穀之可恥, 則未必知也. 故夫子因其問而幷言之, 以廣其志, 使知所以自勉, 而進於有爲也.)"라고 주석하였다.
151 『朱子語類』 권93, 43조목

[38-7-9]

答林擇之曰: "近略整頓孟子說, 見得此老直是把得定. 但常放教到極險處, 方與一斡轉. 斡轉後, 便見天理人欲直是判然. 非有命世之才見道極分明, 不能如此. 然亦只此便是英氣害事處, 便是才高無可依據處, 學者亦不可不知也."[152]

(주자가) 임택지林擇之[林用中][153]에게 답하여 말했다. "요즈음 맹자의 말을 대략 정리하였는데, 맹자는 곧바로 확실하게 파악하고 있다는 것을 알았다. 다만 늘 펼쳐서 지극히 험준한 곳에 이르게 하고서야 비로소 한 번 전환을 해준다. 전환을 한 뒤에는 곧 천리天理와 인욕人欲이 곧바로 뚜렷하게 구별된다. 한 세상에 걸출한 인재로 도道를 보는 것이 지극히 분명한 것이 아니고는 이와 같을 수 없다. 그러나 또한 이것은 다만 영기英氣가 일을 해치는 점이고, 재주가 높아 의거할 데가 없는 점이니, 배우는 사람들이 몰라서는 안 된다."

[38-7-10]

問: "'孟子露其才, 蓋亦時然而已.' 豈孟子亦有戰國之習否?"

曰: "亦是戰國之習. 如三代人物, 自是一般氣象; 『左傳』所載春秋人物, 又是一般氣象; 戰國人物, 又是一般氣象."[154]

물었다. "(정자가) '맹자는 그 재기才氣를 드러내었는데 그 또한 시대가 그러했기 때문일 뿐이다.'[155]라고 하였는데, 어찌 맹자에게도 또한 전국시대의 습속이 있겠습니까?"

. . . .

152 朱熹, 『朱文公文集』 권43 「答林擇之」

153 林用中: 자는 擇之·敬仲이고, 호는 東屛이며 학자들은 草堂先生이라 불렸다. 송대 福州古田(현 복건성 소속) 사람이다. 처음에는 林光朝에게 배우면서 『大學』의 삼강령으로 학문의 뜻을 세웠다. 주희가 建安에서 강학하고 있다는 소문을 듣고 가서 배웠다. 주희는 그의 志操를 중시하여 채원정과 함께 畏友로 손꼽았다. 乾道 3년(1167)에 주희를 따라 潭州를 여행하고 주희와 함께 嶽麓書院에서 張栻을 만나 『中庸』의 의리를 강론하였다. 또 주희와 南嶽을 유람하면서 지은 詩 149수로 『南嶽酬唱集』을 남기기도 했다. 淳熙 3년(1176)에는 주희와 함께 여조겸의 요청에 응하여 鵝湖에서 육구연 형제를 만나기도 했다. 淳熙 6년(1179)에는 주희가 南康에 부임하는 것을 수행하여 白鹿洞書院에서 강학하였다. 주희가 僞學으로 몰린 慶元黨禁 시기에도 주희를 잘 보필한 것으로 유명하다. 저술에는 『東屛集』·『草堂集』이 있다.

154 『朱子語類』 권96, 76조목

155 '맹자는 그 … 뿐이다.': 『河南程氏遺書』 권5에서 "仲尼孔子는 元氣이고, 안자는 봄기운이 피어남이며, 맹자는 아울러 가을의 죽임을 모두 드러냈다. 공자는 포용하지 않는 것이 없고, 안자는 '어기지 않아 어리석은 사람인 듯하였다.'고 하는 배움의 자세를 후대 학자들에게 보여주어 자연스러운 和氣가 있으니, 말을 하지 않고도 교화하는 사람이며, 맹자는 그 才氣를 드러내었는데 그 또한 시대가 그러했기 때문일 뿐이다. 공자는 天地과 같고, 안자는 온화한 바람과 경사스러운 구름 같으며, 맹자는 泰山의 준험한 기상과 같다. 그들의 말을 살펴보면 모두 그러한 점을 알 수 있다. 공자는 자취가 없고 안자는 자취가 조금 있으며, 맹자는 자취가 두드러진다.(仲尼, 元氣也; 顔子, 春生也; 孟子, 幷秋殺盡見. 仲尼, 無所不包; 顔子示「不違如愚」之學於後世, 有自然之和氣, 不言而化者也; 孟子則露其才, 蓋亦時然而已. 仲尼, 天地也; 顔子, 和風慶雲也; 孟子, 泰山巖巖之氣象也. 觀其言, 皆可以見之矣. 仲尼無迹, 顔子微有迹, 孟子其迹著.)"라고 하였다.

(주자가) 대답했다. "그 또한 전국시대의 습속이다. 예컨대 삼대三代(夏·商·周)의 인물은 본래 그 때의 기상氣象이 있고, 『춘추좌전』에 실려 있는 춘추시대의 인물은 또 그 때의 기상이 있으며, 전국시대의 인물도 또 그 때의 기상이 있다."

[38-7-11]
答呂伯恭曰："如孟子論愛牛制産, 本末雖殊, 然亦罄其說於立談之間. 大抵聖賢之言隨機應物, 初無理事精粗之別. 其所以格君心者, 自其精神力量有感動人處, 非爲恐彼逆疑吾說之迂, 而姑論無事之理以嘗試之也. 若必如此, 則便是世俗較計利害之私, 何處更有聖賢氣象耶？"[156]
(주자가) 여백공呂伯恭(呂祖謙)에게 답하여 말했다. "맹자가 소를 아끼고[157] 산업의 제정을 논한 것은 근본과 말단이 비록 다르지만, 그러나 역시 잠깐사이에 그 설명을 다했다. 대체로 성현의 말은 기미에 따라 사물에 대응하므로 애초에 리理와 사事, 정밀함과 조잡함의 구별이 없다. 군주의 마음을 바로잡을 수 있었던 것은 본래 정신의 힘이 사람을 감동시키는 곳이 있었기 때문이지, 저 사람이 나의 주장을 우원迂遠하게 여길 것이라고 미리 의심하여 잠시 아무 문제가 없는 이치를 토론함으로 시험하지 않는다. 만약 반드시 이와 같다면 바로 세속에서 이해의 사사로움을 계산하는 것이니, 어느 곳에 또 다시 성현의 기상이 있겠는가?"

[38-7-12]
南軒張氏曰："孟子在戰國, 多眷眷於齊宣王, 其去也又遲遲而不去. 只爲齊宣王有好善之資, 難爲棄之耳."[158]

- -

156 『朱文公文集』 권33 「答呂伯恭」
157 맹자가 소를 아끼고: 『孟子』「梁惠王上」에서 "(齊宣王이) 물었다. '寡人과 같은 사람도 백성을 보호할 수 있겠는가?' (맹자가) 대답했다. '할 수 있습니다.' (제선왕이) 물었다. '무슨 이유로 내가 할 수 있는지를 아는가?' (맹자가) 대답했다. '臣이 다음과 같은 내용을 胡齕에게 들었습니다. 「왕이 堂上에 앉아 있는데, 소를 끌고 堂下로 지나가는 자가 있었습니다. 왕께서 이를 보고 『소가 어디로 가는가?』하고 묻자, 『鐘의 틈을 피로 바르는 데 쓰려고 합니다.』라고 대답했습니다. 왕께서 말했습니다. 『놓아주어라! 나는 소가 두려워 벌벌 떨며 죄 없이 死地로 가는 것을 차마 볼 수 없구나.』 대답하기를『그렇다면 종의 틈을 피로 바르는 일을 폐지합니까?』라고 하니, 『어찌 폐지할 수 있겠는가? 羊으로써 바꾸어라.』고 하였다.」 이러한 일이 있었는지 모르겠습니다.' (제선)왕이 말했다. '그러한 일이 있었다.' (맹자가) 말했다. '이 마음이면 왕 노릇하기에 충분합니다. 백성들은 모두 왕이 재물을 아꼈다고 하지만, 臣은 진실로 왕께서 차마 그렇게 하지 못한 것을 알고 있습니다.' 제선왕이 말했다. '그렇다. 진실로 그런 백성들이 있었다. 齊나라가 비록 좁고 작지만 내 어찌 한 마리 소를 아끼겠는가? 이는 소가 두려워 벌벌 떨며 죄 없이 死地로 가는 것을 차마 볼 수 없어서였다. 그러므로 양으로써 바꾸게 하였다.'(曰, '若寡人者, 可以保民乎哉?' 曰, '可.' 曰, '何由知吾可也?' 曰, '臣聞之胡齕曰, 「王坐於堂上, 有牽牛而過堂下者, 王見之, 曰, 『牛何之?』對曰, 『將以釁鐘.』王曰, 『舍之! 吾不忍其觳觫若無罪而就死地.』對曰, 『然則廢釁鐘與?』曰, 『何可廢? 以羊易之!』」不識有諸.' 曰, '有之.' 曰, '是心足以王矣. 百姓皆以王爲愛也, 臣固知王之不忍也.' 王曰, '然. 誠有百姓者, 齊國雖褊小, 吾何愛一牛? 卽不忍其觳觫若無罪而就死地, 故以羊易之也.')"라고 하였다.

남헌 장씨南軒張氏[張栻]가 말했다. "맹자가 전국시대에 제선왕齊宣王에 대하여 미련이 많았으니, 그를 떠나면서도 느릿느릿하면서 떠나가지를 못했다. 이것은 단지 제선왕이 선善을 좋아하는 자질이 있어서 그를 포기하기 어려웠기 때문일 뿐이다."159

[38-7-13]

程子曰 : "仲尼, 元氣也 ; 顏子, 春生也 ; 孟子, 幷秋殺盡見. 仲尼, 無所不包 ; 顏子, 示'不違如愚'之學於後世, 有自然之和氣, 不言而化者也 ; 孟子則露其才, 時然而已.160 仲尼, 天地也 ; 顏子, 和風慶雲也 ; 孟子, 泰山巖巖之氣象也. 觀其言, 皆可以見之矣. 仲尼無迹. 顏子微有迹. 孟子其迹著."161 以下論孔 · 顏 · 曾 · 思 · 孟.

정자程子가 말했다. "중니仲尼孔子는 원기元氣이고, 안자는 봄기운이 피어남이며, 맹자는 아울러 가을의 죽임을 모두 드러냈다.162 공자는 포용하지 않는 것이 없고, 안자는 '어기지 않아 어리석은 사람인 듯하였다.'163고 하는 배움의 자세를 후대 학자들에게 보여주어 자연스러운 화기和氣가 있으니, 말을 하지 않고도 교화하는 사람이며, 맹자는 그 재기才氣를 드러내었는데 시대가 그러했기 때문일 뿐이다.164 공자

---

158 陳士元의 『孟子雜記』 권4에서 남헌 장씨의 말로 인용하였다.

159 이것은 단지 … 뿐이다. : 이에 대한 내용은 [38-7-11]의 각주 참조

160 時然而已. : 『河南程氏遺書』 권5에는 "蓋亦時然而已"라고 되어 있다.

161 『河南程氏遺書』 권5

162 안자는 봄기운이 … 드러냈다. : 『朱子語類』 권96, 74조목에서 "안자는 봄기운이 피어남이며, 맹자는 가을에 말라 시들게 하는 氣까지 모두 보인다.'라는 것에 대해 물었다. (주자가) 대답했다. '공자는 포용하지 않음이 없지만, 안자는 막 봄에 생겨나는 뜻을 노출하니, 예컨대 (『論語』 「公冶長」에서) 「자신의 잘하는 것을 자랑함이 없으며, 공로를 과시함이 없다.」라고 한 것이 이것이다. 이것을 더욱 드러나지 않게 하면 곧 공자가 된다. 맹자는 곧 가을의 죽임과 같음을 모두 발산하여 그 才氣를 드러내었다. 예컨대 이른바 英氣가 발산하는 곳마다 모두 나타난 것이다.' (주자가) 또 말했다. '明道(程顥)의 아래 두 구절의 말은 곧 위의 세 구절을 풀이하는데, 유독 「시대가 그러했기 때문일 뿐이다.」라는 말은 이해하기 어렵다.'(問顏子春生, 孟子幷秋殺盡見.' 曰, '仲尼無不包, 顏子方露出春生之意, 如「無伐善, 無施勞」是也. 使此更不露, 便是孔子. 孟子便如秋殺, 都發出來, 露其才. 如所謂英氣, 是發用處都見也.' 又曰, '明道下二句便是解上三句, 獨「時焉而已」, 難曉.')"라고 하였다.

163 '어기지 않아 … 듯하였다.' : 『論語』 「爲政」에서 "공자가 말했다. '내가 回(顏回)와 더불어 온종일 이야기를 하였으나, 내 말을 어기지 않아 어리석은 사람인 듯하였다. 물러간 뒤에 그 사생활을 살펴보니 역시 충분히 발휘하고 있었다. 안회는 어리석지 않다!'(子曰, '吾與回言終日, 不違如愚. 退而省其私, 亦足以發. 回也不愚!')"라고 하였다.

164 맹자는 그 … 뿐이다. : 『朱子語類』 권96, 75조목에서 "'맹자는 그 才氣를 드러내었는데 대개 시대가 그러했기 때문일 뿐이다.'라는 것에 대해 물었다. 直卿(黃榦)이 말했다. '어떤 사람은 「마땅히 이와 같이 해야 되는 것은 아니지만 대개 그 때에 맞게 나왔을 뿐이다.」라 하고, 어떤 사람은 「전국시대의 습속이 이와 같다.」고 하며, 어떤 사람은 「세상이 쇠퇴하여 도가 없어지니 맹자가 어쩔 수 없이 그렇게 했을 뿐이다.」라고 하는데, 세 가지 가운데 어느 것이 옳습니까?' (주자가) 대답했다. '아마 다만 습속일 뿐이라고 말한 것이 비교적 온당한 것 같다. 대체로 요임금 · 순임금 이래로 本朝(宋代)에 이르기까지 매 왕조는 각각 본래 하나의 모습

는 천지天地와 같고, 안자는 온화한 바람과 경사스러운 구름 같으며, 맹자는 태산泰山의 준험한 기상과 같다. 그들의 말을 살펴보면 모두 그러한 점을 알 수 있다. 공자는 자취가 없고 안자는 자취가 조금 있으며,[165] 맹자는 자취가 두드러진다." 이 아래는 공자·안자·증자·자사·맹자에 대하여 논한다.

[38-7-14]

"孔子儘是明快人, 顏子豈弟,[166] 孟子儘雄辯."[167]

(정자가 말했다.) "공자는 전적으로 명쾌한 사람이고, 안자는 화락하고 평이平易한 사람이며, 맹자는 참으로 웅변이다."

[38-7-15]

或謂: "孔子尊周, 孟子欲齊王行王政, 何也?"

曰: "譬如一樹, 有可栽培之理, 則栽培之, 不然須別種. 聖賢何心? 視天命之改與未改爾."[168]

어떤 사람이 말했다. "공자는 주周나라를 존중하였는데, 맹자가 제齊나라 왕이 왕도정치를 시행하기를 바란 것은 무엇 때문입니까"

(정자가) 대답했다. "한 그루의 나무에 비유해보면, 재배할 수 있는 이치가 있으면 그것을 재배하지만, 그렇지 않으면 모름지기 심지를 말아야 한다. 성현이 무슨 특별한 마음이 있겠는가? 천명天命이 바뀌었는지 아직 바뀌지 않았는지를 볼 뿐이다."[169]

이 있으니 氣象이 같지 않다.'(問, '孟子則露其才, 蓋以時焉而已.' 直卿云, '或曰,「非當如此, 蓋時出之耳.」或曰,「戰國之習俗如此.」或曰,「世衰道微, 孟子不得已焉耳.」三者孰是?' 曰, '恐只是習俗之說較穩. 大抵自堯·舜以來至於本朝, 一代各自是一樣, 氣象不同.')라고 하였다.

165 공자는 자취가 … 있으며: 『朱子語類』 권61, 43조목에서 "어떤 사람이 '안자가 조금 자취가 있다는 것'에 대해 물었다. (주자가) 대답했다. '예컨대 (『論語』 「公冶長」에서 안연이)「자신의 잘하는 것을 자랑함이 없으며, 공로를 과시함이 없기를 바랍니다.」라고 말한 것이 모두 이것이다. 만약 공자에게 자취가 있다고 해도 다만 사람들은 찾지 못할 것이다.'(或問顏子之微有跡處. 曰, '如「願無伐善, 無施勞」, 皆是. 若孔子有跡, 只是人捉摸不著.')라고 하였다.

166 顏子豈弟: 『河南程氏遺書』 권5에는 "顏子儘豈弟"라고 되어 있다.

167 『河南程氏遺書』 권5

168 『河南程氏外書』 권11 「時氏本拾遺」

169 "한 그루의 … 뿐이다.": 이 구절에 대하여 주자는 『朱子語類』 권51 27조목에서 "至(楊至, 주자 문인)가 말했다. '다만 伊川程頤은 「맹자는 齊나라와 梁나라 군주들에게 왕도정치를 시행하라고 말했다. 왕은 천하의 의로운 주인이다. 성현이 또한 무슨 마음이 있겠는가? 天命이 바뀌었는지 아직 바뀌지 않았는지를 볼 뿐이다.」라고 말했는데, 이 몇 구절에 대하여 별로 분명하게 이해하지 못하겠습니다.' 朱子이 도리어 양지에게 물었다. '天命이 바뀌었는지 아직 바뀌지 않았는지를 어떻게 알 수 있는가?' (양지가) 말했다. '周나라 말기에 예악과 정벌이 모두 천자에게서 나오지 않고 백성들은 도탄에 빠졌는데도 天王이 그 권력을 바르게 하여 그것을 구제할 수 없었지 않았습니까?' (주자가) 말했다. '무엇 때문에 三晉(춘추시대 말기에 魏斯·趙籍·韓虔이 晉나라를 나누어 각각 세운 魏나라·趙나라·韓나라)이 여전히 주나라를 숭상하여 명을 받들었

[38-7-16]

"魯·衛·齊·梁之君不足與有爲, 孔·孟非不知也. 然自任以道, 則無不可爲者也."[170]

(정자가 말했다.) "노魯나라·위衛나라·제齊나라·양梁나라의 군주가 훌륭한 일을 함께 하기에는 부족하다는 것을 공자와 맹자가 모른 것은 아니었다. 그러나 도道를 자기의 임무로 삼은 것은 할 수 없는 것이 아니었다."

[38-7-17]

"孔子爲宰則爲宰, 爲陪臣則爲陪臣, 皆能發明大道. 孟子必得賓師之位然後能明其道, 猶之有許大形象然後爲泰山, 許多水然後爲海. 以此未及孔子.[171]"[172]

(정자가 말했다.) "공자는 재宰가 되면 재宰가 되었고,[173] 배신陪臣이 되면 배신陪臣이 되어, 모든 경우에 큰 도道를 분명하게 드러내었다. 맹자는 반드시 빈사賓師[174]의 지위를 얻은 뒤에 그 도道를 밝힐 수 있었

- -

는가? (양지가) 말했다. '삼진이 명을 받든 것은 이미 옳지 않았고, 주나라 왕이 그들에게 명을 내려준 것도 옳지 않았습니다. 예컨대 溫公[司馬光]이 말한 것을 보면, 천왕은 이미 그 권력을 바르게 할 수 없었습니다.' (주자가) 말했다. '어떻게 주나라 왕이 명을 내려 준 것이 옳지 않았으며, 그것을 天命이 바뀌었다고 여길 수 있는가?' (양지가) 물었다. '저는 아직 분명하게 알지 못하겠습니다. 예전에 정선생[程子]이 비유컨대 한그루의 꽃나무를 재배할 수 있으면 모름지기 재배한다고 말한 것을 기억합니다. 그 때는 이미 재배할 수 없는 때가 아닌지요? (주자가) 대답했다. '대세가 이미 지나갔다. 삼진이 주나라에게 명을 받드는 것도 역시 주나라를 존중할 줄 알아서가 아니라 그 헛된 명성을 가장한 것을 기만한 것이 뿐이니, 대체로 사람들의 마음이 이미 다시 경애해서 옹호하려는 진실됨이 있지 않았다. 춘추시대에 들어서 240년간에 그 때가 오히려 본래 정돈할 만 했다. 주나라의 자손이 무엇 때문에 모두 한 사람도 눈을 밝게 뜨고 대담하게 나서서 정돈하지 않았는지 모르겠다. 맹자 시대에 이르러서는 사람들의 마음이 모두 이미 떠나가 버렸다.' (양지가) 물었다. '정자가 天命이 바뀌었다고 말한 것은 대세가 이미 지나가 버렸다는 것을 말하는 것이 아닙니까? (주자가) 대답했다. '그렇다.'(至云, '只伊川說,「孟子說齊·梁之君行王政. 王者, 天下之義主也. 聖賢亦何心哉? 視天命之改與未改爾.」於此數句, 未甚見得明.' 先生卻問至云, '天命之改與未改, 如何見得?' 曰, '莫是周末時禮樂征伐皆不出於天子, 生民塗炭, 而天王不能正其權以救之否?' 曰, '如何三晉猶尙請命於周?' 曰, '三晉請命旣不是, 而周王與之亦不是. 如溫公所云云, 便是天王已不能正其權.' 曰, '如何周王與之不是, 便以爲天命之改?' 曰, '至見得未甚明. 舊曾記得程先生說, 譬如一株花, 可以栽培, 則須栽培. 莫是那時已是栽培不得否?' 曰, '大勢已去了. 三晉請命於周, 亦不是知尊周, 謾假其虛聲耳, 大抵人心已不復有愛戴之實. 自入春秋以來, 二百四十年間, 那時猶自可整頓. 不知周之子孫, 何故都無一人能明目張膽出來整頓. 到孟子時, 人心都已去.' 曰, '程子說天命之改, 莫是大勢已去?' 曰, '然.')라고 보충 설명하였다.

170 『河南程氏粹言』 권下 「聖賢篇」

171 以此未及孔子.: 『河南程氏遺書』 권5에는 이 구절이 原註로 되어 있다.

172 『河南程氏遺書』 권5

173 공자는 宰가 … 되었고: 『史記』 권47 「孔子世家」에서, 定公 9년 공자 나이 50세에 "정공이 공자를 中都의 邑宰로 삼으니, 1년 만에 사방에서 모두 본받았다. 그리하여 中都宰에서 司空이 되고, 사공에서 大司寇가 되었다.(定公以孔子爲中都宰. 一年, 四方皆則之. 由中都宰爲司空, 由司空爲大司寇.)"라고 하였다.

174 賓師: 諸侯로부터 賓客의 대접을 받던 학자를 가리킨다.

으니, 마치 많은 형상이 있은 뒤에 태산泰山이 되고, 많은 물이 있은 뒤에 바다가 되는 것과 같다. 이 때문에 맹자는 아직 공자에 미치지 못한다."[175]

[38-7-18]

"孔子沒, 曾子之道日益光大. 傳孔子之道者, 曾子而已. 曾子傳之子思, 子思傳之孟子, 孟子死, 不得其傳. 至孟子而聖人之道益尊."[176]

(정자가 말했다.) "공자가 죽고 증자의 도는 나날이 더욱 빛나고 커졌다. 공자의 도를 전수한 자는 증자 뿐이었다. 증자는 그것을 자사에게 전해주었고 자사는 그것을 맹자에게 전해주었다. 맹자가 죽자 그 전수를 얻을 수 없었다. 맹자에 이르러 성인의 도는 더욱 존중되었다."

[38-7-19]

"孔·孟之分, 只是要別簡聖人·賢人. 如孟子若爲孔子事業, 則儘做得, 只是難似聖人. 譬如翦綵以爲花, 花則無不似處, 只是無他造化功. '綏斯來, 動斯和', 此是不可及處."[177]

(정자가 말했다.) "공자와 맹자의 구분은 다만 성인과 현인을 구별하는 것일 뿐이다. 예컨대 맹자가 만약 공자의 사업을 한다면 모두 다 할 수 있지만 다만 성인과 같아지기가 어려울 뿐이다. 비단을 오려서 꽃을 만드는 것에 비유하자면, 꽃은 비슷하지 않은 것이 없지만 다만 그 조화造化의 공로가 없을 뿐이다. '편안하게 하면 이에 오고, 움직이게 하면 이에 화和한다.'[178]라고 했으니, 이것이 미칠 수 없는 점이다."[179]

[38-7-20]

"仲尼聖人其道大, 當定·哀之時, 人莫不尊之. 後弟子各以其所學行, 異端遂起, 至孟子時不得不辨也."[180]

· ·

175 "공자는 宰가 … 못한다.": 呂柟이 편찬한 『二程子抄釋』 권2에서는 이 구절에 대해, "역시 참으로 이르지 못하는 것이 있을 것이라는 것을 설명했다.(釋亦誠有未至乎.)"라고 주석하였다.

176 『河南程氏遺書』 권25

177 『河南程氏遺書』 권2上

178 '편안하게 하면 … 和한다.': 『論語』「子張」에서 "陳子禽이 자공에게 말했다. '그대가 겸손해서이지 공자가 어찌 그대보다 현명하겠는가? 자공이 말했다. '군자는 한 마디 말로 지혜롭기도 하고, 한 마디 말로 지혜롭지 않기도 하니, 말을 삼가지 않을 수 없다. 공자에게 미치지 못하는 것은 하늘을 사다리로 오를 수 없는 것과 같다. 공자가 나라를 얻는다면 이른바 세워주면 서고, 인도하면 행해지며, 편안하게 하면 따라오고, 움직이게 하면 이에 和한다. 살아 있을 때는 영광으로 여기고, 죽어서는 슬퍼할 것이니, 어떻게 미칠 수 있겠는가?'(陳子禽謂子貢曰, '子爲恭也, 仲尼豈賢於子乎? 子貢曰, '君子一言以爲知, 一言以爲不知, 言不可不愼也. 夫子之不可及也, 猶天之不可階而升也. 夫子之得邦家者, 所謂立之斯立, 道之斯行, 綏之斯來, 動之斯和. 其生也榮, 其死也哀, 如之何其可及也?')라고 하였다

179 "공자와 맹자의 … 점이다.": 呂柟이 편찬한 『二程子抄釋』 권2에서는 이 구절에 대해, "공자와 맹자를 구분할 수 있는 근거는 또한 그 學力일 것이라는 것을 설명했다.(釋孔孟之所以分亦其學力乎!)"라고 주석하였다.

(정자가 말했다.) "공자는 성인으로서 그 도道가 크니, 정공定公·애공哀公 당시[181]에는 사람들이 그를 높이지 않음이 없었다. 뒤에 제자들이 각각 배운 것을 행함에 이단이 마침내 일어나 맹자 시대에 이르러는 변별하지 않을 수 없었다."

[38-7-21]

問: "使孔·孟同時, 將與孔子並駕其說於天下耶, 將學孔子耶?"

曰: "安能並駕? 雖顏子亦未達一間耳. 顏·孟雖無大優劣, 觀其立言, 孟子終未及顏子."[182]

물었다. "만약 공자와 맹자가 같은 시대에 살았다면, (맹자는) 공자와 나란히 수레를 몰아 천하에 유세했겠습니까? 그렇지 않으면 공자에게 배웠겠습니까?"

(정자가) 대답했다. "어찌 나란히 수레를 몰 수 있었겠는가? 비록 안자라 하더라도 조금은 도달하지 못하였을 뿐이다. 안자와 맹자는 비록 우열에 큰 차이가 없지만 그들이 주장한 말을 살펴보면 맹자가 끝내 안자에 미치지 못한다."

[38-7-22]

"顏子黙識, 曾子篤信, 得聖人之道者二人也."[183]

(정자가 말했다.) "안자는 묵묵히 깨달았고 증자는 독실하게 믿었으니, 성인의 도를 터득한 사람은 이 둘이다."

[38-7-23]

"顏回在陋巷, 淡然進德, 其聲氣若不可聞者, 有孔子在焉. 若孟子安得不以行道爲己任哉?"[184]

(정자가 말했다.) "안회는 누추한 동네에 살면서도 담담하게 덕에 진보가 있었고, 소리며 기氣를 들을 수 없는 사람은 공자가 있다. 맹자와 같은 경우 어찌 도道를 실천하는 것을 자기의 임무로 삼지 않았겠는가?"

[38-7-24]

"孟子有功於道爲萬世之師, 其才雄. 只見雄才, 便是不及孔子處. 人須當學顏子, 便入聖人氣象."[185]

(정자가 말했다.) "맹자가 도道에 공로를 세워서 만세의 스승이 된 것은 그 재기才氣가 웅대하기 때문이

---

180 『河南程氏外書』권8「游氏本拾遺」
181 定公·哀公 당시: 魯나라 말기 두 명의 군주로서, 공자가 활동했던 시기를 가리킨다.
182 『河南程氏遺書』권22上
183 『河南程氏遺書』권11;『河南程氏粹言』권下「聖賢篇」
184 『河南程氏粹言』권下「聖賢篇」
185 『河南程氏遺書』권5

다. 그렇지만 단지 웅대한 재기만을 본다고 하더라도 공자에게는 미치지 못한다. 사람들은 모름지기 안자를 배워야 곧 성인의 기상氣象에 들어갈 수 있다.”

[38-7-25]

“孟子之於道, 若温淳淵懿, 未有如顏子者, 於聖人幾矣. 後世謂之亞聖, 容有取焉.”[186]

(정자가 말했다.) “맹자는 도에 대하여, 온화함과 순박함 및 깊이와 아름다움에서 안자와 같은 점이 없었지만, 성인에 대해서는 거의 가까이 갔다. 후세에 아성亞聖이라고 이른 것은 어쩌면 이런 점을 취했을 것이다.”

[38-7-26]

“顏子具體, 顧微耳, 在充之而已. 孟子生而大全, 顧未粹耳, 在養之而已.”[187]

(정자가 말했다.) “안자는 체體를 갖추었지만 다만 작았을 뿐이니, 그것을 확충시키는 데에 있었을 따름이다. 맹자는 태어나면서 아주 온전하지만 다만 순수하지 못할 뿐이니, 그것을 길러 내는 데에 있었을 따름이다.”[188]

[38-7-27]

“人有顏子之德, 則有孟子之事功. 孟子之事功與禹·稷並.”[189]

(정자가 말했다.) “사람이 안자의 덕을 가지고 있으면 맹자의 공적을 둘 수 있다. 맹자의 공적은 우禹임금·후직后稷과 똑같다.

[38-7-28]

“傳經爲難. 如聖人之後纔百年, 傳之已差. 聖人之學, 若非子思·孟子, 則幾乎息矣. 道何嘗息? 只是人不由之. 道非亡也, 幽·厲不由也.”[190]

(정자가 말했다.) “경전을 전하는 것이 어렵다. 예컨대 성인이 돌아가신 뒤 겨우 백년 만에 경전을 전하

---

186 『河南程氏遺書』 권2上
187 『河南程氏粹言』 권下 「聖賢篇」
188 “안자는 體를 … 따름이다.” : 이 구절에 대하여 주자는 『朱子語類』 권52, 206조목에서, “물었다. ‘안자는 體를 갖추었지만 微하다.’에서 「微」는 「微小(작음)」의 「微」입니까? 혹은 「隱微」의 「微」입니까? (주자가) 대답했다. ‘微는 단지 작음이다. 그러나 문장의 의미는 「작음」에 있지 않고 다만 體가 온전한지 온전하지 않은지를 말할 뿐이다.(問, ‘顏子具體而微’, 「微」是「微小」或「隱微」之「微」? 曰, ‘「微」只是小. 然文意不在「小」字上, 只是說體全與不全.’)”라 하였고, 또 같은 책 같은 권 207조목에서, “안자가 알고 행한 것은 일마다 다만 성인과 사소한 것을 다툴 뿐이었다. 그러므로 ‘體를 갖추었지만 작다.’고 말했다.(顏子所知所行, 事事只與聖人爭些子, 所以曰‘其體而微.’)”라고 보충 설명하였다.
189 『河南程氏粹言』 권下 「聖賢篇」
190 『河南程氏遺書』 권17

는 것이 이미 잘못되어졌다. 성인의 학문은 만약 자사와 맹자가 아니었다면 거의 그쳤을 것이다. 도道가 언제 그친 적이 있는가? 다만 사람이 그것을 따르지 않을 뿐이다. 도는 없어지지 않으니 유왕幽王과 여왕厲王은 그것을 따르지 않았을 뿐이다."[191]

[38-7-29]

上蔡謝氏曰: "孔子曰, '天之將喪斯文也, 後死者不得與於斯文也. 天之未喪斯文也, 匡人其如予何?' 於'天之將喪斯文'下, 便言'後死者不得與於斯文', 則是文之興喪在孔子, 與天爲一矣. 蓋聖人德盛, 與天爲一, 出此等語, 自不覺耳. 孟子地位未能到此, 故曰, '天未欲平治天下也. 如欲平治天下, 當今之世舍我其誰?' 聽天所命, 未能合一."[192]

상채 사씨上蔡謝氏[謝良佐][193]가 말했다.[194] "공자가 말했다. '천天이 장차 이 문文을 없애려 하였다면 「뒤에 죽는 사람(내 자신)」이 이 학문에 참여하지 못했을 것이다. 그러나 천天이 아직 이 문文을 없애려 하지 않으니, 광匡땅 사람들이 나를 어떻게 하겠는가?'[195] '천天이 장차 이 문文을 없애려 한다.'라는 구절 아래에 바로 「뒤에 죽는 사람(내 자신)」이 이 학문에 참여하지 못했을 것이다.'라고 말한 것은, 이 문文의 흥망이 공자에게 달려 있다는 것이니 천天과 하나가 되는 것이다. 대개 성인의 덕이 융성하면 천天과 하나가 되니, 이와 같은 말을 하는 것을 스스로 깨닫지 못했다. 맹자의 지위는 이러한 경지에 이르지 못했으므로 '천天이 천하를 평안하게 다스리려고 하지 않는 것이다. 만일 천하를 평안하게 다스리려고 한다면, 지금 세상에 나를 버리고 그 누가 그렇게 하겠는가?'[196]라고 말했다. 천天이 명령한 것을 따른다면 아직 천과 합쳐서 하나가 될 수 없다."

· ·

191 도는 없어지지 … 뿐이다. : 『前漢書』 권56 「董仲舒傳」에서 동중서는 "주나라의 도가 幽王과 厲王 시대에서 쇠퇴했지만, 도가 없어진 것이 아니라 유왕과 여왕이 그것을 따르지 않은 것이다.(夫周道衰於幽·厲, 非道亡也, 幽·厲不繇也.)"라고 하였다.

192 謝良佐, 『上蔡語録』 권1 ; 『河南程氏外書』 권12

193 謝良佐(1050~1103) : 자는 顯道이고, 시호는 文肅이며, 上蔡先生이라고 불리었다. 游酢·呂大臨·楊時와 함께 '程門四先生'이라 일컫고 상채학파의 시조가 되었다. 처음에 정호에게 배우다가 정호가 죽자 정이에게 배웠다. 송대 上蔡(현 하남성 소속) 사람으로 知應城縣을 역임하였다. 그는 우주의 근원적 理法을 직관적으로 파악하여 따른다는 정호학설을 이어받아 발전시켜서 남송 陸象山 心學의 선구가 되었다. 저서는 『論語解』·『上蔡語録』 등이 있다.

194 上蔡謝氏[謝良佐]가 말했다. : 『上蔡語録』 권1에 明道(程顥)의 말이라고 되어 있다. 『河南程氏外書』 권12에도 실려 있다.

195 '天이 장차 … 하겠는가?' : 『論語』 「子罕」에서 공자는 "文王이 이미 죽었으니 文이 나에게 있지 않겠는가? 天이 장차 이 文을 없애려 하였다면 '뒤에 죽는 사람(내 자신)'이 이 학문에 참여하지 못했을 것이다. 그러나 天이 아직 이 文을 없애려 하지 않으니, 匡땅 사람들이 나를 어떻게 하겠는가?(文王既沒, 文不在茲乎? 天之將喪斯文也, 後死者不得與於斯文也 ; 天之未喪斯文也, 匡人其如予何?)"라고 하였다.

196 '天이 천하를 … 하겠는가?' : 『孟子』 「公孫丑下」에서 "天이 천하를 평안하게 다스리려고 하지 않는 것이다. 만일 천하를 평안하게 다스리려고 한다면, 지금 세상에 나를 버리고 그 누가 그렇게 하겠는가? 내 어찌하여 기뻐하지 않겠는가?(夫天未欲平治天下也. 如欲平治天下, 當今之世, 舍我其誰也? 吾何爲不豫哉?)"라고 하였다.

[38-7-30]

"孔子曰, '事君盡禮, 人以爲諂.'¹⁹⁷ 當時諸國君相怎生當得他聖人恁地禮數? 是他只管行禮, 又不與你計較長短. 與上大夫言, 便誾誾如也; 與下大夫言, 便侃侃如也. 冕者·瞽者, 見之便作, 過之便趨. 蓋其德全盛, 自然到此, 不是勉强做出來. 氣象與孟子渾別. 孟子'說大人則藐之, 勿視其巍巍然', 猶自參較彼我, 未有合一底氣象."¹⁹⁸

(상채 사씨가 말했다.) "공자가 말했다. '군주를 섬김에 예禮를 다 하는 것을 사람들은 아첨한다고 여긴다.'¹⁹⁹ 당시 여러 나라의 군주와 재상들이 어찌 성인의 이와 같은 예절을 감당할 수 있었겠는가? 이것은 공자는 다만 예를 행했을 뿐이고 누구와도 장단長短을 계산하지 않았다. 상대부上大夫와 말할 때에는 은은誾誾(화락하면서도 간쟁하는 모습)하게 하였고, 하대부下大夫와 말할 때에는 강직剛直하게 하였다.²⁰⁰ 면류관을 쓰고 의상을 갖춘 사람과 맹인을 보면 바로 일어났고 그 곁을 지날 때는 종종걸음을 하였다.²⁰¹ 이렇게 하는 것은 그 덕이 완전히 융성하여 저절로 이렇게 된 것이지 억지로 그렇게 한 것이 아니다. 그 기상은 맹자와는 완연히 구별된다. 맹자가 '대인大人을 유세遊說할 때에는 하찮게 여기고 그 드높음을 보지 말아야 한다.'²⁰²라고 한 것은 오히려 스스로 저 사람과 나를 참조하여 비교한 것이니, 아직 합일合一된 기상이 없다."

[38-7-31]

"人之氣稟不同. 顏子似弱, 孟子似强. '顏子具體而微', 所謂'具體'者, 合下來有恁地氣象, 但未彰著耳. '微', 如『易』'知微·知彰', '微顯闡幽'之'微'. 孟子强勇, 以身任道. 後車數十乘, 從者數百人, 所至王侯分庭抗禮, 壁立萬仞, 誰敢正覷著? 非孟子恁地手脚, 也撑拄此事不去. 雖然, 猶有大底氣象, 未能消磨得盡. 不然, '藐大人'等語言不說出來. 所以見他未至聖人地位."²⁰³

(상채 사씨가 말했다.) "사람이 기氣를 품수 받은 것은 같지 않다. 안자는 약한 것 같고 맹자는 강한 것 같다. (정자가) '안자는 체體를 갖추었지만 미微하다.'²⁰⁴라고 하였는데, 여기에서 이른바 '체體를 갖추었다.'라는 것은 원래 태어날 때부터 그러한 기상을 가지고 있었는데, 단지 뚜렷하게 드러나지 않았을

. . . .

197 諂: 諛의 오자이다.
198 謝良佐, 『上蔡語錄』권1
199 '군주를 섬김에 … 여긴다.': 『論語』「八佾」
200 上大夫와 말할 … 하였다.: 『論語』「鄉黨」에서 "朝廷에서 下大夫와 말할 때에는 剛直하게 하고, 上大夫와 말할 때에는 誾誾(화락하면서도 간쟁하는 모습)하게 하였다.(朝, 與下大夫言, 侃侃如也; 與上大夫言, 誾誾如也.)"라고 하였다.
201 면류관을 쓰고 … 하였다.: 『論語』「子罕」에서 "공자는 齊衰를 입은 자와 冠을 쓰고 衣裳을 차린 자와 맹인을 보면 그들이 비록 나이가 적더라도 반드시 일어났고, 그 곁을 지날 때에는 반드시 종종걸음을 하였다.(子見齊衰者·冕衣裳者與瞽者, 見之, 雖少必作; 過之, 必趨.)"라고 하였다.
202 '大人을 遊說할 … 한다.': 『孟子』「盡心下」
203 謝良佐, 『上蔡語錄』권1
204 '안자는 體를 갖추었지만 微하다.': [38-7-26] 참조

뿐이라는 것이다. '미微'는 예컨대 『역易』에서 '은미함을 알고 드러남을 안다.'[205]라고 한 것과 '드러난 것을 은미하게 하고 그윽한 것을 밝힌다.'[206]라고 한 것에서의 '은미함'이다. 맹자는 강하고 용감하여 자신이 도道를 책임졌다. 뒤따르는 수레가 수십 대이고, 따르는 무리들이 수백 명이나 되어, 방문한 나라의 왕과 제후가 상호간에 대등한 지위와 예의로 대할 정도로 천 길 만 길 우뚝하였으니, 누구인들 감히 그를 바로 똑바로 쳐다볼 수 있었겠는가?[207] 맹자가 그와 같은 솜씨를 부리지 않았다면 또한 이 일을 지탱해 가지 못했을 것이다. 비록 그러하지만 여전히 큰 기상이 있었으니, 그것을 완전히 소모시킬 수 없었다. 그렇지 않다면 '대인을 하찮게 여긴다.'[208]라는 것과 같은 말을 하지 못했을 것이다. 그러므로 그가 아직 성인의 지위에 이르지 못했다는 것을 알 수 있다."

[38-7-32]

"顏子充擴其學, 孟子能爲其大. 孟子之才甚高, 顏子之學粹美."[209]

(상채 사씨가 말했다.) "안자는 그 배움을 확충하였고, 맹자는 그 큰 것을 해 냈다. 맹자의 재기才氣는 매우 높고, 안자의 배움은 순수하고 아름답다."

[38-7-33]

或問 : "古來誰好學?"

和靖尹氏曰 : "惟孔子好學."

----

205 '은미함을 알고 드러남을 안다.' : 『易』「繫辭下」에서 "공자가 말했다. '기미를 아는 것은 아마 신령할 것이다! 군자는 위로 사귀되 아첨하지 않고 아래로 사귀되 모독하지 않으니, 아마 기미를 알 것이다! 幾는 움직임의 은미함으로 吉함이 먼저 나타난 것이니, 군자는 기미를 보고 일어나서 하루가 마치기를 기다리지 않는다. 『易』에서 「돌처럼 절개가 굳은지라 하루를 마치지 않으니, 貞하고 吉하다.」라고 하였다. 절개가 돌과 같으니, 어찌 하루를 마치기를 기다리겠는가? 결단함을 알 수 있다. 군자는 은미함을 알고 드러남을 알며, 柔를 알고 剛을 아니, 만민이 우러러 본다.'(子曰, '知幾其神乎! 君子上交不諂, 下交不瀆, 其知幾乎! 幾者, 動之微, 吉之先見者也, 君子見幾而作, 不俟終日. 易曰, 「介于石, 不終日, 貞吉.」 介如石焉, 寧用終日? 斷可識矣. 君子知微·知彰·知柔·知剛, 萬夫之望.')"라고 하였다.
206 '드러난 것을 … 밝힌다.' : 『易』「繫辭下」에서 "易은 지나간 것을 드러내고 미래를 살피며, 드러남을 은미하게 하고 그윽함을 밝힌다. 명칭에 마땅하게 하고 사물을 분별하며, 말을 바르게 하고 말을 결단하니, 다 갖추었다.(夫易, 彰往而察來, 而微顯闡幽. 開而當名辨物, 正言斷辭, 則備矣.)"라고 하였다.
207 뒤따르는 수레가 … 있었겠는가? : 『孟子』「滕文公下」에서 "彭更이 물었다. '뒤에 따르는 수레가 수십 대이며, 따르는 무리들이 수백 명이나 되어 제후들에게 밥을 얻어먹는 것이 너무 지나치지 않습니까?' 맹자가 말했다. '그 道가 아니라면 한 그릇의 밥이라도 남에게 받아서는 안 되지만, 만약 그 道라면 舜임금은 堯임금의 천하를 받고도 지나치다고 여기지 않았으니, 그대는 이것을 지나치다고 여기는가?(彭更問曰, '後車數十乘, 從者數百人, 以傳食於諸侯, 不以泰乎? 孟子曰, '非其道, 則一簞食不可受於人 ; 如其道, 則舜受堯之天下, 不以爲泰, 子以爲泰乎?')"라고 하였다.
208 '대인을 하찮게 여긴다.' : [38-7-30]의 각주 참조
209 謝良佐, 『上蔡語録』 권1

어떤 사람이 물었다. "예로부터 누가 배우기를 좋아했습니까?"

화정 윤씨和靖尹氏[尹焞][210]가 대답했다. "오직 공자만이 배우기를 좋아했다."

曰: "孔子猶好學乎?"

曰: "孔子言'我非生而知之, 好古, 敏以求之', 又言'十室之邑, 必有忠信如丘者焉, 不如丘之好學也.' 豈不是惟孔子好學? 孔子又非妄言以欺天下後世者. 其次莫如顏子."

물었다. "공자도 또한 배우기를 좋아했습니까?"

(화정 윤씨가) 대답했다. "공자는 '나는 태어나면서부터 안 것이 아니라, 옛것을 좋아하여 민첩하게 그것을 구했다.'[211]라 말했고 또 '10호戶쯤 되는 작은 고을에도 반드시 나처럼 충忠·신信한 자는 있지만, 나처럼 배우기를 좋아하는 이는 없을 것이다.'[212]라고 말했다. 어찌 오직 공자만이 배우기를 좋아한 것이 아니겠는가? 공자는 또 망령된 말로 천하의 후세 사람들을 속인 자가 아니다. 그 다음은 안자顏子만한 사람이 없다."

[38-7-34]

問: "晁以道謂'以孔子賢於堯·舜, 私孔子者也; 以孟子配孔子, 卑孔子也.' 此語如何?"

曰: "不須如此較優劣. 惟韓退之說得最好, 自堯·舜相傳至孔子·孟子, 軻死不得其傳, 便是."

물었다. "조이도晁以道[晁說之][213]가 '공자를 요임금·순임금보다 현명하다고 하는 것은 공자를 사사롭게 하는 자이며, 맹자를 공자에 짝하는 것은 공자를 낮춘 것이다.'라고 한 말은 어떻습니까?"

(화정 윤씨가) 대답했다. "이와 같이 우열을 비교할 필요가 없다. 오직 한퇴지韓退之[韓愈]가 말한 것이 가장 좋으니, 요임금·순임금부터 서로 전수하여 공자와 맹자에 이르렀고, 맹자가 죽자 그 전수를 얻을 수 없다고 한 것이 바로 이것이다."

---

210 尹焞(1071~1142): 자는 彦明·德充이고, 호는 三畏齋와 황제가 하사한 호인 和靖處士가 있으며, 시호는 肅公이다. 송대 洛陽(현 하남성 낙양) 사람으로 과거에 응시하지 않았으나, 천거에 의해 崇政殿說書 겸 侍講을 역임하였다. 어려서부터 程頤에게 사사하여 스승의 학설을 가장 돈독하게 이어받았다고 한다. 저서는 『論語解』·『孟子解』·『和靖集』 등이 있다.

211 '나는 태어나면서부터 … 구했다.': 『論語』「述而」에서는 "공자가 말했다. '나는 나면서부터 안 자가 아니라, 옛것을 좋아하여 민첩하게 그것을 구한 자이다.'(子曰, '我非生而知之者, 好古, 敏以求之者也.')"라고 하였다.

212 '10戶쯤 되는 … 것이다.': 『論語』「公冶長」

213 晁說之(1059~1129): 자는 以道 또는 伯以이고, 司馬光을 흠모하여 스스로 號를 景迂生이라고 하였다. 송대 濟州巨野(현 산동성 소속) 사람이다. 神宗 元豊 5년(1082)에 進士가 되었는데, 문장이 우아하다고 하여 蘇軾의 칭찬을 받았다. 哲宗 元符 3년(1100)에 無極知縣이 되어 글을 올려 王安石을 배척하고 여러 신하들의 잘못을 질타했다. 그 뒤 成州知州와 秘書少監 등을 역임했다. 사마광에게 『太玄經』을 전수받았고, 邵雍의 제자 楊賢寶에게 易學을 배웠다. 五經에 두루 통달했는데 특히 『易』에 정밀하였다. 시를 잘 지었고, 산수화도 잘 그렸다. 저서에 『詩序論』·『中庸傳』·『儒言』·『晁氏客語』·『景迂生集』 등이 있다.

[38-7-35]

五峰胡氏曰 : “皇皇天命, 其無息也. 體之而不息者, 聖人也. 是故孔子‘學不厭, 教不倦.’ 顔子
睎夫子, ‘欲罷而不能.’ 孟子承先聖, 周旋而不舍. 我知其久於仁矣.”[214]

오봉 호씨五峰胡氏[胡宏]가 말했다. “크고 큰 천명天命은 쉼이 없다. 그것을 체득하여 쉬지 않는 자가 성인이
다. 이런 까닭으로 공자는 ‘배우기를 싫어하지 않고 사람을 가르치기를 게을리 하지 않았으며’,[215] 안자는
공자를 우러러 사모하여 ‘그만두려고 해도 그만둘 수 없었으며’,[216] 맹자는 앞선 성인을 계승하여 두루
힘쓰고 그만두지를 않았다. 나는 그것이 인仁을 오래도록 실천한 것임을 알겠다.”

[38-7-36]

“學之道, 莫過乎繹孔子 · 孟軻之遺文. 孔子定『書』 · 刪『詩』 · 繫『易』 · 作『春秋』, 何區區於
空言? 所以上承天意, 下憫斯人, 故丁寧反覆三四不倦, 使人知所以正心 · 誠意 · 脩身 · 齊
家 · 治國 · 平天下之本也. 孟軻氏閑先聖之道, 慨然憂世. 見齊 · 梁之君, 開陳理義, 提世大
綱, 一掃東周五霸之弊, 發興衰撥亂之心. 其傳聖人之道,[217] 純乎純者也.”[218]

....

214　胡宏,『知言』권4

215　‘배우기를 싫어하지 … 않았으며’ :『論語』「述而」에서 “공자가 말했다. ‘묵묵히 기억하고, 배우기를 싫어하지
　　않으며, 사람 가르치기를 게을리 하지 않는 것, 이 중에 어느 것이 나에게 있겠는가?(子曰, ‘黙而識之, 學而不
　　厭, 誨人不倦, 何有於我哉?’)”라고 하였다.
　　『孟子』「公孫丑上」에서 “(맹자가) 말했다. ‘아! 이것은 무슨 말인가? 옛적에 子貢이 공자에게 「선생님은 聖人
　　이십니까?」라고 물었다. 공자는 「성인은 내가 감당할 수 없지만, 나는 배우기를 싫어하지 않고 가르치기를
　　게을리 하지 않았다.」라고 대답했다. 이에 자공은 「배우기를 싫어하지 않음은 智이고, 가르치기를 게을리
　　하지 않음은 仁입니다. 仁하고 또 智하시니, 선생님은 이미 聖人이십니다.」라고 하였다. 聖人은 공자께서도
　　자처하지 않았으니, 이것은 무슨 말인가?(曰, ‘惡! 是何言也? 昔者, 子貢問於孔子曰, 「夫子, 聖矣乎?」孔子曰,
　　「聖則吾不能, 我學不厭而教不倦也.」子貢曰, 「學不厭, 智也 ; 教不倦, 仁也. 仁且智, 夫子既聖矣.」夫聖, 孔
　　子不居, 是何言也.’)”라고 하였다.

216　‘그만두려고 해도 … 없었으며’ :『論語』「子罕」에서 “顔淵이 크게 탄식하며 말했다. ‘(공자의 道는) 우러러
　　볼수록 더욱 높고 뚫을수록 더욱 견고하며, 바라볼 때는 앞에 있더니 홀연히 뒤에 있다. 夫子(孔子)께서
　　차근차근히 사람을 잘 이끌어 주어 학문으로써 나의 지식을 넓혀주고 禮로써 나의 행동을 요약하게 해주었
　　다. (공부를) 그만두려고 해도 그만둘 수 없어 이미 나의 재주를 다하니, (공자의 道는) 내 앞에 우뚝 서있는
　　듯하다. 비록 그를 따르려고 하지만 어디로부터 시작해야 할지 모르겠다.’(顔淵喟然歎曰, ‘仰之彌高, 鑽之彌
　　堅 ; 瞻之在前, 忽焉在後. 夫子循循然善誘人, 博我以文, 約我以禮. 欲罷不能, 既竭吾才, 如有所立卓爾. 雖欲
　　從之, 末由也已.’)”라고 하였다.

217　其傳聖人之道 : 胡宏의『知言』권4에는 이 구절 앞에 “愚因其言, 上稽三代, 下考兩漢 · 三國 · 東西晉 · 南北
　　朝, 至於隋 · 唐, 以及於五代, 雖成功有小大, 爲政有治忽, 制事有優劣, 然總於大略, 其興隆也, 未始不由奉身
　　以理義 ; 其敗亡也, 未始不由肆志於利欲. 然後知孟軻氏之言信而有徵(나는 그 말에 따라서 위로는 三代를
　　상고하고, 아래로는 兩漢 · 三國 · 東西晉 · 南北朝에서 隋나라 · 唐나라에 이르러 五代에 미치기까지를 고찰
　　해 보니, 비록 성공에 크고 작은 차이가 있고, 정사를 펼침에 잘 다스려지고 소홀함의 다름이 있으며, 정사의
　　처리에 우열의 구별이 있었지만, 그 대략을 총괄하면, 그 흥성함에는 義理로써 몸을 받들지 않음이 없었고,

(오봉 호씨가 말했다.) "학문의 도道는 공자와 맹자가 남겨준 글을 연구하는 것보다 더 좋은 것이 없다. 공자는 『서書』를 확정하고, 『시詩』를 삭제하여 정리했으며, 『역易』에 설명을 덧붙였고, 『춘추春秋』를 지었으니, 어찌 빈 말을 구구하게 했겠는가? 위로는 천天의 뜻을 계승하고 아래로는 백성들을 불쌍히 여겼기 때문에 세 차례 네 차례 반복해서 신신당부하기를 게을리 하지 않아서, 사람들에게 그것이 정심正心·성의誠意·수신修身·제가齊家·치국治國·평천하平天下의 근본이 되는 까닭을 알도록 해주었다. 맹자는 앞선 성인의 도를 보위해서[219] 분개하여 세상을 근심하였다. 제齊나라와 양梁나라 군주를 만나 의리義理를 개진하고 세상의 큰 강령을 제시해서, 동주東周시대 오패五霸[220]의 폐단을 일소하고 쇠퇴한 것을 흥성하게 하고 혼란한 것을 다스리는 마음을 일으켰다. 그 성인의 도를 전한 것이 순수하고도 순수한 자이다."

[38-7-37]

朱子曰 : "看聖賢代作, 未有孔子, 便無『論語』之書 ; 未有孟子, 便無『孟子』之書."[221]

주자朱子[朱熹]가 말했다. "보건대 성현은 번갈아 일어나니, 공자가 없었다면 곧 『논어』라는 책이 없었을 것이며, 맹자가 없었다면 『맹자』라는 책이 없었을 것이다."

[38-7-38]

問 : "'顔子合下完具, 只是小, 要漸漸恢廓 ; 孟子合下大, 只是未粹, 要索學以充之.' 此莫是才具有異?"

曰 : "然. 孟子覺有動蕩底意思."[222]

물었다. "(정자는) '안자顔子는 원래 완전히 갖추었지만 다만 작았으니 점점 크게 넓히기를 구해야 했고, 맹자는 원래 크지만 다만 아직 순수하지 못했으니 배울 것을 선택해서 채워야 했다.'[223]라고 하였다.

- - - - - - - - - - - - - - - - - - - -

그 패망에는 利欲을 마음대로 따르지 않음이 없었다. 그런 뒤에 맹자의 말이 믿을만하고 증거가 있다는 것을 알게 되었고)"이 더 있다.

218 胡宏, 『知言』 권4
219 앞선 성인의 도를 보위해서 : 『孟子』 「滕文公下」에서 "내가 이 때문에 두려워하여 앞선 성인의 도를 보위해서 楊朱와 墨翟을 막고, 부정한 말을 추방해서 부정한 학설이 나오지 못하게 하는 것이다. 부정한 학설은 그 마음에서 나와 그 일에 해를 끼치며, 일에서 나와 정사에 해를 끼치니, 성인이 다시 나와도 내 말을 바꾸지 않을 것이다.(吾爲此懼, 閑先聖之道, 距楊墨, 放淫辭, 邪說者不得作. 作於其心, 害於其事 ; 作於其事, 害於其政. 聖人復起, 不易吾言矣.)"라고 하였다.
220 東周 시대 五霸 : 춘추 오패를 말하며, 주로 齊나라의 桓公, 晉나라의 文公, 秦나라의 穆公, 宋나라의 襄公, 楚나라의 莊王을 가리킨다. 혹은 송나라의 양공을 제외하고 吳나라의 闔閭를 오패의 한 사람으로 보기도 한다.
221 『朱子語類』 권93, 1조목
222 『朱子語類』 권93, 17조목
223 '顔子는 원래 … 했다.' : 『河南程氏遺書』 권3

이것은 재기才氣를 갖춤에 다름이 있어서 입니까?"

(주자가) 대답했다. "그렇다. 맹자는 비교적 흔들어버리는 기상이 있는 성 싶다."

[38-7-39]

問：“伊川云，‘聖人與理爲一，無過不及，中而已.’ 敢問，顏子擇乎中庸，未見其止，嘆夫子瞻前忽後；則過不及雖不見於言行，而亦嘗動於心矣. 此亦是失否?"

曰："此一段說得好. 聖人只是一箇中底道理."[224]

물었다. "이천伊川程頤은 '성인은 리理와 하나가 되니 지나침과 미치지 못함이 없이 중中일 따름이다.'[225]라고 말했습니다. 감히 묻건대, 안자는 중용을 선택하여 그 그치는 것을 볼 수 없으나, 선생님(공자)을 바라보면 앞에 있었는데 홀연히 뒤에 있다고 감탄했습니다.[226] 그렇다면 지나침과 미치지 못함은 비록 언행에 나타나지 않았지만 또한 마음이 움직인 적은 있는 것입니다. 이것 역시 잘못이 아닙니까?"

(주자가) 대답했다. "이 한 단락의 말은 아주 훌륭하다. 성인은 다만 하나의 중中의 도리일 뿐이다."

問："若使曾子爲邦，比顏子如何?"

曰："想得不似顏子熟，然曾子亦大故有力. 曾子·子思·孟子大略皆相似."[227]

물었다. "만약 증자에게 나라를 다스리게 하면 안자顏子에 비교하여 어떻습니까?"

(주자가) 대답했다. "생각건대, 안자만큼 익숙하지는 않겠지만, 증자도 역시 특별히 힘이 있었을 것이다. 증자와 자사와 맹자는 모두 대략 서로 비슷하다."

[38-7-40]

"孔門弟子，如子貢後來見識煞高，然終不及曾子. 今人只見曾子唯一貫之旨，[228] 遂得道統之傳，此雖固然，但曾子平日是箇剛毅有力量·壁立千仞底人. 觀其所謂‘士不可以不弘毅’，‘可以託六尺之孤，可以寄百里之命，臨大節而不可奪’，‘晋·楚之富，不可及也，彼以其富，我以吾仁；彼以其爵，我以吾義，吾何慊乎哉?'底言語，可見. 雖是做工夫處比顏子覺麤，然緣他資

224 『朱子語類』 권97, 74조목

225 '성인은 理와 … 따름이다.'：『河南程氏遺書』 권23에서 "성인은 理와 하나가 되니 지나침과 미치지 못함이 없이 中일 따름이다. 그 나머지는 모두 마음으로 이 도리를 처리하므로 현자는 항상 지나침의 잘못이 있고, 못난 사람은 미치지 못함의 잘못이 있다.(聖人與理爲一，故無過，無不及，中而已矣. 其他皆以心處這箇道理，故賢者常失之過，不肖者常失之不及.)"라고 하였다.

226 선생님(공자)을 바라보면 … 감탄했습니다.：『論語』「子罕」에서 "안연이 크게 탄식하며 말하였다. '공자의 도는 우러러볼수록 더욱 높고, 뚫을수록 더욱 견고하며, 바라보니 앞에 있었는데 홀연히 뒤에 있다.'(顏淵喟然歎曰，‘仰之彌高，鑽之彌堅，瞻之在前，忽焉在後.’)"라고 하였다.

227 『朱子語類』 권93, 23조목

228 今人只見曾子唯一貫之旨：『朱子語類』 권13, 124조목에는 "人言今人只見曾子唯一貫之旨"라고 되어 있다.

質剛毅, 先自把捉得定, 故得卒傳夫子之道. 後來有子思·孟子, 其傳永遠. 孟子氣象尤可見."229
(주자가 말했다.) "공자 문하의 제자들 가운데 예컨대 자공子貢은 뒤에 와서 식견이 매우 높아졌는데,
그래도 끝내 증자에는 미치지 못했다. 요즘 사람들은 다만 증자가 하나로 꿰뚫고 있는 뜻을 알았다고
대답한 것230을 보고 마침내 도통의 전수를 얻었다고 하는데, 이것은 비록 참으로 그러하지만 증자는
평상시에 군센 역량이 있고, 천 길 만 길 우뚝한 사람이다. 그 이른바 '선비는 도량이 넓고 뜻이 군세지
않으면 안 된다.'231와, '6척六尺의 어린 임금을 맡길 만하고, 백리百里(제후국)의 명命을 부탁할 만하며,
큰 절개가 걸린 일(예컨대 생사가 관련된 일)에 임해서 그 절개를 빼앗을 수 없다.'232와, '진晉나라와
초楚나라의 부유함은 내가 따를 수 없지만, 저들이 그 부富를 가지고 나를 대하면 나는 나의 인仁으로써
대하며, 저들이 그 관작官爵을 가지고 대하면 나는 나의 의義를 가지고 대할 것이니, 내 어찌 부족할
것이 있겠는가?'233라고 한 말을 살펴보면 알 수 있다. 비록 수양공부가 안자에 비교하여 거칠지만 그의
자질이 군센 까닭에 먼저 스스로 확고하게 지닌 것이 안정되었던 까닭에, 마침내 공자의 도를 전수받은
것이다. 뒤에 자사와 맹자가 있어서 그의 전수는 영원하였다. 맹자의 기상에서 특히 볼만하다."

[38-7-41]
"曾子本是魯拙, 後旣有所得, 故守得夫子規矩定. 其教人有法, 所以有傳. 若子貢則甚敏, 見
得易, 然又雜, 往往教人亦不似曾子守定規矩, 故其後無傳."234

· ·

229 『朱子語類』권93, 30조목. 본문 중간 부분의 "今人只見曾子唯一貫之旨 … 後來有子思·孟子, 其傳永遠"은
『朱子語類』권13, 124조목에 있다.

230 증자가 하나로 … 것: 『論語』「里仁」에서 "공자가 말했다. '參아! 내 道는 하나로 모든 것을 꿰뚫고 있다.'
증자는 '예!'라고 대답했다.(子曰, '參乎! 吾道一以貫之.' 曾子曰, '唯!')"라고 하였다.

231 '선비는 도량이 … 된다.': 『論語』「泰伯」에서 "증자가 말했다. '선비는 도량이 넓고 뜻이 군세지 않으면 안
된다. 책임이 무겁고 길이 멀기 때문이다.'(曾子曰, '士不可以不弘毅. 任重而道遠.')"라고 하였다.

232 '六尺의 어린 … 없다.': 『論語』「泰伯」에서 "증자가 말했다. '六尺의 어린 임금을 맡길 만하고, 百里(제후국)
의 命을 부탁할 만하며, 큰 절개가 걸린 일(예컨대 생사가 관련된 일)에 임해서 그 절개를 빼앗을 수 없다면,
군자다운 사람인가! 군자다운 사람이다.'(曾子曰, '可以託六尺之孤, 可以寄百里之命, 臨大節而不可奪也, 君
子人與! 君子人也.')"라고 하였다.

233 '晉나라와 楚나라의 … 있겠는가?': 『孟子』「公孫丑下」에서 "맹자가 말했다. '어찌 이것을 말한 것이겠는가?
曾子는 「晉나라와 楚나라의 부유함은 내가 따를 수 없지만, 저들이 그 富를 가지고 나를 대하면 나는 나의
仁으로써 대하며, 저들이 그 官爵을 가지고 대하면 나는 나의 義를 가지고 대할 것이니, 내 어찌 부족할
것이 있겠는가?」라고 말했으니, 이 어찌 不義인 것을 증자가 말했겠는가? 이것도 혹 한 방법일 것이다.
천하에 공통으로 높이는 것이 세 가지가 있으니, 官爵이 하나고, 年齒가 하나이며, 德이 하나이다. 조정에는
官爵만한 것이 없고, 鄕黨에는 年齒(나이)만한 것이 없고, 세상을 돕고 백성을 자라게 하는 데는 德만한
것이 없으니, 어찌 그 한 가지를 소유하고서 둘을 가진 사람을 오만하게 소홀히 할 수 있겠는가?(曰, '豈謂是
與? 曾子曰, 「晉楚之富, 不可及也, 彼以其富, 我以吾仁；彼以其爵, 我以吾義, 吾何慊乎哉?」夫豈不義, 而曾
子言? 是或一道也. 天下有達尊三, 爵一, 齒一, 德一. 朝廷, 莫如爵；鄕黨, 莫如齒；輔世長民, 莫如德. 惡得
有其一, 以慢其二哉?')"라고 하였다.

234 『朱子語類』권93, 31조목

(주자가 말했다.) "증자는 본래 둔하고 옹졸하였는데 나중에 터득한 것이 있었기 때문에 공자의 법도를 확고하게 지킬 수 있었다. 그가 사람들을 가르치는 데에 법도가 있었기 때문에 전수됨이 있었다. 자공子貢같은 사람은 매우 민첩해서 쉽게 이해했지만 또 잡스러웠으며, 종종 사람들을 가르치는 데에도 역시 증자처럼 법도를 확고히 지킴과 같지 않았기 때문에 그 뒤에 전수됨이 없었다."

[38-7-42]

問顏淵 · 仲弓不同.

曰 : "聖人之德, 自是無不備 ; 其次, 則自是易得不備. 如顏子已是熟周全了, 只比之聖人更有些未完. 如仲弓則偏於淳篤, 而少顏子剛明之意."[235]

안연과 중궁仲弓이 같지 않은 점에 대해 물었다.

(주자가) 대답했다. "성인의 덕은 본래 갖추지 않음이 없지만, 그 차등에서는 본래 쉽게 갖추지 못한다. 예컨대 안자는 이미 매우 두루 온전하게 갖추었지만 다만 성인과 비교하면 또한 조금은 완비하지 못함이 있다. 예컨대 중궁 같으면 순박하고 독실함에 편중되어 안자와 같은 굳세고 밝은 기상이 적다."

[38-7-43]

"孔門只一箇顏子合下天資純粹, 到曾子便過於剛, 與孟子相似. 世衰道微, 人欲橫流, 不是剛勁有脚跟底人, 定立不住."[236]

(주자가 말했다.) "공자 문하에 다만 안자顏子만이 원래 타고난 자질이 순수하였으니, 증자마저도 곧 굳셈이 지나쳐서 맹자와 서로 비슷하였다. 세상이 쇠퇴하고 도가 미약해져서 인욕人欲이 넘쳐 흘러 굳세고 강한 입장을 가지지 않은 사람이면 확고하게 정립할 수 없었다."

[38-7-44]

"'孟子才高, 學之無可依據', 爲他元來見識自高. 顏子才雖未嘗不高, 然其學却細膩切實, 所以學者有用力處. 孟子終是麤."[237]

(주자가 말했다.) "(정자가) '맹자는 재기才氣가 높아서 그를 배우려고 해도 의거할 만한 것이 없다.'[238]라고 했는데, 맹자가 원래 식견이 본디 높아서이다. 안자의 재기才氣는 비록 높지 않은 것이 아니나 그 학문이 섬세하고 절실하기 때문에 배우는 사람들이 힘쓸 곳이 있다. 맹자는 끝내 거칠다."

....

235 『朱子語類』 권93, 21조목
236 『朱子語類』 권93, 22조목
237 『朱子語類』 권95, 120조목
238 '맹자는 才氣가 … 없다.' : 『河南程氏遺書』 권2上에서 "맹자는 才氣가 높아서 그를 배우려고 해도 의거할 만한 것이 없다. 배우는 사람은 마땅히 안자를 배워야 성인의 경지에 들어가는 것이 가깝고, 힘쓸 곳이 있다.(孟子才高, 學之無可依據. 學者當學顏子入聖人爲近, 有用力處.)"라고 하였다.

[38-7-45]

"伊川曰, '學者須是學顏子.' 孟子說得麤, 不甚子細, 只是他才高, 自至那地位. 若學者學他, 或會錯認了他意思. 若顏子說話, 便可下手做；孟子底, 更須解說方得."[239]

(주자가 말했다.) "이천伊川程頤은 '배우는 사람은 모름지기 안자를 배워야 한다.'[240]라고 말했다. 맹자가 말한 것은 거칠어서 별로 자세하지 않지만 다만 그의 재기才氣가 높아서 저절로 그러한 지위에 이르렀을 뿐이다. 만약 배우는 사람이 그를 배운다면, 혹 그의 의미를 잘못 이해할 수도 있다. 안자가 말한 것은 곧 시작해 볼 수 있지만, 맹자는 반드시 해설이 있어야 비로소 깨칠 수 있다."

[38-7-46]

問："'孟子無可依據, 學者當學顏子.' 如養氣處, 豈得謂無可依據?"

曰："孟子皆是要用. 顏子曾就己做工夫,[241] 所以學顏子則不錯."[242]

물었다. "(정자가) '맹자는 의거할 만한 것이 없으니 배우는 사람은 마땅히 안자를 배워야 한다.'[243]라고 하였습니다. 그런데 예컨대 (맹자가) 기氣를 기르는 것을 설명한 곳[244]은 어찌 의거할 만한 것이 없다고 할 수 있겠습니까?"

(주자가) 대답했다. "맹자는 모든 것이 쓰이기를 구하였다. 안자는 자신에 나아가 공부한 까닭에 안자를 배워야 어긋나지 않는다."

[38-7-47]

問'顏子, 春生；孟子, 幷秋殺盡見.'

曰："仲尼無不包. 顏子方露出春生之意, 如'無伐善, 無施勞'是也. 使此更不露, 便是孔子. 孟

. . . .

239 『朱子語類』 권95, 121조목
240 '배우는 사람은 … 한다.': 『河南程氏遺書』 권3에서 "배우는 사람이 제대로 잘 배우려면 모름지기 안자를 배워야 한다.(學者要學得不錯, 須是學顏子.)"라고 하였다.
241 顏子曾就己做工夫: 朱熹, 『朱子語類』 권95, 122조목에는 "顏子須就己做工夫"라고 되어 있다.
242 『朱子語類』 권95, 122조목
243 『河南程氏遺書』 권2上
244 (맹자가) 氣를 … 곳: 『孟子』 「公孫丑上」에서 "(공손추가) 감히 묻겠습니다. '선생님께서는 어디에 장점이 있습니까? (맹자가) 대답했다. '나는 말을 알며, 나는 나의 浩然之氣를 잘 기른다.' (공손추가) 감히 묻겠습니다. '무엇을 호연지기라고 합니까?' (맹자가) 대답했다. '말하기 어렵다. 그 氣됨이 지극히 크고 지극히 강하니, 곧게 잘 기르고 해침이 없으면, 이 호연지기가 천지 사이에 꽉 차게 된다. 그 氣됨이 義와 道에 배합되니, 이것이 없으면 굶주리게 된다. 이 호연지기는 義를 많이 축적하여 생겨나는 것이지, 義가 하루아침에 갑자기 엄습하여 취해지는 것은 아니다. 실천하고도 마음에 부족하게 여기는 것이 있으면 호연지기가 굶주리게 된다. 나는 그 때문에 「告子는 義를 안 적이 없다.」고 말한 것이니, 그가 義를 밖이라고 했기 때문이다.'(敢問, '夫子惡乎長?' 曰, '我知言, 我善養吾浩然之氣.' 敢問, '何謂浩然之氣?' 曰, '難言也. 其爲氣也, 至大至剛, 以直養而無害, 則塞于天地之間. 其爲氣也, 配義與道；無是, 餒也. 是集義所生者, 非義襲而取之也. 行有不慊於心, 則餒矣. 我故曰, 「告子未嘗知義」, 以其外之也.')"라고 하였다.

子便如秋殺, 都發出來, 露其才. 如所謂英氣, 是發用處都見."[245]

(정자가) '안자는 봄기운이 피어남이며, 맹자는 아울러 가을의 죽임을 모두 드러냈다.'[246]라고 한 것에 대해 물었다.

(주자가) 대답했다. "공자는 포용하지 않는 것이 없다. 안자가 봄기운이 피어나는 뜻을 드러냈으니 예컨대 '자신의 잘하는 것을 자랑함이 없으며, 공로를 과시함이 없다.'[247]라고 한 것이 이것이다. 이것을 다시 드러나지 않게 하면 곧 공자이다. 맹자는 곧 가을의 죽임 같음을 모두 발산하여 그 재기才氣를 드러내었다. 예컨대 이른바 영기英氣가 발산하는 곳마다에 모두 나타난 것이다."

[38-7-48]

"孟子, 明則動矣, 未變也 ; 顏子, 動則變矣, 未化也."[248]

(주자가 말했다.) "맹자는 밝아지면 감동시키는 단계이니 아직 변화하지 못한 것이며, 안자는 감동시켜 변화 단계이니 아직 화化하지 못한 것이다."[249]

[38-7-49]

潛室陳氏曰 : "顏子一身渾是義理, 不知有人. 孟子見義理之無窮, 惟知反己. 顏子之量無涯. 孟子之言有迹."[250]

잠실 진씨潛室陳氏[陳埴]가 말했다. "안자는 온 몸이 혼연히 의리義理여서, 남이 있는 것을 알지 못했다.

- - - - - - - - - - - - - -

245 『朱子語類』 권96, 74조목
246 '안자는 봄에 … 드러낸다.' : 『河南程氏遺書』 권5에서 "仲尼(孔子)는 元氣이고, 안자는 봄에 생겨나는 氣이며, 맹자는 가을에 말라 시들게 하는 氣까지 모두 드러낸다. 공자는 포용하지 않는 것이 없고, 안자는 '어기지 않아 어리석은 사람인 듯하였다.'고 하는 배움의 자세를 후대 학자들에게 보여주어 자연스러운 和氣가 있으니, 말을 하지 않고도 교화하는 사람이며, 맹자는 그 才氣를 드러내었는데 그 또한 시대가 그러했기 때문일 뿐이다. 공자는 天地와 같고, 안자는 온화한 바람과 경사스러운 구름 같으며, 맹자는 泰山의 준험한 기상과 같다. 그들의 말을 살펴보면 모두 그러한 점을 알 수 있다. 공자는 자취가 없고 안자는 자취가 조금 있으며, 맹자는 자취가 두드러진다.(仲尼, 元氣也 ; 顏子, 春生也 ; 孟子, 幷秋殺盡見. 仲尼, 無所不包 ; 顏子示「不違如愚」之學於後世, 有自然之和氣, 不言而化者也 ; 孟子則露其才, 蓋亦時然而已. 仲尼, 天地也 ; 顏子, 和風慶雲也 ; 孟子, 泰山嚴嚴之氣象也. 觀其言, 皆可以見之矣. 仲尼無迹, 顏子微有迹, 孟子其迹著.)"라고 하였다.
247 '자신의 잘하는 … 없다.' : 『論語』 「公冶長」에서 "顏淵이 말했다. '자신의 잘하는 것을 자랑함이 없으며, 공로를 과시함이 없고자 합니다.'(顏淵曰, 「願無伐善, 無施勞.」)"라고 하였다.
248 『朱文公文集』 권32 「答張敬夫問目」
249 "맹자는 밝아지면 … 것이다." : 『中庸』 제23장에서 "그 다음은 한쪽으로 지극히 함이니, 한쪽으로 지극히 하면 능히 誠할 수 있다. 誠하면 드러나고, 드러나면 더욱 드러나고, 더욱 드러나면 밝아지고, 밝아지면 감동시키고, 감동시키면 變하고, 變하면 化할 수 있으니, 오직 天下에 지극히 성실한 분이어야 능히 化할 수 있다.(其次, 致曲, 曲能有誠. 誠則形, 形則著, 著則明, 明則動, 動則變, 變則化, 唯天下至誠, 爲能化.)"라고 하였다.
250 陳埴, 『木鍾集』 권1 「論語」

맹자는 의리義理의 무궁한 것을 보고서, 자신에게 돌이킬 줄 알았다. 안자의 역량은 끝이 없지만 맹자의 말은 자취가 있다."

[38-7-50]

問:"謝顯道謂'顏子學得親切如孟子', 不知顏子所學甚處與孟子相似."

曰:"學顏子有依據, 孟子才高難學. 蓋顏子之學親切勝如孟子也."

물었다. "사현도謝顯道[謝良佐]가 '안자는 배우기에 친절한 것이니 맹자와 같다.'[251]라고 하였는데, 안자가 배운 것 가운데 어떤 곳이 맹자와 서로 비슷한지 모르겠습니다."

(잠실 진씨가) 대답했다. "안자를 배우는 것은 의거할 것이 있는데, 맹자는 재기才氣가 높아서 배우기가 어렵다. 대개 안자의 학문의 친절함은 맹자보다 더 낫다."

[38-7-51]

雙峰饒氏曰:"顏·孟, 均之爲大賢也. 而一可學一難學者, 顏子如和風慶雲, 人皆可以卽之;孟子如泰山巖巖, 可望而不可攀. 其規模氣象之不同, 亦以氣稟之有異故也."

쌍봉 요씨雙峰饒氏[饒魯][252]가 말했다. "안자와 맹자는 똑 같이 대현大賢이다. 그러나 한 사람은 배울만하고 한 사람은 배우기 어려우니, 안자는 마치 온화한 구름과 경사스러운 구름 같아 사람들이 모두 가까이 할 수 있으며, 맹자는 마치 태산처럼 험준하여 바라볼 수는 있지만 올라갈 수는 없다.[253] 그 규모와

• •

251 '안자는 배운 … 같다.': 謝良佐의 『上蔡語錄』 권1에서 "안자가 배운 것은 절실하니 맹자와 같으니, 우러러볼 수록 더욱 높고 뚫을수록 더욱 견고하여 한도가 없다. 그것으로 성인의 도를 보면, 크게 바라보니 앞에 있었는데 미치지 못하고 홀연히 뒤에 있는데 또 좌절해서 물러난다. 그것으로 성인의 도를 보는 가운데 이 한 단락을 살펴보면, 안자가 본 것이 절실하다는 것을 알 수 있으니, 학문으로써 나를 넓히는 것은 곧 지식이 넓어지는 것이며, 禮로써 나를 요약하는 것은 귀착할 곳이 있는 것이다.(顏子學得親切如孟子, 仰之彌 高·鑽之彌堅, 無限量也. 以見聖人之道, 大瞻之在前卽不及, 忽焉在後又蹉卻. 以見聖人之道中觀此一段, 卽 知顏子看得來親切, 博我以文, 便知識廣, 約我以禮, 歸宿處也.)"라고 하였다.

252 饒魯: 자는 伯興·仲元·師魯이고, 호는 雙峰이다. 송대 餘干(현 강서성 소속) 사람으로 어려서부터 黃榦(주 희의 문인 겸 사위)에게 배워서 '致知·力行'을 근본으로 하였다. 쌍봉 앞에 石洞書院을 지어 강학에 힘썼다. 평생 벼슬하지 않아 그가 죽은 뒤 문인들이 그에게 私諡를 文元이라 올렸다. 저서는 『五經講義』·『論孟紀聞』· 『太極三圖』·『近思錄註』 등이 있다.

253 안자는 마치 … 없다.: 『河南程氏遺書』 권5에서 "仲尼[孔子]는 元氣이고, 안자는 봄에 생겨나는 氣이며, 맹자는 가을에 말라 시들게 하는 氣까지 모두 드러내었다. 공자는 포용하지 않는 것이 없고, 안자는 '어기지 않아 어리석은 사람인 듯하였다.'고 하는 배움의 자세를 후대 학자들에게 보여주어 자연스러운 和氣가 있으 니, 말을 하지 않고도 교화하는 사람이며, 맹자는 그 才氣를 드러내었는데 그 또한 시대가 그러했기 때문일 뿐이다. 공자는 天地과 같고, 안자는 온화한 바람과 경사스러운 구름 같으며, 맹자는 泰山의 준험한 기상과 같다. 그들의 말을 살펴보면 모두 그러한 점을 알 수 있다. 공자는 자취가 없고 안자는 자취가 조금 있으며, 맹자는 자취가 두드러진다.(仲尼, 元氣也;顏子, 春生也;孟子, 幷秋殺盡見. 仲尼, 無所不包;顏子示「不違如 愚」之學於後世, 有自然之和氣, 不言而化者也;孟子則露其才, 蓋亦時然而已. 仲尼, 天地也;顏子, 和風慶雲

기상이 같지 않은 것은 또한 기氣의 품부에 다름이 있기 때문이다."

[38-7-52]

魯齋許氏曰: "陽貨以不仁不智劫聖人, 聖人應得甚閒暇. 他人則或以卑遜取辱, 或以剛直取禍, 或不能禦其勃然之勢, 必不得停當. 聖人則辭遜而不卑, 道存而不亢."

或曰: "孟子遭此如何?"

曰: "必露精神."[254]

노재 허씨魯齋許氏[許衡]가 말했다. "양화陽貨[陽虎]는 불인不仁과 부지不智로 성인을 물리쳤는데, 성인은 거기에 대응한 것이 매우 한가하였다.[255] 다른 사람이라면 혹은 비루한 공손으로 치욕을 취하거나, 혹은 강직으로 대처하여 화禍를 취하거나, 혹은 발끈하는 형세를 제어할 수 없어서 반드시 적절하게 대응할 수 없었을 것이다. 성인은 말씀이 겸손하면서도 비루하지 않았고, 도가 보존되면서도 거만하지 않았다."

어떤 사람이 물었다. "맹자가 이런 경우를 만나면 어떻겠습니까?"

(노재 허씨가) 대답했다. "반드시 정신을 드러냈을 것이다."

孔孟門人 공맹문인

[38-8-1]

程子曰: "子貢之知亞於顏子, 知至而未能至之者也."[256]

정자가 말했다. "자공子貢의 지혜는 안자에 버금가니, 이를 데를 알았지만 아직 거기에 이르지 못한 자이다."

- -

也; 孟子, 泰山巖巖之氣象也. 觀其言, 皆可以見之矣. 仲尼無迹, 顏子微有迹, 孟子其迹著.)"라고 하였다.

254 許衡, 『魯齋遺書』 권1 「語錄上」

255 陽貨[陽虎]는 不仁과 … 한가하였다. : 『論語』 「陽貨」에서 "陽貨가 공자를 만나려고 했는데 공자가 만나주지 않으니, 양화는 공자에게 삶은 돼지를 선물로 보내주었다. 공자도 그가 없는 틈을 타고 가서 사례하고 오다가 길에서 마주쳤다. (양화가) 공자에게 말했다. '이리 오시오! 내가 그대와 말을 해야 하겠소.' (양화가) 말했다. '훌륭한 보배를 품고서 나라를 어지럽게 버려두는 것을 仁이라고 할 수 있겠습니까?' (공자가) 대답했다. '그렇다고 할 수 없습니다.' (양화가 말했다.) '從事하기를 좋아하면서 자주 때를 놓치는 것을 知라고 할 수 있겠습니까?' (공자가) 대답했다. '그렇다고 할 수 없습니다.' (양화가) 말했다. '해와 달이 흘러가니, 세월은 나를 위하여 기다려 주지 않습니다.' (공자가) 대답했다. '알았습니다. 나는 장차 벼슬을 할 것입니다.'(陽貨欲見孔子, 孔子不見, 歸孔子豚. 孔子時其亡也, 而往拜之, 遇諸塗. 謂孔子曰, '來! 予與爾言.' 曰, '懷其寶而迷其邦, 可謂仁乎?' 曰, '不可.' '好從事而亟失時, 可謂知乎?' 曰, '不可.' '日月逝矣, 歲不我與.' 孔子曰, '諾. 吾將仕矣.')"라고 하였다.

256 『河南程氏遺書』 권11

[38-8-2]

"强者易抑, 子路是也; 弱者難强, 宰我是也."[257]

(정자가 말했다.) "강자이면서 쉽게 억제하는 사람은 자로子路가 바로 그 사람이며, 약자이면서 강해지기 어려운 사람은 재아宰我가 바로 그 사람이다."

[38-8-3]

或問: "孔子許子路升堂, 其品第甚高, 何以見?"

龜山楊氏曰: "觀其死猶不忘結纓, 非其所養素定, 何能爾耶? 苟非其人, 則遑遽急廹之際方寸亂矣."[258]

어떤 사람이 물었다. "공자는 자로子路가 당堂에 올랐음을 인정하였으니, 그 등급이 매우 높은데[259] 어떻게 알 수 있습니까?"

구산 양씨龜山楊氏[楊時]가 대답했다. "자로가 죽을 때 또한 갓끈 매는 것을 잊지 않았다[260]는 것을 보더라도, 그가 함양한 것이 평소에 확정된 것이 아니라면 어떻게 그렇게 할 수 있었겠는가? 만약 그 사람이 아니라면 황급하고 급박할 때 마음이 혼란스러웠을 것이다."

[38-8-4]

朱子曰: "曾點之志, 如鳳凰翔於千仞之上.[261]"[262]

주자朱子[朱熹]가 말했다. "증점曾點의 뜻은 봉황새가 천 길이나 높은 곳에서 날아다니는 것과 같다."

· ·

257 『河南程氏粹言』 권下 「聖賢篇」

258 楊時, 『龜山集』 권11 「語錄 2」

259 공자는 子路가 … 높은데: 『論語』「先進」에서 "공자가 말했다. '由(子路)의 비파가락을 어찌 내 門에서 연주하는가? 門人들이 子路를 공경하지 않았다. 공자가 말했다. '由는 堂에는 올랐고 아직 방에 들어오지 못한 것이다.'(子曰, '由之瑟奚爲於丘之門?' 門人不敬子路, 子曰, '由也升堂矣, 未入於室也.')"라고 하였다.
이 구절에 대하여 주자는 『集註』에서 "門人들이 공자의 말로 인해 마침내 子路를 공경하지 않았으므로, 공자가 해석해 준 것이다. 堂에 오르고 방에 들어감은 道에 들어가는 차례를 비유한 것이다. 子路의 학문이 이미 正大하고 高明한 경지에 이르렀고, 다만 精微의 깊은 곳에 깊이 들어가지 못했을 뿐이니 한 가지 일의 잘못으로 대번에 홀시해서는 안 된다는 것을 말했다.(門人以夫子之言, 遂不敬子路, 故夫子釋之. 升堂入室, 喩入道之次第. 言子路之學, 已造乎正大高明之域, 特未深入精微之奧耳, 未可以一事之失而遽忽之也.)"라고 주석하였다.

260 자로가 죽을 … 않았다.: 『春秋左傳』「哀公 15년」에 "태자가 자로의 이 말을 듣고는 겁에 질려 石乞과 盂黶 두 신하를 보내 자로를 대적하게 했다. 그들이 창으로 자로를 쳐서 갓끈을 잘라버렸다. 자로는 '군자는 죽어도 갓을 벗지는 않는다.'라고 말하고 갓끈을 여미고 죽었다.(太子聞之, 懼, 下石乞 · 盂黶敵子路, 以戈擊之, 割纓. 子路曰, '君子死, 冠不免.' 結纓而死.)"라고 하였다.

261 如鳳凰翔於千仞之上.: 『朱子語類』 권40, 8조목에는 이 구절 뒤에 "故其言曰, '異乎三子者之撰.'(그러므로 그 말이 '세 사람이 갖춘 것과는 다릅니다.'라고 하였다.)"라는 말이 더 있다.

262 『朱子語類』 권40, 8조목

[38-8-5]

"曾點見得事事物物上皆是天理流行. 良辰美景, 與幾箇好朋友行樂.[263] 他看見日用之間, 莫非天理, 在在處處, 莫非可樂. 他自見得那'春服旣成, 冠者五六人, 童子六七人, 浴乎沂, 風乎舞雩, 詠而歸'處, 此是可樂天理."[264]

(주자가 말했다.) "증점이 개개별 사물에서 본 것은 모두 천리天理가 유행流行한 것이었다. 좋은 시절과 아름다운 경치는 몇 명의 좋은 친구들과 유희로 즐기는 것이었다. 그는 일상생활이 천리 아님이 없고 처처 곳곳이 즐길 만한 것 아님이 없다는 것을 보았다. 그가 스스로 본 그 '봄옷이 이미 만들어지면 관冠을 쓴 어른 5~6명과 동자童子 6~7명과 함께 기수沂水에서 목욕하고 무우舞雩에서 바람 쐬고 노래하면서 돌아오겠다.'[265]라는 것은 바로 즐길 만한 천리이다."

[38-8-6]

"曾點見道無疑, 心不累事. 其胷次灑落, 有非言語所能形容者."[266]

(주자가 말했다.) "증점이 도를 깨달아 의심이 없었으니, 마음이 일에 얽매이지 않았다. 그 마음속이 상쾌하고 시원한 것은 언어로 형용할 수 있는 것이 아니다."

[38-8-7]

"曾點有康節的意思, 將那一箇物玩弄."[267]

(주자가 말했다.) "증점은 강절康節[邵雍]의 기상이 있으니[268] 어떠한 것도 가지고 논다."

---

263 與幾箇好朋友行樂. : 『朱子語類』 권40, 10조목에는 이 구절 뒤에 "他看那幾箇說底功名事業, 都不是了.(그는 앞에서 몇 명이 말한 功名을 떨치는 사업이 모두 옳지 않다고 보았다.)"라는 말이 더 있다.

264 『朱子語類』 권40, 10조목

265 '봄옷이 이미 … 돌아오겠다.' : 『論語』 「先進」에서 "(공자가 말했다.) '點아! 너는 어떻게 하겠느냐?' 그는 비파를 드문드문 타다가 한번 강하게 타고는 비파를 놓으며 일어나 대답했다. '세 사람이 갖춘 것과는 다릅니다.' 공자가 말했다. '무엇이 해롭겠는가? 또한 각기 자기의 뜻을 말하는 것이다.' (증점이) 말했다. '늦은 봄에 봄옷이 이미 만들어지면 冠을 쓴 어른 5~6명과 童子 6~7명과 함께 沂水에서 목욕하고 舞雩에서 바람 쐬고 노래하면서 돌아오겠습니다.' 孔子께서 아! 하고 감탄하면서 '나는 증점을 인정하겠다.'라고 하였다. (點! 爾何如?' 鼓瑟希, 鏗爾, 舍瑟而作. 對曰, '異乎三子者之撰.' 子曰, '何傷乎? 亦各言其志也.' 曰, '莫春者, 春服旣成. 冠者五六人, 童子六七人, 浴乎沂, 風乎舞雩, 詠而歸.' 夫子喟然歎曰, '吾與點也!')"라고 하였다.

266 朱熹, 『朱文公文集』 권43 「答陳明仲」

267 『朱子語類』 권93, 25조목

268 증점은 康節[邵雍]의 기상이 있으니 : 증점과 강절의 경향이 같음을 말한다. 明 章懋의 『楓山集』 권2 「復鄭御史克備」에서 "증점의 沂水에서 목욕하고 舞雩에서 바람 쐬는 일과 강절의 擊壤歌詠은 모두 順境이다.(若曾點之浴沂詠歸, 康節之擊壤歌詠, 皆順境也.)"라고 하였다.

[38-8-8]

"曾點開闊, 漆雕開深穩."[269]

(주자가 말했다.) "증점은 상쾌하고 명랑한데, 칠조개漆雕開는 깊고 침착하다."[270]

[38-8-9]

問曾點氣象.

曰 : "曾點氣象, 固是從容灑落. 然須見得他因甚得如此, 始得. 若見得此意, 自然見得他做得堯舜事業處."[271]

증점의 기상에 대해 물었다.

(주자가) 대답했다. "증점의 기상은 본디 침착하면서도 상쾌하고 시원하다. 그러나 반드시 그가 무엇 때문에 이와 같을 수 있었는지를 알아야 된다. 만약 이 의미를 안다면 저절로 그가 요임금 · 순임금의 사업을 할 수 있다는 것을 알 수 있을 것이다."

[38-8-10]

"子路全義理.[272]"[273]

(주자가 말했다.) "자로子路는 의리를 온전히 하였다."

[38-8-11]

"孟子極尊敬子路."[274]

(주자가 말했다.) "맹자는 자로를 지극히 존경했다."

[38-8-12]

"夫子乘桴之嘆, 獨許子路之能從, 而子路聞之, 果以爲喜. 且看此等處, 聖賢氣象是如何. 世間許多紛紛擾擾, 如百千蚊蚋, 鼓發狂鬧, 何嘗入得他胷次耶? 若此等處放不下, 更說甚克己復禮? 直是無交涉也."[275]

· ·

269 『朱子語類』 권93, 24조목
270 漆雕開는 깊고 침착하다. : 『論語』「公冶長」에서 칠조개에 관한 다음과 같은 기록이 있다. "공자가 칠조개에게 벼슬을 하도록 했다. (칠조개가) 대답했다. '저는 벼슬하는 것에 대해 아직 자신할 수 없습니다.' 공자가 기뻐했다.(子使漆雕開仕. 對曰, '吾斯之未能信.' 子說.)"
271 『朱子語類』 권40, 44조목
272 子路全義理. : 『朱子語類』 권93, 38조목에는 이 구절 뒤에 "管仲全功利.(관중은 功利를 완전히 이루었다.)"라는 말이 더 있다.
273 『朱子語類』 권93, 38조목
274 『朱子語類』 권93, 39조목

(주자가 말했다.) "공자가 뗏목을 타고 바다를 항해하겠다는 탄식을 하면서 유독 자로子路만이 따라올 수 있다고 인정하자, 자로가 듣고는 과연 기뻐하였다.[276] 우선 이러한 곳에서 성현의 기상이 어떠한지를 보아야 한다. 세간에 허다하게 분분히 떠드는 수많은 모기떼가 왱왱거리며 미친 듯이 날아다니는 것과 같으면, 어찌 그들의 가슴속에 (성현의 기상이) 들어갈 수 있었겠는가? 만약 그러한 것들을 놓아 버리지 못한다면 다시 무슨 극기복례克己復禮를 말할 수 있겠는가? 다만 아무런 상관관계가 없게 될 것이다."

[38-8-13]

"子路仕衛之失, 前輩論之多矣. 然却是見不到,[277] 非知其非義而苟爲也."[278]

(주자가 말했다.) "자로가 위衛 나라에 벼슬한 과실은 선배 학자들이 논한 것이 많다. 그러나 자로가 또한 제대로 보지 못한 것이지, 불의를 알고도 구차하게 행한 것은 아니다."

[38-8-14]

問: "孔門學者, 如子張全然務外, 不知如何地學却如此."

曰: "也干他學甚事? 他在聖門, 亦豈不曉得爲學之要? 只是他資質是箇務外底人, 所以終身只是這意思. 子路是箇好勇底人, 終身只是說出那勇底話. 而今學者閑時都會說道理當如何, 只是臨事時, 依前只是他那本來底面目出來, 都不如那閑時所說者."[279]

물었다. "공자 문하의 학자 가운데 예컨대 자장子張 같은 사람은 완전히 바깥으로 힘을 쏟았는데, 어떻게 배웠기에 이와 같은지 모르겠습니다."

(주자가) 대답했다. "또한 그가 배운 것과 관련시키는 것은 무슨 일인가? 그도 성인의 문하에 있으면서 또한 어찌 학문을 하는 요점을 이해하지 못했겠는가? 다만 그는 자질이 바깥을 힘쓰는 사람이기 때문에 죽을 때까지 다만 이렇게 생각했을 뿐이다. 자로子路는 용감한 것을 좋아하는 사람이었으니, 죽을 때까지 다만 그렇듯 용감한 말을 했을 뿐이다. 지금 배우는 사람들이 한가할 때는 모두 도리가 마땅히 어떠해야 한다고 말하지만, 다만 일에 임해서는 여전히 단지 그 본래의 면목만을 드러내니, 모두 저 한가할 때 말한 것만 못하다."

---

275 朱熹, 『朱文公文集』 권59 「答楊子順」
276 공자가 뗏목을 … 기뻐하였다. : 『論語』 「公冶長」에서 "공자가 말했다. '道가 행해지지 않으니, 뗏목을 타고 바다를 항해하려 한다. 나를 따라올 사람은 아마 由(子路)일 것이다.' 子路가 이 말씀을 듣고 기뻐했다. 공자가 말했다. '由는 용맹을 좋아함은 나보다 낫지만, 사리를 헤아려 맞게 하는 것이 없다.'(子曰, '道不行, 乘桴浮于海. 從我者其由與?' 子路聞之喜. 子曰, '由也好勇過我, 無所取材.')"라고 하였다.
277 然却是見不到 : 주희의 『朱文公文集』 권41 「答連嵩卿」에는 "然子路却是見不到"라고 되어 있다.
278 『朱文公文集』 권41 「答連嵩卿」
279 『朱子語類』 권93, 37조목

[38-8-15]

"子張過高, 子夏窄狹."[280]

(주자가 말했다.) "자장子張은 지나치게 고원하고, 자하子夏는 협소하다."

[38-8-16]

"子張是簡務外底人, 子游是簡高簡虛曠, 不屑細務底人, 子夏是簡謹守規矩嚴毅底人."[281]

(주자가 말했다.) "자장子張은 바깥을 힘쓰는 사람이고, 자유子游는 고결하고 광활하여 자잘한 일을 달갑게 여기지 않는 사람이며, 자하子夏는 법도를 삼가 지키는 엄격하고 굳센 사람이다."

[38-8-17]

"子貢俊敏, 子夏謹嚴. 但將『論語』子夏之言看甚嚴毅. 孔子門人自顏·曾而下, 惟二子後來想大故長進."[282]

(주자가 말했다.) "자공子貢은 빼어나게 영민하고 자하子夏는 신중하고 엄격하다. 다만 『논어』에 있는 자하의 말을 보면 매우 엄격하고 굳세다. 공자의 문인 가운데 안자와 증자 이하로는 오직 이 두 사람(자공과 자하)만이 뒤에 와서 생각해보면 대단히 큰 진전이 있었다."

[38-8-18]

"吳公言偃悅周公·仲尼之道, 而北學於中國. 身通受業, 遂因文學以得聖人之一體, 豈不可謂豪傑之士哉? 今以『論語』考其話言, 類皆簡易疎通, 高暢宏達. 其曰'本之則無'者, 雖若見詘於子夏, 然要爲知有本也. 則其所謂文學, 固宜有以異乎今世之文學矣.

(주자가 말했다.) "오공吳公 언언言偃[子游][283]은 주공周公과 공자의 도를 심복心服하여 북쪽으로 중국에 와서 배웠다. 공자에게 수업하여 몸소 육예에 통달해서 마침내 문학文學으로 성인의 일부분을 얻었으니,[284] 어찌 호걸의 선비라고 하지 않을 것인가? 이제 『논어』로써 그 말을 고찰해보면, 그 부류가 모두

---

280 『朱子語類』 권93, 35조목
281 『朱子語類』 권93, 36조목
282 『朱子語類』 권93, 32조목. 본문 중간 부분의 "但將『論語』子夏之言看甚嚴毅."는 같은 책 같은 권 33조목에 있다.
283 吳公 言偃[子游]: 吳公은 송나라에서 言偃에게 준 封號이다.
284 공자에게 수업하여 … 얻었으니: 『史記』 권67 「仲尼弟子列傳」에서 "공자가 말했다. '나에게 수업하여 몸소 육예에 통달한 자는 77명이 있는데, 그들은 모두 다 특별한 능력을 소유한 사람들이었다. 그중에서 덕행에는 顏淵·閔子騫·冉伯牛·仲弓이, 정사에는 冉有·季路가, 언어에는 宰我·子貢이, 文學에는 子遊·子夏가 특별히 뛰어났다. 그러나 師는 편벽했고, 參은 노둔했으며, 柴는 우직했고, 由는 粗俗했다. 回는 매우 가난했으며, 賜는 천명을 받지 않고 재물을 불리었지만 시세 파악에 자주 적중했다.'(孔子曰, '受業身通者七十有七人, 皆異能之士也. 德行, 顏淵·閔子騫·冉伯牛·仲弓; 政事, 冉有·季路; 言語: 宰我·子貢; 文學, 子游·子夏. 師也辟, 參也魯, 柴也愚, 由也喭, 回也屢空. 賜不受命而貨殖焉, 億則屢中.')"라고 하였다.

간결하고 희었으며, 아주 유창하여 두루 통달한다. 그 '근본적인 것은 없다'[285]는 말에서 비록 자하子夏만 못한 것처럼 보이지만, 요점은 앞에 근본이 있어야 한다는 것이다. 그렇다면 그의 이른바 문학文學은 진실로 모두 오늘날의 문학과는 다르다.

旣又考其行事, 則武城之政, 不小其邑, 而必以『詩』·『書』·『禮』·『樂』爲先務, 其視有勇足民之效, 蓋有不足爲者. 至使聖師爲之莞爾而笑, 則其與之之意, 豈淺淺哉! 及其取人, 則又以二事之細, 而得滅明之賢, 亦其意氣之感, 黙有以相契者. 以故近世論者意其爲人, 必當敏於聞道, 而不滯於形器. 豈所謂南方之學得其精華者, 乃自古而已然也耶?"

또 그가 행한 일을 살펴보면, 무성武城에서 정치하면서 그 읍을 작다고 여기지 않고, 반드시 먼저 『시』·『서』·『예』·『악』에 힘썼는데, 백성을 용기 있고 풍족하게 하는 효과를 보는 데는 충분하지 못한 면이 있었다. 그러나 스승孔子조차 빙그레 웃게 하였으니,[286] 그를 인정하는 뜻이 얼마나 대단한가! 그가 사람을 취함에 있어서는, 또 작은 두 가지 일로 멸명滅明[澹臺滅明의 현명함을 파악하였으니,[287] 그 의기意氣의 느낌이 묵묵히 서로 투합 하는 것이 있었다. 이런 까닭에 근세의 논자들은 그의 사람됨이 반드시

• •

또 『孟子』「公孫丑上」에서 "예전에 제가 들으니, '子夏·子游·子張은 모두 성인의 일부분만을 가지고 있었고, 冉牛·閔子·顔淵은 전체를 갖추고 있었으나 미약하다.'라고 하였습니다. 감히 선생님께서 편안히 자처하시는 바를 묻겠습니다.(昔者竊聞之, 子夏·子游·子張皆有聖人之一體, 冉牛·閔子·顔淵則具體而微. 敢問所安.)"라고 하였다.

285 '근본적인 것은 없다': 『論語』「子張」에서 "자유가 말하였다. '자하의 제자들은 물 뿌리고 청소하며, 應對하고 進退하는 예절에는 괜찮다. 그렇지만 이것은 지엽적인 일이니 근본적인 것은 없다. 어찌하겠는가?(子游曰, '子夏之門人小子當灑掃·應對·進退, 則可矣. 抑末也, 本之則無, 如之何?')라고 하였다.

286 스승孔子조차 빙그레 … 하였으니: 『論語』「陽貨」에서 "공자가 武城에 가서 弦樂에 맞추어 부르는 노랫소리를 들었다. 공자께서 빙그레 웃으시며 말했다. '닭을 잡는 데, 어찌 소 잡는 칼을 쓰느냐?' 자유가 대답했다. '예전에 제가 선생님께 듣기로는 「군자가 道를 배우면 사람을 사랑하고, 소인이 도를 배우면 부리기가 쉽다.」라고 하셨습니다.' 공자가 말했다. '얘들아! 偃(子游)의 말이 옳다. 방금 내가 한 말은 농담이다.'(子之武城, 聞弦歌之聲. 夫子莞爾而笑曰, '割鷄焉用牛刀?' 子游對曰, '昔者, 偃也聞諸夫子曰, 「君子學道則愛人, 小人學道則易使也.」' 子曰, '二三子! 偃之言是也. 前言戱之耳.')"라고 하였다.

287 그가 사람을 … 파악하였으니: 『論語』「雍也」에서 "子游가 武城의 邑宰가 되었다. 공자가 물었다. '너는 인물을 얻었느냐?' 자유가 대답했다. '澹臺滅明이라는 자가 있는데, 길을 다닐 적에 지름길을 가지 않으며, 공적인 일이 아니면 일찍이 저의 방에 이른 적이 없습니다.'(子游爲武城宰. 子曰, '女得人焉爾乎?' 曰, '有澹臺滅明者, 行不由徑, 非公事, 未嘗至於偃之室也.')"라고 하였다.
이 구절에 대하여 주자는 『集註』에서 다음과 같은 楊時의 말을 주석으로 붙였다. "楊氏(楊時)가 말했다. '정치를 하는 데에는 인재를 얻는 것이 최우선이므로, 공자는 인재를 얻었느냐고 물은 것이다. 예컨대 滅明에게서는 이 두 가지 일의 소소한 것을 보고서도 그의 公明正大한 마음을 알 수 있다. 후세에서는 지름길을 가지 않는 자가 있으면 사람들은 반드시 迂遠하다고 할 것이고, 그의 방에 이르지 않으면 사람들은 반드시 거만하다고 여길 것이다. 공자의 문인이 아니라면 그 누가 이것을 알아서 취했겠는가?(楊氏曰, '爲政以人才爲先, 故孔子以得人爲問. 如滅明者, 觀其二事之小, 而其正大之情可見矣. 後世有不由徑者, 人必以爲迂; 不至其室, 人必以爲簡. 非孔氏之徒, 其孰能知而取之?')"

도를 들음에 민첩하고 형기形器에 구애받지 않았다고 하였다. 이른바 남방의 학문이 그 정화精華를 얻었다고 하는 말이 어찌 옛날부터 이미 그러했겠는가?"

[38-8-19]

問 : "孟子恁地, 而公孫·萬章之徒皆無所得."

曰 : "他只是逐孟子上上下下, 不曾自去理會."

又曰 : "孔子於門人恁地提撕警覺, 尙有多少病痛."[288]

물었다. "맹자가 그러했는데도 그의 문인인 공손추公孫丑와 만장萬章 등의 무리들은 모두 얻은 것이 없습니다."

(주자가) 대답했다. "그들은 다만 맹자를 쫓아서 형이상과 형이하를 오갔을 뿐 스스로 이해한 적이 없었다."

(주자가) 또 말했다. "공자는 문인들에게 그렇게도 경각심을 진작시켰는데도, 또한 얼마간의 문제점이 있었다."

[38-8-20]

西山眞氏曰 : "閔子言行見於『論語』者唯四章. 合而言之, 見其躬至孝之行, 辭不義之祿, 氣和而正, 言謹而確. 此其所以亞於顔淵而與曾子並稱也歟!"[289]

서산 진씨西山眞氏[眞德秀]가 말했다. "민자閔子[閔子騫]의 언행이 『논어』에 보이는 것은 오직 4장章이다. 그것을 합쳐서 모두 말하면, 그가 몸소 지극한 효도를 실행한 것,[290] 불의不義의 녹봉을 거절한 것,[291] 기氣가 온화하고 바른 것,[292] 말이 신중하고 정확한 것[293]을 볼 수 있다. 이것이 그가 안연에 버금가면서 증자와 병칭되는 까닭일 것이다!"

· ·

288 『朱子語類』 권93, 44조목

289 眞德秀, 『西山讀書記』 권29 「孔門諸子之學」

290 그가 몸소 … 것 : 『論語』 「先進」에서 "공자가 말했다. '효성스럽다. 閔子騫이여! 사람들이 그 부모·형제가 칭찬하는 말에 트집 잡지 못한다.'(子曰, '孝哉, 閔子騫! 人不間於其父母昆弟之言.')"라고 하였다.

291 不義의 녹봉을 … 것 : 『論語』 「雍也」에서 "季氏가 閔子騫을 費邑의 邑宰로 삼으려고 했다. 閔子騫이 使者에게 말했다. '나를 위해 잘 말해 주시오. 만일 다시 나를 부르러 온다면 나는 반드시 魯나라를 떠나 齊나라의 汶水가에 있을 것입니다.'(季氏使閔子騫爲費宰. 閔子騫曰, '善爲我辭焉. 如有復我者, 則吾必在汶上矣.')"라고 하였다.

292 氣가 온화하고 … 것 : 『論語』 「先進」에서 "閔子騫은 옆에서 모시는데 誾誾(온화함)하였고, 子路는 行行(굳셈)하였으며, 冉有·子貢은 侃侃(강직함)하였다. 공자가 즐거워하였다.(閔子, 侍側, 誾誾如也 ; 子路, 行行如也 ; 冉有·子貢, 侃侃如也. 子樂.)"라고 하였다.

293 말이 신중하고 … 것 : 『論語』 「先進」에서 "魯나라 사람이 長府라는 창고를 지으려고 했다. 민자건이 말했다. '옛 것을 그대로 사용하는 것이 어떻겠는가? 하필 고쳐지어야 하겠는가?' 공자가 말했다. '저 사람은 말을 하지 않을지언정, 말을 하면 반드시 도리에 맞음이 있다.'(魯人爲長府. 閔子騫曰, '仍舊貫, 如之何? 何必改作?' 子曰, '夫人不言, 言必有中.')"라고 하였다.

諸儒一 제유 1

諸儒一
제유 1

周子 名惇頤, 字茂叔, 號濂溪 주자 이름은 돈이이고, 자는 무숙이며, 호는 염계이다.

[39-1-1]

山谷黃氏曰: "茂叔人品甚高, 胷中洒落如光風霽月. 好讀書, 雅意林壑, 初不爲人窘束. 短於取名而惠於求志.[1] 薄於徼福而厚於得民. 菲於奉身而燕及媲娄.[2] 陋於希世而尙友千古."[3]

산곡 황씨山谷黃氏[黃庭堅][4]가 말했다. "무숙茂叔[周敦頤]은 인품이 매우 고원하여, 흉중의 시원스러움이 비갠 날 시원한 바람이나 상쾌한 달빛[光風霽月]과 같았다. 독서를 좋아하고 늘 산림과 골짜기에 뜻을 두어, 전혀 다른 사람에게 구애받지 않았다. 명성을 취하는 데에는 서툴렀지만[5] 뜻을 구하는 데에는 능했다. 복을 구하는 데에는 박하였으나 백성의 마음을 얻는 데에는 두터웠다. 자기 한 몸을 받드는 데에는 보잘것없었으나, 향연이 외로운 과부에까지 미쳤다. 세속의 명성을 구하는 데[6]에는 졸렬하였고, 위로 먼 옛날의 성현과 벗하였다."[7]

· ·

1 短於取名而惠於求志. : 『周元公集』 권3 「諸儒議論」 및 권4 「事狀」·「濂溪先生行實」(주자)과 권4 「濂溪先生傳」(托克托), 그리고 『江西通志』 권151 「濂溪詩」에는 "廉于取名而銳于求志"로 되어 있다.

2 菲於奉身而燕及媲娄. : '媲'은 『山谷集』 권1 「濂溪詩幷序」와 『周元公集』 권4 「濂溪先生傳」에는 '筅'으로 되어 있다. 『周元公集』 권3 「諸儒議論」과 권4 「事狀」·「濂溪先生行實」에는 '惸'으로 되어 있다.

3 『山谷集』 권1 「濂溪詩幷序」

4 黃庭堅(1045~1105) : 字는 魯直이고, 호는 山谷道人·涪翁 등을 썼다. 北宋 洪州分寧 사람이다. 蘇軾의 문하생으로 蘇門四學士로 불렸다. 시인으로는 소식·陸游와 병칭되었고, 서예로는 소식·米芾·蔡襄 등과 송대의 대표적인 四大家로 꼽혔다.

5 명성을 취하는 … 서툴렀지만 : 『性理群書句解』 권20 「行實」에서는 "다만 명성을 구하는 데에 힘쓰지 않고(但其不務於求名)"라고 주해하였다.

6 세속의 명성을 … 데 : 『莊子』 「讓王」에서는 "세상에 명성을 얻기를 바라면서 행동함(希世而行)"이라고 했고, 이에 대해 司馬彪는 "希는 바람이다. 행동할 때 늘 세상의 영예를 돌아보면서 움직인다. 그 때문에 세상에 바라면서 행동한다고 말한 것이다.(希, 望也. 所行常顧世譽而動. 故曰希世而行)."라고 풀이하였다.

[39-1-2]

程子曰 : “自再見茂叔後, 吟風弄月以歸, 有吾與點也之意.”

又曰 : “茂叔窓前草不除, 問之, 云‘與自家意思一般’.”⁸

정자가 말했다. “다시 무숙茂叔[周敦頤]를 뵌 후, 음풍농월하며 돌아왔는데, ‘나(공자)는 증점을 허여한다.’⁹는 뜻이 있었다.”

(정자가) 또 말했다. “무숙이 창 앞에 풀을 뽑지 않아, 까닭을 묻자, ‘나의 마음과 같아서이다.’라고 대답하였다.”

[39-1-3]

延平李氏曰 : “黃山谷謂周子‘洒落如光風霽月’, 此善形容有道者氣象.”¹⁰

연평 이씨延平李氏[李侗]가 말했다. “황산곡黃山谷[黃庭堅]이 주자周子[周敦頤]를 ‘시원스러움이 비 갠 날 시원한 바람이나 상쾌한 달빛[光風霽月]과 같다.’고 평하였는데, 이는 도를 체득하고 있는 사람의 기상을 잘 형용한 것이다.”

[39-1-4]

朱子曰 : “山谷謂周子洒落者, 只是形容一箇不疑所行淸明高遠之意. 若有一毫私吝心, 何處更有此等氣象耶! 只如此,¹¹ 有道者胸懷表裏亦自可見.”¹²

주자가 말했다. “산곡山谷[黃庭堅]이 주자周子[周敦頤]를 시원스럽다고 평한 것은 다만 그 행동을 의심하지 않는 것이¹³ 맑고 밝고 고원하다는 뜻을 형용한 것이다. 만약 털끝만큼이라도 사사로운 욕심이 있다면

- -

7 위로 먼 … 벗하였다. :『孟子』「萬章下」에서는 “천하의 훌륭한 선비[善士]와 벗하는 것만으로는 만족하지 못하고 또다시 위로 올라가서 옛사람을 논하니, 그 詩를 외우며 그 글을 읽으면서도 그 사람을 알지 못한다면 되겠는가? 이 때문에 그 當世를 논하는 것이니, 이는 위로 올라가서 벗하는 것이다.(以友天下之善士爲未足, 又尙論古之人, 頌其詩, 讀其書, 不知其人, 可乎? 是以, 論其世也, 是尙友也.)”라고 하였다.

8 『河南程氏遺書』 권3 ;『周元公集』 권3 「諸儒議論」

9 나(공자)는 증점을 허여한다. :『論語』「先進」에 자로, 증석, 염유, 공서화가 공자를 모시고 앉아 있다가 각자 자신의 포부를 이야기하게 되었는데, 다들 정치적인 포부를 이야기한 반면, 증석은 “늦봄에 봄옷이 이미 이루어지면 冠을 쓴 어른 5~6명과 어린아이 6~7명과 함께 沂水에서 목욕하고 舞雩에서 바람 쐬고 노래하면서 돌아오겠습니다.(莫春者, 春服旣成, 冠者五六人, 童子六七人, 浴乎沂, 風乎舞雩, 詠而歸.)”라고 대답하자, 공자가 감탄하면서 “나는 點을 허여한다.(吾與點也.)”라고 하였다.

10 『周元公集』 권3 「諸儒議論」

11 只如此 :『朱文公文集』 권31 「答張敬夫」에는 只如此看으로 되어 있다.

12 『朱文公文集』 권31 「答張敬夫」

13 그 행동을 … 것이 :『周易』「坤卦 · 文言傳」에서는 “곧고 방정하고 위대하니, 익히지 않아도 이롭지 않음이 없다는 것은 그 행하는 바를 의심하지 않는 것이다.(直方大不習无不利, 則不疑其所行也.)”라고 하였다. 張載의 『正蒙』 권14에서도 “군자는 이루어진 덕을 행실로 삼으니, 덕이 이루어진 것을 스스로 믿게 되면, 그 행하는 바를 의심하지 않고 날마다 밖으로 드러나 보여도 될 것이다.”라고 했다. [6-14-29]를 참조

어디에 이러한 기상이 있겠는가! 다만 이와 같다면 도를 체득한 사람의 마음의 안팎 또한 저절로 볼 수 있을 것이다."

[39-1-5]

"先生在當時,[14] 人見其政事精絶, 則以爲宦業過人 ; 見其有山林之志, 則以爲襟懷洒落,[15] 有仙風道氣. 無有知其學者, 惟程太中知之,[16] 宜其生兩程夫子也.[17]"[18]

(주자가 말했다.) "선생[周敦頤]이 살아 계실 때, 사람들이 그의 정치가 훌륭한 것을 보고서는, 관리로서의 업적이 다른 이보다 뛰어나다고 여겼다. 그에게 산림에 은거하려는 뜻이 있는 것을 보고서는, 마음속에 시원스러움을 품고 있어 신선의 기풍과 도인의 기운을 가지고 있다고 여겼다. 하지만 그 학문에 대해서 아는 자는 아무도 없었고, 오직 정태중程太中[程珦][19]만이 그것을 알아보았으니, 두 정 선생[程夫子] 아들을 둔 것이 당연하다."

[39-1-6]

"先生博學力行, 聞道甚早.[20] 遇事剛果, 有古人風. 爲政精密嚴恕, 務盡道理."[21]

(주자가 말했다.) "선생[周敦頤]은 널리 배우고 힘써 행하였으며, 도를 매우 이른 나이에 깨달았다. 일을 만나서는 굳세고 과감하여[22] 옛사람의 기풍이 있었다. 정치가 정밀하고 엄하면서도 너그러워서[恕],[23] 도리를 다하려 힘썼다."

[39-1-7]

"先生信古好義, 以名節自砥礪. 奉己甚約, 俸祿盡以周宗族, 奉賓友, 家無百錢之儲.[24] 襟懷飄

---

14 先生在當時 : 『朱子語類』 권93, 50조목에는 濂溪在當時로 되어 있다.

15 則以爲襟懷洒落 : 『朱子語類』 권93, 50조목에는 以爲襟袖洒落으로 되어 있다.

16 惟程太中知之 : 『朱子語類』 권93, 50조목에는 惟程太中獨知之로 되어 있다.

17 惟程太中知之, 宜其生兩程夫子也. : 『朱子語類』 권93, 50조목에는 "惟程太中知之, 宜其生兩程夫子也"의 두 구절 사이에 "這老子所見如此(이 어르신이 본 것이 이와 같으니)"라는 문장이 더 있다.

18 『朱子語類』 권93, 50조목.

19 程珦(1006~1090) : 송 大中大夫이며 낙양 사람으로 자는 伯溫이다. 원래 이름은 溫이고 자는 君玉이었는데, 관직에 오른 후 이름을 珦으로, 자를 백온으로 고쳤다. 仁宗 慶曆 연간에 南安通判이 되어 주돈이와 교류하였고, 자식인 정호와 정이에게 명하여 주돈이에게 배우도록 하였다. 왕안석의 신법에 반대하여 병을 핑계로 물러났다.

20 聞道甚早. : 『朱文公文集』 권98 「濂溪先生事實記」에는 聞道甚蚤로 되어 있다.

21 『伊洛淵源錄』 권1 「濂溪先生 · 事狀」 ; 『朱文公文集』 권98 「濂溪先生事實記」

22 일을 만나서는 … 과감하여 : 『性理群書句解』 권7 「記」에는 "일을 만나면 굳세어 굽히지 않고, 과감하여 과단성이 있다.(遇事則剛而不屈, 果而有斷.)"라고 주해하였다.

23 정치가 정밀하고 … 너그러워세[恕] : 『性理群書句解』 권20 「行實」에는 "그 정치가 정밀하고 밝아 주도면밀하며, 엄숙하면서도 자비심이 깊고 너그러웠다.(其政事精明周密嚴肅仁恕)"라고 주해하였다.

洒, 雅有高趣. 尤樂佳山水, 遇適意處, 或徜徉終日. 廬山之麓有溪焉, 發源於蓮華峯下, 潔清紺寒,[25] 下合於湓江. 先生濯纓而樂之, 因寓以濂溪之號."[26]

(주자가 말했다.) "선생은 옛것을 믿고 의를 좋아하여,[27] 명예와 지조를 스스로 갈고 닦았다.[28] 자신을 봉양하는 데에는 매우 검약했고, 봉록은 친족을 구제하거나[29] 가난한 벗을 봉양하는 데 다 써서, 집에는 100전錢도 모아둔 것이 없었다. 마음속은 홀가분하고 시원스러웠으며, 평소 늘 고아한 뜻을 가지고 있었다. 더욱이 산과 물을 좋아하고 즐겼는데, 마음에 맞는 곳을 우연히 마주치면,[30] 혹은 종일토록 거닐기도 했다. 여산廬山의 산기슭에는 시내가 있었는데, 연화봉蓮華峯 아래에서 발원하여 물이 맑고 달고 차며,[31] 흘러 내려 분강湓江과 합쳐진다. 선생은 갓끈을 씻고 즐기면서[32] 의지해 우거寓居하며, 이에 따라 염계濂溪라는 호를 지었다."[33]

[39-1-8]

"濂溪淸和."

李通云："其學精慤深密."

孔經甫嘗祭以文曰[34]："公年壯盛, 玉色金聲. 從容和毅, 一府皆傾."

"墓碑亦謂其'精密嚴恕', 氣象可想矣."[35]

. . . .

24 家無百錢之儲.：『朱文公文集』권98 「濂溪先生事實記」에는 家或無百錢之儲로 되어 있다.

25 潔清紺寒：『朱文公文集』권98 「濂溪先生事實記」에는 '紺'이 '甘'으로 되어 있다.

26 『朱文公文集』권98 「濂溪先生事實記」

27 옛것을 믿고 … 좋아하여：『論語』「述而」에서는 "傳述하기만 하고 창작하지 않으며, 옛것을 믿고 좋아한다. (述而不作, 信而好古.)"라고 했다.

28 명예와 지조를 … 닦았다.：『晉書』「夏侯湛傳」에서는 "하후담은 비록 살아서는 명예와 지조를 닦지 않았으나 (湛雖生不砥礪名節)"라고 했다.

29 친족을 구제하거나：『性理群書句解』권7 「記」에서는 "받은 봉록 모두 다 친족 중 가난한 자를 구휼하였다.(所得俸資悉以賙卹宗族之貧者.)"라고 주해하였다.

30 마음에 맞는 … 마주치면：『性理群書句解』권7 「記」에는 "혹시라도 마음에 드는 곳과 만나기도 했다.(或逢可人意處)"라고 주해했다.

31 물이 맑고 … 차며：『性理群書句解』권7 「記」에는 "맑아서 깨끗하며, 깊어서 차갑다. 紺은 달다[甘]는 뜻이니, 去聲이다.(瑩而清, 深而寒. 紺, 甘, 去聲.)"라고 주해하였다.

32 선생은 갓끈을 … 즐기면서：『楚辭』「漁父篇」에 "창랑의 물이 맑으면 나의 갓끈을 씻고 창랑의 물이 흐리면 나의 발을 씻는다.(滄浪之水淸兮, 可以濯吾纓；滄浪之水濁兮, 可以濯吾足.)"라고 하였다. 『性理群書句解』권7 「記」에는 "선생은 이 시냇물의 상류에서 자기 갓의 끈을 깨끗이 하며, 자기 자신을 깨끗이 하였다.(先生潔其冠之帶於是水之上以自潔.)"라고 주해하였다.

33 이에 따라 … 지었다.：『性理群書句解』권7 「記」에는 "이것에 따라 '염계'로 자호하였다.(因是而以濂溪自號.)"라고 주해하였다.

34 孔經甫嘗祭以文曰：『朱子語類』권93, 47조목에는 '孔經甫祭其文曰'로 되어 있다.

35 濂溪淸和는 『朱子語類』권93, 47조목의 글이고, 李通云, 其學精慤深密은 『朱子語類』권93, 46조목의 글이며, 孔經甫嘗祭以文曰, 公年壯盛, 玉色金聲. 從容和毅, 一府皆傾. 墓碑亦謂其精密嚴恕, 氣象可想矣는 『朱子語類』

(주자가 말했다.) "염계는 맑고 온화淸和하다."

계통季通이 말했다. "그의 학문은 정밀하고 정성스러우며 깊고 빈틈이 없다."

공경보孔經甫가 제문에서 이렇게 말하였다. "공이 나이 젊을 때 낯빛은 옥과 같고 목소리는 쇳소리와 같이 아름다웠다. 침착하고 온화하며 굳세어, 온 부府의 사람들이 모두 흠모하였다."

(주자가 말했다.) "묘비에도 역시 '정밀하고 엄하며 너그러웠다.[恕]'라고 했으니, 기상을 상상해 볼 수 있다."

[39-1-9]

"周子看得這理熟. 縱橫妙用, 只是這數箇字都括盡了. 周子從理處看, 邵子從數處看, 都只是這理."

劉砥曰 : "畢竟理較精粹."

曰 : "從理上看則用處大. 數自是細碎."[36]

(주자가 말했다.) "주자周子는 리理에 대한 터득이 무르익었다. 종횡묘용縱橫妙用이라는 단지 이 몇 글자로 모두 다 포괄할 수 있었다. 주자周子는 리에서부터 보았고, 소자邵子는 수數에서부터 보았으니, 모두 다만 이 리일 뿐이다."

유지劉砥가 말했다. "결국은 리가 비교적 정밀하고 순수합니다."

(주자가) 말했다. "리에서부터 보면 용처用處가 크고, 수는 본래 자잘하다."

[39-1-10]

問 : "周子是從上面先得?"[37]

曰 : "也未見得是恁地否. 但是周先生天資高, 想見下面工夫也不大故費力."[38]

물었다. "주자周子는 형이상 공부에 종사하여 터득한 것입니까?"

(주자가 말했다.) "또한 이렇게 터득한 것인지는 모르겠다. 다만 주 선생은 타고난 자질이 뛰어나, 형이하 공부[39]에 특별하게 힘을 쏟지는 않았을 것으로 생각된다."

권93, 47조목의 글이다.

36 『朱子語類』 권93, 48조목

37 周子是從上面先得 : 『朱子語類』 권93, 45조목에는 周子是從上面先見得으로 되어 있다.

38 『朱子語類』 권93, 45조목

39 형이상 공부에 … 공부 : 『論語』 「憲問」에서는 "아래로부터 배우면서 위로 통달한다.(下學而上達.)"라 했고, 주자는 『集註』에서 다음과 같이 정자의 주를 인용하며 풀이하였다. "배우는 자들은 모름지기 下學·上達의 말씀을 지켜야 할 것이니, 이것이 바로 학문의 요점이다.(『河南程氏遺書』 권2상) 대개 아래로 人間의 일을 배우면 곧 위로 天理를 통달하게 된다.(『이정외서』 권2)(學者須守下學上達之語, 乃學之要. 蓋凡下學人事, 便是上達天理.)"

[39-1-11]

“今人多疑濂溪出於希夷.”

鄭可學曰[40]：“濂溪書具存. 如太極圖, 希夷如何有此說?”

曰：“張忠定公嘗云,[41] ‘公事有陰陽’,[42] 此說全與濂溪同. 忠定見希夷, 蓋亦有些來歷, 但當時諸公知濂溪者, 未嘗言其有道.”

曰：“此無足怪. 程太中獨知之.”

曰：“然.”

又問：“明道之學, 後來故別,[43] 但其本自濂溪發之, 只是此理推廣之耳. 但不如後來程門授業之多.”

曰：“當時旣未有人知, 無人往復, 只得如此.”[44]

(주자가 말했다.) “요즘 사람들은 대부분 염계濂溪가 희이希夷[陳摶][45]에게서 나왔다고 의심한다.”

정가학鄭可學이 물었다. “염계의 글이 모두 존재합니다. 태극도와 같은 경우, 희이에게 어찌 이러한 학설이 있습니까?”

(주자가) 대답했다. “장충정공張忠定公[張詠][46]이 일찍이 ‘일[公事]에는 음양이 있다.’라고 했다. 이 말은 완전히 염계와 같다. 충정공이 진희이를 만나본 것 또한 내력이 있을 것이지만, 당시에 염계를 아는 여러 사람들이 염계에게 도가 있다고 말한 적은 없다.”

말했다. “이것은 괴이하게 여길 만한 것이 없습니다. 정태중程太中[程珦]만이 그의 학문을 알아보았습니다.”

(주자가) 대답했다. “그렇다.”

또 물었다. “명도의 학문은 뒤에 참으로 각별하지만, 그 근본은 염계에게서 발원했고, 다만 이 이치[理]를 미루어 넓힌 것일 뿐입니다. 다만 나중에 정자 문하에 공부하는 사람들이 많았던 것만 못합니다.

(주자가) 대답했다. “당시에 기왕에 알아보는 사람이 없었을 뿐 아니라 왕래하는 사람도 없었으니 다만

....

40 今人多疑濂溪出於希夷. 鄭可學曰：『朱子語類』 권93, 49조목에는 이 문장 사이에 “又云爲禪學, 其諸子皆學佛.(또 선불교를 했고, 그 제자들이 모두 불교를 배웠다고 말한다.)”이 더 있다.

41 張忠定公嘗云：『朱子語類』 권93, 49조목에는 嘗讀張忠定公語錄. 公問李畋云으로 되어 있다.

42 公事有陰陽：『朱子語類』 권93, 49조목에는 汝還知公事有陰陽否?로 되어 있다.

43 後來故別：『朱子語類』 권93, 49조목에는 後來固別로 되어 있다.

44 『朱子語類』 권93, 49조목

45 陳摶(?~989)：자는 圖南이고 호는 扶搖子이며 眞源 사람이다. 後唐 長興 연간에 진사시에 응시했다가 낙방한 뒤로 출사를 단념하고, 武當山에 은거했다. 이후 華山 雲臺觀으로 옮겼는데, 한번 잠들면 백 일 동안 일어나지 않았다고 한다. 宋代에 太平興國 연간(976~983)에 조정에 나가 태종을 알현했는데, 태종이 후하게 대접받고 ‘希夷先生’이라고 賜號했다. 그때 재상이었던 宋琪는 그를 獨善其身하는 方外之士라 평했다. 저술로는 『指元篇』·『正易心法』·『三峰寓言』·『高陽集』 등이 있다.

46 張詠(946~1015)：북송 甄城 사람으로, 字는 復之이고 시호는 忠定이다. 태종 太平興國 5년(980년) 진사를 한 이래 禦史中丞 등 여러 벼슬을 거쳤으며, 시를 잘 지었다.

이와 같을 수밖에 없다."

[39-1-12]

"秦漢以來, 天下之士莫知所以爲學.[47] 是以天理不明而人欲熾, 道學不傳而異端起, 人挾其私智以馳騖一世.[48] 宋興, 有濂溪者作, 然後天理明而道學之傳復續. 蓋以闡夫太極陰陽五行之奧,[49] 而天下之爲中正仁義者, 得以知其所自來. 言聖學之有要, 而下學者, 知勝私復禮之可以馴致於上達; 明天下之有本, 而言治者, 知誠心端緒之可以擧而措之於天下.[50] 其所以上接洙泗千載之統, 下啓河洛百世之傳者, 脉絡分明而規模亦宏遠矣."[51]

(주자가 말했다.) "진한秦漢 이래로 천하의 선비들이 어떻게 공부를 해야 하는지 핵심을 아는 이가 없었다. 이런 까닭에 천리天理가 밝아지지 않고 인욕人欲이 불꽃처럼 성해지고, 도학道學이 전해지지 않고 이단이 일어나, 사람들이 사사로운 지혜[私智]를 의지하여 한세상을 내달리게 되었다. 송나라가 흥하고 염계가 저술한 뒤에야, 천리가 밝아지고 도학의 전수가 다시 지속되었다. 저 태극과 음양과 오행의 깊은 이치를 상세히 밝혀서 천하의 중정中正 인의仁義를 행하는 자들에게 그것의 기원을 알 수 있도록 하였다. 성학聖學에 요점이 있음을 말하여, 아래로부터 배우는[下學] 자들이 사사로움을 이겨 예를 회복함이 점차 위로 이를 수[上達] 있다는 것을 알게 하였다. 천하에 근본이 있음을 밝혀서, 위정자가 마음을 정성스럽게 하고[誠心] 몸을 단정하게 하는 것[端身][52]을 가져다 세상에 둘 수[53] 있음을 알게 하였다. 그것은 위로 공자[洙泗]의 천년의 학통을 이었고, 아래로 하도낙서[河洛]의 백대의 전수를 열었으니, 맥락이 분명하며 규모가 넓고 멀다."

[39-1-13]

"先生之學, 性諸天, 誠諸己, 而合乎前聖授受之統. 又得二程以傳之, 而其流遂及於天下. 非有爵賞之勸, 刑辟之威, 而天下學士靡然鄕之."[54]

. . . .

47 天下之士莫知所以爲學.:『朱文公文集』권79「韶州州學濂溪先生祠記」에는 "道不明於天下而, 士不知所以爲學."으로 되어 있다.

48 人挾其私智以馳騖一世.:『朱文公文集』권79「韶州州學濂溪先生祠記」에는 "人浹其私智以馳騖於一世者, 不至於老死則不止, 而終亦莫悟其非也."로 되어 있다.

49 蓋以闡夫太極陰陽五行之奧:『朱文公文集』권79「韶州州學濂溪先生祠記」에는 "蓋有以闡夫太極陰陽五行之奧"로 되어 있다.

50 而言治者知誠心端緒之可以擧而措之於天下:『朱文公文集』권79「韶州州學濂溪先生祠記」에는 '端緖'가 '端身'으로 되어 있다. 端身의 오자로 보인다.

51 『朱文公文集』권79「韶州州學濂溪先生祠記」

52 몸을 단정하게 … 것[端身]:『性理大全書』원문에는 端緖로 되어 있지만, 오자로 보인다. 『朱文公文集』권79「韶州州學濂溪先生祠記」에 의하여 해석하였다.

53 가져다 세상에 … 수:『周易』「繫辭上」제12장에서는 "들어서 천하의 백성에게 둠을 사업이라 이른다.(擧而措之天下之民, 謂之事業.)"라고 했다.

(주자가 말했다.)[55] "선생[周濂溪]의 학문은 하늘[天]을 성性으로 삼고, 자신을 성誠하게 하였으니, 예전 성인들이 주고받은 도통에 부합한다. 또 이정二程에게 그것을 전수하여, 그 흐름이 드디어 천하에 미쳤다. 작위나 상으로 권함도 없었고, 형벌의 위엄도 없었지만, 천하의 학사들이 자연스럽게 그에게로 향했다."

[39-1-14]

贊先生像曰: "道喪千載, 聖遠言堙. 不有先覺, 孰開我人? 書不盡言, 圖不盡意. 風月無邊, 庭草交翠."[56]

(주자가) 선생[周濂溪]의 화상찬에서 이렇게 말했다. "도道를 잃은 지 천년이니, 성인의 시대와 멀고 그 말씀은 인멸되었다. 선각자가 아니면 누가 우리를 깨우치랴? 글은 말을 다 담지 못하고, 태극도는 뜻을 다 담지 못한다. 바람과 달은 끝이 없고 뜰 앞 풀은 번갈아 푸르다."

[39-1-15]

南軒張氏曰: "濂溪始學陳希夷, 後來自有所見. 其學問如此, 而擧世不知. 爲南安獄掾日, 惟程太中始知之. 可見無分毫矜誇, 此方是朴實頭下工夫底人."[57]

남헌 장씨南軒張氏[張栻]가 말했다. "염계는 처음 진희이陳希夷[陳摶]에게 배웠고 후일에 스스로 터득하게 되었다. 그 학문이 이와 같은데도, 온 세상이 알지 못했다. 남안南安의 옥연獄掾(형옥을 주관하던 관리)을 하던 날, 오직 정태중程太中[程珦]만이 비로소 그를 알아보았다.[58] 털끝만큼도 뽐내거나 자랑하지 않는 것을 알 수 있으니, 그는 소박하고 진실됨이라는 이름 아래 공부한 사람이다."

[39-1-16]

"自孟子没, 聖學失傳. 歷世久遠, 其間儒者, 非不知尊敬孔孟而講習六經. 至考其所得, 則不越於詁訓文義之間而止矣.[59] 於所謂聖人之心, 所以本諸天地而措諸天下與來世者, 蓋鮮克涉其藩, 而況睹其大全者哉! 惟周先生出乎千載之後,[60] 而有得於太極之妙. 今其圖與書具存.

54 『朱文公文集』 권79 「徽州婺源縣學三先生祠記」

55 (주자가 말했다.): 『朱文公文集』 권79 「徽州婺源縣學三先生祠記」에 의하면 이 글에는 본래 婺源大夫인 周侯(周師淸)가 주렴계와 이정형제 삼선생의 사당을 짓고 사람을 시켜 주자에게 편지를 보낸 문장과 그에 대한 주자의 답장, 그리고 마지막으로 이에 대한 주자의 해설이 있다. 그중 『性理大全書』에서 인용한 이 문장은, 『朱文公文集』에는 "周侯와 그 고을의 處士인 李君繪 및 그 學官弟子 수십 명이 편지를 보내 말했다.(周侯又與邑之處士李君繪及其學官弟子數十人, 皆以書來曰.)"라고 되어 있다.

56 『朱文公文集』 권 「六先生畫像贊 · 濂溪先生」

57 周琦의 『東溪日談錄』 권15 「周濂溪之學」과 황종희의 『宋元學案』 권11 「濂溪學案」에 보인다.

58 南安의 獄掾 … 알아보았다.: 程太中(程珦, 1006~1090)은 이정의 부친으로, 仁宗 慶曆 연간에 南安通判이 되어 주돈이와 교류하였다.

59 則不越於詁訓文義之間而止矣.: 『南軒集』 권36 「銘 · 南劍州尤溪縣學傳心閣銘」에는 '止矣'가 '而已'로 되어 있다.

道學有傳, 實在乎此."[61]

(남헌 장씨가 말했다.) "맹자가 돌아가신 후로 성학聖學이 실전되었다. 오랫동안 세대를 거치며, 그 사이에 유자들이 공·맹을 존경하고 육경六經을 강습講習할 줄 몰랐던 것은 아니다. 그 얻은 바를 상고해보면, 글의 뜻을 훈고하는 정도를 넘지 못하고 그쳤다. 이른바 성인의 마음이 천지에 근본하며 천하와 후세에 두는 것[62]에 대해서, 그 울타리에 접근하는 자도 드물었는데, 하물며 그 큰 전체를 보는 것이랴! 오직 주 선생周先生[周濂溪]만이 천년 후에 나와서, 태극의 묘를 얻었다. 지금 그 그림(태극도설)과 책이 다 남아 있다. 도학道學이 전한 바가 있다면 실제로 여기에 있는 것이다."

[39-1-17]

"自秦漢以来, 言治者汨於五伯功利之習, 求道者淪於異端空虛之說. 故言治者若無預於學, 而求道者反不涉於事. 孔孟之書僅傳, 而學者莫得其門而入, 生民不克睹乎三代之盛, 可勝歎哉! 惟濂溪先生崛起於千載之後, 獨得微旨於殘編斷簡之中, 推本太極以及乎陰陽五行之流布, 人物之所以生化, 於是知人之爲至靈而性之爲至善. 萬理有其宗, 萬事循其則. 舉而措之, 則可見先王之所以爲治者, 皆非私智之所出. 孔孟之意, 于以復明."[63]

(남헌 장씨가 말했다.) "진한 이래로, 다스림을 말하는 자는 오패의 공리를 숭상하는 습관에 골몰하고, 도를 구하는 자는 이단의 공허한 학설에 빠졌다. 그러므로 다스림을 말하는 자는 마치 학문에 관여되지 않은 것 같고, 도를 구하는 자는 도리어 일과는 관여가 없었다. 공·맹의 글은 간신히 전해지지만 학자들은 그 문을 얻어 들어가는 자가 없었고, 백성들은 하은주 삼대의 성함을 볼 수 없었으니, 탄식을 이길 수 있겠는가! 오직 염계 선생만이 천년 뒤에 우뚝 일어나서, 불완전한 기록 속에서 홀로 은미한 뜻을 터득하여, 근본인 태극을 유추하여, 음양오행이 널리 펼쳐지는 것과, 사람과 사물의 생겨나고 변화하는 원인에 이르렀으니, 여기에서 사람이 지극히 신령함과 성性이 지극히 선함을 알게 되었다. 온갖 이치에는 그 근본宗이 있고, 온갖 일은 그 법칙을 따른다. 그것을 들어다가 놓으면,[64] 선왕이 다스림을 행했던 이치를 알 수 있으니, 모두 사사로운 지혜에서 나온 것이 아니다. 공·맹의 뜻이 이로써 다시 밝아졌다."

- - - - - - - - - - - - - - - - - - -

60 惟周先生出乎千載之後:『南軒集』권36「銘·南劍州尤溪縣學傳心閣銘」에는 惟三先生生乎千載之後로 되어 있다.

61 自孟子没, 聖學失傳. … 而況睹其大全者哉. 惟周先生出乎千載之後는『南軒集』권36「銘·南劍州尤溪縣學傳心閣銘」의 문장이고, 而有得於太極之妙. 今其圖與書具存. 道學有傳, 實在乎此.는 眞德秀의『西山讀書記』권30「周子二程子傳授」에 남헌 장씨의 글로 인용되어 있다.

62 천하와 후세에 … 것:『周易』「繫辭上」제12장에서는 "들어서 천하의 백성에게 둠을 사업이라 이른다.(舉而措之天下之民, 謂之事業.)"라고 했다.

63 『南軒集』권10「南康軍新立濂溪祠記」

64 그것을 들어다가 놓으면:『周易』「繫辭上」제12장에서는 "들어서 천하의 백성에게 두는 것을 사업이라 이른다.(舉而措之天下之民, 謂之事業.)"라고 했다.

[39-1-18]

"先生之學, 淵源精粹, 寔自得於其心,[65] 而其妙乃在太極一圖. 窮二氣之所根, 極萬物之所行, 而明主靜之爲本, 以見聖人之所以立人極而君子之所當修爲者. 故其所養內充,[66] 闇然而日章. 雖不得大施於時, 而蒞官所至, 如春風和氣隨時發見, 被飾萬物. 百世之下聞其風者, 猶將咨嗟興起之不暇."[67]

(남헌 장씨가 말했다.) "선생[周濂溪]의 학문은 연원이 정밀하고 순수하니, 진실로 그 마음에서 자득한 것이고, 그 묘함은 태극도에 있다. 음양 이기二氣가 근원하는 것을 궁구하고 만물이 행해지는 것을 깊이 추구하여 주정主靜이 근본이 됨을 밝히고, 이로써 성인이 인극人極을 세운 것과 군자가 마땅히 닦아 행해야 할 것[68]을 보여주었다. 그러므로 그 길러서 안으로 채우고 아무도 모르는 가운데 날로 드러났다. 비록 당시에 크게 베풀어지지는 않았지만 벼슬하는 곳마다, 마치 봄바람같이 온화한 기운이 어느 때이든 발현하여 만물을 덮어주는 것과 같았다. 백 세 후에 그 기풍을 들은 자가 아마도 탄식하며 마음을 일으키기에 겨를이 없을 것이다."

[39-1-19]

"去古益遠, 儒學陵夷. 先生起於遠方, 乃超然有所自得於其心. 本乎『易』之太極, 『中庸』之誠, 以極乎天地萬物之變化. 其敎人, 使之志伊尹之志, 學顏子之學. 推之於治, 先王之禮樂刑政可擧而行, 如指諸掌. 於是河南二程先生兄弟從而得其說, 推明究極之, 廣大精微, 殆無餘蘊. 學可以至於聖,[69] 治不可以不本於學. 而道德性命初不外乎日用之實, 而詖淫邪遁之說皆無以自隱其形, 可謂盛矣. 然則先生發端之功, 顧不大哉!"[70]

(남헌 장씨가 말했다.) "옛날에서부터 멀어질수록, 유학은 차츰 쇠약해졌다. 선생은 먼 지방에서 일어나 초연하게 그 마음에서 자득한 것이 있었다. 『역』의 태극과 『중용』의 성誠에 근본하여, 천지만물의 변화를 깊이 추구하였다. 사람들을 가르치면서 이윤伊尹의 뜻을 지향하게 하고, 안자顏子의 배움을 배우도록 하였다. 정치에 미루어서는 선왕의 예악형정禮樂刑政을 거론하여 행할 수 있었는데 마치 손바닥에 올려 놓고 가리키는 것 같았다. 이에 하남 이정二程 선생 형제가 그를 따라 그 학설을 얻어서, 밝게 헤아리고

---

65 寔自得於其心:『南軒集』권10「濂溪周先生祠堂記」에는 "實自得於其心"으로 되어 있다.

66 故其所養內充:『南軒集』권10「濂溪周先生祠堂記」에는 "故其所養內克"으로 되어 있다.

67 『南軒集』권10「濂溪周先生祠堂記」

68 主靜이 근본이 … 것 : 주렴계의「太極圖說」에서는 "성인은 중정과 인의로써 정하고, 정을 주로 하여 인극을 세웠던 것이다. … 군자는 이것을 닦아서 길하고, 소인은 이것에 어긋나서 흉하다.(聖人定之以中正仁義, 而主靜 立人極焉. … 君子修之吉小人悖之凶.)"라고 했다.

69 殆無餘蘊, 學可以至於聖:『南軒集』권10「道州重建濂溪周先生祠堂記」에는 이 두 구절 사이에 "學者始知夫孔孟之所以敎, 蓋在此而不在乎他.(배우는 자가 비로소, 공·맹이 가르친 것이 대개 여기에 있고 저기에 있지 않음을 알게 되었다.)"라는 문장이 있다.

70 『南軒集』권10「道州重建濂溪周先生祠堂記」

지극히 궁구하며, 광대하고 정묘하게, 거의 남김없이 익혔다. 배움은 성인에 이를 수 있고, 정치는 배움에 근본하지 않으면 안 된다. 도덕성명道德性命이 애초부터 일용의 실제에서 벗어나지 않아, 편벽된 말詖辭, 방탕한 말淫辭, 부정한 말邪辭, 도피하는 말遁辭[71]들이 모두 본래 그 형체를 감출 수 없었으니, 왕성하다고 할 만하다. 그러하니 선생이 실마리를 연 공적이, 생각건대 크지 않겠는가!'

[39-1-20]

北山陳氏曰: "昔夫子之道, 其精微在易, 而所以語門人者皆日用常道, 未嘗及易也. 夫子歿, 門人各以所聞傳道于四方者, 其流或少差, 獨曾子子思之傳得其正. 子思復以其學授孟軻氏, 斯時也, 百氏之說昌矣. 孟軻氏歿, 又曠千載而泯不傳. 濂溪周子出, 始發明孔子易道之蘊, 提其要以授哲人. 旣又手爲圖, 筆爲書, 然後孔氏之傳復續. 凡今之學知有孔氏大易之蘊, 大學中庸七篇之旨歸者, 皆自先生發之. 先生之功, 在後學深長且遠者, 以此也."[72]

북산 진씨北山陳氏陳孔碩[73]가 말했다. "옛날에 부자孔子의 도에서 그 정밀하고 은미함은 『역』에 있었고, 문인들에게 말한 것은 모두 날마다 쓰는 상도常道이고, 『역』에 미치지는 않았다. 부자께서 돌아가시자, 문인들이 각자 들은 바로써 사방에 도를 전했는데, 그 유파에 간혹 조금씩 차이가 있었는데, 유독 증자와 자사가 전한 것만이 그 올바름을 얻었다. 자사는 다시 그 학문을 맹자에게 전수했는데, 이때에 백가의 학설이 창성했다. 맹자가 죽고, 또 천년 동안 황량하여 민멸되어 전해지지 않았다. 염계 주자濂溪周子가 나와 비로소 공자의 『역』도의 심오함을 드러내 밝히고, 그 요점을 추려내 총명한 사람들哲人에게 전수하였다. 이미 또한 손으로는 도圖(태극도설)를 짓고 붓으로는 책을 지었으니, 그런 뒤에 공자의 전수가 다시 이어졌다. 지금의 학문에 공자의 위대한 『역』의 심오함과 『대학』과 『중용』과 『맹자』의 종지가 있음을 아는 자는 모두 선생으로부터 계발된 것이다. 선생의 공이 후학에게 있어 깊고 장구하며 또 아득한 것은 이 때문이다."

[39-1-21]

鶴山魏氏曰: "周子奮自南服, 超然獨得以上承孔孟氏垂絶之緒. 河南二程子神交心契, 相與疏瀹闡明, 而聖道復著. 曰誠, 曰仁, 曰太極, 曰性命, 曰陰陽, 曰鬼神, 曰義利, 綱條彪列, 分限曉然. 學者始有所準的, 於是知身之貴, 果可以位天地, 育萬物, 果可以爲堯舜, 爲周公仲

. . . .

71 편벽된 말詖辭 … 말遁辭: 『孟子』「公孫丑上」에 "'무엇을 知言이라 합니까?' 맹자가 말했다. '편벽된 말에 그 가리운 바를 알며, 방탕한 말에 빠져 있는 바를 알며, 부정한 말에 괴리된 바를 알며, 도피하는 말에 (논리가) 궁함을 안다.('何謂知言?' 曰, '詖辭, 知其所蔽, 淫辭, 知其所陷, 邪辭, 知其所離, 遁辭, 知其所窮.')"라고 하였다.

72 『周元公集』 권3 「諸儒議論」에 北山陳氏의 말로 인용되어 있다.

73 陳孔碩(?~?): 남송 侯官(지금의 福建福州) 사람으로, 자는 膚仲이며, 北山先生이라고 불리었다. 武夷에서 주자에게 배웠고, 孝宗 淳熙 2년(1175)에 진사를 한 후 吏部架閣, 禮部郎中, 福建安撫司參議官 등 여러 벼슬을 지냈다. 저서에 『北山集』 등이 있으나 전해지지 않는다.

尼. 而其求端用力, 又不出乎暗室屋漏之隱, 躬行日用之近. 亦非若異端之虛寂, 百氏之支離
也."[74]

학산 위씨鶴山魏氏[魏了翁][75]가 말했다. "주자周子(주렴계)가 남쪽 땅에서 떨치고 일어나, 초연히 홀로 위로 공·맹의 거의 사라진 실마리를 계승하였다. 하남 이정자二程子가 정신과 마음에서 터득하여, 서로 소통시켜 천명하니 성현의 도가 다시 드러났다. 성誠과 인仁과 태극과 성명과 음양과 귀신과 의리義利의 벼리와 조목이 환히 나열되고[彪列][76] 나누어진 한계가 분명했다. 배우는 자들이 비로소 준칙으로 삼을 바가 있게 되었으니, 이에 귀한 몸이 과연 천지를 자리하게 하고 만물을 생육할 수 있으며[77] 과연 요순도 될 수 있고 주공과 중니가 될 수 있음을 알게 되었다. 그런데 그 단서를 구하고 힘을 쏟는 일이 또 남들이 못 보는 어두운 방의 은밀함이나, 몸소 행하는 일상의 가까움을 벗어나지 않았다. 또한 이단의 텅 빈 적막함이나 제자백가의 지리함과도 같지 않았다."

[39-1-22]

"濂溪奮乎百世之下, 始探造化之至賾. 建圖著書, 闡發幽秘. 卽斯人日用常行之際, 示學者窮理盡性之歸.[78] 使誦其遺言者, 始得以曉然於洙泗之正傳. 而知世之所謂學者, 非滯於俗師, 則淪於異端, 蓋有不足學者.[79] 於是二程親得其傳,[80] 而聖學益以大振. 雖三人於時皆不及大用, 而嗣往聖, 開來哲, 發天理, 正人心, 使孔孟絶學獨盛於宋朝而超出乎百代, 功用所關, 誠爲不小."[81]

(학산 위씨가 말했다.) "염계가 백세 후에 떨쳐 일어나서, 비로소 조화造化의 지극히 심오한 도리를 찾았다. 도圖를 만들고 서書를 지어서, 그윽한 신비를 드러내어 밝혔다. 사람들이 날마다 사용하는 상행常行에 나아가, 배우는 자들에게 궁리진성窮理盡性이 귀결되는 곳을 보여주었다. (공·맹의) 남겨진 말을 외우는 자들에게 비로소 공자洙泗의 올바른 전수를 분명히 이해할 수 있게 하였다. 그리고 세상에서 이르

74 『周元公集』 권3 「諸儒議論」에 鶴山魏氏의 말로 인용되어 있다.

75 魏了翁(1178~1237) : 남송 蜀地邛州蒲江(지금의 사천) 사람으로, 자는 華父이고, 호가 鶴山이며 시호는 文靖이다. 禮部尙書, 端明殿學士 등을 역임했으며, 太師로 추증되었다. 저서에 『鶴山大全文集』120권 『九經要義』263권 등이 있다.

76 환히 나열되고[彪列] : 『漢書』 「禮樂志」에 "信星이 환히 늘어서 있다.(信星彪列.)"라고 되어 있고, 顔師古는 "뚜렷하게 드러나 행열을 이루는 것을 말한다.(謂彰著而爲行列也.)"라고 주해하였다.

77 천지를 자리하게 … 있으며 : 『中庸』 제1장에 "中과 和를 지극히 하면 천지가 제자리에 편안하고, 만물이 잘 生育될 것이다.(致中和, 天地位焉, 萬物育焉.)"라고 하였다.

78 卽斯人日用常行之際, 示學者窮理盡性之歸. : 『鶴山集』 권15 「奏議・奏乞爲周濂溪賜諡」에는 而示人以日用常行之要로 되어 있다.

79 蓋有不足學者. : 『鶴山集』 권15 「奏議・奏乞爲周濂溪賜諡」에는 有不足學者矣로 되어 있다.

80 於是二程親得其傳 : 『鶴山集』 권15 「奏議・奏乞爲周濂溪賜諡」에는 又有河南程顥程頤親得其傳으로 되어 있다.

81 『鶴山集』 권15 「奏議・奏乞爲周濂溪賜諡」

는 학자들은 속된 스승에 얽매이지 않으면 이단에 빠져, 배우기에 부족함이 있음을 알았다. 이에 이정二程이 친히 그 전한 바를 얻으니, 성학聖學이 더욱 크게 떨치게 되었다. 비록 당시에 세 사람이 모두 크게 쓰이지 못했으나, 옛 성인을 잇고 새로운 총명한 자들을 계발하여, 천리를 드러내고 인심을 바르게 하여 공孔·맹孟의 단절된 학문을 홀로 송나라에 왕성하게 하고 백대까지 우뚝 드러나게 하였으니, 관여한 공효가 진실로 작지 않다."

[39-1-23]
臧氏格曰: "先生所得之奧, 不俟師傳, 匪由知索, 神交心契, 固已得其本流.[82] 不然, 嗜溪流之紺寒, 愛庭草之交翠, 體夫子之無言, 窮顔淵之所以樂, 是果何味而獨嚅嚌之耶! 故能發前聖之所未發, 覺斯人之所未覺, 使高遠者不墮於荒忽, 循守者不淪於滯固, 私意小智何所容其巧, 詭經僻說何所肆其誣, 功用豈不偉哉!"[83]

장격臧格[84]이 말했다. "선생이 얻은 이치는 스승에게 전수받은 것이 아니며, 이지理智로 말미암아 찾은 것[85]이 아니며, 정신과 마음에서 터득된 것으로, 진실로 그 본류를 얻은 것이다. 그렇지 않다면, 산골짜기에서 흐르는 시냇물이 맑고 달고 찬 것[86]을 좋아하고, 뜰 앞 풀은 번갈아 푸른 것을 아끼며,[87] 부자(공자)의 말없음[88]을 체인하고, 안연이 즐거워한 것[89]을 궁구한 것이, 이것이 과연 어떤 재미있는 것이기에

. . . .

82 固已得其本流.: 李幼武의 『宋名臣言行錄』(外集) 권1 「周敦頤濂溪先生元公」에는 "固已得其本統"으로 되어 있다.

83 李幼武, 『宋名臣言行錄』「外集」 권1 「周敦頤濂溪先生元公」

84 臧格: 남송 鄞縣 사람으로, 字는 正子이다. 慶元 5년(1199)에 진사를 했다. 慈溪 사람인 張處와 벗이 되었는데, 장복이 늘 스스로 그보다 못하다고 여겼다. 장격은 오랫동안 郎署 벼슬에 있었는데, 집안이 가난하였으므로 外史丞相을 보좌하기를 원했다. 승상은 사람을 잘 감별했는데, '장격은 골상이 맑아서 땅을 지키는 상이 아니다.'라고 말하고는 향리 근방을 주어 태주지사知台州가 되게 하였다.(袁桷, 『延祐四明志』 권5 「人物攷·臧格」)

85 理智로 말미암아 … 것: 『莊子』「天下」편에서는 "황제가 … 검은 구슬을 잃어버렸다. 知에게 명령하여 구슬을 찾게 하였으나 찾지 못했다.(黃帝 … 遺其玄珠. 使知索之而不得.)"라고 했고, 林希逸은 『莊子口義』에서 "이 문단은 도를 구하는 일이 총명에 있지 않다는 것을 말한 것이다.(此段言求道不在於聰明.)"라고 주해하였다.

86 산골짜기에서 흐르는 … 것: [39-1-7]을 참조

87 뜰 앞 … 아끼며: [39-1-14]를 참조. 『周元公集』 권6 王啓의 「崇先賢以勵風教文移」에서도 "매번 하남 이정과 도를 강론할 때, 그 사이에 뜰 앞의 풀이 번갈아 푸르렀는데 (『論語』「先進」의) '나는 點을 인정한다.'는 기상을 발하였다.(每與河南二程講道, 其間庭草交翠而發'吾與點也'之氣象.)"라고 했다.

88 부자(공자)의 말없음: 『論語』「陽貨」에서는 "공자가 말했다. '나는 말을 하지 않으려고 한다.' … '하늘이 무슨 말씀을 하시는가? 四時가 운행되고 온갖 만물이 생장하는데, 하늘이 무슨 말씀을 하시는가?(子曰, '予欲無言.' … '天何言哉? 四時行焉, 百物生焉, 天何言哉?')"라고 했다.

89 안연이 즐거워한 것: 『論語』「雍也」에서는 "공자가 말했다. '어질다, 顔回여! 한 그릇의 밥과 한 표주박의 음료로 누추한 시골에 있는 것을 딴 사람들은 그 근심을 견뎌내지 못하는데, 안회는 그 즐거움을 변치 않으니, 어질다, 顔回여!'(子曰, '賢哉, 回也! 一簞食, 一瓢飮, 在陋巷, 人不堪其憂, 回也不改其樂, 賢哉, 回也!')"라고 했다.

재미있어 하였을까! 그러므로 이전 성인이 드러내지 않은 것을 드러내어, 당시 사람들이 깨닫지 못한 것을 깨닫게 하여, 고원高遠한 자에게는 허망한 곳에 빠지지 않게 하고, 따라 지키기만 하는 자에게는 막혀 고루함에 빠져들지 않게 하였으니, 사사로운 뜻과 작은 지혜가 그 교묘함이 용납될 곳이 없고, 바른 도리를 속이는 편벽된 말이 그 속임을 펼칠 곳이 없게 되었으니, 그 공효가 어찌 위대하지 않겠는가!'

程子 名顥, 字伯淳, 號明道　정자 이름은 호이고, 자는 백순이며, 호는 명도이다.

[39-2-1]

伊川序先生行實曰: "先生資禀旣異而充養有道, 純粹如精金, 溫潤如良玉, 寬而有制, 和而不流, 忠誠貫於金石, 孝弟通於神明. 視其色, 其接物也如春陽之溫; 聽其言, 其入人也如時雨之潤. 胸懷洞然, 徹視無間. 測其蘊, 則浩乎若滄溟之無際; 極其德, 美言蓋不足以形容. 其行己內主於敬而行之以恕,[90] 見善若出諸己, 不欲弗施於人. 居廣居而行大道, 言有物而動有常.

이천伊川이 선생[程明道]의 행장 서에서 이렇게 말했다. "선생은 자품이 이미 남달랐으면서도, 채우고 기름[充養[91]]에 도가 있어, 순수함은 마치 정금精金과 같고 온화하고 화기和氣로움은 마치 좋은 옥과 같았으며, 관후하면서도 절제가 있고, 온화하면서도 제멋대로 하지 않아서 충忠과 성誠이 금석金石을 꿰뚫고, 효孝와 제弟가 신명神明에 통하였다. 그 안색을 보면 남과 접할 때 마치 봄의 따뜻한 기운과도 같았고, 그 말을 들으면 귀에 들어오는 것이 마치 때맞추어 내리는 비가 윤택하게 하는 것과 같았다. 가슴 속 회포는 탁 트였고 빈틈없이 꿰뚫어 보았다. 그 온축된 것을 헤아리려면 끝없는 큰 바다처럼 광대하고, 그 덕을 궁구해보면, 미사여구로도 충분히 표현할 수가 없다. 그 스스로 행동할 때에는 안으로는 경을 주장하였고 서恕로써 행하였으니, 선함을 보면 마치 자기에게서 나온 듯하였고,[92] 원하지 않는 것을 다른 사람에

90　其行已內主於敬而行之以恕: 『二程文集』 권12 「伊川文集·明道先生行狀」에는 '其'가 '先生'으로 되어 있다.

91　채우고 기름[充養]: '채움[充]'에 대해서는 『孟子』 「公孫丑上」에서는 "四端이 나에게 있는 것을 다 넓혀서 채울 줄 알면, 마치 불이 처음 타오르며 샘물이 처음 나오는 것과 같을 것이니, 만일 이것을 채울 수 있다면 족히 四海를 보호할 수 있고, 만일 채우지 못한다면 부모도 섬길 수 없을 것이다.(凡有四端於我者, 知皆擴而充之矣, 若火之始然, 泉之始達, 苟能充之, 足以保四海, 苟不充之, 不足以事父母.)"라 했고, '기름[養]'에 관해서는 『孟子』 「盡心上」에서 "그 마음을 보존하여 그 性을 기르는 것은 하늘을 섬기는 것이다.(存其心, 養其性, 所以事天也.)"라고 했다. 『性理群書句解』 권20에는 "도로써 보존하고 기른다.(存養以道.)"고 주해하였다.

92　선함을 보면 … 듯하였고: 『近思錄』 권14에서 葉采는 "남의 선을 인정하여 돕다(與人爲善也)"라고 주해하였다. 『孟子』 「公孫丑上」에는 "밭 갈고 곡식을 심으며 질그릇 굽고 고기 잡을 때에서부터 황제가 될 때까지 남에게서 취하지 않은 것이 없었다. 남에게서 취하여 善을 행함은, 이것은 남이 善을 하도록 인정하여 도와주는 것이다. 그러므로 군자는 남이 善을 하도록 인정하여 돕는 것보다 더 훌륭한 것은 없다.(自耕稼陶漁, 以至爲帝, 無非取於人者. 取諸人以爲善, 是與人爲善者也. 故君子莫大乎與人爲善)"라고 하였고, 주자는 『集註』에

게 베풀지 않았다.[93] 넓은 곳에 머무르며 대도를 행하고,[94] 말에는 실행이 있고 행동에는 일정함이 있었다.[95]

自十五六時, 聞汝南周茂叔論道, 遂厭科擧之業, 慨然有求道之志. 未知其要, 泛濫於諸家, 出入於老釋者幾十年, 反求諸六經而後得之. 明於庶物, 察於人倫, 知盡性至命必本於孝悌, 窮神知化由通於禮樂. 辨異端似是之非, 開百代未明之惑, 秦漢而下, 未有臻斯理也. 謂'孟子沒而聖學不傳', 以興起斯文爲己任.

15~6세 때로부터 여남汝南의 주무숙周茂叔[周濂溪]이 도를 강론한다는 소문을 듣고, 마침내 과거준비를 위한 공부에 싫증을 내고 분연히 도를 구하려는 뜻을 가지게 되었다. 그 요점을 아직 알지 못하여, 제가諸家의 학설을 두루 읽고 노장과 불교에 출입한 지 거의 십 년[96]만에 돌이켜 육경에서 구한 후에 얻게 되었다. 여러 사물의 이치에 밝고 인륜人倫을 살펴서, 성性을 다하고 명命에 이르는 것이 반드시 효제孝悌에 근본한다는 것과, 신神을 궁구하여 조화를 아는 것[窮神知化][97]이 예악에 통하는 것에서 말미암는다는 것을 알았다. 이단이 옳은 것 같지만 그르다는 것을 변별하여, 백대 동안 밝지 못했던 미혹을 깨쳤으니, 진한秦漢 이래로 이 이치에 도달한 적이 없었다. '맹자가 돌아가신 후 성인의 학문이 전해지지 않았다.'라고 하면서, 이 도[斯文]를 흥기하는 것을 자기의 임무로 삼았다.

其言曰, '道之不明, 異端害之也. 昔之害近而易知, 今之害深而難辨. 昔之惑人也乘其迷暗, 今之入人也因其高明. 自謂之窮神知化, 而不足以開物成務. 言爲無不周偏, 實則外於倫理. 窮深極微, 而不可入堯舜之道. 天下之學, 非淺陋固滯則必入於此. 自道之不明也, 邪誕妖異之說競起, 塗生民之耳目, 溺天下於汚濁. 雖高才明智, 膠於見聞, 醉生夢死不自覺也. 是皆正路之蓁蕪, 聖門之蔽塞, 闢之而後可以入道.'

서 "與'는 인정하다許와 같으며, 돕다助와 같다. 저 사람의 善을 취하여 내 몸에 행한다면, 저 사람은 더욱 善을 하도록 권면할 것이니, 이것이 내가 善行을 하도록 도와주는 것이다.('與', 猶許也, 助也. 取彼之善而爲之於我, 則彼益勸於爲善矣. 是我助其爲善也.)"라고 주해하였다.

93 원하지 않는 … 않았다. : 『論語』의 「顔淵」과 「衛靈公」에서 "자기가 원하지 않은 것을 남에게 베풀지 말라(己所不欲, 勿施於人.)"라고 했다.

94 넓은 곳에 … 행하고 : 『孟子』「滕文公下」에서는 "천하의 넓은 집[仁]에 거처하며, 천하의 바른 자리[禮]에 서며, 천하의 大道[義]를 행한다.(居天下之廣居, 立天下之正位, 行天下之大道.)"라고 했고, 주자는 『集註』에서 "넓은 집은 仁이요, 바른 자리는 禮요, 大道는 義이다.(廣居, 仁也 ; 正位, 禮也 ; 大道, 義也.)"라고 주해하였다.

95 말에는 실행이 … 있었다. : 『近思錄』 권14에서 葉采는 "말에는 반드시 실제가 있으므로 物이라고 하였고, 행동에는 반드시 법도가 있으므로 常이라고 하였다.(言必有實故曰物, 行必有度故曰常.)"라고 주해하였다.

96 거의 십 년 : 『性理羣書句解』 권20에는 "이와 같이 한 것이 근 수십 년이다.(如此者近數十年.)"라고 주해하였다.

97 神을 궁구하여 … 것 : 『周易』「繫辭下」 제5장에서는 "神을 궁구하여 조화를 앎이 덕의 성함이다.(窮神知化, 德之盛也.)"라고 했다.

그가 말하기를 '도가 밝아지지 않는 것은 이단이 그것을 해치기 때문이다. 옛날 이단의 해로움은 얕아서 알기 쉬웠지만, 지금 이단의 해로움은 깊어서 분별하기 어렵다. 옛날의 이단이 사람을 미혹시키는 것은 그 미혹하고 어두움을 틈탔지만, 지금의 이단이 사람들의 마음속에 들어가는 것은 그 고명高明함에 기인해서이다. 그들은 스스로 '신神을 궁구하여 조화를 안다.[窮神知化]'라고 말하지만, '사물을 열어주고 일을 이루어주기[開物成務]'98에는 부족하다. 두루 미치지 않는 바가 없다고 말하지만, 실제로는 윤리에서 벗어나 있다. 심오하고 은미한 것을 궁구하지만, 요순의 도에 들어갈 수가 없다. 천하의 학문이 천박하고 비루하여 고루하게 막힌 자가 아니면 반드시 이들에게 들어간다. 도가 밝지 못한 데에서, 간사하고 거짓되고 요사하고 괴이한 학설들이 다투어 일어나서, 백성들의 눈과 귀를 더럽히고, 천하를 더럽고 탁한 데에로 빠뜨렸다. 비록 재주가 높고 지혜가 총명한 자들이라 할지라도, 보고 들은 것에 묶여서 흐리멍덩하게 술 취한 듯 살다가 꿈꾸듯이 죽어 스스로 깨닫지 못하게 된다. 이는 모두 올바른 길이 잡초로 우거져 있고, 성문聖門이 닫히고 막혀 있어서, 그것을 연 다음이라야 도에 들어갈 수 있다.'라고 하였다.

先生進將覺斯人, 退將明之書, 不幸早世, 皆未及也. 其言平易易知, 賢愚皆獲其益. 如群飲於河各充其量. 其教人自致知至於知止, 誠意至於平天下, 洒掃應對至於窮理盡性, 循循有序. 其接物辨而不間, 感而能通. 教人而人易從, 怒人而人不怨, 賢愚善惡, 咸得其心. 狡僞者獻其誠, 暴慢者致其恭, 聞風者誠服, 覿德者心醉."99

선생은 나아가서는 이 사람들을 깨우치려 하고, 물러나서는 책에 밝히고자 하였는데, 불행히도 일찍 세상을 떠나 모두 미치지 못하였다. 그 말씀은 평이하고 알기 쉬워 현명한 사람이나 어리석은 사람이 모두 이로움을 얻었다. 마치 여럿이 황하에서 물을 마셔도 각각 그 양을 채우는 것과 같았다. 사람들을 가르칠 때에는 앎을 지극히 하는 것[致知]100에서부터 그칠 데를 아는 것[知止]101에까지 이르게 하고, 뜻을

<hr />

98 '사물을 열어 … 이루어주기' : 『周易』「繫辭上」 제11장에서는 "『易』은 사물을 열어주고 일을 이루어 천하의 도를 포괄한다.(夫易, 開物成務, 冒天下之道.)"라고 했고, 주자는 『本義』에서 "開物成務는 사람으로 하여금 卜筮를 하여 길흉을 알아서 사업을 이루게 하는 것을 이른다.(開物成務 謂使人卜筮, 以知吉凶而成事業.)"고 주해하였다.

99 『二程文集』 권12 「伊川文集·明道先生行狀」

100 앎을 지극히 … 것[致知] : 『大學』 경문1장에서는 "옛날에 밝은 덕을 천하에 밝히고자 하는 자는 먼저 그 나라를 다스리고, 그 나라를 다스리고자 하는 자는 먼저 그 집안을 가지런히 하고, 그 집안을 가지런히 하고자 하는 자는 먼저 그 몸을 닦고, 그 몸을 닦고자 하는 자는 먼저 그 마음을 바루고, 그 마음을 바루고자 하는 자는 먼저 그 뜻을 성실히 하고, 그 뜻을 성실히 하고자 하는 자는 먼저 그 앎을 지극히 하였으니, 앎을 지극히 하는 것은 사물의 이치를 궁구하는 데에 있다.(古之欲明明德於天下者, 先治其國, 欲治其國者, 先齊其家, 欲齊其家者, 先修其身, 欲修其身者, 先正其心, 欲正其心者, 先誠其意, 欲誠其意者, 先致其知, 致知在格物.)"라고 했다.

101 그칠 데를 … 것[知止] : 『大學』 경문1장에서는 "그칠 데를 안 뒤에 定함이 있으니, 定한 뒤에 고요할 수 있고, 고요한 뒤에 편안할 수 있고, 편안한 뒤에 생각할 수 있고, 생각한 뒤에 얻을 수 있다.(知止而后有定, 定而后能靜, 靜而后能安, 安而后能慮, 慮而后能得.)"라고 했다.

성실하게 하는 것[誠意]에서부터 천하를 평화롭게 하는 것[平天下]에까지 이르게 하였으며, 물 뿌리고 쓸고 응대하는 것에서부터 리를 궁구하고 성을 다하는 데[窮理盡性]에 이르게 하여, 정연하게 순서가 있었다. 남을 대할 때에는, 분별하면서도 간격이 없고 감동시켜 통하게 하였다.[102] 사람들을 가르치면 사람들이 쉽게 따르고, 사람들에게 성내어도 사람들은 원망하지 않아, 현명한 사람이나 어리석은 사람이나 선한 사람이나 악한 사람이나 모두 그들의 마음을 얻었다. 교활하게 속이는 자들에게는 진실[誠]을 쏟고, 난폭하고 오만한 자들에게는 공손함[恭]을 극진히 하여, 그 기풍을 들은 자는 진심으로 복종하고, 그 덕을 본 자는 마음으로 감동하였다."

[39-2-2]

藍田呂氏曰: "先生負特立之才, 知大學之要. 博聞強記, 躬行力究, 察倫明物, 極其所止, 渙然心釋, 洞見道體. 其造於約也, 雖事變之感不一, 應之以是心而無窮;[103] 雖天下之理至衆, 知反之吾身而自足. 其致於一也, 異端並立而不能移, 聖人復起而不與易. 其養之成也, 和氣充浹見于聲容, 然望之崇深, 不敢慢也; 遇事優爲, 從容不迫, 然誠心懇惻, 弗之措也. 其自任之重也, 寧學聖人而未至, 不欲以一善成名; 寧以一物不被澤爲己病, 不欲以一時之利爲己功. 其自信之篤也, 吾志可行, 不苟潔其去就; 吾義所安, 小官有所不屑."[104]

남전 여씨[藍田呂氏][呂大臨]가 말했다. "선생[程明道]은 특출하게 우뚝 선 자질을 지니고 큰 학문[大學]의 요점을 알았다. 널리 배우고 기억력이 뛰어났으며, 몸소 실행하고 힘써 궁구하였으며, 인륜을 살피고 사물의 이치를 밝게 알아서, 그칠 곳을 지극히 하였으니,[105] 얼음이 녹듯 마음으로 이해되어 도체[道體]를 꿰뚫어 보았다. 그가 약례[約禮]로 나아가는데, 비록 일의 변화의 감촉[感]은 서로 같지 않지만, 이 마음으로 대응[應]함에 궁함이 없고, 비록 천하의 리[理]가 지극히 많지만, 나의 몸에 돌이키면 충분한 줄을 알았다. 그 하나[一]에 지극하게 되면,[106] 이단과 나란히 서 있어도 옮겨가게 하지 못하였으며, 성인이 다시 일어나서

---

102 감동시켜 통하게 하였다. : 『周易』「繫辭上」 제10장에서는 "『易』은 생각이 없고 함이 없어 寂然히 動하지 않다가 감동하여 마침내 천하의 원인을 통한다.(『易』, 无思也, 无爲也, 寂然不動, 感而遂通天下之故.)"라고 했다.

103 應之以是心而無窮: 『河南程氏遺書』「附錄・哀詞」에는 "知應以是心而不窮"으로 되어 있다. 뒤 문장을 참고했을 때 '知'가 있어야 할 것으로 보여, 이에 따라 해석했다.

104 『河南程氏遺書』「附錄」에 呂大臨의 「哀詞」로 실려 있다. 『河南程氏遺書』「附錄・哀詞」에는 "小官有所不屑"이 "雖小官有所不屑"로 되어 있다.

105 그칠 곳을 … 하였으니 : 『大學』 경문1장에서는 "그칠 데를 안 뒤에 定함이 있으니, 定한 뒤에 고요할 수 있고, 고요한 뒤에 편안할 수 있고, 편안한 뒤에 생각할 수 있고, 생각한 뒤에 얻을 수 있다.(知止而后有定, 定而后能靜, 靜而后能安, 安而后能慮, 慮而后能得.)"라고 했다. 또한 葉采는 『近思錄』 권14에서 "찰륜명물 이하는 (『大學』 경문1장의) '사물의 이치가 이른 뒤에 앎이 지극해진다.'는 것이다.(察倫明物以下, '物格而知至'也.)"라고 주해했다.

106 하나[一]에 지극하게 되면 : 葉采는 『近思錄』 권14에서 "하나에 지극함이란, 분명히 보고 안정되게 지키는 것이다.(致一者, 見之明, 而守之定.)"라고 주해했다.

도 더불어 바꿀 수 없다. 그의 수양의 완성은, 화기和氣가 가득 차 두루 미쳐 음성과 용모에 드러났지만, 바라보면 숭고하고 심원하여 감히 무시할 수 없었고, 매사에 넉넉하게 행하여 여유 있고 급박하지 않았지만, 진실된 마음[誠心]이 간절하고 지성스러워 그대로 방치해 두지[107] 못했다. 그 자임自任함의 무거움[108]은 차라리 성인을 배우다가 이르지 못할지언정, 한 가지 훌륭한 점으로 이름을 이루기를 바라지 않았고, 차라리 한 사람이 은택을 입지 못하는 것을 자기의 근심거리로 삼을지언정, 한때의 이익을 자기의 공으로 삼기를 바라지 않았다. 그 스스로 믿음의 독실함[109]은 나의 뜻이 행해질 수 있으면 그 나아가고 물러나는 것을 구차하게 깨끗이 하려 하지 않았고, 나의 의리에 편안하면 작은 관직도 달갑게 여기지 않았다."[110]

[39-2-3]

廣平游氏曰：“時有同明道先生在臺列者,[111] 志未必同, 然心慕其爲人. 嘗語人曰, ‘他人之賢者, 猶可得而議也, 乃若伯淳則如美玉然, 反覆視之, 表裏洞徹, 莫見疵瑕.’”[112]

광평 유씨廣平游氏[游酢]가 말했다. "이때에 명도 선생과 함께 대관의 반열에 있던 자가 있었는데, 뜻이 반드시 같은 것은 아니었지만 마음으로 그 사람됨을 사모하여 일찍이 다른 사람에게 말했다. '다른 현명한 자의 경우는 그래도 시비할 만한 것이 있는데, 백순伯淳[程明道]의 경우에는 아름다운 옥과 같아서 반복해서 바라보아도 안팎이 환하게 통하여 흠을 찾을 수 없다.'"

[39-2-4]

或曰：“中心安仁者, 天下一人而已. 如伯淳莫將做天下一人看?”

龜山楊氏曰：“固是.”[113]

어떤 사람이 물었다. "마음에 인仁을 편안히 여기는 자는 천하에 제일가는 사람뿐입니다. 백순伯淳[程明道

107 그대로 방치해 두지 : 茅星來는 『近思錄集註』 권14에서 "措는 방치해 두는 것이다.(措, 委置也.)"라고 주해하였다.

108 自任함의 무거움 : 『論語』「泰伯」에 "선비는 도량이 넓고 뜻이 굳세지 않으면 안 된다. 책임이 무겁고 길이 멀기 때문이다. 군자는 仁으로써 자기의 책임으로 삼으니 막중하지 않은가? 죽은 뒤에야 끝나는 것이니 멀지 않은가?(士不可以不弘毅, 任重而道遠. 仁以爲己任, 不亦重乎? 死而後已, 不亦遠乎?)"라고 하였다.

109 믿음의 독실함 : 『論語』「泰伯」에서는 "독실하게 믿으면서도 학문을 좋아한다.(篤信好學.)"라고 했고, 주자는 『集註』에서 "독실하게 믿지 않으면 학문을 좋아하지 못한다. 그러나 독실하게 믿기만 하고 학문을 좋아하지 않는다면 믿는 바가 혹 正道가 아닐 수 있다.(不篤信, 則不能好學. 然篤信而不好學, 則所信或非其正.)"라고 주해하였다.

110 나의 뜻 … 있었다. : 葉采는 『近思錄』 권14에서 "뜻이 만약 행해질 수 있다면 떠남으로써 고상하게 여기는 것을 깨끗하게 여기지 않았고, 의리에 택한 것이 편안하다면, 또한 나아감으로써 스스로를 낮추는 것을 달갑게 여기지 않았다.(志若可行, 不潔其去以爲高；義擇所安, 亦不屑於就以自卑.)"라고 주해했다.

111 時有同明道先生在臺列者 : 『游廌山集』 권4「書明道先生行狀後」에는 "是時有同在臺列者"로 되어 있다.

112 『游廌山集』 권4「書明道先生行狀後」

113 『龜山集』 권13「蕭山所聞」

의 경우에 천하의 제일가는 사람으로 보지 않을 수 있겠습니까?"

구산 양씨龜山楊氏[楊時]가 말했다. "진실로 그러하다."

[39-2-5]

上蔡謝氏曰 : "先生坐如泥塑人, 接人則渾是一團和氣."[114]

상채 사씨上蔡謝氏[謝良佐]가 말했다. "선생은 앉아 있을 때에는 마치 진흙으로 빚은 사람과 같았고, 사람을 대할 때에는 혼연히 한 덩어리의 온화한 기운[和氣]이었다."

[39-2-6]

"學者須是胸懷擺脫得開始得. 有見先生在鄠縣作簿時詩云,[115] '雲淡風輕近午天, 傍花隨柳過前川, 旁人不識予心樂, 將謂偸閑學少年,' 看他胸懷直是好, 與曾點底事一般. 又詩云, '閑來無事不從容, 睡覺東牕日已紅, 萬物靜觀皆自得, 四時佳興與人同, 道通天地有形外, 思入風雲變態中, 富貴不淫貧賤樂, 男兒到此是豪雄,' 明道門擺脫得開, 爲他所過者化."[116]

(상채 사씨가 말했다.) "배우는 자는 반드시 가슴속 포부가 구속을 벗어나 열려야만 된다. 선생[程明道]이 호현鄠縣에서 주부主簿를 할 때에 다음과 같이 시를 지어 읊는 것을 뵈었다. '구름은 잔잔하고 바람은 가볍게 부는 한낮, 꽃을 지나 버드나무 따라 앞 개울가를 지나네, 남들은 내 마음의 즐거움 알지 못하고, 한가하게 어린아이처럼 논다 이르겠지.'[117] 그의 가슴속 포부를 보면 다만 좋아할 뿐이니 증점曾點의 일과 같다. 또 시에서 다음과 같이 읊었다. '한가로이 일마다 여유롭고, 잠을 깨니 동창에 해가 이미 붉게 비치네. 만물을 고요히 바라보니 모두 자득하고, 사시四時의 아름다운 흥취는 남과 같구나. 도는 천지간 형체 없는 것까지 통하고, 생각은 풍운의 변화 속으로 들어가는구나. 부귀에 빠지지 않고 빈천을 즐기니, 남아가 이에 이르면 영웅호걸이지.'[118] 명도의 문은 구속을 벗어나 열려있으니, 그가 지나는 곳은 교화된다."[119]

---

114 『上蔡語錄』권2

115 有見先生在鄠縣作簿時詩云 : 『上蔡語錄』권1에는 "有見明道先生在鄠縣作簿時有詩云"으로 되어 있다. 또한 『二程文集』권1 「明道文集・偶成」에는 "당시에 鄠縣主簿를 하고 있었다.(時作鄠縣主簿.)"라고 주해가 달려 있다.

116 『上蔡語錄』권1

117 '구름은 잔잔하고 … 이르겠지.' : 『二程文集』권1 「明道文集・偶成」

118 '한가로이 일마다 … 영웅호걸이지.' : 『二程文集』권1 「明道文集・秋日偶成」

119 지나는 곳은 교화된다. : 『孟子』「盡心上」에서는 "군자는 지나는 곳이 敎化 된다.(夫君子所過者化.)"라고 했고, 주자는 『集註』에서 "몸이 지나가는 곳에는 곧 사람들이 敎化되지 않음이 없는 것이다.(身所經歷之處, 卽人無不化.)"라고 주해했다.

[39-2-7]

華陽范氏曰 : "先生以獨智自得, 去聖人千有餘歲, 發其關鍵, 直覩堂奧. 一天地之理, 盡事物之變. 故其貌肅而氣和, 志定而言厲. 望之可畏, 卽之可親. 叩之者無窮, 從容以應之, 其出愈新, 眞學者之師也."[120]

화양 범씨華陽范氏[范祖禹]가 말했다. "선생은 자신만의 지혜로써 자득하였으니, 성인과 거리가 천여 년이 떨어져 있어도, 그 관건을 드러내고, 곧바로 심오한 이치를 보았다. 천지의 리理를 하나로 하고, 사물의 변화를 다하였다. 그러므로 그 모습은 엄숙하면서도 기운은 온화했고, 뜻이 안정되었으면서도 말은 엄정했다. 바라보면 두려워할 만하고, 가까이 접하면 친하게 지낼 만했다. 질문하는 자들이 끝이 없었는데, 차분히 그들에게 응해주었으며, 나올 때는 더욱 새로워졌으니, 배우는 자들의 참된 스승이다."

[39-2-8]

河間劉氏曰 : "先生德性充完, 粹和之氣盎於面背. 樂易多恕, 終日怡悅, 未嘗見其忿厲之容."[121]

하간 유씨河間劉氏[劉立之]가 말했다. "선생의 덕성은 가득 차고 완전하여, 순수하고 온화한 기운이 얼굴과 등에 가득했다.[122] 마음이 편안하고 즐거우며 서恕가 많았으니, 종일토록 기뻐하면서, 한 번도 분해하거나 성내는 모습을 본 적이 없었다."

[39-2-9]

河南朱氏曰 : "先生之學, 以誠爲本. 仰觀乎天, 淸明穹窿, 日月之運行, 陰陽之變化, 所以然者誠而已. 俯察乎地, 廣博持載, 山川之融結, 草木之蕃殖, 所以然者誠而已. 人居天地之中, 參合無間, 純亦不已者, 其在玆乎! 先生得聖人之誠者也, 才周萬物而不自以爲高, 學濟三才而不自以爲足, 行貫神明而不自以爲異, 識照古今而不自以爲得. 至於六經之奧義, 百家之異說, 研窮搜抉, 判然胸中. 天下之事, 雖萬變交於前, 而燭之不失毫釐, 權之不失輕重. 凡貧賤富貴死生, 皆不足以動其心, 非所得之深, 所養之厚, 能至是歟? 蓋其所知, 上極堯舜三代帝王之治, 其所以包涵博大, 悠遠纖悉, 上下與天地同流 ; 下至行師用兵戰陣之法, 皆造其極 ; 外之夷狄情狀, 山川道路之險易, 邊鄙防戍, 斥堠控帶之要, 靡不究知. 其吏事操決, 文法簿書, 又皆精密詳練, 而所有不試其萬一."[123]

....

120 『范太史集』 권37 「哀詞·明道先生哀詞」

121 『河南程氏遺書』「附錄·明道先生行狀」에 劉立之의 말로 인용되어 있다. 또한 『河南程氏遺書』에는 "未嘗見其忿厲之容"이 "立之從先生三十年, 未嘗見其忿厲之容."으로 되어 있다.

122 순수하고 온화한 … 가득했다. : 『孟子』「盡心上」에서는 "군자의 性은 인의예지가 마음속에 뿌리 하여, 그 안색에 나타남이 맑고 온화하고 윤택하게 얼굴에 드러나며, 등에 가득하며, 四體에 베풀어진다.(君子所性, 仁義禮智根於心, 其生色也, 睟然見於面, 盎於背, 施於四體.)"라고 했다.

123 『河南程氏遺書』「附錄·明道先生行狀」에 인용되어 있다.

하남 주씨河南朱氏[朱光庭][124]가 말했다. "선생의 학문은 성誠을 근본으로 한다. 우러러 하늘을 보면, 청명한 반구형半球形인데, 해와 달이 운행하고 음양이 변화하는 그러한 원인은 성誠일 뿐이다. 구부려 땅을 살펴보면, 널리 싣고 있는데, 산천이 뒤얽혀있고, 초목이 번식하는 그러한 원인은 성誠일 뿐이다. 사람이 천지 사이에 머무르면서 서로 합하여 틈이 없게 되니, 순수함이 또한 그치지 않는 것[125]이 그것이 이 몸에 있도다![126] 선생은 성인의 성誠을 얻었는데, 자질은 만물에 두루 미치면서도 스스로 높게 여기지 않고, 배움은 삼재三才를 이루고서도 스스로 만족스럽게 여기지 않으며, 행실은 신명을 관통하면서도 스스로 뛰어나다고 여기지 않고, 식견은 고금을 비추어보면서도 스스로 터득한 바가 있다고 여기지 않았다. 육경六經의 오의奧義와 제자백가의 다양한 학설에 이르러서도 궁구하고 찾아내어, 마음속이 분명해졌다. 천하의 일은 비록 앞에서 온갖 변화가 일어나더라도, 환히 비추어 털끝만큼도 틀리지 않고, 저울질하여 경중이 틀리지 않았다. 빈천과 부귀와 사생死生이 모두 그 마음을 동요시키기에 부족했으니, 터득한 것이 깊지 않고, 수양한 것이 두텁지 않다면 여기에 이를 수 있겠는가? 그 아는 것이 위로는 요순堯舜과 삼대三代 제왕의 다스림을 다하였으니, 그 포함하고 있는 것이 넓고 크며, 아득히 멀면서 상세하니, 상하上下가 천지天地와 더불어 함께 흐르는 것[127]이다. 아래로는 군사를 출동하고 용병하고 진을 치는 법에 이르러, 모두 그 궁극에 도달하였다. 밖으로는 오랑캐의 정황, 산천 도로의 험하고 순함, 변경 성채의 수비, 척후와 빙 둘러 있는[控禦]의 요해처要害處까지 연구하여 알지 못하는 것이 없었다. 그 관리의 업무를 처결하는 것과 법규와 장부에 대해서도 또 모두 정밀하고 상세히 익혔으니, 지닌 것을 그 만분의 일도 쓰지 않았다."

[39-2-10]

河間邢氏曰："先生德性絶人, 外和內剛, 眉目清峻, 語聲鏗然. 恕早從先生之弟學. 初見先生於磁州, 其氣貌清明夷粹. 其接人和以有容, 其斷義剛而不犯, 其思索妙造精義, 其言近而測之益遠. 恕蓋始怳然自失,[128] 而知天下有成德君子, 所謂完人者, 若先生是已."

하간 형씨河間邢氏[邢恕][129]가 말했다. "선생은 덕성이 다른 사람보다 탁월하였고, 외유내강하였으며, 용모가 수려하고 음성은 크고 우렁찼다. 나[邢恕]는 일찍이 선생의 동생에게서 배웠다. 처음 선생을 자주磁州

124 朱光庭(1037~1094) : 북송 河南 偃師 사람으로 자는 公掞이다. 朱景의 아들이고, 程顥의 제자로 嘉祐 2년에 진사를 한 후 萬年縣主簿, 集賢院學士, 노주지사[知潞州] 등을 역임했다. 철종 때 사마광의 추천을 받아 左正言이 되어 왕안석의 청묘법을 폐지할 것을 건의하였다.

125 순수함이 또한 … 것 : 『中庸』 제26장

126 이 몸에 있도다! : 『論語』 「子罕」에 "문왕이 이미 별세하셨으니, 文이 이 몸에 있지 않겠는가!(文王旣沒, 文不在玆乎!)"라고 하였다.

127 上下가 天地와 … 것 : 『孟子』 「盡心上」에 "군자는 지나는 곳이 敎化되며, 마음에 두고 있으면 신묘해진다. 그러므로 上下가 천지와 더불어 함께 흐른다.(夫君子所過者化, 所存者神. 上下與天地同流.)"라고 하였다.

128 恕蓋始怳然自失 : 『河南程氏遺書』 「附錄·明道先生行狀」에는 "恕蓋始恍然自失"로 되어 있다.

129 邢恕(?~?) : 북송 鄭州 原武 사람으로, 자는 和叔이며, 二程에게 배웠다. 館閣校勘, 御史中丞, 崇文院校書 등을 역임했다.

에서 뵈었을 때, 그 기상과 용모는 청명하고 평화롭고 순정純正했다. 사람을 접할 때에는 온화함으로 용납함이 있었고, 의를 결단할 때에는 굳세어 범하지 않았으며, 사색은 정밀한 의리를 오묘하게 구성했고, 말은 가까우면서도 헤아릴수록 더욱 고원했다. 나[邢恕]는 처음에는 망연자실하고 있다가, 천하에 덕을 이룬 군자가 있으니, 이른바 완전한 사람이란 선생일 뿐이라는 것을 알게 되었다."

[39-2-11]

武夷胡氏曰: "聖人志在天下國家, 與常人志在功名全別. 孟子傳聖人之道, 故曰'予豈若是小丈夫哉? 諫於其君而不受, 則悻悻然見於其面, 去則窮日之力.' 且看聖人氣象則別, 明道却是如此. 元豊中有詔起呂申公司馬溫公. 溫公不起, 明道作詩送申公, 又詩寄溫公, 其意直是眷眷在天下國家. 雖然如此, 於去就又却分明, 不放過一步."[130]

무이 호씨武夷胡氏[胡安國]가 말했다. "성인은 천하 국가에 뜻을 두고 있으니, 일반 사람들이 공명에 뜻을 두고 있는 것과는 전혀 다르다. 맹자가 성인의 도를 전했으므로, '내 어찌 이 소장부小丈夫와 같이 하겠는가? 군주에게 간하다가 받아주지 않으면, 붉으락푸르락 그 얼굴빛에 노기怒氣를 나타내어, 떠나면 하루 종일 갈 수 있는 힘을 다하겠는가.'[131]라고 하였다. 또 성인의 기상을 보면 다르니, 명도가 이와 같다. 원풍元豊(1078~1085) 연간에 여신공呂申公[呂公著]과 사마온공司馬溫公[司馬光]에게 출사하도록 조서가 내려왔다. 사마온공은 출사하지 않았는데, 명도가 시를 지어 여신공에게 보냈고, 또 시를 사마온공에게 보냈으니, 그 뜻은 바로 늘 천하국가를 생각하는 데에 있다. 비록 이러하나 나아가고 물러나는 데에 있어서는 또한 도리어 분명하였으니, 한 발자국도 함부로 지나치지 않았다."

[39-2-12]

范陽張氏曰: "明道書'牕前有草茂覆砌, 或勸之芟. 明道曰,「不可, 欲常見造物生意.」又置盆池畜小魚數尾, 時時觀之. 或問其故, 曰,「欲觀萬物自得意.」草之與魚, 人所共見, 惟明道見草則知生意, 見魚則知自得意, 此豈流俗之見可同日而語!"[132]

범양 장씨范陽張氏[張九成]가 말했다. "명도의 책에 '창문 앞에 풀이 무성하게 우거져서 뜰 섬돌을 뒤덮자 어떤 사람이 이것을 제거할 것을 권했다. 명도가 말했다「안 된다. 나는 항상 조물주의 생의生意를 보고자 한다.」또 땅에 동이를 묻어 작은 연못을 만들어 작은 물고기 몇 마리를 기르면서 때때로 구경하였다. 어떤 사람이 그 까닭을 묻자, 대답했다.「나는 만물이 자득하는 뜻을 보고자 한다.」풀과 물고기는 사람들이 함께 보는 것인데, 오직 명도만이 풀을 보고 생의를 알았고, 물고기를 보고 자득하는 뜻을 알았으니, 이것이 어찌 유행하는 풍속의 식견을 함께 놓고 비교하여 말할 수 있는 것이겠는가!"

---

130 주자의 『伊洛淵源錄』 권3 「明道先生·遺事」와 李幼武의 『宋名臣言行錄』 「外集」 권2에 인용되어 있다.
131 '내 어찌 … 다하겠는가.' : 『孟子』 「公孫丑下」
132 李幼武의 『宋名臣言行錄』 「外集」 권2에 인용되어 있다.

[39-2-13]

陳恬贊曰: "賢哉先生, 始於孝弟. 孝篤於親, 弟友其弟. 推以治人, 不爲而化. 民靡有争, 揖讓于野. 移之事君, 讜言忠謨. 姦邪之言, 感動歔歡. 擧以教人, 粹然王道. 天下英材, 躬服允蹈. 本以正身, 惟德溫溫. 如冬之日, 如夏之雲. 終其默識, 洞暢今古. 鉤深窮微, 該世之務. 賢哉先生, 超然絶倫, 大用甚邇, 胡奪之年. 先生之道, 不在其弟. 方其初起, 天下咸喜. 今其西矣, 天下懷矣. 誰爲有力, 進之君矣. 俾行其道, 覺斯民矣."[133]

진염陳恬[134]이 찬贊하여 말했다. "어질도다 선생이여, 효제에서 시작하였네. 효는 어버이에게 독실하였고 제는 형제에게 우애 있었네. 미루어 사람을 다스리고, 작위하지 않아도 교화하였네. 백성들은 다툼이 있지 않았고 재야에서 읍하고 사양하네. 옮겨가서는 임금을 섬기니 올곧은 말과 충간이라. 간사한 말은 감동하여 흐느껴 우네. 바른 이를 들어 사람들을 가르치니 순수한 왕도라네. 천하의 영재들이 몸소 복종하여 진심으로 따르네. 근본으로 몸을 바르게 하니, 오직 덕이 훈훈하구나. 겨울날의 햇볕과 같고, 여름날의 구름과 같다. 끝내 묵묵히 기억함이여 고금을 환히 통하네. 심오하고 은미한 이치를 깊이 궁구함이 이 세상의 일을 포괄하였도다. 어질도다 선생이여, 우뚝하게 뛰어나니, 큰 쓰임은 매우 가까운데, 어찌 그 수명을 빼앗는가. 선생의 도는 아우에게 있지 않도다. 처음 일어날 때에 천하가 다 기뻐하더니, 지금 서쪽으로 감에 천하가 그리워하도다. 누가 힘이 있어 그대에게 나아갈까. 그 도를 행하게 하여 이 백성들을 깨우쳤네."

[39-2-14]

朱子曰: "明道說話渾淪, 煞高. 學者難看."[135]

주자가 말했다. "명도가 말한 것은 혼연한 전체이니, 지극히 고원하다. 배우는 자들이 이해하기 어렵다."

[39-2-15]

"明道說底話, 恁地動彈流轉."[136]

(주자가 말했다.) "명도가 한 말은 이와 같이 움직여 유전流轉한다."

[39-2-16]

贊先生像曰: "揚休山立. 玉色金聲. 元氣之會, 渾然天成. 瑞日祥雲, 和風甘雨. 龍德正中, 厥施斯普."[137]

---

133 주자의 『伊洛淵源錄』 권3 「明道先生」에 陳恬의 「贊」이 실려있다.
134 陳恬(1058~1131): 북송말기 閬中(지금의 四川) 사람으로, 자는 叔易이고, 호는 存誠子·潤上丈人이다. 晁以道와 함께 嵩山에 숨어 살기도 했고, 徽宗 때 校書郞을 제수 받았지만 오래지 않아 관직을 사양하고 촉 땅으로 돌아갔다. 저서에 『潤上丈人詩』 20권이 있다.
135 『朱子語類』 권93, 55조목
136 『朱子語類』 권93, 56조목

(주자가) 명도 선생의 화상을 찬贊하여 말했다. "따뜻한 기운이 만물을 키워내고 산처럼 우뚝 서 있다. 옥 같은 모습에 금 같은 소리로다. 원기元氣가 모여, 자연히 이루어졌도다. 좋은 날씨와 상서로운 구름, 온화한 바람과 감미로운 비로다. 용덕龍德이 중정中正하니, 은택이 넓도다."

程子 名頤, 字正叔, 號伊川 정자 이름은 이이고, 자는 정숙이며, 호는 이천이다.

[39-3-1]

司馬光呂公著嘗言於朝曰: "程頤之爲人, 言必忠信, 動遵禮義, 實儒者之高蹈, 聖世之逸民."

又曰: "頤道德純備, 學問淵博, 有經天緯地之才, 有制禮作樂之具, 實天民之先覺, 聖代之眞儒也."

公著又言曰: "程頤年三十四, 有特立之操, 出群之姿, 洞明經術, 通古今治亂之要. 實有經世濟物之才, 非同拘士曲儒徒有偏長. 使在朝廷, 必爲國器."[138]

사마광司馬光과 여공저呂公著가 일찍이 조정에서 말했다. "정이의 사람됨은 말할 때는 반드시 충신忠信하고 행동은 예의를 준수하니, 유자儒者 가운데 속세에 초연한 자이며, 성세聖世의 일민逸民입니다."

또 말했다. "정이는 도덕이 순정純正하고 완비되어 있으며, 학문이 깊고 넓어, 경천위지할 재주를 가지고 있으며, 예악을 만들 기량을 가지고 있으니, 실로 하늘이 낸 백성들의 선각자이고, 성세의 참된 유자입니다."

여공저가 또 말했다. "정이는 나이가 34세인데 특출한 지조와 출중한 자태가 있으며, 경술經術에 훤히 밝고, 고금古今의 다스려지고 혼란해지는 세상의 요점을 통달하고 있습니다. 실제로 세상을 경륜하여 만물을 구재하는 재능을 가지고 있으니, 한쪽에 구애되고 왜곡된 선비들이 한 가지 장점만 있는 것과는 다릅니다. 그를 등용하여 조정에 있게 하면 반드시 국기國器가 될 것입니다."

[39-3-2]

王巖叟嘗言於朝曰: "程頤學極聖人之精微, 行全君子之純粹, 與其兄顥俱以德名顯於時."

又曰: "頤抱道養德之日久, 而潛神積累之功深, 靜而閱天下之義理者多, 必有嘉言以新聖聽."[139]

왕암수王巖叟[140]가 일찍이 조정에서 말했다. "정이는 학문이 성인의 정미精微함에 이르렀고, 행실이 군자

---

137 『朱文公文集』 권85 「六先生畫像贊」

138 胡寅, 『斐然集』 권25

139 李幼武, 『宋名臣言行録』 「外集」 권3

140 王巖叟(1043~1093): 북송 大名清平 사람으로 자는 彦霖이다. 監察禦史, 吏部侍郎, 開封府知府, 中書舍人, 樞密院直學士簽書院事 등을 역임했다. 사마광, 소철, 여공저 등에게 높은 평가를 받았다. 저서에 『易詩春秋傳』· 『韓魏公別録』 등이 있다.

의 순수함을 보전했으니, 그 형인 정호와 함께 덕으로써 명성이 세상에 드러났습니다."

또 말했다. "정이는 도를 품고 덕을 길러온 지 오래되었고, 정신을 침잠하고 쌓아온 공이 깊으며, 조용하게 천하의 의리를 검토한 것이 많으니, 반드시 훌륭한 말로써 성덕을 새롭게 할 것입니다."

[39-3-3]

明道嘗曰："異日能尊師道是吾弟.[141] 若接引後學隨人才而成就之, 則不敢讓."[142]

명도가 일찍이 말했다. "뒷날 스승의 도를 존엄하게 할 수 있는 것은 나의 아우이다. 후학들을 접하고 인도하며 사람들의 재능을 따라 그것을 성취시켜주는 것이라면 감히 양보하지 않겠다."

[39-3-4]

或謂："自秦漢以下卓乎天下之智不能蔽也, 程正叔而已. 觀正叔所言, 未嘗務脫流俗, 只是一箇是底道理, 自然不墮流俗中."

龜山楊氏曰："然. 觀其論婦人不再適人, 以謂寧餓死, 若不是見得道理分明, 如何敢說這樣話!"[143]

어떤 사람이 말했다. "진한秦漢 이후로 천하의 습속에서도 우뚝하여 가려지지 않은 것은 정정숙程正叔程伊川뿐입니다. 정숙이 말한 것을 보면 세상의 풍속을 벗어나려 힘쓴 적이 없고, 다만 하나의 도리일 뿐인데, 자연히 세상의 풍속에 빠지지 않았습니다."

구산 양씨龜山楊氏[楊時]가 말했다. "그렇다. 부인이 남에게 재가하지 않고, 차라리 굶어죽었어야 한다고 말한 것을 보니, 만약 도리를 보는 것이 분명하지 않았다면 어떻게 감히 이런 말을 할 수 있었겠는가!"

[39-3-5]

邵氏伯溫曰："先生嘗渡漢江, 中流船幾覆, 舟中人皆懼, 先生獨正襟安坐如常. 問之, 曰, '心存誠敬爾.'"[144]

소씨 백온邵氏伯溫이 말했다. "선생이 일찍이 한강漢江을 건널 때, 중류에서 배가 거의 뒤집어질 뻔해서, 배 안의 사람들이 모두 두려워했지만, 선생만은 홀로 옷깃을 바르게 하고 편안히 앉아 있는 것이 마치 평상시와 같았다. 이에 대해 묻자 다음과 같이 대답하였다. '마음에 성誠과 경敬을 보존할 뿐이다.'"

[39-3-6]

河南朱氏曰："伊川先生以言乎道, 則貫徹三才而無一毫之爲間；以言乎德, 則并包衆美而無

141 異日能尊師道是吾弟.：『河南程氏外書』 권12에는 '吾弟'가 '二哥'로 되어 있다.
142 『河南程氏外書』 권12
143 『龜山集』 권13 「語錄4·餘杭所聞」
144 『聞見錄』 권19

一善之或遺; 以言乎學, 則博通古今而無一物之不知; 以言乎才, 則開物成務而無一理之不總."[145]

하남 주씨河南朱氏[朱光庭]가 말했다. "이천 선생은 도라는 측면에서 말하면 삼재三才를 꿰뚫어서 털끝만큼의 틈도 없었고, 덕이라는 측면에서 말하면 여러 아름다움을 아울러 포함하여 한 가지 선이라도 혹시라도 빠뜨리는 법이 없었으며, 배움이라는 측면에서 말하면 고금을 널리 통하여 한 가지 것도 알지 못하는 바가 없었고, 자질이라는 측면에서 말하면, '사물을 열어주고 일을 이루어서[開物成務]'[146] 한 가지 이치[理]도 총괄하지 않은 적이 없었다."

[39-3-7]

胡安國言於朝曰: "程頤脩身行法, 規矩準繩, 獨出諸儒之表. 雖崇寧間曲加防禁, 學者私相傳習. 其後門人稍稍進用, 傳者浸廣, 士大夫爭相淬勵. 而其間志利祿者託其說以自售, 分黨相排, 衆論洶洶, 深詆其徒, 而乃上及於頤, 竊以爲過矣.

호안국胡安國이 조정에서 말했다. "정이가 자신을 수양하는 실행법은 법도에 들어맞아 홀로 여러 유자들 가운데 뛰어난 표상이 됩니다. 비록 숭녕崇寧(1102~1106) 연간에 잘못 금령을 내린 적[曲加防禁][147]이 있었지만, 배우는 자들은 사사로이 서로 전하고 익혔습니다. 그 후로 문인들이 조금씩 선발 임용되어 전하는 자들이 점차 광범위해져 사대부들이 서로 다투어 격려하고 있습니다. 그런데 그 사이에 이록利祿에 뜻을 둔 자는 그 학설에 의탁하여 스스로를 유리하게 하고, 당파가 나뉘어 서로 배척하며, 여러 논의들이 와자지껄하여, 그 무리를 깊이 꾸짖는 것이 위로 정이에게까지 미치게 되었으니, 제 생각에는 지나친 것 같습니다.

夫聖人之道所以垂訓萬世, 無非中庸. 然中庸之義不明久矣, 自頤兄弟始發明之, 然後其義可思而得也. 不然, 則或謂高明所以處己, 中庸所以應事接物, 本末上下析爲二途, 而其義不明矣. 士學宜師孔孟, 此其至論也.[148] 然孔孟之道不傳久矣, 自頤兄弟始發明之, 而後其道可學而至也. 不然, 則或以六經語孟之書資口耳, 取世資以干祿, 愈不得其門而入矣. 今欲使學者

---

145 李幼武, 『宋名臣言行錄』 「外集」 권3
146 '사물을 열어주고 … 이루어서[開物成務]': 『周易』 「繫辭上」 제11장에서는 "『易』은 사물을 열어주고 일을 이루어 천하의 도를 포괄한다.(夫易, 開物成務, 冒天下之道.)"라고 했고, 주자는 『本義』에서 "開物成務는 사람이 卜筮를 하여 길흉을 알아서 사업을 이루게 하는 것을 이른다.(開物成務는 謂使人卜筮, 以知吉凶而成事業.)"고 주해하였다.
147 잘못 금령을 … 적[曲加防禁]: 汪克寬의 『春秋胡傳附錄纂疏』 권首上에는 "송 휘종 숭녕 연간에 재이설에 관해 상소를 올리는 자들에 대해서 엄격하게 물리쳤다. 예를 들면 任伯雨(1047~1119)의 부류이다. … 정이가 지은 서적과 원우당인 사마광 등을 금고시켰다.(徽宗崇寧間, 奏災異天變者, 嚴加貶黜. 如任伯雨之類, … 禁程頤著書籍元祐黨人司馬光等.)"라고 주해했다.
148 此其至論也.: 『河南程氏遺書』 「附錄」의 胡安國의 「奏狀」에는 "此亦不可易之至論也"로 되어 있다.

蹈中庸, 師孔孟, 而禁使不得從頤之學, 是入室而不由戶也. 不亦誤乎?"[149]

성인의 도가 만세에 가르침을 내린 것은 중용이 아닌 것이 없습니다. 그러나 중용의 뜻이 밝혀지지 않은 지 오래되었으니, 정이 형제에서부터 비로소 드러나 밝혀진 뒤에 그 뜻을 생각하여 얻을 수 있게 되었습니다. 그렇지 않고, 혹시라도 고명함을 자기가 처신하는 원리라고 하고, 중용을 사물을 응접하는 원리라고 한다면, 본말과 상하가 두 길로 쪼개져 그 뜻이 분명하지 않게 됩니다. 선비의 배움은 마땅히 공·맹을 스승으로 삼아야 하니, 이것은 지당한 의론입니다. 그러나 공·맹의 도가 전해지지 않은 지 오래되었으니, 정이 형제로부터 비로소 드러나 밝혀진 뒤에 그 도를 배워서 이를 수 있게 되었습니다. 그렇지 않고 혹시라도 육경六經과 『논어』『맹자』의 책으로 입과 귀를 도와 녹을 구해 세상에 소용되기를 취한다면 더욱 그 문에 들어갈 수 없습니다. 지금 배우는 자들에게 중용을 따르게 하고, 공·맹을 스승으로 삼도록 하면서, 정이의 학문을 따르지 못하도록 금한다면, 이는 방 안에 들어가면서 문을 통하지 않는 것입니다. 또한 잘못된 것이 아닙니까?"

[39-3-8]

范陽張氏曰: "伊川之學自踐履中入, 故能深識聖賢氣象. 如曰'孔子元氣也, 顏子景星慶雲也, 孟子有泰山巖巖氣象', 自非以心體之, 安能別白如此?"[150]

범양 장씨范陽張氏[張九成]가 말했다. "이천의 학문은 실천으로부터 안으로 들어간 것이므로 성현의 기상을 깊이 알 수 있다. 예를 들면 '공자는 원기이고, 안자는 상서로운 별과 구름이며, 맹자는 태산泰山의 높고 험한 기상이라고 말한 것'[151]들은 스스로 마음으로써 체인한 것이 아니라면 어떻게 이와 같이 명백할 수 있겠는가?"

[39-3-9]

朱子曰: "先生遊太學時, 胡翼之方主教導. 嘗以顏子所好何學論試諸生, 得先生所試大驚, 卽延見, 處以學職. 呂希哲與先生鄰齋, 首以師禮事焉. 旣而四方之士從游者日益衆."[152]

주자가 말했다. "선생(정이천)이 태학에서 유학할 때, 호익지胡翼之[胡瑗]가 교육을 주관하고 있었다. 일찍이 안자가 좋아한 것이 어떤 학문인지에 관한 의론[顏子所好何學論]으로 제생諸生들을 시험했는데, 선생이 시험지를 보고 크게 놀라서, (이천을) 불러서 만나보고 교관으로 대우했다. 여희철呂希哲은 선생과 이웃이었는데, 첫 번째로 스승의 예로써 섬겼다. 얼마 지나지 않아 사방에서 배우러 오는 선비들이 날마다

---

149 『河南程氏遺書』「附錄」에 胡安國의 「奏狀」이 실려있다.

150 李樗·黃櫄, 『毛詩李黃集解』 권35

151 '공자는 원기이고 … 것': 『河南程氏遺書』 권5에 "중니는 원기이고, 안자는 봄에 생하는 것이며, 맹자는 가을의 肅殺을 아울러서 다 보는 것이다. … 중니는 천지이고, 안자는 온화한 바람과 상서로운 구름이며, 맹자는 泰山의 높고 험한 기상이다.(仲尼, 元氣也 ; 顏子, 春生也 ; 孟子, 幷秋殺盡見. … 仲尼, 天地也 ; 顏子, 和風慶雲也 ; 孟子, 泰山巖巖之氣象也.)"라고 하였다.

152 『朱文公文集』 권98 「行狀」

더욱 많아졌다."

[39-3-10]

"先生年十八, 上書闕下, 勸仁宗以王道爲心, 生靈爲念, 黜世俗之論, 期非常之功."[153]

(주자가 말했다.) "선생은 나이가 18세일 때, 대궐에 글을 올려, 인종仁宗에게 왕도王道를 마음으로 삼고, 생민[生靈]들을 마음에 새기고, 세속의 의론을 내치고, 비상한 공을 기약하기를 권했다."

[39-3-11]

問 : "前輩多言伊川似孟子."

曰 : "不然. 伊川謹嚴, 雖大故以天下自任, 其實不似孟子."

물었다. "선배들이 대부분 이천은 맹자와 닮았다고 말했습니다."

(주자가) 대답했다. "그렇지 않다. 이천은 근엄하였고 비록 큰 틀[大故][154]에서는 천하로써 자임하였다 할 수 있을 것이나 실제에 있어서는 맹자와 닮지 않았다."

[39-3-12]

問 : "程先生當初進說, 只'以聖人之說爲可必信, 先王之道爲可必行, 不狃滯於近規, 不遷惑於衆口. 必期致天下如三代之世,' 何也?"

曰 : "也不得不恁地說. 如今說與學者, 也只得敎他依聖人言語恁地做去. 待他就裏面做工夫有見處, 便自知得聖人底是確然恁地."[155]

물었다. "정 선생이 당초에 (황제에게) 진언할 때, 다만 '성인의 말을 반드시 믿을 만한 것으로 여기시고, 선왕의 도는 반드시 행할 만한 것으로 여기셔서, 가까이 있는 규정에 얽매이지 말고, 여러 사람의 말에 흔들려 미혹되지 말아야 합니다. 반드시 천하를 삼대의 이상적인 세상상과 같이 만들기를 기약해야 합니다.'[156]라고 한 것은 어떤 것입니까?"

(주자가) 대답했다. "또한 이렇게 말하지 않을 수 없다. 만일 지금 배우는 자에게 말하는 것도 또한 다만 그에게 성인의 말씀에 의지하여 이와 같이 해나가도록 하는 것일 뿐이다. 그것을 기다려 내면으로 들어가 공부하여 체인한 곳이 있으면, 곧 성인이란 확연히 이와 같은 것임을 스스로 알 수 있다."

---

153 『朱文公文集』 권98 「行狀」

154 큰 틀[大故] : 『朱子語類考文解義』 권21에는 "大故는 큰 틀과 같다.(大故, 猶大段.)"라고 주해했다.

155 『朱子語類』 권93, 73조목

156 '성인의 말을 … 합니다.' : 『二程文集』 권7 「上太皇太后書」에서 "臣願陛下擴高世之見, 以聖人之言爲可必信, 先王之道爲可必行, 勿狃滯於近規, 勿遷惑於衆口, 古人所謂周公豈欺我哉?"라고 했다.

[39-3-13]

有咎伊川著書不以示門人者, 再三誦之. 先生不以爲然也. 因坐復嘆曰: "公恨伊川著書不以示人, 某獨恨當時提撕也不緊. 故當時門人弟子布在海內, 炳如日星, 自今觀之, 皆不滿人意. 只今易傳一書散滿天下, 家置而人有之. 且道誰曾看得他簡? 果有得其意者否? 果曾有行得他簡否?"[157]

이천伊川의 저서를 비난하며 문인들에게 보이지 않는 자가 있었는데, 재삼 헐뜯었다. 선생[朱子]은 옳지 않다고 여겼다. 이어서 앉아서 다시 탄식하며 말했다. "공은 이천의 저서를 한스러워하여 사람들에게 보이지 않았는데, 나는 유독 당시에 긴밀하게 잡아끌어 가르치지 못한 것을 한스러워한다. 그러므로 당시에 문인제자들이 나라 안에 퍼져 있어 해나 별처럼 빛났는데, 지금에서 보면 모두 사람들의 뜻을 만족하게 하지 못했다. 지금은 다만 『역전』 한 권만이 천하에 가득 퍼져 사람들이 집안에 비치해두고 있지만 또 누가 그것을 이해하였던가? 과연 그 의미를 터득한 자가 있는가? 과연 그것을 행한 적이 있었던가?"

[39-3-14]

問: "伊川臨終時, 或曰, '平生學底正要今日用.' 伊川開目曰, '說要用, 便不是', 此是如何?"
曰: "說要用, 便是兩心."

물었다. "이천이 임종할 때 어떤 사람이 물었다. '평생 배운 것을 바로 오늘 써야 합니다.' 이천이 눈을 뜨고 말했다. '써야 한다고 말하면 바로 틀린 것이다.' 이것이 어떤 것입니까?"
(주자가) 말했다. "써야 한다고 말하면, 바로 두 마음이다."

[39-3-15]

書伊川帖曰: "近世學者閱理不精, 正坐讀書太草草耳. 況春秋大義數十, 炳若日星, 固已見於傳序, 而所謂不容遺忘者, 又非先生決不能道也. 夫三綱五常大倫大法, 有識以上卽能言之, 而臨小利害報以失其所守. 正以學不足以全其本心之正, 是以無所根著而忘之耳. 旣有以自信其不容遺忘, 又不覺因事而形於筆札之間, 非先生之德盛仁熟左右逢原, 能及是耶."[158]

(주자가) 이천의 첩帖에 글을 써서 말하였다. "근세 학자들은 리理를 정밀하게 보지 못하고, 정좌하고 독서하며 너무 거칠기만 할 뿐이다. 하물며 『춘추』 대의大義 수십이 해와 별처럼 빛나며, 진실로 이미 전서傳序[159]에 드러나 있어, 이른바 잊어버리는 것을 용납하지 않은 것이니, 또 선생이 아니면 결코 말할 수 없는 것이다. 삼강오륜의 큰 인륜과 큰 법은, 식견이 있는 사람 이상은 말할 수 있는 것이지만, 작은 이해관계에 임하게 되면 문득 그 지키는 바를 잃어버리게 된다. 바로 배움이 그 본심의 올바름을 온전히

157 『朱子語類』 권93, 74조목
158 『朱文公文集』 권82 「書伊川先生帖後」
159 傳序: 『朱子大全箚疑』에는 "이천이 지은 『春秋傳序』이다.(伊川所作春秋傳序也.)"라고 주해했다.

하기에 부족하기 때문이니, 이 때문에 뿌리내릴 바가 없어 잊게 될 뿐이다. 이미 그 잊어버리는 것을 용납하지 않는 것에 스스로 믿음이 있고, 또 자신도 모르게 일을 따라서 문장 사이에서 드러내니, 선생의 덕의 성대함과 인의 완숙함과 좌우 주변에서 그 근원을 만나는 것[160]이 아니라면, 여기에 이를 수 있겠는가!'

[39-3-16]

贊先生像曰：＂規圓矩方，繩直準平，允矣君子，展也大成．布帛之文，菽粟之味．知德者希，孰識其貴！＂[161]

(주자가) 선생[程伊川]의 화상을 찬하여 말했다. ＂그림쇠[規]처럼 둥글고 곱자[矩]처럼 네모지며, 먹줄처럼 곧고 수평기처럼 평평하니, 진실로 군자이며 진실로 대성大成하도다.[162] 베와 비단의 문장이고, 콩과 벼의 맛이로다. 덕을 아는 자 드무니, 누가 그 귀함을 알까!'

[39-3-17]

張子曰：＂昔嘗謂伯淳優於正叔，今見之果然．其救世之志甚誠切，亦於今日天下之事儘記得熟．＂ 以下總論二程.[163]

장자張子[張橫渠]가 말했다. ＂옛날에 일찍이 백순伯淳[程明道]이 정숙正叔[程伊川]보다 뛰어나다고 했는데, 지금 보니 과연 그러하다. 세상을 구하려는 뜻이 매우 정성스럽고 간절하니, 또한 오늘날 천하의 일을 다 익숙하게 기억하고 있다. 이하 이정二程을 총론했다."

[39-3-18]

＂學者不可謂少年自緩，便是四十五十．二程從十四歲時，便銳然欲學聖人．今盡及四十，未能

---

160 좌우 주변에서 … 것：『孟子』「離婁下」에서는 ＂군자가 깊이 나아가기를 道로써 하는 것은 그 自得하고자 해서이니, 자득하면 居하기에 편안하고, 거하는 데에 편안하면 이용하기에 깊고, 이용함이 깊으면 좌우에서 취하여 씀에 그 근원을 만나게 된다.(君子深造之以道，欲其自得之也，自得之則居之安，居之安則資之深，資之深則取之左右，逢其原．)＂라고 했다. 주자는 『集註』에서 ＂造는 나아감이니, 깊이 나아간다는 것은 나아가고 그치지 않는다는 뜻이다. 道는 그 나아가는 방법이다. 資는 이용함[藉]과 같다. 左右는 몸의 두 곁이니, 지극히 가까우면서도 한 곳이 아닌 것을 말한 것이다. … 자기 몸에 自得해지면 處하는 것이 편안하고 견고하여 흔들리지 아니하고, 處하는 것이 편안하고 견고하면 이용하는 것이 深遠하여 다함이 없고, 이용하는 것이 深遠하면 날로 쓰는 사이에 지극히 가까운 곳에서 취해 써서, 가는 곳마다 그 이용하는 바의 근본을 만나지 않는 경우가 없을 것이다.(造，詣也，深造之者，進而不已之意．道，則其進爲之方也．資，猶藉也．左右，身之兩旁，言至近而非一處也． … 自得於己，則所以處之者安固而不搖，處之安固，則所藉者深遠而無盡，所藉者深，則日用之間，取之至近，無所往而不値其所資之本也．)＂라고 주해하였다.
161 『朱文公文集』권85「六先生畫像贊·伊川先生」
162 진실로 군자이며 … 大成하도다.：『詩經』「小雅·彤弓之什·車攻」
163 『張子全書』권14「性理拾遺·二程書拾遺」

及顏閔之徒. 伊川可如顏子, 然恐未如顏子之無我."

(장자가 말했다.) "학자는 나이가 어리다고 해서 스스로 느슨해서는 안 되니, 곧 마흔, 쉰(살)이 된다. 이정二程은 열네 살 때부터 민첩하게 성인을 배우고자 하였다. 지금 마흔 살이 다 되었는데, 아직 안연顏淵과 민자건閔子騫의 부류에 미치지 못했다. 이천이 안자와 같을 수는 있지만, 그러나 아직 안자의 무아無我만 같지 못하다."

[39-3-19]
滎陽呂氏曰: "二程之學, 以聖人爲必可學而至, 而己必欲學而至於聖人."[164]
형양 여씨滎陽呂氏[呂希哲][165]가 말했다. "이정의 학문은 성인을 반드시 배워서 도달할 수 있다고 여겼고, 자기가 반드시 배워서 성인에 이르고자 하였다."

[39-3-20]
嵩山晁氏曰: "伊川嘗謂明道云, '吾兄弟近日說話太多.' 明道云, '使見呂晦叔, 則不得不少; 見司馬君實, 則不得不多.'"[166]
숭산 조씨嵩山晁氏[晁說之][167]가 말했다. "이천이 일찍이 명도에게 말했다. '우리 형제는 요즈음 말을 너무 많이 했습니다.' 명도가 말했다. '여회숙呂晦叔[呂公著]을 보면 (말이) 적어지지 않을 수 없고, 사마군실司馬君實[司馬光]을 보면 많아지지 않을 수 없다.'"

[39-3-21]
武夷胡氏曰: "程氏之文, 於『易』, 則因理以明象而知體用之一源; 於『春秋』, 則見諸行事而知聖人之大用; 於諸經語孟, 則發其微指而知求仁之方, 入德之序. 程氏之行, 其行己接物, 則忠誠動於州里; 其事親從兄, 則孝悌顯於家庭; 其辭受取舍, 非其道義, 則一介不以取與諸人, 雖祿之千鍾不顧也."[168]
무이 호씨武夷胡氏[胡安國]가 말했다. "정 씨의 학문은 『역』에서는 이치에 따라 상象을 밝혀서 체용體用이

---

164 『呂氏雜記』 권上
165 呂希哲(1036~1114): 北宋 壽州(지금의 安徽鳳台) 사람으로, 자는 原明이며, 학자들은 滎陽先生이라고 불렀다. 어려서 焦千之, 孫復, 石介, 胡瑗에게 배웠고, 다시 張載, 程顥, 程頤, 王安石에게 배웠다. 왕안석이 과거 준비를 그만둘 것을 권유했다. 아버지인 呂公著가 죽고 비로소 兵部員外郎이 되었고, 이후 光祿少卿 등 관직을 거쳤다. 후인이 『呂氏雜志』와 『滎陽公說』을 편집했다.
166 『晁氏客語』
167 晁說之(1059~1129): 북송 濟州鉅野 사람으로 자는 以道이다. 신종 元豐 5년(1082) 진사를 하고, 이후 知定州 無極縣, 中書舍人 등을 역임했다. 저서에 『嵩山文集』·『易商瞿大傳』·『晁氏書傳』·『晁氏春秋傳』·『春秋辯文』·『春秋年表』·『古論大傳』 등이 있다.
168 『河南程氏遺書』「附錄」에 胡安國의 「奏狀」이 실려 있다.

일원一源임을 알았고, 『춘추』에서 사건을 보고 성인의 큰 마음 씀大用을 알았으며, 여러 경전과 『논어』, 『맹자』에서는 그 은미한 뜻을 드러내어 인을 구하는 방도와 덕에 들어가는 순서를 알았다. 정 씨의 행동은 그 몸가짐과 남을 대하는 것에서는 마을에서 충忠과 성誠이 드러났고, 어버이를 섬기고 형을 따르는 것에서는 가정에서 효와 제가 드러났으며, 사양하고 받으며 취하고 버리는 일에서는 올바른 도의가 아니면 지푸라기 한 개도 남에게서 취하지 않았으니, 비록 천종千鍾의 녹을 준다 하여도 돌아보지 않았다.”

[39-3-22]
“昔嘗見鄒志完論近世人物,[169] 因問：‘程明道如何?’

志完曰：‘此人得志, 使萬物各得其所.’

又問：‘伊川如何?’

曰：‘却不得比明道.’

又問：‘何以不得比?’

曰：‘爲有不通處.’

曰：‘伊川不通處, 必有言行可證, 願聞之.’

志完色動, 徐曰：‘有一二事. 恐門人或失其傳.’

後來在長沙再論二先生學術.

志完却曰：‘伊川見處極高.’

因問：‘何以言之?’

曰：‘昔鮮于侁曾問, 「顏子在陋巷, 不改其樂. 不知所樂者何事.」伊川却問曰, 「尋常道顏子所樂者何?」侁曰, 「不過是說顏子所樂者道.」伊川曰, 「若說有道可樂, 便不是顏子.」以此知伊川見處極高.’”[170]

(무이 호씨가 말했다.) “옛날에 추지완鄒志完이 근세 인물을 논하는 것을 본 적이 있는데, 이에 따라 물었다. ‘정명도는 어떠한가?’

추지완이 대답했다. ‘이 사람이 뜻을 얻으면 만물에게 각각 제자리를 찾아줄 것이다.’

또 물었다. ‘이천은 어떠한가?’

(추지완이) 대답했다. ‘또한 명도에 비할 바가 못 된다.’

또 물었다. ‘어째서 비할 바가 못 되는가?’

(추지완이) 대답했다. ‘통하지 않는 곳이 있기 때문이다.’

물었다. ‘이천의 통하지 못하는 곳은 반드시 언행으로 증명할 수 있을 것이니, 듣고 싶다.’

---

169 昔嘗見鄒志完論近世人物：『伊洛淵源錄』권4「遺事」에는 “호문정공이 말했다. ‘나는 일찍이 옛날에 추지완이 근세인물을 논하는 것을 본 적이 있다.’(胡文定公曰, ‘安國昔嘗見鄒志完論近世人物.’)”로 되어 있다.
170 『伊洛淵源錄』권4「遺事」

추지완은 안색이 변했다가, 천천히 대답했다. '한두 가지 일이 있다. 아마 문하생들이 혹은 잘못 전한 듯하다.'

후에 장사長沙에서 두 선생의 학술을 다시 논하였다.

추지완이 말했다. '이천이 체인한 곳은 지극히 높다.'

이에 기인하여 물었다. '어찌해서 그렇게 말하는가?'

(추지완이) 대답했다. '옛날에 선우신鮮于侁[171]이 물었다. 「안자가 누추한 골목에 있으면서 그 즐거움을 바꾸지 않았는데 즐거워하는 것이 무슨 일인지 모르겠습니다.」 이천이 도리어 물었다. 「안자가 즐거워한 것은 어떤 것인지 평범하게 이야기해보아라.」 선우신이 대답했다. 「안자가 즐거워한 것은 도라는 말에 불과합니다.」 이천이 말했다 「만약 도가 있어 즐거워할 수 있다면 곧 안자가 아니다.」 이것으로써 이천이 체인한 곳이 매우 높음을 알 수 있다."

[39-3-23]

五峯胡氏曰 : "二程倡久絶之學於今日, 其功比於孔子作春秋, 孟子闢楊墨."[172]

오봉 호씨五峯胡氏[胡宏]가 말했다. "이정은 오랫동안 단절되었던 학문을 오늘에 제창하였으니, 그 공은 공자가 『춘추』를 짓고 맹자가 양주楊朱・묵적墨翟을 배척한 것에 비견된다."

[39-3-24]

馮氏忠恕曰 : "王霖言明道伊川隨侍太中知漢州, 宿一僧寺, 明道入門而右, 從者皆隨之. 伊川入門而左獨行, 至法堂上相會. 伊川自謂此是頤不及家兄處. 蓋明道和易, 人皆親近 ; 伊川嚴重, 人不敢近也."

풍충서馮忠恕[173]가 말했다. "왕림王霖이 말하기를 '명도와 이천이 태중지한주太中知漢州를 시종하면서 한 절에서 묵었는데, 명도는 문을 들어가서 오른쪽으로 갔고 종자들이 모두 따라왔다. 이천은 문을 들어가서 왼쪽으로 갔는데 홀로 가서, 법당에 이르러 서로 만나게 되었다. 이천이 스스로 「이는 내가 가형家兄에게 미치지 못하는 점이다.」라고 하였다.' 아마도 명도는 온화하고 겸손하여 사람들이 모두 친근히 여기고, 이천은 몹시 엄하여 사람들이 감히 가까이하지 못했기 때문이다."

[39-3-25]

朱子曰 : "明道伊川先生之學, 以『大學』『論語』『孟子』『中庸』爲標指, 而達於六經. 使人讀書窮理以誠其意, 正其心, 脩其身, 而自家而國以及於天下. 其道坦而明, 其說簡而通, 其行端而

---

171 鮮于侁(1018~1087) : 북송 四川 閬中度門鎭 사람으로, 자는 子駿이다. 송 인종 景祐 원년(1034) 진사를 하고 集賢修撰 등을 역임했다. 저서에 『詩傳』・『易斷』 등이 있다.

172 李幼武, 『宋名臣言行録』「外集」 권3

173 馮忠恕 : 汝陽(지금의 하남성 汝南) 사람으로 자는 貫道이다. 黔州節度判官, 知巴州遷提點成都府路刑獄 등을 역임했다. 尹焞을 스승으로 모시고 배웠고, 『涪陵紀善録』 권1을 지었다.

實, 是蓋將有以振百代之沈迷, 而內之聖賢之域. 其視一時之事業, 詞章, 論議, 氣節, 所繫孰爲輕重, 所施孰爲短長, 當有能辨之者."[174]

주자가 말했다. "명도와 이천 선생의 학문은 『대학』, 『논어』, 『맹자』, 『중용』을 준칙으로 삼아 육경에 통달하였다. 사람에게 책을 읽고 이치를 궁구하여 그 뜻을 진실되게 하고, 그 마음을 바르게 하고, 그 몸을 닦게 하여, 집으로부터 국가와 천하에까지 미치도록 하였다. 그 도가 평탄하면서 분명하고 그 설이 간명하면서 통하며, 그 행실은 단정하면서도 참되니, 백대에 걸친 깊은 미혹을 떨쳐내게 하고, 성현의 경지에 들어 갔다. 당시의 사업, 사장詞章, 의론, 기질과 절조氣節를 보면, 매어있는 것은 어느 것이 가볍고 무거운지, 베푸는 것은 어느 것이 짧고 긴지, 마땅히 분별할 수 있었다."

[39-3-26]

"明道德性寬大, 規模廣潤 ; 伊川氣質剛方, 文理密察. 其道雖同, 而造德各異. 故明道嘗爲條例司官不以爲浼, 而伊川所作行狀, 乃獨不載其事, 明道猶謂靑苗可且放過, 而伊川乃於西監一狀較計如此, 此可謂不同矣. 然明道之放過, 乃孔子之獵較爲兆, 而伊川之一一理會, 乃孟子之不見諸侯也, 此亦何害其爲同耶? 但明道所處, 是大賢以上事, 學者未至而輕議之, 恐失所守 ; 伊川所處雖高, 然實中人皆可踐及, 學者只當以此爲法, 則庶乎寡過矣. 然又當觀用之淺深, 事之大小, 裁酌其宜, 難執一意, 此君子所以貴窮理也."[175]

(주자가 말했다.) "명도는 덕성이 관후하고 크며, 규모가 광활하다. 이천은 기질이 굳세고 모났으며, 조리가 치밀하다. 그들의 도가 비록 같지만 덕을 세우는 것이 각각 다르다. 그러므로 명도는 일찍이 조례사條例司[176]가 되었어도 관직이 더럽혀졌다고 여기지 않았지만, 이천이 지은 행장은 유독 그 일을 싣지 않았고, 명도는 오히려 청묘법靑苗法을 잠시 내버려둘 수 있다고 했지만, 이천은 이에 서경 국자감 때의 첫 번째 문서의 논의[西監一狀][177]가 이와 같았으니, 이는 (서로) 다르다고 말할 만하다. 그러나 명도의 내버려둠은 공자가 엽각獵較(사냥하여 잡은 짐승의 수를 따져 많은 자가 차지하는 것)을 조짐으로 삼은 것[178]

. . . .

174 『朱文公文集』 권80 「黃州州學二程先生祠記」

175 『朱文公文集』 권35 「答劉子澄」

176 條例司 : 『朱子大全箚疑輯補』 권35에는 "왕안석의 변법 때 설치한 것으로 이재, 흥리 등의 일을 주관한다.(王安石變法時所置, 蓋主理財興利等事也.)"라고 주해하였다.

177 서경 국자감 … 논의[西監一狀] : 『朱子大全箚疑輯補』 권35에 "곧 원우7년 4월에 直秘閣判西京國子監을 사직하던 문서 및 문집에 표현된 것이다. 내 생각에 '西監一狀較計' 운운은 마치 원우2년 서경국자감을 맡아서 다스릴 때 시골로 돌아가기를 청하던 첫 번째 문서를 가리키는 것 같다.(卽元祐七年四月, 辭直秘閣判西京國子監狀及表見文集, 按'西監一狀較計'云云似指元祐二年差, 句管西京國子監時, 乞歸田里第一狀)"라고 주해하였다.

178 엽각을 조짐으로 … 것 : 『孟子』 「萬章下」에 "공자가 魯나라에서 벼슬할 적에 魯나라 사람들이 獵較을 하자, 공자 또한 獵較을 하였다.' … '어찌하여 떠나가지 않으셨습니까?' (도를 행할 수 있는) 조짐을 보이신 것이니, 조짐이 충분히 행할 수 있는데도 도가 행해지지 않은 뒤에야 떠나셨다.('孔子之仕於魯也, 魯人獵較, 孔子亦獵較.' … '奚不去也?' 曰, '爲之兆也, 兆足以行矣, 而不行而後去.')"라고 하였다.

이고, 이천의 일일이 이해함은 맹자가 제후를 만나보지 않는 것[179]이니, 이것이 또한 그 같음에 무슨 해가 되겠는가? 다만 명도가 처한 곳은 대현大賢 이상의 일이니, 배우는 자가 아직 이르지 못했는데도 가볍게 의논한다면 지키는 것을 잃어버리게 될까 두렵다. 이천이 처하는 곳은 비록 높지만 그러나 실제로는 중간 정도 사람이면 누구나 노력하여 이를 수 있는 것이니, 배우는 자들이 다만 마땅히 이것을 법으로 삼으면 잘못이 거의 적어질 것이다. 그러나 또 마땅히 사용하는 깊고 얕음, 일의 크고 작음을 살펴보아야 그 적절함을 재량할 것이니, 한 가지 뜻만을 고집하기 어렵다. 이것이 군자가 궁리窮理를 귀하게 여기는 까닭이다."

[39-3-27]

"濂溪在當時無有知其學者, 惟程太中獨知之. 明道當初想明得煞容易, 便無那渣滓.[180] 只一再見濂溪, 當時又不似, 而今有許多言語出來, 不是他天資高見得易, 如何便明得?"

或問: "『遺書』中載明道語, 便自然洒落明快."

曰: "自是他見得容易, 伊川『易傳』却只管脩改, 晩年方出其書. 若使明道作, 想無許多事. 嘗見門人有祭明道文云, '先生欲著樂書,[181] 有志未就,' 不知其書要如何作."[182]

(주자가 말했다.) "염계는 당시에 그 학문을 알아보는 사람이 없었고, 오직 정태중대부程太中大夫[程珦]만이 홀로 그를 알아보았다. 명도는 애초에 아주 쉽고 분명하게 깨우쳐서 찌꺼기가 없었다. 한두 번 염계를 만났던 당시에는 별로 대단하지 않은 듯했는데 오늘날에는 수많은 말들을 쏟아내니, 그의 타고난 자질이 높아 쉽게 알지 못했다면 어떻게 분명하게 깨우칠 수 있었겠는가?"

어떤 사람이 물었다. "『하남정씨유서』 속에 실린 명도의 말은 자연히 시원하고 명쾌합니다."

(주자가) 대답했다. "본래 그(명도)는 쉽게 알았는데, 이천은 『역전』을 도리어 수정하기만 하다가 만년이

179 맹자가 제후를 … 것: 『孟子』「滕文公下」에서는 "만일 부름을 기다리지 않고 간다면 어떠하겠는가. … 자기 몸을 굽힌 자가 능히 남을 곧게 펴는 경우는 없는 것이다.(如不待其招而往, 何哉. … 枉己者 未有能直人者也)"라고 했고 「萬章下」에는 "만나보고자 하면서 부른다면 이것은 어질지 못한 사람의 부름인 것이다. 선비의 부름으로써 庶人을 부르면 감히 가지 못하는 것이요, 어질지 못한 사람의 부름으로써 賢人을 부르면 갈 수 없는 것이다.(欲見而召之, 是不賢人之招也, 以士之招, 招庶人, 則不敢往, 以不賢人之招, 招賢人, 則不可往矣.)"라고 설명하고 있다.
180 便無那渣滓. : 『朱子語類』 권93, 50조목에는 "便無那渣滓"로 되어 있다.
181 先生欲著樂書: 『文公易說』 권19에는 '樂書'가 '洛書'로 되어 있다. 그러나 『性理大全書』, 『朱子語類』 권93, 50조목에는 모두 '樂書'로 되어 있고, 李光地가 『榕村集』 권21 「答王仲退問目四條」에서 "아는 사람은 좋아하는 사람만 못하고, 좋아하는 사람은 즐기는 사람만 못하다. … 예를 들면, 산수화석에 열광하는 사람들은 비록 가산이 기울어질 정도가 되더라도 그 취미에 쏟아부으며 후회하지 않는다. 이것이라야 참된 종자이니, 이정은 이것으로부터 착수하였다. 그러므로 명도가 만년에 樂書를 짓고자 한 것은 이 뜻을 발명하고자 한 것일 뿐이다.(知之者不如好之者, 好之者不如樂之者. … 如有山水花石之癖者, 雖至於傾家財以供遊玩不悔也. 此方是眞種子, 二程從此入手, 故明道晩年欲著樂書, 想是爲發明此意耳.)"라고 한 것에 근거할 때 '樂書'가 맞는 것으로 보인다.
182 『朱子語類』 권93, 50조목

되어서야 비로소 그 책을 내었다. 만약 명도에게 쓰게 했다면, 많은 노력을 기울이지 않았을 것이다. 일찍이 문인이 쓴 명도에 대한 제문을 보았더니 '선생은 악서樂書를 저술하고자 했는데, 뜻은 있었지만 이루지는 못했다.'고 하였는데, 그 책을 어떻게 쓰려고 했는지 알 수 없다."

[39-3-28]
問: "明道濂溪俱高, 不如伊川精切."
曰: "明道說話超邁, 不如伊川說得的確. 濂溪也精密, 不知其他書如何, 但今所說這些子, 無一字差錯."[183]

물었다. "명도와 염계는 모두 고원하지만, 이천이 정확하고 적절한 것만 못합니다."
(주자가) 대답했다. "명도가 말한 것은 고매하지만, 이천이 정확하게 말한 것만 못하다. 염계 역시 정밀한데, 그의 다른 책들은 어떠한지 모르지만, 다만 지금 말한 이 몇몇 내용들에는 한 글자도 잘못이 없다."

[39-3-29]
"明道之言, 發明極致, 通透洒落, 善開發人. 伊川之言, 卽事明理, 質慤精深, 尤耐咀嚼. 然明道之言, 一見便好, 久看愈好, 所以賢愚皆獲其益. 伊川之言, 乍見未好, 久看方好, 故非久於玩索者不能識其味. 此其自任所以有'成人材''尊師道'之不同."[184]

(주자가 말했다.) "명도의 말은 드러내어 밝혀주는 것이 지극하여, 꿰뚫어 시원스럽게 통하였으니, 사람들을 잘 계발시켜주었다. 이천의 말은 일에 나아가 이치[理]를 밝혀, 바탕이 정성스럽고 정밀함이 깊어서, 더욱 참으며 씹어보게 된다.[185] 그러나 명도의 말은 한 번 보면 곧 좋고, 오랫동안 보면 더욱 좋아서, 현인이나 어리석은 자가 모두 그 유익함을 얻게 되는 것이다. 이천의 말은 잠깐 보면 아직 좋지 않다가 오랫동안 보면 비로소 좋아지니, 그러므로 오랫동안 완미하고 사색한 사람이 아니라면 그 맛을 알 수 없다. 이것이 그들이 자임自任했던 '인재를 길러 성취시킴'과 '사도師道를 존엄하게 함'이 다른 까닭이다.[186]

[39-3-30]
"明道渾然天成, 不犯人力. 伊川功夫造極, 可奪天巧."[187]

· ·
183 『朱子語類』 권93, 51조목
184 『朱文公文集』 권31 「答張敬夫」
185 더욱 참으며 … 된다. : 『朱子大全箚疑輯補』 권31에 " 이 얕은 사물은 입으로 들어가면 맛이 다해버리니, 어찌 씹을 수 있겠는가? 오직 그 맛이 깊어 의미심장하게 되면, 씹을 수 있으니, 씹을수록 더 맛이 있게 되는 것이다.(凡物味淺者, 才入口味已盡也, 何任咀嚼? 惟其味雋永, 則可任咀嚼, 愈嚼而愈有味.)"라고 주해하였다.
186 이것이 그들이 … 까닭이다. : 『河南程氏外書』 권12에는 인재를 길러 성취시킴과 사도를 존엄하게 함을 각각 명도와 이천이 자임한 것으로 기술되어 있다. [39-3-3]을 참조
187 『朱文公文集』 권31 「答張敬夫」. 『朱文公文集』에는 위 문장 [39-3-29]와 바로 연결되어 있다.

(주자가 말했다.) "명도는 혼연하게 선천적으로 이루어져, 사람의 힘이 간여하지 않았다. 이천은 공부하여 지극함으로 나아가, 하늘의 조화를 빼앗을 수 있었다."

[39-3-31]

"明道語宏大, 伊川語親切."[188]

(주자가 말했다.) "명도의 말은 원대하고, 이천의 말은 친절하다."

[39-3-32]

"明道所見甚俊偉, 故說得較快, 初看時便好, 子細看亦好."[189]

(주자가 말했다.) "명도가 통찰한 것은 매우 걸출하고 위대하므로 말이 비교적 통쾌하니, 처음 볼 때에 바로 좋고, 자세히 보아도 또한 좋다."

[39-3-33]

"明道言語儘寬平 ; 伊川言語初難看, 細讀有滋味. 某說大處自與伊川合, 小處却時有意見不同."[190]

(주자가 말했다.) "명도의 말은 관후하고 평이하나, 이천의 말은 처음에는 알기 어렵다가 세밀히 읽으면 맛이 있다. 나의 말은 큰 곳은 본래 이천과 부합하지만, 작은 곳은 오히려 때때로 다른 의견이 있다."

[39-3-34]

問 : "明道曾看釋老書, 伊川則莊列亦不曾看."

曰 : "後來須著看, 不看無緣知他道理."[191]

물었다. "명도는 일찍이 노자와 불교의 서적을 보았는데, 이천은 장자와 열자도 본 적이 없습니다."
(주자가) 대답했다. "나중에 분명히 보아야 하니,[192] 보지 않으면 그들의 이론[道理]을 알 방법이 없다."

[39-3-35]

"伊川「好學論」, 十八時作. 明道十四五便學聖人, 二十及第, 出去做官, 一向長進. 『定性書』是二十二三時作, 是時遊山許多詩甚好."[193]

---

188 『朱子語類』권93, 57조목
189 『朱子語類』권93, 59조목
190 『朱子語類』권93, 60조목
191 『朱子語類』권93, 61조목
192 분명히 보아야 하니 : 『朱子語類考文解義』제21에는 원문이 '須看著'로 되어 있고 "반드시 한 번은 보아야 한다는 말이다.(謂必一看也.)"라고 주해되어 있다.
193 『朱子語類』권93, 62조목

(주자가 말했다.) "이천은 '안자가 좋아한 것은 어떤 학문인가에 대한 논의[顔子所好何學論]'를 18세 때 지었다. 명도는 14, 5세 때 곧 성인을 배우고, 20세 때 급제하여 나아가 관리가 되었으니 한결같이 장족으로 진보한 것이다. 『정성서定性書』는 22세 때 지었는데, 이때 산을 노닐며 지은 수많은 시들이 매우 좋다."

[39-3-36]
問: "明道可比顔子, 伊川可比孟子否?"
曰: "明道可比顔子. 孟子才高, 恐伊川未到孟子處. 然伊川收束檢制處, 孟子却不能到."[194]
물었다. "명도는 안자에 비교할 수 있고, 이천은 맹자에 비교할 수 있습니까?"
(주자가) 대답했다. "명도는 안자에 비교할 수 있다. 맹자는 자질이 높으니, 아마도 이천은 맹자에게까지 이르지는 못할 것이다. 그러나 이천이 수렴하여 다잡고 검속하여 절제하는 곳은 맹자도 도리어 미칠 수 없다."

[39-3-37]
問: "明道到處響應, 伊川入朝成許多事, 此亦可見二人用處."
曰: "明道從容, 伊川都挨不行."
問: "伊川做時似孟子否?"
曰: "孟子較活絡."
問: "孟子做似伊川否?"
先生首肯.
물었다. "명도는 도처에서 사람들이 호응하였고, 이천은 조정에 들어가서 여러 가지 일들을 이루었으니, 이 또한 두 사람의 용처用處를 알 수 있습니다."
(주자가) 대답했다. "명도는 침착했고, 이천은 떠밀어도 행하지 않았다."[195]
물었다. "이천이 행한 것이 맹자와 비슷했습니까?"
(주자가) 대답했다. "맹자는 비교적 유동적이었다."[196]
물었다. "맹자가 행한 것은 이천과 비슷했습니까?"
선생이 수긍했다.

. . . .
194 『朱子語類』 권93, 63조목
195 떠밀어도 행하지 않았다. : 『月汀集』 「別集」 권1 「朱陸論難」에 이 구절에 대한 설명이 보인다. "'都挨不行'은 미루어도 본받지 않음이 있었다는 말이다. 명도의 침착함의 경우에는 도처에서 호응했으니, 어찌 행하지 않는 자가 있었겠는가?('都挨不行', 謂推之有不準也. 若明道從容則到處響應, 何有不行者哉?)"
196 유동적이었다. : 『月汀集』 「別集」 권1 「朱陸論難」에 이 구절에 대한 설명이 보인다. "'活絡'은 유동이다. 이천의 경우에는 꽉 잡아 막혀있으니, 유동적인 것에는 모자람이 있다. 이는 실로 명도와 이천의 우열처이다.('活絡', 卽流動也. 若伊川則執滯而欠流動也. 此實明道伊川之優劣處.)"

[39-3-38]

或謂:"二程之於濂溪, 亦若橫渠之於范文正公耳."

曰: 先覺相傳之祕, 非後學所能窺測. 誦其詩, 讀其書, 則周范之造詣固殊, 而程張之契悟亦異. 如曰仲尼顏子所樂, 吟風弄月以歸, 皆是當時口傳心授的當親切處. 後來二先生擧似後學亦不將作第二義看. 然則行狀所謂反求之六經然後得之者, 特語夫功用之大全耳. 至其入處, 則自濂溪, 不可誣也. 若橫渠之於文正則異於是, 蓋當時粗發其端而已. 受學乃先生自言, 此豈自誣者耶? 大抵近世諸公知濂溪甚淺, 如『呂氏童蒙訓』記其嘗著『通書』而曰用意高遠. 夫『通書』太極之說, 所以明天理之根源, 究萬物之終始, 豈用意而爲之? 又何高下遠近之可道哉?"197

어떤 사람이 말했다. "이천과 염계의 관계는, 또한 염계와 범문정공范文正公[范仲淹]198의 관계와 같을 뿐입니다."

(주자가) 말했다. "선각자들이 서로 전수한 비방祕方은 후학들이 엿보아 헤아릴 수 있는 것이 아닙니다. 그 시를 외고, 그 책을 읽으면 주렴계와 범문정공의 조예가 진실로 특출나며, 정이천과 주렴계의 깨달음 역시 뛰어납니다. 만약 공자와 안자가 즐거워한 것을 말하면, 음풍농월하면서 돌아오는 것이니,199 모두 당시에 말로 전하며 마음으로 전수하는 꼭 알맞고 정성스러운 곳입니다. 이후에 이 선생[二程]이 후학들에게 제시한 것200 또한 (근본적인 것이 아닌) 두 번째 뜻201으로서 보아서는 안 된다는 것입니다. 그렇다면 「행장」202에서 이른바 육경에 돌이켜 구한 후에야 얻은 것은, 공효의 큰 완전함을 특별히 말했을 뿐입니다. 그 들어가는 곳에 이르면, 염계로부터 비롯함은 속일 수 없는 것입니다. 횡거와 범문정공의 관계의 경우에는 이것과 다르니, 아마도 당시에 그 단서를 거칠게 드러내었을 뿐입니다. 배운 것을 바로 선생203이 스스로 말씀한 것이니, 이것이 어찌 스스로 속이는 것이겠습니까? 요즘의 여러분들은 염계의

· · · · · · · · · · · · · · · ·

197 『朱文公文集』 권30 「與汪尚書」

198 염계와 범문정공: 『朱子大全箚疑輯補』 권30에 "장횡거는 어린 시절 병법에 관해 이야기하기를 좋아했다. 18세 때에 범문정공에게 편지를 올리니, 문정이 '유학자에게는 본래 명교가 있는데 무엇 때문에 병법을 일삼는가?' 하고는, 『中庸』을 읽도록 권하였다.(橫渠少喜談兵. 年十八, 以書謁范文定, 文正曰, '儒者自有名教, 何事於兵?' 因勸讀『中庸』.)"라고 주해하였다.

199 음풍농월하면서 돌아오는 것이니: 『論語』 「先進」에서는 "증점이 말했다. '늦봄에 봄옷이 이미 만들어지면 冠을 쓴 어른 5~6명과 동자 6~7명과 함께 沂水에서 목욕하고 舞雩에서 바람 쐬고 노래하면서 돌아오겠습니다.' 공자가 아! 하고 감탄하면서 말했다. '나는 點을 인정한다.'(曰, '莫春者, 春服既成, 冠者五六人, 童子六七人, 浴乎沂, 風乎舞雩, 詠而歸.' 夫子喟然歎曰, '吾與點也!')"라고 했다.

200 제시한 것: 『朱子大全箚疑輯補』 권30에 "似는 向하다는 뜻이다. … 擧似는 제시한다는 뜻이다.(似向也. … 提示之意.)"라고 주해하였다.

201 두 번째 뜻: 『朱子大全箚疑輯補』 권30에 "첫 번째 뜻으로 보아야 한다.(乃作第一義看也.)"라고 주해하였다.

202 「行狀」: 『朱子大全箚疑輯補』 권30에 "이천이 지은 「明道行狀」에 말했다. '선생은 15~6세 때 여남의 주무숙[周惇頤]의 도에 관한 논설을 듣고나서부터는, 흔연히 도를 구하려는 뜻을 가졌으나, 그 요체를 알지 못하고 諸家를 두루 섭렵하고, 불교와 노장의 이론에 드나들기를 수십 년 만에, 육경에 돌이켜 연구한 이후에야 터득하였다.'(伊川所著「明道行狀」曰, '先生自十五六聞汝南周茂叔論道, 慨然有求於道之志, 未知其要, 汎濫諸家, 出入釋老者, 幾十年, 反求諸六經而得之.')"라고 주해하였다.

학문이 매우 천박하다고 알고 있으니, 예컨대 『여씨동몽훈呂氏童蒙訓』[204]에 주렴계가 일찍이 『통서』를 저술했음을 기록하면서 마음을 쓴 것이 높고도 멀다高遠고 말했습니다. 『통서』의 태극의 학설은 천리의 근원을 밝히고 만물의 시작과 끝을 궁구한 것이니, 어찌 마음을 써서 그것을 지었겠습니까? 또 어찌 높고 낮고 멀고 가까움을 말할 수 있는 것이겠습니까?'

[39-3-39]
問: "學於明道, 恐易開發; 學於伊川, 恐易成就."
曰: "在人用力. 若不用力, 恐於伊川無向傍處, 明道却有悟人處."[205]
물었다. "명도에게 배우면, 아마도 계발되기 쉽고, 이천에게 배우면, 아마도 성취가 쉬울 것입니다." (주자가) 대답했다. "그 사람이 힘을 쓰는 것에 달려 있다. 만약 힘을 쓰지 않으면, 이천에게서는 향하고 기댈 곳이 없을 것인데, 명도는 도리어 사람을 깨우치는 곳이 있다."

[39-3-40]
"'聞伯夷柳下惠之風者, 頑廉薄敦,' 皆有興起, 此孟子之善想象者也. '孔子元氣也, 顏子和風慶雲也, 孟子泰山巖巖之氣象也', 此程夫子之善想象者也. 今之想象大程夫子者, 當識其明快中和處; 小程夫子者, 當識其初年之嚴毅, 晚年又濟以寬平處. 豈徒想象而已哉? 必還以驗之吾身者如何也. 若言論風旨, 則誦其詩, 讀其書, 字字而訂之, 句句而議之, 非惟求以得其所言之深旨, 將併與其風範氣象皆得之矣."[206]
(주자가 말했다.) "'백이와 유하혜의 기풍을 들으면 완고한 사람이 청렴해지고 야박한 사람이 돈후해지니',[207] 모두 감화되어 떨쳐 일어난다는 것으로, 이는 맹자가 잘 상상한 것이다. '공자는 원기이고, 안자는 온화한 바람과 상서로운 구름이며, 맹자는 태산泰山의 높고 험한 기상이다.'[208]는 이는 정부자程夫子가

....

203 선생: 『朱子大全箚疑輯補』 권30에 "선생은 이정을 가리킨다. 명도가 '예전에 주무숙에게 학문을 배울 때 중니와 안자의 즐거움을 찾아보도록 시켰다.'라고 하였다.(先生謂二程. 明道曰, '昔受學於周茂叔, 令尋仲尼顏子樂')"라고 주해하였다.
204 『呂氏童蒙訓』: 송대 壽州 사람인 呂本中(1084~1145)이 지었으며 3권으로 이루어져 있다. 『童蒙訓』이라고도 한다. 여본중은 원래 이름은 大中이고 자는 居仁이며, 세칭 東萊先生이라고도 불린다. 증조부는 呂公著이고 조부는 呂希哲이다.
205 『朱子語類』 권93, 66조목
206 『朱子語類』 권93, 75조목
207 '백이와 유하혜의 … 돈후해지니': 『孟子』 「萬章下」에서는 "백이의 風度를 들은 자들은 완고한 사람이 청렴해지고, 나약한 사람이 立志를 갖게 된다. … 유하혜의 풍도를 들은 자들은 비루한 사람이 너그러워지며, 야박한 사람이 인심이 돈후해진다.(聞伯夷之風者, 頑夫廉, 懦夫有立志. … 聞柳下惠之風者, 鄙夫寬, 薄夫敦.)"라고 했다.
208 '공자는 원기이고 … 기상이다.': 『河南程氏遺書』 권5에 "중니는 원기이고, 안자는 봄에 생하는 것이며, 맹자는 가을의 肅殺을 아울러서 다 보는 것이다. … 중니는 천지이고, 안자는 온화한 바람과 상서로운 구름이며,

잘 상상한 것이다. 지금 대정부자大程夫子[程明道]를 상상하는 이는, 마땅히 그 명쾌하고 중中하고 화和한 것을 알아야 하고, 소정부자小程夫子[程伊川]를 상상하는 자는, 마땅히 그 젊은 시절의 엄숙하고 굳셈과 만년에 또 관후하고 평이함으로써 이루는 곳을 알아야 한다. 어찌 상상할 뿐이겠는가? 반드시 그것을 내 몸에 증험함이 어떠한지 돌이켜야 한다. 말씀과 지향에 대해서는, 그 시를 외우고 그 책을 읽으며 글자마다 평론하고, 구절마다 논의하면서, 그 말한 깊은 뜻을 얻고자 할 뿐만 아니라, 아울러 그 기풍과 도량, 기상을 모두 얻고자 해야 한다."

[39-3-41]

"某自十四五時讀程張書, 至今四十餘年. 但覺其義之深指之遠, 而近世紛紛所謂文章議論者, 殆不足復過眼, 信乎孟氏以來一人而已. 然非用力之深者, 亦無以自信其必然也."[209]

(주자가 말했다.) "나는 14~5세부터 정자程子와 장자張子의 글을 읽어, 지금까지 40여 년이 되었습니다. 다만 그 깊은 의미와 심원한 가르침을 깨달아서, 요즘 분분한 이른바 문장이나 의론들이 눈에 차기에 충분하지 않게 되었으니, 참으로 맹 씨孟氏[孟子] 이래로 한 사람일 뿐입니다. 그러나 깊이 힘을 쓴 사람이 아니라면, 또한 그것이 반드시 그렇다는 것을 스스로 믿을 수 없을 것입니다."

[39-3-42]

南軒張氏曰 : "二程先生始嘗受學于周先生, 而其自得之深, 充養之至, 精粹純密, 更益光大, 聖門之大全, 至是發明無遺憾矣."[210]

남헌 장씨南軒張氏[張栻]가 말했다. "이정 선생이 처음 주 선생周先生[周濂溪]에게 배울 적에 자득한 것이 심오했고, 채우고 기른 것이 지극했으며, 정밀하고 순수하고 자세했는데, 다시 더욱 빛나고 성대해졌으니, 성인 문하의 큰 완전함이 여기에 이르러 밝혀져 유감이 없어졌다."

[39-3-43]

"讀諸先生之書, 惟覺二程先生完全精粹. 愈讀愈無窮, 不可不詳味也."[211]

(남헌 장씨가 말했다.) "여러 선생들의 책을 읽어보니 오직 이정 선생만이 완전하고 정밀하고 순수함을 알겠다. 읽을수록 무궁하여, 상세히 완미하지 않을 수 없다."

[39-3-44]

"二先生所以教學者, 不越於居敬窮理二事. 取其書反覆讀之, 則可以見. 蓋居敬有力, 則其所

맹자는 泰山의 높고 험한 기상이다.(仲尼, 元氣也 ; 顏子, 春生也 ; 孟子, 幷秋殺盡見. … 仲尼, 天地也 ; 顏子, 和風慶雲也 ; 孟子, 泰山巖巖之氣象也.)"라고 하였다.

209 『朱文公文集』 권58 「答宋深之」
210 眞德秀, 『西山讀書記』 권30 「周子二程子傳授」
211 眞德秀, 『西山讀書記』 권30 「周子二程子傳授」

窮者愈精. 窮理浸明, 則其所居益有地, 二者蓋互相發也."[212]

(남헌 장씨가 말했다.) "두 선생[二程]이 학자들을 가르친 것은 거경居敬과 궁리窮理 두 가지 일을 넘지 않는다. 그 책을 가져다 반복해서 읽어보면 알 수 있다. 거경에 힘이 있으면 그 궁구하는 것이 더욱 정밀해진다. 궁리가 차츰 밝아지면 그 (거경에서) 머무는 것이 더욱 여지가 있게 되니, 두 가지는 서로 드러내어 주는 것이다."

[39-3-45]

"二先生其猶一氣之周流乎, 何其理之該而不偏, 辭之平而有味也! 讀『遺書』『易傳』, 他書眞難讀也."[213]

(남헌 장씨가 말했다.) "두 선생[二程]은 일기一氣가 두루 흐르는 것 같으니, 얼마나 그 리理가 갖추어져 치우치지 않고, 말씀이 평이하면서 맛이 있는가! 『하남정씨유서』와 『이천역전』을 읽으면, 다른 책들은 참으로 읽기에 부족하다."

張子 名載, 字子厚, 號橫渠 장자 이름은 재이고, 자는 자후이며, 호는 횡거이다.

[39-4-1]

程子曰: "子厚以禮敎學者, 最善. 使學者先有所據守."[214]

정자가 말했다. "자후子厚[張載]는 예로써 배우는 자들을 가르치니 매우 좋다. 배우는 자들에게 먼저 근거하여 지킬 것이 있도록 하였다."

[39-4-2]

"某接人治一作談經論道者亦甚多, 肯言及治體者, 誠未有如子厚."[215]

(정자가 말했다.) "내가 사람을 만나서 경전을 공부하고 어떤 판본에는 '담론하고'라고 되어 있다. 도道에 대해 논의한 경우가 매우 많았는데, 본체[體]를 기꺼이 언급한 자는 진실로 자후子厚[張載]만 한 이가 없었다."

[39-4-3]

"子厚才高,[216] 其學更先從雜博中過來."[217]

. . . .

212 『南軒集』 권26 「答陳平甫」
213 『南軒集』 권22 「答朱元晦 제7서」
214 『河南程氏遺書』 권2上
215 『河南程氏遺書』 권10 「洛陽議論」

(정자가 말했다.) "자후子厚[張載]는 재주가 뛰어나서, 그 학문은 더욱이 처음에 잡박한 데서부터 왔다."

[39-4-4]

問: "子厚立言得無有幾於迫切者乎?"

曰: "子厚之爲人謹且嚴, 是以其言似之. 方之孟子, 則寬宏舒泰有不及也. 然孟子猶有英氣存焉, 是以未若顏子之懿, 渾然無圭角之可見也."[218]

물었다. "자후子厚[張載]가 말한 것이 박절함에 가깝지 않습니까?"

(정자가) 대답했다. "자후의 사람됨은 근엄하니, 이 때문에 그 말이 이와 같다. 맹자에 비교해보면, 너그럽고 크고 편안함에 미치지 못하는 면이 있다. 그러나 맹자에게는 그래도 영기英氣가 있으니, 이 때문에 안자顏子[顏淵]의 아름다움이 혼연하게 모난 데가 없는 것[219]만 같지 못했다."

[39-4-5]

"某接人多矣, 不離者三人, 張子厚, 邵堯夫, 司馬君實."[220]

(정자가 말했다.) "내가 만난 사람들이 많았는데, 잡되지 않은 자는 세 사람 뿐이니, 장자후張子厚[張載], 소요부邵堯夫[邵雍], 사마군실司馬君實[司馬光]이다."

[39-4-6]

"子厚之氣似明道."[221]

(정자가 말했다.) "자후子厚[張載]의 기상은 명도와 유사하다."

[39-4-7]

答橫渠書曰: "所論大槩有苦心極力之象,[222] 而無寬裕溫柔之氣, 非明睿所照, 而考索至此. 故意屢偏而言多窒, 小出入時有之. 明睿所照者, 如目所睹, 纖微盡識之矣; 考索至者, 如揣料

---

216 子厚才高: 『河南程氏遺書』 권2上에는 "子厚則高才"로 되어 있다.
217 『河南程氏遺書』 권2上
218 『二程粹言』 권上
219 맹자에게는 그래도 … 것: 주자는 「孟子集註序說」에서 다음과 같이 정자의 말로 인용하였다. "맹자는 약간의 英氣가 있었으니, 영기가 있으면 곧 圭角이 있고, 영기는 일에 매우 해롭다. 顏子는 渾厚하여 이와 같지 않으니, 안자는 성인과의 거리가 다만 털끝만 한 사이였고, 맹자는 大賢이니 亞聖의 다음이다.(孟子有些英氣, 才有英氣, 便有圭角, 英氣甚害事. 如顏子便渾厚不同, 顏子去聖人只毫髮間, 孟子大賢, 亞聖之次也.)"
220 『河南程氏遺書』 권2상
221 『二程粹言』 권下
222 所論大槩有苦心極力之象: 『二程文集』 권10 「答橫渠先生書」에는 "餘所論以人槩氣象言之, 則有苦心極力之象"으로 되어 있다.

於物, 約見彷彿耳, 能無差乎?[223] 更望完養思慮,[224] 涵泳義理, 他日自當條暢."[225]

(정자가) 횡거에게 답한 편지글에서 말했다. "논한 것은 대체로 애를 쓰고 힘을 다한 모습만 있고, 너그럽고 온유한 기상은 없으니, 밝은 지혜로 비춰본 것이 아니고, 탐색하고 연구하여 여기에 도달한 것입니다. 그러므로 뜻이 자주 치우치고 말이 많이 막히며, 다소 들쑥날쑥할 때가 있습니다. 밝은 지혜가 비춘다는 것은 마치 눈으로 보는 것과 같아서 미세하게 모두 다 아는 것이고, 탐색하고 연구하여 도달한다는 것은 마치 사물을 더듬어서 헤아리는 것과 같아서 대략 비슷한 것을 볼 뿐이니, 잘못이 없을 수 있겠습니까? 다시 바라건대 생각을 무르익게 하고, 의리에 푹 젖게 하면[涵泳], 언젠가 당연히 조목조목 다 통하게 될 것입니다."[226]

[39-4-8]

呂晦叔薦先生于朝曰[227] : "張載學有本原, 西方之學者皆宗之."[228] 神宗卽命召見,[229] 問治道,[230] 皆以復三代爲對.[231] 他日見執政, 執政語之曰[232] : "新政之更, 懼不能任事, 求助於子, 何如?"

先生曰 : "朝廷將大有爲, 天下士願與下風. 若與人爲善, 則孰敢不盡? 如教玉人追琢, 則人亦故有不能."

223 明睿所照者, 如目所睹 … 能無差乎? : 『二程文集』 권10 「答橫渠先生書」에는 이 구절이 주석으로 되어 있다. 『張子全書』 권15 「伊洛淵源錄」 권6 『宋名臣言行錄』 「外集」 권4 등에는 본문으로 처리되어 있지만, 『近思錄』이나 呂柟의 『二程子抄釋』에는 주석으로 처리되어 있다. 특히 『近思錄』에는 "本註에 이르길(本註云)"이라고 명확히 표기되어 있고, 내용상으로도 주석으로 보는 것이 보다 타당하다.

224 更望完養思慮 : 『二程文集』 권10 「答橫渠先生書」에는 "更願完養思慮"로 되어 있다.

225 『二程文集』 권10 「答橫渠先生書」

226 다시 바라건대 … 것입니다. : 『近思錄』 권3에는 "애써 생각하여 억지로 탐색하면, 천착하는 데에 이르기 쉬우니, 이치에 도달하기에 부족하다. 침잠하기를[涵泳] 깊고 두텁게 하면 밝은 지혜가 저절로 생겨난다.(苦思强索, 則易至於鑿, 而不足以達於理. 涵泳深厚, 則明睿自生.)"라고 주해하였다.

227 呂晦叔薦先生于朝曰 : 呂大臨의 「橫渠先生行狀」에는 "上嗣位之二年, 登用大臣, 思有變更, 御史中丞呂晦叔薦先生于朝曰.(주상이 즉위하신 지 2년에 대신들을 등용하여 개혁을 하려고 마음먹으시니, 어사중승 여회숙이 선생을 조정에 천거하며 말했다.)"로 되어 있다. 이 중 思有變更에 대해 『性理群書句解』에는 "(왕안석의) 신정을 행하고자 하였다.(欲行新政.)"라고 주해하였다.

228 西方之學者皆宗之. : 『橫渠易說』과 『張子全書』 권15 「伊洛淵源錄」 권6에 실려 있는 呂大臨의 「橫渠先生行狀」에는 모두 '西方之學者'가 '四方之學者'로 되어 있다. '四方'의 오자일 가능성도 높지만, 『宋名臣言行錄』 「外集」 권4 『性理羣書句解』 권21 馮從吾의 『少墟集』 권19에는 "西方之學者"로 되어 있다. 또한 『性理群書句解』에는 "西蜀之學士"라고 주해하였다. 이에 근거하여 『性理大全書』 원문을 고치지 않고 그대로 따랐다.

229 神宗卽命召見 : 呂大臨의 「橫渠先生行狀」에는 "可以召對訪問. 上即命召既入見"으로 되어 있다.

230 問治道 : 呂大臨의 「橫渠先生行狀」에는 "上問治道"로 되어 있다.

231 皆以復三代爲對 : 呂大臨의 「橫渠先生行狀」에는 "皆以漸復三代爲對"로 되어 있다.

232 執政語之曰 : 呂大臨의 「橫渠先生行狀」에는 "執政嘗語曰"로 되어 있다.

執政嘿然.[233]

여회숙呂晦叔[呂公著]이 (횡거) 선생을 조정에 천거하며 말했다. "장재의 학문은 본원이 있으니, 서방西方[西蜀]의 학자들이[234] 모두 그를 존숭합니다." 신종神宗이 곧 명하여 불러 만나서, 다스림의 도리를 물었더니, 모두 삼대三代로 복귀하는 것으로써 대답하였다. 다른 날 집정執政[235] 대신을 만났는데, 집정 대신이 말했다. "(왕안석의) 신정의 개혁에서 일을 감당할 수 없을까 두려워서,[236] 그대에게 도움을 청하니, 어떻습니까?"

(횡거) 선생이 말했다. "조정이 크게 일을 하려고 하면, 천하의 선비들이 낮은 자리라도 참여하고자 할 것입니다. 만약 다른 사람이 선을 행하도록 인정하여 도와준다면,[237] 누군들 감히 (선을) 다하지 않겠습니까? 옥공에게 옥을 다듬는 것을 가르치듯 한다면[238] 사람들은 또한 오히려 잘하지 못하는 경우가 있게 될 것입니다."

그러자 집정 대신이 잠잠히 있었다.

[39-4-9]

藍田呂氏曰: "先生志氣不群, 少孤自立, 無所不學. 與邠人焦寅游, 寅喜談兵, 先生說其言. 當康定用兵時, 年十八, 慨然以功名自許. 上書謁范文正公, 公一見知其遠器, 欲成就之, 乃責之曰, '儒者自有名教, 何事於兵? 因勸讀『中庸』. 先生讀其書雖愛之, 猶未以爲足也. 於是又

· · · · · · · · · · · · · · · · · · · ·

233 『張子全書』 권15 「橫渠先生行狀, 呂大臨撰

234 西方(西蜀)의 학자들이: 『性理羣書句解』 권21 「行實·橫渠先生行狀」에는 "西蜀之學士"라고 주해하였다.

235 執政: 송대의 고급 관료들의 통칭. 參知政事, 門下侍郎, 中書侍郎, 尙書左右丞, 樞密使, 樞密副使, 知樞密院事, 同知樞密院事를 말한다.

236 일을 감당할 … 두려워서: 『性理群書句解』 권21에는 "이 책무를 맡을 수 있는 사람이 없을까 걱정이다.(慮無人以任此責.)"라고 주해했다.

237 다른 사람이 … 도와준다면: 『孟子』 「公孫丑上」에 "위대한 舜은 이보다도 더 위대한 면이 있었으니, 善을 남과 함께하여, 자신을 버리고 남을 따르며, 남에게서 취하여 선을 행하기를 좋아하였다. … 남에게서 취하여 선을 행하는 것은, 이것은 남이 선을 행하도록 도와주는 것이다. 그러므로 군자는 남이 선을 하도록 도와주는 것보다 더 훌륭한 것이 없다.(大舜有大焉, 善與人同, 舍己從人, 樂取於人以爲善. … 取諸人以爲善, 是與人爲善者也. 故君子莫大乎與人爲善.)"라고 하였고, 주자는 "'與'는 인정한다는 것이며, 돕는다는 것이다. 저 사람의 善을 취하여 나에게서 행한다면, 저 사람은 더욱 선을 하도록 권면하는 것이니, 이것은 내가 그에게 선행을 하도록 도와주는 것이다. 천하 사람들에게 모두 선행을 하도록 권면하게 한다면, 군자의 善중에서 무엇이 이보다 크겠는가?('與', 猶許也, 助也. 取彼之善而爲之於我, 則彼益勸於爲善矣, 是我助其爲善也. 能使天下之人, 皆勸於爲善, 君子之善, 孰大於此?)"라고 주해하였다.

238 옥공에게 옥을 … 한다면: 『性理群書句解』 권21에서는 "옥공에게 좋은 옥을 다듬도록 하는 것과 꼭 같이한다.(正猶使玉人雕琢良玉.)"라고 주해했다. 『孟子』 「梁惠王下」에서는 "지금 여기에 璞玉이 있으면 비록 10,000鎰이라도 반드시 玉工으로 하여금 다듬도록 하실 것이니, 국가를 다스리는 데에 있어서는 우선 네가 배운 것을 버리고 나를 따르라 하시니, 옥공에게 옥을 다듬도록 하는 것과는 왜 다르게 하십니까?(今有璞玉於此, 雖萬鎰, 必使玉人彫琢之, 至於治國家, 則曰姑舍女所學, 而從我, 則何以異於敎玉人彫琢玉哉?)"라고 했다.

訪諸釋老之書, 累年盡究其說, 知無所得, 反而求之六經.

남전 여씨藍田呂氏[呂大臨]가 말했다. "선생은 뜻과 기개가 특출나서,[239] 어려서 고아가 되어 자립하였으며, 배우지 않은 것이 없었다. 빈邠(지금의 陝西 西安) 땅 사람 초인焦寅에게 배웠는데, 초인은 병법을 담론하기를 좋아했고, 선생도 그 말을 좋아했다. 인종仁宗 강정康定 원년元年(1040년) 전쟁이 있을 때,[240] 선생은 나이 18세로 개연히 공을 세워 이름을 떨칠 것을 다짐하였다. 범문정공范文正公[范仲淹]에게 편지를 올려 뵈었는데, 범문정공이 한 번 보고 그의 그릇이 원대한 것을 알아보고, 그를 성취시키고자 하여, 꾸짖어 말했다. '유자에게는 본래 명교名敎가 있는데, 어찌하여 병법을 일삼는가?'라고 하고는 이어서 『중용』을 읽기를 권했다. 선생은 『중용』을 읽고 매우 좋아했지만, 그래도 아직 만족하지 못했다. 이에 불교와 노장의 서적들을 섭렵하고, 여러 해 동안 그 학설을 깊이 궁구하였지만, 얻을 것이 없음을 알고, 되돌아와 육경六經에서 구하였다.

嘉祐初見洛陽程伯淳正叔昆弟于京師, 共語道學之要. 先生渙然自信, 曰, '吾道自足, 何事旁求?' 乃盡棄異學淳如也. 間起從仕, 日益久, 學益明. 方未第時, 文潞公以故相判長安, 聞先生名行之美, 聘以束帛, 延之學宮, 異其禮際, 士子矜式焉. 晚自崇文移疾西歸, 終日危坐一室, 左右簡編, 俯而讀, 仰而思, 有得則識之, 或終夜起坐取燭以書.[241] 其志道精思, 未始須臾息, 亦未嘗須臾忘也. 學者有問, 多告以'知禮成性', 變化氣質之道, 學必如聖人而後已. 聞者莫不動心, 有進而自得之者. 窮神知化, 一天人, 立大本, 斥異學, 自孟子以來未之有也."[242]

가우嘉祐(1056~1063) 초에 낙양의 정백순程伯淳[程明道]과 정숙正叔[程伊川] 형제를 수도에서 만나서, 도학道學의 요점에 대해 함께 이야기했다. 선생은 크게 깨닫고서[243] 자신하여 말하였다. '우리의 도는 스스로 충분하니 어찌 곁에서 구하는 것을 일삼겠는가?'라고 하고는 이에 이단을 다 내버려 순수해졌다. (선생은) 중간에 일어나 벼슬하였는데, 시일이 오래 지날수록 학문은 더욱 밝아졌다. 아직 급제하지 않았을 때에 문로공文潞公[文彦博][244]이 과거 재상으로서 판장안判長安 벼슬을 지내며,[245] 선생의 평판과 행실의

<hr>

239 뜻과 기개가 특출나서: 『性理群書句解』 권21에는 "志氣가 범인들과 매우 달랐다.(志氣夐異凡人.)"라고 주해하였다.

240 仁宗 康定 … 때: 인종 강정 원년(1040년), 西夏의 왕 李元昊가 군사를 이끌고 침입하자 範仲淹은 陝西經略安撫副使에 임명되어 서하지방의 방어를 책임지게 되었다. 범중엄은 성공적으로 서북변방을 지켜내어 이름을 떨쳤고, 羌族들은 그를 높여 '龍圖老子'라고 일컬었다.

241 或終夜起坐取燭以書.: 『橫渠易說』과 『張子全書』 권15, 『伊洛淵源錄』 권6 『宋史』 권427 『近思錄』 권14 등에는 '終夜'가 '中夜'로 되어 있다.

242 『張子全書』 권15 「橫渠先生行狀, 呂大臨撰」

243 선생은 크게 깨닫고서: 『性理群書句解』 권21에는 "先生渙然"을 "선생이 크게 깨달아(先生大悟)"라고 주해하였다.

244 文彦博(1006~1097) : 자는 寬夫이고, 호는 伊叟이며, 북송 汾州 介休 사람이다. 天聖 5년(1027) 진사에 급제하고 인종, 영종, 신종, 철종의 네 황제 동안 수많은 벼슬을 거치며 밖으로는 장수를 안으로는 재상을 역임했다. 특히 현명한 재상으로 칭송받았으며, 관직은 太師, 平章軍國重事 등에 이르렀고, 潞國公에 봉해졌다.

훌륭함을 듣고, 예물을 갖추어 학궁學宮으로 초빙하여,[246] 특별하게 예우하였으니,[247] 선비[士子]들에게 본보기가 되게 하였다.[248] 만년에 숭문원崇文院에서 병을 핑계로 서쪽으로 귀향하여,[249] 종일토록 방에 무릎꿇고 앉아, 서적을 좌우에 늘어놓고, 고개 숙여 읽고 우러러 생각해서 터득한 것이 있으면 기록했는데, 혹은 밤새도록 앉아[250] 촛불을 밝히고 글을 쓰기도 하였다. 도에 뜻을 두고 생각을 정밀하게 하는 것을 한순간도 쉰 적이 없었고 또한 한순간도 잊은 적이 없었다. 배우는 자가 질문하면, 대부분 '앎知과 예가 성性을 이루고'[251] 기질을 변화하는 도리로, 학문이 반드시 성인과 같아진 뒤에나 그쳐야 한다고 일러주었다. 듣는 자들이 마음에 감동하여 진보하여 자득함이 있지 않은 이가 없었다. 신神을 궁구하여 조화를 알며,[252] 천天과 인人을 하나로 하며, 큰 근본을 세우며, 이단을 배척하였으니, 맹자 이래로 아직까지 이런 분이 없었다."

[39-4-10]

"先生氣質剛毅, 德盛貌嚴, 然與人居久而日親. 其治家接物, 大要正己以感人. 人未之信, 反躬自治, 不以語人, 雖有未喻, 安行而無悔, 故識與不識, 聞風而畏. 聞人之善, 喜見顏色. 答問學者,

----

시호는 忠烈이며, 만년에는 불교에 귀의했다. 저서에 『文潞公集』 권40이 있다.

245 과거 재상으로서 … 지내며 : 『性理群書句解』 권21에는 "옛날에 재상으로서 장안의 지방관으로 임용되었다.(舊爲相出判長安.)"라고 주해하였고, 『宋元學案』「橫渠學案」에는 "문로공이 使相이란 벼슬로써 장안의 지방관이 되어(文潞公以使相判長安)"라고 하였다.

246 예물을 갖추어 … 초빙하여 : 『宋元學案』「橫渠學案」에는 "선생을 학궁에 초빙하여(聘延先生於學宮)"라고 되어 있다. 한편 『性理群書句解』 권21에는 "학궁으로 초빙하여(延之學宮)" 아래에 "가르치는 직책으로써 대우하였다.(以學職處之.)"라고 주해하였다.

247 특별하게 예우하였으니 : 『孟子』「萬章下」에서는 "만일 그 禮로써 交際하기를 잘하면 이는 군자도 받는다.(苟善其禮際矣, 斯君子受之.)"라고 했다.

248 선비[士子]들에게 본보기가 … 하였다. : 『宋元學案』「橫渠學案」에는 "선비들[士子]에게 명하여 본보기로 삼도록 하였다.(命士子矜式焉)"라고 되어 있다.

249 만년에 崇文院에서 … 귀향하여 : 『近思錄釋義』 권14에는 "생각건대 횡거가 崇文院校書가 되었는데, 공교롭게도 아우인 天祺가 죄를 얻으니, 이에 사직을 고하고, 橫渠가 예전에 머물렀던 곳에 머물렀으니, 병을 핑계 삼아 관직에 나오지 않았다. 공은 조정을 떠나 남산 아래에 집을 짓고, 낡은 옷과 거친 밥 속에서 오로지 정밀하게 학문을 연구하였는데, 한순간도 쉬지 않았고, 한순간도 힘을 쓰지 않은 적이 없었고, 또한 한순간도 잊은 적이 없었다.(按橫渠爲崇文院校書, 會弟天祺得罪, 乃告歸, 居於橫渠故居, 遂移疾不起. 公去朝, 築室南山下, 弊衣蔬食, 專精治學, 未始須臾息, 未始頃刻不用力, 亦未始須臾忘也.)"라고 주해하였다.

250 밤새도록 앉아 : 『宋史』 권427이나 여대림의 「橫渠先生行狀」에는 '終夜'가 '中夜'로 되어 있고, 『性理群書句解』 권21에는 "혹은 한밤중에도 자리에서 일어나서 앉아서(或至半夜起而坐)"라고 주해하였다.

251 '앎知과 예가 … 이루고' : 『正蒙』에서는 "앎知이 미치더라도 예로써 그것을 본성으로 굳히지 않으면, 자기가 가지고 있는 것이 아닌 것이다. 그러므로, 앎知과 예가 性을 이루고 도의가 나오니, 예컨대 하늘과 땅이 자리잡히고 나서 변화易가 행해지는 것과 같다.(知及之而不以禮性之, 非己有也. 故知禮成性而道義出, 如天地位而易行.)"라고 했다. [6-9-52]를 참조할 것

252 神을 궁구하여 … 알며 : 『周易』「繫辭下」 제5장

雖多不倦. 有不能者, 未嘗不開其端, 有可語者, 必丁寧以誨之, 惟恐其成就之晚."[253]

"(횡거) 선생은 기질이 강하고 굳세며, 덕이 성대하고 외모는 엄숙하였으나, 남들과 함께할 때 오래될수록 날로 친해졌다. 집안을 다스리고 남을 대할 때 큰 요지는 자기를 바르게 함으로써 남을 감동시키는 것이었다. 남이 아직 믿어주지 않으면 자기를 반성하여 스스로를 다스리고, 그것을 남에게 말하지 않았으며, 비록 상대가 깨닫지 못하더라도 편안히 행하여 후회가 없었으니, 그러므로 아는 이나 모르는 이나 모두 기풍만 듣고도 두려워하였다. 남의 선함에 대해 들으면 기쁨이 안색에 드러났다. 학자들과 문답할 적에는 비록 (문답하는 내용이) 많더라도 싫증 내지 않았다. 잘하지 못하는 자가 있으면 그 실마리를 열어주지 않은 적이 없었고, 말해줄 만한 것이 있으면, 반드시 정성스럽게 가르쳐주면서 오직 그 성취가 늦을까만을 걱정하였다."

[39-4-11]

廣平游氏曰: "子厚學成德尊與孟子比, 然猶秘其學. 明道曰, '處今之時,[254] 當隨其資教之, 雖識有明暗, 亦各有得焉.' 子厚用其言, 故關中學者躬行之多, 與洛人並."[255]

광평 유씨廣平游氏[游酢]가 말했다. "자후子厚[張載]는 학문이 완성되고 덕이 높아 맹자와 비견되었지만, 여전히 학문을 감추었다. 명도가 말했다. '오늘날에 처하여 마땅히 그 자질을 따라 가르쳐야 하니, 비록 식견에 밝고 어두움이 있다 하더라도 또한 각각 터득하는 것이 있게 해야 한다.' 자후가 그 말을 사용하였기에, 관중의 학자들이 몸소 실행하는 이들이 많아, 낙양 사람들과 어깨를 나란히 하였다."

[39-4-12]

或論橫渠, 龜山楊氏曰: "正叔先生亦自不許他."

曰: "先生嘗言自孟子之後無他見識, 何也?"

曰: "如彼見識, 秦漢以來何人到得?"[256]

어떤 사람이 횡거橫渠에 대해 말하자, 구산 양씨龜山楊氏[楊時]가 말하였다. "정숙 선생正叔先生[程伊川] 또한 본시 그를 인정하지 않았다."

물었다. "선생은 일찍이 맹자 이후로 그만한 식견을 가진 이가 없다고 말씀하셨는데 왜 그렇습니까?"

(구산 양씨가) 대답했다. "그와 같은 식견은 진한秦漢 이래로 누가 도달했겠는가?"

[39-4-13]

和靖尹氏曰: "橫渠昔在京, 坐虎皮說『周易』, 聽從甚衆. 一夕二程先生至論『易』, 次日撤去虎

---

253 『張子全書』권15「橫渠先生行狀, 呂大臨撰」
254 處今之時:『河南程氏遺書』「附錄·書行狀後, 游酢撰」에는 趣今之時로 되어 있다.
255 『游廌山集』권4「書明道先生行狀後」;『張子全書』권15「附錄」
256 『龜山集』권13「語錄·餘杭所聞」

皮. 曰, ‘吾平日與諸公說者皆亂道. 有二程近到, 深明『易』道, 吾所弗及, 汝輩可師之.’ 乃歸陝西."[257]

화정 윤씨和靖尹氏[尹焞]이 말했다. "횡거橫渠가 예전에 수도에 있을 때, 호랑이 가죽을 깔고 앉아 『주역』을 설명하였는데, 청중들이 매우 많았다. 어느 날 저녁에 두 정 선생이 와서 『역』을 논하였는데, 다음날 횡거는 호랑이 가죽 깔개를 거두어들이면서 말했다. ‘내가 평소에 여러분들에게 말한 것들은 모두 어지러운 말이다. 두 정 선생이 최근에 오셨는데, 『역』의 도에 매우 밝아, 내가 미칠 수 없는 것이니, 여러분들이 스승으로 모실 만하다.’라고 하고는 섬서로 돌아가버렸다."

[39-4-14]

或問: "橫渠言‘十五年學「恭而安」不成.’[258] 明道曰, ‘可知是學不成, 有多少病在,’ 莫是如伊川說, ‘若不知得, 只是覷却堯, 學他行事, 無堯許多聰明睿知, 怎生得似他動容周旋中禮?’"[259]

朱子曰: "也是如此, 更有多少病." 良久, 曰: "人便是被一箇氣質局定, 變得些子了, 又有些子 ; 變得些子, 又更有些子."

問: "橫渠只是硬把捉, 故不安否?"

曰: "他只是學箇恭, 自驗見不曾熟, 不是學箇恭又學箇安."[260]

어떤 사람이 물었다. "횡거는 ‘15년 동안 「공손하면서도 편안한 것」[261]을 배웠지만 이루지 못했다.’[262]라고 했습니다. 명도는 ‘배워서 이루지 못했다는 말 속에 다소간의 문제점이 있음을 알 수 있다.’[263]라고 했습니다. 이것은 이천이 ‘만약 알지 못한다면[264] 다만 요임금을 엿보아서 그의 겉모습[行事]만을 배울

----

257 『河南程氏外書』 권12 ; 『張子全書』 권15

258 橫渠言十五年學恭而安不成. : 『張子全書』 권15 「附錄」과 『河南程氏外書』 권12에는 橫渠嘗言吾十五年學箇恭而安不成으로 되어 있다.

259 『河南程氏遺書』 권18

260 『朱子語類』 권34, 221조목과 『朱子語類』 권97, 81조목

261 「공손하면서도 편안한 것」 : 『論語』 「述而」에서는 "공자는 온화하면서도 엄숙하며, 위엄이 있으면서도 사납지 않으며, 공손하면서도 편안하였다.(子溫而厲, 威而不猛, 恭而安.)"라고 했다.

262 횡거는 ‘15년 … 못했다.’ : 『朱子語類』 권34, 220조목에서는 "물었다. ‘장횡거가 15년 동안 「공손하면서도 편안한 것」을 배웠지만 이루지 못했다고 했습니다.’ (주자가) 대답했다. 「공손하면서도 편안한 것」을 어떻게 배워서 이룰 수 있는 것이겠는가? 편안하면 공손하지 않고, 공손하면 편안하지 않으니, 이것은 힘을 써서 될 수 있는 것이 아니고, 성인이 양성하는 일이다.(問, 『張子云, 十五年學箇「恭而安」不成.’ 曰, 「恭而安」, 如何學得成? 安便不恭, 恭便不安, 這箇使力不得, 是聖人養成底事.’)"라고 하였다.

263 횡거는 ‘15년 … 있다.’ : 『河南程氏外書』 권12

264 만약 알지 못한다면 : 『河南程氏遺書』 권18에는 이 구절 앞에 "물었다. ‘충과 신으로 덕에 나아가는 일은 진실로 힘쓸 만합니다. 그러나 致知는 심히 어렵습니다.’ 대답했다. ‘그대는 誠과 敬을 힘쓸 만하다. 또 이렇게 말해야 한다. 결국 알아야 행할 수 있다.(問, 忠信進德之事, 固可勉强. 然致知甚難. 曰, 子以誠敬爲可勉强. 且恁地說. 到底, 須是知了方行得.)"라는 내용이 더 있다.

뿐이고, 요임금의 수많은 총명과 슬기는 없으니, 어떻게 요임금처럼 모든 행동과 일처리가 예에 들어맞을 수 있겠는가?'라고 말한 것과 같은 것이 아니겠습니까?"

주자가 말했다. "또한 이와 같으면, 다시 다소간의 문제점이 있을 것이다." 한참 있다가 말했다. "사람은 곧 기질에 의해 국한되므로, 조금 변하게 되면 (병통이) 또 다시 조금 생기게 되며, 조금 변하게 되면 또 다시 조금 생기게 된다."

물었다. "횡거는 다만 단단하게 붙잡기만 했기 때문에, 편안한 경지에 이르지 못한 것입니까?"

(주자가) 대답했다. "그는 다만 공손함을 배우고, 스스로 증험해 본 것이 아직 익숙하지 않은 것뿐이지, 공손함을 배우고 나서 또 편안함을 배우는 것은 아니다."

[39-4-15]

"橫渠云[265]: '吾學旣得於心, 則修其辭, 命辭無差, 然後斷事. 斷事無失, 吾乃沛然.'

看來理會道理, 須是說得出, 一字不穩, 便無下落. 所以橫渠中夜便筆之於紙, 只要有下落. 而今理會得有下落底, 臨事尙脚忙手亂, 況不曾理會得下落? 橫渠如此, 若論道理他却未熟, 然他地位却要如此. 高明底則不必如此."[266]

(주자가 말했다.) "횡거橫渠가 말했다. '우리의 학문은 이미 마음이 얻고 나면 말을 다듬고, 명명한 말에 어그러짐이 없어진 다음에야 일을 결단한다. 일을 결단하는 데 잘못이 없으면, 우리는 비로소 막히는 것이 없어진다.'[267]

생각건대, 도리를 이해한다면, 반드시 말로 표현할 수 있어야 하니, 한 글자라도 온당하지 않으면 곧 낙착下落되지 않는[268] 것이다. 그래서 횡거가 한밤중에 종이에 붓으로 썼던 것[269]은 다만 낙착되게 하고자 한 까닭에서이다. 그런데 지금 이해하여 낙착되는 곳이 있더라도, 일에 임하여서 오히려 손발을 어떻게 놀릴지 몰라 당황하는데, 하물며 일찍이 이해하여 낙착할 수도 없는 것에 있어서랴? 횡거가 이와 같으니, 만약 도리를 논한다면 그는 아직 미숙하지만, 그는 경지가 이와 같이 되도록 하려 한 것이다. 고명高明한 사람이라면, 반드시 이와 같을 필요는 없다."

---

265 橫渠云: 『張子全書』 권15 「附錄」에는 '橫渠云' 앞에 '又曰'이 있다. 이 앞의 문장들이 모두 朱子의 글인 것으로 보아, 이 글 역시 횡거의 문장을 인용한 주자의 글로 보인다.

266 『張子全書』 권15 「附錄」

267 우리의 학문은 … 없어진다. : 葉采는 『近思錄』에서 "사람이 의리에 있어 처음 마음에서 터득한 것은 비록 분명하여 의심이 없더라도, 입으로 말하고 책에 쓰게 되면 혹 잘못되는 경우가 있다. 그러므로 言辭에 어그러짐이 없으면 본 것이 이미 자세한 것이니, 이것을 가지고 사물에 대응하면 앎이 밝고 이치가 정밀하여 묘용이 고정된 方所가 없어질 것이다.(人於義理, 其初得於心者, 雖了然無疑, 及宣之於口, 筆之於牘, 則或有差. 故命辭無差則所見已審, 以是應酬事物, 知明理精妙用無方矣.)"라고 주해하였다.

268 낙착[下落]: '下落'에 대해, 『朱子大全箚疑輯補』에는 "간 곳을 말한다.[謂去處也.]"(권18), "귀결・결말이라는 말과 같다.[猶言着落.]"(권4, 권30), "돌아간 곳이라는 말과 같다.[猶言歸宿.]"(권30)라고 주해하였다.

269 횡거가 한밤중에 … 것 : [39-4-9]를 참조할 것

[39-4-16]

"橫渠之學, 是苦心得之, 乃是致曲, 與伊川異. 以孔子爲非生知, 渠蓋執好古敏以求之, 故有此說. 不知好古敏以求之, 非孔子做不得."[270]

(주자가 말했다.) "횡거의 학문은 고심해서 얻은 것으로, 한쪽을 지극히 한 것[致曲][271]이니 이천伊川과 다르다. (그는) 공자를 날 때부터 아는 사람이 아니라고 여겼는데, 그는 아마도 '옛것을 좋아하고 급급하게 그것을 구하는 것'[272]이란 말에 집착하였으므로, 이러한 말을 한 것이다. (그러나) '옛것을 좋아하고 급급하게 그것을 구하는 것'은 공자가 아니면 할 수 없는 것임을 알지 못했다."

[39-4-17]

問: "橫渠之教, 以禮爲先. 某恐謂之禮, 則有品節, 每遇事, 須用秤停當, 禮方可遵守. 初學者或未嘗識禮, 恐無下手處. 敬則有一念之肅, 便已改容更貌, 不費安排, 事事上見得此意. 如何?"

曰: "古人自幼入小學便教以禮, 及長自然在規矩之中. 橫渠却是以官法教人.[273] 禮也易學, 今人乍見往往以爲難. 某嘗要取三禮編成一書, 事多蹉過, 若有朋友, 只兩年工夫可成."[274]

물었다. "횡거의 가르침은 예禮를 우선으로 합니다. 저는 아마도 예라고 하면, 등급과 절차品節가 있으니, 일을 만날 적마다 반드시 저울질하여 알맞도록 해야, 예를 비로소 준수할 수 있습니다. 초학자初學者들은 혹 아직 예를 알지 못하면, 시작할 곳이 없을 것입니다. 경敬하면 생각이 엄숙해져서, 곧 이미 용모를 바꾸게 되니, 애써 안배하지 않아도 일마다 이 의미를 볼 수 있습니다. 어떻습니까?"

(주자가) 대답했다. "옛사람들은 어릴 때 소학을 들어가면서 곧 예를 가르치니, 성장하게 되면 자연스럽게 규범 속에 있게 된다. 횡거는 그런데 도리어 관청의 법규로 사람을 가르쳤다. 예는 배우기 쉬운 것인데, 요즘 사람들은 잠깐 보고서 왕왕 어려운 것이라고 여긴다. 나는 일찍이 삼례三禮(『예기』, 『주례』, 『의례』)를 가져다가 한 권의 책으로 편성하려고 했는데, 일이 많아 시기를 놓쳤지만,[275] 만일 함께할 벗이 있다면 2년의 노력이면 완성할 수 있다."

---

270 『朱子語類』 권93, 84조목
271 한쪽을 지극히 … 것[致曲]: 『中庸』 제23장에서는 "그 다음은 한쪽으로 지극히 하는 것이니, 한쪽으로 지극히 하면 능히 誠할 수 있다.(其次致曲, 曲能有誠.)"라고 했고, 주자는 『集註』에서 "致는 미루어 지극히 하는 것이고, 曲은 한쪽 편의 치우침이다.(致, 推致也, 曲, 一偏也.)"라고 주해하였다.
272 공자를 날 … 것: 『論語』 「述而」에서는 "나는 나면서부터 안 자가 아니라, 옛것을 좋아하여 급급히 그것을 구한 자이다.(我非生而知之者, 好古敏以求之者也.)"라고 했다.
273 橫渠却是以官法教人.: 『朱子語類』 권93, 85조목에는 '以'가 '用'으로 되어 있다.
274 『朱子語類』 권93, 85조목
275 일이 많아 … 놓쳤지만: 『朱子語類考文解義』 제21에는 "일이 많았기 때문에 시기를 놓치고 아직 완성하지 못했다는 말이다.(謂以多事而蹉過未成也.)"라고 주해했다.

[39-4-18]

"横渠教人道：'夜間自不合睡，只爲無可應接，他人皆睡了，己不得不睡.' 他做正蒙時，或夜裏默坐徹曉，他直是恁地勇，方做得."

因舉曾子'任重道遠'一段，曰："子思曾子直恁地，方被他打得透."[276]

(주자가 말했다.) "횡거가 남을 가르치며 말했다.[277] '밤이라도 본래 잠자지 말아야 하지만,[278] 다만 응접應接할 것이 없고, 다른 사람들이 모두 잠들었기 때문에, 나는 부득이하게 잠을 잔다.' 그가 『정몽』을 지을 때, 혹은 밤중에 말없이 앉아 새벽까지 뜬눈으로 새웠는데, 그는 줄곧 이렇게 용맹정진 했으므로 비로소 (『정몽』을) 완성할 수 있었다."

증자의 '책임이 무겁고 길이 멀다.'[279]는 단락을 들어서, 말했다. "자사와 증자가 줄곧 이렇게 하였으니, 비로소 그들에 의해 투철해지게 되었다."

[39-4-19]

問："程張之門於六經,[280] 多指說道之精微，學之要領，與夫下手處. 雖甚精切易見,[281] 然被他開了四至，便覺規模狹了."[282]

曰[283]："橫渠最親切，程氏規模廣大，學者少有能如橫渠輩用功者. 近看得橫渠用工最親切，直是可畏."[284]

물었다. "이정과 장횡거의 문하에서는 육경六經에 대해, 대부분 도道의 정미精微함과 학문의 요령要領과 착수하는 곳을 가리켜 말했습니다. 비록 매우 친절하고 이해하기 쉽긴 하지만, 그들이 여러 측면으로 확장하여 논의한 것이,[285] 곧 규모가 좁아진 것을 알게 되었습니다."

. . . .

276 『朱子語類』권99, 4조목
277 말했다. : 『朱子語類考文解義』제23에는 "'道'는 말한다는 뜻이다.(道, 言也.)"라고 주해하였다.
278 잠자지 말아야 하지만 : 『朱子語類考文解義』제23에는 "비록 혼자 깨어있을 수 없다 하더라도, 끝내 잠을 자는 것도 옳지 않으니, 마땅히 쉬지 않고 열심히 공부해야 한다는 말이다.(謂雖不得獨醒, 終是不當睡, 宜用功不息也.)"라고 주해하였다.
279 '책임이 무겁고 … 멀다.' : 『論語』「泰伯」에서는 "증자가 말했다. '선비는 도량이 넓고 뜻이 굳세지 않으면 안 된다. 책임이 무겁고 길이 멀기 때문이다.'(曾子曰, '士不可以不弘毅, 任重而道遠.')"라고 했다.
280 程張之門於六經 : 『朱子語類』권93, 89조목에는 "孔子六經之書, 盡是說道理內實事故, 便覺得此道大. 自孟子以下, 如程張之門(공자의 육경은 모두 다 도리 안에서 실제 일을 말했기 때문에 곧 이 도가 큰 것을 알았습니다. 맹자 이후로 이정과 장횡거의 문하에서는)"으로 되어 있다.
281 雖甚精切易見 : 『朱子語類』권93, 89조목에는 '精'이 '親'으로 되어 있다.
282 便覺規模狹了. : 『朱子語類』권93, 89조목에는 "便覺規模狹了, 不如孔子六經氣象大"로 되어 있다.
283 曰 : 『朱子語類』권93, 89조목에는 "曰, 後來緣急欲人曉得, 故不得不然, 然亦無他不得. 若無他說破, 則六經雖大, 學者從何處入頭?(대답했다. 후대에 사람들이 깨닫기를 간절히 바랐기 때문에 그러므로 부득이 그러한 것이지만, 그들이 없으면 안 된다. 만약 그들이 설파하지 않았다면 육경이 비록 위대하더라도 배우는 자들이 어디로부터 들어갈 수 있었겠는가?)"라고 되어 있다.
284 『朱子語類』권93, 89조목

(주자가) 대답했다. "횡거는 가장 친절하고, 이정은 규모가 광대하니, 배우는 자들 중에 횡거처럼 열심히 노력하는 자는 별로 없다. 근래에 보면 횡거의 노력이 가장 친절하니, 바로 두려워할 만하다."

[39-4-20]

問: "橫渠似孟子否?"

曰: "橫渠嚴密, 孟子宏闊."

又問: "孟子平正, 橫渠高處太高, 僻處太僻."

曰: "是."

又曰: "橫渠之於程子, 猶伯夷伊尹之於孔子."[286]

물었다. "횡거는 맹자와 유사합니까?"

(주자가) 대답했다. "횡거는 엄밀하고, 맹자는 광활하다."

또 물었다. "맹자는 공평하고 정직한데, 횡거는 높은 곳은 지나치게 높고 치우친 곳은 지나치게 치우쳤습니다."

(주자가) 대답했다. "그렇다."

(주자가) 또 말했다. "횡거와 정자의 관계는 백이 · 이윤과 공자의 관계[287]와 같다."

· ·

285 여러 측면으로 … 것이: 『朱子語類考文解義』 제21에는 "사방으로 이르다[四至]'는 '사면' 또는 '사방으로 이르다'는 것과 같다.(四至, 猶四面或稱四到.)"라고 주해하였다.

286 問: 橫渠似孟子否? … 僻處太僻. 曰, 是는 『朱子語類』 권93, 81조목의 글이고, 橫渠之於程子, 猶伯夷伊尹之於孔子는 『朱子語類』 권93, 88조목의 글이다.

287 백이 · 이윤과 공자의 관계: 『孟子』「萬章下」에 "伯夷는 눈으로는 나쁜 빛을 보지 아니하며, 귀로는 나쁜 소리를 듣지 아니하고, 섬길 만한 군주가 아니면 섬기지 아니하며, 올바른 백성이 아니면 부리지 아니하였다. 세상이 다스려지면 나아가고 혼란하면 물러났다. … 伊尹은 '어느 사람을 섬기면 군주가 아니며, 어느 사람을 부리면 백성이 아니겠는가.'라고 하여, 세상이 다스려져도 나아가고 혼란해도 나아가서, '하늘이 이 백성을 낸 것은 먼저 안 사람으로 하여금 뒤늦게 아는 사람을 깨우쳐주며, 先覺者로 하여금 뒤늦게 깨닫는 자를 깨우치게 하신 것이니, 나는 하늘이 낸 백성 중에 선각자이니, 내 장차 이 道로써 이 백성을 깨우치겠다.'라고 하였다. … 柳下惠는 더러운 군주를 섬김을 부끄러워하지 않으며, 작은 벼슬을 사양하지 않으며, 나아가면 현명함을 숨기지 아니하여 반드시 그 도리대로 하며, (벼슬길에서) 버림을 받아도 원망하지 않고, 곤궁을 당해도 걱정하지 않았다. … 공자가 제나라를 떠날 적에 (밥을 지으려고) 쌀을 담갔다가 건져 가지고 떠났고, 노나라를 떠날 적에는 '더디고 더디다, 내 걸음이여!'라고 했으니, 이는 부모의 나라를 떠나는 도리이다. 속히 떠날 만하면 속히 떠나고, 오래 머무를 만하면 오래 머물며, 은둔할 만하면 은둔하고, 벼슬할 만하면 벼슬한 것은 공자이시다. 맹자가 말했다. '伯夷는 성인 중에서 淸한 자요, 伊尹은 성인 중에서 自任한 자요, 柳下惠는 성인 중에서 和한 자요, 孔子는 성인 중에서 時中인 자이시다.'(伯夷, 目不視惡色, 耳不聽惡聲. 非其君, 不事, 非其民, 不使. 治則進, 亂則退. … 伊尹曰, '何事非君? 何使非民? 治亦進, 亂亦進. 曰, '天之生斯民也, 使先知覺後知, 使先覺覺後覺. 予, 天民之先覺者也. 予將以此道覺此民也.' … 柳下惠不羞汙君, 不辭小官. 進不隱賢, 必以其道. 遺佚而不怨, 阨窮而不憫. … 孔子之去齊, 接淅而行, 去魯, 曰, '遲遲吾行也, 去父母國之道也.' 可以速則速, 可以久則久, 可以處則處, 可以仕則仕, 孔子也. 孟子曰, '伯夷, 聖之淸者也, 伊尹, 聖之

[39-4-21]

或云: "諸先生說話, 皆不及小程先生. 雖大程亦不及."

曰: "不然. 明道說話儘高, 邵張說得端的處儘好. 且如伊川說'仁者, 天下之公, 善之本也,' 大段寬而不切. 如橫渠說'心統性情,' 這般所在說得的當. 又如伊川謂'鬼神者, 造化之迹,' 却不如橫渠所謂'二氣之良能也.'"288

어떤 사람이 말했다. "여러 선생들이 한 말은, 모두 소정 선생小程先生[程頤]에 미치지 못합니다. 비록 대정大程[程顥]이라 하더라도 또한 미치지 못합니다."

(주자가) 말했다. "그렇지 않다. 명도의 말은 매우 높고, 소옹과 장재가 분명하게 말한 곳은 매우 좋다. 예컨대 이천은 '인은 천하의 공公이고, 선의 근본이다.'289라고 했는데, 대체로 느슨하면서 절실하지 않다. 횡거가 말한 '심心이 성性과 정情을 통섭한다.'290의 경우, 이러한 곳은 말한 것이 꼭 들어맞는다. 또 이천이 '귀신은 조화의 자취이다.'291라고 말한 것은 도리어 횡거의 이른바 '(귀신은) 음양 두 기二氣의 양능良能이다.'292보다 못하다."

[39-4-22]

"明道之學, 從容涵泳之味洽 ; 橫渠之學, 苦心力索之功深."293

(주자가 말했다.) "명도의 학문은 느긋하게 푹 젖어 노니는 맛이 흡족하고, 횡거의 학문은 고심하여 힘써 모색하는 공이 깊다."

[39-4-23]

"曾子剛毅, 立得墙壁在, 而後可傳之子思孟子. 伊川橫渠甚嚴, 游楊之門倒塌了. 若天資大段高, 則學明道 ; 若不及明道, 則且學伊川橫渠."294

(주자가 말했다.) "증자는 강하고 굳세었으니, 담벽처럼 우뚝 선 후에 자사와 맹자에게 전할 수 있었다. 이천과 횡거는 매우 엄하였는데, 유초游酢295와 양시楊時296의 문하에서 무너졌다.297 만약 타고난 자질이

任者也, 柳下惠, 聖之和者也, 孔子, 聖之時者也.')"라고 하였다.

288 『朱子語類』 권93, 90조목
289 '인은 천하의 … 근본이다.' : 『伊川易傳』 권2 「復卦·六二」
290 '心이 性과 … 통섭한다.' : 『張子全書』 권14 「性理拾遺」
291 '귀신은 조화의 자취이다.' : 『伊川易傳』 권1 「乾卦·九四」
292 (귀신은) 음양 … 양능이다. : 『正蒙』 「太和篇」
293 『朱子語類』 권93, 87조목
294 『朱子語類』 권115, 51조목
295 遊酢(1053~1123) : 字는 定夫이고, 호는 廌山이며, 북송 福建 建陽 사람이다. 형인 醇과 함께 글과 행동으로 이름을 날렸다. 太學博士, 敎授, 監察御史, 知州 등을 역임했다. 1072년 河南洛陽으로 가서 程顥, 程頤에게 배웠으며 뒤에 程門四先生이라 불렸다. 저서에 『易說』·『中庸義』·『論語雜解』·『孟子雜解』 등이 있다.
296 楊時(1044~1130) : 字는 中立이고, 호는 龜山이며, 북송 福建 將樂縣 龜山 아래에서 살았다. 宋 熙寧 9년

매우 높으면 명도를 배우고, 만약 명도에게 미치지 못한다면 또 이천과 횡거를 배워라."

[39-4-24]

贊先生像曰: "早悅孫吳, 晚逃佛老. 勇撤皐比, 一變至道. 精思力踐, 妙契疾書. 訂頑之訓, 示我廣居."[298]

(주자가) 선생의 화상찬에 말하였다. "일찍이 손자와 오자의 병법을 좋아하다가, 뒤에 불교와 노장으로 달아났다. 용기는 호랑이 가죽 깔개를 거두었고,[299] 한 번 변화하여 성인의 도에 이르렀다.[300] 정밀하게 생각하고 힘써 실천하며, 마음에 묘합하는 것을 얻으면 재빨리 기록하였다.[301] 『정완訂頑』의 가르침[302]이 나에게 넓은 집[廣居][303]을 보여주었다."

[39-4-25]

西山眞氏曰: "張子有言 '爲天地立心, 爲生民立極,[304] 爲前聖繼絶學, 爲萬世開太平.' 又曰, '此道自孟子後千有餘歲. 若天不欲此道復明, 則不使今人有知者. 旣使人有知者, 則必有復明

(1076) 진사를 한 이래 調汀州司戶參軍과 龍圖閣直學士 등을 역임했다. 29세 때 程顥를 스승으로 섬겼으며, 양시가 학문을 이루고 고향으로 돌아갈 때 정호가 배웅하며 "나의 도가 남쪽으로 간다.(吾道南矣.)"라고 했다. 후에 양시는 또 程頤를 따라 배웠다. 저서에 『二程粹言』·『龜山集』이 있다.

297 游酢와 楊時의… 무너졌다. : 『朱子語類』 권101, 9조목에는 "유초, 양시, 사상채 세 군자는 처음에 모두 禪을 배웠다. 후에도 남은 습성이 아직 있으므로, 배우는 자들이 대부분 禪으로 흘렀다.(游楊謝三君子初皆學禪. 後來餘習猶在, 故學之者多流於禪.)"라고 했고, 권101, 12조목에는 "내가 보건대 두 분 선생의 의발은 아마도 전해받은 자가 없는 것 같다.(以某觀之, 二先生衣缽似無傳之者.)"라고 하였다.

298 『朱文公文集』 권85 「六先生畫像贊·橫渠先生」

299 용기는 호랑이 … 거두었고 : 『性理群書句解』 권1에는 "'皐比'는 호랑이 가죽이다. 일찍이 서울에서 호랑이 가죽을 깔고 앉아 『周易』을 강설하였는데, 이정이 『易』을 논하는 것을 듣고, 드디어 호랑이 가죽을 간 자리를 철거해버렸다.(皐比, 虎皮也. 嘗在京師坐虎皮說周易, 及聞二程論易, 遂撤去皐比之席.)"라고 주해하였다. [39-4-13]을 참조할 것

300 한 번 … 이르렀다. : 『論語』 「雍也」에서는 "齊나라가 한 번 변화하면 魯나라에 이르고, 노나라가 한 번 변화하면 선왕의 도에 이를 것이다.(齊一變, 至於魯, 魯一變, 至於道.)"라고 했다. 『性理群書句解』 권1에서는 "한 번 변하는 것으로 말미암아 성인의 도에 이른다.(由是一變, 而至聖人之道)"라고 주해하였다.

301 마음에 묘합하는 … 기록하였다. : 『性理群書句解』 권1에는 "한밤중에 그 마음에 묘합하면, 등불을 가져다가 마음에 얻은 것을 재빨리 기록하였다.(中夜妙合于此心, 取燭速記其所得)"라고 주해하였다.

302 『訂頑』의 가르침 : 『性理群書句解』 권1에는 "『西銘』의 처음 이름이 『訂頑』이었으니, 선생이 이것을 지어 배우는 자들을 깨우쳤다. 訂은 바로잡는다는 것이다.(西銘之書, 初名訂頑, 先生所作以誨學者. 訂, 正也.)"라고 주해하였다.

303 넓은 집[廣居] : 『孟子』 「滕文公下」에서는 "천하의 넓은 집에 거처하며, 천하의 바른 자리에 서며, 천하의 대도를 행한다.(居天下之廣居, 立天下之正位, 行天下之大道.)"라고 했고, 주자는 『集註』에서 "넓은 집은 인이고, 바른 자리는 예이고, 대도는 의이다.(廣居, 仁也; 正位, 禮也; 大道, 義也.)"라고 주해했다.

304 爲生民立極 : 『張子全書』 권14 「性理拾遺」에는 '極'이 '命'으로 되어 있다.

之理,'³⁰⁵ 此皆先生以道自任之意."³⁰⁶

서산 진씨西山眞氏[眞德秀]가 말했다. "장자張子[張載]는 '천지를 위해 마음을 세우고, 백성을 위해 표준[極]³⁰⁷을 세우며, 옛 성인을 위해 끊어진 학문을 잇고, 만세萬世를 위해 태평太平을 연다.'³⁰⁸라고 말했다. 또 '이 도는 맹자 이후로부터 천여 년이 되었다. 만약 하늘이 이 도를 다시 밝히려고 하지 않았다면 지금 사람들에게 아는 자가 있도록 하지 않았을 것이다. 이미 사람들에게 아는 자가 있도록 하였으니, 반드시 다시 (이 도가) 밝아질 이치[理]가 있는 것이다.'³⁰⁹라고 했으니, 이것이 모두 선생이 도로써 자임한 뜻이다."

邵子 名雍, 字堯夫, 號康節 소자 이름은 옹이고, 자는 요부이며, 호는 강절이다.

[39-5-1]

程子曰: "邵堯夫先生始學於百原, 堅苦刻厲, 冬不爐, 夏不扇, 夜不就席者數年. 衛人賢之. 先生歎曰, '昔人尙友於古, 而吾未嘗及四方, 遽可已乎?' 於是走吳適楚, 過齊魯, 客梁晉, 久之而歸, 曰, '道其在是矣.' 蓋始有定居之意. 先生少時, 自雄其材, 慷慨有大志. 旣學, 力慕高遠, 謂先王之事爲可必致. 及其學益老, 德益邵, 玩心高明, 觀於天地之運化, 陰陽之消長, 以達乎萬物之變. 然後頹然其順, 浩然其歸.

정자가 말했다. "소요부邵堯夫[邵雍] 선생은 백원百原에서 처음 공부³¹⁰하였는데, 각고의 노력을 기울여, 여러 해 동안 겨울에 불 때지 않고 여름에 부채질하지 않았으며 밤에 편히 잠자지 않았다. 위衛 땅 사람들이 선생을 현명하다고 여겼다. 선생은 탄식하여 '예전 사람들은 위로 올라가 옛사람을 벗하는데,³¹¹ 나는 일찍이 사방에 미치지도 못했으니, 어찌 그만둘 수 있겠는가?'라고 하고는 이에 오 땅과

<hr>

305 此道自孟子後千有餘歲. … 則必有復明之理: 『張子全書』권6 「義理」에는 "此道自孟子後千有餘歲, 今日復有知者. 若此道天不欲明, 則不使今日人有知者, 旣使人知之, 似有復明之理.(이 도는 맹자 이후로부터 천여 년이 되었는데, 오늘날 다시 아는 자가 있었다. 만약 이 도를 하늘이 밝히려고 하지 않았다면, 지금 사람들에게 아는 자가 있도록 하지 않았을 것인데, 아마도 다시 (이 도가) 밝아질 이치[理]가 있을 것이다.)"로 되어 있다.

306 『西山讀書記』권31 「張子之學」

307 표준[極]: 원 인용문인 『張子全書』권14 「性理拾遺」에는 '표준[極]'이 '命'으로 되어 있다.

308 '천지를 위해 … 연다.': 『張子全書』권14 「性理拾遺」

309 '이 도는 … 것이다.': 『張子全書』권6 「義理」

310 百原에서 처음 공부: 河南 共城(지금의 하남 輝縣) 서북쪽의 蘇門山 百源에 거주하였으므로, 사람들은 安樂 선생 또는 百源 선생이라고도 불렸고, 소강절이 창시한 상수학파를 百源學派라고도 불렀다. 『宋元學案』권9에도 「百源學案」이 있다. 『朱子語類』권100, 7조목에서는 "일찍이 백원의 깊은 산속에 서재를 열고 홀로 그 가운데 머물렀다.(嘗於百原深山中闢書齋, 獨處其中.)"라고 하였다.

초 땅에 가고, 제 땅과 노 땅을 지나가며, 양 땅과 진 땅을 오랫동안 돌아다니다가 돌아와 '도는 여기에 있구나.'라고 말하고, 비로소 정착할 뜻을 가졌다. 선생은 어렸을 적에 스스로 그 자질을 대단하다고 여겼으며, 분연히 큰 뜻을 품었다. 학문을 배우고 나서는 힘써 고원高遠한 것을 사모하였으며, 선왕의 일을 반드시 이룰 수 있다고 생각하였다. 그 학문이 더욱 노련해지고 그 덕이 더욱 밝아져서, 고명高明한 데에 마음을 두고, 천지의 운행변화와 음양의 줄어듦과 늘어남消長을 살펴, 만물의 변화에 통달하였다. 그런 뒤에 이치에 따랐고[312] 태연하게 돌아갔다.

在洛幾三十年, 始至, 蓬蓽環堵, 不蔽風雨. 躬爨以養其父母, 居之裕如. 講學於家, 未嘗強以語人, 而就問者日眾. 鄉里化之, 遠近尊之, 士人之道洛者, 有不之公府而必之先生之廬. 先生德氣粹然, 望之可知其賢. 然不事表襮, 不設防畛, 正而不諒, 通而不汙. 清明坦夷, 洞徹中外. 接人無貴賤親疎之間, 群居燕飲, 笑語終日, 不敢甚異於人, 顧吾所樂何如耳.

낙양에 있은 지 거의 30년이 되었는데, 처음 낙양에 이르렀을 때에는, 쑥대를 엮은 사립문에 담장을 둘러쳐 만든 작은 집이 비바람을 막을 수 없었다. 몸소 밥을 지어 부모를 봉양하고 살면서 스스로 넉넉한 듯하였다. 집에서 강학講學할 적에 남들을 억지로 가르치지 않고, 와서 묻는 자들이 날로 많아졌다. 마을 사람들이 그에게 교화되었고, 먼 데 사람과 가까운 데 사람이 모두 그를 존숭하여, 낙양에 오는 선비들은 관부官府에 가는 것이 아니면 반드시 선생의 거처에 방문했다.[313] 선생의 덕스러운 기운은 맑아서, 멀리서 바라보아도 그 현명함을 알 수 있었다. 그러나 겉으로 세상에 드러내기를 일삼지도 않았지만, 받아들이는데 제한을 두지도 않았다. 정도를 따르면서도 작은 신의에 얽매이지 않았으며,[314] 두루 소통하면서도 비루하지 않았다. 청명하면서도 마음이 괴팍스럽지 않았으며, 안팎으로 투명하였다. 남을 대할 때에는 귀하거나 천하거나 친하거나 소원한 차이가 없어서, 여럿이 모여 함께 연회를 할 때에 종일토록 담소하며, 구태여 유별나려 하지 않았고, 다만 내 즐거움이 어떠한가만 돌아봤을 뿐이다.

---

311 위로 올라가 … 벗하는데 : 『孟子』「萬章下」에서는 "천하의 훌륭한 선비[善士]와 벗하는 것도 만족스럽지 못하게 여겨, 또다시 위로 올라가서 옛사람을 논하니, 그 詩를 외우며 그 글을 읽으면서도 그 사람을 알지 못한다면 되겠는가? 이 때문에 그 당시를 논하는 것이니, 이는 위로 올라가서 벗하는 것이다.(以友天下之善士爲未足, 又尚論古之人, 頌其詩, 讀其書, 不知其人, 可乎? 是以論其世也, 是尚友也.)"라고 했으며, 주자는 『集註』에서 "尙은 上과 같으니 나아가 올라감을 말한다.(尙, 上同, 言進而上也.)"라고 주해하였다.

312 그런 뒤에 … 따랐고 : 『性理羣書句解』 권22에는 "이후에 기쁘게 그 理에 따른다.(而後怡然而順其理)"라고 주해하였다.

313 낙양에 오는 … 방문했다. : 『性理羣書句解』 권22 「康節先生墓誌銘」에는 "사대부 가운데 낙양에 오는 자들은 官府에 오는 것이 아니면 선생의 거처에 방문했다.(士大夫之趨洛, 非是徃見州郡, 則是徃訪先生之廬)"라고 주해했다.

314 정도를 따르면서도 … 않았으며 : 『論語』「衛靈公」에서는 "군자는 바르면서도 작은 신의에 얽매이지 않는다.(君子貞而不諒.)"라고 했고, 주자는 『集註』에서 "貞은 올바르고 견고함이다. 諒은 是非를 가리지 않고 신의만 기필하는 것이다.(貞, 正而固也. 諒, 則不擇是非而必於信.)"라고 주해하였다.

病畏寒暑, 常以春秋時行遊城中, 士大夫家聽其車音, 倒屣迎致. 雖兒童奴隸, 皆知懽喜尊奉. 其與人言, 必依於孝弟忠信, 樂道人之善, 而未嘗及其惡. 故賢者悅其德, 不賢者服其化, 所以厚風俗, 成人材者, 先生之功多矣."

병 때문에 추위와 더위를 꺼려서,[315] 봄과 가을에 때로 성안을 유람했는데, 사대부 집안에서는 선생의 수레소리를 들으면 황급히 신발도 제대로 신지 않고 나아가 맞이하였다. 비록 어린아이나 종복이라 하더라도 모두 좋아하고 높여 받들 줄 알았다. 선생은 남과 말할 적에 반드시 효·제·충·신에 의거하였고, 남의 선함을 말하기를 좋아하고, 그 악함은 언급한 적이 없었다. 그러므로 어진 자들은 그 덕을 기뻐했고, 어질지 못한 자들은 그 교화에 감복하였으니, 그래서 풍속을 두텁게 하고, 인재人材를 성취시킨 것은 선생의 공이 많다."

又曰: "先生之學得之於李挺之,[316] 挺之得之於穆伯長. 推其源流, 遠有端緒. 今穆李之言及其行事槩可見矣, 而先生純一不雜, 汪洋浩大, 乃其所自得者多矣."[317]

(정자가) 또 말했다. "선생의 학문은 이정지李挺之[李之才][318]에게서 얻은 것이고, 이정지의 학문은 목백장穆伯長[穆修][319]에게서 얻은 것이다. 그 원류를 거슬러 올라가면 멀리 단서가 있다. 지금 목백장과 이정지의 말과 행적은 대체로 알 수 있는데, 선생은 순일부잡純一不雜하면서도 바다처럼 넓고 컸으니, 곧 스스로 터득한 것이 많은 것이다.

· ·

315 병 때문에 … 꺼려서: 『性理羣書句解』 권22 「康節先生墓誌銘」에는 "병으로 인하여 지극히 춥거나 지극히 더울 때를 조심하였다.(以疾病畏盛寒盛暑之時.)"라고 주해하였다.

316 又曰: 先生之學得之於李挺之: 『二程文集』 권4 「邵堯夫先生墓誌銘」에는 '昔七十子學於仲尼, 其傳可見者惟曾子, 所以告子思, 而子思所以授孟子者耳, 其餘門人各以其材之所宜爲學. 雖同尊聖人, 所因而入者, 門戶則衆矣. 況後此千餘歲, 師道不立, 學者莫知其從來. 獨先生之學爲有傳也. 先生得之於李挺之'로 되어 있다.

317 『二程文集』 권4 「邵堯夫先生墓誌銘」

318 李之才(980~1045): 자는 挺之이며 靑州 사람이다. 하남의 穆修에게서 역을 배웠다. 1030년 진사가 되었다가 처음으로 孟州司戶參軍 共城令이 되었고 후에 殿中丞 澤州簽署判官으로 올랐다. 그때 택주 사람인 劉羲叟가 그에게서 曆法을 배웠는데 세상에서는 그것을 '羲叟曆法'이라고 부른다. 이지재의 역학은 유실되어 지금 볼 수 있는 것은 朱震의 『漢上易傳』, 黃宗羲의 『易學象數論』, 胡渭의 『易圖明辨』에서의 괘변도들이다. 『宋史』 「李之才傳」을 참조할 수 있다.

319 穆修(979~1032): 자는 伯長이며 鄆州 汶陽 사람으로 나중에 蔡州로 옮겼다. 陳摶에게 사사받고 역학을 전수받았으며 진단의 문인인 种放에게 수학하였다고 한다. 또 춘추학에 능통하였다. 1009년 진사에 급제하여 泰州司理參軍을 지냈다. 마음이 장대하고 예민하여 세속과 어울리지 못했는데 후에 무고를 받고 池州參軍으로 좌천되었다. 五代 시대의 화려한 西崑體 문풍에 불만을 품고 古文의 전통을 회복하려 했고, 유종원과 한유의 문집을 간행하여 開封府 相國寺에 팔기도 했다. 1016년 정월 지주에 부임되어 사면을 받고서 모친이 계신 京師로 가는데 모친이 돌아가셨다. 그가 직접 장례를 치르고 佛僧들에게 장례를 맡기지 않았다. 후에 蔡州로 옮겼으나 오래지 않아 병사했다. 세상에서는 그를 '穆參軍'이라고 한다.

[39-5-2]

謂周純明曰 : "吾從堯夫先生游, 聽其議論, 振古之豪傑也. 惜其無所用於世."

周曰 : "所言何如?"

曰 : "內聖外王之道也."[320]

(정자가) 주순명周純明[321]에게 말했다. "나는 요부堯夫[邵雍] 선생에게 배울 때, 그가 하신 말씀을 들었는데, 먼 옛날의 호걸과 같다. 안타깝게도 세상에 등용되지 못했다."

주순명이 물었다. "(요부가) 말씀하신 것이 어떤 것입니까?"

(정자가) 대답했다. "내성외왕內聖外王의 도이다."

[39-5-3]

"堯夫襟懷放曠, 如空中樓閣四通八達也."[322]

(정자가 말했다.) "요부堯夫[邵雍]의 포부는 호방하고 거리낌이 없어, 마치 공중의 누각이 사통팔달한 것과 같다."

[39-5-4]

"堯夫於物理上儘說得, 亦大段漏泄他天機."[323]

(정자가 말했다.) "요부堯夫[邵雍]는 사물의 이치를 다 말했는데, 또한 그 천기를 크게 누설한 것이다."

[39-5-5]

"堯夫詩, '雪月風花未品題,'[324] 他便把這些事, 便與堯舜三代一般. 此等語, 自孟子後, 無人曾敢 如此言來, 直是無端. 又如言'須信畫前元有易,'[325] 自從刪後更無詩', 這箇意思, 元古未有人道來."[326]

(정자가 말했다.) "요부堯夫[邵雍]의 시詩에 '눈과 달과 바람과 꽃에 대해 품평하지 않았네.'라고 했으니, 그는 이런 일을 요순삼대 당시의 일과 같은 (훌륭한) 것으로 보았다.[327] 이런 종류의 말은 맹자 이후로

....

320 『二程文集』 권上 「附錄・傳聞續記」
321 周純明(?~?) : 자는 金伯이며 송 澶淵 사람으로, 周長의 자식이다. 부친이 소옹에게 배웠는데, 일찍 돌아가셨다. 소옹이 순명을 자식처럼 여겨 가르치고 程頤의 姪女와 결혼하게 하였다. 소옹이 죽자 정이에게서 학업을 배웠다.
322 『二程粹言』 권下
323 『河南程氏遺書』 권2상
324 雪月風花未品題 : 『擊壤集』 권20 「首尾吟」
325 又如言須信畫前元有易 : 『河南程氏遺書』 권2상에는 "又如言文字呈上, 堯夫皆不恭之甚. 須信畫前元有易"으로 되어 있다.
326 『河南程氏遺書』 권2상

諸儒一・155

누구도 감히 이와 같이 말한 적이 없으니, 전연 유래가 없던 말이다. 또 예컨대 '획을 긋기 이전에 원래
『역』이 있었다는 것을 믿어야 하고, (공자가 『시』를) 산정한 이후에서부터 다시는 『시』가 없게 되었다'
고 한, 이런 뜻은 옛날부터 말한 사람이 없었다."

[39-5-6]

"堯夫詩云, '梧桐月向懷中照, 楊柳風來面上吹,' 眞風流人豪也.[328] 又詩云, '頻頻到口微成醉,
拍拍滿懷都是春,' 不止風月, 言皆有理. 萬事皆出於理, 自以爲皆有理, 故要得從心妄行總不
妨. 堯夫又得詩云, '聖人喫緊些兒事,' 其言太急迫. 此道理平鋪地放着裏, 何必如此?"[329]

(정자가 말했다.) "요부堯夫[邵雍]의 시에 말했다. '오동나무에 뜬 달은 가슴속을 비추고 버드나무에 이는
바람은 얼굴로 불어온다.'[330] 이는 진정한 풍류인의 호기이다. 또 시에 말했다. '자꾸자꾸 입에 대니 슬그
머니 취하게 되고, 그득그득 가슴속에 가득 찬 것이 온통 봄이다.'[331] 바람과 달에만 그치지 않고 말에도
모두 리理가 있다. 만사가 모두 리에서 나오니, 본래 모두 리가 있다고 여겼다. 그러므로 마음대로 함부
로 행동해도 끝내 문제가 되지 않기를 바랐다. 요부는 또 시에서 말했다. '성인은 사소한 일들을 중요하
게 여기네.'[332] 이 말은 지나치게 급하다. 이 도리는 고스란히 내려놓아야 하는데, 하필 이와 같겠는가?"

[39-5-7]

"世之博文强識者衆矣,[333] 其終未有不入於禪學者. 特立不惑, 子厚堯夫而已. 然其說之流, 亦

---

327 堯夫[邵雍]의 詩에 … 보았다. : 『擊壤集』 권20 「首尾吟」에서는 "요부가 시를 읊기를 좋아한 것은 아니지만,
성현이 일어남에 때가 있음을 보았기 때문이네. 해와 달과 별을 요임금이 본받았고, 長江과 黃河와 淮河(淮
水)와 濟河(濟水)를 우임금이 평정하였으며, 황제와 왕패를 포폄했지만, 눈과 달과 바람과 꽃에 대해서는
아직 품평하지 않았네. 어찌 옛사람에게 빠뜨린 일이 없다고 하겠는가. 요부가 시를 읊기를 좋아한 것은
아니라네.(堯夫非是愛吟詩, 爲見聖賢興有時, 日月星辰堯則了, 江河淮濟禹平之, 皇王帝霸經褒貶, 雪月風花
未品題, 豈謂古人無闕典, 堯夫非是愛吟詩.)"라고 했다.

328 眞風流人豪也. : 『河南程氏外書』 권11에는 明道曰眞風流人豪로 되어 있다.

329 堯夫詩云, … 眞風流人豪也는 『河南程氏外書』 권11의 글이고, 頻頻到口微成醉, 拍拍滿懷都是春은 『擊壤集』
권9 「安樂窩中酒一樽」의 글이며, 皆有理 … 何必如此는 『河南程氏遺書』 권2상의 글이다. 전체 글은 『伊洛
淵源錄』 권5에도 실려 있는데, 여기에는 '梧桐月向懷中照, 楊柳風來面上吹'와 '頻頻到口微成醉, 拍拍滿懷都
是春'의 순서가 바뀌어 있다.

330 '오동나무에 뜬 … 불어온다.' : 『擊壤集』 권20 「首尾吟」

331 '자꾸자꾸 입에 … 봄이다.' : 『擊壤集』 권9 「安樂窩中酒一樽」

332 '성인은 사소한 … 여기네.' : 『擊壤集』 권10 「安樂窩中吟」에서는 "안락와 속의 만호의 제후가 좋은 때 아름
다운 경치를 차마 어찌 헛되이 보낼 것인가. 이미 일찍이 봄 깊은 날을 즐겨보았으니 다시 늘그막에 옷을
걸치고자 하노라. 새벽이슬이 듬뿍할때 꽃이 가득피고, 따뜻한 술이 끓어오를 적에 술단지에 가득하다. 성인
은 이러한 때를 좋게 여겼으니 공부도 덜어내고 근심도 덜어내네.(安樂窩中萬户侯, 良辰美景忍虛休. 已曾得
手春深日 更欲披衣年老頭. 曉露重時花滿檻, 暖酷浮處酒盈甌. 聖人喜得些兒事 又省工夫又省憂.)"라고 했다.

333 世之博文强識者衆矣 : 『二程粹言』 권下에는 '文'이 '聞'으로 되어 있다.

未免於有弊也."³³⁴

(정자가 말했다). "세상에는 학문을 널리 익히고 잘 기억하는 사람들이 많았지만, 끝내 선학禪學으로 빠져 들어가지 않는 자가 없다. 홀로 우뚝 서서 미혹되지 않은 것은 자후子厚[張載]와 요부堯夫[邵雍] 뿐이다. 그러나 그 학설의 말류에 또한 폐단이 있음을 면하지 못했다."

[39-5-8]
"子厚堯夫之學, 善自開大者也. 堯夫細行或不謹, 而其卷舒運用亦熟矣."³³⁵

(정자가 말했다). "자후子厚[張載]와 요부堯夫[邵雍]의 학문은 큰 강령[大綱]을 스스로 잘 열었다. 요부堯夫의 자잘한 행실은 혹시라도 삼가지 않는 경우도 있었지만, 그 진퇴 운용에는 또한 완숙하였다."

[39-5-9]
"邵堯夫病革, 且言, '試與觀化一遭.' 子厚言, '觀化, 他人便觀得自家, 自家又如何觀得化?'³³⁶ 嘗觀堯夫詩意纔做得識道理, 却於儒術未見所得."³³⁷

(정자³³⁸가 말했다). "소요부邵堯夫[邵雍]는 병이 위독해져 '직접 죽음을 한 번 살펴보려 한다.'³³⁹고 말하자 자후子厚[張載]가 '죽음을 살펴보는 것은 남이 나를 살펴볼 수 있는 것이지, 내가 또 어떻게 (나의) 죽음을 살펴볼 수 있겠는가?'라고 말했다. 일찍이 요부가 지은 시詩를 보았더니 도리는 알았지만, 도리어 유술儒術에 대해서는 얻은 것이 아직 보이지 않는다."

[39-5-10]
上蔡謝氏曰: "邵堯夫直是豪才. 嘗有詩云, '當年志氣欲橫秋, 今日看來甚可羞. 事到強爲終屑屑, 道非心得竟悠悠. 鼎中龍虎忘看守, 碁上山河廢講求.' 又有詩云, '斟有淺深存燮理, 飲無多少繫經綸.³⁴⁰ 卷舒萬古興亡手,³⁴¹ 出入千重雲水身.' 此人在風塵時節, 便是偏霸手段. 學

---

334 『二程粹言』 권하
335 『二程粹言』 권하
336 他人便觀得自家, 自家又如何觀得化? : 『河南程氏遺書』 권10에는 '他人便觀得自家 又如何觀得化'로 되어 있다.
337 『河南程氏遺書』 권10
338 정자 : 『河南程氏遺書』 권10과 『張子全書』 권14 「二程書拾遺」에는 모두 伯淳(明道)의 말로 기록되어 있다.
339 병이 위독해져 … 한다. : 『宋元學案』 권9 「百源學案上」에는 '병이 위독해지자, 사마공에게 말했다. '시험 삼아 더불어 죽음을 한 번 보려 합니다.' 사마공이 말했다. '아직 이런 지경에까지 이르지는 않았을 것입니다!' 선생이 웃으며 말했다. '삶과 죽음은 또한 일상적인 일일 뿐입니다!' 횡거가 병문안을 와서 命에 대해 논의하자, 선생이 말했다. '천명은 이미 알고 있습니다. 세속에서 말하는 명은 알지 못합니다.'(疾革, 謂司馬公曰, '試與觀化一遭.' 公曰, '未應至此!' 先生笑曰, '死生亦常事爾!' 橫渠問疾, 論命, 先生曰, '天命則已知之. 世俗所謂命, 則不知也.')"라고 되어 있다.
340 飲無多少繫經綸. : 『擊壤集』 권9 「安樂窩中酒一樽」에는 '繫'가 '寄'로 되어 있다.
341 卷舒萬古興亡手 : 『擊壤集』 권9 「安樂窩中酒一樽」에는 '古'가 '世'로 되어 있다.

須是天人合一始得.

상채 사씨上蔡謝氏[謝良佐]가 말했다. "소요부邵堯夫[邵雍]는 참으로 호탕한 인재이다. 일찍이 어떤 시에서 말했다. '당시에 지기志氣는 드높은 가을하늘을 마음껏 펼쳐보려 했으나, 오늘날 보니 매우 부끄럽구나. 일은 억지로 행하여 끝내 자질구레해지고, 도는 마음으로 터득하지 못하여 마침내 요원하구나. 솥의 용호龍虎[342]는 지켜보는 것을 잊었고, 바둑판 위의 산하山河는 연구하기를 그만두었네.' 또 어떤 시에서 말하였다. '술 따를 때는 잔의 깊이가 있으니 잔을 채우지만, 마실 때는 정해진 량이 없으니 경륜[酒量]에 달려 있네. 만고의 흥망을 쥐락펴락하는 손이며, 천 겹의 구름과 물[雲水]을 드나드는 몸이네.'[343] 이 사람은 어지러운 시절에 살며 패도에 치우친 수단[344]을 택했다. 배우는 자는 반드시 천인합일天人合一을 해야 비로소 옳다.

. . . .

342 솥의 龍虎 : 주자는 『周易參同契考異』에서 "坎離와 水火와 龍虎와 鉛汞과 같은 것들은 다만 그 이름을 호환한 것으로, 그 실제는 다만 精氣 두 가지일 뿐이다. 精은 水이고, 감이고, 용이고, 수은[汞]이며, 氣는 火이고, 리이고, 호이고, 납[鉛]이다. 그 방법은 神으로 精氣를 운용하며, 뭉쳐서 丹이 된다. 陽氣가 아래에 있어 처음에는 水를 이루고 火로써 연단하면, 응결하여 단을 이루니, 그 이론이 매우 기이하다.(坎離水火龍虎鉛汞之屬, 只是互換其名, 其實只是精氣二者而已. 精, 水也, 坎也, 龍也, 汞也; 氣, 火也, 離也, 虎也, 鉛也. 其法以神運精氣, 結而爲丹. 陽氣在下, 初成水, 以火煉之, 則凝成丹, 其說甚異.)"라고 주해하였다. 도교의 金丹 수련법에 의하면, 龍虎는 납과 수은[鉛汞]을 의미한다. 즉 鼎器(솥)에 납과 수은을 넣고 거기에 불을 지펴 두 가지 광물이 하나로 합치되도록 만드는 것이 金丹을 연단하는 방법인데, 내단수련법에서는 이것을 인체에 적용시켜, 鼎器(솥)는 사람의 몸으로, 납과 수은 즉 용호는 사람의 몸에서 행해지는 一呼一吸인 호흡으로 풀이하였다.

343 '술 따를 … 몸이네.' : 『擊壤集』 권9 「安樂窩中酒一樽」

344 패도에 치우친 수단 : 이 구절에 대한 조선학자들의 해설은 다음과 같다. 송시열은 『宋子大全』 권145 「記·欹枕亭記」에서 "어떤 사람이 물었다. '정자가 강절을 성대하다고 칭찬했는데, 또 패도에 치우치고 공손하지 않다고 평가한 것은 어째서입니까?' 대답했다. '성인의 마음은 근심하고 괴로워하며 몹시 슬퍼하는 것이니, 일찍이 세상을 잊은 적이 없다. 그런데 강절의 뜻은 혹시라도 이것과 다른 것 같다. … 강절은 스스로 巢許(堯 임금 때의 隱士인 巢父와 許由)라고 자부하였으니, 이미 성인의 규모가 아닌 것이고, 항상 희롱하는 것으로써 세상에 처했다. 이것이 정주에게 이런 의론을 하는 까닭이다. 비록 그렇지만 강절이 어찌 진실로 잊은 자이겠는가?(或問, '程子之稱康節旣盛矣, 而又有偏霸不恭之評何也?' 曰, '聖人之心, 憂勤惻怛, 未嘗忘世. 而康節之意, 則或異於斯也. … 康節則自許以巢許, 已非聖人規模, 而常以戲翫處世. 此程朱所以有此議也. 雖然, 康節豈眞忘者哉?)"라고 하였다. 또한 鄭澔(1648~1736)는 『丈巖先生集』 권10 「書·與李承旨禛翊書」에서 "偏霸手段'이라는 네 글자에 대해서는 또한 설이 있다. 상채가 요부에 대해 논할 때 요부의 전체를 가리켜 논한 것이 아니고, 다만 요부의 자질이 높아서 충분히 경륜할 수 있다고 말한 것이다. 그런데 왕자의 다스림은 빠른 효과를 구하지 않지만, 패자의 다스림은 그 효과가 반드시 빠르다.(『孟子』「盡心」의) 매우 즐거워하는 것이 빠른 것은 넓고 크게 만족해 하는 것이 더딘 것보다 못하다. … 아마도 그의 운용과 활동이 한구석에 얽매여 있지 않아서, 비록 난세에 처해 있다 하더라도 반드시 구제할 방법이 있을 것이니, 고고하게 스스로를 지키기만 있지는 않았을 것이다. … 어찌 진실로 霸者(패자)의 섞임이라고 여겨서 그를 폄하하는 뜻이 있었겠는가?('偏霸手段'四字, 此亦有說. 上蔡之論堯夫, 非直指堯夫全體而言之, 只言堯夫才高, 足以經綸. 而王者之治, 不求近效, 霸者之治, 其效必速. 驩虞之速, 不如皥皥之遲也. … 蓋爲其運用活動, 不滯一隅, 雖在亂世, 必有所濟, 不但枯槁自守而已. … 夫豈眞以爲霸者之駁雜, 而有所貶之之意也?)"라고 하였다.

又有詩云, ‘萬物之中有一身, 一身中有一乾坤. 能知造化備於我, 肯把天人別立根! 天向一中分體用, 人於心上起經綸. 天人安有兩般義! 道不虛行只在人.’”[345]

問: “此詩如何?”

曰: “說得大體亦是, 但不免有病, 不合說一中分體用.”

又問曰: “此句何故有病?”

曰: “昔富彦國問堯夫云, ‘一從甚處起?’ 曰, ‘公道從甚處起?’ 富曰, ‘一起於震.’ 邵曰, ‘一起於乾.’”

問: “兩說如何?”

曰: “兩說都得. 震謂發生. 乾探本也. 若會得天理, 更說甚一二?”[346]

또 어떤 시에서 말했다. ‘만물 가운데 한 몸이 있고, 한 몸 속에 하나의 건곤乾坤이 있구나. 조화造化가 나에게 갖추어져 있음을 알 수 있다면, 어찌 천天과 인人의 뿌리를 따로 세우랴! 천天은 일一에서 체용體用이 나뉘고 인人은 마음에서 경륜을 일으키네.[347] 천天과 인人이 어찌 두 가지 뜻이 있을 것인가! 도道는 혼자서 행해지지 않고 다만 사람에게 달려 있도다.’”

물었다. “이 시는 어떠합니까?”

(상채 사씨가) 대답했다. “대체를 말하면 또한 옳지만, 그러나 문제가 있는 것을 면하지 못했으니, ‘일一에서 체용으로 나뉜다.[一中分體用]’라고 말한 것이 합당하지 않다.”

또 물었다. “이 구절이 어찌하여 문제점이 있는 것입니까?”

(상채 사씨가) 대답했다. “옛날에 부언국富彦國[富弼][348]이 요부堯夫[邵雍]에게 ‘하나一는 어느 곳에서부터 일어납니까?’라고 물었다. (소강절이) ‘그대는 어느 곳에서부터 일어난다고 말하겠습니까?’라고 말했다. 부언국이 ‘일一은 진震괘에서부터 일어납니다.’라고 말했다. 소강절은 ‘일一은 건乾괘에서부터 일어납니다.’라고 말했다.”

물었다. “두 설이 어떠합니까?”

(상채 사씨가) 대답했다. “두 설이 모두 옳다. 진震은 발생함을 말한다. 건乾은 근본을 찾는 것이다. 만약 천리를 이해한다면 무슨 일一이다 이二다를 말하겠는가?”

345 『擊壤集』권15 「觀易吟」. 「觀易吟」에는 ‘一物其來有一身, 一身還有一乾坤, 能知萬物備於我, 肯把三才別立根, 天向一中分體用(又云造化), 人於心上起經綸, 天人焉有兩般義(又云事), 道不虛行只在人.’으로 되어 있다.

346 『上蔡語錄』권1

347 人은 마음에서 … 일으키네: 『性理群書句解』권4의 「觀易」에는 “사람은 태극의 리를 마음에 갖추었으니, 만사가 이로부터 말미암아 경륜된다. ‘하나一’와 ‘마음心’은 바로 위 문장에서 이른바 ‘뿌리를 세우는 것’이다.(人具太極之理於心, 萬事由此經綸. ‘一’與‘心’, 即上文所謂‘立根’也.)”라고 주해하였다.

348 富弼(1004~1083): 字는 彦國이며 북송 洛陽 사람이다. 북송 天聖 8년(1030)에 급제하고, 開封府推官, 樞密使 등 여러 벼슬을 거쳤으며, 범중엄을 도와 慶曆新政을 추진했다. 저서에 『富鄭公集』이 있다.

[39-5-11]

問 : "堯夫所學如何?"

曰 : "與聖門却不同."

問 : "何故却不同?"

曰 : "他也只要見物理到逼眞處, 不下工夫便差却."

물었다. "요부堯夫[邵雍]의 학문은 어떠합니까?"

(상채 사씨가) 대답했다. "성인 문하의 가르침과는 같지 않다."

물었다. "어찌하여 같지 않은 것입니까?"

(상채 사씨가) 대답했다. "그는 또한 사물의 리[物理]를 통찰하여 매우 흡사한 곳에 이르기만 하면, 공부하지 않아 곧 어긋나버리고 만다."

問 : "何故却不着工夫?"

曰 : "爲他見得天地進退萬物消長之理, 便敢做大. 於聖門下學上達底事, 更不施功. 堯夫精易之數, 事物之成敗始終, 人之禍福脩短, 筭得來無毫髮差錯. 如指此屋便知起於何時, 至某年月日而壞, 無不如其言. 然二程不貴其術, 堯夫喫不過. 一日問伊川曰, '今歲雷從甚處起?' 伊川曰, '起處起. 如堯夫必用推筭, 某更無許多事.' 邵卽默然."[349]

물었다. "어찌하여 도리어 공부에 힘쓰지 않는 것입니까?"

(상채 사씨가) 대답했다. "그는 천지가 나아가고 물러나는 리理와 만물이 늘어나고 줄어드는 리를 통찰했기 때문에, 감히 스스로 대단하게 여겼다. 성인 문하의 하학상달下學上達의 일에 대해 다시는 공을 들이지 않았다. 요부는 역易의 수數에 정밀하여, 사물의 성패와 시종, 사람의 화복과 수명의 장단을 계산함에 있어 털끝만큼도 어긋남이 없었다. 예컨대 어떤 집을 가리키면, 언제 생겨나서 어느 해 어느 달 어느 날에 무너지게 될 것인지를 알았는데, 그 말처럼 되지 않는 것이 없었다. 그러나 이정二程은 그 술수를 귀하게 여기지 않아서, 요부堯夫가 받아들일 수가 없었다. 하루는 이천에게 '올해 우레는 어느 곳에서부터 일어나겠는가?'라고 물었다. 이천이 대답했다. '일어날 곳에서 일어납니다. 요부는 반드시 추산推算을 하지만, 저에게는 그런 수많이 일들이 필요 없습니다.'라고 대답했다. 소요부가 잠자코 있었다."

[39-5-12]

和靖尹氏曰 : "康節之學, 本是經世之學. 今人但知其明易數知未來事, 却小了他學問. 如陳叔易賛云, '先生之學志在經綸', 最爲盡之."[350]

화정 윤씨和靖尹氏[尹焞]가 말했다. "강절康節의 학문은 본래 경세의 학문이다. 지금 사람들이 다만 그가

349 『上蔡語錄』 권1
350 『東溪日談錄』 권15 「邵康節之學」에 윤돈의 말로 인용되어 있다.

역수易數에 밝아 미래의 일을 아는 것으로만 알지만, 오히려 그의 학문을 하찮게 여긴 것이다. 예를 들면 진숙역陳叔易[陳恬][351]이 찬贊하여 '선생의 학문은 뜻이 경륜經綸에 있었다.'라고 하였으니, 가장 잘 표현하였다.'"

[39-5-13]

呂氏家塾記曰:"邵堯夫先生居洛四十年, 安貧樂道, 自云未嘗皺眉. 所居寢息處爲安樂窩, 自號安樂先生. 又爲甕牖, 讀書燕居其下, 旦則焚香獨坐, 晡時飲酒三四甌, 微醺便止, 不使至醉也. 中間州府以更法不餉餼寓賓, 乃爲薄粥以代之, 好事者或載酒以濟其乏. 嘗有詩曰, '莫道山翁拙於用,[352] 也能康濟自家身.'[353] 喜吟詩, 作大字書, 然遇興則爲之, 不牽强也.

(여조겸呂祖謙이)『여씨가숙기呂氏家塾記』에서 말했다. "소요부邵堯夫[邵雍] 선생은 낙양에서 40년을 머물렀는데, 안빈낙도安貧樂道하며 스스로 일찍이 눈살을 찌푸린 적이 없었다고 말했다. 머무르던 곳을 안락와安樂窩라고 했고, 스스로 안락 선생安樂先生이라고 불렀다. 또 깨진 항아리 아가리로 창문을 만들어 초라한 집을 짓고, 그 안에서 독서하고 한가히 있었으며, 아침이면 향을 사르고 홀로 앉아 있고, 신시申時(오후 세 시부터 다섯 시까지의 사이)에는 술을 서너 사발 마셨는데 약간 얼큰해지면 곧 그쳐서 취하는 데에 이르지는 않도록 했다. 중간에 주부州府에서 법을 바꿔, 객지살이하는 사람들에게 곡식을 보내지 않자, 묽은 죽으로 대신하였는데, 일을 좋아하는 사람이 어떤 때는 술을 싣고 와서[354] 그 궁핍함을 해결하기도 했다. (요부는) 일찍이 시를 지어 '산에 사는 늙은이가 용用에 졸렬하다고 말하지 말게나, 또한 스스로의 몸을 편안히 다스릴 수 있다오.'라고 하였다. 시를 읊고 큰 글자를 쓰는 것을 좋아하였지만, 흥이 나면 그렇게 하였지 억지로 하지는 않았다.

大寒暑則不出, 每出乘小車, 用一人挽之, 爲詩以自詠曰, '花似錦時高閣望, 草如茵處小車行.'[355] 司馬公贈以詩曰, '林間高閣望已久, 花外小車猶未來.'[356] 隨意所之, 遇主人喜客, 則留三五宿. 又之一家亦如之, 或經月忘返. 雖性高潔, 而接人無賢不肖貴賤, 皆懽然如親. 嘗自言, '若

• • • • • • • • • • • • • • • • • • • •

351 陳恬(1058~1131) : 字가 叔易이며, 호는 存誠子, 澗上丈人으로, 북송 閬中(지금은 四川에 속한다) 사람이다. 晁以道와 함께 嵩山에 은거하였다. 徽宗 때 校書郞을 제수받았으나 오래지 않아 관직을 사양하고 산으로 돌아갔고, 高宗 때 다시 불러들여 嵩山崇福宮을 주관하도록 했으나 사양하였다. 저서에『澗上丈人詩』20권이 있으나 망실되었다.

352 『擊壤集』권8「林下五吟」에는 '莫'이 '誰'로 되어 있다.

353 『擊壤集』권8「林下五吟」

354 술을 싣고 와서 :『漢書』「揚雄傳」에서는 "집이 평소 가난하였는데, 술을 좋아하였지만, 사람들이 거의 오지 않았다. 어느 때 일을 좋아하는 사람이 술과 안주를 싣고 와서 그에게 학문을 배웠다.(家素貧, 嗜酒, 人希至門. 時有好事者載酒肴從遊學.)"라고 했다.

355 『擊壤集』권10「年老逢春」

356 『傳家集』권10「邵堯夫許來石閣久待不至」

至大病, 自不能支 ; 其遇小疾, 得有客對話, 不自覺疾之去體也.' 學者來從之問經義, 精深浩博, 應對不窮, 思致幽遠, 妙極道數. 間與相知之深者, 開口論天下事, 雖久存心世務者, 不能及也."[357]

아주 춥거나 더우면 외출하지 않았는데, 외출할 때마다 작은 수레를 타고, 한 사람을 시켜 끌게 하고서는, 시를 지어 스스로를 노래하기를 '꽃이 비단 같을 무렵 높은 누각에서 바라보고, 풀이 요처럼 푹신한 곳을 작은 수레를 타고 간다네.'라고 하였다. 사마공司馬公[司馬光]이 그에게 '숲 사이 높은 누각에서 바라본 지 오래건만, 꽃 너머 작은 수레는 아직도 오지 않네.'라는 시를 지어 선사했다. 뜻 가는 데로 가서, 주인이 자신을 반기면 보름을 묵었다. 또 다른 집으로 가서도 이와 같이 하여, 어떤 때는 한 달이 지나도록 돌아올 것을 잊었다. 비록 스스로의 성품[性]은 고결하였지만, 사람을 대할 때 현명함이나 불초함, 귀함이나 천함의 구분 없이 모두 다 가족처럼 좋아하였다. 일찍이 스스로 말하길, '만약 큰 병이 생기면 스스로 버틸 수 없지만, 작은 병이 생겼을 때 손님과 대화하게 되면 나도 모르게 병이 사라진다.'라고 하였다. 배우는 자들이 와서 그에게 경전의 뜻을 질문했을 때, 정밀하고 심오하며 크고 넓어서 대답에 끝이 없었고, 사유가 심원한 데에 이르러서, 오묘함이 도道와 수數에 극진하였다. 간혹 서로를 깊이 아는 사람과는 입을 열어 천하의 일을 논했는데, 오랫동안 세상의 일에 마음을 두었던 자라 하더라도 (그에게) 미칠 수 없었다."

[39-5-14]

張氏嶒曰 : "先生少受學於北海李之才挺之.[358] 又游河汾之曲,[359] 以至淮海之濱, 涉於濟汶, 達於梁宋. 苟有達者, 必訪以道, 無常師焉. 乃退居共城, 廬於百原之上, 大覃思於易經, 夜不設寢, 日不再食, 三年而學以大成. 大名王豫天悅博達之士, 尤長於易, 聞先生之篤志, 愛而欲教之. 旣與之語三日, 得所未聞, 始大驚服, 卒捨其學而學焉, 北面而尊師之, 衛人乃知先生之爲有道也.

장민張嶒[360]이 말했다. "선생은 어렸을 적에 북해의 이지재李之才 정지挺之[361]에게서 배웠다. 또 황하와

---

357 『伊洛淵源錄』 권5 「遺事」에 실려 있고, "『여씨가숙기』에 보인다.(見呂氏家塾記.)"라는 주가 달려 있다. 『詩話總龜』 「後集」 권7에도 실려 있다. 그러나 『呂氏家塾讀詩記』에는 이 내용이 보이지 않는다.

358 先生少受學於北海李之才挺之. : 『伊洛淵源錄』 권5 「行狀略」과 『西山讀書記』 권31 「邵子之學」에는 '學'이 '事'로 되어 있다.

359 先生少受學於北海李之才挺之. 又游河汾之曲 : 『伊洛淵源錄』 권5 「行狀略」과 『西山讀書記』 권31 「邵子之學」에는 이 두 문장의 사이에 "聞道於汶陽穆脩伯長, 伯長以上, 雖有其傳, 未之詳也. 先生旣受其學則(문양에서 穆脩伯長(목수가 이름이고 백장이 자이다.)에게 도를 들었으며, 백장 이상은 비록 전수함이 있었더라도 상세하지 않다. 선생이 이미 그 학문을 전수받고 나서)"라는 구절이 더 있다.

360 張嶒 : 『宋儒學案』 권33 「王張諸儒學案」에서는 常簿張先生嶒이라 하여 다음과 같이 기록하고 있다. "장민은 자가 子望이고, 滎陽 사람이다. 진사에 급제하여 관직이 太常寺簿에까지 이르렀다. 「觀物外篇」 2권이 그가 저술한 것이다.(張嶒, 字子望, 滎陽人也. 登進士弟, 官至太常寺簿. 「觀物外篇」 二卷乃其所述.)"

361 李之才(980~1045) : 자는 挺之이며 北宋 靑州 사람이다. 하남의 穆修로부터 역을 배웠다. 1030년 진사가

분수[河汾]362 지역에서 노닐고 회해淮海363에 이르렀으며, 제수濟水와 문수汶水를 돌아다니고, 양梁 송宋지역에 갔다. 통달한 자가 있다면 반드시 도를 물었으니 일정한 스승이 없었다. 물러나 공성共城에 머물렀으며, 백원百原 위에 오두막을 짓고,364 『역경』을 원대하고 심오하게 사유하여, 밤에도 잠자리를 깔지 않고 하루에 두 끼를 먹지 않았으니, 삼 년 만에 학문이 대성하였다. 대명부大名府의 왕예 천열王豫 天悅365은 널리 통달한 선비로 『역』에 더욱 뛰어났는데, 선생의 뜻이 독실하다는 이야기를 듣고서는 선생을 아껴 가르치고자 하였다. 선생과 사흘 동안 이야기를 나누고 나서, 미처 알지 못했던 것을 선생에게 얻게 되자, 비로소 크게 놀라 심복하고, 마침내 자신의 학문을 버리고 선생에게 배우며, 북면北面366하여 스승으로 존숭하니, 위 땅 사람들이 선생에게 도가 있음을 알게 되었다.

年三十餘, 來游于洛, 以爲洛邑天下之中, 可以觀四方之士, 乃定居焉. 先生淸而不激, 和而不流, 遇人無貴賤賢不肖一接以誠. 長者事之, 少者友之, 善者與之, 不善者矜之, 故洛人久而益尊信之. 四方之學者與大夫之過者, 莫不慕其風而造其廬. 先生之敎人, 必隨其才分之高下, 不驟語而强益之. 或聞其言, 若不適其意, 先生亦不屑也. 故來者多而從者少, 見之者衆而知之者尙寡. 及接之久, 察其所處, 無不中於理, 叩其所有, 愈久而愈新, 則皆心悅而誠服.
나이 삼십여 세가 되어 낙양에 와서 노닐다가, 낙양은 천하의 중앙이라 사방의 선비들을 만날 수 있다고 여겨, 거기에 정착하였다. 선생은 깨끗하면서도 과격하지 않았고, 화합하면서도 휩쓸리지 않았으며, 사람을 만나면 그가 귀하던 천하던 어질던 못하던 한결같이 정성[誠]으로 교제하였다. 연장자를 섬기고 젊은 사람들을 벗으로 삼으며, 선한 자와는 함께 어울리고 선하지 않은 자에 대해서는 안타깝게 여겼으니, 그러므로 낙양 사람들이 오래될수록 더욱 선생을 높이고 신뢰하였다.367 사방의 학자들과 대부들 가운데 낙양을 찾는 자들은 선생의 기풍을 사모하여 그 집에 나아가 인사드리지 않는 사람이 없었다.

· ·
되었다가 처음으로 孟州司戶參軍 共城令이 되었고 후에 殿中丞 澤州簽署判官으로 올랐다. 그때 택주 사람인 劉羲叟가 그로부터 曆法을 배웠는데 세상에서는 그것을 '羲叟曆法'이라고 부른다. 이지재의 역학은 유실되어 지금 볼 수 있는 것은 朱震의 『漢上易傳』, 黃宗羲의 『易學象數論』, 胡渭의 『易圖明辨』에서의 괘변도들이다. 『宋史』「李之才傳」을 참조할 수 있다.
362 河汾(황하와 분수) : 黃河와 汾水를 병칭하며, 山西省 서남부 일대를 가리킨다. 隋나라 때 王通이 河汾의 사이에서 가르침을 베풀어 수많은 사람들이 몰려들어 河汾門下라는 고사가 생긴 곳으로도 유명하다.
363 淮海(회수와 황해) : 徐州를 중심으로 한 淮水 이북과 海州 일대. 동쪽으로는 黃海에 접해 있고, 서쪽으로는 中原과 인접해 있으며, 남쪽으로는 江淮와 이웃해 있고, 북쪽으로는 齊魯와 맞닿아 있다.
364 물러나 共城에 … 짓고 : 소강절은 河南 共城(지금의 하남 輝縣) 서북쪽의 蘇門山 百源에 거주하였으므로, 사람들이 그를 百源 선생이라고도 불렀고, 소강절이 창시한 상수학파를 百源學派라고도 불렀다.
365 王豫 : 字는 悅之와 天悅이 있으며 北宋 大名 사람이다.(『宋元學案』권9) 생졸년은 알 수 없고, 일찍이 進士가 되었으며, 관직은 大名府에 이르렀다. 저서에 『皇極經世體要』와 『內外觀物』이 있는데 전해지지 않는다.
366 北面 : 신하가 군주를 뵐 때나 제자가 스승을 뵐 때 남쪽에서 북쪽으로 향하는 禮이다.
367 오래될수록 … 신뢰하였다. : 『論語』「公冶長」에 "안평중은 남과 사귀기를 잘하는구나! 오래되어도 공경하니.(晏平仲, 善與人交! 久而敬之.)"라고 하였다.

선생이 사람들을 가르칠 적에 반드시 타고난 재질의 높고 낮음에 따르고, (너무 높은 것을) 갑자기 말하여 억지로 더 가르치려 않았다.[368] 어떤 사람이 선생의 말을 듣고 자신의 뜻에 맞지 않아 하면, 선생역시 탐탁하게 여기지 않았다. 그러므로 (선생을) 찾아오는 자는 많았지만 따르는 자는 적었고, (선생을) 뵙는 자는 많았지만 알아보는 자는 오히려 적었다. (선생과) 오랫동안 교제하며 그 대처하는 것을 살펴보면 이치에 적중하지 않는 것이 없었고, (마음에) 지니고 있는 것을 물어보면 오래될수록 더욱 새로웠으니, (사람들이) 모두 마음으로 기뻐하며 진심으로 복종하였다.

先生未嘗有求於人, 或餽之以禮者, 亦不苟辭. 洛人爲買宅, 丞相富公爲買園以居之. 年六十始爲隱者之服. 隆寒盛暑, 閉門不出, 曰'非退者之宜也.' 其於書無所不讀, 諸子百家之學皆究其本原, 而釋老技術之說一無所惑其志. 晩尤喜爲詩, 平易而造於理."[369]

선생은 일찍이 다른 사람에게 요구한 적이 없었지만, 누군가 예물을 보내오면 구차하게 사양하지는 않았다. 낙양 사람들이 (선생) 위해 집을 구입해주고, 승상 부필富弼[370]이 그를 위해 정원을 사주어 거주하게 했다.[371] 나이 육십이 되어 비로소 은자의 복장을 하였다.[372] 너무 춥거나 더울 때에는 문을 닫고 바깥으로 나가지 않으며 '(출입하는 것은) 물러난 사람이 마땅히 해야 할 것이 아니다.'라고 하였다. 책에 대해서는 읽지 않은 것이 없었고, 제자백가의 학문을 모두 그 본원까지 구명하였지만, 불교나 노장이나 잡기의 학설들에 조금도 그 뜻이 미혹되지 않았다. 만년에는 특히 시를 짓기 좋아했는데, 평이하면

....

368 갑자기 말하여 … 않았다. : 張栻의 『癸巳論語解』에 "(『論語』「雍也」의) '공자가 말했다. 「중등 인물 이상은 높은 것을 말해 줄 수 있으나, 중등 인물 이하는 높은 것을 말해 줄 수 없다.'의 이 글은 기질을 가지고 말한 것이다. 성인의 가르침은 각각 그 재질에 따라서 거기에 충실하게 한다. 중등 인물 이하의 자질에게 급작스럽게 고원한 것을 말하면, 비단 진입할 수 없을 뿐만 아니라 또 망녕되게 등급을 뛰어넘을 것을 생각할 것이니, 무익할 뿐만 아니라 도리어 해로운 것이 있을 것이므로, 급작스럽게 그것을 말해주지 않는 것이다.('子曰, 中人以上, 可以語上也 ; 中人以下, 不可以語上也' 此其氣質言也. 聖人之敎, 各因其才而篤焉. 以中人以下之質, 驟而語之高且遠者, 非惟不能入, 且將妄意躐等, 豈徒無益, 其反害者有矣, 故不驟而語之.)"라고 하였고, 주자의 『朱文公文集』 권31 「與張敬夫論癸巳論語說」에도 "중등 인물 이하'는 급하게 말하지 않고, '이상'은 또한 가르치는 것이다.('中人以下', 不驟而語之, '以上'是亦所以敎之也.)"라고 하였다.

369 『伊洛淵源錄』 권5 「康節先生」에 張嵂의 「行狀略」으로 실려 있고, 『西山讀書記』 권31 「邵子之學」에는 "또 문인인 장민은 행장략을 지어 말하였다.(又門人張嵂爲行狀略曰.)"로 인용되어 있다.

370 富弼(1004~1083) : 송나라 河南 洛陽 사람으로, 자는 彦國이고, 시호는 文忠이다. 仁宗 天聖 8년(1030)에 茂才로 薦擧되었고, 후에 樞密使가 되어 范仲淹 등과 함께 慶曆新政을 추진했다. 神宗 때 재상이 되었는데, 王安石과 의견이 일치하지 않았고, 靑苗法을 억제하려다 탄핵을 받았다. 저서에 『富鄭公詩集』이 있다.

371 낙양 사람들이 … 했다. : 郭彧의 「소옹연표」에 의하면, 嘉祐7년 소옹의 나이 52세 때 낙양의 尹이었던 王宣徽가 五代절도사였던 安審珂의 옛 집터에 13간의 집을 짓고 소옹을 거주하게 하였고, 부필은 또 花園을 하나 사주었다.

372 나이 육십이 … 하였다. : 『伊洛淵源錄』 권5 「康節先生」에 있는 張嵂의 「行狀略」에는 "나이 육십이 되어 비로소 은자의 복장을 하고는 '병들고 노쇠하였으니 더 이상 일에 종사할 수 없다.'라고 하였다.(先生年六十始爲隱者之服, 曰病且老矣, 不復能從事矣.)"라고 되어 있다.

서도 리理의 경지에 이르렀다."

[39-5-15]

歐陽氏棐曰: "康節邵先生嘗以爲學者之患在於好惡先成乎心, 而挾其私智以求於道, 則蔽於
所好而不得其眞. 故求之至於四方萬里之遠, 天地陰陽屈伸消長之變, 無所不可, 而必折衷於
聖人.[373] 雖深於象數, 先見默識, 未嘗以自名也. 其學純一而不雜, 居之而安, 行之而成, 平夷
渾大, 不見圭角, 其自得深矣."[374]

구양비歐陽棐[375]가 말했다. "강절 소 선생은 일찍이 학자들의 병통은 호오好惡가 미리 마음속에 형성[376]되
어 있는 것이니, 사사로운 지혜에 기대어 도를 구하게 되면 좋아하는 것에 가려 진실된 것을 얻을 수
없다고 하였다. 그러므로 멀리 사방 만리와 천지음양이 굽히고 펼치고 줄어들고 늘어나는 변화에까지
찾아보아서, 옳지 않은 것이 없다 하더라도, 반드시 알맞은 것을 성인의 말씀에서 취하였다. 비록 상수象
數에 조예가 깊어, 앞서 내다보고 말없이 알았으나,[377] 일찍이 스스로 말하지 않았다. 그 학문이 순일純一
하여 잡되지 않아서, (그 학문을) 마음에 담아두기를 편안히 하였고 행하여 이루어내었으며, 평이平夷함
이 광대하여 모난 것을 보지 못하니 그 자득함이 깊다."

---

373 無所不可, 而必折衷於聖人.: 『宋名臣言行錄』(外集) 권5「邵雍康節先生」에는 이 문장과 동일하지만, 『宋史
紀事本末』 권21에는 "無所不通, 而必折於聖人"으로 되어 있다.

374 『宋史紀事本末』 권21과 『宋名臣言行錄』(外集) 권5「邵雍康節先生」에 실려 있다.

375 歐陽棐(1047~1113): 송나라 吉州 廬陵 사람으로 자는 叔弼이고, 歐陽脩의 셋째 아들이며 歐陽發의 동생이
다. 蔭補로 秘書省正字가 되었다가 英宗 治平 4년(1067)에 進士 乙科에 급제했다. 저서에 『堯曆』과 『合朔圖』·
『歷代年表』·『三十國年紀』·『集古總目』 등이 있다.

376 미리 마음속에서 형성: 『莊子』「齊物論」에 "成心을 따라서 그것을 스승으로 삼으면 누군들 유독 스승이
없겠는가. … 어리석은 사람도 함께 이것(成心)을 가지고 있다. 마음에 성심이 생기지 않았는데, 시비를
따진다면 '오늘 월나라에 갔는데 어제 도착했다.'고 말하는 것과 같다.(夫隨其成心而師之, 誰獨且無師乎 …
愚者與有焉. 未成乎心而有是非, 是今日適越而昔至也)"라고 했다. '成心'에 대한 이해는 크게 두 가지로 나뉜
다. 첫째, '마음속에서 미리 형성된 마음成乎心'이라고 하며, 사물의 참모습을 보지 않고 자기 마음속에
이미 만들어져 있는 선입관이나 편견을 통해 가지게 되는 잘못된 시각을 가지고, 시시비비를 고집하게 되는
것을 의미한다. 예컨대 成玄英은 "한쪽의 편견을 고집하는 것을 성심이라 한다.(執一家之偏見者, 謂之成
心.)"라고 하였다. 소옹도 이러한 입장을 따른 것으로 보인다. 한편 '사람이면 누구나 가지고 있는 본래적인
마음'으로 보아 긍정적인 측면에서 이해하는 입장도 있다. 예컨대 林希逸은 "성심은 사람마다 모두 이 마음
을 가지고 있는 것으로, 천리가 혼연하여 갖추어지지 않음이 없는 것이다.(成心者, 人人皆有此心, 天理渾然,
而無不備者也.)"라고 하였다.

377 말없이 알았으나: 『論語』「述而」에서는 "말없이 알며 배우고 싫어하지 않으며 사람 가르치기를 게을리 하지
않는 것, 이 중에 어느 것이 나에게 있겠는가?(黙而識之, 學而不厭, 誨人不倦, 何有於我哉?)"라고 했고, 주자
는 이에 대해 "識는 기억함이다. 말없이 기억한다 함은 말하지 않으면서도 마음에 간직함을 말한다. 일설에
識은 앎이니, 말하지 않아도 마음속에 이해되는 것이라 하는데, 앞의 說이 옳은 듯하다.(識, 記也. 黙識,
謂不言而存諸心也. 一說識, 知也, 不言而心解也. 前說近是.)"라고 주해하였다.

[39-5-16]

朱子曰: "康節本是要出來有爲底人. 然又不肯深犯手做, 凡事直待可做處方試爲之. 纔覺難, 便抽身退, 正張子房之流."[378]

주자가 말했다. "강절은 본래 훌륭한 일을[有爲] 해보고자 한 사람이다. 그러나 또 깊이 손을 대려 하지 않고, 매사에 다만 할 만하기를 기다려서 비로소 해보려 하였다. 어려움을 느끼면 곧바로 몸을 빼내어 물러났으니 바로 장자방張子房[張良][379]과 같은 부류이다."

[39-5-17]

"康節學於李挺之, 請曰: '願先生微開其端, 毋竟其說.' 此意極好. 學者當然須是自理會出來便好."[380]

(주자가 말했다.) "강절은 이정지李挺之에게 배웠는데, '원컨대 선생께서는 그 단서만을 살짝 열어주시고, 그 말을 끝까지 다하지는 말아주시기 바랍니다.'라고 했으니, 이 뜻이 지극히 훌륭하다. 배우는 자는 반드시 스스로 이해해야 좋다."

[39-5-18]

"伊川之學, 於大體上瑩徹, 於小小節目上, 猶有疎處. 康節能盡得事物之變, 却於大體上有未瑩處."

劉用之云: "康節善談易,[381] 見得透徹."

曰: "然. 伊川又輕之, 嘗有簡與橫渠云, '堯夫說易好聽, 今夜試來聽他說看.' 某嘗說此便是伊川不及孔子處. 只觀孔子便不如此."[382]

(주자가 말했다.) "이천의 학문은 대체大體에서는 밝지만, 작은 절목에서는 오히려 거친 곳이 있다. 강절康節[邵雍]은 사물의 변화를 다하였지만, 오히려 대체에서는 아직 밝지 못한 곳이 있다."

유용지劉用之가 말했다. "강절은 『역』을 잘 말했으니, 본 것이 투철했습니다."

---

378 『朱子語類』권100, 12조목

379 張良(?~ B.C.186): 전한 沛郡 潁川 城父 사람으로 자는 子房이고, 시호는 文成이다. 할아버지와 아버지가 연이어 韓나라의 재상을 지냈다. 秦나라가 조국 한나라를 멸망시키자 자객을 시켜 博浪沙에서 진시황을 암살하려 했지만 실패했다. 그 후 성명을 고치고 下邳 땅으로 달아나 살았는데, 黃石公을 만나 太公望의 兵書『太公兵法』을 전수받았다고 한다. 漢高祖 劉邦을 섬겨 한나라 개국공신이 되었다. 高祖 6년(기원전 201) 留侯에 봉해졌다. 한왕조가 성립된 후 다른 공신들은 숙청당했지만, 장량은 은퇴하여 辟穀 등 신선술을 익히며 여생을 보냈다고 한다.

380 『朱子語類』권100, 1조목

381 康節善談易: 『朱子語類』권100, 2조목에는 이 아래에 "'一作說易極好.'(어떤 판본에는 '『易』을 이야기한 것이 지극히 좋으니'로 되어 있다.)"라는 주가 달려 있다.

382 『朱子語類』권100, 2조목

(주자가) 말했다. "그렇다. 이천은 또 그를 가볍게 여겨서, 일찍이 횡거에게 편지를 주며 '요부堯夫[邵雍]가 『역』을 이야기하는 것이 듣기 좋으니, 오늘 밤에 시험 삼아 와서 그가 말하는 것을 들어보시지요.'[383]라고 한 적이 있다. 내 생각에 이는 곧 이천이 공자에게 미치지 못하는 곳이다. 다만 공자를 보면 이와 같지 않다."

[39-5-19]

"程邵之學固不同. 然二程所以推尊康節者至矣. 蓋以其信道不惑, 不雜異端, 班於溫公橫渠之間, 則亦未可以其道不同而遽貶之也."

又曰[384]: "康節之學抉摘窈微, 與佛老之言豈無一二相似? 而卓然自信, 無所污染, 此其所見, 必有端的處. 比之溫公欲護名教而不言者, 又有間矣."[385]

(주자가 말했다.) "이정과 소옹의 학문은 진실로 같지 않다. 그러나 이정이 강절을 떠받든 것이 지극하다. 아마도 소옹이 도를 믿으며 의혹되지 않고, 이단과 뒤섞이지 않은 것이, 온공溫公[司馬光]과 횡거의 사이에 나란히 서 있기 때문일 것이니, 또한 그 도가 같지 않다 하여 성급하게 그를 폄하할 수 없었을 것이다."

(주자가) 또 말했다. "강절의 학문은 심오하고 정미精微한 뜻을 찾아내니, 불교나 노장의 말과 어찌 한두 개 정도 유사한 곳이 없겠는가? 그러나 탁월하게 자신自信하며 오염된 바가 없으니, 이는 그 소견에 반드시 확실함이 있어서이다. 온공溫公이 명교名教(儒敎의 가르침, 명분과 예교)를 보호하고자 하면서도 말하지 않은 것과 비교해보면 또 차이가 있다."

[39-5-20]

或言: "康節心胸如此快活, 如此廣大, 如何得似他?"

曰: "他是甚麼樣做工夫?"[386]

어떤 사람이 물었다. "강절의 마음속이 이처럼 쾌활하고 이처럼 광대하니, 어떻게 하면 그와 같을 수 있겠습니까?"

(주자가) 말했다. "그것이 어찌 공부를 해서 된 것이겠느냐?"

[39-5-21]

問: "近日學者, 有厭拘檢, 樂舒放, 惡精詳, 喜簡便者, 皆欲慕邵堯夫之爲人."

383 '요부가 『易』을 … 들어보시지요.': 『河南程氏文集』 권上 「附錄·與橫渠簡」, 「與橫渠簡」에는 "어떤 판본에서는 '「先天圖」가 매우 이치에 맞으니, 시험 삼아 가서 그가 말하는 것을 들어볼 만합니다.'라고 되어 있다. (一作說先天圖甚有理, 可試往聽他說看.')"라는 주해가 달려 있다.

384 又曰: 『朱文公文集』 권30 「答汪尙書」에는 "抑"으로 되어 있다.

385 『朱文公文集』 권30 「答汪尙書」

386 『朱子語類』 권100, 3조목

曰：“邵子這道理, 豈易及哉? 他腹裏有這簡學, 能包括宇宙, 終始古今, 如何不做得大, 放得下? 今人却恃簡甚後敢如此?”因誦其詩云, “‘日月星辰高照曜,[387] 皇王帝伯大鋪舒’, 可謂人豪矣.”[388]

물었다. “요즈음의 학자들 가운데 구속을 싫어하고 얽매이지 않는 것을 좋아하며, 정밀하고 자세한 것을 싫어하고 간편한 것을 좋아하는 자들은 모두 소요부邵堯夫[邵雍]의 사람됨을 우러러 본받고자 합니다.” (주자가) 대답했다. “소자邵子[邵雍]의 이러한 도리가 어찌 쉽게 미칠 수 있는 것이겠는가? 그의 내면에 이러한 학문이 있어 우주를 포괄하고 고금을 통틀 수 있었던 것이니, 어떻게 큰 공부를 이루지 않고서 얽매이지 않을 수 있겠는가? 지금 사람들은 무엇을 믿고서 감히 이렇게 하는가?”

그리고는 계속해서 ‘일월성신은 높게 비치며, 황제왕패皇帝王伯는 크게 늘어서 있다.’[389]라는 그의 시를 읊으며 말했다. “호걸이라고 말할 만하다.”

[39-5-22]

“康節之學, 其骨髓在皇極經世, 其花草便是詩.”

黃直卿云 : “其詩多說閑靜樂的意思, 大煞把簡事了.”[390]

曰 : “這簡未說聖人, 只顏子之樂亦不怎地. 看他詩, 篇篇只管說樂, 次第樂得來厭了. 聖人得底, 如喫飯相似, 只飽而已, 他却如喫酒.”

又曰 : “他都是有簡自私自利底意, 所以明道有‘要之不可以治天下國家’之說.”[391]

(주자가 말했다.) “강절 학문의 골수는 『황극경세서』에 있고, 그 화초花草는 바로 시詩이다.”

황직경黃直卿[黃榦][392]이 말했다. “그 시는 대부분 한가하고 고요한 즐거운 뜻을 말하였으니, 대체로 이것을 일삼았다.”

(주자가) 말했다. “그것은 아직 성인을 말한 것도 아니고, 안자의 즐거움[393] 역시 이러하지 않다. 그의 시를 보면 매 편이 오로지 즐거움만 이야기하고 있으니, 즐겁다가도 금방 질리게 된다. 성인이 얻은 것은 마치 밥을 먹는 것과 비슷해서 다만 배부를 뿐이나, 강절의 경우에는 도리어 술을 마시는 것과

---

387 日月星辰高照曜 : 『擊壤集』 권9 「安樂窩中一部書」에는 ‘曜’가 ‘耀’로 되어 있다.

388 『朱子語類』 권100, 4조목

389 ‘일월성신은 높게 … 있다.’ : 『擊壤集』 권9 「安樂窩中一部書」

390 大煞把簡事了. : 『朱子語類』 권100, 56조목에는 “太煞把做事了”로 되어 있다.

391 『朱子語類』 권100, 56조목

392 黃榦(1152~1221) : 자는 直卿이고, 호는 勉齋이다. 송대 福州閩縣(현 복건성 福州) 사람으로 주희의 고족제자인 동시에 사위이다. 주희의 蔭補로 知漢陽軍 · 知安慶府 등을 역임하였다. 저서는 『書說』 · 『六經講義』 · 『勉齋集』 등이 있고, 『朱子行狀』을 집필했다.

393 안자의 즐거움 : 『論語』 「雍也」에서는 “어질다, 안회여! 한 그릇의 밥과 한 표주박의 음료로 누추한 시골에 있는 것을 다른 사람들은 그 근심을 견뎌내지 못하는데, 안회는 그 즐거움을 바꾸지 않으니, 어질다, 안회여! (賢哉, 回也! 一簞食一瓢飲在陋巷, 人不堪其憂, 回也不改其樂, 賢哉, 回也!)”라고 했다.

같다."

(주자가) 또 말했다. "그는 오롯이 개인적이고 혼자 편리하려는 뜻을 가지고 있으니, 그래서 명도가 '요컨대 천하 국가를 다스릴 수 없다.'[394]는 말을 한 것이다."

[39-5-23]

"康節詩儘好看."

楊道夫問: "舊張無垢引心贊云, '廓然心境大無倫, 盡此規模有幾人? 我性卽天天卽性, 莫於微處起經綸,' 不知如何?"

曰: "是殆非康節之詩也. 林少穎云, '朱內翰作'."

問: "何以辨?"

曰: "若是眞實見得, 必不恁地張皇."

道夫曰: "舊看此意似與'性爲萬物之一原, 而心不可以爲限量'同."

曰: "固是. 但只是摸空說, 無着實處. 如康節云, '天向一中分造化, 人從心上起經綸', 多少平易? 實見得者自別."

又問: "一中分造化."

曰: "本是一箇, 而消息盈虛便生陰陽. 事事物物皆恁地, 有消便有息."[395]

(주자가 말했다.) "강절의 시는 참으로 멋지다."

양도부楊道夫[396]가 물었다. "옛날에 장무구張無垢[張九成]가 인용한 심찬心贊에[397] '확 트인 심경은 비할 바 없이 크니, 이러한 규모를 다한 사람이 얼마나 있겠는가? 나의 성性은 천天이고 천은 성이니, 은미한 곳에서 경륜을 일으키지 말라.'[398]고 했는데 어떠한지 모르겠습니다."

(주자가) 대답했다. "이것은 아마도 강절의 시가 아닐 것이다. 임소영林少穎은 '주내한朱內翰[朱震][399]이

---

394 '요컨대 천하 … 없다.' : 『河南程氏遺書』권2상. 『河南程氏遺書』권2상에는 "요부의 학문은 … 요컨대 또한 천하 국가를 다스리기 어렵다.(堯夫之學, … 要之亦難以治天下國家.)"라고 되어 있다.

395 『朱子語類』권100, 53조목

396 楊道夫 : 송나라 사람이다. 자는 仲思이다. 주희의 제자이고, 『易』, 『詩』, 『禮』를 배웠다.(『宋元學案』권69)

397 옛날에 張無垢[張九成]가 … 心贊에 : 黃倫의 『尚書精義』권34에는 張九成의 글이 인용되어 있는데, "무구가 말했다. '… 소요부가 '盡心知性贊'을 지어 말했다.'(無垢曰, '… 邵堯夫作盡心知性贊曰.')"라고 되어 있다.

398 은미한 곳에서 … 말라. : 은미한 곳은 마음을 가리키는 것으로 보인다. 참고로 『擊壤集』권15 '觀易吟'에는 "天은 一에서 體用이 나뉘고 人은 마음에서 경륜을 일으키네.(天向一中分體用, 人於心上起經綸.)"라고 하였다. [39-5-10]을 참조

399 朱震(1972~1138) : 字는 子發이고 세칭 漢上先生이라고 불렸으며, 송대 湖北 荊門州 사람이다. 內翰은 그가 역임했던 벼슬명인 翰林學士이다. 宋 徽宗 政和 5년(1115)에 진사가 되어 현령과 州官 등을 역임하고 훗날 中書舍人, 給事中, 한림학사 등이 되었다. 박학하고 경학에 밝았으며 특히 『易』에 정통하였다. 저술에는 『周易(卦圖)』·『周易叢說』·『漢上易解』·『漢上易集傳』·『春秋左氏講義』등이 있다.

지은 것이다.'라고 하였다."

물었다. "어떻게 판별합니까?"

(주자가) 대답했다. "만약 진실로 터득했다면[見得], 반드시 이처럼 장황하지는 않았을 것이다."

양도부가 물었다. "예전에 이 시를 보면서, 흡사 '성性이 만물의 동일한 근원[400]이고, 심心은 한계가 있는 것이라고 여겨서는 안 된다.[401]'라는 것과 같은 것이라고 생각했습니다."

(주자가) 대답했다. "진실로 그러하다. 그러나 다만 허공을 더듬는 말이며, 실제와 부합된 것이 없다. 예컨대 강절이 '천天은 일一에서 조화가 나뉘고, 인人은 마음에서 경륜이 일어나네.[402]'라고 말한 것은 얼마나 평이한가? 실로 터득한 것이 특출나다."

또 "일一에서 조화가 나뉜다."는 것에 대해 물었다.

(주자가) 대답했다. "본래 하나인데, 줄어들고 늘어나고 차고 비게 되면, 음양이 생겨난다. 사사물물이 모두 이와 같으니, 줄어듦이 있으면 늘어남이 있게 된다."

- -

400 性이 만물의 동일한 근원 : 『正蒙』「誠明篇」에서는 "性은 만물의 동일한 근원으로 내가 사사롭게 얻을 수 있는 것이 아니다.(性者萬物之一源, 非有我之得私也.)"라고 했다. 이 구절에 대해 『朱子語類』 권98, 30조에서는 "이른바 성은 사람과 사물이 동일하게 얻어 가지고 있는 것이다. 오직 나만이 이것을 가지고 있는 것이 아니라, 다른 사람도 이것을 가지고 있으며, 오직 사람만이 이것을 가지고 있는 것이 아니라, 사물도 이것을 가지고 있다."라고 설명하였고, 『性理群書句解』 권12 「正蒙」에서는 "성은 사람과 사물이 동일하게 하늘에서 얻은 理이므로 '동일한 근원[一原]'이라고 하였다.(性者人物所同得於天之理, 故云'一原'.)"라고 주해하였다.

401 心은 한계가 … 된다. : 『河南程氏遺書』 권18에 "물었다. '사람의 형체에는 한계가 있는데, 마음에 한계가 있습니까? 대답했다. '마음의 형체를 논한다면 어찌 한계가 없겠는가?' 또 물었다. '마음의 묘용에는 한계가 있습니까?' 대답했다. '본래 사람에게는 한계가 있다. 유한한 형체나 유한한 기로써 말하면, 道를 가지고 통하지 않으면 어찌 한계가 없겠는가? 맹자가 '그 마음을 다하면 그 성을 알게 된다.'고 했으니, 마음은 성이다. 하늘에 있어서는 命이 되고, 사람에게 있어서는 성이 되며, 그것이 주로 하는 것을 논하면 마음이 되는데, 사실은 하나의 도일 뿐이다. 도를 가지고 통할 수 있다면 또 어찌 한계가 있겠는가? 천하에는 성 밖의 것이 없다. 만약 한계가 있다고 하면, 성 밖에 사물이 있는 것이어야 된다.(問, '人之形體有限量, 心有限量否?' 曰, '論心之形, 則安得無限量?' 又問, '心之妙用有限量否?' 曰, '自是人有限量. 以有限之形, 有限之氣, 苟不通(一作用)之以道, 安得無限量? 孟子曰, 「盡其心, 知其性.」 心卽性也. 在天爲命, 在人爲性, 論其所主爲心, 其實只是一箇道. 苟能通之以道, 又豈有限量? 天下更無性外之物. 若云有限量, 除是性外有物始得.')"라고 하였다. 또 『二程粹言』 권하, 「心性篇」에는 "유안절이 물었다. '마음에 한량이 있습니까? 대답했다. '천하에 성 밖의 것이 없다. 한량이 있는 形氣로써 말하면, 그 도로써 쓰지 않으면 어찌 그 마음을 확대시킬 수 있겠는가? 마음은 성이니, 하늘에 있어서는 명이고, 사람에게 있어서는 성이며, 주로 하는 것은 마음이니, 실은 하나의 도이다. 도에 통하면 어찌 한량이 있겠는가! 반드시 한량이 있다고 말하면 이는 성 밖에 사물이 있는 것이다.(劉安節問, '心有限量乎? 曰, '天下無性外之物. 以有限量之形氣, 用之不以其道, 安能廣大其心也? 心則性也, 在天爲命, 在人爲性, 所主爲心, 實一道也. 通乎道, 則何限量之有! 必曰有限量, 是性外有物也')"라고 하였다.

402 '天은 一에서 … 일어나네.' : 『擊壤集』 권15 「觀易吟」. 「觀易吟」에는 "天向一中分體用(又云造化), 人於心上起經綸"으로 되어 있다.

[39-5-24]

問: "康節詩, 嘗有莊老之說, 如何?"

曰: "便是他有些子這箇."

曰: "如此, 莫於道體有異否?"

曰: "他嘗說'老子得易之體, 孟子得易之用.' 體用自分作兩截."

曰: "他又說經綸, 如何?"

曰: "看他只是以術去處得這事恰好無過, 如張子房相似. 他所以極口稱贊子房也. 二程謂其'粹而不雜', 以今觀之, 亦不可謂不雜."

曰: "他說風花雪月, 莫是曾點意思否?"

曰: "也是見得眼前這箇好."

曰: "意其有'與自家意思一般'之意."

曰: "也是他有這些子. 若不是, 却淺陋了."[403]

물었다. "강절의 시에는 노장의 학설이 들어있으니, 어떠합니까?"

(주자가) 대답했다. "조금 이러한 점들이 있다."

물었다. "이 같은 것은 도의 체[道體]에서 (유가의 학설과) 차이점이 있어서가 아닙니까?"

(주자가) 대답했다. "그는 일찍이 '노자는 『역』의 체를 얻었고 맹자는 『역』의 용을 얻었다.'[404]라고 했으

403 『朱子語類』 권100, 8조목

404 '노자는 『易』의 … 얻었다.': 소옹의 『皇極經世書』 「觀物外篇上」에서는 "『易』을 아는 자는 반드시 인용하여 강해할 필요는 없으니 이것이 『易』을 아는 것이다. 맹자의 말은 『易』을 말하지 않은 적이 없었으니, 그 속에 『易』의 도리가 있지만, 사람들에게 드러내 보인 것이 드물 뿐이다. 사람들이 『易』을 쓸 줄 안다면 이것이 『易』을 아는 것이다. 맹자의 경우에는 『易』을 잘 쓰는 사람이라고 말할 만하다.(知易者, 不必引用講解, 是爲知易. 孟子之言, 未嘗及易, 其間易道存焉, 俾人見之者鮮耳. 人能用易, 是爲知易. 如孟子可謂善用易者也.)", "『老子』 오천언은 대개 모두 사물의 이치를 밝힌 것이다.(老子五千言, 大抵皆明物理.)" "노자는 『易』의 체를 안 자이다.(老子知易之體者也.)"라고 했다. 소옹의 제자인 張行成은 『皇極經世觀物外篇衍義』 권9에서 "노자는 음만을 알고 양을 몰랐으니, 『易』의 체를 얻었을 뿐이어서, 맹자가 『易』의 용을 얻은 것만 못하다. 노자가 말한 '수컷 됨을 알고 암컷 됨을 지킨다.', '밝음을 알고 어두움을 지킨다.', '기를 오로지 하여 부드러움에 이른다.'나, 맹자의 '말을 아는 것', '의를 모으는 것', '호연지기를 기르는 것'은 각각 『易』을 가지고 몸에 반성하는 것이다.(老子知陰而不知陽, 得易之體而已, 不如孟軻得易之用. 老子言'知雄守雌''知白守黑''專氣致柔', 孟子'知言''集義''養浩然之氣', 各以易而反於身者也.)"라고 하였는데, 주자는 이 말을 인용한 것으로 보인다. 주자의 이러한 인용에 대해 王植은 『皇極經世書解』 권14에서 다음과 같이 말했다. "주자는 '강절이 노자는 역의 체를 얻었고 맹자는 역의 용을 얻었다.'라고 말했지만, 틀렸다. 노자에게는 스스로 노자의 체와 용이 있고, 맹자에게는 스스로 맹자의 체와 용이 있다. '장차 취하고자 하면 반드시 우선 주어라.'는 것은 노자의 체와 용이고, '마음을 보존하고 성을 기르며, 사단을 확충한다.'는 것은 맹자의 체와 용이다.(朱子曰'康節言老子得易之體, 孟子得易之用', 非也. 老子自有老子之體用, 孟子自有孟子之體用. '將欲取之必姑與之', 此老子之體用也; '存心養性擴充四端', 此孟子之體用也.)"

니, 체와 용이 저절로 둘로 나뉘었다."

물었다. "그가 또 말한 경륜은 어떻습니까?"

(주자가) 대답했다. "그가 다만 술수로써 이 일을 처리한 것을 보면, 꼭 들어맞아 잘못이 없으니 마치 장자방張子房과 흡사하다. 그는 그래서 장자방을 극구 칭찬한 것이다. 이정이 그를 '순수하면서 잡되지 않았다.'[405]고 평가했는데, 지금 보면 또한 잡되지 않았다고 말할 수는 없다."

물었다. "그는 바람과 꽃과 눈과 달을 말했는데, 이는 증점의 뜻[406]이 아닙니까?"

(주자가) 대답했다. "이 또한 눈앞의 이것이 좋다는 것을 본 것이다."[407]

물었다. "생각건대 그는 (천지자연이) '나의 마음과 같다.'[408]라는 뜻을 가지고 있습니다."

(주자가) 대답했다. "그는 또한 이러한 점들을 가지고 있다. 만약 그렇지 않았다면 비루했을 것이다."

[39-5-25]

"邵堯夫詩, '雪月風花未品題', 此言事物皆有造化."[409]

(주자가 말했다.) "소요부邵堯夫[邵雍]의 시詩에 '눈과 달과 바람과 꽃에 대해 품평하지 않았네.'[410]라고 했는데, 이는 사물에 모두 조화造化가 있음을 말한 것이다."

- - - - - - - - - - - - - -

405 '순수하면서 잡되지 않았다.' : 『二程粹言』권하에서는 "명도가 강절의 묘지명을 쓰면서 말했다. '… 선생은 순일하면서 잡되지 않다.'(明道志康節之墓曰, '… 先生純一不雜.')"라고 하였다.

406 증점의 뜻 : 『論語』「先進」에서 子路・曾晳・冉有・公西華가 공자를 모시고 앉아 있었는데, 세상이 자신을 알아준다면 어떤 포부를 펼칠 것인지 말해보라는 공자의 말에 다른 제자들은 모두 현실 정치에 참여하여 세상을 바꿔보겠다는 뜻을 말했는데, 증점만 다음과 같이 대답했다. "늦봄에 봄옷이 이미 만들어지면 冠을 쓴 어른 5~6명과 동자 6~7명과 함께 沂水에서 목욕하고 舞雩에서 바람 쐬고 노래하면서 돌아오겠습니다.(莫春者, 春服既成, 冠者五六人, 童子六七人, 浴乎沂, 風乎舞雩, 詠而歸.)" 이 답변을 듣고 공자는 감탄하며 "나는 點을 인정한다.(吾與點也)"라고 했다.

407 이 또한 … 것이다. : 『朱子語類』권100, 8조목에는 이 문장 뒤에 "璘錄이 말했다. '순공이 「소옹은 증점과 비슷합니다.」라고 하자 주자가 대답했다 「그는 또 수많은 잡다한 점들을 가지고 있다.」'(璘錄云, '舜功云, 「堯夫似曾點.」曰, 「他又有許多骨董.」')"라고 주해하였다.

408 '나의 마음과 같다.' : 『河南程氏遺書』권3에서는 "주무숙이 창 앞의 풀을 제거하지 않았다. 그 이유를 물으니, '나의 마음과 같아서이다.'라고 말했다.(周茂叔窗前草不除去. 問之, 云'與自家意思一般.')"고 했다. [39-1-2]를 참고

409 『朱子語類』권100, 57조목

410 '눈과 달과 … 않았네.' : 『擊壤集』권20「首尾吟」에서는 "요부가 시를 읊기를 좋아한 것은 아니지만, 성현이 일어남에 때가 있음을 보았기 때문이네. 해와 달과 별을 요임금이 본받았고, 長江과 黃河와 淮河(淮水)와 濟河(濟水)를 우임금이 평정하였으며, 황제와 왕패를 포폄했지만, 눈과 달과 바람과 꽃에 대해서는 아직 품평하지 않았네. 어찌 옛사람에게 빠뜨린 일이 없다고 하겠는가. 요부가 시를 읊기를 좋아한 것은 아니라네.(堯夫非是愛吟詩, 爲見聖賢興有時, 日月星辰堯則了, 江河淮濟禹平之, 皇王帝霸經褒貶, 雪月風花未品題, 豈謂古人無闕典, 堯夫非是愛吟詩.)"라고 했다. [39-5-5]를 참조

[39-5-26]

"邵堯夫六十歲, 作首尾吟百三十餘篇, 至六七年間終. 渠詩玩侮一世, 只是一箇'四時行焉, 百物生焉'之意."[411]

(주자가 말했다.) "소요부邵堯夫[邵雍]가 육십 세 때 「수미음首尾吟」 130여 편을 6~7년 걸려서 지었다. 그 시는 일세를 희롱한 것[412]으로, 다만 '사시四時가 운행하고 만물이 생장하는'[413] 뜻일 뿐이다."

[39-5-27]

或問康節詩曰,[414] "施爲欲似千鈞弩, 磨礪當如百鍊金" 問: "千鈞弩如何?"

曰: "只是不妄發. 如子房在漢, 謾說一句, 當時承當者便須百碎."[415]

어떤 사람이 강절의 시 "실행은 천균千鈞[416]이나 되는 쇠뇌와 같이 (신중히) 하고자 하네. 갈고닦는 것은 마땅히 쇠를 백번이나 담금질하듯 해야 하네."[417]에 대해 질문하였다. "천균千鈞의 쇠뇌는 어떤 뜻입니

- -

411 『朱子語類』 권100, 58조목
412 그 시는 … 것: 『朱子語類考文解義』 제23에서는 "『皇極經世書』에는 堯夫(邵雍)가 세상을 희롱하며 공손하지 않음을 드러내었으니, 『孟子』「公孫丑上」에 보인다.(經世書呈堯夫玩世不恭, 見上孟子公孫丑上卅.)"라고 주해하였다. 『孟子』「公孫丑上」에서는 伯夷와 柳下惠를 비교하며 다음과 같이 유하혜를 '공손하지 않다不恭'라고 평가하였다. "伯夷는 섬길 만한 군주가 아니면 섬기지 않았다. … 柳下惠는 더러운 임금에게 벼슬하는 것을 부끄러워하지 않았고, 작은 벼슬을 하찮게 여기지 않았다. 나아가서 벼슬을 하면 자기의 현명함을 숨기지 않고, 반드시 도리대로 하였다. 버림을 받아도 원망하지 않았고, 곤궁하여도 고민하지 않았다. 그러므로 말하기를 '너는 너고 나는 나인데, 비록 내 곁에서 어깨를 드러내고 몸을 드러낸들, 네 어찌 나를 더럽힐 것이냐.'고 하였다. 그러므로 유유히 그들과 더불어 같이 하면서도, 그 스스로 올바름을 잃지 않았다. 그는 조정을 떠나려 하다가도 끌어 머물러 있게 하면 머물러 있었다. 끌어 머물러 있게 하여 머물러 있는 것은 역시 물러나는 것을 좋게 않게 여겼기 때문이다. 맹자는 '백이는 좁고, 유하혜는 공손하지 않다不恭. 좁은 것과 不恭을 군자가 따르지 않는다.'라고 말했다.(伯夷非其君不事…柳下惠, 不羞汚君, 不卑小官, 進不隱賢, 必以其道, 遺佚而不怨, 阨窮而不憫, 故 '爾爲爾, 我爲我, 雖袒裼裸裎於我側, 爾焉能浼我哉!' 故由然與之偕而不自失焉. 援而止之而止. 援而止之而止者, 是亦不屑去已. 孟子曰 '伯夷隘, 柳下惠不恭. 隘與不恭, 君子不由也.')"
413 '四時가 운행하고 … 생장하는': 『論語』「陽貨」에서는 "공자가 말했다. '나는 말을 하지 않으려고 한다. … 하늘이 무슨 말씀을 하시는가? 四時가 운행되고 만물이 생장하는데, 하늘이 무슨 말씀을 하시는가?(子曰, '予欲無言 … 天何言哉? 四時行焉, 百物生焉, 天何言哉?')"라고 했고, 이에 대해 주자는 『集註』에서 "사시가 운행되고 온갖 만물이 생장하는 것은 天理가 발현하여 流行하는 실제가 아님이 없으니, 말하기를 기다리지 않고도 볼 수 있는 것이다. 성인의 一動一靜은 오묘한 道와 정밀한 의리의 발현이 아님이 없으니, 이 또한 하늘天일 뿐이다. 어찌 말씀을 기다려야 드러나겠는가?(四時行, 百物生, 莫非天理發見流行之實, 不待言而可見. 聖人一動一靜, 莫非妙道精義之發, 亦天而已. 豈待言而顯哉?)"라고 주해하였다.
414 或問康節詩曰: 『朱子語類』 권100, 59조목에는 "先生誦康節詩曰(주자가 강절의 시를 외웠다.)"라고 되어 있다.
415 『朱子語類』 권100, 59조목
416 千鈞: 鈞은 무게 단위로 1鈞은 30근을 말한다.
417 "실행은 千鈞이나 … 하네.": 『擊壤集』 권3 「何事吟寄三城富相公」

까?”

(주자가) 대답했다. “다만 망령되지 않게 하는 것이다. 예를 들어 자방子房[張良]이 한나라에 있을 때 한 마디도 말하지 않아도, 당시의 담당자들이 반드시 온갖 면에서 세세하게 살펴야 했던 것과 같다.”[418]

[39-5-28]

“康節詩云, ‘幽暗巖崖生鬼魅, 淸平郊野見鸞鳳.’ 聖人道其常, 也只是就那光明處理會說與人. 那幽暗處, 知得有多少怪異.”[419]

(주자가 말했다.) “강절康節의 시에 ‘으슥하고 어두컴컴한 바위 벼랑에서는 귀신과 도깨비가 나오고 맑고 평평한 들판에는 난새와 봉황새가 나타난다.’[420]라고 했다. 성인은 평상스러운 것[常]을 말했으니, 또한 다만 그 밝은 곳에 대해 이해한 것을 사람들에게 말해주는 것일 뿐이다. 그 으슥하고 어두컴컴한 곳에는 다소 괴이한 것이 있음을 알겠다.”

[39-5-29]

“康節以品題風月自負, 然實强似皇極經世書.”[421]

(주자가 말했다.) “강절康節은 바람과 달을 품평하는 것을 자부하였는데,[422] 그러나 실은 『황극경세서』보다 뛰어나다.”

· · · · · · · · · · · · · · · · · · · ·

418 子房[張良]이 한나라에 … 같다. : 『朱子語類』 권125, 36조목에 “노자의 학문은 다만 물러나 유약하게 엎드려 그대와 다투지 않는 것이다. … 예를 들어 (노자가) ‘正으로써 나라를 다스리고 奇로써 용병하며, 일이 없는 것으로써 천하를 취한다.’라고 한 것은 그가 천하를 취할 때 이런 도를 사용한 것이다. 장자방의 술수가 완전히 이와 같다. … 漢나라가 시종일관 천하를 다스린 것은 완전히 이런 술수를 얻어서인데, 무제 때에 이르기까지 철저히 (이 술수를) 다했다. 즉 장자방은 한가할 때에 아무 말도 하지 않았지만, 그에게 한 마디 말도 못하도록 하는 것은, 더욱 그렇게 할 수가 없었다. (장자방이) 젊었을 때 협객에게 진시황을 암살하도록 부탁했고, 후에는 黃石公에게 배워 더욱 정교해졌으니, 이는 다만 모두 다른 사람으로 하여금 그를 의심하지 못하게 한 것이니, 이것이 (그가 도리에) 어그러지게 된 까닭이다.(老子之學只要退步柔伏, 不與你爭. … 如曰‘以正治國, 以奇用兵, 以無事取天下’, 他取天下便是用此道. 如子房之術, 全是如此. … 漢家始終治天下全是得此術, 至武帝盡發出來. 便卽當子房閑時不做聲氣, 莫敎他說一語, 更不可當. 少年也任俠殺人, 後來因黃石公敎得來較細, 只是都使人不疑他, 此其所以乖也.)”라고 하였다. 군주는 한가하게 淸淨無爲하면서도 신하들이 有爲하도록 만드는 것이 황로학의 기본적인 지향이다. 장량이 이러한 황로학에 가깝다는 점에 대해서는 주자도 『朱子語類』 여러 곳에서 지적하고 있다.(『朱子語類』 권135의 17조목, 18조목, 19조목, 권136의 5조목, 권137의 35조목 등)

419 『朱子語類』 권100, 60조목

420 ‘으슥하고 어두컴컴한 … 나타난다.’ : 『擊壤集』 「蒼蒼吟寄答曹州李審言龍圖」

421 『朱子語類』 권100, 55조목

422 바람과 달을 … 자부하였는데 : 『擊壤集』 권20 「首尾吟」. [39-5-5]를 참조

[39-5-30]

問 : "先生須得邵堯夫先知之術."

先生久之, 曰 : "吾之所知者'惠迪吉, 從逆凶'; '滿招損, 謙受益.' 若是明日晴, 後日雨, 吾又安能知耶?"[423]

물었다. "선생은 반드시 소요부邵堯夫의 예측하는 술수를 반드시 알아야 합니다."

주자가 한참 동안 있다가 말했다. "내가 아는 것은 '선을 따르면 길하고 악을 따르면 흉하다.'[424]는 것이고, '가득 차면 덞을 초래하고, 겸손하면 이익을 받는다.'[425]는 것이다. 내일은 맑고, 모레는 비가 온다는 것 같은 부류는 내가 또 어찌 알겠는가?'

[39-5-31]

賛先生像曰 : "天挺人豪, 英邁蓋世. 駕風鞭霆, 歷覽無際. 手探月窟, 足躡天根. 閑中今古, 醉裏乾坤."[426]

(주자가) 강절 선생의 화상찬에서 말했다. "하늘이 낳은 뛰어난 호걸로, 영민하고 비범함이 천하를 덮는구나. 바람을 타고 우뢰를 채찍질하며, 두루 빠짐없이 보는구나. 손으로는 월굴月窟을 더듬고 발로는 천근天根을 밟았네.[427] 한가로운 가운데 고금을 꿰뚫고 취한 속에 건곤을 섭렵했다."

- -

423 『朱子語類』 권107, 40조목
424 '선을 따르면 … 흉하다.' : 『書經』 「虞書 · 大禹謨」
425 '가득 차면 … 받는다.' : 『書經』 「虞書 · 大禹謨」
426 『朱文公文集』 권85 「康節先生」
427 손으로는 月窟을 … 밟았네. : 月窟은 陰의 뿌리이니, 음의 뿌리는 곧 陽이다. 天根은 陽의 뿌리이니, 양의 뿌리는 곧 陰이다. 「先天圖」에서 월굴은 姤卦를 가리키고, 천근은 復卦를 가리킨다.

諸儒二 제유 2

程子門人　정자문인

[40-1-1]
程子曰 : "呂與叔閑居中, 某嘗窺之, 必見其儼然危坐, 可謂敦篤矣. 學者須恭敬, 但不可令拘迫, 拘迫則難久也."[1]

정자가 말했다. "여여숙呂與叔[呂大臨][2]이 한가롭게 있을 때 내가 엿본 적이 있었는데, 반드시 엄숙하게 무릎 꿇고 앉아 있는 모습을 봤으니, 돈독하다고 할 만하다. 배우는 자는 반드시 공경의 태도를 지녀야 하지만, 속박해서는 안 되니, 속박하면 오랫동안 유지하기가 어렵다."

[40-1-2]
"呂和叔任道擔當, 其風力甚勁. 然深潛縝密, 有所不逮於與叔."[3]

(정자가 말했다.) "여화숙呂和叔[呂大鈞][4]은 도道를 자임하고 책임져, 그 기개가 매우 굳세다. 그러나 깊이

---

1 『河南程氏遺書』 권18
2 呂大臨(1040~1092) : 자는 與叔이며, 당시 藝閣先生으로 불리었다. 송대 藍田(현 섬서성 소속) 사람으로『呂氏鄕約』을 쓴 呂大鈞의 동생이다. 처음에는 張載를 스승으로 모셨으나, 장재가 죽은 뒤 二程에게 배워 謝良佐 · 游酢 · 楊時와 함께 '程門四先生'이라 일컫는다. 太學博士 · 秘書省正字를 역임하였다. 저서는 『禮記傳』 · 『考古圖』 등이 있다.
3 『河南程氏遺書』 권2上 『二程粹言』 「聖賢篇」에도 "子曰, 和叔任道, 風力甚勁, 而深淺潛密, 則於與叔不逮"라고 되어 있다.
4 呂大鈞(1029~1080) : 자는 和叔이며, 북송 陝西 藍田縣의 사람이다. 呂大忠의 둘째 동생으로 張載와 동갑내기 친구였는데, 스승의 예로 장재를 섬겼으며, 關學派의 대표적인 인물이 되었다. 북송 嘉佑 2년(1059) 진사가 되어 이후 여러 벼슬을 거쳤으며, 『呂氏鄕約』을 처음 만들었다. '덕은 서로 권장하고, 과실은 서로 규제하며, 예속으로 서로 교제하고, 환난은 서로 구휼한다.(德業相勸, 過失相規, 禮俗相交, 患難相卹)'라는 최초의 성문

침잠하고 찬찬하여 빈틈없는 면에서는 여숙與叔[呂大臨]에게 미치지 못하는 점이 있다."

[40-1-3]

"游酢, 非昔日之游酢也. 固是穎, 然資質溫厚. 讀西銘已能不逆於心,[5] 言語外, 立得箇意思,[6] 便道中庸矣. 楊時雖不逮酢, 然煞穎悟."[7]

(정자가 말했다.) "유초游酢[8]는 옛날의 유초가 아니다. 진실로 총명하지만, 자질이 온후하였다. 「서명西銘」을 읽으며 이미 마음속에 걸림이 없을 수 있었으며, (「서명」에 대해) '언어의 바깥에 뜻을 세워서 바로 『중용』을 말했다.'[9]라고 했다. 양시楊時는 비록 유초에 이르지는 못했지만 대단히 총명하였다."

[40-1-4]

"游酢·楊時, 是學得靈利高才也. 楊時於新學極精, 今日一有所問, 能盡知其短而持之. 介甫之學, 大抵支離. 某嘗與楊時讀了數篇,[10] 其後盡能推類以通之."[11]

(정자가 말했다.) "유초游酢와 양시楊時는 배우는 데 영리하고 높은 재주를 갖춘 사람이다. 양시는 (왕안

화된 향촌규약을 만들었다. 저서에 『四書注』·『誠德集』 등이 있다. 呂大忠, 呂大防, 呂大鈞, 呂大臨 4형제는 남전여씨 "呂氏四賢"이라고 불렸다.

5 讀西銘已能不逆於心: 『河南程氏外書』 권10 「大全集拾遺」에는 "遊酢於西銘, 讀之已能不逆於心"으로 되어 있고, 『河南程氏外書』 권7에는 "游酢得西銘誦之, 即渙然不逆於心"으로 되어 있다.

6 言語外, 立得箇意思: 『河南程氏外書』 권10 「大全集拾遺」에는 "言語之外, 別立得這箇義理"라고 되어 있다.

7 "游酢, 非昔日之游酢也 … 然資質溫厚"는 『河南程氏遺書』 권2上의 글이고, "讀西銘已能不逆於心 … 便道中庸矣"는 『河南程氏外書』 권10 「大全集拾遺」의 글이며, "楊時雖不逮酢, 然煞穎悟"는 『河南程氏遺書』 권2上의 글이다. 이 중 『河南程氏外書』 권10의 글은 『河南程氏外書』 권7에도 유사한 문장으로 실려 있다.

8 游酢(1053~1123): 북송 建陽(福建省) 사람으로 자는 定夫·子通이고, 호는 鷹山·廣平이며, 시호는 文肅이다. 1083년에 진사가 되어 太學博士, 監察御使 등을 지냈다. 형 游醇과 함께 학문과 행실로 알려져서 당시 知扶溝縣으로 있던 程顥의 부름을 받아 學事를 맡게 되었고, 그때부터 정호 형제를 사사하였다. 謝良佐, 楊時, 呂大臨과 함께 '程門四先生'으로 일컬어졌다. '도'를 천지 만물 속에 있는 보편적 존재로 인식하여 자연의 도가 바로 인륜의 이치라고 주장하였다. 『周易』을 중시하여 그 책 속에 우주 만물의 이치가 포함되어 있다고 보았다. 만년에 禪에 몰입하여 유가가 불가를 배척할 것이 아니라 서로 보완적인 관계가 되어야 한다고 주장하여 후대 학자인 胡宏으로부터 '정자 문하의 죄인'이라고 혹평을 받기도 하였다. 저술로 『易說』, 『中庸義』, 『論語孟子雜解』, 『詩二南義』 등이 있었지만 모두 잃어버렸고, 남은 글을 모아 후세 사람이 엮은 『游鷹山集』이 남아 있다.

9 '언어의 바깥에 … 말했다.': 『河南程氏外書』 권7에 "유초가 「西銘」을 외우고는 기뻐하여 마음에 걸림이 없게 되어 말했다. '이것은 중용의 이치이니, 언어의 바깥에서 구할 수 있는 것이다.(游酢得西銘誦之, 即渙然不逆於心曰, 此中庸之理也, 能求於語言之外者也.)"라고 하였고, "이 조목은 이미 「大全集」에 보인다. 그러나 잘못되고 빠진 곳이 꽤 있으므로 여기에 다시 내었다.(此一條已見於大全集. 然頗有缺誤. 故複出此.)"라고 주석이 달려 있다.

10 某嘗與楊時讀了數篇: 『河南程氏遺書』 권2에는 '某'가 '伯淳'으로 되어 있다.

11 『河南程氏遺書』 권2上

석의) 신학新學에 지극히 정밀하여 오늘 한 번 물었더니, 그 문제점을 다 꿰뚫어서 대항할 수 있었다. 개보介甫[王安石]의 학문은 대체로 지리멸렬하다. 내가 일찍이 양시와 글 몇 편을 읽었는데, (양시가) 그 뒤에 배운 것을 유추하여 다 통할 수 있었다."

[40-1-5]

"林大節雖差魯, 然所問便能躬行."[12]

(정자가 말했다.) "임대절林大節[13]은 비록 조금 노둔하지만, 질문한 것을 바로 몸소 잘 실행했다."

[40-1-6]

"劉質夫久於其事, 自小來便在此. 聖學不傳久矣.[14] 吾生百世之後, 將明斯道,[15] 興斯學於旣絶, 力小任重, 而懼其難者,[16] 亦有冀矣. 以謂苟能使知之者廣, 則用力者衆, 何難之不易也? 游吾門者衆矣, 而信之篤, 得之多, 行之果, 守之固, 若質夫者幾希.[17] 他人之學, 敏則有矣, 未易保也. 質夫之至, 吾無疑焉."[18]

(정자가 말했다.) "유질부劉質夫[劉絢][19]는 이 학문에 종사한 지 오래되었으니, 어려서부터 와서 줄곧 여기에 있다. 성인의 학문이 전해지지 못한 지 오래되었도다. 내가 백세 뒤에 태어나 이미 끊어진 이 도를 밝히려 하고 이미 끊어진 이 학문을 일으키려 하니, 힘이 부족하고 책임이 막중하여,[20] 그 어려움이

• • • • • • • • • • • • • • • •

12 『河南程氏遺書』 권2上

13 林大節(?~?) : 이정의 문인. 『伊洛淵源錄』 권14 「程氏門人無記述文字者」와 『宋元學案』 권30 「劉李諸儒學案」에 이 구절을 인용하여 "임대절에 대해서는 그 고향, 이름과 자, 행실 등을 알 수 없고, 다만 『河南程氏遺書』에 '林大節은 비록 노둔하지만, 질문한 것을 곧 몸소 행할 수 있었다.'라고 말했으니, 또한 독실한 선비일 것이다. (林大節, 不詳其鄕里・名字・行實, 但 『遺書』言其雖差魯, 然所問便能躬行, 然則亦篤實之士也.)"라고 하였다.

14 聖學不傳久矣. : 『河南程氏文集』 권12 「祭劉質夫文」에는 "嗚呼, 聖學不傳久矣"로 되어 있다.

15 將明斯道 : 『河南程氏文集』 권12 「祭劉質夫文」에는 "志將明斯道"로 되어 있다.

16 而懼其難者 : 『河南程氏文集』 권12 「祭劉質夫文」에는 "而不懼其難者(그러나 그 어려움을 두려워하지 않은 것은)"라고 되어 있다.

17 若質夫者幾希. : 『河南程氏文集』 권12 「祭劉質夫文」에는 '質夫'가 '子'로 되어 있다.

18 "劉質夫久於其事, 自小來便在此"는 『河南程氏遺書』 권2上의 글이고, "聖學不傳久矣 … 若質夫者幾希"는 『河南程氏文集』 권12 「祭劉質夫文」의 글이며, "他人之學, 敏則有矣, 未易保也. 質夫之至, 吾無疑焉."은 『伊洛淵源錄』 권8에 실려 있는 李籲의 「劉博士墓誌銘」에 "明道常謂人曰, 他人之學, 敏則有矣, 未易保也. 斯人之志, 吾無疑焉."이라고 되어 있다.

19 劉絢(1045~1087) : 북송 綏氏(지금의 偃師市) 사람으로 관향은 常山(지금의 절강)이며, 자는 質夫이다. 蔭敍로 壽安縣主簿가 되었다가 長子縣令으로 옮겼다. 元祐 초에 韓維가 천거하여 京兆府敎授가 되었고, 王岩叟와 朱光庭이 또 천거하여 太學博士가 되었다. 일찍부터 程顥와 程頤 형제에게 배웠고, 학문에 힘썼으며 특히 『春秋』에 정통했다.

20 힘이 부족하고 … 막중하여 : 『論語』「泰伯」에 "증자가 말했다. '선비는 도량이 넓고 뜻이 군세지 않으면 안 된다. 책임이 무겁고 길이 멀기 때문이다.'(曾子曰, '士不可以不弘毅, 任重而道遠.')"라고 하였다.

두려우면서도 또한 기대한 바가 있었다.[21] 진실로 이 학문을 알게 되는 자가 광범위해질 수 있다면 여기에 힘쓰는 자가 많아질 것이니 어떤 어려움인들 어렵겠는가?[22] 나의 문하에서 노니는 자들이 많지만, 믿음이 독실하고 깨달음이 많으며 행함이 과감하고 지킴이 견고한 자는[23] 질부質夫만한 자가 드물다. 다른 이들의 학문은 민첩한 경우는 있지만 아직 보증할 수는 없다.[24] 질부의 지극함에 대해서는 내가 의심이 없다."

[40-1-7]

"李端伯相聚雖不久, 未見他操履. 然才識穎悟, 自是不能已也."[25]

(정자가 말했다.) "이단백李端伯[李籲][26]은 서로 모인 기회가 오래되지 않아 그의 몸가짐을 보지는 못했다. 그러나 재주와 식견이 매우 뛰어나니 스스로 그만둘 수가 없을 것이다."

[40-1-8]

"呂進伯可愛! 老而好學, 理會直是到底."[27]

(정자가 말했다.) "여진백呂進伯[呂大忠][28]은 사랑할 만하다! 늘어서도 배움을 좋아하고, 이해가 곧바로

....

21 또한 기대한 … 있었다. : 『性理群書句解』 권19 「祭劉質夫文」에 "또한 희망하는 것이 있었다.(亦有所冀望也.)"라고 주해하였다.

22 진실로 이 … 어렵겠는가? : 『性理群書句解』 권19 「祭劉質夫文」에는 "진실로 사람들로 하여금 이 도를 널리 알게 할 수 있다면, 이 도에 힘쓰는 자 또한 많아지게 될 것이니, 이와 같다면 비록 어려운 일이라 하더라도 실제로는 쉬울 것이다.(以言誠能使人知此道者博, 則用功於此道者亦多若是則雖難而實易)"라고 주해하였다.

23 믿음이 독실하고 … 자는 : 『性理群書句解』 권19 「祭劉質夫文」에서는 "그러나 이 도를 믿는 것이 돈독하고, 이 도를 얻은 것이 깊이 있으며, 이 도를 행하는 것이 확고하고, 이 도를 지키는 것이 견고한 자(而信此道之篤, 得此道之深, 行此道之確, 守此道之堅)"라고 주해하였다.

24 보증할 수는 없다. : 『論語』 「述而」에서는 "互鄕 사람과는 상대하기 어려웠는데, 호향의 童子가 찾아와 공자를 뵈니, 문인들이 의혹하였다. 공자가 말했다. '사람이 몸을 가다듬어 깨끗이 하고서 찾아 나오거든 그 몸을 깨끗이 한 것을 인정할 뿐이요, 지난날의 잘잘못을 보장할 수는 없는 것이며, 그 찾아옴을 인정할 뿐이요, 물러간 뒤에 잘못하는 것을 허여하는 것은 아니다. 어찌 심하게 할 것이 있겠는가?(互鄕難與言, 童子見, 門人惑. 子曰, 與其進也, 不與其退也, 唯何甚? 人潔己以進, 與其潔也, 不保其往也.)"라고 했다.

25 『河南程氏遺書』 권2上

26 李籲(?~?) : 자는 端伯이며, 북송 緱氏(지금의 偃師市) 사람(『宋史』에는 洛陽 사람으로 되어 있다. 『宋元學案』 권30을 따랐다.)이다. 자질이 총명하였으며, 이정의 학설을 존숭하고 널리 전파하였다. 진사가 된 후 哲宗 元祐 시기에 秘書省校書郎이 되었다. 이정의 말들을 기록 편찬하여 『師說』이라고 불렀는데, 훗날 주자가 그 책을 좋아하며 높이 평가하였다. 이정보다 먼저 죽었고, 그 묘는 지금의 城關鎭西寺莊에 있다.

27 『河南程氏遺書』 권2上

28 呂大忠(1020~1066) : 자는 進伯이며, 북송 京兆 藍田 사람이다. 북송시기 관학파의 유명한 인물이다. 할아버지인 呂通은 太常博士를 지냈고, 아버지 呂賁簡은 兵部郎中을 역임했으며, 동생인 呂大防, 呂大鈞, 呂大臨과 함께 '藍田呂氏四賢'이라고 불렸다. 진사에 급제한 후 처음에는 華陰尉를 지냈고, 후에 晉城縣令, 秘書丞, 河北轉運判官, 工部郎中, 陝西路轉運副使, 寶文閣直學士 등을 역임했다. 저서로『輞川集』 권5『奏議』 권10,

투철하였다."

[40-1-9]

"邢明叔明辨有才氣,[29] 其於世務練習, 蓋美材也. 晚溺於佛, 所謂'日月至焉而已'者, 豈不可惜哉!"[30]

(정자가 말했다.) "형명숙邢明叔은 명확하게 변별하고 재기가 있으며, 세상사의 일에 대해서 익숙하니, 훌륭한 재질이다. 늘그막에 불교에 빠져서 이른바 '하루나 한 달에 한 번 인仁에 이를 뿐'[31]인 자이니, 어찌 애석하지 않겠는가!"

[40-1-10]

"范淳夫色溫而氣和,[32] 其人如玉, 尤可以開陳是非, 導人主之意."[33]

(정자가 말했다.) "범순부范淳夫[34]는 안색이 부드럽고 기운이 온화하여 그 사람됨이 옥과 같이 아름다우며, 특히나 시비를 개진하여 임금의 뜻을 잘 인도할 만하다."

[40-1-11]

"謝顯道爲切問近思之學, 其才能充而廣之者也. 吾道有望矣."[35]

(정자가 말했다.) "사현도謝顯道[謝良佐]는 절실한 것을 묻고 가까운 곳에서 생각하는 학문[36]을 하며, 그 재질이 채우고 넓힐 수 있는[37] 자이다. 우리 도道에 희망이 있다."

・・・・・・・・・・・・・・・・・・・・・・・

『文獻通考』가 있다.

29 邢明叔明辨有才氣:『二程粹言』권下 「天地篇」에는 '邢明叔'이 '明叔'으로 되어 있다.

30 『二程粹言』권下 「天地篇」

31 '하루나 한 … 뿐':『論語』「雍也」에서는 "顔回는 그 마음이 3개월 동안 仁을 떠나지 않았고, 그 나머지 사람들은 하루나 한 달에 한 번 인에 이를 뿐이다.(回也, 其心三月不違仁, 其餘則日月至焉而已矣.)"라고 했다.

32 范淳大色溫而氣和:『河南程氏遺書』권22上에는 '淳'이 '純'으로 되어 있다.

33 『河南程氏遺書』권22上

34 范祖禹(1041~1098) : 자는 淳夫, 夢得이며, 북송 成都府 華陽縣(지금의 사천 성도시 쌍류현 사람이다. 재상 呂公著의 사위로, 嘉祐 8년(1063) 진사가 되었다. 역사에 밝았으며 특히 『唐書』에 정통하여, 司馬光에게 칭찬을 받았다. 북송 神宗 熙寧 3년(1070)부터 劉恕, 劉攽 등과 사마광이 『資治通鑑』을 편수하는 것을 도왔다. 저서에 『唐鑑』권12 『帝學』권8 『仁皇政典』권6 『范太史集』권53 등이 있다. 범조우는 또한 황제에게 進講하는 데에도 뛰어나 蘇東坡에게 "범조우가 글을 진강하는 것은 지금 경연관 가운데 제일이다.(范淳夫講書, 爲今經筵講官第一.)"라는 칭찬을 들었다.

35 "謝顯道爲切問近思之學"은 『河南程氏外書』권11의 글이고, "其才能充而廣之者也. 吾道有望矣"는 『二程粹言』권하 「聖賢篇」의 글이다.

36 절실한 것을 … 학문:『論語』「子張」에서는 "자하가 말했다. '배우기를 널리 하고 뜻을 독실하게 하며, 내 몸에 절실한 것을 묻고 가까운 곳에서 생각하면, 인이 그 속에 있다.'(子夏曰, '博學而篤志, 切問而近思, 仁在其中矣.')"라고 했다.

[40-1-12]

"謝良佐因論求舉於方州, 與就試於大學, 得失無以異, 遂不復計較, 明且勇矣."[38]

(정자가 말했다.) "사량좌謝良佐는 주군州郡에서 과거에 응시하는 것과 태학에 나아가 시험 보는 것[39]이 득실에 차이가 없음을 논하고 나서는 이후로 다시는 계산해보지 않았으니, 현명하고도 용감하다."

[40-1-13]

謝良佐記問甚博.[40]

曰 : "賢却記得許多, 可謂玩物喪志."[41]

• • • • • • • • • • • • • • •

37 채우고 넓힐 수 있는: 『孟子』「公孫丑上」에 "四端이 나에게 있는 것을 다 넓혀서 채울 줄 알면, 마치 불이 처음 타오르며 샘물이 처음 나오는 것과 같을 것이니, 만일 이것을 채울 수 있다면 충분히 四海를 보호할 수 있고, 만일 채우지 못한다면 부모도 섬길 수 없을 것이다.(凡有四端於我者, 知皆擴而充之矣, 若火之始然, 泉之始達, 苟能充之, 足以保四海, 苟不充之, 不足以事父母.)"라고 하였고, 주자는 "擴은 미루어 넓힌다는 뜻이다. 充은 가득함이다.(擴, 推廣之意, 充, 滿也.)"라고 주해하였다.

38 『二程粹言』권상「論事篇」

39 州郡에서 과거에 … 것: 『河南程氏遺書』권4에서는 "남이 다른 경전을 익히니, 이미 그것을 버리고『대대례기』를 익혔다. 그 까닭을 물으니 '과거 시험에 이롭습니다.'라고 답했다. 선생이 말했다. '너의 이 마음으로는 이미 요순의 도에 들어갈 수 없다. … 도에 뜻을 둔 자는 이 마음을 마땅히 제거해 버린 후에야 이야기할 수 있다.'(人有習他經, 旣而舍之, 習戴記. 問其故, 曰, '決科之利也.' 先生曰, '汝之是心, 已不可入於堯·舜之道矣. … 有志於道者, 要當去此心而後可語也.')"라고 했고, "어떤 판본에는 다음과 같이 되어 있다. '명도가 知扶溝縣事일 때, 이천이 모시고 갔다. 사현도가 장차 (고향으로) 돌아가 과거시험에 응하려고 했다. 이천이「어찌 다만 태학에서 시험보지 않는가?」라고 물으니, 현도가「상채 땅 사람들은『禮記』를 익힌 사람이 드무니, 과거시험에 이롭습니다.」라고 답했다. 선생이 위와 같이 말하자 현도가 이에 그만두고, 이 해에 과거시험에 급제하였다.(一本云, 明道知扶溝縣事, 伊川侍行. 謝顯道將歸應擧. 伊川曰, 何不止試於太學. 顯道對曰, 蔡人鮮習禮記, 決科之利也. 先生云云. 顯道乃止. 是歲登第.)"라는 주가 달려 있다. 『近思錄』권7에서는 "문인 가운데 태학에 머무르다가 돌아가 고을의 향시(鄕擧)에 응시하려는 자가 있었다. 그 까닭을 물으니, '채 땅의 사람들 중『大戴禮記』를 익히는 자가 드무니, 과거시험에 이롭습니다.'라고 답했다. 선생이 말했다. '너의 이 마음으로는 이미 요순의 도에 들어갈 수 없다.(門人有居太學, 而欲歸應鄕擧者. 問其故, 曰, '蔡人尠習戴記, 決科之利也.' 先生曰, '汝之是心, 已不可入於堯舜之道矣.')"라고 하였고, "득실은 명에 달려 있는데, 망령되게 따져보는 사사로움을 일으키는 것은 이로움을 추구하는 마음이다. 그러므로 요순의 도에 들어갈 수 없는 것이다.(得失有命, 妄起計度之私, 是利心也. 故不可入堯舜之道.)"라고 주해하였다. 또 茅星來의『近思錄集註』권7에는 채 땅에 대해 "채는 주의 이름이니, 상채가 그 속현이다. … 생각건대『河南程氏遺書』에서 유초가 기록한 부분과 이 부분은 조금 다르다.(蔡, 州名, 上蔡其屬縣也. … 按遺書游錄云'人有習他經, 旣而舍之, 習戴記, 問其故, 曰決科之利也'與此小異)"라고 주해하였다.

40 謝良佐記問甚博.: 『河南程氏外書』권12에는 "明道見謝子記問甚博(명도는 사량좌가 외워서 대답하는 것이 매우 해박함을 보고서)"라고 되어 있고, 李幼武의『宋名臣言行錄』(外集) 권7에는 "胡文定云, '先生初以記問爲學, 自負該博. 對明道, 擧史書, 不遺一字.'(胡文定(胡安國)이 말했다. '사량좌 선생은 애초에 외워서 대답하는 것을 학문으로 여겨, 해박함을 자부하였다. 명도에게 대답하며 역사서를 거론할 때 한 글자도 빼놓지 않았다.')"라고 되어 있다.

良佐身汗面赤.[42]

曰：“此便是惻隱之心.”[43][44]

사량좌는 외워서 대답하는 데[記問]에 매우 박학했다.

(정자가) 말했다. “사량좌는 기억하는 것은 매우 많지만 '사물에 빠져 뜻을 잃어버렸다.[玩物喪志]'고 말할 수 있다.”

사량좌가 몸에서 땀을 흘리며 얼굴이 붉어졌다.

(정자가) 말했다. “이는 곧 측은지심이다.”

[40-1-14]

“與范巽之語, 聞而多礙者, 先入也. 與呂與叔語, 宜礙而信者, 致誠也.”[45]

(정자가 말했다.) “범손지范巽之[范育][46]에게 말해주면 듣고서 이해하지 못하는 것이 많으니, 이것은 선입견 때문이다. 여여숙呂與叔[呂大臨]에게 말해주면 마땅히 이해가 안 될 것인데도 믿으니, 이것은 정성이 지극하기 때문이다.”

[40-1-15]

“尹焞魯, 張繹俊. 俊恐過之, 魯者終有守也.”[47]

(정자가 말했다.) “윤돈尹焞[48]은 노둔하고, 장역張繹[49]은 뛰어나다. 뛰어난 자는 아마도 지나칠 수 있지만, 노둔한 자는 끝내 지키는 것이 있다.”

- -

41 可謂玩物喪志. : 『河南程氏外書』 권12에는 이 구절이 없다.

42 良佐身汗面赤. : 『河南程氏外書』 권12에는 “謝子不覺身面赤”으로 되어 있다.

43 曰: 此便是惻隱之心 : 『河南程氏外書』 권12에는 “先生曰, 只此便是惻隱之心”으로 되어 있다.

44 『河南程氏外書』 권12. 李幼武의 『宋名臣言行錄』(外集) 권7과 『伊洛淵源錄』 권9에 상세한 내용이 실려 있다.

45 『二程粹言』 권하 「聖賢篇」

46 范育(?~?) : 字는 巽之이고, 북송 邠州 三水 사람이다. 진사가 된 후, 涇陽令이 되었다. 부모님을 봉양하기 위해 귀향을 청하여 장재를 따라 배웠다. 그를 천거하는 사람이 있어 崇文校書와 監察御史裏行을 제수받았다. 元祐 원년(1086)에 太常少卿이 되었다가, 光祿卿과 樞密都承旨가 되었다. 훗날 給事中이 되었다가 戶部侍郎에서 관직이 끝났다. 범육은 일찍이 程顥와 程頤와 張載 세 사람에게 배워서 道學의 이해가 깊었다. 장재가 『正蒙』을 짓고 나서 범육이 序言을 썼다. 범육은 송대 關學의 주요 인물 중 하나이다.(『宋史』 권303 「범육전」)

47 『河南程氏外書』 권11

48 尹焞(1071~1142) : 자는 彦明·德充이고, 호는 三畏齋와 황제가 하사한 호인 和靖處士가 있으며, 시호는 肅公이다. 송대 洛陽(현 하남성 낙양) 사람으로 과거에 응시하지 않았으나, 천거에 의해 崇政殿說書 겸 侍講을 역임하였다. 어려서부터 程頤에게 사사하여 스승의 학설을 가장 돈독하게 이어받았다고 한다. 저서는 『論語解』·『孟子解』·『和靖集』 등이 있다.

49 張繹(1071~1108) : 북송 壽安東七裏店(지금의 宜陽城關東店)사람으로 字는 思叔이다. 타고난 자질이 총명했으나 집안이 빈한하여 성장할 때까지 배우지 못하고 생계를 위해 시장에서 일하였다. 이후 발분하여 독서하고 程頤에게 나아가 공부하였다. 「張思叔座右銘」·「師說」·「祭程伊川文」·「明德錄」 등의 글이 있다.

[40-1-16]

“楊應之在交游中, 英氣偉度, 過絶於人, 未見其比, 可望以託吾道者.”[50]

(정자가 말했다.) “양응지楊應之[楊國寶][51]는 교유해보니, 빼어난 기상과 큰 도량이 일반 사람들보다 매우 뛰어나서, 비견할 만한 자를 아직 보지 못했으니, 우리 도를 맡길 만한 자이다.”

[40-1-17]

呂氏大忠曰 : “蘇季明德性純茂,[52] 强學篤志.”[53]

여대충呂大忠이 말했다. “소계명蘇季明[蘇昞][54]은 덕성이 훌륭하며, 학문을 열심히 익히고 뜻을 독실하게 한 사람이다.”

[40-1-18]

龜山楊氏曰 : “游定夫與兄醇, 俱以文行知名於時, 所交皆天下豪英. 定夫雖少, 而一時老師宿儒, 咸推先之. 伊川以事至京師, 一見謂其資可適道. 時明道知扶溝縣, 兄弟方以倡明道學爲己任,[55] 設庠序聚邑人子弟教之, 召定夫來職學事. 定夫欣然往從之, 得其微言, 於是盡棄其學學焉.[56]”[57]

구산 양씨龜山楊氏[楊時][58]가 말했다. “유정부游定夫[游酢][58]는 그 형 순醇과 함께 모두 문장과 덕행으로 세상에

- - - - - - - - - - - - - - - - - -

50 『童蒙訓』 권下, 『伊洛淵源錄』 권7
51 楊國寶(?~?) : 字는 應之이다. 이천이 쓴 제문과 『呂氏諸書』에 언행 한두 가지가 전해진다. 이천의 제문을 보면 그가 이천과 교유했을 뿐이지 이천의 문인이 아님을 알 수 있고, 呂本中은 그가 元豐 연간에 이미 죽었으니 연배가 이천과 거의 비슷할 것이라고 했다.
52 蘇季明德性純茂 : 『宋名臣言行錄』(外集) 권6에는 “呂大忠薦其德性純茂”로 되어 있다.
53 『伊洛淵源錄』 권9 『宋名臣言行錄』(外集) 권6
54 蘇昞(?~?) : 자는 季明이며, 북송 武功 사람이다. 처음에는 張載의 문인이었고 나중에 이정에게서 배웠다. 元祐 말에 여대충이 천거하여 太常博士가 되었다.
55 時明道知扶溝縣, 兄弟方以倡明道學爲己任 : 『龜山集』 권33 「誌銘4·御史游公墓誌銘」에는 “是時明道先生兄弟方以唱明道學爲己任”으로 되어 있다.
56 於是盡棄其學學焉. : 『龜山集』 권33 「誌銘4·御史游公墓誌銘」에는 “於是盡棄其學而學焉”으로 되어 있고, 『游廌山集』 권4에는 “於是盡棄故所習而學焉”으로 되어 있다.
57 『龜山集』 권33 「誌銘4·御史游公墓誌銘」과 『游廌山集』 권4에도 楊時의 「御史游公墓誌銘」으로 실려 있다.
58 游酢(1053~1123) : 북송 建陽(福建省) 사람이다. 자는 定夫·子通이고, 호는 廌山·廣平이며, 시호는 文肅이다. 1083년에 진사가 되어 太學博士, 監察御史 등을 지냈다. 형 游醇과 함께 학문과 행실로 알려져서 당시 知扶溝縣으로 있던 程顥의 부름을 받아 學事를 맡게 되었고, 그때부터 정호 형제를 사사하였다. 謝良佐, 楊時, 呂大臨과 함께 ‘程門四先生’으로 일컬어졌다. ‘도’를 천지 만물 속에 있는 보편적 존재로 인식하여 자연의 도가 바로 인륜의 이치라고 주장하였다. 『周易』을 중시하여 그 책 속에 우주 만물의 이치가 포함되어 있다고 보았다. 만년에 禪에 몰입하여 유가가 불가를 배척할 것이 아니라 서로 보완적인 관계가 되어야 한다고 주장하여 후대 학자인 胡宏으로부터 ‘정자 문하의 죄인’이라고 혹평을 받기도 하였다. 저술로 『易說』·『中

이름이 알려졌으니, 교유하는 사람들이 모두 천하의 호걸과 영재들이었다. 정부定夫가 비록 나이는 적었지만, 당대의 노숙老熟한 스승과 학자들이 다 정부를 높였다. 이천이 일이 있어 서울로 왔다가 그를 한번 보고 그 자질이 도에 적합하다고 평하였다. 당시에 명도는 부구현扶溝縣의 지사知事를 맡고 있었는데, (이정) 형제가 도학道學을 제창하여 밝히는 것을 자신의 임무로 삼고, 학교를 설치하여 마을 사람들의 자제들을 불러모아 가르쳤는데, 정부를 불러 학교의 일을 맡겼다. 정부가 흔쾌히 와서 따랐는데, 이정이 가르치는 은미한 의미를 깨닫게 되었고, 이에 이전에 배운 것을 다 버리고 이정에게 배웠다."

[40-1-19]

"伊川稱游定夫德宇睟然,[59] 問學日進, 政事亦絶人遠甚. 於師門見稱如此, 其所造可知矣.[60]"[61]

(구산 양씨가 말했다.) "이천이 유정부定夫[游酢]에 대해 덕의 그릇이 맑으며 학문이 날마다 진보하고 정무政務 또한 보통 사람보다 대단히 뛰어나다고 칭찬하였다. 그가 스승에게서 받은 칭찬이 이와 같으니, 그가 성취한 것을 알만 하다."

[40-1-20]

"定夫筮仕之初, 縣有疑獄,[62] 十餘年不決. 公攝邑事, 一問得其情而釋之, 精練如素官者, 人服其明."[63]

(구산 양씨가 말했다.) "정부定夫[游酢]가 처음 벼슬할 적에, 현에 10년 동안 판결하지 못한 의옥疑獄(죄상이 뚜렷하지 않아 죄의 유무를 판명하기 어려운 사건)이 있었다. 공이 현의 일을 다스리며, 한번 물어서 그 죄상을 파악하고 해결했는데, 정확하고 노련한 것이 마치 오랜 관리와 같아서, 사람들이 그 밝음에 탄복했다."

[40-1-21]

"定夫自幼不羣, 讀書一過目輒成誦. 比壯益自力, 心傳目到, 不爲世儒之習. 誠於中, 形諸外, 儀容辭令, 燦然有文, 望之知爲成德君子也. 其事親無違, 交朋友有信, 涖官遇僚吏有恩意, 人樂於自盡而無敢慢其令者.[64] 惠政在民, 戴之如父母, 故去則見思愈久而不忘. 若其道學足以

- -

庸義』·『論語孟子雜解』·『詩二南義』 등이 있었지만 모두 잃어버렸고, 남은 글을 모아 후세 사람이 엮은 『游廌山集』이 남아 있다.

59 伊川稱游定夫德宇睟然: 『龜山集』 권33 「誌銘4·御史游公墓誌銘」에는 "伊川謂予曰游君德氣粹然"으로 되어 있고, 『游廌山集』 권4 「御史游公墓誌銘」에는 "伊川謂予曰游君德器粹然"으로 되어 있다.

60 於師門見稱如此, 其所造可知矣.: 『龜山集』 권33 「誌銘4·御史游公墓誌銘」과 『游廌山集』 권4 「御史游公墓誌銘」에는 "其在師門見稱如此, 則所造可知矣"로 되어 있다.

61 『龜山集』 권33 「誌銘4·御史游公墓誌銘」과 『游廌山集』 권4에도 楊時의 「御史游公墓誌銘」으로 실려 있다.

62 定夫筮仕之初, 縣有疑獄: 『龜山集』 권33 「誌銘4·御史游公墓誌銘」과 『游廌山集』 권4 「御史游公墓誌銘」에는 "筮仕之初, 未更事, 縣有疑獄(처음 벼슬하여 아직 경력이 적었을 적에, 현에 의심 가는 송사가 있었다.)"라고 되어 있다.

63 『龜山集』 권33 「誌銘4·御史游公墓誌銘」과 『游廌山集』 권4에도 楊時의 「御史游公墓誌銘」으로 실려 있다.

覺斯人, 餘潤足以澤天下, 遭時淸明, 不究所用, 士論共惜之.[65]"[66]

(구산 양씨가 말했다.) "정부定夫[游酢]는 어릴 적부터 특출나서, 책을 읽을 때 한 번 눈길이 지나가면 곧 외웠다. 어른이 되어서는 더욱 스스로 노력하여, 마음을 두고 눈길을 주는 것이 속유俗儒들의 습관과 같지 않았다. 마음속 정성[誠]이 밖으로 드러나니,[67] 몸가짐과 말이 찬란하게 문채가 있어, 바라보면 덕을 이룬 군자임을 알 수 있었다. 부모를 섬길 때 (도리에) 어긋나는 것이 없었고,[68] 벗과 교제할 때 믿음이 있었으며, 관직에 임해서 동료 관리를 대할 때에는 온정이 있어서, 사람들이 기꺼이 스스로 최선을 다하면서 감히 그 명령을 태만히 하는 사람이 없었다. 은혜로운 정치를 백성에게 베풀어주니, 그를 마치 부모처럼 받들었으므로 그가 떠났을 때 사모함이 오래도록 잊히지 않았다. 그의 도학道學은 남들을 깨우치기에 충분했고, 넘치는 은택은 천하를 윤택하게 하기에 충분했으며, 맑고 깨끗한 시절을 만났지만, 쓰일 바를 다하지 못했으니, 선비들이 모두 애석해 했다."

[40-1-22]

河東侯氏曰 : "明道先生謂'謝子雖少魯,[69] 直是誠篤. 理會事有不透, 其顙有泚, 其憤悱如此.'"[70]

하동 후씨河東侯氏[侯仲良][71]가 말했다. "명도明道[程顥] 선생이 평했다. '사자謝子[謝良佐]가 비록 조금 노둔하지만 다만 성실하고 진지하다. 일을 이해하는 것에 투철하지 못함이 있으면, 그의 이마에 땀이 흥건히 젖었으니,[72] 그 간절히 구하며 애태우는 것[73]이 이와 같았다.'"[74]

---

64 人樂於自盡而無敢慢其令者. : 『龜山集』 권33 「誌銘4·御史游公墓誌銘」과 『游鷹山集』 권4 「御史游公墓誌銘」에는 "雖人樂於自盡而無敢慢其令者"로 되어 있다.

65 不究所用, 士論共惜之. : 『龜山集』 권33 「誌銘4·御史游公墓誌銘」과 『游鷹山集』 권4 「御史游公墓誌銘」에는 "不及用而死, 此士論共惜之"로 되어 있다.

66 『龜山集』 권33 「誌銘4·御史游公墓誌銘」과 『游鷹山集』 권4에도 楊時의 「御史游公墓誌銘」으로 실려 있다.

67 마음속 정성[誠]이 … 드러나니 : 『大學』 제6장

68 (도리에) 어긋나는 것이 없었고 : 『論語』 「爲政」에서는 "孟懿子가 효를 묻자, 공자가 '어긋나는 것이 없어야 한다.'고 대답했다. … 樊遲가 '무엇을 이르신 것입니까? 하고 묻자, 공자가 말했다 '살아 계시면 禮로 섬기고, 돌아가시면 예로 장사 지내고, 예로 제사 지내는 것이다.'"(孟懿子問孝, 子曰, 無違. … 樊遲曰, 何謂也? 子曰, 生事之以禮, 死葬之以禮, 祭之以禮.)"라고 했고, 주자는 『集註』에서 "無違란 도리에 위배되지 않음을 말한다. …그 본뜻을 잃고 부모의 명령을 따르는 것을 孝로 여길까 염려하셨다. 그러므로 樊遲에게 말씀하여 그 뜻을 드러내어 밝힌 것이다.(無違, 謂不背於理. … 夫子以懿子未達而不能問, 恐其失指而以從親之令爲孝. 故語樊遲以發之)"라고 주해하였다.

69 明道先生謂謝子雖少魯 : 『河南程氏外書』 권12에는 '魯'가 '魯直'으로 되어 있다.

70 『河南程氏外書』 권12 『河南程氏外書』에는 이 글이 "『侯子雅言』에 보인다.(見侯子雅言.)"라고 적혀 있다.

71 侯仲良 : 자는 師聖이고, 송대 華陰(현 섬서성 화음시) 사람이다. 二程의 외사촌동생으로서 어려서부터 이정과 가까이 지내면서 함께 독서했고, 학문적으로는 특히 程頤의 영향을 많이 받았다. 평생 강학에만 힘써서 문하에 胡宏을 두었다. 말년에는 전란을 피해 福建으로 내려와 羅仲素 등과 교류하기도 했다. 저서는 『論語說』과 『雅言』이 있는데, 그 가운데 『雅言』은 二程의 事跡과 학설을 이해할 수 있는 중요한 저작이다. 楊時와 遊酢의 「程門立雪」 고사도 이 책에 기재되어 있다.

72 그의 이마에 … 젖었으니 : 『孟子』 「滕文公上」에서는 "상고시대에 그 부모를 장례 지내지 않은 자가 있었는데,

[40-1-23]

"明道先生平和簡易, 惟劉絢庶幾似之."[75]

(하동 후씨가 말했다.) "명도明道[程顥] 선생은 화평하며 간이簡易하니, 오직 유현劉絢[76]만이 거의 비슷하다."

[40-1-24]

上蔡謝氏曰: "昔在二程先生門下, 明道最愛中立, 伊川最愛定夫, 觀二人氣象亦相似."[77]

상채 사씨上蔡謝氏[謝良佐]가 말했다. "옛날에 이정 선생의 문하에 있을 적에 명도明道는 중립中立[楊時]을 가장 사랑했고, 이천伊川은 정부定夫[游酢]를 가장 사랑했는데, 두 사람의 기상을 살펴보면 또한 서로 비슷했다."

[40-1-25]

和靖尹氏曰: "謝顯道習擧業已知名, 往扶溝見明道先生受學, 志甚篤. 明道一日謂之曰, '爾輩在此相從, 只是學某言語. 故其學心口不相應. 盍若行之?' 請問焉, 曰, '且靜坐.' 伊川每見人靜坐, 便嘆其善學."[78]

화정 윤씨和靖尹氏[尹焞]가 말했다. "사현도謝顯道[謝良佐]는 과거시험공부[擧業]로 이미 이름이 알려졌는데, 부구扶溝현으로 가서 명도 선생을 뵙고[79] 학문을 배워 뜻이 매우 독실하였다. 하루는 명도가 '너희는 여기에서 서로 따르면서 오직 나의 말만 배우고 있다. 그러므로 그 학문이 마음과 입이 상응하지 못하니, 어찌하여 실행하지 않는가?'라고 하였다. 어떻게 해야 할지 물으니, (명도가) 대답했다. '우선 정좌하라.' 이천은 늘 사람들이 정좌하는 것을 보면 잘 배운다고 감탄하였다."

· · · · · · · · · · · · · · · ·

그 부모가 죽자, 가져다가 구렁에 버렸다. 후일 그곳을 지날 적에 여우와 살쾡이가 파먹으며 파리와 등에가 모여서 빨아먹으니, 그의 이마에 땀이 흥건히 젖어서 흘겨보고 차마 똑바로 보지 못하였다.(蓋上世嘗有不葬其親者, 其親死則擧而委之於壑. 他日過之, 狐狸食之, 蠅蚋姑嘬之, 其顙有泚, 睨而不視.)"라고 했다.

73 간절히 구하며 … 것: 『論語』「述而」에서는 "마음속으로 통하려고 간절히 구하지 않으면 열어주지 않으며, 입으로 말하고 싶어 애타지 않으면 말해주지 않는다. 한 귀퉁이를 들려주었는데 이것을 가지고 남은 세 귀퉁이를 反證하지 못하면 다시 더 일러주지 않는다.(不憤不啓, 不悱不發. 擧一隅, 不以三隅反, 則不復也.)"라고 하였다.

74 '명도 선생이 … 같았다.': 『河南程氏外書』 권12

75 『伊洛淵源錄』 권8; 『宋名臣言行錄』(外集 권6

76 劉絢(1045~1087): 북송 緱氏(지금의 偃師市) 사람으로 관향은 常山(지금의 절강)이며, 자는 質夫이다. 蔭敍로 壽安縣主簿가 되었다가 長子縣令으로 옮겼다. 元祐 초에 韓維가 천거하여 京兆府敎授가 되었고, 王巖叟와 朱光庭이 또 천거하여 太學博士가 되었다. 일찍부터 程顥와 程頤 형제에게 배웠고, 학문에 힘썼으며 특히 『春秋』에 정통했다.

77 『上蔡語錄』 권2

78 『河南程氏外書』 권12

79 扶溝현으로 가서 … 뵙고: 명도는 당시 知扶溝縣으로 있었다.

[40-1-26]

“周恭叔未三十,[80] 見伊川, 持身嚴苦, 塊然一室,[81] 未嘗窺牖. 幼議母黨之女, 登科後其女雙瞽, 遂娶焉, 愛過常人. 伊川曰, “頤未三十時,[82] 亦做不得此事.”[83]

주공숙周恭叔[周行己][84]이 나이 삼십이 못 되어서 이천을 만나 뵈었는데, 그의 몸가짐이 엄격하였으니, 덩그러니 홀로 방 안에 있으면서 창문 한번 내다 본 적이 없었다. 어렸을 적에 어머니 집안의 여자와 혼약이 논의되었는데, 과거 급제 후 그 여자가 두 눈이 멀었지만 마침내 그녀를 부인으로 맞아들였으며, 사랑하는 것이 일반 부부들보다 더하였다. 이천이 말했다. “내가 서른이 되기 전이었으면 또한 이렇게 하지 못하였을 것이다.”

[40-1-27]

馮忠恕問陳叔易言,[85] “伊川嘗許良佐有王佐才, 有諸?”[86]

曰: “無此語.[87] 先生晚年, 顯道來見,[88] 留十餘日. 先生謂焞如見顯道, 試問此來所得如何. 焞卽往問焉, 謝曰, ‘良佐每常聞先生語, 多疑惑. 今次見先生聞語,[89] 判然無疑, 所得如此.’ 焞具

---

80 周恭叔未三十:『河南程氏外書』 권12에는 “周恭叔, 自太學早年登科, 未三十”으로 되어 있다.

81 塊然一室:『河南程氏外書』 권12에는 “塊坐一室”로 되어 있다.

82 頤未三十時:『河南程氏外書』 권12에는 ‘頤’가 ‘某’로 되어 있다.

83 『河南程氏外書』 권12

84 周行己(1067~1125) : 자는 恭叔이며, 세칭 浮沚先生이라고 했다. 북송 사람으로 본관은 瑞安縣 芳山鄕 文周灣이다. 어려서부터 독서를 좋아했으며 15세 때 아버지를 따라 京師로 가 元豐 6년(1083) 17세의 나이로 太學諸生이 되었다. 왕안석의 제자였던 陸佃(1042~1102)과 龔原(1043~1110)에게 왕안석 ‘新學’을 배웠다. 元佑 2년(1087) 생각을 바꿔 太學博士 呂大臨에게 장재 ‘關學’을 배웠다. 원우 5년(1090)에 또 낙양으로 가서 程頤에게 학문을 배웠고, 마침내 이정 문하의 저명한 제자가 되었다. 행기는 풍채가 빼어나고 목소리가 종소리 같았으며 학식이 넓고 깊었는데, 원우 6년(1091) 진사에 급제하고 이름이 서울에 알려지자, 서울에 살던 권문세족이 딸을 주어 사위로 삼고자 했다. 그러나 행기는 아직 한미하던 시기에 어머니 친척의 가난한 집 따님과 결혼의 약속이 정해져 있다 하여 사양하였다. 후에 정혼자가 맹인이 되었으나 결혼하였다. 改元崇寧 원년(1102) 36세 때 태학박사가 되었는데, 부모님을 봉양하기 위해 향리에서 가르치기를 청하여 溫州教授를 제수받았다. 5년(1106년) 齊州敎授를 제수받았다가 大觀 3년(1109) 신당파에서 정이를 탄핵하면서 행기도 함께 파직당해 귀향하여 浮沚書院을 짓고 主講을 맡았다. 宣和 2년(1120)에 秘書省正字를 지냈다. 저서에『浮沚文集』권16 『後集』권3『易講義』와『禮紀講義』등이 있다.(『宋元學案』권32「周許諸儒」;『永嘉縣志』)

85 馮忠恕問陳叔易言: ‘問’은『伊洛淵源錄』권9에는 ‘聞’으로 되어 있고,『宋名臣言行錄』(外集 권7에는 ‘問’으로 되어 있다.

86 伊川嘗許良佐有王佐才, 有諸?:『伊洛淵源錄』권9와『宋名臣言行錄』(外集) 권7에는 “伊川嘗許謝良佐有王佐才, 以是質於和靖”이라고 되어 있다.

87 曰: 無此語.:『伊洛淵源錄』권9와『宋名臣言行錄』(外集) 권7에는 “和靖曰, 先生無此語”라고 되어 있다.

88 顯道來見:『伊洛淵源錄』권9와『宋名臣言行錄』(外集) 권7에는 “顯道授灘池令, 来洛見先生.(현도가 河南灘池의 현령이 되어 낙양에 와서 선생을 뵈었다.)”이라고 되어 있다.

89 今次見先生聞語:『伊洛淵源錄』권9와『宋名臣言行錄』(外集) 권7에는 “今次見先生聞先生語”라고 되어 있다.

以告, 先生曰, '某見得他也是如此.' 不聞有此語爾."[90]

풍충서馮忠恕[91]가 진숙이陳叔易[92]의 말을 (윤돈에게) 질문했다. "이천이 일찍이 양좌良佐[謝上蔡]를 왕을 보좌할 재질이 있다고 인정했다고 하는데, 이런 일이 있었습니까?"

(윤돈이) 말했다. "이런 말씀은 없었다. 선생님 만년에 현도顯道[謝良佐]가 찾아와 뵙고 십여 일을 머물렀다. 선생님은 내게 만일 현도를 보면 이번 길에 얻은 바가 어떠한지 물어보라고 말씀하셨다. 내가 가서 물었더니, 사량좌가 말했다. '내가 매번 선생님의 말씀을 들을 때 의혹이 많았다. 이번에 선생님을 뵙고 말씀을 들으니 분명하여 의혹이 없으니 얻은 것이 이러하다.' 내가 이 이야기를 모두 말씀드렸더니, 선생님이 '내가 본 그의 모습도 또한 이와 같다.'라고 말씀하셨다. 그러나 이런 말씀이 있었는지는 듣지 못했다."

[40-1-28]

華陽范氏曰：“呂與叔修身好學, 行如古人.”[93]

화양 범씨華陽范氏[范祖禹]가 말했다.[94] "여여숙呂與叔[呂大臨]은 수신修身하고 학문을 좋아하여, 행실이 옛사람과 같았다."

• •

90 『伊洛淵源錄』권9「謝學士」; 『宋名臣言行錄』(外集) 권7; 「謝良佐上蔡先生」. 둘 다 『涪陵記善錄』에 나온다고 주석을 달았는데 『涪陵記善錄』은 전해지지 않는다.

91 馮忠恕(?~?) : 字는 貫道이며, 송대 汝陽(지금의 河南汝南) 사람이다. 尹焞(1071~1142)의 제자이다. 아버지는 馮理이고 字는 聖先이고 호는 東皐로, 이천의 제자이며 윤돈과 동문이다. 풍충서는 紹興(1131~1162) 초에 黔州節度判官이 되었는데, 소흥 4년(1134) 涪陵에서 尹焞을 찾아뵈었고, 당시 윤돈의 말들을 기록하여 1137년 『涪陵記善錄』을 지었다.(『四庫總目提要』「涪陵紀善錄」; 『宋元學案』「知軍馮先生忠恕」; 『和靖集』)

92 陳恬(1058~1131) : 자는 叔易이고 호는 存誠子, 澗上丈人이며 북송말기 閬中(지금의 사천성에 속한다) 사람이다. 陽翟(지금의 河南禹州) 澗上村에 살면서 어머니를 봉양했다. 晁以道(晁說之)와 함께 嵩山에 은거했다가, 徽宗이 불러 校書郞을 제수하고, 郡守도 찾아와 벼슬을 권유하자 부득이해서 출사했다. 당시 조이도는 시를 지어 전송해 주었다. 저서에 『澗上丈人詩』 20권이 있으나 전해지지 않는다.

93 李燾(1115~1184), 『續資治通鑑長編』권472「哲宗」; 『宋名臣言行錄』(外集) 권6「呂大臨」

94 華陽范氏[范祖禹]가 말했다. : 李燾(1115~1184)의 『續資治通鑑長編』권472「哲宗」에는 "예부시랑 겸 시강 범조우가 말했다. '신이 엎드려 왕을 뵈오니 … 여대림은 대방의 동생으로 수신하고 호학하여 행실이 옛사람과 같습니다. 신이 비록 친숙하게 알지는 못하지만, 그를 안 지는 매우 오래되었습니다. 그가 재상의 동생이므로 감히 말씀드리지 못했습니다. 폐하께서 신이 평소 집정에게 아부하지 않는다는 것을 아시고, 또 신이 외직을 청하였으므로 스스로도 혐의가 없습니다. 폐하께서 이 사람의 이름을 기억하셨다가 훗날 등용해서 쓰십시오.(禮部侍郞兼侍講范祖禹言臣伏見王…呂大臨, 是大防之弟, 修身好學, 行如古人. 臣雖不熟識, 然知之甚久. 以宰相之弟, 故不敢言. 陛下素知臣不附執政, 又臣已乞外任, 故不自疑. 望陛下記其姓名, 以備他日選用.)"라고 되어 있고, 『宋名臣言行錄』(外集) 권6「呂大臨」에는 "범조우가 일찍이 그가 수신하고 호학하여 행실이 옛사람 같아 講官이 될 만하다고 추천하였으나, 등용되지 못하고 마쳤다.(范祖禹嘗薦其修身好學行如古人可爲講官, 不用而終.)"고 되어 있다.

[40-1-29]

“朱光庭初受學於安定先生, 告以爲學之本主於忠信,[95] 旣終身力行之. 及見二程先生而聞格物致知爲進道之門, 正心誠意爲入德之方, 服行其教, 造次不忘. 嘗謂百世以俟聖人而不惑者, 惟孔孟爲然, 故力排異端以扶聖道.”[96]

(화양 범씨가 말했다.) “주광정朱光庭[97]은 처음 안정安定[胡瑗] 선생에게 배웠는데, (안정 선생이) 학문의 근본은 충신을 주로 한다[98]고 알려주자, 곧 종신토록 힘써 행하였다. 이정二程 선생을 만나 격물格物・치지致知가 도에 나아가는 문이며, 정심正心・성의誠意가 덕에 들어가는 방도라는 것을 듣고서는, 그 가르침을 따라 실행하였는데, 창졸간에도 잊지 않았다. 일찍이 ‘백세에 성인을 기다려도 의혹되지 않는’[99] 자는 오직 공자와 맹자가 그러할 것이라고 했으며, 그러므로 힘써 이단을 배척하여 성인의 도를 떠받쳤다.”

[40-1-30]

武夷胡氏曰: “河南二程先生得孟子不傳之學於遺經, 以倡天下. 而升堂覩奧號稱高弟, 在南方則廣平游定夫, 上蔡謝顯道, 龜山楊中立,[100] 三人是也.”[101]

무이 호씨武夷胡氏[胡安國][102]가 말했다. “하남 이정 선생이 맹자 이래 전해지지 못한 학문을 남겨진 경서에서 체득하여 천하에 창도唱導하였다. 그런데 당堂에 올라 깊은 곳을 보는[103] 고제자高弟子라고 호칭할

----

95 告以爲學之本主於忠信: 『宋史』 권333 「朱光庭傳」에는 “瑗告以爲學之本在於忠信”으로 되어 있다.

96 『范太史集』 권43 「集賢院學士知潞州朱公墓誌銘」

97 朱光庭(1037~1094): 字는 公掞이고 북송 河南偃師 사람이다. 朱景의 아들로, 처음에는 胡瑗에게 배웠으며, 程顥의 문인이 되었다. 嘉祐 2년에 진사가 되어 萬年縣主簿가 되었고, 여러 벼슬을 거치다가 集賢院學士 겸 知潞州로 벼슬을 마쳤다. 철종 당시 사마광의 천거로 左正言이 되어 靑苗法과 保甲 제도 등의 철폐를 주장하기도 하였다.(『宋史』 권333 「朱光庭傳」)

98 충신을 주로 한다: 『論語』 「學而」에 “主忠信”이라고 하였다.

99 ‘백세에 성인을 … 않는’: 『中庸』 제29장에서는 “그러므로 군자의 도는 자기 몸에 근본하여 모든 백성에게 징험하며, 삼왕에게 상고해도 그릇되지 않으며, 천지에 세워도 어긋나지 않으며, 귀신에게 질정하여도 의심이 없으며 백세에 성인을 기다려도 의혹되지 않는다.(故君子之道, 本諸身, 徵諸庶民, 考諸三王而不謬, 建諸天地而不悖, 質諸鬼神而無疑, 百世以俟聖人而不惑.)”라고 했다.

100 龜山楊中立: 『伊洛淵源錄』 권10 「楊文靖公・墓誌銘」, 그리고 『宋名臣言行錄』(外集) 권8 「楊時龜山先生文靖公」에는 “與公(그리고 양문정공)”으로 되어 있다.

101 『伊洛淵源錄』 권10 「楊文靖公」에 실린 胡文定의 「墓誌銘」에, 그리고 이유무, 『宋名臣言行錄』(外集) 권8에 「楊時龜山先生文靖公」으로 실려 있다.

102 胡安國(1074~1138): 다른 이름은 胡迪이다. 字는 康候이고, 호는 靑山이다. 학자들은 그를 武夷先生이라 불렀으며, 시호는 文定이다. 남송 建寧崇安(지금의 복건성 武夷山市) 사람이다. 胡淵의 아들로 이정의 학문을 사숙하고 사량좌・유초 등과 교유하였으며, 湖湘學派를 창시한 사람 중 하나이다. 철종 紹聖 4년(1097) 진사에 급제하여 太學博士가 되었다. 이후 中書舍人 侍講 등 여러 벼슬을 역임하고 寶文閣直學士로 벼슬을 마쳤다. 왕안석이 『春秋』를 학관에서 폐지하자 춘추학이 쇠퇴하였다고 여겨, 20여 년간 『春秋』를 연구해 『春秋胡氏傳』을 저술했다. 저서에 『春秋傳』・『資治通鑑擧要補遺』 등이 있다.(『宋史』; 『宋儒學案』 권34 「武夷學案」 참조)

사람으로는, 남방에는 광평 유정부廣平游定夫[游酢], 상채 사현도上蔡謝顯道[謝良佐], 구산 양중립龜山楊中立[楊時], 세 사람이 이들이다."

[40-1-31]

"龜山天資夷曠, 濟以問學. 充養有道, 德器早成. 積於中者, 純粹而閎深, 見於外者, 簡易而平澹. 間居和樂, 色笑可親, 臨事裁處, 不動聲氣. 與之游者, 雖群居終日, 嗒然不語, 飲人以和,[104] 而鄙薄之態自不形也. 推本孟子性善之說, 發明中庸大學之道, 有欲知方者, 爲指其攸趣, 無所隱也. 當時公卿大夫之賢者莫不尊信之."

(무이 호씨가 말했다.) "구산龜山[楊時]은 타고난 천품이 화평하고 너그러운데, 학문을 가지고 완성하였다. 채우고 기르는 데 도가 있었으니[105] 덕의 그릇德器이 일찌감치 이루어졌다. 속에 가득 쌓인 것은 순수하면서도 박대정심博大精深했으며, 밖으로 드러난 것은 간이簡易하면서도 담담했다. 한가로이 있을 때는 화락和樂하여 얼굴빛과 미소는 친근감이 들었으며, 일에 임해서 처결할 때에도 목소리와 태도에 변함이 없었다. 그와 함께 노닐 때는 비록 여럿이 함께 모여 종일토록 있어도, 우두커니 아무 말도 하지 않으면서 사람들을 온화하게 상대하는데, 천박한 모습이라곤 전혀 보이지 않았다. 『맹자』 성선설性善說의 근원을 추구하며, 『중용』과 『대학』의 도를 드러내어 밝혀서, 방도를 알고 싶어하는 자가 있으면 그 나아갈 곳을 가리켜주었는데 숨기는 것이 없었다. 당시의 어진 공경대부公卿大夫들이 그를 존승하여 믿지 않는 자가 없었다."

又曰[106]: "先生造養深遠, 燭理甚明, 混迹同塵, 知之者鮮. 知之者, 知其文學而已. 不知者以爲蔡氏所引, 此公無求於人, 蔡氏焉能浼之! 行年八十, 志氣未衰, 精力少年殆不能及. 朝廷方嚮意儒學, 日新聖德, 延禮此老置之經席, 朝夕咨訪, 裨補必多. 至如裁決危疑, 經理世務, 若燭照數計而龜卜也."[107]

---

103 堂에 올라 … 보는: 『論語』 「先進」에 "문인들이 자로를 공경하지 않자, 공자가 말했다. '由는 堂에는 올랐고 아직 방에 들어오지 못한 것이다.'(門人不敬子路, 子曰, '由也, 升堂矣, 未入於室也.')"라고 하였고, 주자는 『集註』에서 "자로의 학문이 이미 正大하고 高明한 경지에 이르렀고, 다만 精微한 깊은 곳에 깊이 들어가지 못했을 뿐이다.(子路之學, 已造乎正大高明之域, 特未深入精微之奧耳.)"라고 주해하였다.

104 飲人以和: '飲'은 『宋名臣言行錄』(外集) 권8에는 '挼'으로 되어 있고, 『伊洛淵源錄』 권10에는 '飲'으로 되어 있다.

105 채우고 기르는 데 도가 있었으니: 『性理群書句解』 권20에는 "道로써 존양하니(存養以道)"라고 주해하였다.

106 又曰: 『伊洛淵源錄』 권10 「遺事」에 "又與宰相書曰, '龍圖閣直學士致仕'(또 재상에게 편지를 보내 말했다. '龍圖閣直學士가 벼슬을 사양했는데')"라고 되어 있고, 전체 문단 끝에 "見胡文定公集.(『胡文公集』에 보인다.)"라는 주가 달려 있다. 楊時가 용도각직학사 벼슬을 사양하고 물러난 것은 남송 高宗 建炎 4년(1130) 때의 일이다.

107 『伊洛淵源錄』 권10; 『宋名臣言行錄』(外集) 권8 "龜山天資夷曠 … 當時公卿大夫之賢者莫不尊信之"는 『伊洛淵源錄』 권10 「楊文靖公」에 胡文定의 「墓誌銘」으로 실려 있고, "又曰, 先生造養深遠 … 若燭照數計而龜卜

(무이 호씨가) 또 말했다. "선생은 함양하는 것이 심원하며, 사리事理를 고찰하는 것이 매우 밝았지만, 자취를 감추고 속세와 하나 되니[108] (선생을) 알아보는 자가 드물었다. 알아보는 자도 그 문학文學을 알 뿐이었다. 알아보지 못하는 자들은 채씨蔡氏(蔡京·蔡攸 父子)[109]가 이끌어준 것이라고 하였지만, 공은 남에게 요구하는 것이 없으니 채씨가 어찌 공을 더럽힐 수 있겠는가![110] 나이 팔십에 의지와 기백이 노쇠하지 않았으며 정력은 젊은이도 거의 미칠 수 없었다. 조정에서 이제 유학에 마음을 기울여 성덕聖德을 날마다 새롭게 하려고, 이 원로元老를 예로 맞이하여 경연經筵에 모시고, 아침저녁으로 자문하니 도움이 반드시 많았을 것이다. 의심스러운 것을 처결하고 세상일을 다스리는 데 있어서는 마치 촛불로 비추는 것 같고, 수로 계산하는 것 같고, 거북으로 점치는 것과 같았다."

[40-1-32]

"侯師聖安於覊苦, 守節不移, 固所未有. 至於講論經術, 則通貫不窮; 商確時事, 則纖微皆察."[111]

(무이 호씨가 말했다.) "후사성侯師聖[侯仲良][112]은 타향살이하는 고단함을 편안히 여기고 절개를 지켜 변

也"는 『伊洛淵源錄』 권10 「楊文靖公·遺事」에 호안국이 宰相에게 편지를 보낸 글로 실려 있다.

108 자취를 감추고 … 되니: 『老子』 제4장에서는 "날카로움을 꺾고, 복잡함을 풀어버리며, 빛을 누그러뜨리고 속세와 하나 된다.(挫其銳, 解其紛, 和其光, 同其塵.)"라고 했다.

109 蔡氏(蔡京·蔡攸 父子): 蔡京(1047~1126)은 자는 元長으로 북송 仙游(지금의 福建省) 사람이다. 神宗 熙寧 3년(1070) 진사가 되고, 起居郎과 中書舍人에 올랐다. 초반에 채경은 왕안석의 신법(변법)을 지지하여 왕안석의 신뢰를 얻고 동생 채변은 왕안석의 사위가 되었다. 원우 1년(1085) 왕안석을 지지하던 신종이 죽고 哲宗이 즉위하며 고태후가 실권을 장악하면서 보수파(구법당)가 득세하자, 채경은 다시 보수파로 돌아서서 사마광을 따랐다. 철종이 친정을 하며 다시 新法을 시행하면서 채경은 다시 변법파로 돌아서, 보수파인 劉摯와 范祖禹 등을 유배 보냈다. 徽宗이 즉위하자 파직되고 江寧知府로 나갔다. 이후 환관 童貫의 도움으로 52세에 재상이 된 뒤, 전후 4회에 걸쳐 16년을 재상 자리에 있었다. 금나라와 동맹하여 숙적 遼를 멸망시킨 공적이 있지만, 휘종에게 아첨하여 사치스러운 취미를 권유하고, 재정을 궁핍에 몰아넣어 增稅를 강행하였다. 또한 왕안석의 신법을 회복한다는 명분으로 사마광을 지지했던 보수파 문인들, 즉 元祐의 신하들을 奸黨으로 몰아, 黨人碑를 세우고 정계에 진출하지 못하게 했다. 결국 金軍의 침입을 초래했고 欽宗 즉위 후, 국난을 초래한 6賊의 우두머리로 孫覿 등의 탄핵을 받아 실각하였다. 衡州에 안치되고, 儋州(지금의 海南島)로 옮겼는데, 가는 도중 潭州(지금의 湖南省)에서 병사하였다. 그는 정치가보다 문인으로서 뛰어나 북송 문화의 발전에 기여하기도 했다. 蔡攸(1077~1126)는 字는 居安이고, 蔡京의 맏아들로 북송 말기 徽宗과 欽宗 시기 宰相을 역임했다. 아버지 채경의 위치가 흔들리자, 환관 동관이 아들 채유와 손을 잡고 채경에게 강제로 사표를 내도록 했다.

110 채씨가 이끌어준 … 있겠는가!: 북송 말기 위태로운 정치상황에 위기의식을 느낀 채씨 부자는 張繋에게 인재를 천거하도록 했고, 그 과정에서 양시 또한 칠십의 나이로 채씨 부자에게 발탁되었다.(『宋史』 권428 「道學·楊時」; 『宋元學案』 권25 「龜山學案」) 이로 인해 양시가 채씨 부자가 실각하기 전까지 채씨 부자를 따랐다는 비평이 있는데, 『朱子語類』 권70, 126조목, 그리고 권101, 78조목부터 87조목에 이에 대한 상세한 설명이 보인다.

111 『山西通志』 권139 「人物」; 『伊洛淵源錄』 권12 「侯師聖·遺事」; 『宋名臣言行錄』(外集) 권9 「侯仲良」

하지 않았으니,[113] 진실로 이런 사람이 없었다. 경전을 강론하는 데 있어서는 관통하여 막히는 것이 없었고, 시무時務를 논하는 데에는 세밀한 것까지 모두 살폈다."

[40-1-33]
陳氏淵曰 : "明道在潁昌時, 龜山先生因往從學,[114] 明道甚喜. 每言曰, '楊君最會得容易.' 及歸, 送之出門, 謂坐客曰, '吾道南矣.'"

又曰 : "謝顯道爲人誠實, 但聰悟不及先生."[115]

진연陳淵[116]이 말했다. "명도明道[程顥]가 영창潁昌에 있을 때 구산龜山[楊時]선생이 따라가서 학문을 배웠는데, 명도가 매우 기뻐하였다. 매번 '양군楊君[楊時]이 가장 쉽게 이해한다.'라고 했다. (양시가) 돌아갈 때, 그를 전송하며 문까지 나오면서 자리에 있던 손님에게 말하길 '나의 도道가 남쪽으로 간다'라고 했다."

또 말했다. "사현도謝顯道[謝良佐]는 사람됨이 성실하지만, 총명함이 (구산) 선생만 못했다."

[40-1-34]
"明道每言, 楊君聰明, 謝君如水投石, 然亦未嘗不稱其善. 伊川自涪歸, 見學者凋落, 多從佛學, 獨先生與謝丈不變, 因歎曰, '學者皆流於夷狄矣, 惟有楊謝二君長進.'"[117]

(진연이 말했다.) "명도明道는 매번 양군楊君[楊時]이 총명하고, 사군謝君[謝良佐]은 물을 돌에 뿌리는 것과 같다[118]고 말했지만, 또한 그의 선함을 칭찬하지 않은 적이 없었다. 이천伊川이 부涪 땅에서 돌아와서는, 학자들이 몰락하여 많은 이들이 불교를 추종하는데도, 유독 선생과 사謝 어르신만이 변치 않은 것을

112　侯仲良(?~?) : 자는 師聖이며, 본관은 太原盂縣으로 송대 陝西 華陰 사람이다. 二程의 외사촌동생으로서 어려서부터 이정과 가까이 지내면서 함께 독서했고, 학문적으로는 특히 程頤의 영향을 많이 받았다. 평생 강학에만 힘써서 문하에 胡宏을 두었다. 말년에는 전란을 피해 福建으로 내려와 羅仲素 등과 교류하기도 했다. 저서는 『論語說』와 『雅言』이 있는데, 그 가운데 『雅言』은 二程의 事跡과 학설을 이해할 수 있는 중요한 저작이다. 楊時와 遊酢의 「程門立雪」 고사도 이 책에 기재되어 있다.

113　타향살이하는 고단함을 … 않았으니 : 후중량은 북송에서 남송으로 전환하던 혼란기에 살았다. 당시 금나라 군대의 침입으로 전쟁과 동란 중에 떠돌며 가난과 병으로 고생하다가, 漳水의 가에서 胡安國을 만났다.

114　龜山先生因往從學 : 『河南程氏外書』 권12에는 "先生尋醫調官京師, 因往潁昌"으로 되어 있다.

115　『河南程氏外書』 권12

116　陳淵(1067~1145) : 자는 知默이며 세칭 默堂先生으로 알려졌다. 송대 貢川 사람이다. 젊었을 때 양시를 스승으로 삼아 이정의 학문을 배웠다. 숙부인 陳瓘이 오랫동안 박해를 받자, 벼슬길을 멀리하며 전심으로 학문연구에 몰두하였다. 송 紹興 5년(1135) 천거를 받아 樞密院編修官이 되었고, 소흥 8년에 고종이 72세의 진연을 불러 면담하고 秘書丞職을 맡았다. 이후 秘書少監兼崇政殿說書, 宗正少卿兼崇政殿說書 등이 되었고, 중간에 秦檜의 공격을 받아 파직된 적도 있다. 저서에 『默堂先生文集』 권22가 있다.

117　『河南程氏外書』 권12

118　물을 돌에 … 같다 : 『資治通鑑』 권187에서는 "물을 돌에 뿌리는 것이니, 축축하게는 하더라도 스며들게 할 수는 없음을 말한다.(言以水投石, 雖沾濕, 而不能受水.)"라고 주해하였다.

보고는 탄식하여 말했다. '학자들이 모두 오랑캐의 도리로 빠져들었는데, 오직 양시와 사량좌 둘만이 크게 진보했구나.'"

[40-1-35]

馮氏忠恕曰 : "和靖言'嘗侍坐伊川, 問曰, 「張繹每聞先生語, 往往言下解悟. 焞聞先生語, 須再三尋思, 或更請問, 然後解悟. 然他日持守恐繹不及焞」伊川以爲然.' 伊川沒,[119] 未幾思叔亦殁, 和靖被召, 嘗曰, 「思叔若在, 到今自當召用, 必能有爲於世」."[120]

풍충서馮忠恕가 말했다. "화정和靖[尹焞]이 말하기를 '예전에 이천伊川을 모시고 있을 적에 「장역張繹[121]은 매번 선생님의 말씀을 들으면 왕왕 그 즉시 이해하곤 합니다. 저는 선생님의 말씀을 들으면, 반드시 두 번, 세 번 깊이 사색하거나 혹은 다시 질문을 드린 다음에야 이해가 됩니다. 그러나 뒷날 굳게 지키는 것은 아마도 장역이 저에게 미치지 못할 것입니다.」라고 물었다.' 이천도 그렇다고 여기셨다. 이천이 돌아가시고, 오래지 않아 사숙思叔[張繹]도 돌아가셨는데, 화정이 부름을 받고는, 다음과 같이 말했다. 「사숙이 살아 있다면, 지금 본래 마땅히 불러 등용되었을 것이고, 반드시 세상에 훌륭한 일을 할 수 있었을 것이다.」라고 했다."

[40-1-36]

祁氏寬曰 : "張思叔三十歲方見伊川, 後伊川一年卒. 初以文聞於鄕曲, 後來作文字甚少. 伊川每云, 張繹朴茂."[122]

기관祁寬[123]이 말했다. "장사숙張思叔[張繹]이 서른 살 때 비로소 이천을 뵈었고, 이천보다 1년 뒤에 죽었다. 처음에는 문장으로 고을에 이름이 알려졌는데, 뒤에는 문장을 짓는 일이 매우 적었다. 이천이 매번 장역은 소박하고 돈후하다고 말했다."

[40-1-37]

呂氏稽中曰 : "尹和靖, 應進士擧, 策問'議誅元祐貴人.'[124] 和靖曰, '噫, 尚可以干祿乎哉!' 不對

---

119 伊川以爲然. 伊川沒 : 『和靖集』 권7 「師說附錄」과 『伊洛淵源錄』 권12 「張思叔」에는 이 사이에 "思叔長於爲文, 又善辦事.(사숙은 문장을 짓는 데 뛰어났고, 또 일을 잘 처리했다.)"라는 문장이 있다.

120 『和靖集』 권7 「師說附錄」

121 張繹(1071~1108) : 북송 壽安東七裏店(지금의 宜陽城關東店) 사람으로 字는 思叔이다. 타고난 자질이 총명했으나 집안이 빈한하여 성장할 때까지 배우지 못하고 생계를 위해 시장에서 일하였다. 이후 발분하여 독서하고 程頤에게 나아가 공부하였다. 「張思叔座右銘」·「師說」·「祭程伊川文」·「明德錄」 등의 글이 있다.

122 『河南程氏外書』 권12

123 祁寬(?~?) : 자는 居之이고 송대 均州 사람이며 尹焞의 제자이다. 송나라의 徽宗과 欽宗이 금나라의 포로가 되고, 高宗이 강을 건너 臨安으로 천도한 후에 盧山에 은거하여 살며 벼슬하지 않았다.(『宋元學案』 권27 「和靖學案·隱君祁先生寬」)

124 '議誅元祐貴人.' : "貴人"은 『和靖集』 권8 「연보」에는 "黨籍"으로 되어 있고, 『宋名臣言行錄』(外集) 권9는

而出. 告於程子曰, ‘吾不復應進士擧矣.’ 程子曰, ‘子有母在.’ 和靖歸告其母, 母曰, ‘吾知汝以
爲善養,[125] 不知汝以祿養.’ 於是退不復就擧. 程子聞之, 曰, ‘賢哉母也!’”[126]

여계중呂稽中[127]이 말했다. “윤화정尹和靖[尹焞]이 진사 과거에 응시하였는데, 책문策問[128]에 ‘원우元祐[129]
때의 실권자들을 주벌할 것을 논하라.’고 하였다. 화정이 ‘아, 이런 상황에서 과연 녹봉이 구할 만한
것이겠는가!’라고 하고는 답문(대책문)을 쓰지 않고 나왔다. 정자에게 ‘저는 다시는 진사 과거에 응시하
지 않겠습니다.’라고 고하였다. 정자가 말했다. ‘자네에게는 (봉양해야 할) 모친이 계시다네.’ 화정이 돌
아와 어머니께 고하니, 어머니가 말씀하셨다. ‘나는 네가 선善으로 봉양할 것으로 알았지, 네가 녹봉으로
봉양하려 할 줄은 몰랐다.’ 이에 물러나와 다시는 과거에 나아가지 않았다. 정자가 이 이야기를 듣고
말했다. ‘훌륭하신 어머니시구나!’”

[40-1-38]

“大觀中, 新學日興, 有言者曰程頤倡爲異端, 尹焞張繹爲之左右. 和靖遂不欲仕, 而聲聞益盛,
德益成, 同門之士皆尊畏之. 伊川曰, ‘我死而不失其正, 尹氏子也.’”[130]

(여계중이 말했다.) “대관大觀(1107~1110년, 북송 휘종의 연호) 연간에 왕안석의 신학이 날로 흥성하여 정이
가 이단을 제창하고 윤돈과 장역이 그를 돕는다고 말하는 자가 있었다. 화정이 드디어 벼슬하려고 하지
않는데 명성이 더욱 왕성해지고 덕이 더욱 이루어져 동문 선비들이 모두 그를 경외하였다. 이천이
말했다. ‘내가 죽고서도 그 정도正道를 잃지 않을 자는 윤씨의 자식[尹焞]이다.’”

[40-1-39]

呂氏本中曰: “龜山天資仁厚, 寬大能容物, 又不見其涯涘, 不爲崖異絶俗之行以求世俗名譽.
與人交, 終始如一. 性至孝, 幼喪母, 哀毀如成人, 事繼母尤謹. 熙寧中, 旣擧進士得官, 聞河
南兩程先生之道, 卽往從學. 旣歸, 閑居累年, 沉浸經書, 推廣師說, 窮探力索, 務極其趣, 涵蓄
廣大, 而不敢輕自肆也. 本中嘗聞於先輩長者以爲明道先生溫然純粹, 終身無疾言遽色, 先生

. . . .

　　“黨人”으로 되어 있으며, 『伊洛淵源錄』 권11 「尹侍講 · 墓誌銘」에는 “貴人”으로 되어 있다.

125　吾知汝以爲善養 : 『宋史』 권428 「資治通鑑後編』 권91에는 “吾知汝以善養”으로 되어 있다.

126　『和靖集』 권8 「연보」, 『伊洛淵源錄』 권11 「尹侍講」에 呂稽中이 쓴 「墓誌銘」에도 실려 있다.

127　呂稽中(?~?) : 字는 德元이며 宋 河南 사람으로 本中형제와 항렬이 같다. 윤돈에게 배웠고 윤돈이 돌아갔을
　　때 그 묘지명을 썼다. 高宗 紹興 21년(1151) 右朝請郎과 知邵州를 역임했다. (『宋元學案』 권27)

128　策問 : 문과 과거시험의 형식이다. 주로 정치에 관한 문제를 출제하여 논술형식으로 대답하도록 하였다.
　　簡策에 문제를 써서 질문했으므로 책문이라고 했다.

129　元祐 : 1086년~1094년으로 북송 哲宗의 첫 번째 연호이며, 이 연호를 9년 동안 사용했다. 원우 연간에 왕안석
　　신법에 반대하는 구법당파가 정권을 잡았으므로, 후에 당쟁 중에 ‘원우’라는 명칭은 구법당파를 지칭하는
　　말로 쓰였다.

130　『伊洛淵源錄』 권11 「尹侍講 · 墓誌銘」 ; 『宋名臣言行錄』(外集) 권9 「尹焞和靖先生」

實似之."[131]

여본중呂本中[132]이 말했다. "구산龜山[楊時]은 타고난 자질이 인후하고 관대하여 남들을 잘 포용하였고, 또 그 한계를 볼 수 없었으며, 괴이하고 엉뚱한 짓으로 세속의 명예를 구하려고 하지 않았다. 사람들과 교제하면서 시종여일했다. 성품이 지극히 효성스러웠으니, 어릴 적에 어머니를 잃고 슬퍼하여 수척한 것이 마치 어른과 같았으며, 계모를 섬기는 데 더욱 삼갔다. 희녕熙寧 연간에 이미 진사에 급제하여 관직을 얻었는데, 하남에 두 정 선생의 도道를 듣고는 곧바로 가서 배웠다. 돌아와서는 몇 해를 한가로이 머무르며, 경서에 침잠하고 스승의 설을 미루어 넓히며, 깊이 궁구하고 힘써 연구하여, 그 뜻을 극진히 하기에 힘써, 받아들여 간직하고 크게 확충했으며, 감히 가볍게 제멋대로 말하지 않았다. 나는 일찍이 선배 어르신들이 명도 선생은 온화하고 순수하여 종신토록 꾸짖는 말씀과 급한 안색이 없었다고 한 것을 들었는데, 선생이 진실로 그와 닮았다."

[40-1-40]
章氏憲曰: "龜山先生嘗云, '程門後來成就, 莫踰王信伯.' 胡安國嘗薦其學有師承, 識通世務, 使司獻納, 必有補於聖時."[133]

장헌章憲[134]이 말했다. "구산 선생이 일찍이 '이정문하에서 후일의 성취는 왕신백王信伯[王蘋][135]을 뛰어넘을 만한 이가 없다.'라고 했다. 호안국이 일찍이 그를 추천하면서, 그의 학문에 사승이 있고, 식견이 세상사에 통달했으니, 헌납[136]을 맡게 하면 반드시 성세聖世에 도움이 있을 것이라고 했다."

[40-1-41]
朱子曰: "呂與叔惜乎壽不永, 如天假之年, 必所見又別. 程子稱其深潛縝密, 可見他資質好,

131 『伊洛淵源錄』권10「楊文靖公·行狀略」; 『宋名臣言行錄』(外集) 권8「楊時龜山先生文靖公」
132 呂本中(1084~1145): 원래 이름은 大中이고 字는 居仁이며 세칭 東萊先生이라 했고 시호는 文清이며, 송나라 壽州(지금의 安徽壽縣) 사람이다. 呂公著의 증손이며 呂好問의 아들이다. 조부 希哲은 정이를 스승으로 모셨고, 본중은 자주 뵈었는데 조금 자라서 양시, 유초, 윤돈을 따라 배웠다. 元符 중에 主濟陰簿와 秦州土曹掾, 辟大名府帥司幹官을 지냈다. 宣和 6년에 樞密院編修官을 제수받았고, 이후 太常少卿, 中書舍人 등 여러 벼슬을 역임했다. 저서에 『春秋集解』·『紫微詩話』·『東萊先生詩集』·『童蒙訓』·『師友淵源錄』 등이 있다.
133 『王著作集』권5「墓誌」; 『王著作集』권3「資中袁先生跋」
134 章憲(?~?): 字는 叔度이고 송나라 本浦城 사람이다. 부친인 甫始 때 이사하여 吳 땅의 黃村에 살았으며 龜山이 묘지명을 써주었다. 선생은 처음에는 구산을 따랐다가 나중에 王信伯을 따라 배웠고, 후에는 紫微를 따랐다. 은거하여 출사하지 않고 행실이 고결했으며 여력이 있으면 학문을 했는데 모두 법도에 맞았으니 朱震(1072~1138)이 특히 그를 아꼈다. 『春秋』에 정통하였다. 『複軒集』 10권이 있으나, 전해지지 않는다.(『宋元學案』권10)
135 王蘋(1082~?): 자는 信伯이며, 대대로 福清에 살다가 아버지 때 吳 땅으로 이주했다. 정이를 스승으로 섬겼다. 紹興 연간에 孫佑의 천거로 秘書省正字를 제수받았고, 뒤에 관직이 左朝奉郎에 이르렀다.
136 獻納: 신하나 백성들의 상주나 충언을 올리는 관직명이다.

又能涵養. 某若只如呂年, 亦不見得到此田地矣. 與叔本是簡剛底氣質, 涵養得到, 所以如此. 故聖人以剛之德爲君子, 柔爲小人. 若有其剛矣, 須除去那剛之病, 全其爲剛之德, 相次可以爲學. 若不剛, 終是不能成."[137]

주자가 말했다. "여여숙呂與叔은 애석하게도 수명이 길지 못했으니, 만약 하늘이 몇 년 빌려주었다면 반드시 견해가 또 특별했을 것이다. 정자가 그 깊이 침잠하고 찬찬히 빈틈없는 것을 칭찬했으니, 그의 자질이 훌륭한데다가 또 잘 함양한 것을 알 수 있다. 내가 만약 수명이 여씨와 같았다면, 또한 이런 경지에 이르지는 못했을 것이다. 여숙與叔은 본래 강한 기질을 타고났는데 함양을 잘하여 이 같은 경지를 이룬 것이다. 그러므로 성인은 강함剛의 덕을 군자라고 여기고 유약함을 소인으로 여긴다. 만약 강함이 있다면 반드시 강한 것의 문제점을 제거해야 온전히 강함의 덕이 되니, 그 다음에는 학문을 할 수 있는 것이다. 만약 강하지 않다면 끝내 이룰 수 없다."

[40-1-42]

問與叔論選擧狀,[138] "立士規, 以養德屬行, 更學制, 以量才進藝, 定貢法, 以取賢歆才, 立試法, 以試用養才, 立辟法, 以興能備用, 立擧法, 以覆實得人, 立考法, 以責任考功."

曰 : "其論甚高. 使其不死, 必有可用."[139]

여숙與叔[呂大臨]의 선발하고 천거하는 제도를 논의한 (다음과 같은) 상주문上奏文에 대해 물었다. "사규士規를 세워서 덕을 기르고 행실을 다듬으며, 학제學制를 고쳐서 재능을 헤아려 재주를 진보시키며, 공법貢法[140]을 정하여 현명한 사람을 취하고 재능 있는 사람을 거두어들이며, 시법試法[141]을 세워서 활용을 시험하여 재주를 기르고, 벽법辟法[142]을 세워서 유능한 자를 흥기시켜 사용할 것을 구비하고, 거법擧法[143]을 세워서 사실을 구체적으로 살펴서 사람을 얻으며, 고법考法[144]을 세워서 맡은 일을 책임지우고 공을 헤아려야 합니다."[145]

---

137 "呂與叔惜乎壽不永 … 亦不見得到此田地矣."는 『朱子語類』 권101, 27조목의 글이고, "與叔本是簡剛底氣質 … 終是不能成."은 『朱子語類』 권101, 31조목의 글이다.

138 問與叔論選擧狀 : 『朱子語類』 권101, 32조목에는 "看呂與叔論選擧狀"으로 되어 있다.

139 『朱子語類』 권101, 32조목

140 貢法 : 지방에서 중앙으로 선비를 천거해 바치는 법. 貢士(『禮記』 「射義」)

141 試法 : 여대림의 「上哲宗論選擧六事」의 「試法」에 의하면, 시법은 처음 벼슬하게 된 사람에게 수도에서는 開封府 및 府界提點司를 맡기고, 수도 밖이라면 監司郡守를 맡겨 잠시 대리임무를 주어서 어떤 직책을 감당할 수 있는지 자세히 살펴보는 제도이다.

142 辟法 : 여대림의 「上哲宗論選擧六事」의 「辟法」에 의하면, 벽법은 官長이 소속관원 아래로 모두 한 사람씩 불러 벼슬을 주어 자신을 돕도록 하며, 벼슬을 준 관장이 떠나면 그도 따라서 그만두는 제도이다.

143 擧法 : 여대림의 「上哲宗論選擧六事」의 「擧法」에 의하면, 안으로는 諫官, 御史, 郎中, 祕書, 博士와 밖으로는 監司, 郡守, 縣令, 學官, 監局이 모두 사람을 뽑아서 벼슬을 줄 수 있는 제도이다.

144 考法 : 여대림의 「上哲宗論選擧六事」의 「考法」에 의하면, 考法은 먼저 맡은 일의 주된 의미가 어디 있는지 확정하여 거기에 근거하여 책임을 따지는 일종의 업적평가 제도이다.

(주자가) 대답했다. "그 논의가 매우 훌륭하다. 그가 죽지 않았다면, 반드시 쓰였을 것이다."

[40-1-43]

"與叔後來亦看佛書, 朋友以書責之, 呂云, '某只是要看他道理如何.' 其文集上雜記亦多不純, 想後來見二程了却好."[146]

(주자가 말했다.) "여숙與叔[呂大臨]이 뒤에 또한 불서佛書를 보았는데, 벗들이 편지로써 책망하니, 여대림이 말했다. '나는 불교의 도리가 어떠한지 보려고 했을 뿐이다.' 그 문집의 잡기雜記 또한 순수하지 못한 것이 많았으나, 아마도 뒤에 이정二程을 찾아가 뵙고 나서야 비로소 좋아졌을 것이다."

[40-1-44]

"游定夫清德重望,[147] 皎如日星, 雖奴隸之賤, 皆知之. 其流風餘韻, 足以師世範俗."[148]

"유정부游定夫[游酢]의 맑은 덕과 두터운 인망은 해나 별처럼 밝아서, 비록 노예와 같이 천한 자들도 모두 알았다. 그 전해온 기풍과 남은 영향력은 세상의 스승이 되고 세속의 모범이 되기에 충분하다."

[40-1-45]

"定夫事業不得大施, 獨有中庸論孟說垂於世. 考其師友所稱, 味其話言所傳, 則夫造道之深, 流風之遠, 有可得而推者矣."[149]

(주자가 말했다.) "정부定夫[游酢]는 사업을 크게 행하지는 못했고, 다만 『중용』과 『논어』 『맹자』에 대한 설이 세상에 전한다.[150] 그 스승과 벗들이 칭찬하는 것을 살펴보고, 그가 한 말이 전해진 것을 음미해보면, 도에 나아간 것이 깊고 전해진 기풍이 고원함을 미루어 알 수 있는 것이 있다."

---

145 "士規를 세워서 … 합니다." : 여대림의 「上哲宗論選擧六事」로, 『宋名臣奏議』 권80과 『宋史』 권340에 실려 있다. 여대림은 이 상주문을 통해 당시의 과거제도와 관리임용정책이 서로 친밀한 관계의 사람만 뽑는 폐해가 있다고 지적했다. 이 上奏文은 『宋名臣奏議』나 王應麟(1223~1296)의 『玉海』 권116에는 元祐 원년(1086)에 올린 것으로 되어 있다. 다만, 宋 陳次升(1044~1119)은 『讜論集』 권5에서 紹聖 3년(1096) 때에 올린 것으로 보아야 한다고 주장했다.

146 『朱子語類』 권101, 33조목

147 游定夫清德重望: 『游廌山集』 권4와 『龜山集』 권33에는 "先公之明德"으로 되어 있고, 『宋名臣言行錄』(外集) 권7 「游酢廣平先生」에는 "公之清德重望"으로 되어 있다.

148 『游廌山集』 권4 「御史游公墓誌銘」; 『龜山集』 권33 「御史游公墓誌銘」. 이 글은 양시의 말로 보이지만, 『性理大全書』에서는 주자의 말로 본 듯하다.

149 張栻, 『南軒集』 권11 「建寧府學游胡二公祠堂記」. 『宋名臣言行錄』(外集) 권7 「游酢·廣平先生」에는 주자도 「祠堂記」를 지은 것으로 되어 있다. 『性理大全書』의 저자는 주자의 사당기로 간주한 듯하다.

150 『中庸』과 『論語』 … 전한다. : 유초는 『易說』・『中庸義』・『論語孟子雜解』・『詩二南義』 등을 저술하였지만 모두 전해지지 않으며, 남은 글을 모아 후세 사람이 엮은 『游廌山集』이 남아 있다.

[40-1-46]

“龜山天資高, 朴實簡易, 然所見一定, 更不須窮究. 某嘗謂這般人, 皆是天資出人, 非假學力.”[151]

(주자가 말했다.) “구산龜山[楊時]은 타고난 자질이 뛰어나며, 질박하고 간이簡易하지만, 소견이 한 번 정해지면 다시는 궁구하려고 하지 않았다. 나는 일찍이 이런 사람들이 모두 타고난 자질이 보통 사람보다 출중한 것이지, 학문의 힘을 빌린 것은 아니라고 여겼다.”

[40-1-47]

“龜山解文字著述, 無綱要. 詩文說道理之類, 才說得有意思, 便無收殺.”

包揚曰: “是道理不透否?”

曰: “雖然, 亦是氣質弱.”[152]

(주자가 말했다.) “구산龜山[楊時]이 문장 저술을 할 줄 알지만, 요점이 없다. 시문에서 도리를 말한 경우에야 겨우 볼 만한 뜻이 있는데, 결말이 없다.”

포양이 물었다. “이것은 도리를 꿰뚫어 알지 못해서입니까?”

(주자가) 대답했다. “비록 그렇기도 하지만, 또한 기질이 약하다.”

[40-1-48]

問: “龜山晚年出處不可曉, 其召也以蔡京, 然在朝亦無大建明.”

曰: “以今觀之, 則可以追咎當時無大建明. 若自家處之, 不知當時所當建明者何事.”

或云: “不過擇將相爲急.”

曰: “也只好說擇將相固是急, 然不知當時有甚人可做. 當時將只說种師道, 相只說李伯紀, 然固皆嘗用之矣. 又況自家言之, 彼亦未便見聽. 據當時事勢亦無可爲者, 不知有大聖賢之才如何爾.”[153]

물었다. “구산龜山[楊時]이 만년에 벼슬한 것을 이해할 수 없으니, 그가 부름을 받은 것도 채경蔡京 때문이었는데,[154] 조정에서도 크게 건의한 것이 없습니다.”

(주자가) 대답했다. “지금으로써 보면, 당시에 크게 건의하지 못한 점에 대해 지난 잘못을 탓할 수 있다. 만약 내 자신이 그 자리에 있다면, 당시에 마땅히 건의해야 할 것이 무엇이었는지 알지 못했다.”

. . . .

151 『朱子語類』 권101, 71조목

152 “龜山解文字著述, 無綱要”는 『朱子語類』 권101, 72조목의 글이고, “詩文說道理之類 … 亦是氣質弱.”은 『朱子語類』 권101, 74조목의 글이다.

153 『朱子語類』 권101, 79조목

154 부름을 받은 … 때문이었는데 : 채경은 북송 말기 정권을 장악하고 전횡하던 대표적인 간신이지만, 당시의 위태로운 정치 상황에 위기의식을 느껴 張商에게 인재를 천거하도록 했고, 그 과정에서 양시 또한 칠십의 나이로 발탁되었고, 이로 인해 양시가 채씨 부자가 실각하기 전까지 채씨 부자를 따랐다는 비평을 받았다.(『宋史』 권428 「道學·楊時」 ; 『宋元學案』 권25 「龜山學案」) [40-1-31]을 참조

어떤 사람이 물었다. "다만 장수와 재상을 선택하는 것이 급한 일일 뿐입니다."

(주자가) 대답했다. "또한 장수와 재상을 선택하는 일이 진실로 급하다고 말할 수밖에 없지만, 당시에 어떤 사람이 잘해낼 수 있을지 모르겠다. 당시의 장수로는 다만 충사도种師道[155]를 말하고, 재상으로는 다만 이백기李伯紀李綱[156]를 말하지만, 모두 이미 등용되었던 자들이다. 또 하물며 자신이 말한다 하더라도, 저들이 또한 들어주기 힘들다. 당시의 사세事勢에 근거하면 역시 할 수 있는 것이 없으니, 큰 성현의 재주가 있다면 어떻게 하였을지 모르겠다."

[40-1-49]

問 : "龜山當時何意出來?"

曰 : "龜山做人也苟且, 是時未免祿仕, 故胡亂就之, 苟可以少行其道, 龜山之志也. 然來得已不是, 及至, 又無可爲者, 只是說得那沒緊要底事. 當此之時, 苟有大力量, 咄嗟間眞能轉移天下之事, 來得也不枉. 旣不能然, 又只是隨衆鶻突."

又曰 : "他當時一出, 追奪荊公王爵, 罷配享夫子, 且欲毀劈三經板, 士子不樂, 遂相與聚問三經有何不可, 輒欲毀之. 當時龜山亦謹避而已."

問 : "或者疑龜山此出爲無補於事, 徒爾紛紛. 或以爲大賢出處不可以此議, 如何?"

曰 : "龜山此行固是有病, 但只後人又何曾夢到他地位在! 惟胡文定以柳下惠'援而止之而止'比之, 極好."[157]

물었다. "구산龜山[楊時]이 당시에 어떤 뜻을 가지고 출사했습니까?"

(주자가) 대답했다. "구산의 사람됨도 구차하고, 이 당시에는 봉록만을 위한 출사祿仕[158]를 면할 수 없었

---

155 种師道(1051~1126) : 字는 彝叔이고, 시호는 忠憲이며 洛陽(지금의 河南에 속한다.) 사람이다. 원래 이름은 建中인데, 송 휘종의 建中靖國의 연호를 피휘하여 師極으로 개명했다가 후에 휘종에게 師道라는 이름을 하사받았다. 처음에는 문관으로 부임했다가 모략으로 인하여 후에 무관으로 바뀌었다. 西夏를 방어하는 데 공을 세워 명장으로 알려졌으며, 송 靖康 원년에 금나라 군대가 남하하자, 京畿河北制置使로 부임하여 금나라에 대항하였다. 오래지 않아 그가 병사하자 결국 수도가 함락되었다.

156 李綱(1083~1140) : 북송 말, 남송 초에 금나라에 항거했던 名臣이다. 자는 伯紀이며 호는 梁溪先生, 시호는 忠定이다. 본관은 福建 邵武이고, 조부 때 江蘇 無錫으로 이주했다. 송 徽宗 政和 2년(1112)에 진사를 하고, 이후 太常少卿, 兵部侍郎, 尙書右丞 등 여러 관직을 거쳤다. 靖康 원년(112) 금나라 군대가 汴京에 침입했을 때 京城四壁守禦使로 부임하여 군사와 백성들을 이끌고 금나라 군대를 물리쳤다. 송 고종 즉위 초에 재상으로 기용되었다가 77일 만에 파직되고, 紹興 2년(1132)에 다시 湖南宣撫使兼知潭州가 되었다가 곧 파직되었다. 여러 차례 상소를 올려 금나라에 대항할 방책을 올렸지만 모두 받아들여지지 않았다. 저서에 『梁溪先生文集』·『靖康傳信錄』·『梁溪詞』 등이 있다.

157 問 : "龜山當時何意出來?" … 又只是隨衆鶻突."은 『朱子語類』 권101, 84조목의 글이고, 又曰, "他當時一出, … 極好."는 『朱子語類』 권101, 86조목의 글이다.

158 봉록만을 위한 출사祿仕 : 『孟子』「萬章下」에서는 "벼슬을 하는 것은 가난 때문에 하는 것이 아니지만, 때로는 가난 때문에 하는 경우가 있으며, 아내를 얻는 것은 봉양 때문에 하는 것이 아니지만, 때로는 봉양 때문에

다. 그러므로 대충 나아가서 조금이라도 그 도를 행할 수 있으리라는 것이 구산의 뜻이었다. 그러나 출사한 것이 이미 옳지 않고, 조정에 나아가서는 또 할 수 있는 것이 없었으니, 다만 말한 것들이 긴요하지 않은 일일 뿐이었다. 이때 큰 역량이 있어 순식간에 진실로 천하의 일을 변화시킬 수 있었다면 출사한 것이 또한 잘못된 것이 아니다. 이미 그럴 수 없었으니, 또 다만 대중들을 따라 애매하게 처신할 뿐이다." (주자가) 또 말했다. "그는 당시에 한번 나아가서 형공荊公[王安石]의 왕작王爵을 추탈追奪(죽은 사람의 죄를 논하여 다시 벼슬을 깎아 없앰)하고, (왕안석의 위패가) 공자 사당에 배향되어 있던 것을 철폐했으며, 또 『삼경三經』의 판板을 철거하려 했는데,[159] 선비들이 싫어하며 서로 모여 『삼경』에 무슨 잘못이 있어서 갑자기 철거하려 하는가라고 묻자, 당시 구산은 또한 삼가며 피할 뿐이었다."

물었다. "어떤 이들은 구산이 이때 출사한 것이 일에 도움 되는 것이 없고, 공연히 뒤숭숭할 뿐이라고 의심합니다. 혹은 큰 현인의 출처出處를 이 일로 논의해서는 안 된다고 여기기도 하니, 어떠합니까?" (주자가) 대답했다. "구산의 이 행동은 진실로 문제점이 있으나, 다만 뒷사람이 또 어찌 일찍이 꿈에서라도 그의 경지에 도달할 수 있겠는가! 오직 호문정胡文定[胡安國]만이 유하혜의 '떠나려고 하다가도 잡아당겨 멈추게 하면 멈춤'[160]을 가지고 비유한 것이, 지극히 좋다."

[40-1-50]

"龜山之出, 人多議之. 惟胡文定之言曰, '當時若能聽用, 決須救得一半.' 此語最公."[161]

"구산龜山[楊時]이 출사한 것에 대하여 사람들이 많이 논의하지만 오직 호문정胡文定[胡安國]의 말에 '당시에 만일 (양시의 말을) 받아들여 쓸 수 있었다면, 반드시 절반 정도는 구할 수 있었을 것이다.'라고 했는데, 이 말이 가장 공정하다."

[40-1-51]

"上蔡爲人英果明決, 強力不倦. 克己復禮, 日有課程. 所著論語說及門人所記遺語,[162] 皆行於

하는 경우가 있다. 가난 때문에 벼슬하는 자는 높은 자리를 사양하고 낮은 자리에 처하며, 녹봉祿俸이 많은 것을 사양하고 적은 데에 처해야 한다.(仕非爲貧也, 而有時乎爲貧, 娶妻非爲養也, 而有時乎爲養. 爲貧者, 辭尊居卑, 辭富居貧.)"라고 했고, 이에 대해 주자는 "벼슬을 하는 것은 본래 道를 행하기 위해서이나, 또한 집이 가난하고 부모가 늙었거나, 혹은 道가 때와 맞지 않아 다만 祿仕만을 하는 경우가 있다.(仕, 本爲行道, 而亦有家貧親老, 或道與時違而但爲祿仕者.)"라고 주해하였다.

159 『三經』의 板을 … 했는데: 『朱子大全續集箚疑輯補』 권5에 洪儀泳의 『箚疑翼增』에는 "구산은 … 또 『三經義辨』을 짓고 『三經』의 판을 철거할 것을 청했다.(龜山 … 又著三經義辨請毀三經板)"라고 했다.

160 '떠나려고 하다가도 … 멈춤': 『孟子』 「公孫丑上」에서는 "柳下惠는 더러운 군주를 섬기는 것을 부끄러워하지 않으며, 작은 벼슬을 낮게 여기지 않아, 나아감에 현명함을 숨기지 않아 반드시 그 도리를 다하였으며, … 떠나려고 하다가도 잡아당겨 멈추게 하면 멈추었으니, 잡아당겨 멈추게 하면 멈춘 것은 이 또한 떠나감을 달갑게 여기지 않은 것이다.(柳下惠, 不羞汚君, 不卑小官, 進不隱賢, 必以其道, … 援而止之而止, 援而止之而止者, 是亦不屑去已.)"라고 했다.

161 『朱子語類』 권101, 87조목

162 日有課程. 所著論語說及門人所記遺語: 『朱文公文集』 권80 「德安府應城縣上蔡謝先生祠記」에는 이 사이에

世. 如以生意論仁, 以實理論誠, 以常惺惺論敬, 以求是論窮理, 其命意皆精當,[163] 而直指窮理居敬爲入德之門, 則又最得明道教人之綱領.[164] 嘗宰德安府之應城,[165] 胡文定以典學使者行部過之, 不敢問以職事, 顧因介紹請以弟子禮見. 入門, 見吏卒植立庭中如土木偶人, 肅然起敬, 遂稟學焉. 其同時及門之士, 亦皆稱其言論閎肆, 善啓發人. 今讀其書尚可想見也. 某自少時妄意爲學,[166] 卽頼先生之言以發其趣. 而平生所聞先生行事, 又皆高邁卓絶, 使人興起. 凛然常懼其一旦泯滅而無傳也."[167]

(주자가 말했다.) "상채上蔡謝良佐는 사람됨이 영명英明하고 과단성이 있으며, 힘이 강하고 게으르지 않으며, 자기를 이겨 예로 돌아가며, 날마다 정해진 과정이 있었다. (그가) 지은 『논어설』과 문인들이 기록한 『어록語錄』이 모두 세상에 퍼졌다. 생의生意를 가지고 인仁을 논한 것과, 실리實理를 가지고 성誠을 논한 것과, 상성常惺을 가지고 경敬을 논한 것과, 구시求是를 가지고 궁리窮理를 논한 것이, 그 의미의 확정이 모두 정확하고 온당하며, 궁리窮理와 거경居敬을 곧바로 가리켜 덕에 들어가는 문으로 삼은 것은 명도明道程顥가 사람들을 가르치던 강령을 가장 잘 얻은 것이다. 일찍이 덕안부德安府의 응성應城의 읍재邑宰가 되었을 적에 호문정胡文定이 전학사자典學使者가 되어 소속고을을 순행하기 위해 방문했는데, 감히 직무를 가지고 묻지 못하고, 다만 소개받은 것을 계기로 제자의 예로 뵙기를 청했다. 문에 들어갈 때 뜰에 이졸吏卒들이 마치 흙이나 나무로 만든 허수아비 같이 꼿꼿이 서 있어 보면, 숙연하게 경건한 마음이 일어났고, 마침내 학문을 배웠다. 같은 시기에 문하에서 배운 선비들도 모두 그 언사가 웅장하면서 분방하여 사람을 잘 계발해 주었다고 진술하였다. 지금 그 글을 읽어보면 상상해 볼 수 있다. 나는 어릴 적부터 망령되게 학문을 한다고 하면서, 선생의 말씀에 의지하여 그 뜻을 계발하였다. 그리고 평소에 들은 선생의 행실과 일도 모두 고매하고 탁월하여, 사람을 흥기시킨다. 그것이 하루아침에 없어져 전해지지 못할까 삼가 늘 두려워하였다."

. . . .

"夫子蓋嘗許其有切問近思之功"이란 구절이 더 있고, "課程"이 "程課"로 되어 있다.

163 其命意皆精當 : 『朱文公文集』 권80 「德安府應城縣上蔡謝先生祠記」에는 "其命理皆精當"으로 되어 있다.

164 則又最得明道教人之綱領 : 『朱文公文集』 권80 「德安府應城縣上蔡謝先生祠記」에는 "則於夫子教人之法又最爲得其綱領"으로 되어 있다.

165 嘗宰德安府之應城 : 『朱文公文集』 권80 「德安府應城縣上蔡謝先生祠記」에는 "中間嘗宰是邑"으로 되어 있다.

166 今讀其書尚可想見也. 某自少時妄意爲學 : 『朱文公文集』 권80 「德安府應城縣上蔡謝先生祠記」에는 이 사이에 "그러나 선생이 돌아가신 뒤에 游公 定夫선생이 그 묘지명을 지었는데, 난리 중에 없어져 두 집안의 글을 다 볼 수 없게 되었고, 應城은 도적들이 더욱 포악하게 굴던 곳이어서 황량한 빈터로 변하고 말아, 가르치던 제도도 전해진 것이 없었다. 劉군이 와서 유적을 찾아 겨우 돌에 새긴 題詠 수십 자를 얻었을 뿐이었다. 이에 몹시 슬퍼하며 탄식하면서, '선생이 남긴 공적이 이 고을에 밝혀져 있지 않은데, 이는 후세의 군자가 그 책임을 지지 않을 수 없다.' 하였다. 이에 학교를 새롭게 짓고 강당의 동쪽에 사당을 세웠으며, 천리 먼 곳까지 편지를 보내어 기문을 청하였다.(然先生之沒, 游公定夫先生實識其墓, 而喪亂之餘, 兩家文字皆不可見. 應城寇暴尤劇, 莽爲丘墟, 其條教設施固無復有傳者. 劉君之來, 訪其遺跡, 僅得題詠留刻數十字而已, 爲之慨然永歎, 以爲先生之遺烈不建於此邦, 後之君子不得不任其責. 於是旣新其學, 乃卽講堂之東偏設位而祠焉, 千里致書, 求文以記.)"라는 부분이 더 있다.

167 『朱文公文集』 권80 「德安府應城縣上蔡謝先生祠記」

[40-1-52]

"上蔡語雖不能無過, 然都是確實做工夫來."[168]

(주자가 말했다.) "상채上蔡[謝良佐]의 말에 지나친 것이 없다고 할 수는 없지만, 모두 틀림없이 공부한 데에서 온 것이다."

[40-1-53]

問 : "人之病痛不一, 各隨所偏處去. 上蔡才高, 所以病痛盡在矜字."

曰 : "此說是."[169]

물었다. "사람의 병통은 한결같지 않아서, 각자 치우친 곳을 따라 갑니다. 상채上蔡[謝良佐]는 자질이 높으므로 병통이 모두 '자긍[矜]'에 있습니다."

(주자가) 대답했다. "이 말이 옳다."

[40-1-54]

"明道以上蔡記誦爲玩物喪志, 蓋爲其意不是理會道理, 只是誇多鬪靡爲能. 若明道看史不蹉一字, 則意思自別. 此正爲己爲人之分."[170]

(주자가 말했다.) "명도明道가 상채上蔡[謝良佐]의 암송하는 것을 '사물에 빠져 뜻을 잃어버렸다.[玩物喪志]'라고 했으니, 아마도 그가 마음으로 도리를 이해하지 않고, 다만 많이 외우는 것을 뽐내고 화려한 표현을 다투어 과시하는 것을 유능하다고 여겼기 때문일 것이다. 명도가 역사책을 보면서 한 글자도 틀리지 않았다는 것과는 의미가 본래 다르다. 이것은 바로 위기爲己의 학문과 위인爲人의 학문[171]의 갈림길이다."

[40-1-55]

問 : "上蔡說'橫渠以禮教人,[172] 其門人下梢頭低, 只溺於刑名度數之間, 行得來困, 無所見處,' 如何?"

....

168 『朱子語類』 권101, 38조목
169 『朱子語類』 권101, 39조목
170 『朱子語類』 권95, 128조목
171 爲己의 학문과 … 학문: 『論語』「憲問」에서는 "옛날에 배우는 자들은 자신을 위한 학문을 하였는데, 지금에 배우는 자들은 남을 위한 학문을 한다.(古之學者, 爲己 ; 今之學者, 爲人.)"라고 했고, 정자는 "爲己는 (도를) 자기 몸에 얻으려고 하는 것이요, 爲人은 남에게 인정을 받고자 하는 것이다.(爲己, 欲得之於己也 ; 爲人, 欲見知於人也)"라고 주해했다.
172 橫渠以禮教人 : 『上蔡語録』 권1에는 "橫渠教人以禮爲先, 大要欲得正容謹節. 其意謂世人汗漫無守, 便當以禮爲地, 教他就上面做工夫. 然"(횡거는 사람들을 가르칠 때 예를 우선으로 하니, 대요는 용모를 바르게 하고 절차를 삼가게 하기를 바란 것이다. 그 뜻은 세상 사람들이 질펀하게 제멋대로 지키는 것이 없으니, 곧 마땅히 예를 땅으로 삼아 그들이 위로 나아가 공부할 수 있도록 하려는 것이다. 그러나)으로 되어 있다.

曰：“觀上蔡說得又自偏了. 這都看不得禮之大體, 所以都易得偏. 如上蔡說橫渠之非, 以爲‘欲得正容謹節’, 這自是好. 如何廢這箇得? 如專去理會刑名度數, 固不得. 又全廢了這箇, 也不得.”[173]

물었다. “상채上蔡謝良佐가 ‘횡거橫渠張載는 예禮로 사람들을 가르쳤지만, 그 문인들은 결국 머리를 숙이고 다만 형명刑名[174]과 도수度數 사이에 빠져버려, 행동은 곤궁함을 불러오고, 올바르게 바라보고 헤아리는 능력이 없었다.’[175]라고 했는데, 어떠합니까?”

(주자가) 대답했다. “상채가 말한 것을 보면 또 스스로 치우쳤다. 이는 모두 예의 대체大體를 보지 못해서, 모두 쉽게 치우쳐 버린 것이다. 상채가 횡거의 잘못을 지적하며 ‘용모를 바르게 하고 절차를 삼가게 하기를 바란 것’이라고 했는데, 이 점은 그대로 좋다. 어찌 이 점을 철폐할 수 있겠는가? 그러나 오로지 형명과 도수를 이해한 점만 없애버려서는 안 되고, 또 이것을 모두 없애버려서도 안 된다.”

[40-1-56]

“‘尹彥明見伊川後,[176] 半年方得大學西銘看’, 此意思也好, 也有病. 蓋且養他氣質, 淘濯去了那許多不好底意思. 如「學記」所謂‘未卜禘, 不視學, 游其志也’之意. 此意思固好, 然也有病者, 蓋天下有多少書, 若半年間都不教他看一字, 幾時讀得天下許多書? 所以彥明終竟後來工夫少了.”

或曰：“想得當時大學亦未成倫緒, 難看在.”

曰：“然. 彥明看得好,[177] 想見煞著日月看. 臨了連格物也看錯了, 所以深不信伊川‘今日格一件, 明日格一件’之說, 是看箇甚?[178]”[179]

(주자가 말했다.) “‘윤언명尹彥明尹焞이 이천伊川을 뵙고 난 후, 반년이 되어서야 비로소 『대학』과 『서명』을 보았다.’[180]고 했는데, 이 뜻은 또한 좋기도 하고, 또한 문제점도 있다. 아마도 그의 기질을 길러서

---

173 『朱子語類』 권101, 52조목

174 刑名 : 形과 같으며 실제 정황을 뜻하고, 名은 명분이나 법령을 뜻한다. 즉, 형명은 사실과 명칭을 뜻하며, 실제와 이름이 일치하는지 여부를 따져보고, 그에 맞게 상벌을 가하여 결국 형명의 일치를 꾀하는 것을 말한다. 원래는 전국시대 申不害와 韓非子를 대표로 하는 법가에서 비롯된 주장이다.

175 ‘橫渠張載는 禮로 … 없었다.’ : 『上蔡語錄』 권1

176 ‘尹彥明見伊川後 : 『朱子語類』 권95, 177조목에는 昨夜說‘尹彥明見伊川後로 되어 있다.

177 彥明看得好 : 『朱子語類』 권95, 177조목에는 ‘彥明’이 ‘尹彥明’으로 되어 있다.

178 是看箇甚? : 『朱子語類』 권95, 177조목에는 “是看箇甚麼”로 되어 있다.

179 『朱子語類』 권95, 177조목

180 ‘尹彥明尹焞이 伊川을 … 보았다.’ : 『河南程氏外書』 권12. 이 구절에 대해 『近思錄』 권2 「爲學」에 “윤돈의 자가 언명이니, 정자의 문인이다. 처음 배우는 선비는 방향을 알지 못하므로 『大學』을 가르쳐 도에 들어가는 문과 학문에 나아가는 순서를 알게 한 것이다. 그러나 학문은 인을 구하는 것보다 더 큰 것이 없으니 『西銘』으로 뒤를 잇는 것은 인의 체를 알아서 사사로운 자기에 가려짐이 없도록 한 것이다. 그러나 반년을 기다린 것은 誠意를 많이 쌓고 習氣를 제거하여 학문하는 근본으로 삼게 하고자 한 것이다. (尹焞, 字彥明,

수많은 안 좋은 것들을 씻어내려는 뜻일 것이다. 이는 (『예기』)「학기」편에서 이른바 '체禘 제사의 날짜를 점치지 않았을 때에 태학을 시찰하지 않는 것은, 그 뜻을 쉬게 하는 것이다.'[181]라는 뜻과 같다. 이 의미는 진실로 훌륭하지만, 그러나 또한 문제점이 있는 것은 천하에 얼마나 많은 책이 있는데, 만약 반년 동안 그에게 한 글자도 보지 못하게 했다면, 어느 시간에 천하의 수많은 책들을 읽을 것인가? 그래서 윤언명은 끝내 후에 공부가 적었던 것이다."

어떤 사람이 물었다. "생각해보면 당시의 태학은 또한 아직 체계를 이루지 못하여, 보기 안 좋은 것도 있었습니다."

(주자가) 대답했다. "그렇다. 윤언명은 보는 것을 잘했으니, 해와 달을 보는 것처럼 매우 분명하게 보고 싶어 했다. 심지어 격물에 대해서조차도 잘못 보아서, 이천이 '오늘 한 가지를 격格하고, 내일 한 가지를 격格한다.'[182]는 말을 깊이 믿지 않았던 것이니, 이는 무엇을 본 것인가?"

[40-1-57]

"和靖持守有餘, 而格物未至, 故所見不精明, 無活法."[183]

(주자가 말했다.) "화정和靖尹焞은 잡아 지키는 데에는 남음이 있지만, 격물格物에는 아직 이르지 못했으니, 그러므로 소견에 정밀하고 밝지 못한 점이 있고 생기生氣가 없다."

[40-1-58]

"和靖在程門直是十分鈍底, 被他只就一箇敬字上做工夫, 終被他做得成."[184]

(주자가 말했다.) "화정和靖尹焞은 정자 문하에서 실로 매우 둔한 편이었지만, 그는 '경敬' 하나에 나아가 공부함으로써, 마침내 성공할 수 있었다."

[40-1-59]

"自其上者言之, 有明未盡處; 自其下者言之, 有明得一半, 便謂只是如此. 尹氏亦只是明得一半, 便謂二程之教止此, 孔孟之道亦只是如此. 惟是中人之性, 常常要著力照管自家這心要常在,[185] 須是窮得透徹, 方是."[186]

程子門人也. 始學之士, 未知嚮方, 教之以大學, 使其知入道之門, 進學之序也. 然學莫大於求仁, 繼之以西銘, 所以使其知仁之體而無私己之蔽也. 然有待於半年之後者, 蓋欲其厚積誠意, 躝除氣習, 以爲學問根本也.")라고 주해하였다.

181 '禘 제사의 … 것이다.': 『禮記』「學記」. 진호는 『集說』에서 "체 제사는 5년마다 거행하는 천자의 큰 제사이다. 5년이 되지 않으면 태학을 시찰하지 않은 것은 학자들의 마음을 쉬게 하기 위한 것이다.(禘, 五年之大祭也. 不五年, 不視學, 所以優游學者之心志也)"라고 주해하였다.

182 '오늘 한 … 格한다.': 『河南程氏遺書』 권18. 『河南程氏遺書』에는 "須是今日格一件, 明日又格一件, 積習旣多, 然後脫然自有貫通處"로 하였다.

183 『朱子語類』 권101, 104조목

184 『朱子語類』 권101, 102조목. 『朱子語類』 권115, 41조목에도 같은 문장이 있다.

(주자가 말했다.) "위의 것으로부터 말하면 밝음을 다하지 못한 곳이 있고, 아래의 것으로부터 말하면 밝음이 절반 정도인 것이 있으니, 다만 이와 같을 뿐이라고 할 것이다. 윤씨尹氏[尹焞]은 또한 다만 밝음이 절반 정도일 뿐이니, 곧 이정의 가르침이 여기에 그쳤다고 할 것이고, 공맹의 도 역시 이와 같을 뿐이다. 오직 중인中人의 성性이라야 자기에게 이 마음이 언제나 있도록 하려고 항상 힘써 돌볼 것이니, 반드시 궁구함을 투철히 해야 될 것이다."

[40-1-60]

"和靖只是一箇篤實, 守得定. 如涪州被召祭伊川文云, '不背其師則有之, 有益於世則未也.' 因言'學者只守得某言語, 已自不易, 少間又自轉移了.'"[187]

(주자가 말했다.) "화정和靖[尹焞]은 다만 독실함 하나를 확고하게 지킨 것이다. 예를 들면, 부주涪州에서 부름을 받고 이천伊川의 제문을 지어 '그 스승을 배반하지 않는 점은 있지만, 세상에 유익함은 아직 없었다.'라고 하고 계속해서 '배우는 자들이 다만 나의 말을 지킬 줄만 알고, 스스로 바꾸지 않더니, 조금 있다가 또 스스로 변화하였다.'라고 하였다."

[40-1-61]

"和靖主一之功多, 而窮理之功少. 故說經雖簡約, 有益學者, 但推說不去, 不能大發明. 在經筵進講, 少開悟啓發之功. 紹興初入朝, 滿朝注想, 如待神明. 然亦無大開發處. 是時高宗好看山谷詩, 尹云'不知此人詩有何好處, 陛下看他作什麼?' 只說得此一言. 然只如此說, 亦何能開悟人主? 大抵解經固要簡約. 若告人主, 須有反覆開導推說處, 使人主自警省. 蓋人主不比學者, 可以令他去思量. 如孔子答哀公顔子好學之問, 與答季康子詳略不同, 此告君之法也."[188]

(주자가 말했다.) "화정和靖[尹焞]은 하나를 위주로 하는[主一] 공부는 많지만 궁리窮理의 공부는 적었다. 그러므로 경전을 말하는 것이 비록 간이하고 요약하여 학자들에게 도움되는 것이 있었지만, 말을 확장시켜 나가지 못하여 크게 드러내어 밝힐 수 없었다. 경연經筵에서 진강進講할 때에도 깨우쳐 주어 계발시키는 공이 적었다. 소흥紹興(1131~1162) 초에 조정에 들어가니, 온 조정이 기대하고 사모하기를 마치 신명을 기다리는 듯이 하였다. 그러나 또한 크게 일깨워주는 것이 없었다. 이때 고종은 산곡山谷[黃庭堅][189]의 시詩를 좋아했는데, 윤돈이 '이 사람의 시가 어떤 좋은 점이 있는지 잘 모르겠습니다만, 폐하께서는 그것을 보아서 무엇을 하시겠습니까?'라고 다만 이 한 마디만을 말했다. 그러나 다만 이와 같이 말하여서,

---

185 常常要著力照管自家這心要常在:『朱子語類』권101, 109조목에는 "要"가 없다.

186 『朱子語類』권101, 109조목

187 『朱子語類』권101, 110조목

188 『朱子語類』권101, 112조목

189 黃庭堅(1045~1105): 자는 魯直이고 호는 山谷道人이다. 북송 洪州 分寧(지금의 江西 修水縣) 사람이다. 유명한 문학가이며 書法家로, 江西詩派의 개산조이다. 蘇軾의 문하에서 배웠으며, 張耒, 晁補之, 秦觀과 함께 蘇門四學士로 불린다. 저서에 『山谷詞』가 있다.

또한 어떻게 임금을 깨우칠 수 있겠는가? 경전을 해석하는 것은 진실로 간이하고 요약해야한다. 만일 임금에게 고한다면, 반드시 반복하여 깨우쳐주고 미루어 설명하는 곳이 있어서 임금에게 스스로 경계하고 성찰하게 해야 한다. 임금은 배우는 자에서처럼 그로 하여금 생각하여 헤아리게 할 수 있는 것이 아니다. 예컨대 공자가 애공哀公이 안자가 학문을 좋아했던 일[好學]을 질문했을 때 대답한 것[190]과 계강자季康子가 물었을 때 답한 것[191]은 자세하거나 간략하기가 다른 것이니, 이는 임금에게 고하는 법이다."

[40-1-62]

"和靖當經筵, 都說不出. 張魏公嘗問, '「人有不爲也, 而後可以有爲」, 此孟子至論.' 和靖曰, '未是.' 張曰, '何者爲至?' 和靖曰, '「好善優於天下」爲至.' 張初不喜伊洛之學, 此語極中其病. 然正好發明, 惜但此而止耳.[192]"[193]

(주자가 말했다.) "화정和靖 尹焞이 경연을 할 때 제대로 설명하지 못했다. 장위공張魏公張浚[194]이 일찍이 '사람은 하지 않는 것이 있은 뒤에야 훌륭한 일을 할 수 있는 것이다.'[195]라는 이 말은 맹자의 지극한 논의입니다.'라고 물었다. 화정이 '아닙니다.'라고 대답했다. 장위공은 '어느 것이 지극한 것입니까?'라고 물었다. 화정이 '「선善을 좋아하는 것은 천하를 다스리는데도 충분하다.」[196]라는 것이 지극한 논의입니

---

190 공자가 哀公이 … 것: 『論語』 「雍也」에 "哀公이 '제자 중에 누가 학문을 좋아합니까?' 하고 묻자, 공자가 대답했다. '顏回라는 자가 학문을 좋아하여 노여움을 남에게 옮기지 않으며 잘못을 두 번 다시 저지르지 않았는데, 불행히도 命이 짧아 죽었습니다. 그리하여 지금은 없으니, 아직 학문을 좋아한다는 자를 듣지 못하였습니다.'(哀公問, 弟子孰爲好學? 孔子對曰, 有顏回者好學, 不遷怒, 不貳過, 不幸短命死矣. 今也則亡, 未聞好學者也.)"라고 했다.

191 季康子가 물었을 … 것: 『論語』 「先進」에 "季康子가 '제자 중에 누가 학문을 좋아합니까?'라고 묻자, 공자가 대답했다. '안회라는 자가 학문을 좋아했는데 불행히도 命이 짧아 죽었으니, 지금은 없습니다.'(季康子問, '弟子孰爲好學?' 孔子對曰, '有顏回者好學, 不幸短命死矣, 今也則亡.')"라고 했다.

192 張初不喜伊洛之學 … 惜但此而止耳. : 『朱子語類』 권101, 113조목에는 "先生曰, 此和靖至論, 極中張病. 然正好發明, 惜但此而止耳. 張初不喜伊洛之學"이라고 되어 있다.

193 『朱子語類』 권101, 113조목

194 張浚(1097~1164) : 자는 德遠이며, 紫岩先生으로 불리었다. 시호는 忠獻이다. 남송 漢州 綿竹(지금의 사천) 사람이다. 재상이며, 금나라에 항거했던 명장이다. 1118년 진사를 하고 樞密院編修官, 侍禦史, 知樞密院事 등을 역임했고, 1163년 魏國公에 봉해졌다. 저서에 『紫岩易傳』 등이 있다.

195 「사람은 하지 … 것이다.」: 『孟子』 「離婁下」

196 「善을 좋아하는 … 충분하다.」: 『孟子』 「告子下」. 『孟子』에는 "魯나라에서 樂正子로 하여금 정사를 다스리게 하려고 하였다. 맹자가 '내가 이 말을 듣고 기뻐서 잠을 이루지 못했다.'라고 했다. 공손추가 '악정자는 강합니까?'라고 묻자, '아니다.'라고 했고, '지식과 생각이 있습니까?'라고 묻자 '아니다.'라고 했으며 '聞見과 識見이 많습니까?'라고 묻자 '아니다.'라고 대답했다. 공손추가 '그렇다면 어찌하여 기뻐서 잠을 이루지 못하셨습니까?'라고 묻자 '그 사람됨이 善을 좋아한다.'라고 대답했다. '선을 좋아하는 것으로 충분합니까?'라고 묻자 '선을 좋아하는 것은 천하를 다스리는데도 충분한데, 하물며 노나라에 있어서랴!'라고 대답했다.(魯欲使樂正子爲政, 孟子曰, 吾聞之, 喜而不寐. 公孫丑曰, 樂正子强乎? 曰否, 有知慮乎? 曰否, 多聞識乎? 曰否. 然則奚爲喜而不寐? 曰, 其爲人也好善. 好善足乎? 好善優於天下, 而況魯國乎!)"라고 했다.

다.'라고 대답했다. 장위공은 처음에는 이락伊洛의 학문을 좋아하지 않았는데, 이 말이 그 문제점을 지극히 잘 지적했다. 그러나 드러내어 밝힌 것은 좋았지만, 안타깝게도 다만 이것으로 그쳤을 뿐이다."

[40-1-63]
"尹子之學有偏處. 渠初見伊川, 將朱公掞所抄語錄去呈, 想是他爲有看不透處. 故伊川云, '某在, 何必觀此書?' 蓋謂不如當面與他說耳. 尹子後來遂云, '語錄之類不必看.' 不知伊川固云 '某在不必觀'. 今伊川旣不在, 如何不觀? 又如云, '易傳是伊川所自作者, 其他語錄是學者所記. 故謂只當看易傳, 不當看語錄', 然則夫子所自作者, 春秋而已. 論語亦門人所記也, 謂學夫子者只當看春秋, 不當看論語可乎?"197

(주자가 말했다.) "윤자尹子[尹焞]의 학문에는 치우친 곳이 있다. 그가 처음 이천을 뵙고 주공섬朱公掞朱光庭198이 추려 기록한 『어록』을 바쳤으니,199 생각해보건대 그가 투철하게 보지 못한 점이 있다고 여겼기 때문일 것이다. 그러므로 이천이 '내가 있는데, 어찌 반드시 이 책을 볼 필요가 있는가?'라고 했으니, 아마도 직접 이천과 친견하여 함께 이야기하는 것만 못할 뿐이기 때문이다. 윤자尹子는 후에 '『어록』과 같은 것들은 반드시 볼 필요는 없다.'라고 했는데, 이천이 본래 말한 '내가 있으니 반드시 볼 필요는 없다.'는 말을 이해하지 못한 것이다. 지금은 이천이 이미 돌아가셨는데, 어떻게 보지 않겠는가? 또 만일 『역전』은 이천이 스스로 지은 것이고, 나머지 『어록』은 학자들이 기록한 것이다. 그러므로 다만 『역전』만 마땅히 보아야하고, 『어록』은 볼 필요가 없다.'고 한다면, 공자가 스스로 지은 것은 『춘추』뿐이고, 『논어』는 또한 문인들이 기록한 것이니, 공자를 배우는 자들은 다만 『춘추』만 마땅히 보아야 하고, 『논어』는 볼 필요가 없다고 하면 되겠는가?"

[40-1-64]
"朱公掞文字有幅尺, 是見得明也."
南軒云: "朱公掞奏狀說伊川不著.'
曰200: "不知如何方是說著, 大意只要說得實便好. 如伊川說物便到四凶上, 及呂與叔中庸, 皆說實話也."201

• • • • • • • • • • • • • • • • • • • •

197 『朱子語類』 권101, 115조목
198 朱光庭(1037~1094) : 자는 公掞이며, 북송 河南偃師 사람이다. 朱景의 아들로, 처음에는 胡瑗에게 배웠으며, 程顥의 문인이 되었다. 嘉祐 2년에 진사가 되어 萬年縣主簿가 되었고, 여러 벼슬을 거치다가 集賢院學士 겸 知潞州로 벼슬을 마쳤다. 철종 당시 사마광의 천거로 左正言이 되어 靑苗法과 保甲 제도 등의 철폐를 주장하기도 하였다.(『宋史』 권333 「朱光庭傳」)
199 그가 처음 … 바쳤으니 : 『河南程氏遺書』는 이정 사후 이정의 문인들에 의해 전해져 온 어록을 주자가 다시 정리한 것이다. 주광정이 이천의 말을 초록해 놓은 것을 보고 윤돈이 이천에게 질문하였다는 기록은 『朱文公文集』 권75와 『河南程氏遺書』의 「목록」에 보인다.
200 曰 : 『朱子語類』 권101, 24조목에는 "先生云"으로 되어 있다.

(주자가 말했다.) "주공섬朱公掞[朱光庭]의 문장에는 정해진 한도가 있으니, 이는 통찰한 것이 분명한 것이다."

남헌南軒[張栻]이 말했다. "주공섬은 상주문上奏文에서 이천은 저술하지 않았다고 말했습니다."

(주자가) 말했다. "어떻게 해야 저술했다고 하는 것인지 잘 모르겠지만, 대의는 다만 말한 것이 참되기만 하면 좋은 것이다. 만일 이천이 사물을 이야기하면 곧 '사흉四凶'에 이르렀고,[202] 여여숙呂與叔[呂大臨]의 중용中庸에 관한 것[203]도 모두 실제 이야기이다."

[40-1-65]

"范淳夫純粹, 精神短. 雖知尊敬程子, 而於講學處欠缺. 如唐鑑極好, 讀之亦不無憾."

又曰: "淳夫資質極平正, 點化得是甚次第."[204]

· ·

201 "朱公掞文字有幅尺, 是見得明也."는 『朱子語類』 권101, 23조목의 글이고, "南軒云 … 皆說實話也."는 『朱子語類』 권101, 24조목의 글이다.

202 이천이 사물을 … 이르렀고: 『朱文公文集』 권72에서는 "이천의 설은 바로 사물에는 각각 이치가 있으니, 사건과 사물이 이르면 그 이치를 따라 거기에 응하는 것이니, 사사물물이 각각 그 이치의 당연한 것을 얻지 않은 것이 없다. 예를 들면 순이 16재상을 동원하여 사흉을 친 것과 같다. 이는 사물에 의해 부려지지 않고, 사물을 부릴 수 있는 것이니, 어찌 각각 맡겨둘 뿐이라고 하겠는가!(伊川之説, 正謂物各有理, 事至物來, 隨其理而應之, 則事事物物無不各得其理之所當然者. 如舜之擧十六相去四凶也. 此其所以不爲物之所役, 而能役物, 豈曰各任之而已哉!)"라고 하였다. 『河南程氏遺書』 권2上에서는 "만물은 모두 다만 하나의 천리일 뿐이니 내가 어떻게 거기에 참여하는가. (『書經』 「虞書·皐陶謨」에) 하늘이 죄 있는 자들을 토벌하는 것에 대해 말하면 다섯 가지 형벌로 다섯 가지 등급을 써서 징계하고, 하늘이 덕이 있는 이에게 명령하는 것은 다섯 가지 복식으로 다섯 가지 등급을 표창한다 하니, 이는 모두 다만 천리가 본래 그러한 것이 마땅히 이와 같을 뿐이다. … 그 사이에 어찌 희로의 마음이 개입된 적이 있겠는가! (『左傳』 「文公」 18년조에서 말한) 순임금이 16재상을 동원한 것을 요임금이 어찌 몰랐겠는가! 다만 그 선이 아직 드러나지 않았으므로 스스로 나선 것이 아니다. 순임금이 사흉을 주벌한 것을 요임금이 어찌 살피지 않았겠는가! 다만 그 악이 아직 드러나지 않았기 때문에 그들을 주벌한 것이다. 동원하고[擧] 주벌하는 것[誅] 그 사이에 어찌 털끝만 한 사이가 있었겠는가! 다만 하나의 의리가 있을 뿐이니, 의를 따를 뿐이다.(萬物皆只是一箇天理, 己何與焉. 至如言天討有罪, 五刑五用哉. 天命有德, 五服五章哉, 此都只是天理自然當如此. … 曷嘗容心喜怒於其間哉! 舜擧十六相, 堯豈不知! 只以佗善未著, 故不自擧. 舜誅四凶, 堯豈不察! 只爲佗惡未著, 那誅得佗. 擧與誅, 曷嘗有毫髮廁於其間哉. 只有一箇義理, 義之與比.)"라고 하였다.

203 呂與叔[呂大臨]의 … 것: 『雜學辨』 「附錄」에서는 "옛날에 이천이 직접 여여숙의 『中庸說』을 비판하여 말했다. '「치우치지 않는 것을 중이라고 한다.」는 그 말은 명백하지 않다.' 내가 직접 이천에게 물었는데, 이천이 '중은 의지함이 없는 것이다.'라고 하였다.(昔伊川親批呂與叔中庸説曰, 「不倚之謂中」, 其言未瑩. 吾親問伊川, 伊川曰中無倚著.)"라고 했고, 『河南程氏外書』 권11에서는 "'여여숙이 치우치지 않는 것을 중이라고 했는데, 선생은 정답에 가깝기는 하지만 말이 아직 명확하지 않다고 했는데, 무슨 말입니까?'라고 물었다. '의지하는 곳이 없는 것이다.'라고 대답했다.(問, '呂與叔云, 不倚之謂中, 先生謂近之, 而詞未瑩, 如何?' 曰, '無倚著處.')"라고 했다.

204 "范淳大純粹 … 讀之亦不無憾."은 『朱子語類』 권130, 45조목의 글이고, "資質極平正, 點化得是甚次第."는 『朱子語類』 권136, 56조목의 글이다.

(주자가 말했다.) "범순부范淳夫[范祖禹][205]는 순수하지만 정신이 부족하다. 비록 정자를 존경할 줄 알았지만, 강학하는 데에 결함이 있었다. 예를 들어 『당감唐鑑』[206]을 지극히 좋아하였으니, 그것을 읽으면 또한 아쉬움이 없지 않다."

(주자가) 또 말했다. "순부淳夫는 자질이 지극히 차분하여 가르치는 것이 매우 질서가 있었다."

[40-1-66]

"李朴先之大槩是能尊尚道學. 但恐其氣剛, 亦未能遜志於學問."[207]

(주자가 말했다.) "이선지李先之[李朴][208]는 대개 도학을 잘 존숭할 줄 알았다. 그러나 아마도 그 기氣가 강하여 또한 학문에 마음을 겸허하게 두지 못하였다."

[40-1-67]

問: "郭冲晦何如人?"

曰: "西北人氣質重厚淳固, 但見識不及. 如兼山易中庸義多不可曉, 不知伊川晚年接人是如何."

問: "游楊諸公早見程子, 後來語孟中庸說猶踈略,[209] 何也?"

曰: 游楊諸公皆才高, 又博洽. 略去二程處, 參較所疑及病敗處, 各能自去求. 雖其說有踈略處, 然皆通明, 不似兼山輩立論可駭也."[210]

물었다. "곽충회郭冲晦[郭雍][211]는 어떤 사람입니까?"

<hr />

205 范祖禹(1041~1098): 북송 成都府 華陽縣(지금의 사천 성도시 쌍류현 華陽街道 毛家灣 四川成都市雙流縣華陽街道毛家灣 사람)이다. 자는 淳夫 또는 夢得이다. 재상 呂公著의 사위로, 嘉祐 8년(1063) 진사가 되었다. 역사에 밝았으며 특히 『唐書』에 정통하여, 司馬光에게 칭찬을 받았다. 북송 神宗 熙寧 3년(1070)부터 劉恕, 劉攽 등과 사마광이 『資治通鑑』을 편수하는 것을 도왔다. 저서에 『唐鑑』 권12, 『帝學』 권8, 『仁皇政典』 권6, 『范太史集』 권53 등이 있다. 범조우는 또한 황제에게 進講하는 데에도 뛰어나 蘇東坡에게 "글을 진강하는 것은 지금 경연관 가운데 범조우가 제일이다.(范淳夫講書, 爲今經筵講官第一.)"라는 칭찬을 들었다.

206 『唐鑑』: 범조우가 司馬光을 도와 『資治通鑑』의 唐 및 五代十國 부분을 편찬하고, 『資治通鑑』이 완성된 후에 또 스스로 唐의 역사에 대한 스스로의 인식을 바탕으로 역사평론의 방식을 빌어서 쓴 책이다. 모두 306편의 평론으로 이루어져 있다.

207 『朱子語類』 권101, 25조목

208 李朴(1063~1127): 자는 先之이며, 宋 虔州興國遷口 사람이다. 紹聖 원년(1094)에 진사에 급제하고, 西京 國子監 敎授로 옮겼다. 이후 直言으로 파직되었다가 다시 등용되기도 하였다. 寶文閣待制에 추증되었고, 저서에 『章貢集』 권20이 있다.

209 後來語孟中庸說猶踈略: 『朱子語類』 권101, 21조목에는 "後來語孟中庸說, 先生猶或以爲疏略"으로 되어 있다.

210 『朱子語類』 권101, 21조목

211 郭雍(1106~1187): 賜號는 冲晦處士, 자는 子和이며, 호는 白雲이다. 宋 河南 洛陽 사람이다. 그의 부친은 程頤에게 배웠고, 『周易』에 대해 깊이 연구하였는데, 곽옹도 아버지의 학문을 전승하여 『周易』, 의학, 병법, 曆學에 힘을 쏟았다. 乾道 연간(1165~1173)에 조정에 천거되었지만 나아가지 않고, 冲晦處士라는 호를 받았

(주자가) 대답했다. "서북인西北人의 기질로 중후하고 돈후하며 군세지만, 식견이 미치지 못한다. 예를 들면 『겸산역兼山易』, 『중용의中庸義』와 같은 것은 많은 부분 제대로 깨닫지 못한 것이니, 이천이 만년에 문인을 어떻게 받아들이는지 알지 못한 것이다."

물었다. "유초와 양시 여러 공들이 일찍이 정자에게 가르침을 받았는데, 나중에 『논어』와 『맹자』와 『중용』에 대한 이해가 오히려 소략하다고 한 것은 어째서입니까?"

(주자가) 대답했다. "유초와 양시 여러 공들은 모두 재질이 높고 또 박식하니, 잠깐 이정二程을 찾아가서 의심나는 것과 문제가 되는 곳들을 참고 비교하여 교정하고, 각자 스스로 추구해갈 수 있었다. 비록 그들의 이해에 소략한 부분이 있었지만 모두 뚜렷하게 이해한 것이니, 겸산兼山과 같은 무리들이 어지럽게 입론한 것과는 다르다."

[40-1-68]

問: "伊川門人如此其衆, 不知何故後來更無一人見得親切?"[212]

或云: "游楊亦不久親炙."

曰: "也是諸人無頭無尾, 不曾盡心在上面. 也各家去奔走仕宦, 所以不能理會得透. 如邵康節從頭到尾, 極終身之力而後得之. 雖其不能無偏, 然就他這道理, 所謂'成而安'矣. 如茂叔先生資稟便較高, 他也去仕宦. 只他這所學, 自是從合下直到後來, 所以有成. 某看來, 這道理若不是挴生盡死去理會,[213] 終不解得!"

又曰: "呂與叔高於諸公, 大段有筋骨.[214] 惜其早死, 若不早死, 却須理會得到."[215]

물었다. "이천의 문인이 이처럼 많은데, 잘 모르겠습니다만 어째서 나중에 한 사람도 절실하게 터득한 사람이 없습니까?"

어떤 사람이 말했다. "유초와 양시 또한 직접 가르침을 받은 것이 오래되지 않았기 때문입니다."

(주자가) 말했다. "또한 여러 사람들이 처음부터 끝까지 학문에 마음을 쏟은 적이 없는 것이다. 또한 각자가 벼슬하러 가기에 바빠서, 투철하게 이해할 수 없었던 것이다. 소강절邵康節邵雍의 경우에는 처음부터 끝까지 평생의 힘을 다한 뒤에 체득하였다. 비록 치우침이 없는 것은 아니지만, 그의 이 도리는 이른바 '편안하게 (도를) 이루었다'[216]는 것이다. 무숙茂叔周敦頤 선생의 경우에는 타고난 자질이 비교적

다. 주요 저서로 『郭氏傳家易說』·『兼山易解』·『中庸解』·『郭氏雍中庸說』·『蓍卦辨疑』·『傷寒補忘論』 등이 있다. 주자는 곽옹보다 20여 년 늦게 태어났지만, 두 사람은 학술 면에서 많은 교류가 있었다.

212 伊川門人如此其衆, 不知何故後來更無一人見得親切: 『朱子語類』 권101, 15조목에는 "不知伊川門人如此其衆, 何故後來更無一人見得親切"로 되어 있다.

213 這道理若不是挴生盡死去理會: 『朱子語類』 권101, 15조목에는 "這道理若不是拌生盡死去理會"로 되어 있다.

214 又曰 呂與叔高於諸公, 大段有筋骨.: 『朱子語類』 권101, 15조목에는 "書曰, '若藥不瞑眩, 厥疾不瘳. 須喫些苦極, 方佳.' 蔡云: '上蔡也雜佛老.' 曰, '只他見識又高.' 蔡云: '上蔡老氏之學多, 龜山佛氏之說多, 游氏只雜佛, 呂與叔高於諸公.' 曰, '然. 這大段有筋骨"로 되어 있다.

215 『朱子語類』 권101, 15조목

높은데, 그 역시 벼슬하러 갔다. 다만 그는 배움을 스스로 처음부터 올곧게 끝까지 유지했으므로 이룬 것이 있었던 것이다. 내가 보기에, 이 도리는 목숨을 걸고 이해하지 않으면 끝내 이해할 수 없는 것이다!" (주자가) 또 말했다. "여여숙呂與叔[呂大臨]은 여러 사람들보다 뛰어나서, 대체로 뼈대가 있었다. 애석하게도 그가 일찍 죽었으니, 만약 일찍 죽지 않았다면 반드시 다 이해했을 것이다."

[40-1-69]

"與叔文集煞有好處. 他文字極是實, 說得好處, 如千兵萬馬, 飽滿伉壯. 上蔡雖有過當處, 亦自是說得透. 龜山文字却怯弱, 似是合下會得易."[217]

(주자가 말했다.) "여숙與叔[呂大臨]의 문집에는 매우 훌륭한 곳이 있다. 그의 문장은 지극히 탄탄하여, 말이 훌륭한 곳은 예컨대 수천의 군사와 수만의 군마가 배불리 먹고 굳센 것과 같다. 상채上蔡[謝良佐]는 비록 지나친 곳이 있지만, 또한 스스로 말한 것이 투철하다. 구산龜山[楊時]의 문장은 나약하니 애초에 이해한 것이 얕아서일 것이다."

[40-1-70]

"游楊謝諸公, 當時已與其師不相似, 却似別立一家. 謝氏發明得較精彩, 然多不穩貼. 和靖語却實, 然意短, 不似謝氏發越. 龜山語錄, 與自作文又不相似. 其文大故照管不到, 前面說如此, 後面又都反了. 緣他只依傍語句去, 皆是不透. 龜山年高, 與叔年四十七, 他文字大綱立得脚來健, 多有處說得好, 又切. 若有壽, 必煞進. 游定夫學無人傳, 無語錄."[218]

(주자가 말했다.) "유초游酢와 양시楊時와 사량좌謝良佐 여러 분들은 당시 이미 스승과 유사하지 않았으니, 도리어 따로 일가를 세운 듯하다. 사씨가 드러내어 밝힌 것은 비교적 정밀하고 아름답지만, 온당하지 못한 부분이 많다. 화정和靖[尹焞]의 말은 진실되지만 뜻이 부족하므로 사량좌의 뛰어남만 못하다. 구산龜山[楊時]의 어록은 스스로 지은 글과 또 비슷하지 않다. 그 문장을 대개 제대로 돌보지 않았으니, 앞에서 이와 같이 말하고는 뒤에서 또 모두 뒤집어버렸다. 그가 다만 어구語句에만 의지했기 때문에 모두 투철하지 못한 것이다. 구산은 나이가 많아서 여숙與叔[呂大臨]보다 47세 더 먹었는데, 그의 문장의 대강은 입각한 것이 튼튼하며, 훌륭하고 간절하게 말한 곳이 많다. 만약 그가 장수하였다면 반드시 크게 진보하였을 것이다. 유정부游定夫[游酢]의 학문은 전승한 사람도 없고, 어록도 없다."

---

216 편안하게 (도를) 이루었다 : 『朱子語類考文解義』 제24에 "이것은 명도가 말한 강절이 '편안하게 (도를) 이루었다'는 설을 가져다 쓴 것이다.(此用明道所稱康節‘安且成’之說.)"라고 하였다. 정호가 쓴 소옹의 「묘지명」에는 "선생의 도는 지극한 곳에 대해 논하면 편안하게 이루었다고 할 수 있다.(若先生之道, 就所至而論之, 則可謂安且成矣.)"라고 하였다.

217 『朱子語類』 권101, 5조목

218 『朱子語類』 권101, 13조목

[40-1-71]

"學者氣質上病最難救. 如程門謝氏, 便如'師也過.' 游與楊, 便如'商也不及.' 皆是氣質上病."[219]

(주자가 말했다.) "학자는 기질의 병통이 가장 구제하기 어렵다. 예를 들어 정자 문하의 사량좌의 경우에는 곧 '사師子張는 지나치다.'[220]고 한 것과 같다. 유초와 양시는 곧 '상商子夏은 미치지 못한다.'[221]고 한 것과 같다. 모두 기질상의 병통이다."

[40-1-72]

"上蔡之學, 初見其無礙, 甚喜之. 後細觀之, 終不離禪底見解. 如灑掃應對處, 此只是小子之始學. 程先生因發明, 雖始學, 然其終之大者亦不離乎此. 上蔡於此類處, 便說得大了. 道理自是有小有大, 有初有終. 若如此說時, 便是不安於其小者初者, 必知其中有所謂大者, 方安爲之. 如曾子三省處, 皆只是實道理, 上蔡於小處說得亦大了. 如游楊解書之類, 多使聖人語來反正. 如解'不亦樂乎', 便云「學之不講」爲憂, 有朋友講習豈不樂乎'之類, 亦不自在. 大率諸公雖親見伊川, 皆不得其師之說"[222]

(주자가 말했다.) "상채上蔡謝良佐의 학문은 처음에 그 걸림 없음을 보면 매우 기쁘다. 나중에 세밀히 살펴보면 끝내 선가의 견해에서 벗어나지 못한다. 예컨대 물 뿌리고 청소하고 응대하는 것은 이는 다만 어린아이가 학문을 시작하는 곳이지만, 정 선생이 여기에 기인하여 드러내어 밝혔으니, 비록 학문을 시작하는 곳이지만, 크게 마치는 곳 역시 여기에서 벗어나지 않는다. 상채는 이 몇 군데에서 말한 것이 지나치게 크다. 도리에는 본래 작은 것도 있고 큰 것도 있으며, 처음도 있고 끝도 있다. 만약 이렇게 말한다면, 작은 것과 처음인 것에 대해 편안히 여기지 않는 것이니, 반드시 그중에 이른바 큰 것이 있다는 것을 알게 되어야 비로소 편안히 하게 되는 것이다. 증자가 세 가지로 살핀 곳[223]이 모두 다만 진실된 도리인데, 상채는 작은 곳에 대해서도 말한 것이 또한 지나치게 컸다. 유초와 양시가 책을 해석한 것은 성인의 말씀을 가져다가 올바름을 뒤집은 것이 많다. 예컨대 (『논어』 「학이」 편의) '또한 즐겁지 않은가'를 해석하면서 '「배운 것을 강마하지 않는 것」이 근심이 되니, 강습할 친구가 있으면 어찌 또한 즐겁지 않겠는가.'라고 한 것과 같은 부류이니, 또한 자연스럽지 못하다. 대체로 여러 공들이 비록 이천을 직접 뵈었지만 모두 그 스승의 학설을 얻지는 못한 것이다."

· · · · · · · · · · · · · · · · · · · ·

219 『朱子語類』 권101, 14조목

220 '師子張는 지나치다.' : 『論語』 「先進」

221 '商子夏은 미치지 못한다.' : 『論語』 「先進」

222 『朱子語類』 권101, 17조목

223 증자가 세 … 곳 : 『論語』 「學而」에서는 "증자가 말했다. '나는 날마다 세 가지로 내 몸을 살피니, 남을 위하여 일을 도모함에 충성스럽지 못한가, 친구와 사귐에 성실하지 못한가, 傳受받은 것을 복습하지 않는가 하는 것이다.'"라고 했다.

[40-1-73]

"上蔡多說過了. 龜山巧, 又別是一般, 巧得又不好. 范諫議說得不巧, 然亦好. 和靖又忒不巧, 然意思好."[224]

(주자가 말했다.) "상채上蔡[謝良佐]는 말이 지나친 것이 많다. 구산龜山[楊時]는 교묘한데 또 보통사람들보다 특출나니, 교묘한 것이 또 좋지 않다. 범간의范諫議[范祖禹]는 말이 교묘하지 않지만 또한 좋다. 화정和靖[尹焞]은 심히 교묘하지 않지만 또한 뜻은 좋다."

[40-1-74]

"伊川之門, 上蔡自禪門來, 其說亦有差. 張思叔最後進, 然深惜其早世! 使天予之年, 殆不可量. 其他門人多出仕宦四方, 研磨亦少. 龜山最老, 其所得亦深."[225]

(주자가 말했다.) "이천의 문하에서 상채上蔡[謝良佐]는 선문禪門으로부터 왔으니, 그 설에 또한 차이가 있다. 장사숙張思叔[張繹]은 가장 마지막에 문하에 들어왔지만 깊이가 있으니, 그가 일찍 세상을 떠난 것이 애석하다! 하늘이 그에게 수명을 더 주도록 했다면 아마도 (그의 진보를) 헤아릴 수 없었을 것이다. 다른 문인들은 대부분 사방으로 벼슬하러 나가서 연마함이 또한 적었다. 구산龜山[楊時]은 가장 연장자이니, 그가 얻은 것 또한 깊었다."

[40-1-75]

"思叔持守不及和靖, 乃伊川語, 非特爲品藻二人, 蓋有深意. 和靖擧以語人, 亦非自是, 乃欲人識得先生意耳. 若以其自是之嫌而不言, 則大不是, 將無處不窒礙矣."[226]

(주자가 말했다.) "사숙思叔[張繹]이 간직하여 지킨 것[持守]은 화정和靖[尹焞]보다 못하다는 것이 이천의 말인데, 비단 두 사람을 품평하기 위해서가 아니라 아마도 깊은 뜻이 있을 것이다. 화정이 이 이야기를 다른 사람에게 한 것도 자신이 옳다[自是]고 해서가 아니라, 사람들이 선생의 뜻을 알기를 바란 것이다. 만약 자신을 옳다[自是]고 한다는 혐의를 받을까봐 말하지 않는다면 크게 잘못된 것이니, 어느 곳이든 막히지 않는 것이 없을 것이다."

[40-1-76]

問 : "上蔡議論莫太過?"

曰 : "上蔡好於事上理會理, 却有過處."

又問 : "和靖專於主敬, 集義處少."

曰 : "和靖主敬把得定, 亦多近傍理. 龜山說話頗淺狹. 范淳夫雖平正而亦淺."

----

224 『朱子語類』 권101, 6조목
225 『朱子語類』 권101, 3조목
226 『朱子語類』 권101, 4조목

又問: "嘗見震澤記善錄, 彼親見伊川, 何故如此之差?"

曰: "彼只見伊川面耳."[227]

물었다. "상채上蔡謝良佐의 논의는 너무 지나친 것이 아닙니까?"

(주자가) 대답했다. "상채는 구체적인 일에서 리理를 이해하기를 좋아했으니, 도리어 지나친 곳이 있다."

또 물었다. "화정和靖尹煌은 오로지 주경主敬을 했고, 의의義理를 모으는 것은 적었습니다."

(주자가) 대답했다. "화정은 주경主敬을 할 때 확고하게 잡았으니, 또한 리理와 많이 가깝다. 구산龜山楊時은 말한 것이 꽤 얕고 좁다. 범순부范淳夫范祖禹는 비록 공평무사하지만 역시 얕다."

또 물었다. "일찍이 「진택기선록震澤記善錄」[228]을 보았더니, 저들이 이천을 직접 뵈었는데, 어찌하여 이렇게 차이가 나는 것입니까?"

(주자가) 대답했다. "저들은 다만 이천의 얼굴만 본 것이다."

[40-1-77]

問和靖立朝議論.

曰: "和靖不觀他書, 只是持守得好. 他語錄中說涵養持守處, 分外親切. 有些朝廷文字, 多是呂稽中輩代作."

問: "龜山立朝, 却有許多議論."

曰: "龜山雜博, 是讀多少文字. 龜山少年未見伊川時, 先去看莊列等文字. 後來雖見伊川, 然而此念熟了, 不覺時發出來. 游定夫尤甚. 羅仲素時復亦有此意."[229]

화정和靖尹煌이 조정에서 벼슬을 하며 논의한 내용을 물었다.

(주자가) 대답했다. "화정은 다른 책은 보지 않고, 다만 지수持守를 잘했다. 그의 어록에 함양涵養과 지수持守를 말한 곳은 특별하게 친절하다. 조정에서 논의한 몇몇 문장들은 대부분 여계중呂稽中의 무리들이 대신 쓴 것이다."

물었다. "구산龜山楊時이 조정에서 벼슬을 할 때 도리어 매우 많은 논의들이 있었습니다."

(주자가) 대답했다. "구산은 잡박하니, 이는 얼마간의 문장을 읽었기 때문이다. 구산이 소년시절 아직 이천을 만나기 전에, 먼저 『장자』와 『열자』 등의 문장을 읽었다. 나중에 비록 이천을 뵈었지만, 그러나 이 생각이 익숙해져서 부지불식 중에 튀어나오는 것이다. 유정부游定夫游酢는 더욱 심하다. 나중소羅仲素[230] 또한 때때로 이 뜻을 가지고 있었다."

---

227 『朱子語類』 권101, 12조목

228 「震澤記善錄」: 王蘋의 『王著作集』 권8에 실려 있는 글로 왕빈과 그의 제자들의 문답이 보인다.

229 "問 … 是讀多少文字."는 『朱子語類』 권101, 7조목의 글이고, "龜山少年未見伊川時 … 羅仲素時復亦有此意."는 『朱子語類』 권101, 11조목의 글이다.

230 羅從彦(1072~1135): 자는 仲素이고, 호는 豫章先生으로, 북송 劍州 劍浦(복건성) 사람이다. 일찍이 吳儀에게 배웠다가, 楊時에게 배웠다. 양시, 李侗과 함께 '劍南三先生'으로 불렸다. 양시의 학문을 계승하여 주자의 아버지인 朱松과 스승인 이통에게 전했다. 저서에 『中庸說』・『豫章文集』 등이 있다.

[40-1-78]

一日論伊川門人, 云：“多流入釋氏.”

陳文蔚曰：“只是游定夫如此, 恐龜山輩不如此.”

曰：“只論語序便可見.”231

(주자가) 하루는 이천의 문인에 대해 논하여 “대부분 불교로 빠졌다.”라고 말했다.

진문울陳文蔚232이 물었다. “유정부游定夫[游酢]가 그러했을 뿐이지, 구산龜山[楊時]은 그렇지 않았을 것입니다.”

(주자가) 대답했다. “다만 『논어』의 서문에서 볼 수 있다.”

[40-1-79]

“看道理不可不子細. 程門高弟如謝上蔡, 游定夫, 楊龜山輩, 下梢皆入禪學去. 必是程先生當初說得高了, 他門只曉見上一截,233 少下面著實工夫, 故流弊至此.”234

(주자가 말했다.) “도리를 볼 때는 자세히 하지 않으면 안 된다. 정자 문하의 수제자들인 사상채謝上蔡[謝良佐], 유정부游定夫[游酢], 양구산楊龜山[楊時]의 무리들은 결국 모두 선불교로 들어가 버렸다. 분명 정 선생이 애초에 말을 너무 고원하게 하여, 그의 문하에서는 다만 형이상의 한쪽 면만 밝게 이해하고, 형이하의 착실한 공부는 적었기 때문에 이러한 곳으로 빠지게 된 것이다.”

[40-1-80]

問：“程門誰眞得其傳？”

曰：“也不盡見得. 如劉質夫, 朱公掞, 劉思叔輩, 又不見他文字. 看程門諸公力量見識, 比之康節橫渠, 皆趕不上.”235

물었다. “정자 문하에서 누가 참으로 그 전수를 얻었습니까?”

(주자가) 대답했다. “또한 다 알 수는 없다. 예를 들어 유질부劉質夫[劉絢], 주공섬朱公掞[朱光庭], 장사숙劉思叔[張繹] 같은 이들은 또 그들의 문장을 볼 수 없다. 정자 문하의 여러 분들을 보면 그들의 역량과 식견이 강절과 횡거에 비교하여 모두 따라잡을 수 없다.”

[40-1-81]

“韓退之云, ‘孔子之道大而能博, 門弟子不能徧觀而盡識也, 故學焉而皆得其性之所近,’ 此說

....

231 『朱子語類』 권101, 10조목

232 陳文蔚(?~?)：字는 才卿이며, 宋 上饒 사람이다. 생졸년은 알 수 없지만, 대략 송 寧宗 嘉泰 초기에 살았으며, 주자에게 배웠다. 학자들이 克齋先生이라고 불렀으며, 저서에 『克齋集』 권17이 있다.

233 他門只曉見上一截：『朱子語類』에는 ‘他門’이 ‘他們’으로 되어 있다.

234 『朱子語類』 권101, 8조목

235 『朱子語類』 권101, 1조목

甚好. 看來資質定了, 其爲學也只就他資質所尚處, 添得些小好而已. 所以學貴公聽並觀, 求一箇是當處, 不貴徒執己自用. 今觀孔子諸弟子, 只除了曾顏之外, 其他說話便皆有病. 程子諸門人, 上蔡有上蔡之病, 龜山有龜山之病, 和靖有和靖之病, 無有無病者."

問[236] : "也是後來做工夫不到故如此."

曰 : "也是合下見得不周徧, 差了."

又曰 : "而今假令親見聖人說話, 盡傳得聖人之言不差一字, 若不得聖人之心, 依舊差了, 何況猶不得其言? 若能得聖人之心, 則雖言語各別, 不害其爲同. 如曾子說話, 比之孔子又自不同. 子思傳曾子之學, 比之曾子, 其言語亦自不同. 孟子比之子思又自不同. 然自孔子以後, 得孔子之心者, 惟曾子子思孟子而已. 後來非無能言之士, 如揚子雲法言模倣論語, 王仲淹中說, 亦模倣論語, 言愈似而去道亦遠.[237] 及至程子方略明得四五十年, 爲得聖人之心. 然一傳之門人, 則已皆失其眞矣. 其終卒歸於擇善固執, 明善誠身, 博文約禮而已. 只是要人自去理會."[238]

(주자가 말했다.) "한퇴지韓退之[韓愈]가 '공자의 도는 크면서도 넓었으니, 문하의 제자들이 두루 보고서 모두 알 수 없었으므로 그것을 배움에 모두 그 소질에 가까운 바를 얻었다.'[239]라고 했는데, 이 설은 매우 좋다. 내 생각에 자질이 정해지면, 그 학문을 하는 것 또한 다만 그의 자질이 숭상하는 곳에 나아가 약간의 도움을 더해주는 것일 뿐이다. 그래서 학문에 있어서는 공평하게 보고 들어[240] 타당한 곳을 구하는 것을 귀하게 여기지, 한갓 자신의 견해에 사로잡히는 것을 귀하게 여기지 않는다. 지금 공자의 여러 제자들을 보건대, 다만 증자와 안자만을 제외한 그 나머지는 모두 이러한 병통이 있다. 정자의 여러 문인들도 상채에게는 상채의 병통이 있고, 구산에게는 구산의 병통이 있으며, 화정에게는 화정의 병통이 있어, 병통이 없는 자가 없다."

물었다. "또한 이후에 공부를 완성하지 못하여 이러한 것입니다."

(주자가) 대답했다. "또한 애초에 두루 보지 못하여 잘못된 것이다."

(주자가) 또 말했다. "그대가 가령 성인이 말씀하시는 것을 친견하고, 성인의 말씀을 한 글자도 틀림없이 온전히 전수받는다 하더라도, 성인의 마음을 얻지 못했다면 여전히 잘못되는 것이니, 하물며 성인의 말씀을 전수받지 못한 경우에 있어서랴? 만약 성인의 마음을 얻을 수 있다면 비록 표현은 각각 다르더라도, 그것이 같지 않은 것이 해롭지 않을 것이다. 예컨대 증자가 말한 것은 공자에 비교하면 또 별도로 같지 않다. 자사子思는 증자의 학문을 전수받았는데, 증자에 비교해보면 그 표현이 또한 별도로 같지 않다. 맹자는 자사에 비교해보면 또 별도로 같지 않다. 그러나 공자 이후로부터 공자의 마음을 얻은

236 問:『朱子語類』 권93, 41조목에는 "或問"으로 되어 있다.

237 言愈似而去道亦遠. :『朱子語類』 권93, 41조목에는 "亦"이 "愈"로 되어 있다.

238 『朱子語類』 권93, 41조목

239 '공자의 도는 … 얻었다.' :『韓愈文集』「送王秀才序」

240 공평하게 보고 들어 :『朱子大全箚疑輯補』 권48에서는 "한쪽의 편견에 빠지지 않는 것이 바로 공평하게 듣고 보는 것이다.(不墮一偏之見則是爲公聽並觀也)"라고 하였다.

자는 오직 증자와 자사와 맹자일 뿐이다. 이후에 말을 잘한 선비가 없는 것은 아니니, 예를 들면 양자운揚子雲[揚雄]의 『법언法言』은 『논어』를 모방했고, 왕중엄王仲淹[王通]의 『중설中說』 또한 『논어』를 모방했지만 서술이 유사할수록 도와의 거리가 더 멀어졌다. 정자에 이르러서야 대략 4~50년을 밝혀서, 성인의 마음을 얻게 되었다. 그러나 한 번 문인들에게 전수했더니, 이미 모두 그 진수를 잃어버렸다. 결국은 선善을 택하여 굳게 잡는 것,[241] 선을 밝히고 자신을 정성스럽게 하는 것,[242] 문文을 널리 하고 예禮로 요약하는 것[243]으로 귀결될 뿐이다. 다만 사람들이 스스로 이해해야 한다."

[40-1-82]

南軒張氏曰: "磨而不磷, 涅而不緇, 須還孔子. 吾人只當學子路. 如龜山晚年一出, 不是道要官職, 當時意思亦是要去其間救正. 直到後來圍城, 不知救正得如何. 磨不磷, 涅不緇, 是聖人事, 龜山自處地位太高爾.[244]"[245]

남헌 장씨南軒張氏[張栻]가 말했다. "갈아도 얇아지지 않고, 검은 물을 들여도 검어지지 않으니, 반드시 공자에게로 돌아가야 한다. 우리들은 지금 마땅히 자로를 배워야 한다.[246] 구산의 경우에는 만년에 한 번 출사했는데, 관직을 요구해서가 아니라, 당시의 뜻이 또한 그 사이에서 올바름을 구원하려던 것이었다. 후에 성城을 포위하였을 때에 어떻게 올바름을 구원해야 할지 몰랐으니, 갈아도 얇아지지 않고, 검은 물을 들여도 검어지지 않는 것은 성인의 일인데, 구산이 스스로 처신한 지위가 너무 높았을 뿐이다."

[40-1-83]

吳晦叔言: "上蔡自見二先生, 爲克己之學. 有一硏, 平生極愛惜, 遂去之, 然猶往來于心. 其

---

241 善을 택하여 … 것: 『中庸』 제20장

242 선을 밝히고 … 것: 『中庸』 제20장에서는 "자신을 정성스럽게 하는데 방법이 있으니, 善을 밝게 알지 못하면 자신을 정성스럽게 하지 못할 것이다.(誠身有道, 不明乎善, 不誠乎身矣.)"라고 했다.

243 文을 널리 … 것: 『論語』 「子罕」에서는 "공자께서는 차근차근히 사람을 잘 이끄시어 文으로써 나의 지식을 넓혀주시고 禮로써 나의 행동을 요약하게 해주셨다.(夫子循循然善誘人, 博我以文, 約我以禮)"라고 했다.

244 磨而不磷, … 龜山自處地位太高爾.: 黃震의 『黃氏日抄』 권39 「南軒先生語録·本朝諸子」에는 "康節與韓魏公游龍門憩櫟林, 見墜枝而知其將伐. 磨而不磷, 涅而不緇, 須還孔子. 吾人只當學子路. 龜山晚年一出, 自處地位高大."로 되어 있다.

245 黃震의 『黃氏日抄』 권39 「南軒先生語録·本朝諸子」에 실려 있다.

246 갈아도 얇아지지 … 한다.: 『論語』 「陽貨」에서는 "자로가 말했다. '예전에 제가 선생님께 듣기를, 군자는 직접 그 몸에 불선을 저지른 자의 무리에 들어가지 않는다고 하셨습니다. 지금 필힐이 중모 땅을 근거로 반란을 일으켰는데, 선생님께서 그리로 가려고 하시는 것은 어째서입니까? 공자가 말했다. '그렇다, 그런 말이 있었다. 하지만 이런 말도 있다. 「단단하다고 말하지 않겠는가, 갈아도 얇아지지 않는다면! 희다고 말하지 않겠는가, 검은 물을 들여도 검어지지 않는다면!」 내가 어찌 뒤웅박과 같겠는가? 어찌 매달려 있기만 하여 식용이 되지 못하겠는가?(子路曰, 昔者, 由也聞諸夫子, 曰, 親於其身, 爲不善者, 君子不入也. 佛肸以中牟畔, 子之往也, 如之何? 不曰堅乎, 磨而不磷! 不曰白乎, 涅而不緇! 吾豈匏瓜也哉? 焉能繫而不食?)"라고 하였다.

天資最高尙且如此, 以見克己之難也."

程頎因言: "上蔡自謂‘後來於器物之類置之, 只爲合要用, 卻無健羨心.’[247] 此工夫極至處, 可謂勇矣."

曰: "上蔡偏處雖多, 惟其勇, 故工夫亦極至. 龜山天資粹美, 矯屬之工少, 而涵養之工多."

問: "游先生如何?"

曰: "亞于二公."

오회숙吳晦叔[吳翌][248]이 말했다. "상채上蔡[謝良佐]가 이정 선생을 뵙고, 극기克己의 공부를 하였다. 한 번 궁구해보고는 평생토록 지극히 아꼈으며, 드디어 (이정 선생을) 떠나가서도 마음으로 왕래하였다. 그 타고난 자질이 가장 높은데도 오히려 이와 같으니, 극기克己의 어려움을 알 수 있다."

정기程頎가 이에 따라서 말했다. "상채가 스스로 ‘나중에 기물의 종류에 따라 배치하는 것은 다만 적합하게 사용하려고 해서이지, 탐내거나 부러워하는 마음은 없다.’라고 말했으니, 이 공부의 지극한 곳은 용감함이라고 할 수 있습니다.

말했다. "상채는 편벽된 곳이 비록 많지만 오직 그가 용감하기 때문에 공부 또한 지극하였다. 구산은 타고난 자질이 순수하고 아름다우니, 지나치게 애쓰는 공부는 적고 함양하는 공부가 많았다."

물었다. "유 선생游先生[游酢]는 어떠합니까?"

대답했다. "두 분에 버금간다."

[40-1-84]

覺軒蔡氏近思後錄曰: "楊應之勁挺不屈, 自爲布衣以至官於朝, 未嘗有求於人, 亦未嘗假人以言色. 篤信好學, 至死不變."[249]

각헌 채씨覺軒蔡氏[蔡模][250]의 『근사후록近思後錄』에 말했다. "양응지楊應之[楊國寶][251]는 매우 군세어 굽히지 않으니, 관직이 없을 때부터 조정에서 벼슬할 때에 이르기까지, 남에게 바란 적이 없었고, 남에게 말이나 안색으로 꾸민 적이 없었다. 독실하게 믿고 학문을 좋아하여 죽을 때까지 변하지 않았다."

---

247 ‘後來於器物之類置之, 只爲合要用, 卻無健羨心.’: 『伊洛淵源錄』 권9 「謝學士・遺事」; 『宋名臣言行錄』(外集) 권7 「謝良佐上蔡先生」. 이 두 책에는 "後來"가 "至今日"로 되어 있다.

248 吳翌: 자는 晦叔이며 남송 建寧府 建陽縣 忠孝里 사람이다. 衡山으로 유학하여 胡宏에게 배웠다. 학문의 방법을 묻고는 과거시험을 위한 학문을 포기했으며, 「仁說」에 힘을 쏟았다.

249 呂本中, 『童蒙訓』 권上

250 蔡模(1188~1246): 자는 仲覺이며 號는 覺軒으로 蔡沈의 장남이다. 저서에 『易傳集解』・『大學衍說』・『河洛探頣』・『續近思錄』・『論孟集疏』 등이 있다.

251 楊國寶(?~?): 자는 應之이다. 다른 기록이 없고, 이천이 쓴 제문과 『呂氏諸書』에 그의 언행 한두 가지 기록된 것이 전해질 뿐이다. 이천의 제문을 보면 그가 이천과 교유했을 뿐이지 이천의 문인이 아님을 알 수 있고, 呂本中은 그가 元豐 연간에 이미 죽었으니 연배가 이천과 거의 비슷할 것이라고 했다.

[40-1-85]

"劉質夫氣和而體莊, 持論不苟合, 跬步不忘學."252

"유질부劉質夫[劉絢]는 기운이 조화롭고 몸이 장엄하며, 논지를 세우는 것이 원칙 없이 부합하지 않았으며, 반 발짝 사이에도 학문을 잊지 않았다."

[40-1-86]

"李端伯, 胷中閎肆開發,253 與人交, 洞照其情. 和而不流, 時靡有爭. 遇事如控彎逐曲舞交,254 屈折如意."255

"이단백李端伯[李籲]은 가슴속이 웅장하여 자유로우면서도 잘 계발하였으니, 남들과 교유할 때 그 마음을 환히 통찰하였다. 화합하면서도 휩쓸리지 않았고, 다툼이 있은 적도 없었다. 사건이 닥치면 마치 고삐를 당겨 춤곡[曲舞]을 따라 노니는 것처럼 하여 휘어 꺾이는 것이 자유자재하였다."

[40-1-87]

"呂和叔明善志學, 性之所得者盡之於心, 心之所知者踐之於身. 妻子刑之, 朋友信之, 鄉黨宗之, 可謂至誠敏德矣."256

"여화숙呂和叔[呂大鈞]은 선을 밝히고 학문에 뜻을 두어, 성性에서 얻은 것은 마음에서 다하고, 마음에서 알게 된 것은 몸에서 실천하였다. 처자식이 그를 본받고, 벗들이 그를 믿었으며, 마을에서는 그를 높였으니, 지극히 정성스럽고 덕에 민첩했다고 말할 만하다."

[40-1-88]

"和叔與人語, 必因其可及而喻諸義. 治經說得於身踐而心解. 其文章不作於無用."257

"화숙和叔[呂大鈞]은 남들과 이야기할 때 반드시 그가 미칠 수 있는 것에 따라서 뜻을 깨우치게 하였다. 경전을 연구할 때에는 자신이 실천하고 마음으로 이해한 것을 말했다. 그 문장은 쓸모없는 것을 짓지 않았다."

[40-1-89]

"楊遵道孝友和易. 中外無間言, 平居無喜慍色. 與人辨論, 綱振條析, 發微指極,258 氷解的破,

---

252 『伊洛淵源錄』 권8 「劉博士·墓誌銘」 ; 『宋名臣言行錄』(外集) 권6 「劉絢」

253 胷中閎肆開發: 『伊洛淵源錄』 권8 「李校書」에는 "胷中閎肆開發, 求之孔門, 如賜也達子"로 되어 있다.

254 遇事如控彎逐曲舞交: 『伊洛淵源錄』 권8 「李校書」에는 "于事如控六彎逐曲舞交屈折如意"로 되어 있다.

255 『伊洛淵源錄』 권8 「李校書」

256 呂祖謙, 『宋文鑑』 권45 ; 范育, 「呂和叔墓表」 ; 『伊洛淵源錄』 권8 「藍田呂氏兄弟·寶文」 ; 范育, 「墓表銘」

257 呂祖謙, 『宋文鑑』 권45 ; 范育, 「呂和叔墓表」 ; 『伊洛淵源錄』 권8 「藍田呂氏兄弟·寶文」 ; 范育, 「墓表銘」

258 發微指極: 朱松(1097~1143)의 『韋齋集』 권12 「楊遵道墓誌銘」에는 '指'가 '詣'로 되어 있다.

聞者欽竦. 退而察其私, 言若不能出諸口, 蓋度不身踐, 不苟言也."259

(주송이 말했다.) "양준도楊遵道[楊迪]260는 효성스럽고 우애하며 온화하고 상냥했다. 안팎으로 그를 헐뜯는 말이 없었고, 평소에 기뻐하거나 노여워하는 기색이 없었다. 남들과 변론할 때에는 뼈대를 흔들고 가지를 분석하며 미묘한 점을 밝히는 것이 지극하여, 얼음이 녹듯이 논파하니 듣는 자들이 공경하였다. 물러나 그 개인적인 면을 살펴보면, 말이 마치 입에서 나오지 못하는 것 같으니, 아마도 몸소 실천하지 못하는 것을 헤아려서 구차하게 말하지 않았기 때문이다."

[40-1-90]

"劉安節貌溫, 望之知其有容, 遇人無貴賤小大一以誠, 雖忤己者, 未嘗見其怒色忢辭. 其與人遊, 常引其所長而陰覆其不及."261

"유안절劉安節262은 모습은 온화하며, 바라보면 그가 도량이 넓고 크다는 것을 알 수 있으며, 사람을 대하면 귀천의 구별 없이 한결같이 정성스럽게[誠] 대했으며, 비록 자기에게 거스르는 자라 하더라도 노한 기색이나 화난 말을 보인 적이 없었다. 그가 다른 사람들과 교유할 때, 항상 그들의 훌륭한 점을 인도하고 미치지 못하는 점은 슬그머니 덮어주었다."

[40-1-91]

"張思叔因讀孟子志士不忘在溝壑, 勇士不忘喪其元, 始有得處, 後更窮理造微, 少能及之者."263

"장사숙張思叔[張繹]은 『맹자』의 '지사志士는 시신屍身이 도랑에 버려질 것을 잊지 않고, 용사勇士는 자기 머리를 잃을 것을 잊지 않는다.'264는 구절을 읽고서는 비로소 깨달은 바가 있었으며, 뒤에 다시 궁리하여 은미한 이치에 도달하였으니, 그의 경지에 미칠 수 있는 자가 거의 없었다."

---

259 朱松(1097~1143), 『韋齋集』 권12 「楊遵道墓誌銘」; 『伊洛淵源錄』 권10 「楊文靖公・遵道墓誌銘略」

260 楊迪 : 자는 遵道이며, 楊時의 아들이다. 어릴적부터 총명하였으며, 일찍이 정이의 문하에서 배웠고, 『易』과 『春秋』에 정통하였다. 진사에 급제하여 奉議郎을 제수받았는데, 23세의 나이로 요절하였고, 조정에서 宣議太夫의 자리를 내렸다. 주자의 아버지 주송이 그의 묘지명을 썼고, 주자는 그의 遺文에 서를 썼다.

261 『劉左史集』 권4 「墓誌」; 『伊洛淵源錄』 권11 「劉起居・墓誌銘」

262 劉安節 : 자는 元承이고, 北宋 永嘉 사람이다. 생졸년은 알 수 없지만 대략 북송 徽宗 大觀 전후에 살았다. 어려서부터 아우 安上과 程頤에게 배웠고, 1100년 진사에 급제하여, 太常少卿, 知饒州, 知宣州 등 여러 벼슬을 역임했다. 저서에 『劉左史集』 권4가 있다.

263 『伊洛淵源錄』 권12 「張思叔・遺事」; 『宋名臣言行錄』(外集) 권9 「張繹」

264 '志士는 屍身이 … 않는다.' : 『孟子』「滕文公下」에서는 "옛날에 제경공이 사냥할 적에 동산관리인을 깃발로 불렀는데 오지 않자, 장차 그를 죽이려 했었다. (공자가 그를 칭찬하기를) '志士는 屍身이 도랑에 버려질 것을 잊지 않고, 勇士는 자기 머리를 잃을 것을 잊지 않는다.' 했으니, 공자는 그에게 어떤 점을 취한 것인가? (자기의 신분에 맞는) 부름이 아니면 가지 않는 것을 택하신 것이다. 만일 부름을 기다리지 않고 간다면 어떠하겠는가?(昔齊景公田, 招虞人以旌, 不至, 將殺之, '志士不忘在溝壑, 勇士不忘喪其元.' 孔子奚取焉? 取非其招不往也, 如不待其招而往, 何哉?)"라고 했다.

[40-1-92]

"馬時中天資重厚, 雖勇於爲義, 而恥以釣名. 居朝凡所建明, 輒削其(薰-木+禾), 故人少知者."[265]

"마시중馬時中[266]은 타고난 자질이 중후하였으니, 의를 행하는 데에 용감하였으나 이름을 얻는 것을 부끄러워하였다. 조정에서 벼슬할 때에 건의하여 밝게 한 것들에 대해 문득 원고를 없애버렸으므로, 사람들이 그를 알아보는 자가 적었다."

[40-1-93]

西山眞氏讀書記曰: "呂希哲從安定胡先生於太學, 與程先生並舍,[267] 察程先生學問淵源非他人比, 首以師禮事之, 由是知見日益廣大. 然未嘗專主一說, 不私一門, 務略去枝葉, 一意涵養, 直截徑捷以造聖人. 爲說書二年, 日夕勸道人主'以脩身爲本, 脩身以正心誠意爲主. 心正意誠, 天下自化, 不假他術. 身不能脩, 左右之人且不能喻, 況天下乎.' 其行己,[268] 務自省察校量以自進益. 晚年嘗言'十餘年前, 在楚州橋壞墮水中時, 覺心動. 數年前大病, 已稍勝前. 今次疾病, 全不動矣.' 其自力如此. 嘗曰, '攻其惡無攻人之惡. 蓋自攻其惡, 日夜且自點檢絲毫不盡, 則慊於心矣, 豈有工夫點檢他人耶.'"[269]

서산 진씨『독서기』에서 말했다. "여희철呂希哲[270]이 태학에서 안정安定 호胡[胡瑗] 선생에게 배울 때, 정 선생程先生[程頤]과 거처를 나란히 했는데, 정 선생의 학문의 연원이 다른 사람이 견줄 것이 아님을 살펴보고, 처음으로 스승의 예로써 그를 섬겼으니, 이로 인하여 지식과 식견이 날마다 더욱 광대해졌다. 그러나 일찍이 전적으로 한 가지 이론을 주장하지 않았으며, 한 사문을 사사로이 주장하지 않았고, 지엽을 제거하고 한결같은 마음으로 함양하여 직접적으로 성인에 이르는 데에 힘썼다. 설서說書가 된 지 2년에 매일 저녁마다 임금에게 '수신修身을 근본으로 삼으시고, 수신하여 정심正心ㆍ성의誠意를 위주로 하소서. 마음이 바르게 되고, 뜻이 정성스러워지면 천하는 저절로 교화될 것이니, 다른 술수를 의지할 것이 없습니다. 자신을 수양할 수 없으면 좌우의 사람들도 또 깨우칠 수 없는데 하물며 천하야 말할 것도 없습니다.'라고 권했다. 그의 행실은 스스로를 성찰하고 비교하여 스스로 진보하고 나아지는 데에 힘썼다. 만년에 '10여 년 전에 초주楚州에서 교량이 무너져 물속에 빠졌을 때 마음이 동요되는 것을 느꼈다. 몇 년 전에 크게

---

265 『伊洛淵源錄』권12「馬殿院ㆍ逸士狀」;『宋名臣言行錄』(外集) 권9「馬伸ㆍ東平先生」

266 馬伸(?~?): 자는 時中이며, 북송 東平 사람이다. 紹聖 4년(1097) 진사가 되었고, 成都郫縣縣丞, 監察御史 등을 역임했으며, 紹興 초에 諫議大夫로 추증되었다.

267 與程先生並舍:『西山讀書記』권31에는 "與程先生頤居並舍"로 되어 있다.

268 其行己:『西山讀書記』권31에는 "公之行已"로 되어 있다.

269 『西山讀書記』권31

270 呂希哲(1036~1114): 자는 原明이고, 학자들은 滎陽先生이라고 불렀으며, 北宋 壽州 사람이다. 어려서 焦千之, 孫復, 石介, 胡瑗 등을 따라 배웠고, 다시 張載, 程顥, 程頤, 王安石에게 배웠다. 태학 출신으로 음서로 관직에 올랐다. 부친인 呂公著가 죽고 비로소 兵部員外郞이 되었다. 범조우의 추천으로 哲宗 때 崇政殿說書가 되었으며, 이후 光祿少卿 등 여러 벼슬을 역임했다. 후인들이 편집한『呂氏雜志』ㆍ『滎陽公說』등이 전한다.

않았을 때 (마음이) 이미 전보다는 조금 나았다. 지금 병에 걸렸을 때에는 전혀 동요되지 않았다.'라고 하였다. 그가 스스로 힘쓰는 것이 이와 같았다. 일찍이 '자신의 악을 공격하고 남의 악을 공격하지 마라. 스스로 자기의 악을 공격하여, 밤낮으로 스스로 점검하며 추호라도 다하지 않는다면 마음에 차지 않게 될 것이니, 어찌 타인의 공부를 점검할 것인가.'라고 하였다."

[40-1-94]

范淳夫嘗與伊川論唐事. 及爲唐鑑, 盡用先生之意. 先生謂門人曰: "淳夫乃能相信如此."
元祐中, 客有見伊川者, 几案無他書, 惟唐鑑一部. 先生謂客曰: "三代以來無此議論.[271]"[272]

범순부范淳夫[范祖禹]는 일찍이 이천과 당唐나라의 일을 논의하였다. 『당감唐鑑』을 쓸 때에 (이천) 선생의 뜻을 다 사용하였다. 선생이 문인에게 말했다. "순부가 믿는 것이 이와 같다."
원우元祐 연간에 이천을 뵈러 온 손님이 있었는데, 책상에 다른 책은 없고, 오직 간행된 『당감』 한 권 뿐이었다. 선생이 손님에게 말했다. "삼대三代 이래로 이러한 논의가 없다."

[40-1-95]

"劉質夫自髫亂, 卽事明道先生, 程氏兄弟受學焉, 所授有本末, 所知造淵微. 知所止矣, 孜孜 焉不知其他也. 天性孝悌樂善, 而不爲異端所惑, 故其履也安 ; 內日加重, 而無交戰之病, 故 其行也果."[273]

"유질부劉質夫[劉絢]는 어려서부터 명도明道[程顥] 선생을 섬겼으니, 정씨 형제에게 배웠는데, 전수받은 것에 근본과 말단이 있고, 아는 것이 심오하고 은미한 데에 이르렀다. 그쳐야 할 곳을 알고, 부지런히 하며, 그 다른 것들에 대해서는 알지 못했다. 천성이 효성스럽고 공경스러우며 선을 좋아했고, 이단에 끌리지 않았으므로, 그가 실천하는 것 또한 편안하였다. 매일 노력을 더하면서도 (생각이) 서로 충돌하는 병통이 없었으므로, 그 행동이 또한 과단성이 있었다."

[40-1-96]

"劉安節天資近道而敏於學問, 嘗從當世賢而有道者游. 始以致知格物發其材, 沈涵熟復, 存心 養性久之, 於是有得. 常曰, '堯舜之道不過孝悌. 天下之理有一無二, 廼若異端則有間矣.'"[274]

"유안절劉安節은 타고난 자질이 도에 가깝고 학문에 민첩하였으니, 일찍이 당시의 어질고 도를 체득한 사람을 따라 배웠다. 처음에 치지致知와 격물格物에서 그 재질을 드러내어, 깊숙이 침잠하여 익숙해지도

---

271 三代以來無此議論. : 『河南程氏外書』 권12에는 "近方見此書, 三代以後無此議論"으로 되어 있다.
272 "范淳夫嘗與伊川論唐事. … 淳夫乃能相信如此."는 『河南程氏外書』 권11의 글이고, "元祐中, … 三代以來無此議論."은 『河南程氏外書』 권12의 글이다.
273 『伊洛淵源錄』 권8에 李籲의 「劉博士・墓誌銘」으로 실려 있다.
274 『伊洛淵源錄』 권11 「劉起居・墓誌銘」

록 반복하고, 존심存心과 양성養性을 오래 하니, 여기에서 체득하는 바가 있었다. 항상 '요순의 도는 효제에 불과하다. 천하의 이치는 하나이지 둘이 아니니, 이단의 경우라면 차이가 있다.'라고 하였다."

[40-1-97]

"尹和靖莊正仁實, 不欺闇室. 其於聖人六經之言, 耳順心得, 如出諸己."[275]

(여계중呂稽中이 말했다.) "윤화정尹和靖[尹焞]은 장엄하고 정대하며 어질고 독실하여, 어두운 방에서도 속이지 않는다. 성인의 육경六經의 말씀에 대해 귀로 들으면 그대로 마음속에 이해되었으니, 마치 자신에게서 나온 것과도 같았다."

[40-1-98]

"呂和叔爲人質厚剛正, 以聖門事業爲己任. 所知信而力可及, 則身遂行之, 不復疑畏, 故識者方之季路. 潛心玩理, 望聖賢之致, 尅期可到, 自身及家, 自家及鄕人, 旁及親戚朋友, 皆紀其行而述其事."[276]

"여화숙呂和叔[呂大鈞]은 사람됨이 질박하고 두터우며 강하고 올발랐으니, 성인 문하의 사업을 자기의 소임으로 여겼다. 아는 것을 믿고, 힘이 미치면 직접 실천하여 다시는 의심하고 두려워하지 않았으므로, 지식인들이 그를 자로에 비교하였다. 마음을 가라앉히고 리理를 탐구하여, 성현이 이른 경지를 바라보며 거기에 도달할 수 있기를 기약하였으니, 자신으로부터 집에 미치고, 집에서 동네사람들에 미치며, 주변에 친척과 친구들에 이르러, 모두 그의 행실을 모범으로 삼고 그의 일을 말하였다."

[40-1-99]

游定夫嘗問謝顯道 : "公於外物一切放得下否?"

曰 : "實在上面做工夫來. 人要富貴, 要他做甚, 必須有用處. 尋討用處病根, 將來斬斷便沒事.[277] 平生未嘗干人, 在書局亦不謁政府. 或勸之, 曰, '他安能陶鑄我, 自有命在.'[278]"[279]

유정부游定夫[游酢]가 일찍이 사현도謝顯道[謝良佐]에게 물었다. "그대는 외물에 대해 모두 다 내려놓았습니까?

- -

275 『伊洛淵源錄』 권11 「尹侍講」에 실린 呂稽中의 「墓誌銘」
276 『伊洛淵源錄』 권8 「藍田呂氏兄弟 · 實文 · 行狀略」
277 游定夫嘗問謝顯道 … 將來斬斷便沒事 : 『上蔡語錄』 권1에는 다음과 같이 되어 있다. 游子問謝子曰, "公於外物一切放得下否?" 謝子謂胡子曰, "可謂切問矣." 胡子 : "曰何以答之?" 謝子曰, "實向他道就上面做工夫來." 胡子曰, "如何做工夫?" 謝子曰, "凡事須有根屋柱, 無根折却便倒. 樹木有根, 雖翦枝條相次又發. 如人要富貴, 要他做甚, 必須有用處. 尋討要用處病根, 將來斬斷便沒事."
278 平生未嘗干人 … 自有命在. : 『上蔡語錄』 권1에는 "吾平生未嘗干人, 在書局亦不謁執政. 或勸之, 吾對曰, 他安能陶鑄我, 自有命."으로 되어 있다.
279 『上蔡語錄』 권1 ; 『伊洛淵源錄』 권9 「謝學士 · 遺事」

(사량좌가) 대답했다. "실제 높은 것[280]에 대해 공부했습니다. 사람들이 부귀를 구하지만, 그것들을 구해서 무엇을 할 것인지 반드시 쓰일 곳이 있어야 할 것입니다. 쓰일 곳을 깊이 살펴 찾아보고 뿌리가 병들어 있으면 장차 베어내면 괜찮아질 것입니다. 나는 평생 동안 다른 사람에게 간여해 본 적이 없으니, 서국書局에 있을 때[281]에도 집정관을 찾아보지 않았다. 어떤 사람이 권했지만 나는 '그가 어찌 나를 주물럭거리겠는가, 나에게는 명命이 있다.'라고 하였다."

[40-1-100]

"馬伸時中崇寧中禁元祐學, 姦人用事, 出其黨爲諸路學使, 專糾其事. 伊川之門學者無幾, 雖宿素從遊, 間以趨利叛去. 時中方自吏部求爲西京司法曹事, 銳然爲親依之計, 至則因張繹求見. 先生辭焉, 時中曰, '使伸得聞道, 雖死何憾, 況不至於死乎?' 先生聞而歎曰, '此眞有志者.' 遂引而進之, 自爾出入凡三年, 公暇, 雖風雨必一造焉. 靖康初爲御史, 以論汪黃誤國, 貶濮州監酒, 死. 嘗曰, '志士不忘在溝壑, 勇士不忘喪其元, 今日何時, 溝壑乃吾死所也.' 故其臨事奮不顧身如此. 又嘗曰, '志在行道. 使吾以富貴爲心, 則爲富貴所累. 使吾以妻子爲念, 則爲妻子所累. 是道不可行也.'"[282]

"마신馬伸 시중時中의 당시, 숭녕崇寧 연간에 원우元祐 때의 학문을 금하고, 간사한 자들이 권력을 장악하며, 자기 무리를 보내어 여러 로路의 학사學使를 시켜서 그 일을 오로지 규찰하게 했다. 이천의 문하에 학자들이 거의 남지 않았고, 비록 오래 따르던 자들도 이익을 따라 배반하고 물러갔다.[283] 시중時中馬伸이 막 이부로부터 서경의 사법조사司法曹事가 되기를 요구받았는데, 시중은 절실하게 직접 이천에게 귀의할 생각을 하여, 찾아와 장역張繹을 통하여 뵙기를 청했다. 선생이 사양하자, 시중이 '제게 도를 깨우쳐 주신다면 비록 죽어도 유감이 없는데, 하물며 죽음에 이르지 않는 경우에 있어서이겠습니까.'라고 하였다. 선생이 이 말을 듣고 찬탄하여 '이는 진실로 뜻을 지닌 자로구나.'라고 하였다. 드디어 이끌어 문하에 들어오게 하니, 이로부터 3년을 출입하였고, 공무간의 휴가 때에는 비바람이 불더라도 반드시 한 번은

---

280 높은 것: 『論語』 「雍也」에서는 "공자가 말했다. '중등 인물 이상은 높은 것을 말해 줄 수 있으나, 중등 인물 이하는 높은 것을 말해 줄 수 없다.'(子曰, 中人以上, 可以語上也 ; 中人以下, 不可以語上也.)"라고 했고, 『論語』 「憲問」에서는 "공자가 말했다. '군자는 위로 통달하고, 소인은 아래로 통달한다.'(子曰, 君子上達, 小人下達.)"라고 했으며 "아래로 배워 위로 통달한다.(下學而上達.)"라고 했다.

281 서국에 있을 때: '書局'은 정부에서 책을 편집하는 기구, 또는 그런 임무를 맡은 관리를 지칭한다. 사량좌는 1085년 진사에 급제하고, 1101년 천거를 받아 송 휘종을 알현하고 서국으로 파견되어 직책을 맡았다.

282 『伊洛淵源錄』 권12 「馬殿院·逸士狀」

283 崇寧 연간에 … 물러갔다.: 숭녕 초에 范致虛가 程頤를 사악한 학설로 몰아 그 문인들을 모두 내쫓았다. 마신은 당시 정이의 문하에 들어가고자 하여 張繹을 통해 만나뵙기를 청했으나 정이가 굳이 사양하였다. 마신이 관직을 쉬고 찾아오려 하자 정이가 '요즘 시론이 수상하여 그대에게 누를 끼칠까 두려운데, 그대가 관직을 버리고 찾아오니, 반드시 관직을 버릴 필요는 없습니다.'라고 했다. 마신은 '제게 도를 깨우쳐 주신다면 죽어도 유감이 없을 텐데, 하물며 죽을 필요가 없는 경우야 말할 것도 없습니다.'라고 답하자 정이가 그의 뜻에 탄복하여 문하에 들어오게 했다.(『宋史』 권455 「馬伸列傳」)

들렀다. 정강靖康 초에 어사御史가 되었는데, 왕황汪黃이 나라를 그르친 것을 논하다가 복주濮州로 좌천되어 감주監酒 벼슬로 죽었다. 일찍이 「「지사志士는 시신屍身이 도랑에 버려질 것을 잊지 않고, 용사勇士는 자기 머리를 잃을 것을 잊지 않는다.」[284]고 하였으니, 오늘이 어떤 때인가, 도랑이 바로 내가 죽을 곳이로다.'라고 하였다. 그러므로 그가 일에 임하여 분투하여 자신을 돌아보지 않는 것이 이와 같았다. 또 일찍이 '뜻이 도를 행하는 데에 있다. 만일 내가 부귀에 마음을 두었다면, 부귀에 얽매이게 되었을 것이다. 만일 내가 처자식을 마음에 두었다면, 처자식에 얽매이게 되었을 것이다. (그랬다면) 이 도는 행할 수 없을 것이다.'라고 하였다."

羅從彦 字仲素, 號預章 나종언 자는 중소이고 호는 예장이다.

[40-2-1]

延平李氏曰: "羅先生少從審律先生吳國華學. 後見龜山, 迺知舊學之差,[285] 三日驚汗浹背. 曰, '幾枉過了一生.' 於是謹守龜山之學, 數年後, 方心廣體胖.[286]"[287]

연평 이씨延平李氏[李侗]가 말했다. "나 선생은 어려서 심률 선생審律先生 오국화吳國華[吳儀][288]를 따라 배웠다. 후에 구산龜山[楊時]을 뵙고 이에 과거에 배운 것이 잘못되었음을 알고 3일 동안 놀라 땀이 등을 적셨다. '거의 일생을 그르칠 뻔 했다.'라고 하고는 이에 구산의 학문을 삼가 지키니, 몇 년 뒤에는 마음이 넓어지고 몸이 펴졌다."[289]

. . . .

284 「志士는 屍身이 … 않는다.」: 『孟子』「滕文公下」에서는 "옛날에 제경공이 사냥할 적에 동산 관리인을 깃발로 불렀는데 오지 않자, 장차 그를 죽이려 했다. (공자가 그를 칭찬하기를) '志士는 屍身이 도랑에 버려질 것을 잊지 않고, 勇士는 자기 머리를 잃을 것을 잊지 않는다.' 했으니, 공자는 그에게 어떤 점을 취한 것인가? (자기의 신분에 맞는) 부름이 아니면 가지 않는 것을 택하신 것이다. 만일 부름을 기다리지 않고 간다면 어떠하겠는가?(昔齊景公田, 招虞人以旌, 不至, 將殺之, '志士不忘在溝壑, 勇士不忘喪其元.' 孔子奚取焉? 取非其招不往也, 如不待其招而往, 何哉?)"라고 했다.

285 羅先生少從審律先生吳國華學 … 迺知舊學之差: 『豫章文集』 권14「附錄上·事實」에는 "初從審律先生吳國華游已, 而聞龜山先生得伊洛之學於河南, 遂往學焉, 迺知舊日之學非也"로 되어 있다.

286 於是謹守龜山之學 … 方心廣體胖.: 이 구절은 『豫章文集』에는 없고, 황진의 『黃氏日抄』에만 수록되어 있다.

287 『豫章文集』 권14「附錄上·事實」; 黃震, 『黃氏日抄』 권43「延平先生語錄」

288 吳儀(?~?): 자는 國華이며, 북송 南劍州 劍浦縣(지금의 延平) 普安里 사람이다. 생졸년은 알 수 없다. 楊時는 그가 벼슬에 나가는 것을 좋아하지 않았던 점을 극찬했다. 평생을 시골에 살며 교육활동에 힘썼으며, 李侗은 그의 再傳弟子이다. 『福建通志』「儒行傳」에 의하면 "象數와 音律의 학문에 몰두하여 일가를 이루었다."고 하였으며, 스스로 審律이라고 자호하였으므로, 때때로 심률선생이라고 불리었다. 학자들은 그를 藏春 선생이라고 부르기도 했다.

289 마음이 넓어지고 … 펴졌다.: 『大學』「傳文」 제6장

[40-2-2]

"先生性明而脩, 行全而潔, 充之以廣大, 體之以仁恕. 精深微妙多極其至, 漢唐諸儒無近似者. 至於不言而飲人以和, 與人並立而使人化, 如春風發物, 蓋亦莫知其所以然也. 凡讀聖賢之書, 粗有見識者, 孰不願得授經門下以質所疑?"[290]

"선생은 성품이 총명한데 수양하였으니, 행실이 온전하고 맑았으며, 넓히고 크게 하여 가득 채웠고, 인仁과 서恕를 근간으로 삼았다. 정심精深하고 미묘微妙함이 대부분 지극하니, 한당漢唐 시대의 여러 유자들과는 유사하지 않았다. 말없이 남들에게 온화하게 음식을 대접하며, 남들과 공존하면서 그들이 교화되게 하였으니, 마치 봄바람이 만물을 발양하는 것과 같아서, 그렇게 되는 까닭을 아는 사람이 또한 없었다. 성현의 책을 읽고, 대략이나마 식견을 갖춘 자라면, 누군들 그 문하에서 경전을 전수받아 의심나는 것을 질정하고자 하지 않겠는가?"

[40-2-3]

朱子曰 : "龜山先生唱道東南, 士之游其門者甚衆. 然語其潛思力行, 任重詣極如羅公, 蓋一人而已."[291]

주자가 말했다. "구산 선생이 동남지방에서 도를 주창할 때, 선비들 가운데 그 문하에서 배우는 사람들이 매우 많았다. 그러나 깊이 사색하고 힘써 행하며, 도를 무겁게 자임하고, 지극함에 이른 사람을 말하면 나공羅公 한 사람뿐일 것이다."

[40-2-4]

"羅先生嚴毅清苦, 殊可畏."[292]

(주자가 말했다.) "나 선생은 엄하고 굳세며 청렴한 점이 특히 두려워할 만하다."

[40-2-5]

李先生言 : "羅仲素春秋說, 不及文定, 蓋文定才大, 設張羅落者大."[293]

이 선생이 말했다. "나중소羅仲素[羅從彦]가 『춘추』를 말한 것은 문정文定[胡安國]에 미치지 못하니, 아마도 문정의 재주가 커서 나열하고 포괄한 것이 크기 때문일 것이다."

[40-2-6]

楊道夫言 : "羅先生教學者靜坐中看喜怒哀樂未發謂之中, 未發作何氣象. 李先生以爲此意不

---

290 『豫章文集』 권14 「附錄上・事實」
291 『朱文公文集』 권97 「延平先生李公行狀」
292 『朱子語類』 권102, 1조목 ; 『豫章文集』 권14 「附錄上・問答」
293 『朱子語類』 권102, 2조목

惟於進學有力, 兼亦是養心之要. 而遺書有云, '旣思, 則是已發.' 昔嘗疑其與前所擧有礙, 細看亦甚緊要, 不可以不攷."

黃直卿曰: "此問亦甚切. 但程先生剖析毫釐, 體用明白; 羅先生探索本原, 洞見道體. 二者皆有大功於世, 善觀之, 則亦並行而不相悖矣. 況羅先生於靜坐觀之, 乃其思慮未萌, 虛靈不昧, 自有以見其氣象, 則初無害於未發. 蘇季明以'求'字爲問, 則求非思慮不可, 此伊川所以力辨其差也."

曰: "公雖是如此分解羅先生說, 終恐做病. 如明道亦說靜坐可以爲學, 謝上蔡亦言多著靜不妨, 此說終是小偏, 才偏便做病. 道理自有動時, 自有靜時, 學者只是'敬以直內, 義以方外,' 見得世間無處不是道理, 雖至微至小處亦有道理, 便以道理處之, 不可專要去靜處求. 所以伊川謂只用敬, 不用靜, 便說得平, 也是他經歷多, 故見得恁地正而不偏. 若以世之大段紛擾人觀之, 若會靜得, 固好; 若講學, 則不可有毫髮之偏也. 如天雄附子, 冷底人喫得也好, 如要通天下喫便不可."[294]

양도부楊道夫가 말했다. "나 선생이 학자들을 가르칠 적에 정좌한 가운데 '희노애락이 아직 발하기 전을 중中이라고 하는'[295] 것에서, 발하기 전에 어떤 기상氣象이 일어나고 있는지 보라고 했습니다. 이 선생李先生은 이 뜻이 다만 학문에 나아가는 데 힘이 있을 뿐만 아니라, 동시에 또한 마음을 기르는 요결이라고 여겼습니다. 그런데 『유서遺書』에서 '이미 생각했으면 이미 발현한 것이다.'[296]라고 한 것이 있습니다. 이는 예전에 그가 전에 거론했던 것과는 모순이 되는 것 같은데, 자세히 보는 것 또한 매우 긴요한 것이니, 고찰해보지 않을 수 없습니다."

황직경黃直卿이 말했다. "이 질문은 또한 매우 절실합니다. 그러나 정 선생은 미세한 것을 분석하여 체와 용이 명백하며, 나 선생은 본원을 탐색하여 도체道體를 꿰뚫어 보았습니다. 두 분이 모두 세상에 큰 공이 있으니, 잘 살펴보면 또한 '(도리가) 함께 운행되지만 서로 어긋나는 법이 없다.'[297]는 것입니다. 더군다나 나 선생은 정좌靜坐에서 살펴보아서, 그 사려가 아직 싹트지 않고 허령불매虛靈不昧할 때 스스로 그 기상을 볼 수 있었으니, 애초부터 아직 발하지 않았을 때에 해로움이 없었습니다. 소계명蘇季明蘇昞이 '구求'자로 질문했는데, 구하는 것은 사려하지 않으면 할 수 없는 것이니 이 점이 이천이 그 어긋난 점을 힘써 비판한 것입니다."[298]

· · · · · · · · · · · · · · · · · · · ·

294 『朱子語類』 권102, 3조목
295 '희노애락이 아직 … 하는': 『中庸』 제1장
296 '이미 생각했으면 … 것이다.': 『河南程氏遺書』 권18
297 '(도리가) 함께 … 없다.': 『中庸』 제30장
298 蘇季明蘇昞이 … 것입니다. : 『河南程氏遺書』 권18에서는 "소계명이 물었다. '中의 도와 희노애락이 발하지 않은 것을 중이라고 한다는 중이 같은 것입니까?' (정이가) 대답했다. '아니다. 희노애락이 발하지 않은 것은 말 속에 중의 뜻이 있는 것이니, 다만 하나의 중일 뿐이며, 같지 않다.' 어떤 사람이 물었다. '희노애락이 발하기 이전에 중을 구하는 것은 괜찮습니까?' (정이가) 대답했다. '괜찮지 않다. 이미 희노애락이 발하기 전에 그것을 구하려고 생각해 버린 것은 또한 오히려 생각이다. 이미 생각을 하면 이미 발한 것이다. 생각함

(주자가) 말했다. "그대가 비록 이와 같이 나 선생의 설을 분명하게 이해했을지라도 끝내 아마도 문젯거리에 사로잡힌 것 같다. 예컨대 정명도는 또한 정좌를 학문으로 삼을 수 있다고 했고, 사상채는 또한 '고요함이 많아도 무방하다.'[299]고 말했는데, 이 말은 끝내 조금 치우쳤으니, 치우치게 되면 곧바로 병폐가 된다. 도리에는 저절로 동動하는 때가 있고, 저절로 정靜하는 때가 있으니, 배우는 사람은 다만 '경敬으로써 안을 곧게 하고 의義로써 밖을 방정하게'[300] 할 따름이니, 세상 모든 곳이 도리가 아닌 곳이 없다는 것을 깨달아, 지극히 미미하고 지극히 작은 곳이라 하더라도 도리가 있으니 곧 도리로써 대처해야지, 오로지 정靜한 곳에 나아가 구하려고만 하면 안 된다. 그래서 이천이 '단지 경敬만 쓸 뿐 정靜을 쓰지 않는다.'[301]고 한 것은 공평하게 말한 것이며, 또한 그의 경력이 많기 때문에 이와 같이 공정하며 치우치지 않는 것을 깨달았다. 만약 세상에서 대단히 어지러운 사람이 그것을 살펴본다면, 정靜할 수 있는 것이 진실로 좋을 것이며, 강학을 한다면 털끝만큼이라도 치우침이 있어서는 안 될 것이다. 예를 들어 천웅天雄과 부자附子와 같은 약재는 몸이 차가운 사람은 먹어도 좋지만, 만일 온 천하 사람들에게 적용하려 한다면 안 된다."

[40-2-7]

陳氏恊曰 : "先生可謂有德有言之隱君子矣. 當徽廟時, 居鄕授徒, 守道尤篤, 而同郡李公侗傳其學. 厥後朱子又得李公之傳, 其道遂彰明於世. 學者仰之如太山北斗者, 其端皆自公發之. 公沒之後, 旣無子孫, 及其遺言不多見於世. 嘉定七年, 郡守劉允濟始加搜訪, 得公所著遵堯錄八卷進之於朝. 其書四萬言, 大要謂藝祖開基, 列聖繼統, 若舜禹遵堯而不變. 至元豐改制, 皆自王安石作俑創爲功利之圖, 浸兆裔夷之悔. 是其畎畝不忘君之心, 豈若沮溺荷蓧素隱行怪

. . . .

과 희노애락은 같은 것이다. 발하고 나면 和라고 해야지, 中이라고 할 수 없다.'(蘇季明問, '中之道與喜怒哀樂未發謂之中, 同否?' 曰, '非也. 喜怒哀樂未發是言在中之義, 只一箇中字, 但用不同.' 或曰, '喜怒哀樂未發之前求中, 可否?' 曰, '不可. 旣思於喜怒哀樂未發之前求之, 又却是思也. 旣思卽是已發. 思與喜怒哀樂一般. 纔發便謂之和, 不可謂之中也.')"라고 했다.

299 '고요함이 많아도 무방하다.': 『上蔡語錄』권2에서는 "예컨대 어떤 사람이 '동 속에 정이 있고, 정 속에 동이 있다고 했는데, 이러한 이치가 있긴 하지만, 그러나 정하면서 동하는 것이 많고, 동하면서 정하는 것이 적으니, 그러므로 정을 많이 해도 무방하다. 사람은 반드시 중도에 우뚝 서야지, 한쪽만 붙잡고 있어서는 안 된다.(如或人說, 動中有靜, 靜中有動, 有此理, 然靜而動者多, 動而靜者少, 故多著靜不妨. 人須是卓立中塗, 不得執一遍)"라고 했다.

300 敬으로써 안을 … 방정하게 : 『周易』「坤卦·文言傳」

301 '단지 敬만 … 않는다.': 『河南程氏遺書』권18에서는 "또 물었다. '경은 정이 아닙니까?' 대답했다. '정을 말하면 곧바로 불교의 이론으로 빠져 버린다. 「정」자를 쓰지 않고, 다만 「경」자를 써야 한다. 정을 말하기만 하면 곧 잊어버림[忘]이다. 『孟子』(「公孫丑上」)에 '반드시 (호연지기를) 기르는 일에 종사하고, 효과를 미리 기대하지 말아서 마음에 잊지도 말며 억지로 助長하지도 말아라.」라고 했으니, 반드시 종사하면 마음에 잊지 않는 것이고, 미리 기대하지 않으면 조장하지 않는 것이다.'(又問, '敬莫是靜否?' 曰, '纔說靜, 便入於釋氏之說也. 不用靜字, 只用敬字. 纔說著靜字, 便是忘也. 孟子曰, 「必有事焉而勿正, 心勿忘, 勿助長也.」必有事焉, 便是心勿忘 ; 勿正, 便是勿助長.')"라고 했다.

之比邪."[302]

진협陳協이 말했다. "(나종언) 선생은 덕이 있고 훌륭한 말을 하신[303] 숨은 군자이다. 북송 휘종 때에 시골에 머무르며 학생들을 가르치는데, 도를 지키는 것이 더욱 돈독하여서 같은 마을의 이통李侗이 그 학문을 전수받았다. 그 후에 주자가 또한 이통에게 전수를 받았으니, 그 도가 드디어 세상에 뚜렷이 밝아졌다. 학자들이 그를 태산과 북두처럼 우러러보았으니, 그 단서는 모두 공公으로부터 시작하였다. 공이 돌아가신 후 자손이 없고, 남긴 말씀이 세상에 대부분 드러나지 않았다. 가정嘉定 7년에 군수郡守 유윤제劉允濟가 비로소 찾아가 보아 공이 저술한 『준요록遵堯錄』 8권을 찾아서 조정에 진상하였다. 그 글이 4만 언이고, 대요는 예조藝祖(宋太祖 趙匡胤)가 기틀을 열고, 여러 임금들이 종통을 계승한 것이 마치 순임금과 우왕이 요임금을 따라 변하지 않은 것과 같음을 말하였다. 원풍元豐 연간에 이르러 제도를 바꾸었는데, 모두 왕안석王安石이 용俑을 만들고[304] 공리功利를 탐한 계책을 만들어내는 것으로부터 점차 변방 오랑캐의 수모가 시작되었다. 그 밭두둑에서도 임금을 잊지 않는 마음을 어찌 장저와 걸닉의 '은벽隱僻한 것을 찾고 괴벽怪僻을 행함'[305]에 비교할 것인가?"[306]

<hr />

302 羅從彦의 『豫章文集』 권15에 陳協의 「諡議」에 실려 있다.

303 덕이 있고 … 하신 : 『論語』 「憲問」에 "덕이 있는 자는 반드시 훌륭한 말을 하지만, 훌륭한 말을 하는 자가 반드시 덕이 있지는 않다.(有德者, 必有言 ; 有言者, 不必有德)"라고 했다.

304 王安石이 俑을 만들고 : 『孟子』 「梁惠王上」에서는 "공자 '처음으로 俑을 만든 자는 그 후손이 없을 것이다.' 하셨으니, 이는 사람의 모습을 본떠서 장례에 사용하였기 때문입니다.(仲尼曰, '始作俑者, 其無後乎!' 爲其象人而用之也)"라고 하였다. 순장의 풍습을 대신하여 실용적·실리적인 목적으로 만든 허수아비 인형을 俑이라고 하는데, 이 인형은 사람의 모습과 닮게 만들어졌기 때문에 공자는 이마저도 차마 용인할 수 없는 일이라고 비판하였다. 왕안석의 변법에 대해 반대한 자들은 왕안석이 바로 俑을 처음 만든 사람과 같다고 비판하였다. 예컨대 周召의 『雙橋隨筆』 권3에서도 "왕안석은 예를 들면 俑을 만들 줄 아는 무리와 같다.(王如有知作俑之輩.)"라고 하였고, 林駉의 『古今源流至論續集』 권8에서도 "또한 원풍 연간의 대신들이 俑을 만든 죄이다.(亦元豐大臣作俑之失也.)"라고 하였다.

305 '隱僻한 것을 … 행함' : 『中庸』 제11장

306 그 밭두둑에서도 … 비교할 것인가? : 『論語』 「微子」에서는 "장저와 걸닉이 나란히 밭을 갈고 있었는데, 공자가 지나다가 자로를 시켜 나루터가 어딘지 묻게 하셨다. 장저가 말하였다. '저 수레에서 고삐를 쥐고 있는 사람이 누구신가?' 자로가 말하였다. '공자이십니다.' '바로 그 노나라의 공구이신가?' '그렇습니다.' '그렇다면 나루터를 아실 거요.' 걸닉에게 물으니, 걸닉이 말하였다. '선생은 누구시오?' '중유(자로) 라고 합니다.' '바로 그 노나라 공구의 제자란 말인가요?' '그렇습니다.' '큰물이 도도히 흐르듯 천하는 모두 그렇게 흘러가는 것인데, 누가 그것을 바꾸겠소? 또한 당신도 사람을 피해 다니는 사람을 따르는 것이 어찌 세상을 피해 사는 사람을 따르는 것만 하겠소?' 그는 뿌린 씨를 흙으로 덮으며 일손을 멈추지 않았다. 자로가 그 일을 아뢰자, 공자는 실망스러운 듯 말했다. '짐승들과 더불어 한 무리를 이룰 수는 없는 것이다. 내가 이 세상 사람들과 함께 하지 않는다면 누구와 함께하겠느냐? 천하에 도가 행해지고 있다면, 내가 관여하여 바꾸려 하지 않을 것이다.'(長沮桀溺耦而耕, 孔子過之, 使子路問津焉. 長沮曰, '夫執輿者爲誰?' 子路曰, '爲孔丘.' 曰, '是魯孔丘與?' 曰, '是也.' '是知津矣!' 問於桀溺, 桀溺曰, '子爲誰?' 曰, '爲仲由.' 曰, '是魯孔丘之徒與?' 對曰, '然.' 曰, '滔滔者, 天下皆是也, 而誰以易之? 且而與其從辟人之士也, 豈若從辟世之士哉?' 耰而不輟. 子路行以告. 夫子憮然曰, '鳥獸不可與同群! 吾非斯人之徒與而誰與? 天下有道, 丘不與易也.')"라고 했다.

[40-2-8]

周氏坦曰: "先生不求聞達於世, 胷次抱負不少譾見, 獨得其大者. 所謂道德問學之淵源, 上承伊洛之正派, 下開中興以後諸儒之授受, 昭然不可泯也. 公受學龜山之門, 其潛思力行, 任重詣極, 同門皆推敬之. 義理之學正鬱於時, 一綫之緒頼是得以僅存. 觀其在羅浮山靜坐三年, 所以窮天地萬物之理切實若此. 著遵堯錄一篇述皇朝相傳宏規懿範, 及名臣碩輔論建謨畫, 下及元豐功利之人紛更憲度, 貽患國家. 撮要提綱, 無非理亂安危之大者, 公之學其明體適用略可推矣."307

주탄周坦이 말했다. "세상에 명예가 소문나고자 하지 않았고308 마음속과 포부가 대략 작지 않았으니, 홀로 그 큰 것을 체득하였다.309 이른바 도덕과 학문의 연원은 위로는 이락의 정통을 계승했고, 아래로는 중흥中興을 열어 이후의 여러 유자들에게 가르침을 전했으니, 확연하여 사라질 수 없었다. 공公은 구산龜山의 문하에서 전수받아, 깊이 생각하고 힘써 행하며, 도를 무겁게 자임하고, 지극함에 이르렀으니, 동문들이 모두 그를 추숭하고 존경하였다. 의리의 학문이 그 당시 한창 막혀 있었는데, 한 줄기 실마리가 선생에게 힘입어 간신히 보존되었다. 그가 나부산羅浮山에서 3년을 정좌한 내용을 살펴보면, 천지 만물의 이치를 다하여 절실하기가 이와 같았다. 『준요록遵堯錄』 한 편을 지어, 황조皇朝가 서로 전한 위대하고 훌륭한 모범과 명신名臣 석유碩輔들이 논하여 세운 계책들을 서술하였으며, 아래로 원풍元豐 연간의 공리를 주장했던 자들이 분분히 법도를 고쳐 나라에 우환을 미치게 되는 시점까지 이르렀다. 요점을 들면 모두 다스려지고 혼란하고, 안정되고 위태로운 큰 것들이었으니, 공의 학문이 체를 밝히고[明體] 용을 적용[適用]하는 것임을 대략 짐작할 수 있다."

---

307 羅從彦의 『豫章文集』 권15 周坦의 「覆諡議」에 실려 있다.

308 명예가 소문나고자 … 않았고: 『論語』 「顏淵」에서는 "자장이 물었다. '선비가 어떠하여야 「達」이라고 이를 수 있습니까? 공자가 말했다. '네가 말하는 達이란 것이 무엇인가?' 자장이 대답하였다. '나라에 있어도 반드시 소문이 나며, 집안에 있어도 반드시 소문이 나는 것입니다.' 공자가 말했다. '이것은 聞이지 達이 아니다. 達이란 질박하며 정직하며 義를 좋아하며, 남의 말을 살피고 얼굴빛을 관찰하며 생각해서 몸을 낮추는 것이니, 나라에 있어서도 반드시 達이 되며, 집안에 있어서도 반드시 達이 되는 것이다.'(子張問, 士何如, 斯可謂之達矣? 子曰, 何哉? 爾所謂達者. 子張對曰, 在邦必聞, 在家必聞. 子曰, 是聞也, 非達也. 夫達也者, 質直而好義, 察言而觀色, 慮以下人, 在邦必達, 在家必達.)"라고 하였다.

309 그 큰 … 체득하였다. : 『孟子』 「告子上」에 "몸에는 貴賤이 있으며 小大가 있으니, 작은 것을 가지고 큰 것을 해치지 말며, 천한 것을 가지고 귀한 것을 해치지 말아야 하니, 작은 것을 기르는 자는 小人이 되고, 큰 것을 기르는 자는 大人이 되는 것이다.(體有貴賤, 有小大, 無以小害大, 無以賤害貴, 養其小者爲小人, 養其大者爲大人.)" "그 大體를 따르는 사람은 大人이 되고, 그 小體를 따르는 사람은 小人이 되는 것이다.(從其大體爲大人, 從其小體爲小人.)"라고 하였다.

李侗 字愿中, 號延平   이통 자는 원중이고 호는 연평이다.

[40-3-1]

朱子曰: "先生少遊鄉校有聲,[310] 已而聞郡人羅仲素得河洛之學於龜山之門, 遂往學焉. 羅公清介絶俗, 雖里人鮮克知之, 見先生從遊受業或頗非笑. 先生若不聞, 從之累年. 受春秋中庸語孟之說, 從容潛玩, 有會于心, 盡得其所傳之奧. 羅公少然可, 亟稱許焉. 於是退而屏居山里, 結茅水竹之間, 謝絶世故餘四十年, 簞瓢屢空, 怡然自適. 中間郡將學官聞其名而招致之, 或遣子弟從遊受學, 州郡士人有以矜式焉."

又曰: "先生從羅仲素學, 講誦之餘, 危坐終日, 以驗夫喜怒哀樂未發之前氣象爲何如, 而求所謂中者, 若是者蓋久之, 而知天下之大本眞有在乎是也. 蓋天下之理無不由是而出, 旣得其本, 則凡出於此者雖品節萬殊, 曲折萬變, 莫不該攝洞貫以次融釋而各有條理, 如川流脈絡之不可亂. 大而天地之所以高厚, 細而品彙之所以化育, 以至於經訓之微言, 日用之小物, 折之于此, 無一不得其衷焉. 由是操存益固, 涵養益熟. 精明純一, 觸處洞然. 泛應曲酬, 發必中節."

又曰: "其接後學答問, 窮晝夜不倦,[311] 隨人淺深誘之各不同, 而要以反身自得而可以入於聖賢之域."[312]

주자가 말했다. "선생은 어려서 향교에서 공부할 때 소문이 났고, 조금 지나 같은 군郡 사람인 나중소羅仲素[羅從彦]가 구산龜山[楊時]의 문하에서 하락河洛의 학문을 체득했다는 말을 듣고 찾아가서 배웠다. 나공은 청렴하고 강직하여 세속적인 것과 단절하였으니, 비록 동네 사람이라 하더라도 선생을 알아보는 이가 드물었으며, 선생을 따라 배우는 사람을 보고는 혹 비웃기도 하였다. 선생은 마치 (이러한 평을) 듣지 못한 듯 하며 여러 해 동안 따라 배웠다. 『춘추』・『중용』・『논어』・『맹자』의 설을 배우고, 조용히 침잠하여 완미하니 마음에 깨우치는 것이 있어 전수받는 심오한 의미를 다 얻을 수 있었다. 나공은 옳다고 인정해주는 일이 드물었지만, (그에게는) 자주 칭찬하고 인정해주었다. 이에 물러나 산속 마을에 은거하여, 냇물과 대나무 사이에 띠집을 짓고 세상일을 사절한 채 40여 년을 지냈는데, 밥그릇과 표주박이 자주 비어도 기쁘게 유유자적하였다. 중간에 군수와 학관이 그의 명성을 듣고 초빙하거나 혹은 자제를 그에게 유학 보내 배우게 하니 주군州郡의 선비들이 존경하며 모범으로 삼았다."

(주자가) 또 말했다. "선생은 나중소를 따라 배우면서, 강송講誦하고 남는 시간에는 종일토록 꿇어앉아 희노애락이 아직 발하기 이전의 기상氣象이 어떠한 것인지 체험하며 이른바 중中을 추구하였는데, 이와 같이 하는 일이 오래되면서 천하의 큰 근본이 진실로 여기에 있다는 것을 알게 되었다. 천하의 이치는

---

310 先生少遊鄉校有聲: 『朱文公文集』 권97에는 "旣冠, 遊鄉校有聲稱.(관례를 치르고 향교에서 공부하는데 칭찬하는 소문이 났다.)"로 되어 있다.

311 其接後學答問, 窮晝夜不倦: 『朱文公文集』 권97에는 "其授後學, 答問窮晝夜不倦"으로 되어 있다.

312 『朱文公文集』 권97

이것에서 말미암아 나오지 않는 것이 없으니, 이미 그 근본을 얻게 되면, 여기에서 나오는 것은 비록 등급과 절차가 수만 가지로 다르고 그 복잡함이 수없이 변하지만, 모두 다 통섭하고 꿰뚫어서 차례로 풀어내어 각각 조리가 있으니, 마치 냇물이 흐르는 맥락을 어지럽힐 수 없는 것과 같다. 크게는 천지가 높고 두터운 까닭과 작게는 만물이 화육하는 까닭으로부터 경전의 가르침의 은미한 말과 일상생활의 작은 일에 이르기까지, 여기에서 분석해 보면 하나라도 그 적절함[中]을 얻지 못할 것이 없다. 이로부터 간직하여 보존하는 것[操存]을 더욱 견고히 하고, 함양하는 것을 더욱 익숙하게 하면, 맑고 밝아 순일하여 접하는 것마다 명료하며, 폭넓고 자세히 대응하고 발동하면 반드시 절도에 들어맞게 될 것이다."
(주자가) 또 말했다. "그가 후학을 대하여 문답할 때에는 밤낮으로 다하며 게으르지 않았고, 각 사람의 깊고 낮은 정도에 따라 각각 다르게 이끌었는데, 요체는 자기 자신을 되돌아보고 자득하여 성현의 경지에 들어갈 수 있게 하는 것이었다."

[40-3-2]

"先生喜黃太史稱濂溪, 胷中灑落如光風霽月, 爲善形容有道者氣象, 嘗諷誦之, 而顧謂學者曰, '存此於胷中, 庶幾遇事廓然, 而義少進矣.'"[313]

"(이통) 선생은 황태사黃太史[黃庭堅]가 염계濂溪[周敦頤]를 가슴속이 깨끗하여 마치 비갠 뒤 맑은 바람과 달 같다고 칭송한 것에 대해 도를 체득한 사람의 기상을 잘 형용했다고 좋아하여, 이를 읊으며 학자들을 향해 말했다. '이것을 마음속에 간직하면, 아마도 일을 만나도 거시적으로 크게 대할 수 있고, 의리도 조금씩 나아갈 것이다.'"

[40-3-3]

"先生姿稟勁特, 氣節豪邁而充養完粹, 無復圭角. 精純之氣達於面目, 色溫言厲, 神定氣和, 語默動靜, 端詳閒泰, 自然之中若有成法. 平居恂恂, 於事若無甚可否. 及其酬酢事變, 斷以義理, 則有截然不可犯者"[314]

"선생은 자품資品이 굳세고 특이하며, 기개와 절조가 호방한 데다가 (그것을) 채우고 기름이 완전하고 순수하여, 규각圭角이 없었다. 정순한 기운이 모습에 드러나니, 안색은 온화하고 말씀은 엄격했으며, 정신은 안정되고 기운은 온화했으며, 말하고 침묵하고 움직이고 고요히 있는 모든 순간에 자세히 보면 한가롭고 편안하였으니, 저절로 그러한 가운데 마치 법도가 있는 것 같았다. 평소에는 삼가고 온순하여, 어떤 일에 대해 지나치게 좋아하거나 반대하는 것이 없는 것 같았다. 일의 변화에 대응하는 것에서는 의리로써 결단하였으니, 칼로 끊은 듯 범할 수 없는 점이 있었다."

---

313 『宋史』 권428 『宋名臣言行錄』(外集) 권1
314 『延平答問』 「附錄」

[40-3-4]

"先生之道德純備, 學術通明, 求之當世, 殆絕倫比. 然不求知於世, 而亦未嘗輕以語人. 故上之人旣莫之知, 而學者亦莫之識. 是以進不獲施之於時, 退未及傳之於後. 而先生方且玩其所安樂者於畎畝之中, 悠然不知老之將至, 蓋所謂依乎中庸遯世不見知而不悔者, 先生庶幾焉."³¹⁵

(주자가 말했다.) "(연평) 선생처럼 도덕이 순수하게 완비되고 학술에 밝게 통한 사람을 당시에서 구해 본다면 비교할 수 있는 사람은 거의 없을 것이다. 그러나 세상에 알려지기를 희구하지 않았고 또한 함부로 남을 평가한 적도 없었다. 그러므로 위 세대의 사람들이 그를 알지 못했을 뿐만 아니라 배우는 자들도 또한 그를 알지 못했다. 그러므로 나아가서는 당시에 자신의 능력을 펼칠 수 없었고 물러나서는 후세에 학문이 전해지지 못했다. 그러나 선생은 그가 편안하고 즐거워하는 일을 밭고랑 사이에서 완미하고, 유유자적하여 노년이 다가오는 것도 자각하지 못했다. 이른바 '중용中庸을 따라, 세상에 은둔隱遁하여 인정을 받지 못하여도 후회하지 않는다.'³¹⁶는 말이 바로 선생에게 아마도 이에 해당하는 것일 것이다."

[40-3-5]

"先君子吏部府君亦從羅公問學, 與先生爲同門友, 雅敬重焉. 嘗與沙縣鄧廸天啓語及先生. 鄧曰, '愿中如氷壺秋月, 瑩徹無瑕, 非吾曹所及.' 先君子深以爲知言, 亟稱道之"³¹⁷

(주자가 말했다). "선친이신 이부부군吏部府君 역시 나공을 따라 학문을 배웠는데 선생과는 동문의 벗이어서 매우 존경하였다. 일찍이 사현沙縣의 등적鄧廸 천계天啓와 함께 말씀을 나누면서 선생을 언급한 적이 있었다. 등적이 '원중愿中은 얼음이 담긴 술병과 가을 밤하늘의 달빛처럼 흠 없이 맑고 밝으니 우리가 미칠 수 있는 경지가 아니다.'라고 하였다. 선친께서도 깊이 잘 표현한 말씀[知言]이라고 여기고 자주 칭송하였다."

[40-3-6]

"先生終日危坐, 而神彩精明, 略無隤墮之氣."³¹⁸

(주자가 말했다.) "선생은 종일토록 무릎을 꿇고 앉아 있었는데 정신이 빛나고 밝으며 대개 늘 왕성한 기운을 유지하였다."

[40-3-7]

問先生言行.

---

315 『朱文公文集』권97 「延平先生李公行狀」
316 '中庸을 따라 … 않는다.': 『中庸』 제11장에서는 "군자는 中庸을 따라, 세상에 隱遁하여 인정을 받지 못하여도 후회하지 않나니, 오직 聖者만이 이것을 잘 할 수 있다.(君子依乎中庸, 遯世不見知而不悔, 唯聖者能之)"라고 하였다.
317 『朱文公文集』권97 「延平先生李公行狀」
318 『朱子語類』권103, 1조목

曰: "他却不曾著書, 充養得極好. 凡爲學也不過是恁地涵養將去, 初無異義. 只是先生睟面盎背, 自然不可及."319

연평 선생의 언행에 대해 물었다.

(주자가) 대답했다. "그는 오히려 책을 저술한 적이 없으며, 채우고 함양하는 것[充養]을 매우 좋아하였다. 학문을 하는 것은 또한 이와 같이 함양해 가는 것에 불과하지 애초에 다른 뜻이 없다. 다만 선생의 얼굴에 함치르르하고 등에 가득할 뿐320이니 (이는) 자연스럽게 미칠 수는 없는 것이다."

[40-3-8]

"先生初間也是豪邁底人, 到後來也是磨琢之功."321

(주자가 말했다.) "선생은 처음부터도 호방한 분이었는데, 이후에도 절차탁마하는 공부를 하셨다."

[40-3-9]

"先生少年豪勇, 夜醉, 馳馬數里而歸. 後來養成徐緩, 雖行二三里路, 常委蛇緩步如從容室中也."

問: "先生如何養?"

曰: "先生只是潛養思索, 他涵養得自是別. 眞所謂不爲事物所勝者. 古人云終日無疾言遽色, 他眞個是如此. 尋常人去近處必徐行, 出遠處行必稍急. 先生出近處也如此, 出遠處亦只如此. 尋常人叫一人, 叫之一二聲不至則聲必屬. 先生叫之不至, 聲不加於前也. 又如坐處壁間有字, 某每常亦須起頭一看. 若先生則不然, 方其坐時, 固不看也. 若是欲看, 則必起就壁下視之, 其不爲事物所勝大率若此."322

(주자가 말했다.) "선생은 젊어서 호탕하고 용감하여 밤에 취했을 때 몇 리씩이나 말달리다가 돌아왔다. 나중에 서서히 느린 것을 양성하였으니, 비록 2~3리의 길을 가더라고 항상 천천히 걸음을 늦게 하였는데, 마치 방 안에서 조용한 것과 같았다."

물었다. "선생은 어떻게 양성했습니까?"

(주자가) 대답했다. "선생은 다만 침잠하여 사색하는 것을 수양했을 뿐이니, 그가 함양한 것은 본래 독특

319 『朱子語類』 권103, 3조목

320 얼굴에 함치르르 … 뿐: 『孟子』「盡心上」에서는 "군자의 본성은 인의예지가 마음속에 뿌리하여, 그 안색에 나타나는 것이 함치르르하게 얼굴에 드러나며, 등에 가득하며, 사지에 베풀어져서 사지가 굳이 말하지 않아도 저절로 깨달아 행해진다.(君子所性, 仁義禮智根於心, 其生色也, 睟然見於面, 盎於背, 施於四體, 四體不言而喩.)"라고 하였다.

321 『朱子語類』 권103, 4조목

322 "先生少年豪勇 … 先生只是潛養思索"은 『朱子語類』 권103, 5조목의 글이고, "他涵養得自是別 … 其不爲事物所勝大率若此."는 『朱子語類』 권103, 9조목의 글이다.

하다. 진실로 이른바 사물에 끌려다니지 않는 것이다. 옛사람이 '종일토록 말을 급하게 하거나 얼굴색이 갑자기 변화하는 경우가 없었다'고 했는데, 그는 참으로 이와 같은 분이었다. 보통 사람들은 가까운 곳을 가면 반드시 천천히 가고, 먼 곳으로 향해 갈 때에는 반드시 점점 급해지게 마련이다. 선생은 가까운 곳으로 가도 이와 같고 먼 곳으로 가도 또한 이와 같을 뿐이다. 보통 사람들은 남을 부를 때 한두 번 불러서 오지 않으면 소리가 반드시 거칠어지는데, 선생은 불렀을 때 오지 않아도 소리가 커지지 않았다. 또 예컨대 앉아 있는 곳의 벽에 어떤 글자가 있으면 나는 항상 또한 반드시 고개를 들어서 보았다. 선생의 경우에는 그렇게 하지 않았으니, 앉아 있을 때는 (고개 들어 글자를) 보지 않는다. 글자를 보고자 한다면 반드시 일어나 벽 아래로 가서 그것을 보았으니, 그가 사물에 끌려가지 않은 것이 대체로 이러하다."

[40-3-10]

"先生居處有常, 不作費力事. 所居狹隘, 屋宇卑小. 及子弟漸長, 逐間接起, 又接起廳屋. 亦有小書室, 然甚整齊瀟灑, 安物皆有常處. 其制行不異於人, 亦嘗爲任希純敎授, 延入學作職事, 居常無甚異同, 頹如也眞得龜山法門."323

(주자가 말했다.) "선생은 거처함에 일정함이 있었고 불필요하게 힘을 소모해 일을 하지 않았다. 거처하는 곳은 좁으며, 가옥은 낮고 작았다. 자제들이 점점 성장하게 되자, 틈 사이를 따라 잇기 시작했고 그리고는 또 대청을 잇기 시작했다. 또한 작은 서실書室이 있었는데 매우 가지런하고 깨끗하였으며, 물건을 안치하는 데에 모두 일정한 장소가 있었다. 그가 행실을 제어하는 것은 남과 다르지 않았으며, 또한 임희순任希純 교수에 의해 입학하여 직책을 맡았는데 평상시와 큰 차이가 없이 고요한 것이, 진실로 양구산의 법문을 얻은 분임을 알 수 있다."

[40-3-11]

"先生說'一步是一步.' 如說'仁者其言也訒', 某當時爲之語云, '聖人如天覆萬物.' 曰 : '不要如是廣說. 須窮「其言也訒」前頭如何, 要得一進步處.'"324

(주자가 말했다.) "선생은 '문장에서는 그 한 문장의 뜻만 보라.'325고 하였다. 예를 들어 '어진 사람은 그 말을 신중히 한다.'326라는 말을 두고, 나는 당시에 그것에 대해 '성인은 마치 하늘이 만물을 덮는 것과 같다.'327고 풀이하였다. (연평 선생은) '이와 같이 넓게 말해서는 안 된다. 반드시「그 말을 신중히 한다.」는 그 말 자체가 어떤 의미인지 궁구하고 진일보해야 한다.'고 했다."

---

323 『朱子語類』 권103, 8조목
324 『朱子語類』 권103, 18조목
325 '문장에서는 그 … 보라.' : 『朱子語類考文解義』에서는 "글을 읽을 때 지금 읽는 문장의 뜻만 보고 그 외의 뜻에는 넓게 미치지 않는 것을 말한다.(謂逐文看其目下文義, 不泛及外義也.)"고 했다.
326 '어진 사람은 … 한다.' : 『論語』「顔淵」 제3장
327 '성인은 마치 … 같다.' : 『管子』 권20 ; 『文子』 권상

[40-3-12]

"先生不要人强行, 須有見得處方行. 所謂灑然處, 然猶有偏在. 灑落而行固好. 未到灑落處不成不行. 亦須按本行之, 待其著察."[328]

(주자가 말했다.) "선생은 남에게 억지로 행하도록 하지 않고, 반드시 깨달은 것이 있어야 비로소 행하게 했다. 이른바 시원스럽고 자연스러운 것이지만, 그러나 도리어 치우친 면이 있다. 개운하고 깨끗하게 행해야 좋은 것이다. 개운하고 깨끗한 곳에 도달하지 못하면 안 된다. 또한 반드시 근본에 따라 행해야 하고, 그것이 드러나기를 기다려 살펴야 한다."

[40-3-13]

"先生當時說學已有許多意思, 只爲說敬字不分明, 所以許多時無捉摸處."[329]

(주자가 말했다.) "선생이 당시 학문을 설명할 때에는 이미 많은 의미가 있었는데, 다만 '경敬'자를 분명하게 설명하지 못했기 때문에 많은 경우 더듬어 찾을 곳이 없었다."

[40-3-14]

"先生好看論語, 自明而已. 謂孟子早是說得好了, 使人愛看了也. 其居在山間亦殊無文字看, 讀辨正, 更愛看春秋左氏. 初學於仲素, 只看經, 後侯師聖來沙縣, 羅邀之至, 問, '伊川如何看?' 云, '亦看左氏, 要見曲折, 故始看左氏.'"[330]

(주자가 말했다.) "선생은 『논어』를 읽기 좋아했는데 스스로 (도리를) 밝혔을 뿐이다. 『맹자』는 이미 말이 잘 되어 있어 사람들에게 애독되었다고 했다. 그는 산간에 거주하였는데, 또한 특별히 읽고 따져 변별하는 문자가 없었으며, 다시 『춘추좌씨』를 읽기를 좋아하였다. 처음에 중소仲素에게 배웠는데 단지 경서를 보았을 뿐이다. 뒤에 후사성後侯師이 사현沙縣에 왔을 때 나중소가 그를 지극히 맞이하면서 '이천은 무엇을 봅니까?'라고 묻자, '또한 『좌씨』를 본다. 복잡한 사정과 내용을 알려고 했으므로 비로소 『좌씨』를 보았다.'라고 대답했다."

[40-3-15]

"先生有爲, 只用蠱卦, 但有決烈處."[331]

(주자가 말했다.) "선생이 어떤 일을 실천할 때에는 고괘蠱卦만을 사용했으니, 다만 강직한 곳이 있었다."

---

328 『朱子語類』 권103, 19조목
329 『朱子語類』 권103, 20조목
330 『朱子語類』 권103, 10조목
331 『朱子語類』 권103, 25조목

[40-3-16]

"先生嘗云, '人之念慮若是於顯然過惡萌動, 此却易見易除. 却怕於匹似閑底事爆起來,[332] 纏繞思念將去不能除, 此尤害事.' 熹向來亦是如此."[333]

(주자가 말했다.) "선생이 일찍이 '사람의 염려가 이와 같이 분명하게 드러나는 죄악에서 싹터 움직이기 시작한다면, 이는 도리어 알기도 쉽고 제거하기도 쉽다. 평상시의 일에서 터져 나오는 얽혀 있는 사념들은 제거하려 해도 제거할 수 없으니, 이것이 더욱 해로운 일이다.'라고 하셨는데, 나 또한 줄곧 이와 같았다."

[40-3-17]

問: "先生所作李先生行狀, 云'終日危坐, 以驗夫喜怒哀樂之前氣象爲如何, 而求所謂中者,' 與伊川之說若不相似."

曰: "這處是舊日下得語太重. 今以伊川之語格之, 則其下工夫處, 亦是有些子偏. 只是被李先生靜得極了, 便自見得是有箇覺處, 不似別人. 今終日危坐, 只是且收欲在此, 勝如奔馳. 若一向如此, 又似坐禪入定."[334]

물었다 "선생이 지은 이 선생의 행장에 '종일토록 무릎을 꿇고 앉아서 희노애락이 발하기 전의 기상氣象이 어떠한지를 증험하면서 이른바 중中을 추구했다.'고 했는데, (이는) 이천의 설과는 다른 것 같습니다." (주자가) 대답했다. "이 지점은 옛날에 너무 무겁게 말한 것이다. 지금 이천의 말에 의거하여 바로잡는다면 그가 공부한 지점에 또한 약간의 치우친 면이 있다. 다만 이 선생처럼 정靜을 지극하게 한다면, 스스로 통찰하여 깨닫는 곳이 생길 것이니, 다른 사람과 같지 않을 것이다. 지금 종일토록 무릎을 꿇고 앉아서 다만 또 (마음을) 수렴하여 여기에 두는 것이, 정신없이 치달리는 것보다 낫다. (그러나) 만약 줄곧 이와 같이 한다면 또 좌선하여 선정禪定에 들어가는 것과 유사할 것이다."

[40-3-18]

問: "延平先生何故驗於喜怒哀樂未發之前而求所謂中?"

曰: "只是要見氣象."

陳後之曰: "持守良久, 亦可見未發氣象."

曰: "延平卽是此意."

又問: "此與楊氏體驗於未發之前者異同如何?"

曰: "這箇亦有些病. 那體驗字是有箇思量了, 便是已發. 若觀時恁著意看, 便也是已發."

---

332 却怕於匹似閑底事爆起來: 『朱子語類』 권103, 22조목에는 '匹'이 '相'으로 되어 있다.

333 『朱子語類』 권103, 22조목

334 『朱子語類』 권103, 27조목

問 : "此體驗是著意觀, 只恁平常否?"

曰 : "此亦是以不觀觀之."[335]

물었다. "연평 선생은 무슨 까닭으로 희노애락이 아직 발하기 전에 증험하여 이른바 중中을 추구한 것입니까?"

(주자가) 대답했다. "단지 기상을 알려고 한 것이다."

진후지陳後之[陳易]가 물었다. "붙잡아서 지키기를 진실로 오래하면, 또한 아직 발하기 전의 기상을 알 수 있을 것입니다."

(주자가) 대답했다. "연평이 바로 곧 이 뜻이다."

또 물었다. "이것이 양씨楊氏[楊時]의 미발未發에서 체험한다[336]는 것과 다르거나 같은 점이 무엇입니까?"

(주자가) 대답했다. "여기에는 또한 약간의 병폐가 있다. 저 '체험體驗'이라는 글자에는 어떤 사량思量이 있으니, 곧 이발已發이다. 만약 (특정한) 시점을 보고서 이렇게 (체험하려는) 뜻을 드러낸다는 점으로 보아도 곧 또한 이발已發이다."

물었다. "이 체험은 뜻을 드러내어 보는 것입니까? 아니면 다만 이렇게 평상시일 뿐입니까?"

(주자가) 대답했다. "이는 또한 (의도적으로) 보지 않는 것으로써 (자연스럽게) 보는 것이다."

[40-3-19]
論李先生之學常在目前.

曰 : "只是'君子戒謹所不觀, 恐懼所不聞,' 便自然常存. 顏子非禮勿視聽言動正是如此."[337]

이 선생의 학문이 항상 눈앞에 있다는 것에 대해 논의했다.

(주자가) 말했다. "다만 '군자는 보지 않을 때에도 삼가며 그 듣지 않을 때에도 두려워하는 것'[338]이니, 본래 항상 존재한다. 안연의 '예가 아니면 보지도 말며, 듣지도 말며, 말하지도 말며, 움직이지도 말라.'[339]는 것이 바로 이와 같은 것이다."

· ·

335 "問 … 延平卽是此意."는 『朱子語類』 권103, 28조목의 글이고, "又問 … 此亦是以不觀觀之."는 『朱子語類』 권103, 29조목의 글이다.

336 未發에서 체험한다 : 『龜山集』 권91 「答學者」에서는 "『中庸』에 '희노애락이 발하기 전을 중이라고 하고, 발하여 모두 절도에 맞는 것을 화라고 한다.'고 했는데, 학자들은 마땅히 희노애락이 미발한 때에 마음으로써 그것을 체험하면 中의 뜻이 저절로 드러난다. 그것을 잡아 지켜 잃어버리지 않으면 인욕의 사사로움이 없는 것이니, 발하면 반드시 절도에 맞는 것이다.(中庸曰, '喜怒哀樂未發謂之中, 發而皆中節謂之和.' 學者當於喜怒哀樂未發之際, 以心體之, 則中之義自見. 執而勿失, 無人欲之私焉, 發必中節矣.)"라고 하였다.

337 『朱子語類』 권103, 30조목

338 '군자는 보지 … 것' : 『中庸』 제1장에서는 "도라는 것은 잠시도 떠날 수 없는 것이니, 떠날 수 있으면 도가 아니다. 그러므로 군자는 보지 않을 때에도 삼가며 그 듣지 않을 때에도 두려워하는 것이다.(道也者, 不可須臾離也, 可離, 非道也. 是故君子, 戒愼乎其所不睹, 恐懼乎其所不聞)"라고 했다.

339 '예가 아니면 … 말라.' : 『論語』 「顏淵」

[40-3-20]

問 : "延平靜坐之說, 聞先生頗不以爲然, 如何?"[340]

曰 : "此亦難說, 靜坐理會道理自不妨, 只是討要靜坐則不可. 若理會得道理明透, 自然是靜.
常見先生說,[341] '舊見羅先生說春秋, 頗覺不甚好. 不知到羅浮極靜後, 又理會得如何' 某心常
疑之. 以今觀之, 是如此. 蓋心下熱鬧, 如何看得道理出."[342]

물었다. "연평 선생의 '정좌靜坐' 설에 대해, 선생이 상당히 동의하지 않는다고 들었는데, 어째서입니까?"
(주자가) 대답했다. "이는 또한 설명하기 어렵다. 정좌는 도리를 이해하면 무방하지만, 단지 정좌만을
요구하면 안 된다. 만약 도리를 투철하게 이해한다면 저절로 고요[靜]해진다. 선생이 '예전에 나 선생에게
『춘추』에 대해 설명을 들었는데 매우 좋지 않은 것 같았다. 나부산의 고요함[靜]이 극에 이른 뒤에는
또 무엇을 이해할 수 있을지 모르겠다.'는 말씀을 들었는데 내 마음에는 항상 의심스러웠다. 지금 그것을
보면 이와 같다. 마음이 시끄러우면 어떻게 도리를 볼 수 있겠는가?'

[40-3-21]

"人若著些利害,[343] 便不免開口告人, 却與不學之人何異? 向見李先生說'若大段排遣不去, 只
思古人所遭患難有大不可堪者, 持以自比, 則亦可以少安矣.' 始者甚卑其說, 以爲何至如此.
後來臨事却覺有得力處, 不可忽也."[344]

(주자가 말했다.) "사람이 만약 약간의 이해利害가 드러나자마자 입을 열어 다른 사람에게 일러 주는
일을 피하지 못한다면, 배우지 않은 사람과 무엇이 다르겠는가? 옛날에 이 선생李先生이 '만약 중대하여
떨쳐 버릴 수가 없다면, 다만 옛사람들이 환난을 만났을 때 감당할 수 없이 큰 것이 있었던 경우를
생각하여, 그것을 가지고 자신에게 비교해보면, 또한 조금 편안해질 수 있을 것이다.'라는 말씀을 들었
다. 처음에는 그 말이 매우 비루하다고 여겨, 어찌 이와 같은 데까지 이르겠는가라고 생각했다. (그러나)
나중에 일에 닥쳐서 도리어 득력得力할 곳이 있음을 알게 되었으니, 소홀히 할 수는 없는 것이다."

[40-3-22]

"舊見先生說'少從師友, 幸有所聞, 中間無講習之助, 幾成廢墮. 然賴天之靈, 此箇道理時常在
心目間, 未嘗敢忘, 此可見其持守之功矣. 然則所見安得而不精, 所養安得而不熟耶?"[345]

(주자가 말했다.) "옛날에 선생이 '어려서는 스승과 벗들을 따르며 다행히 얻어들은 것들이 있었는데,

....

340 『朱子語類』 권103, 11조목에는 다음과 같이 되어 있다. 或問, "近見廖子晦言, 今年見先生, 問延平先生'靜坐'
之說, 先生頗不以爲然, 不知如何?"

341 常見先生說 : 『朱子語類』 권103, 11조목에는 '常'이 '嘗'으로 되어 있다.

342 『朱子語類』 권103, 11조목

343 人若著些利害 : 『朱文公文集』 권45 「答廖子晦」에는 "若看些利害"로 되어 있다.

344 『朱文公文集』 권45 「答廖子晦」

345 『朱文公文集』 권45 「答廖子晦」

중간에 강습講習으로 받은 도움이 없어 거의 폐기되어 버렸다. 그러나 신령한 하늘의 도움으로 이 도리道理가 항상 마음과 눈앞에 있으니, 감히 잊은 적이 없다.'라고 한 것을 들었으니, 여기서 가히 그 붙잡아 지키는[持守] 공을 볼 수가 있다. 그렇다면 통찰한 것이 어찌 정밀하지 않을 수 있겠으며, 기르는 것이 어찌 숙련되지 않을 수 있겠는가?'

[40-3-23]

"某舊見先生時, 說得無限道理, 也曾去學禪. 先生云, '汝恁地懸空理會得許多, 面前事却又理會不得? 道亦無玄妙, 只在日用間著實做工夫處理會, 便自見得.' 後來方曉得他說, 故今日不至無理會耳."[346]

(주자가 말했다.) "내가 옛날에 선생先生[李侗]을 뵈었을 때 무한한 도리를 말하였고 또한 일찍이 선禪도 배웠다. 선생은 '그대가 이렇게 공허하게 이해하는 것은 매우 많지만, 눈앞의 일은 도리어 또 이해하지 못하는가! 도에는 또한 현묘함이 없으며, 단지 날마다 쓰는 사이에 착실하게 공부하는 곳에서 이해하면 스스로 알 수 있게 된다.'라고 말했는데, 나중에 비로소 그 말을 이해할 수 있었으므로, 오늘날에는 어느 것이든 이해하게 되었을 뿐이다."

[40-3-24]

祭先生文曰: "道喪千載, 兩程勃興. 有的其緒, 龜山是承. 龜山之南, 道則與俱. 有覺其徒, 望門以趨. 惟時豫章, 傳得其宗. 一簞一瓢, 凜然高風. 狩歟先生, 果自得師,[347] 身世兩忘, 惟道是資. 精義造約, 窮深極微. 凍解冰釋, 發於天機. 乾端坤倪, 鬼秘神彰, 風霆之變, 日月之光, 爰暨山川, 草木昆蟲, 人倫之正, 王道之中, 一以貫之, 其外無餘. 縷析毫差, 其分則殊. 體用渾圓, 隱顯昭融. 萬變並酬, 浮雲太空. 仁孝友弟, 灑落誠明. 清通和樂, 展也大成. 婆娑丘林, 世莫我知, 優哉游哉, 卒歲以嬉. 迨其季年, 德盛道尊, 有來摳衣, 發其蔽昏. 侯伯聞風, 擁篲以迎. 大本大經, 是度是程, 稅駕云初, 講議有端. 疾病乘之, 醫窮技殫, 嗚呼先生, 而止於斯! 命之不融, 誰實尸之? 合散屈伸, 消息滿虛, 廓然大公, 與化爲徒. 古今一息, 曷計短長? 物我一身, 孰爲窮通? 嗟惟聖學, 不絕如綫,[348] 先生得之, 旣厚以全. 進未獲施, 退未及傳, 殉身已歿, 孰云非天! 熹也小生, 丱角趨拜. 恭惟先君, 實共源派. 誾誾侃侃, 欲祉推先, 冰壺秋月, 謂公則然. 施及後人, 敢渝斯志? 從遊十年, 誘披諄至. 春山朝榮, 秋堂夜空, 卽事卽理, 無幽不窮. 相期日深, 見勵彌切, 寨步方休, 鞭繩以掣. 安車暑行, 過我衡門, 返斾相遭, 凉秋已分. 熹於此時, 適有命召, 問所宜言, 反覆教詔. 最後有言, '吾子勉之. 凡茲衆理, 子所自知. 奉以周

346 『朱子語類』 권101, 77조목
347 果自得師: 『朱文公文集』 권87 「祭延平李先生文」에는 "早自得師"로 되어 있다.
348 不絕如綫: 『朱文公文集』 권87 「祭延平李先生文」에는 "不絕如線"으로 되어 있다.

旋, 幸不失墜.' 歸裝朝嚴, 訃音夕至. 失聲長號, 淚落懸泉. 何意斯言, 而決終天! 病不擧扶, 沒不飯含. 奔走後人, 死有餘憾. 儀刑永隔, 卒業無期. 墜緖茫茫, 孰知我悲? 伏哭柩前, 奉奠以贊. 不忘者存,[349] 鑒此誠意!"[350]

(주자가) 선생先生[李侗]의 제문에서 말했다. "도道가 상실된 지 천년이 되어, 두 정程 선생이 발흥勃興하였습니다. 그 단서端緖를 구산龜山 선생이 계승하였습니다. 구산이 남쪽으로 가니 도가 함께 갔습니다.[351] (구산이) 학생들을 깨우쳐주니, 그 문하에 들기를 희망하여 (많은 이들이) 몰려들었습니다. 오직 당시에 예장豫章羅從彦만이 그 종통을 전해 받았습니다. 도시락 하나 표주박 하나만으로도 늠름하고 고상한 기풍을 지니셨습니다. 아, 선생李侗이 드디어 그 스승羅從彦을 만나고 나서부터 자신과 세상을 모두 잊고 오직 도道를 바탕으로 삼으셨습니다. (선생은) 의리에 정밀하면서 실천하는 것은 요약했고,[352] 심오하고 미묘한 곳까지 다 궁구하였습니다.[353] 얼었던 얼음이 녹듯이 천기天機(본성)를 드러내었습니다.[354] 천지가 드러나는 시초[355]와 귀신이 은밀하게 드러나는 것, 바람과 번개의 변화와 해와 달의 빛, 산천과 초목과 곤충에 미치기까지, 인륜人倫의 올바름正과 왕도王道의 적절함中이 하나로 꿰뚫고 있으며[一以貫之] 그 밖에는 아무런 여지餘地가 없으니, 실 한 오라기 끝만큼 차이 나게 나누어도 그 차이는 다릅니다. 체용體用이 혼연하게 원만하고, 은현隱顯이 밝게 융화昭融하니, 온갖 변화에 함께 대응하면서도 큰 허공에 뜬 구름과 같습니다. 인仁과 효孝와 우정友과 공경弟이 마음속에서 깨끗하게 성誠으로부터 밝아졌습니다.[356] 맑음淸과 통달함通과 온화함和과 즐거움樂은 진실로 이 도를 크게 이룬 것입니다.[357] 고요히 산림에 은둔하여, 세상에서 아무도 나를 알아주는 사람이 없었지만, 넉넉하고 여유롭게 즐거이 생애를 마치셨습니다. 그 만년에 이르러서는 덕이 성대해지고 도가 높아지셨으니, 찾아와 예를 표하며 묻는 사람이 있으면, 그 막히고 어두운 지점을 계발시켜주었습니다. 후백侯伯도 선생의 기풍氣風을 듣고 문 앞을 청소하여 선생을 맞이하였습니다. (선생은) 도의 큰 근본을 원칙으로 했고, 수레의 멍에를 풀고 돌아간 초기에 강의를 할 때에는 단서가 있었습니다.[358] 질병이 서로 타올라 의술도 막히고 기술도 다했

349 不忘者存:『朱文公文集』권87「祭延平李先生文」에는 "不亡者存"으로 되어 있다.

350 『朱文公文集』권87「祭延平李先生文」

351 구산이 남쪽으로 … 갔습니다. : 양시가 정호에게 배우다가 돌아갈 때, 정호는 그를 전송하며 문까지 나오면서 자리에 있던 손님에게 말하길 '나의 道가 남쪽으로 간다.'라고 하였다. [40-1-33]을 참조

352 의리에 정밀하면서 … 요약했고 :『性理群書句解』권19에는 "의리에 정밀하고 나아가는 것은 요약하다.(精於義理, 所造者約.)"라고 주해하였다.

353 심오하고 미묘한 … 궁구하였습니다. :『性理群書句解』권19에는 "심오한 곳을 궁구하였고, 미묘한 곳을 다하였다.(窮其深奧, 極其微妙.)"라고 주해하였다.

354 천기를 드러내었습니다. :『性理群書句解』권19에는 "천성을 드러내다.(發於天性.)"라고 주해하였다.

355 천지가 드러나는 시초:『性理群書句解』권19에는 "천지의 본래 시초(天地之本初)"라고 주해하였다.

356 마음속에서 깨끗하게 … 밝아졌습니다. :『性理群書句解』권19에서는 "마음속이 깨끗하여 誠으로부터 밝아졌다.(懷灑落由誠而明.)"라고 주해하였다.『中庸』제21장에는 "誠으로 말미암아 밝아지는 것을 性이라고 하고 밝아지는 것으로 말미암아 성실해지는 것을 敎라고 하니, 성실하면 밝아지고, 밝아지면 성실해진다.(自誠明, 謂之性, 自明誠, 謂之敎, 誠則明矣, 明則誠矣)"라고 했다.

357 진실로 이 … 것입니다. :『毛詩』「小雅·采芑」

으니, 오호라 선생으로서도 여기서 그저 그치게 되는가! 명命이 통하지 않으니[359] 누가 실제로 그것을 주관하겠는가? 합하고 흩어지고 굽히고 펴며, 줄어들고 늘어나고 가득 차고 텅 비는 (모든 변화) 가운데, 크게 공정해야 조화造化와 같은 무리가 됩니다. 옛날과 지금은 한 번의 숨결[一息]이니 어찌 길고 짧음을 계산할 수 있으며, 물아物我는 한 몸이니 무엇이 궁하거나 통할 수 있습니까? 아! 오직 성학聖學이 실처럼 끊어지지 않아 선생이 얻으시어 이미 두텁고도 온전히 하셨습니다. (그러나) 나아가서는 시행施行되지 못했고, 물러나서는 전傳해지지 못하여, 선생이 돌아가시자 함께 순장殉葬되어 끝나버리니, 그 누가 이를 천명이라 하지 않겠습니까! 저 역시 작은 학생으로 총각시절 찾아뵙고 배웠습니다. 공손히 생각건대 저희 아버지께서는 실제로 (선생과) 원류를 함께 하셨습니다. 강직하면서도 온화하시니[360] 옷깃을 여미시며 선생을 추존推尊하시어, 얼음으로 된 호리병과 가을밤 달이 선생을 바로 형용한 것이라고 여겼습니다. 가르쳐 주신 은혜가 뒷사람에게 미치니 감히 이 뜻에 어긋날 수 있겠습니까? 선생을 따라 배운 지 10년인데, 선생께서는 나를 지극한 정성으로 이끌어주셨습니다. 봄날 아침 산의 아름다움과 가을밤 대청마루의 공적空寂함이 사물이면서 이치이니, 은미하여도 궁구하지 않을 것이 없습니다. 서로 기약한 날이 깊어감에, 힘쓰도록 격려해 주시기를 더욱 간절히 하셨고, 머뭇거리며 쉬려 하면 회초리로 이끌어 주셨습니다. (선생은) 여름에 안거安車(앉아서 타고 가는 수레)를 타고 길을 떠나 내가 있는 형문衡門을 지나갔다가 돌아오는 길에 서로 만났는데, 이미 서늘한 가을이었습니다. 저는 이 때 마침 황제의 부르심을 받아서, 마땅히 무슨 말을 올려야 하는지 (선생께) 질문했더니, 선생은 반복해서 가르쳐주셨습니다. 마지막으로 말씀을 남겨주시며 '그대는 힘쓸지어다. 이 모든 이치를 네가 스스로 알 것이다. 이 도리를 받들어 일상생활에서 잃어버리지 말아야 한다.'라고 하셨습니다. 나는 돌아와서 의관을 엄숙하게 갖추어 입은 채 날이 밝기를 기다렸는데, 부음訃音이 저녁에 이르렀습니다. 목이 메도록 오래 울부짖으며, 눈물이 샘물처럼 흘렀습니다. 나는 (선생님의) 이 말씀[361]이 무슨 뜻인지도 모르는데 끝내 영영 세상을 떠나셨습니다. 돌아가시고서는 반함飯含(염습할 때 죽은 이의 입속에 주옥이나 쌀을 물리는 상례절차)을 해드리지 못했습니다. 분주하게 상가에 달려갔으나 다른 사람보다 뒤처졌으니, 선생의 돌아가심에 한스러움이 남아 있습니다. 법도에서 영영 멀어지게 되고, 학업을 마치는 것을 기약할 수 없습니다. 이미 절멸되어 버린 가르침의 단서가 아득하니, 누가 나의 슬픔을 알겠습니까? 선생의 널 앞에 엎드려 곡하며, 예물을 갖추어 제사를 받들어 올립니다. 사라지지 않는 것이 있으니,[362] 이 성의誠意를 살피소서!"

---

358 강의를 할 … 있었습니다. : 『性理群書句解』 권19에는 "강명과 의론에 모두 단서가 있다.(講明議論皆有端緒.)"라고 주해했다.

359 命이 통하지 않으니 : 『朱子大全箚疑輯補』 권87에 "融은 通한다는 말이다.(融通也.)"라고 주해했다.

360 강직하면서도 온화하시니 : 『論語』「鄕黨」에 "조정에서 下大夫와 말씀하실 때에는 강직하게 하며, 上大夫와 말씀하실 때에는 온화하면서 충간하셨다.(朝, 與下大夫言, 侃侃如也, 與上大夫言, 誾誾如也.)"라고 했다.

361 이 말씀 : 『朱子大全箚疑輯補』 권87에 "위 문장에 나온 가르침[敎詔]을 말한다.(卽上文敎詔也.)"라고 주해하였다.

362 사라지지 않는 … 있으니 : 『性理群書句解』 권19에는 "선생께선 비록 돌아가셨지만, 죽지 않는 理가 있다.(先生雖亡, 有不亡之理存.)"라고 주해하였다.

胡安國 字康侯諡文定 子寅字明仲號致堂 宏字仁仲號五峯附　호안국 자는 강후이고 시호는 문정이다. 아들 인[363]은 자는 명중이고 호는 치당이며, 굉[364]은 자는 인중이고 호는 오봉인데, 이들을 부록한다.

[40-4-1]

上蔡謝氏嘗語朱震曰：“胡康侯正如大冬嚴雪, 百草萎死, 而松柏挺然獨秀也. 使其困厄如此, 乃天將降大任焉耳.”[365]

상채 사씨上蔡謝氏[謝良佐]가 주진朱震에게 일찍이 말했다. “호강후胡康侯[胡安國]는 정대하기가 마치 엄동설한에 모든 풀들이 시들어 죽었는데, 소나무와 잣나무가 굳건하게 홀로 빼어난 것과 같다. 그가 이처럼 곤액을 당한 것은 하늘이 장차 큰 임무를 내리려 하기 때문일 것이다.”

[40-4-2]

河東侯氏曰：“視不義富貴如浮雲者, 當今天下胡康侯一人耳.”[366]

하동 후씨河東侯氏[侯仲良]가 말했다. “불의하면서 부귀한 것을 뜬구름처럼 보는 사람은 지금의 세상에서는 호강후胡康侯[胡安國] 한 사람일 뿐이다.”

[40-4-3]

朱子曰：“公傳道伊洛,[367] 志在春秋. 著書立言, 格君垂後. 所以明天理, 正人心, 扶三綱, 叙九法者, 深切著明, 體用該貫. 而其正色危言, 據經論事, 剛大正直之氣, 亦無所媿於古人.”[368]

주자가 말했다. “공公[胡安國]은 이락伊洛에게서 도를 전수받고, 『춘추』에 뜻을 두었다. 책을 저술하여 주장을 세워, 임금을 바로잡고 후세에 전하였다. 천리를 밝히고 사람의 마음을 바르게 했으며, 삼강을 떠받치고, 구법을 펼치게 되는 까닭이 깊고 절실하며 분명하게 드러나 체용體用이 갖추어지고 관통되었다. 안색을 바르게 하고 말을 높게 하였으며,[369] 경전에 근거하여 일을 논의했고, 강대하고 정직한 기상

363　胡寅(1098~1156)：송 建州 崇安(지금의 福建武夷山市) 사람으로, 자는 明仲이며 학자들은 致堂先生이라고 불렀다. 徽宗 宣和 3년(1121)에 진사가 되고, 秘書省校書郎, 司門員外郎, 永州知府, 中書舍人, 禮部侍郎兼侍講, 徽猷閣直學士 등을 역임했다. 秦檜가 국정을 맡자 사퇴하고 衡州로 물러났다가, 진회가 죽은 후 복귀하였다. 저서에 『論語詳說』·『讀史管見』·『斐然集』 등이 있다.

364　胡宏(1102~1161)：송 崇安(지금의 福建崇安) 사람으로, 자는 仁仲이며 호는 오봉이며, 胡安國의 아들이다. 楊時와 侯仲良에게 배우다가, 아버지의 학문을 전승했다. 衡山 아래서 20여 년을 거처했으며, 張栻이 그를 스승으로 삼았다. 저서로는 『知言』·『皇王大紀』·『五峰集』이 있다.

365　『伊洛淵源錄』 권13 「胡文定公·行狀略」

366　『伊洛淵源錄』 권13 「胡文定公·行狀略」

367　公傳道伊洛：『朱文公文集』 권77에는 “至於胡公, 聞道伊洛”으로 되어 있다.

368　『朱文公文集』 권77

369　말을 높게 하였으며：『論語』「憲問」에 “나라에 道가 있을 때에는 말을 높게 하고 행실을 높게 하며, 나라에

또한 고인에게 부끄러운 것이 없었다."

[40-4-4]

問 : "文定却是卓然有立, 所謂非文王猶興者?"

曰 : "固是. 資質好, 然在太學, 多聞先生師友之訓, 所以能然. 其學問, 多得穎昌靳裁之啓發."

又曰 : "後來得之上蔡者多.[370]"[371]

물었다. "문정文定[胡安國]은 도리어 우뚝하게 섰으니 이른바 '문왕이 아니더라도 오히려 흥기한다.'[372]는 것이 아닙니까?"

(주자가) 대답했다. "진실로 옳다. 그는 자질이 좋으며, 태학에 있으면서도 선생과 스승 같은 벗[師友]의 가르침을 많이 들었기 때문에 그럴 수 있었다."

(주자가) 또 말했다. "(호문정의 학문은) 나중에 사상채에게 얻은 것이 많았다."

[40-4-5]

"文定公傳家錄議論極有力, 可以律貪起懦. 但以上功夫不到."[373]

(주자가 말했다.) "문정공文定公[胡安國]의 『전가록傳家錄』은 논의에 매우 힘이 있어서, 탐욕스러운 자를 속박하고 나약한 자를 흥기시킬 수 있었지만, 단지 그로써 높은 것[374]의 공부에 도달하지 못하였다."

[40-4-6]

"文定云, '知至, 故能知言 ; 意誠, 故能養氣.' 此語好. 又云, '豈有見理已明而不能處事者?' 此語亦好."[375]

(주자가 말했다.) "문정文定[胡安國]이 '앎이 지극하기 때문에 말을 알 수 있고 뜻이 정성스럽기 때문에 기氣를 기를 수 있다.'고 한 이 말이 좋다. 또 '어찌 이치를 보는 것이 이미 밝은데 일을 처리하지 못할

도가 없을 때에는 행실은 높게 하되 말은 공손하게 하여야 한다.(邦有道, 危言危行 ; 邦無道, 危行言孫.)"라고 했다.

370 後來得之上蔡者多 : 『朱子語類』 권101, 169조목에는 "後來得於上蔡者爲多"로 되어 있다.

371 『朱子語類』 권101, 169조목

372 '문왕이 아니더라도 … 흥기한다.' : 『孟子』 「盡心上」에 "문왕을 기다린 뒤에 흥기하는 자는 일반 백성이니, 호걸의 선비로 말하면 비록 문왕 같은 성군이 없을지라도 오히려 흥기한다.(待文王而後興者, 凡民也. 若夫豪傑之士, 雖無文王, 猶興.)"라고 하였다.

373 『朱子語類』 권101, 133조목

374 높은 것 : 『論語』 「雍也」에서는 "공자가 말했다. '중등 이상의 인물은 높은 것을 말해 줄 수 있으나, 중등 이하의 인물은 높은 것을 말해 줄 수 없다.'(子曰, 中人以上, 可以語上也 ; 中人以下, 不可以語上也.)"라고 했고, 『論語』 「憲問」에 "공자가 말했다. '군자는 위로 통달하고, 소인은 아래로 통달한다.'(子曰, 君子上達, 小人下達.)"라고 했으며 "아래로 배워 위로 통달한다.(下學而上達.)"라고 했다.

375 『朱子語類』 권101, 132조목

수 있겠는가?'라고 한 이 말도 또한 좋다."

[40-4-7]

問 : "文定之學與董仲舒如何?"

曰 : "文定却信得於己者可以施於人, 學於古者可以行於今, 其他人皆謂得於己者不可施於人, 學於古者不可行於今, 所以淺陋. 然文定比之仲舒較淺, 仲舒比似古人又淺."[376]

물었다. "문정文定의 학문은 동중서董仲舒와 비교하면 어떻습니까?"

(주자가) 대답했다. "문정은 도리어 '자기가 얻은 것을 남에게 베풀 수 있고 옛날에 배운 것을 지금 현실에서 행할 수 있다.'는 것을 믿었다. 그 외 다른 사람들은 모두 자기가 얻은 것은 남에게 베풀 수 없고 옛날에 배운 것은 지금 현실에서 행할 수 없다고 생각하기 때문에 천박하고 비루하다. 그러나 문정을 동중서에 비교하면 비교적 얕은 것 같고, 동중서는 옛사람에 비하면 또 얕은 것 같다."

[40-4-8]

"文定大綱說得正. 微細處五峯尤精, 大綱却有病."[377]

(주자가 말했다.) "문정文定은 큰 강령에서 바르게 말하였다. 미세한 곳은 오봉五峯이 더욱 정밀하지만 큰 강령에서는 도리어 병폐가 있다."

[40-4-9]

"致堂議論英發, 人物偉然. 向嘗侍之坐, 見其數盃後歌孔明出師表, 誦張才叔自靖人自獻于先王義, 陳了翁奏狀等, 可謂豪傑之士也. 讀史管見乃嶺表所作, 當時並無一冊文字隨行, 只是記憶, 所以其間有牴牾處."[378]

(주자가 말했다.) "치당致堂[胡寅]은 논의할 때 재기가 뛰어나고, 인물이 대단하다. 일찍이 그를 모시고 앉아있었던 적이 있는데, 그가 술 몇 잔을 마신 뒤 공명孔明[諸葛亮]의 「출사표出師表」를 노래하고 장재숙張才叔의 「자정인자헌어선왕의自靖人自獻於先王義」와 진료옹陳了翁의 상주문上奏文 등을 암송하는 것을 보았더니 호걸스러운 선비라고 할 만하다. (호인의) 『독사관견讀史管見』은 (귀양지였던) 영표嶺表[嶺南新州]에서 지어졌는데 당시에 한 권의 책도 가지고 가지 않아 단지 기억했을 뿐이니, 그래서 그 사이에 서로 모순된 곳이 있다."

[40-4-10]

"致堂說道理, 無人及得他, 以他才氣, 甚麼事做不得? 只是不通檢點, 如何做得事成? 我欲做

376 『朱子語類』 권101, 126조목
377 『朱子語類』 권101, 127조목
378 『朱子語類』 권101, 142조목

事, 事未起而人已檢點我矣."379

(주자가 말했다.) "치당致堂[胡寅]이 도리를 말할 때에는 그에게 미칠 수 있는 사람이 없었다. 그의 재주와 기상으로써 무슨 일인들 해내지 못하겠는가? 단지 점검을 통과하지 않았을 뿐이니 어떻게 일을 이루어 낼 수 있겠는가? 나는 일을 하고자 하였지만, 일이 아직 일어나기도 전에 남들이 이미 나를 점검하였다."

[40-4-11]

"五峯善思, 然思過處亦有之. 知言疑議大端有八：性無善惡, 心爲已發, 仁以用言, 心以用盡, 不事涵養, 先務知識, 氣象迫狹, 語論過高."380

(주자가 말했다.) "오봉五峯은 사색을 좋아하였는데, 그러나 사색을 지나치게 한 부분 역시 있었다. 『지언』에서 의심스러운 논의는 대략 여덟 가지가 있다. 성에는 선악이 없고, 마음은 이미 발한 것이며, 인仁은 작용으로 말한 것이고, 심心은 작용을 다하는 것이며, 함양을 일삼지 않고, 지식에 먼저 힘쓰고, 기상이 좁고, 논의하는 말이 지나치게 고원하다."

[40-4-12]

問：“知言論中誠仁如何?"381

曰：“‘中者性之道’, 言未發也；‘誠者命之道’, 言實理也；‘仁者心之道,’ 言發動之端也."

問：“道字疑可改爲德字."

曰：“亦可. 一云, 但言其自然, 則謂之道. 言其實體, 則謂之德. 德字較緊, 然他是特地下此寬字. 伊川答呂與叔書亦云, ‘中者性之德, 近之.’ 呂伯恭云‘知言勝正蒙’, 似此等處, 誠然, 但不能純如此處爾."

又問：“中誠仁一而已, 何必別言?"

曰：“理固未嘗不同. 但聖賢說一箇物字時, 且隨處說, 他那一箇意思, 自是他一箇字中便有箇正意義如此, 不可混說. 聖賢書初便不用許了. 學者亦宜各隨他說處看之, 方見得他所說字本相. 如誠如中如仁. 若便只混看, 則下梢都看不出."382

물었다. "『지언』에서 중中과 성誠과 인仁은 무엇입니까?"

(주자가) 대답했다. "중中은 성性의 도이다.'383는 것은 미발을 말한 것이며, ‘성誠은 명命의 도이다.'384는

. . . .

379 『朱子語類』 권101, 141조목

380 "五峯善思, 然思過處亦有之."는 『朱子語類』 권101, 151조목이고, "知言疑議 … 語論過高."는 『朱子語類』 권101 제154조목의 글이다.

381 知言論中誠仁如何?：『朱子語類』 권101, 158조목에는 "知言"이 "五峰"으로 되어 있다.

382 『朱子語類』 권101, 158조목

383 ‘中은 性의 도이다.'：『知言』 권1

384 ‘誠은 命의 도이다.'：『知言』 권1

것은 실리實理를 말한 것이며, '인은 마음[心]의 도이다.'385는 것은 발동하는 단서를 말한 것이다."
물었다. "'도道'자는 '덕德'자로 고칠 수 있을 것 같습니다."
(주자가) 대답했다. "또한 가능하다. 일설에 '다만 그 스스로 그러함을 말하면 「도」라고 하고, 그 실체를 말하면 「덕」이라고 한다.'라고 했다. '덕德'자는 비교적 긴요한 것인데, 그러나 그는 특별히 여기에 넓은 의미의 글자를 썼을 뿐이다. 이천이 여여숙에게 답하는 편지 가운데 또한 「중中은 성性의 덕德이다.」라고 해야 (이치에) 가깝다.'386라고 하였다. 여백공呂伯恭[呂祖謙]이 ''지언』이 "정몽』보다 낫다.'387고 한 것이 마치 이러한 부분인 것 같은데 진실로 그러하지만, 그러나 순전히 이와 같을 수는 없다."
또 물었다. "중中과 성誠과 인仁은 하나일 따름인 것 같은데 하필이면 구별하여 말하였습니까?"
(주자가) 대답했다. "이치[理]는 일찍이 달랐던 적이 없었다. 다만 성현이 하나의 '물物'자를 말할 때 또 상황에 따라 말했을 뿐으로, 그 한 가지 의미는 본래 한 가지 글자 속에 올바른 뜻이 이처럼 있으니, 섞어서 말해서는 안 된다. 성현의 글은 애초부터 많은 것을 필요로 하지 않는다. 배우는 자는 또한 마땅히 그가 말하는 곳에 따라 보아야, 비로소 그가 말하는 글자의 본래 모습을 알 수 있다. 성誠과 같고 중中과 같고 인仁과 같다. 만약 다만 뒤섞어서 본다면 결국은 모두 간파할 수 없을 것이다."

[40-4-13]
問 : '誠者性之德.'388
曰 : "何者不是性之德? 如仁義禮智皆是, 恁地說較不切. 不如胡氏'誠者命之道乎'說得較近傍."389

'성誠은 성性의 덕德'이라는 말에 대해 물었다.
(주자가) 대답했다. "어느 것은 성性의 덕德이 아니겠는가? 예컨대 인의예지도 모두 이것이니, 이렇게 말하는 것은 비교적 절실하지 못한 것이다. 호씨의 '성誠은 명命의 덕德이다.'는 말이 비교적 (이치에) 가까이 간 것만 못하다."

[40-4-14]
問 : "'誠者物之終始'而'命之道'."
曰 : "誠是實理, 徹上徹下, 只是這箇. 生物都從那上做來, 萬物流形天地之間, 都是那底做."390

---

385 '인은 마음[心]의 도이다.' : 『知言』 권1
386 「中은 性의 … 가깝다.' : 『河南程氏文集』 권10에 "'中은 性의 德이다.'라는 말로 대답해야 도리어 (이치에) 가깝다.(對以中者性之德, 却爲近之.)"라고 하였다.
387 '『知言』이 『正蒙』보다 낫다.' : 『知言』『附錄』
388 問, '誠者性之德.' : 『朱子語類』 권101, 160조목에는 다음과 같이 되어 있다. 堯卿問, "'誠者性之德', 此語如何?"
389 『朱子語類』 권101, 160조목
390 『朱子語類』 권101, 161조목

물었다. "'성誠은 사물의 시작과 끝'391인데 '명命의 도道'392이군요."

(주자가) 대답했다. "성誠은 실리實理이며 위와 아래로 모두 관통하니 단지 이것일 뿐이다. 생물이 모두 거기로부터 만들어져 나오니, 만물이 천지 사이에서 형체를 이루는 것은 모두 그것이 만든 것이다."

[40-4-15]

"'誠者命之道, 中者性之道, 仁者心之道,' 此數句說得密, 如何大本處却含糊了? 以性爲無善惡, 天理人欲都混了, 故把做同體."

問: "'同行'語如何?"

曰: "此却是只就事言之."

黃直卿曰: "他旣以性無善惡, 何故云'中者性之道'?"

曰: "他也把中做無善惡."393

(주자가 말했다.) "(호굉이) '성誠은 명命의 도이고, 중中은 성性의 도이고, 인仁은 마음心의 도이다.'394는, 이 몇 구절은 치밀하게 말한 것인데, 어찌 큰 근본처가 도리어 모호하겠는가? 성性을 선악이 없는 것이라고 여기며, 천리와 인욕이 모두 뒤섞였기 때문에, 본체를 같은 것으로 간주한 것이다."

물었다. "'함께 행한다'는 것은 무엇을 말한 것입니까?"

(주자가) 대답했다. "이것은 도리어 일에 나아가 말한 것일 뿐이다."

황직경이 물었다. "그는 이미 성性을 선악이 없는 것이라고 간주했는데 무슨 까닭으로 '중中은 성性의 도이다.'라고 말한 것입니까?"

(주자가) 대답했다. "그는 중中도 또한 선과 악이 없는 것이라고 간주했다."

[40-4-16]

"'人有不仁, 心無不仁,' 此語有病. 且如顏子'其心三月不違仁', 若纔違仁, 其心便不仁矣, 豈可謂'心無不仁'?"395

(주자가 말했다.) "'사람에게는 불인不仁이 있지만 마음에는 불인이 없다.'396는 이 말에는 병폐가 있다. 또 예컨대 안자가 '그 마음이 3개월 동안 인을 떠나지 않았다.'397는 것은 만약 인을 떠나기만 하면 그 마음은 곧 불인不仁한 것이니 어찌 '마음에 불인이 없다.'고 말할 수 있겠는가?"

• • • • • • • • • • • • • • • • • •

391 '誠은 사물의 … 끝': 『中庸』 제25장

392 '命의 도': 『知言』 권1

393 『朱子語類』 권101, 161조목

394 '誠은 命의 … 도이다.': 『知言』 권1

395 『朱子語類』 권101, 165조목

396 '사람에게는 不仁이 … 없다.': 『五峯集』 권5

397 '그 마음이 3개월 … 않았다.': 『論語』「雍也」

[40-4-17]

“伊川初嘗言曰, ‘凡言心者, 皆指已發而言. 後復曰, 此說未當. 五峯却守其前說, 以心爲已發, 性爲未發, 將心性二字對說, 知言中如此處甚多.”[398]

(주자가 말했다.) “이천이 처음에 ‘대체로 심心을 말한 것은 모두 이발已發을 가리켜서 말한 것이다.’[399]고 한 적이 있다. (그리고) 뒤에 다시 ‘이 말은 타당하지 않다.’고 하였다. 오봉五峯은 도리어 그 앞의 말을 고수하여 심心을 이발已發이라고 여기고 성性을 미발未發이라고 여겼으니 ‘심성心性’ 두 글자를 상대해서 말하였다. 『지언』 중에는 이러한 곳이 매우 많다.”

[40-4-18]

“知言固有好處, 然亦大有差失, 如論性, 却曰, 不可以善惡辨, 不可以是非分, 旣無善惡, 又無是非, 則是告子湍水之說爾. 如曰, ‘好惡, 性也, 君子好惡以道, 小人好惡以己,’ 則是以好惡說性, 而道在性外矣; 不知此理却從何而出.”

問: “所謂探視聽言動無息之際, 可以會情, 此猶告子生之謂性之意否?”

曰: “此語亦有病, 下文謂‘道義明著, 孰知其爲此心? 物欲誘引, 孰知其爲人欲?’便以道義對物欲, 却是性中本無道義, 逐旋於此處撓入兩端, 則是性亦可以不善言矣. 如曰, ‘性也者, 天地鬼神之奧也, 善不足以名之, 況惡乎? 孟子說性善云者, 歎美之辭, 不與惡對’, 其所謂天地鬼神之奧, 言語亦大故誇逞. 某嘗謂聖賢言語自是平易, 如孟子尚有些險處, 孔子則直是平實. 不與惡對之說, 本是龜山與總老相遇, 因論孟子說性, 曾有此言, 文定往往得之龜山, 故有是言. 然總考當時之語猶曰, 渾然至善, 不與惡對, 猶未甚失性善之意. 今去其渾然至善之語, 而獨以不與惡對爲歎美之辭, 則其失遠矣. 如論齊王之愛牛, ‘此良心之苗裔, 因私欲而見者’, 以答求放心之問; 然雞犬之放, 則固有去而不可收之理; 人之放心, 只知求之, 則良心在此矣, 何必等待天理發見於物欲之間, 然後求之? 如此, 則中間空闕多少去處, 正如屋下失物, 直待去城外求也. 愛牛之事, 孟子只就齊王身上說, 若施之他人則不可. 況操存涵養, 皆是平日工夫, 豈有等待發見然後操存之理? 今胡氏子弟議論每每好高, 要不在人下. 纔說心, 便不說用心, 以爲心不可用. 至如易傳中有連使‘用心’字處, 皆塗去‘用’字. 某以爲, 孟子所謂‘堯舜之治天下, 豈無所用其心哉?’ 何獨不可以‘用’言也?”[400]

(주자가 말했다.) “『지언』에는 진실로 좋은 곳이 있지만 또한 크게 잘못된 곳도 있다. 예를 들어 성性을 논하면서 도리어 ‘선악을 변별할 수 없고 시비를 분별할 수 없다.’[401]고 하였는데, 이미 선악도 없고

---

398 『朱子語類』 권101, 166조목
399 ‘대체로 心을 … 것이다.’: 『河南程氏文集』 권10
400 『朱子語類』 권101, 173조목
401 ‘선악을 변별할 … 없다.’: 『知言』 권2

또 시비도 없다면 '고자 여울물의 이론'[402]일 뿐이다. 예를 들어 '좋아하거나 싫어하는 것이 성이니, 군자는 도로써 좋아하거나 싫어하고 소인은 사적인 입장으로 좋아하거나 싫어한다.'[403]고 한다면, 이는 좋아하거나 싫어하는 것으로써 성性을 말하는 것으로, 도道가 성性 밖에 있으니, 이 이치가 어디에서 나온 것인지 모르겠다."

물었다. "이른바 '시청언동視聽言動이 쉬지 않을 때를 탐색하면 정情을 알 수 있다.'[404]는 이것은 고자의 '타고난 것을 성性이라고 한다.'[405]는 뜻과 같은 것입니까?"

(주자가) 대답했다. "이 말에도 또한 병폐가 있다. 그 다음 문장에 '도의道義가 분명하게 드러나 있는데, 그것이 이 마음이 되는 것을 누가 아는가? 물욕에 끌리는데 그것이 인욕이 되는 것을 누가 아는가?'[406]라고 하여, 도의를 물욕에 상대시켰는데 도리어 성性 가운데 본래 도의道義가 없어, 이곳에서 점차 양끝이 뒤섞여 들어가게 되면, 이 성性을 또한 선하지 않다고 말할 수 있게 된다. 예를 들어 '성이란 천지와 귀신의 심오한 것[奧]이다. 선으로도 그것을 충분히 설명할 수 없는데 하물며 악이야 말할 나위가 있겠는가? 맹자가 「성선」이라고 말한 것은 찬미한 말이니 악과 상대시킨 것이 아니다.'[407]고 하였는데 그 이른바 '천지와 귀신의 심오함'이라는 것은 말이 또한 특히나 과장되었다. 나는 일찍이 성현의 말은 본래 평이하다고 했었는데, 예컨대 맹자의 경우 오히려 약간의 힘겨운 곳이 있지만, 공자는 그야말로 평이하고 질박하다. '악惡과 상대시킨 것이 아니다.'는 말은 본래 구산龜山[楊時]이 총노總老[常摠][408]와 서로 만났을 때, 맹자가 말한 성性을 논의하면서 이러한 말이 있었던 것인데, 문정文定[胡安國]이 자주 구산과 교유하였기 때문에 이 말이 있었다. 그러나 총노의 당시 말은 '혼연하게 지극한 선善이니 악惡과 상대시킬 수 없다.'는 말과 같으니, 오히려 성선性善의 의미를 크게 잃어버리지는 않았다. 지금 '혼연하게 지극한 선'이라는 말을 버리고서 '악惡과 상대시킬 수 없다.'는 것만을 찬미하는 말로 여기니 그 잘못된 것이

· ·

402 '고자 여울물의 이론' : 『孟子』「告子上」에서는 "고자가 말했다. '性은 여울물과 같다. 그리하여 이것을 동쪽 방향으로 터놓으면 동쪽으로 흐르고, 서쪽 방향으로 터놓으면 서쪽으로 흐르니, 人性이 善과 不善에 구분이 없는 것은 마치 물이 東·西에 분별이 없는 것과 같다."라고 하였다.

403 '좋아하거나 싫어하고 … 싫어한다.' : 『知言』권2에 "좋아하거나 싫어하는 것이 성이니, 소인은 사적인 입장으로 좋아하거나 싫어하고, 군자는 도로써 좋아하거나 싫어한다. 여기에서 살핀다면 천리와 인욕을 알 수 있다.(好惡性也, 小人好惡以己, 君子好惡以道. 察乎是, 而天理人欲, 可知.)"라고 하였다.

404 '視聽言動이 쉬지 … 있다.' : 『知言』권3에는 "視聽言動이 쉬지 않는 근본을 탐색하면 性을 알 수 있고, 시청언동이 쉬지 않을 때를 살펴보면 情을 알 수 있다.(探視聽言動無息之本, 可以知性 ; 察視聽言動不息之際, 可以會情.)"라고 되어 있다.

405 '타고난 것을 … 한다.' : 『孟子』「告子上」

406 '道義가 분명하게 … 아는가?' : 『知言』권3에는 "시청언동에 도의가 분명하게 드러나는데, 그것이 이 마음이 되는 것을 누가 알겠는가? 시청언동이 물욕에 이끌리는데, 그것이 인욕이 되는 것을 누가 알겠는가?(視聽言動, 道義明著, 孰知其爲此心? 視聽言動, 物欲引取, 孰知其爲人欲?)"라고 되어 있다.

407 '성이란 천지와 … 아니다.' : 『知言』권4

408 常摠(1025~1091) : 송대 劍州에서 태어났으며, 東林常總禪師라고도 불린다. 삼 형제 중 막내로 태어나, 11세 때 寶雲寺의 文兆法師에게 출가했다. 훗날 그의 이름은 천자에게까지 알려져 부름을 받았으나, 병을 핑계로 나아가지 않았다. 元祐 6년 67세의 나이로 편안히 앉아 좌탈했다.

심하다. 예컨대 제선왕이 소를 아낀 것[409]에 대해 논의하면서 '이것은 양심에서 나온 싹인데, 사욕으로 인해 드러난 것'이기에 '방심放心을 찾는 것[求放心]'[410]에 대한 질문에 대답했는데,[411] 그러나 닭과 개를 놓쳐버리면 진실로 떠나가 거두어들일 수 없는 이치가 있다. (하지만) 사람의 놓쳐버린 마음[放心]은 다만 그것을 구할 줄 알게 되면 양심이 여기에 있는데, 하필 천리天理가 물욕物欲 사이에서 발현하기를 기다린 뒤에야 그것을 구하겠는가? 이와 같다면 중간이 텅 비어 다소 어긋나게 되니, 마치 집 안에서 물건을 잃었는데 곧바로 성城 밖으로 가서 구하려는 것과 같다. 소를 아끼는 일은 맹자가 단지 제선왕 개인에게 말한 것일 뿐인데, 만약 다른 사람의 경우에도 이것을 적용하면 안 된다. 하물며 붙잡아 보존하고[操存] 함양하는 것은 모두 평소의 공부인데, 어찌 발현을 기다린 뒤에야 붙잡아 보존하는 이치가 있겠는가? 지금 호씨 자제들의 논의는 매번 고원함을 좋아하여 남의 아래에 있으려고 하지 않는다. 겨우 마음만을 말하고 마음씀[用心]을 말하지 않았으니, 마음을 써서는 안 된다고 여겼다. 예컨대 『역전』 주에 '용심用心'이라는 글자를 연속으로 사용한 곳에 대해서도, 모두 모두 '용用'자를 지워 없애버렸다. 내 생각에, 맹자가 '요와 순이 천하를 다스릴 때 어찌 그 마음을 쓰신 바가 없겠는가?'[412]라고 말했는데 어찌 유독 '용用'을 말해서는 안 되는 것인가?"

[40-4-19]

黃直卿言: "五峯說性, 云'好惡, 性也', 本是要說得高, 不知却反說得低了?"

曰: "依舊是氣質上說. 某常要與他改云, '所以好惡者, 性也.'"[413]

황직경黃直卿이 말했다. "오봉五峯이 성性을 말하면서 '좋아하거나 싫어하는 것이 성性이다.'[414] 운운한

409 제선왕이 소를 … 것: 『孟子』「梁惠王上」에 제선왕이 흔종 의식으로 죽으러 끌려가는 소를 보고 마음 아파하며 살려주도록 했는데, 흔종 의식을 폐지할 수는 없었으므로 소 대신 양으로 바꾸도록 했던 이야기를 가리킨다. 맹자는 이러한 안타까워하고 마음 아파하는 마음이 仁政의 출발점이 된다고 긍정적으로 의미를 부여했다.

410 '放心을 찾는 것[求放心]': 『孟子』「告子上」에서는 "사람이 닭과 개가 도망가면 찾을 줄 알지만, 마음을 잃고서는 찾을 줄 알지 못하니, 學問하는 방법은 다른 것이 없다. 그 放心을 찾는 것일 뿐이다.(人有鷄犬放, 則知求之, 有放心而不知求, 學問之道無他, 求其放心而已矣.)"라고 했다.

411 제선왕이 소를 … 대답했는데: 『知言』 권4에서는 "彭居正이 두려워하며 물러났다가 다른 날 물었다. '사람이 어질지 못하게 되는 이유는 그 良心을 잃었기 때문입니다. 그렇다면 놓쳐버린 마음으로 마음을 찾는 것이 가능한 것입니까?' 대답했다. '제나라 왕이 소를 보고서 차마 죽일 수 없었다. 이것은 양심의 싹[苗裔]이 이익과 욕망의 틈바구니에서 기인해 드러난 것이다. 일단 보게 되면 붙잡아 보존하고, 보존해서 기르며, 기르고 채워서 크게 만들어야 하니, 크게 만들고서도 그치지 않는다면 하늘과 똑같아진다. 이 마음은 사람에게 있지만, 그 발현의 단서가 같지 않으니 요컨대 알아차리는 데에 달려있을 뿐이다.'(居正悚然而去他日問曰, '人之所以不仁者, 以放其良心也. 以放心求心, 可乎?' 曰, '齊王見牛而不忍殺. 此良心之苗裔, 因利欲之間而見者也. 一有見焉, 操而存之, 存而養之, 養而充之, 以至于大, 大而不已, 與天同矣. 此心在人, 其發見之端不同, 要在識之而已.)"라고 하였다.

412 '요와 순이 … 없겠는가?': 『孟子』「滕文公上」

413 『朱子語類』 권101, 176조목

414 '좋아하거나 싫어하는 … 性이다.': 『知言』 권2

것은 본래 고원하게 말하려고 한 것인데, 잘 모르겠지만 도리어 저급하게 말하게 된 것입니까?"
(주자가) 대답했다. "여전히 기질 상에서 말한 것이다. 나는 항상 그에게 고쳐서 '좋아하거나 싫어하게 하는 까닭이 성性이다.'라고 고쳐서 말해주었다."

[40-4-20]

"'好惡, 性也,' 旣有好, 卽具善 ; 有惡, 卽具惡. 若只云有好惡, 而善惡不定於其中, 則是性中理不定也. 旣曰天, 便有'天命'天討.'"[415]

(주자가 말했다.) "'좋아하거나 싫어하는 것이 성性이다.'[416]는 것은 이미 좋아하게 되면 선을 구비하고 싫어하게 되면 악을 구비한다는 것이다. 만약 다만 좋아하거나 싫어하는 것이 있다고만 말한다면, 좋아하거나 싫어하는 것이 그 속에서 정해지지 않았으니, 이는 성性 속에 리理가 정해지지 않은 것이다. 이미 천天이라고 말하면 곧 '하늘이 (덕 있는 이에게) 명해줌'과 '하늘이 (죄 있는 이를) 토벌함'[417]이 있다."

[40-4-21]

"知言云, '凡人之生, 粹然天地之心, 道義全具, 無適無莫 ; 不可以善惡辨, 不可以是非分, 無過也, 無不及也, 此中之所以名也,' 卽告子'性無善無不善'之論也. 唯伊川'性卽理也'一句甚切至."[418]

(주자가 말했다.) "『지언』에서 '사람이 태어날 때에는 순수하게 천지의 마음天地之心이어서, 도의가 완전하게 구비되어, 오로지 주장하는 것도 없고 그렇게 하지 않겠다는 것도 없으며,[419] 선악으로 변별할

· · · · · · · · · · · · · · · · ·

415 『朱子語類』권101, 177조목
416 '좋아하거나 싫어하는 … 性이다.' : 『知言』권2
417 '하늘이 … 토벌함' : 『書經』「皐陶謨」에서는 "하늘이 덕이 있는 이에게 명하시면 다섯 가지 복식으로 다섯 가지 등급을 표창하여 드러내며, 하늘이 죄가 있는 이를 토벌하시면 다섯 가지 형벌로 다섯 가지 등급을 써서 징계하니, 정사를 힘쓰고 힘쓰소서.(天命有德, 五服五章哉, 天討有罪, 五刑五用哉, 政事懋哉懋哉.)"라고 했다. 이와 관련하여 주자는 『朱文公文集』권30 「答張欽夫」에서 "석 씨가 비록 스스로 오직 한 마음을 밝힌다고 말했지만 그러나 실제로는 마음의 본체를 몰랐고, 비록 마음이 모든 일을 일으킨다고 말했지만 사실 마음 밖에 따로 법이 있는 것이 아니기 때문에 천하의 큰 근본을 세울 수 없었고 안과 밖의 도를 갖추지 못했습니다. 그러나 그 학설을 말하는 자들은 오히려 서로 속이고, 왜곡하여 숨기며, 끝내 한 마음 밖에 별도로 큰 근본이 있음을 말하려고 하지 않습니다. 성인의 문하에서 말하는 마음은 天序 · 天秩 · 천명 · 天討 · 측은 · 수오 · 시비 · 사양을 갖추지 않음이 없고 마음을 벗어난 법은 없습니다.(釋氏雖自謂惟明一心, 然實不識心體, 雖云心生萬法, 而實心外有法, 故無以立天下之大本, 而內外之道不備. 然爲其說者猶知左右迷藏, 曲爲隱諱, 終不肯言一心之外別有大本也. 若聖門所謂心, 則天序 · 天秩 · 天命 · 天討 · 側隱 · 羞惡 · 是非 · 辭讓莫不該備, 而無心外之法.)"라고 하였다.
418 『朱子語類』권101, 178조목
419 오로지 주장하는 … 없으며 : 『論語』「里人」에서는 "군자는 천하의 일에 있어서 오로지 주장하는 것도 없으며, 그렇게 하지 않는다는 것도 없어서 義를 따를 뿐이다.(君子之於天下也, 無適也, 無莫也, 義之與比)"라고 했다.

수도 없고 시비로써 분별할 수도 없으며, 지나침도 없고 미치지 못함도 없으며, 이 속에서 명명하는 원인이다.'[420]라고 한 것은 고자의 '성性에는 선善도 없고 불선不善도 없다.'는 이론이다. 오직 이천의 '성性은 리理이다.'라는 한 구만이 매우 절실하고 지극하다."

[40-4-22]

問: "五峯言'天命不囿於善, 不可以人欲對.'"

曰: "天理固無對, 然有人欲, 則天理便不得不與人欲對爲消長. 善亦本無對, 然旣有惡, 則善便不得不與惡對爲盛衰. 且謂天命不囿於物, 可也; 謂'不囿於善', 則不知天之所以爲天矣? 謂惡不足以言性, 可也; 謂善不足以言性, 則不知善之所從來矣."[421]

물었다. "오봉五峯이 '천명은 선善에 국한되지 않으며, 인욕을 가지고 상대할 수 없다.'라고 말하였습니다."

(주자가) 대답했다. "천리는 진실로 상대할 수 있는 것이 없지만, 그러나 인욕이 생기면 천리는 부득불 인욕과 상대적으로 늘어나거나 줄어들게 된다. 선善은 또한 본래 상대할 것이 없지만 그러나 이미 악惡이 생기게 되면 선은 부득불 악과 상대적으로 왕성해지거나 쇠약해진다. 또 천명이 사물에 국한되지 않는다고 말하면 괜찮지만, '선에 국한되지 않는다.'고 말한다면 하늘이 하늘이 되는 까닭을 알지 못하는 것이다. 악으로써 성을 이야기할 수 없다고 말하면 괜찮지만, 선으로써 성을 이야기하기에 부족하다고 말한다면, 선이 어디서부터 왔는지 모르는 것이다."

[40-4-23]

"好善而惡惡, 人之性也. 爲有善惡, 故有好惡, 善惡字重, 好惡字輕. 君子順其性, 小人拂其性. 五峯言'好惡性也, 君子好惡以道, 小人好惡以欲.' 是好人之所惡, 惡人之所好亦是性也, 而可乎?"[422]

(주자가 말했다.) "선을 좋아하고 악을 싫어하는 것이 사람의 성性이다. 선과 악이 있기 때문에 좋아함과 싫어함이 있다. '선악善惡'은 중요하고, '호오好惡'는 가볍다. 군자는 그 성을 따르고 소인은 그 성을 어긴다. 오봉五峯이 '좋아함과 싫어함은 성性이다. 군자는 도로써 좋아하고 싫어하며, 소인은 욕심으로써 좋아하고 싫어한다.'[423]고 했으니, 이는 '남이 싫어하는 것을 좋아하고 남이 좋아하는 것을 싫어함' 또한 성性이 되는 것인데, 그래도 괜찮은 것인가?"

. . . .

420 '사람이 태어날 … 원인이다.': 『知言』권2. 이 다음 구절에서는 "마음이 만물을 주재하니, 그것을 순종하면 기쁘고, 거스르면 노하며, 죽음을 느끼면 슬프고, 생을 감동하면 즐겁다.(夫心宰萬物, 順之則喜, 逆之則怒, 感於死則哀, 動於生則樂.)"라고 했다.

421 『朱子語類』권101, 180조목

422 『朱子語類』권101, 181조목

423 '좋아함과 싫어함은 … 싫어한다.': 『知言』권2. 『知言』에는 "好惡, 性也. 小人好惡以己, 君子好惡以道"로 되어 있다.

問: "‘天理人欲同體異用’之說如何?"

曰: "當然之理, 人合恁地底, 便是體, 故仁義禮智爲體. 如五峯之說, 則仁與不仁, 義與不義, 禮與不禮, 智與不智, 皆是性. 如此, 則性乃一箇大人欲窠子? 其說乃與東坡子由相似, 是大鑿脫, 非小失也. ‘同行異情’一句, 却說得去."

又曰: "胡氏之病, 在於說性無善惡. 體中只有天理, 無人欲, 謂之同體, 則非也. 同行異情, 蓋亦有之, 如‘口之於味, 目之於色, 耳之於聲, 鼻之於臭, 四肢之於安佚’, 聖人與常人皆如此, 是同行也. 然聖人之情不溺於此, 所以與常人異耳."

問: "聖賢不視惡色, 不聽惡聲, 此則非同行者."

曰: "彼亦就其同行處說耳, 某謂聖賢立言, 處處皆通, 必不若胡氏之偏也. 龜山云, ‘天命之謂性, 人欲非性也.’ 胡氏不取其說, 是以人欲爲性矣, 此其甚差者也."

又曰: "天理人欲如何同體得? 如此, 却是性可以爲善, 亦可以爲惡, 却是一團人欲窠子, 將甚麼做體? 却是韓愈說性自好, 言人之爲性有五, 仁義禮智信是也. 指此五者爲性, 却說得是. 性只是一箇至善道理, 萬善總名, 才有一毫不善, 自是情之流放處. 如何却與人欲同體, 今人全不去看."[424]

물었다. "‘천리와 인욕은 체體는 같이하지만 용用을 달리한다.’[425]라는 설은 어떻습니까?"

(주자가) 대답했다. "당연한 리理로써 사람이 마땅히 그렇게 하는 것은 체體이니, 그러므로 인의예지가 체體가 된다. 오봉의 설에서는 인仁과 불인不仁, 의義와 불의不義, 예禮와 불례不禮, 지智와 부지不智가 모두 성이다. 이와 같다면 성은 바로 커다란 인욕의 소굴인가? 그 말은 동파東坡[蘇軾][426]나 자유子由[蘇轍][427]와 서로 비슷하니, 이는 큰 잘못으로 작은 실수가 아니다. ‘행하는 것은 같이하지만 정은 달리한

---

424 "問 … 却說得去"는 『朱子語類』 권101, 181조목의 글이고, "又曰 … 此其甚差者也"는 『朱子語類』 182조목의 글이며, "又曰 … 今人全不去看."은 『朱子語類』 185조목의 글이다.

425 ‘천리와 인욕은 … 한다.’: 『知言』 권1에서는 "만물은 天에서 생겨나고, 만사는 마음에서 주재한다. 성은 천명이고, 命은 인심이다. … 천리와 인욕은 체는 같이하고 용은 달리하며, 행함은 같이하지만, 정은 달리한다.(萬物生於天, 萬事宰於心. 性, 天命也, 命, 人心也. … 天理人欲, 同體而異用, 同行而異情)"라고 했다.

426 蘇軾(1037~1101): 북송 眉州 眉山 사람으로 자는 子瞻 또는 和仲이고, 호는 東坡居士, 眉山謫仙客, 笑髥卿, 赤壁仙 등이다. 蘇洵의 아들이고 蘇轍의 형으로 大蘇라고도 불렸으며, 唐宋八大家의 한 사람이다. 仁宗 嘉祐 2년(1057) 진사에 급제하고, 다시 制科에 합격했다. 鳳翔府簽書判官으로 있다가 불려가 史館에 근무하면서 開封府推官을 지냈다. 歐陽脩에게 인정을 받아 문단에 등장했다. 王安石의 新法에 반대하였다가 좌천되었고, 이후 中書舍人과 翰林學士兼侍讀, 龍圖閣學士, 翰林承旨 등 여러 벼슬을 거쳤다. 저서에 『東坡七集』·『東坡志林』·『東坡樂府』·『仇池筆記』·『論語說』 등이 있다.

427 蘇轍(1039~1112): 북송 眉州의 眉山 사람으로, 호는 潁濱遺老, 자는 子由이다. 蘇洵의 아들이고 蘇軾의 동생이다. 嘉祐(1057)년에 진사에 급제했다. 王安石의 青苗法에 반대하다 河南推官으로 나갔다. 陳州敎授, 齊州掌書記, 南京判官 등을 역임했다. 형의 죄에 연좌되어 筠州로 유배되었다. 哲宗이 즉위하자 右司諫이 되어

다.'[428]는 한 구절은 도리어 말이 통한다."

(주자가) 또 말했다. "호씨의 병폐는 성性에 선악이 없다고 말하는 데 있다. 체體에는 다만 천리만 있고 인욕이 없으니 체를 같이한다고 말하면 옳지 않다. '행하는 것은 같이하지만 정은 달리한다.'[429]는 것에는 또한 그것이 있으니 예컨대 '입이 맛에 있어서와 눈이 색깔에 있어서와 귀가 음악에 있어서와 코가 냄새에 있어서와 사지가 안일에 있어서'[430]와 같은 경우는, 성인과 평범한 사람이 모두 이와 같으니 행하는 것이 같은 것이다. 그러나 성인의 정은 여기에 빠지지 않으니, 그래서 평범한 사람과 다를 뿐이다."

물었다. "성인과 현인은 나쁜 색깔을 보지 않으며, 나쁜 소리를 듣지 않으니 이것은 행하는 것이 같은 것이 아닙니다."

(주자가) 대답했다. "그것은 또한 그 행하는 것을 같이하는 곳에 나아가 말했을 뿐이지만, 내 생각에 성현이 주장을 세운 곳은 어느 곳에서나 모두 통하니 반드시 호씨의 치우침과 같지 않다. 구산龜山[楊時]이 '하늘이 명한 것을 성이라고 했으니, 인욕은 성이 아니다.'라고 했는데, 호씨는 그 설을 취하지 않았기 때문에 인욕을 성으로 삼았다. 이것은 그가 매우 어긋난 점이다."

(주자가) 또 말했다. "천리와 인욕이 어떻게 체를 같이할 수 있겠는가? 이와 같다면 도리어 성이 선할 수도 있고 또한 악할 수도 있어서, 도리어 한 덩어리 인욕의 소굴이니, 무엇을 체로 삼겠는가? 도리어 한유韓愈가 성을 스스로 좋은 것이라고 하며, 사람의 성에 다섯 가지가 있으니 인의예지신이라는 것이 이 말이다. 이 다섯 가지를 가리켜서 성이라고 하는 것은 도리어 옳게 말하였다. 본성은 다만 하나의 지극히 선한 도리며 온갖 선의 총체적인 이름이다. 털끝만큼의 불선不善이라도 있다면, 본래 정情이 흘러 방치된 것이니 어찌 도리어 인욕과 체를 같이할 수 있겠는가? 지금 사람들은 전혀 알지 못한다."

[40-4-25]

"人學當勉, 不可據見定. 蓋道理無窮, 人之思慮有限, 若只守所得以爲主, 則其或墮於偏者, 不復能自明也. 如五峯只就其上成就所學, 亦只是忽而不詳細反復也."[431]

(주자가 말했다.) "사람의 배움은 마땅히 힘써야 하는 것이지 미리 정해진 견해에 근거해서는 안 된다. 도리道理는 무궁하지만 사람의 생각에는 한계가 있으니, 만약 다만 깨달은 것만을 고수하여 주로 삼는다면 혹시라도 편협함에 빠져버려 다시는 스스로 밝아질 수 없을 것이다. 예컨대 오봉은 다만 그 높은 것[432]에 나아가 배운 것을 성취하였으니, 또한 소홀히 하며 상세하게 반복하지 않았다."

<hr>

신법당을 배척했다. 철종이 친정을 시작한 후 여주 지사知汝州로 좌천되었다가, 雷州에 유배되기도 했다. 당송팔대가의 한 명이다. 저술로는 『欒城集』과 『龍川略志』 등이 있다.

428 '행하는 것은 … 한다.' : 『知言』 권1
429 '행하는 것은 … 한다.' : 『知言』 권1
430 '입이 맛에 … 있어서': 『孟子』「盡心下」
431 『朱子語類』 권101, 167조목
432 높은 것 : 『論語』「雍也」에 "공자가 말했다. '중등 인물 이상은 높은 것을 말해 줄 수 있으나, 중등 인물 이하는 높은 것을 말해 줄 수 없다.'(子曰, 中人以上, 可以語上也 ; 中人以下, 不可以語上也.)"라고 했고, 『論語』「憲問」에 "공자가 말했다. '군자는 위로 통달하고, 소인은 아래로 통달한다.'(子曰, 君子上達 小人下達.)"

[40-4-26]

"明仲嘗畏五峯議論精確, 五峯亦嘗不有其兄, 嘗欲焚其論語解, 并讀史管見. 以今觀之, 殊不然, 如論語管見中雖有粗處, 亦多明白. 至五峯議論, 反以好高之過, 得一說便說, 其實與這物事都不相干涉, 便說得無着落. 五峯辨疑孟子之說, 周遮全不分曉, 若是恁地分疏孟子, 劃地沈淪不能得出世."[433]

(주자가 말했다.) "명중明仲胡寅은 일찍이 오봉五峯의 논의가 정밀하고 확실한 것을 두려워하였고, 오봉 또한 일찍이 그 형兄이 있지 않았을 적에 (명중의)『논어해論語解』와『독사관견讀史管見』을 함께 태우고자 하였다. 지금 그것을 살펴보면 특별히 잘못되지는 않았다. 예를 들어『논어해』와『독사관견』중에는 비록 거친 곳도 있지만, 또한 명백한 곳도 많다. 오봉의 논의에 이르면, 도리어 고원함을 좋아하는 잘못으로, 하나의 이론을 깨달으면 곧바로 주장하니, 사실은 이 사물과 전혀 서로 관계되지 않아, 말하는 데에 귀착처가 없다. 오봉이「의맹疑孟」을 변론한 주장은 덮어서 가려버려 전혀 분명하지 않은 것이다. 만약 이와 같이『맹자』를 설명한다면, 여전히 매몰되어 세상으로 나올 수 없게 될 것이다."

[40-4-27]

"明仲甚畏仁仲議論, 明仲亦自信不及. 蓋人不可不遇敵己之人. 仁仲當時無有能當之者, 故恣其言說出來. 然今觀明仲說, 較平正."[434]

(주자가 말했다.) "명중明仲은 인중仁仲의 논의를 매우 두려워하였으며, 명중이 또한 스스로 미치지 못한다고 믿었다. 사람은 자기를 적대시하는 사람을 만나지 않을 수 없다. 인중은 당시에 그를 당해낼 수 있는 사람이 없었기 때문에 제멋대로 그 말을 한 것이다. 그러나 지금 명중의 말을 살펴보면 비교적 공평하고 바르다."

[40-4-28]

南軒張氏曰: "文定雖不及河南之門, 然與游楊謝游而講於其說. 其自得之奧在於春秋. 被遇明時執經入侍, 正大之論辣動當世. 所以扶三綱, 明大義, 抑邪說, 正人心. 亦可謂有功於斯文矣."[435]

남헌 장씨南軒張氏張栻가 말했다. "문정文定胡安國이 비록 하남의 문하에는 이르지 못했으나, 유초, 양시, 사량좌와 교유하며 그 학설에 대해 강습했다. 그가 자득한 깊은 정수는『춘추』에 있다. 밝은 시대에 조정에 출사하는 은혜를 입게 되었을 때, 경전을 가지고 입시入侍하여, 공명정대한 논의로 당시 세상을 두려워 떨게 만들었다. 그래서 삼강三綱을 떠받치고, 큰 의리를 밝히며, 간사한 이론을 억제하고, 인심을

라고 했으며 "아래로 배워 위로 통달한다.(下學而上達.)"라고 했다.

433 『朱子語類』 권101, 193조목
434 『朱子語類』 권101, 148조목
435 『南軒集』 권11 「建寧府學游胡二公祠堂記」

바르게 하였으니, 또한 우리 유학에 공이 있다고 말할 만하다."

[40-4-29]

"五峯先生優游南山之下餘二十年, 玩心神明, 不捨晝夜. 力行所知, 親切至到. 析太極精微之旨, 窮皇王制作之原. 綜事物於一原, 貫古今於一息. 指人欲之偏, 以見天理之全. 卽形而下者而發無聲無臭之妙. 使學者驗端倪之不遠, 而造高深之無極, 體用該備, 可擧而行. 先生之於斯道, 可謂見之明而擴之至矣."[436]

(장식이 말했다.) "오봉五峯 선생은 유유자적하게 남산南山 아래에서 20여 년을 보낼 적에, 신명에 마음을 노닐기를 밤낮을 쉬지 않고 하였다. 아는 것을 힘써 행하였고, 친절함이 극진하였다. 태극의 정밀하고 은미한 뜻을 연구하였고, 황제와 왕들이 제도를 만들어내던 근원을 궁구했다. 만물을 일원에서 총괄했고, 고금을 한순간에 꿰뚫었다. 인욕의 치우침을 지적함으로써 천리의 온전함을 보여주었다. 형이하의 것에서 소리 없고 냄새 없는 묘함을 드러내었다. 학자들에게 단서가 멀지 않음을 체험하게 해주었고, 높고 심오한 무극에 이르도록 하여 체와 용을 다 갖추고 거행하여 행할 수 있도록 해주었다. 선생이 우리 도에 있어서 밝게 드러내었고 지극하게 넓혀주었다고 말할 만하다."

[40-4-30]

"知言一書, 乃其平日之所自著, 其言約, 其義精, 誠道學之樞要, 制治之著龜也."[437]

(장식이 말했다.) "『지언』이라는 한 권의 책은 평소에 스스로 지은 것인데, 그 말은 요약되고 그 뜻은 정밀하니, 진실로 도학의 관건이며, 통치의 귀감이다."

[40-4-31]

序五峯文集曰 : "先生非有意於爲文者也. 其一時詠歌之所發, 蓋所以紓寫其性情. 而其他述作, 與夫問答往來之書, 又皆所以明道義而參異同, 非若世之爲文者徒從事於言語之間而已也. 粤自蚤歲服膺文定公之教至于沒齒,[438] 惟其進德之日新, 故其發見於詞氣議論之間者, 亦月異而歲不同. 雖然, 以先生之學而不得大施於時, 又不幸僅得中壽. 其見於文字間者, 復止於此, 豈不甚可歎息? 至其所志之遠, 所造之深, 綱領之大, 義理之精, 後之人亦可以推而得焉."[439]

(장식이)『오봉문집五峯文集』의 서에서 말했다. "선생은 문장을 짓는 데 뜻을 둔 분이 아니다. 한때 시가

436 『南軒集』 권14 「胡子知言序」
437 『南軒集』 권14 「胡子知言序」
438 粤自蚤歲服膺文定公之教至于沒齒 : '粤自蚤歲'가 『五峯集』 「原序」에는 '又惟先生粤自早歲'로 되어 있고, 『南軒集』 권14 「五峯集序」에는 '又惟先生自早歲'로 되어 있다.
439 『五峯集』 「原序」 ; 『南軒集』 권14 「五峯集序」

를 읊을 때에는 그 성정性情을 드러내었다. 그러나 다른 저술이나 문답을 왕래하는 편지에서는, 또 모두 도의를 밝히며 같은 점과 다른 점을 살폈으니, 세상에서 문장을 짓는 자들이 공연히 언어 사이에 종사할 뿐인 것과는 달랐다. 스스로 어릴 때부터 문정공의 가르침을 마음에 새겨 종신토록 잊지 않았으며, 오직 날마다 새롭게 덕을 진보시켰으므로, 문장에 나타난 기품과 논의하는 사이에 드러나는 것이 또한 매달 매년 진보하여 달라졌다. 비록 그렇지만, 선생의 학문이 그 당시에 크게 베풀어질 수 없었고, 또 불행히도 간신히 어중간하게 수壽를 누렸다. (그러므로) 문장 사이에 드러난 것이 다시 이 정도에 그칠 뿐이니, 어찌 심히 탄식할 만하지 않은가? 그 지향한 것이 멀고, 도달한 것이 깊으며, 큰 강령과 정밀한 의리는 뒷사람들이 또한 미루어 얻을 수 있다."

諸儒三 제유 3

諸儒三
제유 3

朱子 名熹字仲晦號晦庵　**주자** 이름은 희이고 자는 중회이며 호는 회암이다.

[41-1-1]
屏山劉氏作元晦字詞曰: "木晦於根, 春容曄敷, 人晦於身, 神明内腴. 昔者曾子稱其友, 曰有若無, 實若虛, 不斥厥名, 而傳于書, 雖百世之遠, 揣其氣象, 知顏如愚.[1] 自諸子言志, 回欲無伐, 一宣於言, 終身弗越, 陋巷閬然, 其光烈烈. 從事於玆, 惟參也無慙. 貫道雖一, 省身則三, 夾輔孔門, 翺翔兩驂, 學的欲正, 吾知斯之爲指南. 惟先吏部, 文儒之粹, 彪炳育珍, 又華其繼. 來玆講磨, 融融熹熹. 眞聰廓開, 如源之方駛. 望洋渺瀰, 老我縮氣. 古人不云乎, 純亦不已. 子德不日新, 則時予之恥. 勿謂此耳. 充之益充. 借曰合矣, 宜養於蒙. 言而思愆, 動而思躓. 凛乎惴惴, 惟顏曾是畏."[2] 其後以元爲四德之首不敢當, 遂更曰仲.

병산 유씨屏山劉氏[劉子翬][3]가 원회元晦의 자사字詞를 지어 말했다. "나무는 뿌리에 어둡게 감추어 봄의 모양은 성대하게 펼쳐지고, 사람은 몸에 어둡게 감추어 신명神明이 안에서 풍성하다. 옛날에 증자가 그 친구를 칭찬하여 '있어도 없는 듯이 하고, 가득 찼으면서도 빈 듯이 하였다.'[4]고 했는데, 이렇게 하면

1　知顏如愚. : 『屏山集』에는 "顏氏如愚"로 되어 있다.

2　『屏山集』 권6 「雜著·字朱熹祝詞」

3　屏山劉氏[劉子翬] : 劉子翬(1101~1147)는 자는 彦冲이고 자호는 病翁이다. 崇安 사람이다. 아버지 劉韐은 靖康의 난 때에 金營에 출사하여 항복하여 스스로 死라고 시호를 지었다. 북송 휘종 때에 태어나 아버지의 음보로 무랑을 이었고 眞定幕府에 임명되었다. 학자들은 그를 屏山先生이라 불렀다. 『周易』에 조예가 깊었다. 주희는 그의 문하이다. 『屏山集』이 있다.

4　가득 찼으면서도 … 하였다. : 『論語』 「泰伯」에 "曾子가 말했다. '능하면서 능하지 못한 이에게 물으며, 많이 알면서도 적게 아는 이에게 물으며, 있어도 없는 듯이 하고, 가득 찼으면서도 빈 듯이 하며, 자신에게 잘못을 범하여도 따지지 않는 것을 옛날에 나의 친구가 일찍이 이렇게 종사하였다.'(曾子曰, '以能問於不能, 以多問於寡, 有若無, 實若虛, 犯而不校, 昔者, 吾友嘗從事於斯矣.')"라고 하였다.

그 이름을 지칭하지 않고도 책으로 전해졌는데도, 백 년이 지나서 그 기상을 헤아리면 안씨顏氏가 어리석은 듯이 하였음을 알 수 있다. 여러 제자들에게 뜻을 말해 보라고 할 때 안연은 잘하는 것을 자랑하지 않으려고 했고[5] 한 번 말을 하면 죽을 때까지 어기지 않으며 누추한 곳에 은거했으나, 그 빛은 빛나고 빛났다. 여기에 종사한 사람으로는 오직 증자만 부끄러움이 없었다. 그는 도를 관통한 것이 하나이지만,[6] 몸을 살피는 데에는 3가지였고[7] 공자 문하를 보좌했고 양참兩驂[8]으로 비상했으며 학문의 목적을 바르게 하려고 하였으니, 내가 이것이 지남指南이 됨을 알겠다. 오직 돌아가신 이부吏部[9]가 문유文儒의 정수였고, 문채가 아름답게 빛나고[10] 진귀한 보배를 잘 가꾸었고, 또 뒤를 계승하여 꽃을 피웠다. 내게 와서 강습하고 연마하니, 모든 것이 원융하고 밝았다. 참된 총명함이 크게 열리니, 마치 근원이 터지는 듯하다. 바다를 바라보는 듯이 아득하여 늙은 나의 기가 위축된다. 옛 사람이 말하지 않았는가! '순수함이 그치지 않는다.'[11] 덕을 날로 새롭게 하지 않으면, 이것이 나의 부끄러움이다. 이런 것만 하면 될 뿐이라고 말하지 말고, 확충하고 더욱 확충하라. 이만하면 되었다고 말하더라도, 마땅히 어리석었을 때 기르는 것이 마땅하다. 말할 때에는 삼감을 생각하고, 움직일 때는 넘어질 것을 생각하라. 두려움에 조심해서 오직 안자와 증자를 경외하라." 그 후에 원이 사덕의 첫머리가 되니 감당하기가 어려워 다시 중으로 고쳤다.[12]

[41-1-2]
延平李氏與其友羅博文書曰: "元晦進學甚力, 樂善畏義, 吾黨鮮有. 晚得此人商量所疑, 甚慰."

- - - - - - - - - - - - - - - - - - - -

5 『論語』「公冶長」: "안연과 계로가 공자를 모실 때 공자가 말했다. '어찌 각각 너희들의 뜻을 말하지 않는가?' 자로가 말했다. '수레와 말과 가벼운 갖옷을 친구와 함께 쓰다가 해지더라도 유감이 없습니다.' 안연이 말하였다. '잘하는 것을 자랑하지 않으며, 공로를 과시하지 않으려 합니다.' 자로가 말했다. '선생님의 뜻을 듣고 싶습니다.' 공자가 말했다. '늙은이를 편안하게 해주고, 친구에게는 믿음직하게 대하고, 젊은이를 감싸주고자 한다.(顏淵季路侍, 子曰, '盍各言爾志?' 子路曰, '願車馬衣輕裘, 與朋友共, 敝之而無憾.' 顏淵曰, '願無伐善, 無施勞.' 子路曰, '願聞子之志.' 子曰, '老者安之, 朋友信之, 少者懷之.')"
6 하나이지만: 『論語』一以貫之
7 몸을 살피는 … 3가지였고: 『論語』「學而」에 "증자가 말했다. '나는 날마다 세 가지로 내 몸을 살핀다. 남을 위하여 일을 도모하는 데에 충심을 다하지 못했던가? 친구와 함께 교류하는 데에 믿음직하지 못했던가? 전수받은 것을 익히지 않았던가?(曾子曰, 吾日三省吾身, 爲人謀而不忠乎? 與朋友交而不信乎? 傳不習乎?)"
8 兩驂: 고대에 4필의 말이 수레를 끌었는데, 바깥쪽의 2필의 말을 말한다. 자로와 안연이 안쪽의 말이라면 자공과 증자가 바깥쪽의 말이라고 생각해 볼 수 있겠다.
9 돌아가신 吏部: 주희의 아버지 주송이 이부랑을 역임했다.
10 문채가 아름답게 빛나고: 彪炳을 번역한 말이다. 『周易』혁괘 구오효「象傳」에 다음과 같이 되어 있다. "대인이 虎變함은 그 文采가 빛남이다.(象曰, 大人虎變, 其文, 炳也.)" 虎炳과 비슷한 말이다.
11 『中庸』26장: "『詩』에 '하늘의 명이 아! 깊이 그치지 않는다.'고 했으니, 이는 하늘이 된 까닭을 말하는 것이고, '아! 드러나지 않는가? 문왕의 덕의 순수함이여!'라고 했으니, 이는 문왕이 文이 된 까닭이 순수함이 또한 그치지 않음을 말한 것이다.(詩云, '維天之命, 於穆不已.' 蓋曰天之所以爲天也, '於乎不顯, 文王之德之純.' 蓋曰文王之所以爲文也, 純亦不已.)"
12 다시 중으로 고쳤다.: 『宋名臣言行錄』(外集) 권2 주희 항목에 "자는 元晦인데 스스로 칭하기를 仲晦라고 했다."는 말이 있다. 중회는 주희가 스스로 고쳐 부른 듯하다.

又云 : "此人極穎悟, 力行可畏, 講學極造其微處論辯, 某因此追求有所省. 渠所論難處, 皆是操戈入室須從原頭體認來, 所以好說話. 某昔於羅先生得入處, 後無朋友, 幾放倒了. 得渠如此極有益. 渠初從謙開善處下工夫來, 故皆就裏面體認. 今旣論難見儒者路脉, 極能指其差誤之處. 自見羅先生來, 未見有如此者."

又云. "此子別無他事, 一味潛心於此. 初講學時, 頗爲道理所縛, 今漸能融釋, 於日用處一意下工夫. 若於此漸熟, 則體用合矣. 此道理全在日用處熟, 若靜處有而動處無, 卽非矣."[13]

연평 이씨延平李氏[李侗]가 그 벗인 나박문羅博文에게 보낸 편지에서 말했다. "원회元晦[朱熹]는 학문 증진에 매우 힘쓰고, 선善을 즐기고 의義를 두려워하니 우리들 중에서 드문 사람이다. 만년에 이와 같은 사람을 얻어 의심되는 바를 의논하니 매우 위로가 된다."

또 말했다. "이 사람은 매우 영특하고 힘써 행하는 것이 두려워할 만하고 강학할 때는 극히 그 미묘한 곳을 논변하니, 내가 이것을 바탕으로 해서 추구하여 살피는 바가 있게 되었다. 그가 논란하는 곳은 모두 나의 창을 잡고 나의 방으로 들어와 나를 공격하여[14] 반드시 근원처에서 체인한 것이니, 그래서 그의 말이 좋다. 내가 옛날에 나선생羅先生[羅從彦][15]에게서 입문할 곳을 얻은 후에 동지가 없어서 거의 포기했었다. 그런데 이러한 그를 얻어서 매우 유익하다. 그는 처음부터 겸계선謙開善[16]으로부터 공부해 나갔기 때문에 모두 내면에서 체인했다. 지금은 논란하면서 유학자들의 맥락을 보고, 그 잘못과 과오를 지적할 수 있다. 내가 나선생을 본 이후 이와 같은 사람을 보지 못했다."

또 말했다. "이 사람은 따로 다르게 하는 일이 없고, 한결같이 이것에 마음을 쏟는다. 처음에 강학할 때 다소 도리에 얽매이더니, 지금은 점차로 풀려서 일상생활에서 전심전력을 다해 공부한다. 만약 여기에서 익숙해진다면 체體와 용用이 일치할 것이다. 이 도리는 온전히 일상생활 속에서 익숙해지는 것이니,

---

13 『宋名臣言行錄』(外集) 권12 「朱熹晦菴先生徽國文公」
14 창을 잡고 … 공격하여 : 操戈入室을 번역한 말이다. 이 말은 원래 操戈入室인데 『後漢書』 「鄭玄傳」에 나온다. "이때 任城 사람인 하휴가 공양학을 좋아하여 『公羊墨守』와 『左氏膏肓』과 『穀梁廢疾』을 지었다. 정현이 이에 『公羊墨守』를 발현하고, 『左氏膏肓』을 비판하고, 『穀梁廢疾』을 일으켰다. 하유가 그것을 보고 탄식하면서 말했다. '강성이 나의 방에 들어와 나의 창을 잡고 나를 정벌하는구나!'(時任城何休好公羊學, 遂著『公羊墨守』, 『左氏膏肓』, 『穀梁廢疾』. 玄乃發墨守, 鍼膏肓, 起廢疾. 休見而歎曰, "康成入吾室, 操吾矛以伐我乎!") 이후에 操矛入室은 상대방을 깊게 이해하고 그의 허점을 찾아내서 상대방의 논점을 논박하는 것을 의미하게 되었다.
15 羅先生[羅從彦] : 羅從彦(1072~1135)은 자가 仲素이고 별칭이 豫章先生이다. 南沙 劍州에서 태어났다. 송 神宗 熙寧 5년에 태어나 高宗 紹興 5년에 죽었다. 향년 64세이다. 일찍이 吳儀에게 배워 경학에 힘썼다. 徽宗때 同鄉의 선배 楊時의 가르침을 받았고, 二程의 학문을 동향의 후배 이통에게 전하여 그것이 朱熹에게 전해질 수 있도록 하였다.
16 謙開善 : 道謙開善을 말한다. 일명 道謙禪師(?~1155)는 속명이 游성이고, 송대 복건 숭안현 五夫里 사람이다. 집안은 유학이지만 어릴 적에 부모를 잃고 불교를 믿었다. 어릴 적에 서울로 가서 圓悟大師에게 배웠고 大慧宗杲에게서 배워 참선을 20년하여 密傳心印을 깨달았다. 송나라 紹興 8년 귀항하여 仙洲山 开善寺에 머물며 劉勉之와 劉子翬 등과 어울려 지내며 학문을 토론했다. 주희는 그로부터 선을 배웠다. 소홍32년(1155年)에 병으로 죽었다.

만약 고요할 때에는 있다가 움직일 때는 없다면 도리가 아니다."

[41-1-3]

朱子自題畵像曰: "從容乎禮法之場, 沈潛乎仁義之府. 是予盖將有意焉, 而力莫能與也. 佩先師之格言, 奉前烈之遺矩. 惟闇然而日修, 或庶幾乎斯語."[17]

주자가 초상화에 자신이 썼다. "예법禮法의 마당에서 자유롭게 노닐고[18] 인의仁義의 집에 침잠한다.[19] 이는 내가 뜻을 두려고 하는 것이지만,[20] 나의 힘이 미치지 못한다.[21] 스승의 격언을 마음에 두고, 선열이 남긴 법도를 받든다. 오직 묵묵히 날마다 수양한다면, 혹 이 말에 거의 가까울 것이다."

[41-1-4]

勉齋黃氏曰: "先生自少屬志聖賢之學. 自韋齋得中原文獻之傳, 聞河洛之學, 推明聖賢遺意. 日誦大學中庸, 以用力於致知誠意之地. 先生早歲已知其說, 而心好之. 韋齋病且亟, 屬曰, '籍溪胡原仲, 白水劉致中, 屏山劉彦冲, 三人吾友也. 學有淵源, 吾所敬畏. 吾卽死, 汝往事之, 而惟其言之聽, 則吾死不恨矣.' 先生旣孤, 則奉以告三君子而稟學焉. 時年十有四, 慨然有求道之志, 博求之經傳, 徧交當世有識之士. 雖釋老之學, 亦必究其歸趣, 訂其是非.

면재 황씨勉齋黃氏[黃榦]가 말했다. "선생은 어려부터 성현의 학문에 뜻을 두었다. 위재韋齋[朱松][22]로부터 중원中原 문헌의 전해진 것을 얻고, 하락河洛의 학문을 들어서 성현이 남긴 뜻을 미루어 밝혔다. 매일 『대학』과 『중용』을 읽고서 치지致知와 성의誠意의 경지를 힘써 노력했다. 선생은 어렸을 때에 이미 그 학설을 알고서 마음으로 좋아했다. 위재가 병이 나고 또 위급해지자 당부하여 말했다. '적계籍溪 호원중胡原仲[胡憲][23]과 백수白水 유치중劉致中[劉勉之][24]과 병산屛山 유언충劉彦冲[劉子翬]은 나의 친구이다. 학문에

---

17 『朱文公文集』 권85 「銘箴贊表疏啓婚書上梁文 · 書畵象自警」

18 禮法의 마당에서 … 노닐고: 『性理群書句解』에서는 이렇게 설명한다. "움직일 때는 이 몸을 천리 준칙의 땅에서 노닌다.(動而此身優游于天理準則之地.)"

19 仁義의 집에 침잠한다.: 『性理群書句解』에서는 이렇게 설명한다. "고요할 때는 이 마음에서 實理가 가득한 하늘을 보존하고 함양한다.(靜而此心存養夫實理渾涵之天.)"

20 이는 내가 … 것이지만: 『性理群書句解』에서는 이렇게 설명한다. "모두 나의 뜻이 하려고 하는 것이다.(皆吾之意所欲爲)"

21 나의 힘이 … 못한다.: 『性理群書句解』에서는 이렇게 설명한다. "나의 힘이 미치지 못한다.(而吾之力恐未及.)"

22 韋齋[朱松]: 朱松(1097~1143)은 자는 喬年이고 호가 위재이다. 주희의 아버지이다. 송 紹聖 4년 徽州 婺源에서 태어나 紹興 13년 建州 城南 環溪에서 죽었고, 崇安 五夫里에 매장되었다. 향년 46세이다.

23 胡原仲[胡憲]: 호헌은 자는 原仲으로 建州 崇安 사람이다. 伊洛의 학문이 금지를 당하자 호헌은 드러내고 유면지와 함께 그 학설을 말하였고, 유면지와 함께 은거했다. 나중에 유자휘와 주송과 함께 교류했다. 주송이 죽자 주희를 호헌과 유면지와 유자휘에게 맡겼다.

24 劉致中[劉勉之]: 劉勉之(1091~1149)는 자는 致中이고 사람들이 白水先生이라고 했다. 남송시대 建州 崇安

연원이 있어 내가 경외하는 사람이다. 내가 죽거든 너는 그들에게 가서 그들을 섬기고 그들의 말을 듣는다면 내가 죽어도 여한이 없겠다.' 선생은 고아가 되어 유지를 받들고 세 군자에게 고하고 학문을 배웠다. 당시 14세이니, 열정적으로 도를 구하는 뜻이 있어서 성현의 경전 속에서 널리 구하였으며 당시의 식견이 있는 선비와 두루 교제하였다. 비록 불교와 도교의 학문일지라도 반드시 그 귀결처를 궁구하였고, 그 시비를 바로잡았다.

延平於韋齋爲同門友, 先生歸自同安, 不遠數百里徒步徃從之. 延平稱之曰, '樂善好義, 鮮與倫比.' 又曰, '穎悟絶人, 力行可畏. 其所論難, 體認切至.' 自是從遊累年, 精思實體, 而學之所造者益深矣. 其爲學也, 窮理以致其知, 反躬以踐其實. 居敬者, 所以成始成終也. 謂致知不以敬, 則昏惑紛擾, 無以察義理之歸. 躬行不以敬, 則息惰放肆, 無以致義理之實. 持敬之方, 莫先主一.' 旣爲之箴以自儆, 又筆之書, 以爲小學大學皆本於此.

연평은 위재와 동문 친구이라서 선생은 동안同安에서 돌아와서 수 백 리를 멀다고 하지 않고 걸어 가서 연평을 따랐다. 연평은 이렇게 칭찬했다. '선을 즐거워하며 의를 좋아했으니 이와 견줄 자가 드물다.' 또 말했다. '매우 영특하고 힘써 행하는 것이 두려워할 만하다. 그 논란하는 것이 매우 절실하게 체인했다.' 이로부터 수 년 동안 종유從遊하여 정밀하게 사색하고 실체로 체인하니, 그 학문이 나아간 것이 매우 깊었다. 그 학문함이 리理를 궁구하여 그 앎을 지극히 하고, 내 몸에 되돌려서 실제를 실천했다. 경敬에 거하는 것은 시작을 이루고 끝을 이루는 것이다. 그래서 선생은 '앎에 이르는 것을 경敬으로 하지 않으면 혼란하고 미혹하여 동요하며, 의리義理의 귀착점을 살피지 못한다. 몸서 행하는 것을 경敬으로 하지 않으면 태만하고 방자하게 되어 의리의 실제에 이르지 못한다. 경敬을 유지하는 방도는 하나에 집중하는 것만 한 것이 없다.'고 하고서, 그것을 잠언箴言으로 삼아 스스로를 경계하고, 그것을 글로 써서 소학小學과 대학大學[25]이 모두 여기에 근본한다고 여겼다.

終日儼然, 端坐一室, 討論典則,[26] 未嘗少輟. 自吾一心一身以至萬事萬物, 莫不有理. 存此心於齊莊靜一之中, 窮此理於學問思辨之際, 皆有以見其所當然而不容已, 與其所以然而不可易. 然充其知而見於行者, 未嘗不反之於身也, 不睹不聞之前, 所以戒懼者愈嚴愈敬, 隱微幽獨之際, 所以省察者愈精愈密. 思慮未萌, 而知覺不昧, 事物旣接, 而品節不差. 無所容乎人欲之私, 而有以全乎天理之正. 不安於偏見, 不急於小成, 而道之正統在是矣.

• •

사람이다. 과거시험을 혐오하여 평생 출사하지 않았다. 유면지는 二程의 학문에서 주희에 이르는 중요한 연결점이라서 송대 이학사에서 중요한 지위를 갖는다. 제자가 주희와 여조겸 등이 있다. 주희는 유면지의 사위이기도 하다.

25 小學과 大學 : 『性理群書句解』에서는 소학과 대학을 이렇게 설명하고 있다. "8살에 소학에 들어가고 15세에 대학에 들어간다고 했다.(以爲人自八歲入小學, 十五歲入大學.)"

26 典則 : 『勉齋集』에는 典訓으로 되어있다.

종일토록 엄숙하게 방안에 단정히 정좌하고, 전훈典訓을 토론하며 조금도 쉬지 않았다. 나의 한 마음과 한 몸에서 만사 만물에 이르기까지 리理가 있지 않음이 없으니, 이 마음을 고르고 장중하며 고요하고 하나인 곳에 보존하고, 이 리理를 배우고 묻고 사려하고 분별하는 때에 궁구하여 모두 그 당연하여 그칠 수 없는 것과 그 소이연이 바꿀 수 없는 것을 보았다. 그러나 그 앎을 확충하여 행함에 드러내는 것을 몸에서 돌이키지 않는 적이 없었으니, 보지도 못하고 듣지도 못하기 전에는 경계하고 두려워하는 것이 더욱 엄격하고 더욱 경敬했으며, 은미하고 유독幽獨한 것에는 반성하고 살피는 것이 더욱 정밀하고 더욱 치밀했다. 사려가 싹트지 않았어도 지각이 어둡지 않았고, 사물에 접했어도 품격과 절도가 어긋나지 않았다. 인욕人欲의 사사로움을 허용하는 것이 없어서, 천리天理의 올바름을 보존했다. 치우친 견해에 편안해 하지 않고, 작은 이룸에 조급해 하지 않아서 도의 정통正統이 여기에 있었다.

其爲道也, 有太極而陰陽分, 有陰陽而五行具. 稟陰陽之氣以生, 則太極之理各具於其中. 天所賦爲命, 人所受爲性, 感於物爲情, 統性情爲心. 根於性, 則爲仁義禮智之德, 發於情, 則爲惻隱羞惡辭讓是非之端, 形於身, 則爲手足耳目口鼻之用, 見於事, 則爲君臣父子夫婦兄弟朋友之常. 求諸人, 則人之理不異於己, 參諸物, 則物之理不異於人. 貫徹古今, 充塞宇宙, 無一息之間斷, 無一毫之空闕, 莫不析之極其精而不亂, 然後合之盡其大而無餘.

그 도는 태극太極이 있으면 음陰과 양陽이 나누어지고, 음양이 있으면 오행이 구비되어 있다. 음양의 기氣를 품수받아서 생겨나면 태극의 리理가 그 가운데 각각 구비되어 있다. 하늘이 부여한 것이 명命이고 사람이 품수받은 것이 성性이고 사물에 감동하는 것이 정情이며 성정性情을 통괄하는 것이 마음이다. 성에 근본한 것이 인의예지의 덕이고 정으로 발현된 것이 측은, 수오, 사양, 시비의 단서이고 몸에 드러난 것이 팔, 다리, 귀, 눈, 입, 코의 작용이고 일에서 드러난 것이 군신君臣, 부자父子, 부부夫婦, 형제兄弟, 붕우朋友의 상도이다. 사람에게 구하면 사람의 리理는 자기와 다르지 않고, 사물에 참조하면 사물의 리理는 사람과 다르지 않다. 옛날과 지금에 관철되고 우주에 충만하여 한 순간의 단절이 없고 털끝만한 틈이 없으니, 그 어떤 것을 분석해서 그 정밀함을 지극히 하여 혼란하지 않은 뒤에야 합일해서 그 큼을 다하여 남음이 없다.

先生之於道, 可謂建諸天地而不悖, 質諸聖賢而無疑矣. 故其得於己而爲德也, 以一心而窮造化之原, 盡性情之妙, 達聖賢之蘊, 以一身而體天地之運, 備事物之理, 任綱常之責. 明足以察其微. 剛足以任其重, 弘足以致其廣, 毅足以極其常. 其存之也虛而靜, 其發之也果而確, 其用之也應事接物而不窮, 其守之也歷變履險而不易. 本末精粗, 不見其或遺, 表裏初終, 不見其或異. 至其養深積厚, 矜持者純熟, 嚴屬者和平, 心不待操而存, 義不待索而精, 猶以爲義理無窮, 歲月有限, 常慊然有不足之意. 蓋有日新又新不能自己者, 而非後學之所可擬議也.

선생은 도에 대해서 천지에 세워도 어긋나지 않으며 성현에 질문해도 의심이 없다고 말할 수가 있다. 그러므로 자신에게 터득하여 덕이 되니, 한 마음으로 조화造化의 근원을 궁구하고 성정性情의 묘함을 다하고 성현의 온축에 통달하며, 한 몸으로 천지의 운행을 체득하고 사물의 리理를 갖추고 강상綱常의 책무를 자임한다. 현명함은 그 미세함을 살피기에 족하고, 강함은 그 위중함을 자임하기 족하고, 폭넓음은 그 광대함에 이르기에 족하고, 굳셈은 그 상도를 지극히 하기에 족하다. 그것을 보존하는 데에 텅비고 고요하며, 그것을 발현하는 데에 과감하고 확실하며, 그것을 쓰는 데에 일에 대응하고 사물을 접하여 궁색하지 않고, 그것을 지키는 데에 변화를 거치고 위험을 당해도 바꾸지 않는다. 본말本末과 정조精粗에서 혹시라도 남김을 볼 수 없고, 표리表裏와 시종始終에서도 혹시라도 다름을 볼 수 없다. 그 배양함이 깊고 쌓은 것이 두터운 데에 이르면 지나치게 엄숙한 자는 순수하고 성숙해지고, 엄격한 자는 조화롭고 평온해져서, 마음이 잡으려고 하지 않아도 보존되고 의義는 사색하지 않아도 정밀해졌다. 그런데도 의리義理는 무궁하지만 세월은 한계가 있다고 여겨서 항상 유감스럽게 부족한 뜻이 있다고 여겼다. 날마다 새롭게 하고 또 새롭게 하여 스스로 그만두지 못하는 것이 있으니, 후학자들이 견주고 의론할 수 있는 것이 아니다.

其可見之行, 則修諸身者, 其色莊, 其言厲, 其行舒而恭, 其坐端而直. 其閑居也, 未明而起, 深衣幅巾方屨, 拜於家廟以及先聖, 退坐書室, 几案必正, 書籍器用必整. 其飲食也, 美食行列有定位, 匕箸擧措有定所, 倦而休也, 瞑目端坐, 休而起也, 整步徐行. 中夜而寢, 旣寢而寤, 則擁衾而坐或至達旦. 威儀容止之則, 自少至老, 祁寒盛暑, 造次顛沛, 未嘗有須臾之離也.

볼만한 행위로는 자신을 수양하는 것이니, 그 안색이 장중하고 그 말이 확실하고, 그 행동은 여유롭지만 공손하고, 그 앉아있음은 단정하고 곧다. 평상시 집에 있을 때에는 해가 뜨기 전에 일어나서 심의深衣를 입고 복건幅巾을 쓰고 신발을 신고서 가묘家廟와 선성先聖께 재배하고 서실書室로 물러나 책상을 반드시 바르게 하고 서적과 기물을 반드시 정리한다. 음식을 먹을 때에는 국과 밥의 줄이 정해진 위치가 있고, 숟가락과 젓가락의 들고 놓는 데에 정해진 곳이 있었다. 피곤하여 쉴 때에는 눈을 지그시 감고 단정하게 정좌하고, 쉬고 일어날 때에는 똑바로 걷고 천천히 간다. 한 밤중에 잠을 자고 잠자고 깨면 이불을 두르고 정좌하되 새벽까지 이른다. 위의威儀와 행동거지의 준칙은 어려서부터 늙을 때까지 매우 춥고 더울 때에도 위급하고 다급한 순간이라도 잠시도 떠나지 않았다.

行於家者, 奉親極其孝, 撫下極其慈. 閨庭之間, 內外斬斬, 恩義之篤, 怡怡如也. 其祭祀也, 事無鉅細, 必誠必敬, 小不如儀, 則終日不樂, 已祭無違禮, 則油然而喜. 死喪之際, 哀戚備至, 飮食衰絰各稱其情, 賓客往來無不延遇, 稱家有無, 常盡其歡. 於親故雖疎遠, 必致其愛. 於鄕閭雖微賤, 必致其恭. 吉凶慶弔, 禮無所遺, 賙邮問遺, 恩無所闕. 其自奉, 則衣取蔽體, 食取充腹, 居止取足以障風雨. 人不能堪, 而處之裕如也. 若其措諸事業, 則州縣之施設, 立朝之言論, 經綸規畫, 正大宏偉, 亦可槩見. 雖達而行道不能施之一時, 然退而明道足以傳之萬代.

집안에서 행하는 것은 부모를 모시는 데에 그 효孝를 극진히 하고 아랫사람을 어루만지는 데에 그 자애를 극진히 하였다. 가정에서는 내외가 엄격하였으나, 은혜와 의리義理가 돈독하여 화락하였다. 제사를 드릴 때에는 크고 작은 일이건 모두 반드시 성誠하고 경敬하며, 조금이라도 예의에 맞지 않으면 종일토록 즐겁지 않고, 제사를 마쳤는데 예에 어긋난 것이 없으면 편안하게 기뻐하였다. 상례를 지낼 때에는 슬픔과 애통함을 갖추고 음식과 최질衰絰은 각각 그 실정에 맞게 하고, 빈객의 왕래는 맞이하지 않음이 없되 가정 형편의 유무에 맞게 하고, 항상 그 환대를 다했다. 친척과 옛 친구들에 소원하더라도 반드시 그들에게도 사랑을 다하며, 동네 사람에서 미천한 사람이더라도 반드시 그들에게도 공경함을 다했다. 길흉과 경조慶弔의 일들에서는 예를 빠뜨리는 것이 없고, 구휼하고 위문하는 데에는 은혜가 빠지는 것이 없게 했다. 스스로를 봉양하는 데에 옷을 입을 때에는 몸을 가릴 정도만 취하고 먹는 데에는 배를 채울 정도만 취하며, 거주지는 바람과 비를 막을 정도만 취했다. 남들이 감당하지 못하더라도 그것에 여유롭게 처했다. 그런데 사업을 펼치는 일에서는 주현州縣에서 시행한 일과 조정에서의 언론에 경륜하고 기획하는 것이 공명정대하고 웅대함을 대체로 볼 수 있다. 출사出仕하여 도를 행하는 데에 한 때에 시행할 수 없었으나, 물러나 도를 밝히는 데에는 만대萬代에 전하기에 족하다.

謂聖賢道統之傳散在方冊, 聖賢之旨不明, 則道統之傳始晦, 於是竭其精力, 以研窮聖賢之經訓. 於大學中庸, 則補其闕遺, 別其次第, 綱領條目, 粲然復明. 於語孟, 則深原當時答問之意, 使讀而味之者, 如親見聖賢而面命之. 於易與詩, 則求其本義, 攻其末失, 深得古人遺意於數千載之上. 凡數經者, 見諸傳註, 其關於天命之微, 人心之奧, 入德之門, 造道之閫者, 旣以極深研幾, 探賾索隱, 發其旨趣而無所遺矣. 至於一字未安, 一詞未備, 亦必沈潛反復, 或達旦不寐, 或累日不倦, 必求至當而後已. 故章旨字義至微至細, 莫不理明辭順, 易知易行.

성현의 도통이 전해진 것은 책에 산재하지만, 성현의 요지가 밝혀지지 않으면 도통의 전함이 어두워진다고 생각하여, 이에 그 정력을 다하여 성현의 경전의 가르침을 연구하고 궁리하였다. 『대학』과 『중용』은 그 빠진 것을 보충하고[27] 그 차례를 구별하니, 강령과 조목이 분명하게 다시 밝혀졌다. 『논어』와 『맹자』는 당시의 문답의 의도를 깊이 추구해 읽어서 맛을 느끼도록 했으니 마치 친히 성현을 보고 대면하여 가르침을 받는 것과 같았다. 『역易』과 『시詩』는 그 본의本義를 추구하고 지엽적인 잘못을 다스려서 옛사람들이 수천 년 전에 남긴 뜻을 깊이 터득했다. 여러 경전은 전傳과 주註에 드러나니, 천명天命의 은미함과 인심人心의 오묘함과 입덕入德의 문과 조도造道의 영역에 관계된 것은 이미 깊은 뜻을 지극히 하고 정미한 이치를 연구하고 깊고 은미한 이치를 탐색해서 그 요지를 밝혀 남김이 없었다. 한자도 온당하지 않거나 한 문장도 완비되지 않으면 또한 반드시 깊이 침잠하고 반복하고, 혹 새벽이 되어도 잠자지 않고, 혹 여러 날이 되어도 게을리 하지 않고, 반드시 지당함에 이른 뒤에야 그쳤다. 그러므로 장구章句의 요지와 글자의 뜻에서 지극히 은미하고 지극히 세밀한 데에 이르기까지 이치가 밝혀지고 말이 순조로워 쉽게 알고 쉽게 행하지 않는 것이 없었다.

於書, 則疑今文之艱澁, 反不若古文之平易. 於春秋, 則疑聖心之正大, 決不類傳註之穿鑿. 於禮, 則病王安石廢罷儀禮, 而傳記獨存. 於樂, 則憫後世律尺旣亡, 而淸濁無據. 是數經者, 亦嘗討論本末, 雖未能著爲成書, 然其大旨固已獨得之矣. 若歷代史記, 則又考論西周以來至於

---

27 그 빠진 … 보충하고 : 『大學』은 보망장을 만들고 『中庸』은 장구를 구별하여 주석한 일을 말한다.

五代, 取司馬公編年之書, 緝以春秋紀事之法, 綱擧而不繁, 目張而不紊, 國家之理亂, 君臣之得失, 如指諸掌.

『서書』에 대해서는 금문今文의 난삽함이 도리어 고문古文의 평이함만 같지 못하다고 의심했다. 『춘추春秋』에 대해서는 성인의 마음의 공명정대함은 결코 전傳과 주註의 천착과 같은 부류가 아니라고 의심했다. 『예禮』에 대해서는 왕안석이 『의례儀禮』를 폐기하고 전傳과 『예기禮記』만을 보존한 것을 애통해 했다. 『악樂』에 대해서는 후세에 율척律尺이 제도를 잃고 청탁淸濁이 근거할 것이 없음을 애석하게 여겼다. 이 여러 경전 또한 본말을 토론하여, 저술해서 책을 만들지는 못했지만 그 대지大旨는 홀로 터득했다. 역대歷代의 역사 기록 같은 것은 또 서주西周이래 오대五代에 이르기까지 상고하고 논하여 사마공司馬公[司馬光]의 편년編年의 책을 취하고, 『춘추』가 역사적 일을 기록하는 방법으로 편집하였으니, 강綱을 들어서 번잡하지 않고 목目을 늘어놓아서 문란하지 않았고 국가의 다스림과 혼란이나 군신의 득실이 마치 손바닥에 올려놓고 가리키는 것과 같았다.

周程張邵之書, 所以繼孔孟道統之傳. 歷時未久, 微言大義鬱而不章. 先生爲之裒集發明, 而後得以盛行於世. 太極先天圖, 精微廣博, 不可涯涘, 爲之解剝條畫而後天地本原, 聖賢蘊奧, 不至於泯沒. 程張門人祖述其學, 所得有淺深, 所見有疏密, 先生旣爲之區別, 以悉取其所長. 至或識見小偏流於異端者, 亦必研窮剖析而不沒其所短.

주돈이周敦頤·이정二程·장재張載·소옹邵雍의 책들은 공맹孔孟 도통道統의 전수를 계승했다. 시간이 지난 것이 오래되지 않아서 미언微言과 대의大義가 막혀 드러나지 못했다. 그래서 선생이 모아서 밝힌 뒤에 세상에 성행하게 되었다. 태극도太極圖와 선천도先天圖는 정미하고 광대하여 한계 지을 수 없는데, 풀이하고 가닥을 잡은 뒤에야 천지의 본원과 성현의 온축이 없어지지 않았다. 이정·장재의 문인들이 그 학문을 조술祖述하였으나 얻은 것에 얕고 깊음이 있고 식견에 소략하고 정밀한 차이가 있어서 선생이 그것을 구별하여 그 장점을 취하였다. 혹은 식견이 작고 편협하여 이단에 빠진 자도 또한 반드시 연구하고 분석하여 그 단점을 버리지 않았다.

南軒張公, 東萊呂公, 同出其時, 先生以其志同道合, 樂與之友. 至或識見少異, 亦必講磨辨難以一其歸. 至若求道而過者, 病傳註誦習之煩, 以爲不立文字可以識心見性, 不假修爲可以造道入德, 守虛靈之識, 而昧天理之眞, 借儒者之言, 以文佛老之說, 學者利其簡便, 詆訾聖賢, 捐棄經典, 猖狂叫呶, 側僻固陋, 自以爲悟. 立論愈下者, 則又崇奬漢唐, 比附三代, 以便其計功謀利之私. 二說並立, 高者陷於空無, 下者溺於卑陋, 其害豈淺淺哉! 先生力排之, 俾不至亂吾道以惑天下, 於是學者靡然向之.

남헌장공南軒張公[張栻][28]과 동래여공東萊呂公[呂祖謙][29]이 그 시기에 동시에 나와 선생은 그 뜻을 같이 하고

· ·

28 南軒張公[張栻] : 張栻(1133~1180)은 四川 綿竹人으로 자는 敬夫이고 또 다른 자는 樂齋이고 호는 南軒이다. 남송 시대 유명한 유학자이고, 岳麓書院의 창시자이다. 승상 張浚의 아들이고, 어려서부터 胡宏으로부터 배

도를 합하여 그들과 함께 벗 삼는 것을 즐거워했다. 혹 식견이 조금 다른 점에 이르면 또한 반드시 강학하고 변론하여 그 귀결점을 하나로 했다. 도를 구하되 과도한 자 같은 경우는 전주傳註와 송습誦習의 번거로움을 병통으로 여기고 불립문자不立文字가 마음을 깨닫고 본성을 깨우친다고 하고 수양을 빌리지 않고서도 도에 이르고 덕에 들어갈 수 있다고 하면서, 허령虛靈의 의식을 지키면서도 천리의 진眞에는 어둡고 유자의 말을 빌려 불교와 도교의 주장을 꾸몄으니, 학자들은 간편하고 편리한 것을 이롭게 여겨서 성현을 비난하고 경전을 버리고 미친 듯이 소리 지르고 편벽되고 고루하면서 스스로는 깨달았다고 여겼다. 입론하는데 더욱더 저열한 자 같은 경우는 또 한당漢唐을 숭배하여 삼대三代에 견주고 공을 계산하고 이익을 도모하는 사사로움을 편리하게 여겼다. 두 가지 주장이 함께 세워져, 고원한 자는 공空과 무無에 빠지고 저열한 자들은 고루함에 빠지니, 그 해로움이 어찌 얕겠는가! 선생이 힘써 배척하여 우리들의 도를 혼란하게 해서 천하를 미혹시키지 않게 하였으니, 이에 배우는 자들은 초목이 쓰러지듯이 선생께로 향했다.

教人以大學語孟中庸爲入道之序而後及諸經. 以爲不先乎大學, 則無以提綱挈領而盡語孟之精微, 不參之論孟, 則無以融會貫通而極中庸之旨趣. 然不會其極於中庸, 則又何以建立大本, 經綸大經, 而讀天下之書, 論天下之事哉? 其於讀書也, 必使之辯其音釋, 正其章句, 玩其辭, 求其義, 研精覃思以究其所難, 平心易氣以聽其所自得. 然爲己務實, 辯別義利, 毋自欺, 謹其獨之戒, 未嘗不三致意焉. 蓋亦欲學者窮理反身, 而持之以敬也.

사람들을 가르치되 『대학』・『논어』・『맹자』・『중용』으로 도에 들어가는 순서로 하고 뒤에 여러 경전에 미쳤다. 『대학』을 먼저 하지 않으면 강령을 잡아서 『논어』와 『맹자』의 정미함을 다할 수 없다고 여기고, 『논어』와 『맹자』를 참조하지 않으면 융회관통하여 『중용』의 요지를 지극히 할 수 없다고 여겼다. 그러나 그 지극함을 『중용』에서 이해하지 않는다면 또 어떻게 대본大本을 세우고 대경大經을 경륜해서 천하의 책을 읽고 천하의 일을 논할 수 있겠는가? 독서하는 데에 반드시 음석音釋(독음주석)을 분별하고 장구章句를 바로 하고 그 말을 완미하고 그 의미를 구하여 정밀하게 연마하고 사려하여 그 어려운 바를 연구하며, 마음을 고르게 하고 기운을 편안하게 해서 스스로 터득한 것을 귀 기울이게 하였다. 그러나 자신을 위하여 실제에 힘쓰고 의義와 리利를 변별하고, 스스로를 속이지 않아서 그 혼자 있을 때를 삼가는 경계가 세 번 씩 뜻을 다하지 않은 적이 없었다. 왜냐하면 또한 배우는 자가 리理를 궁구하여 내 몸에 되돌리며 유지하여 경敬하게 하려고 했기 때문이다.

우고이학을 전수받았다. 후에 長沙의 城南書院과 악록서원을 오랫동안 맡고서 주희와 여조겸과 함께 東南三賢이라고 칭해진다. 右文殿修撰을 지냈으며 저서에 『南軒全集』이 있다.

29 東萊呂公[呂祖謙]: 宋나라 呂祖謙(1137~1181)을 이르는 말. 자는 伯恭이고, 세칭 東萊先生이라 한다. 金華(현 절강성) 사람으로 주희・張拭과 함께 '東南三賢'으로 불리었다. 直秘閣著作郎・國史院編修・實錄院檢討를 역임하였다. 주희와 『近思錄』을 편찬하였고, 信州(현 강서성 上饒) 鵝湖寺에서 주희와 육구연 등을 초청하여 양쪽의 논쟁을 중재하기도 하였다. 저서는 『古周易』・『東萊左氏博儀』・『東萊集』 등이 있다.(『宋史』 권434 「呂祖謙傳」)

從遊之士, 迭誦所習以質其疑, 意有未喩, 則委曲告之而未嘗倦, 問有未切, 則反覆戒之而未嘗隱. 務學篤, 則喜見於言, 進道難, 則憂形于色. 講論經典, 商略古今, 率至夜半, 雖疾病支離, 至諸生問辯, 則脫然沈痾之去體. 一日不講學, 則惕然常以爲憂. 摳衣而來, 遠自川蜀, 文詞之傳, 流及海外. 至於夷虜亦知慕其道, 竊問其起居, 窮鄉晩出, 家蓄其書, 私淑諸人者, 不可勝數.

함께 공부하는 선비가 익힌 것을 번갈아 암송하여 그 의문점을 질문할 때, 뜻에 깨닫지 못한 점이 있으면 곡절하게 답해주면서도 귀찮아하지 않았고, 질문하는 데에 절실하지 못한 점이 있으면 반복해서 경계해 주면서 감추지 않았다. 배움을 힘쓰는 것이 돈독하면 기쁨이 그 말에서 드러났고, 도를 증진시키는 것이 어려우면 근심이 안색에 드러났다. 경전을 강론하고 고금古今을 상의하면 대부분 깊은 밤이 되었고, 질병에 힘들어도 제생諸生이 질문하면 홀연히 병이 몸에서 떠났다. 하루라도 강학하지 않으면 두려운 듯 항상 근심하였다. 제자들이 옷을 들어 올리고 오는 것이 멀리 사천泗川과 서촉西蜀으로부터이고, 문사文詞가 전해지는 것이 흘러 흘러 바다건너까지 미쳤다. 심지어 오랑캐도 그 도를 사모할 줄 알았고 안부를 묻는 데에 이르렀으니, 외진 고을에서 늦게 나와 선생의 책을 집에 두고서 사숙한 사람이 수를 헤아릴 수가 없었다.

先生旣沒, 學者傳其書, 信其道者益衆, 亦足以見理義之感於人者深矣. 繼往聖將微之緒, 啓前賢未發之機, 辨諸儒之得失, 闢異端之訛繆, 明天理, 正人心, 事業之大, 又孰有加於此者? 至若天文地志律歷兵機, 亦皆洞究淵微. 文詞字畫, 騷人才士, 疲精竭神, 常病其難, 至先生未嘗用意, 而亦皆動中規繩, 可爲世法, 是非姿稟之異, 學行之篤, 安能事事物物各當其理而造其極哉! 學修而道立, 德成而行尊, 見之事業者又如此.

선생이 돌아가시고 학자들이 그 책을 전하고 그 도를 믿는 자가 더욱 많아졌으니, 또한 리理와 의義가 사람을 감동시키는 것이 깊다는 것을 충분히 볼 수 있다. 옛 성인이 사라져가는 단서를 잇고 이전의 현자들이 밝히지 못했던 계기를 열었으며, 여러 유학자들의 득실을 판별하고 이단의 오류를 물리쳤으며, 천리天理를 밝히고 인심人心을 바르게 했으니, 사업의 위대함에 누가 여기에 다른 것을 덧붙일 수 있겠는가? 심지어 천문天文과 지지地志와 율력律歷과 병기兵機에 이르기까지 또한 모두 깊고 은미한 것을 철저하게 연구했다. 문사文詞와 자획字畫은 문인文人이나 재사才士들이 힘을 쓰고 정신을 다해도 항상 그 어려움을 힘들어 했지만 선생에 이르러 마음을 쓰지 않아도 또한 하는 것마다 모두 법도에 맞아서 세상의 모범이 될 만하였으니, 이것은 자질이 남다르고 학행學行이 돈독하지 않고서야 어떻게 모든 사물에 각각 그 리理에 합당하고 그 지극함에 이를 수 있겠는가! 학문이 닦여져서 도가 확립되고, 덕이 완성되어 행실이 존귀하여 사업에 드러나는 것이 또한 이와 같았다.

秦漢以來, 迂儒曲學, 旣皆不足以望其藩墻, 而近代諸儒有志乎孔孟周程之學者, 亦豈能以造其闑域哉! 嗚呼! 是殆天所以相斯文焉, 篤生哲人以大斯道之傳也. 道之正統待人而後傳, 自周以來, 任傳道之責, 得統之正者, 不過數人, 而能使斯道章章較著者, 一二人而止耳. 由孔子而後曾子子思繼其微, 至孟子而始著. 由孟子而後周程張子繼其絶, 至先生而始著. 蓋千有餘年之間, 孔孟之徒所以推明是道者, 旣已煨爐殘闕離析穿鑿蠧壞之後, 扶持植立, 厥功偉然, 未及百年, 蹐駁尤甚, 先生出而自周以來聖賢相傳之道一旦豁然, 如大明中天, 昭晰呈露.

진한秦漢이래로 우둔한 유학자들과 곡학아세하는 자들이 성인의 울타리와 담장을 바라보기에도 부족하고 근대 여러 유학자들 가운데 공맹과 주정周程(주렴계, 이정형제)의 학문에 뜻을 둔 자가 또한 어찌 그 경지에 이를 수 있겠는가! 아! 이것은 하늘이 사문斯文을 도와서, 철인哲人을 좋은 자질로 낳아 이 도의 전함을 크게 한 것이다. 도의 정통正統은 사람을 기다리고 난 뒤에 전해지니, 주나라 이래로 도를 전하는 책무를 자임하여 도통의 올바름을 얻은 자가 불과 몇 사람일 뿐이라서, 이 도를 빛나게 드러나게 할 수 있는 자는 한 두 사람에 그칠 뿐이다. 공자로부터 이후에 증자曾子와 자사子思가 그 은미함을 계승했고, 맹자에 이르러 비로소 현저하게 드러났다. 맹자로부터 이후에 주돈이周敦頤·이정二程·장재張載가 그 끊어진 것을 계승하여 선생에 이르러 비로소 현저하게 드러났다. 천여 년 사이에 공맹의 무리로 이 도를 추명推明한 사람들이 이미 불타 없어지고 갈라지고 떨어져서 견강부회하고 좀먹고 무너진 뒤에 일으켜 유지하고 세웠으니 그 공이 위대하지만, 백 년이 미치지 못하여 혼란하게 된 것이 더욱 심하였는데, 선생이 나와서 주나라 이래로 성현이 서로 전한 도를 하루아침에 환하게 했으니, 마치 대명大明(태양)이 중천에 떠서 밝게 드러나는 것과 같다.

先生平居惓惓, 無一念不在於國, 聞時政之闕失, 則戚然有不豫之色, 語及國勢之未振, 則感慨以至泣下. 然謹難進之禮, 則一官之拜, 必抗章而力辭, 屬易退之節, 則一語不合, 必奉身而亟去. 其事君也, 不貶道以求售, 其愛民也, 不徇俗以苟安. 故其與世動輒齟齬, 自筮仕以至屬纊, 五十年間, 歷仕四朝, 仕於外者僅九考, 立於朝者四十日, 道之難行也如此. 然紹道統, 立人極, 爲萬世宗師, 則不以用舍爲加損也."[30]

선생은 평상시에 정성스러워 한순간도 나라를 걱정하지 않은 적이 없었으니, 당시 정사의 실수를 들으면 슬퍼하며 기뻐하지 않는 안색이 있었고, 말이 나라의 형세가 진작되지 않았다는 것에 미치면 분개하며 눈물을 흘렸다. 그러나 관직에 나아가기를 어려워하는 예를[31] 신중하게 하였으니, 한 관직을 받을 때에는 반드시 군주에게 상소를 올려서 힘써 사양하였고, 관직에서 물러나는 것을 쉽게 하는 절도를 엄격하게 하였으니, 한 마디도 합치하지 않았을 때는 반드시 몸을 거두어 급히 물러났다. 그가 군주를 섬기는 데에 도를 굽히며 도를 팔려고 하지 않았고, 백성을 사랑하는 데에 세속을 따라서 구차하게 편안함을 구하지 않았다. 그러므로 세속과 자주 어긋나서, 처음 관직에 들어가서 임종할 때까지 50여 년 간 네

· · · · · · · · · · · · · · · · · · · ·

30 『勉齋集』 권3 「行狀·大夫論文朱先生行狀」. 매우 긴 분량에서 요약 발췌되었다.
31 『禮記』「表記」: "군주를 섬기는 데에 나아가는 것을 어렵게 하고 물러나는 것을 쉽게 하는 것은 지위에 질서가 있어서이고, 나아가는 것을 쉽게 하고 물러나는 것을 어려워하는 것은 혼란한 것이다. 그러므로 군자는 세 번 읍하여 나아가고, 한 마디 말로 물러나는 것은 혼란한 것을 멀리하는 것이다.(事君難進而易退則位有序, 易進而難退則亂也. 故君子三揖而進, 一辭而退, 以遠亂也.)"

왕조를 섬겼고, 지방에 벼슬을 맡은 것은 단지 구고九考(27년)이고, 조정에 선 것은 40일이니, 도가 행해지기 어려움은 이와 같다. 그러나 도통道統을 잇고 인극人極을 세워 만세의 종사宗師가 되었으니, 벼슬을 하고 안 한 것 때문에 그의 명성에 더해지고 덜어지는 것이 없다."

[41-1-5]
果齋李氏曰: "先生之道之至, 原其所以臻斯閫者無他焉, 亦曰主敬以立其本, 窮理以致其知, 反躬以踐其實. 而敬者又貫通乎三者之間, 所以成始而成終也. 故其主敬也, 一其內以制乎外, 齊其外以養其內, 內則無二無適, 寂然不動, 以爲酬酢萬變之主, 外則儼然肅然, 終日若對神明, 而有以保其中心之所存. 及其久也, 靜虛動直, 中一外融, 而人不見其持守之力, 則篤敬之驗也.

과재 이씨果齋李氏[李方子][32]가 말했다. "선생의 도의 지극함은 이 경지에 이른 것을 미루어 추구해보면 다른 것이 아니라, 또한 경敬을 위주로 하여 그 근본을 세우고 리理를 궁구하여 그 앎을 지극히 하고 자신의 몸에 돌이켜 그 실제를 실천한 것이다. 경敬은 또 세 가지를 관통하여 시작을 이루고 끝을 이루는 것이다. 경敬을 위주로 하는 데에 그 안을 하나로 해서 그 밖을 제어하고, 그 밖을 가지런히 하여 그 안을 함양하는 것이니, 안으로는 둘도 없고 딴 데로 옮겨가는 것도 없어 적연부동하여 만 가지 변화를 응대하는 주인이며, 밖으로는 엄격하고 숙연하여 종일토록 신명을 대면하는 듯하여 마음속에 있는 것을 보존하고 견고하게 한다. 그것이 오래도록 지속되면, 정허동직靜虛動直[33]하며 중中은 하나가 되고 밖은 융합되어 남들이 그 지키려고 하는 노력을 보지 못하니 경이 돈독한 증험이다.

其窮理也, 虛其心, 平其氣, 字求其訓, 句索其旨, 未得乎前, 則不敢求乎後, 未通乎此, 則不敢志乎彼. 使之意定理明, 而無躁易凌躐之患. 心專慮一, 而無貪多欲速之蔽. 始以熟讀, 使其言皆若出於吾之口, 繼以精思, 使其意皆若出於吾之心. 自表而究裏, 自流而遡源, 索其精微, 若別黑白, 辯其節目, 若數一二. 而又反復以涵泳之, 切己以體察之. 必若先儒所謂沛然若河海之浸, 膏澤之潤, 渙然冰釋, 怡然理順, 而後爲有得焉.

리理를 궁구하는 데에 마음을 비우고 기氣를 편안하게 해서, 글자마다 그 훈訓을 구하고 구절마다 그 요지를 사색했는데, 앞에서 얻지 못하면 감히 뒤에서 구하려하지 않았고, 이것에 통하지 않았다면 감히 저것에 뜻을 두지 않았다. 뜻이 정해지고 리理가 밝혀지도록 하여 조급하고 순서를 뛰어넘으려는 근심은 없었고, 마음을 집중하고 사려를 하나가 되게 해서 많은 것을 탐하거나 빨리 이루려는 폐단이 없었다. 처음에는 숙독熟讀해서 그 말이 모두 자신의 입에서 나오듯이 했고, 이어서 정밀하게 사려하여 그 뜻이 모두 자신의 마음에서 나오는 듯이 했다. 겉에서부터 안을 연구하고, 말단의 흐름에서 원천을 거슬러 올라갔고, 정밀함과 미묘함을 구하는 데에 흑백을 구별하는 듯이 했고, 절목을 분별하는 데에 하나 둘을 세는 듯이 했다. 또 반복해서 물에 젖듯이 하고, 자신에게 절실하게 해서 몸소 성찰했다. 반드시 선유先儒들이 말하는 시원하게 '바닷물이 땅을 잠기는 듯 하고, 고택膏澤이 만물을 적시듯이 의심이 봄 얼음처럼 풀리고 자연스럽게 리理가 통한 뒤에 얼음이 있다.'[34]는 것과 같았다.

若乃立論以驅率聖言, 鑿說以妄求新意, 或援引以相糾紛, 或假借以相混惑, 麤心浮氣, 意象匆匆, 常若有所迫逐, 而未嘗徘徊顧戀. 如不忍去以待其浹洽貫通之功, 深以爲學者之大病, 不痛絶乎此, 則終無入德之期. 蓋自孔孟以降千五百年之間, 讀書者衆矣, 未有窮理若此其精者也. 先生天姿英邁, 視世之所屑者不啻如草芥, 脩然獨與道俱, 卓然獨與道立, 固已逈出庶物之表. 及夫理明義精, 養深積盛, 充而爲德行, 發而爲事業. 人之視之, 但見其渾灝磅礴不可涯涘, 而莫知爲之者."

그런데 논의를 세워 성인의 말을 제멋대로 몰아가고, 말을 천착해서 새로운 뜻을 함부로 구하려 하면서, 어떤 경우는 인용하여 서로 분란을 일으키고, 혹은 빙자하여 서로 미혹하게 하여 거친 마음과 들뜬 기분으로 생각이 조급하여 항상 촉박한 것이 있는 듯하여, 골똘히 생각하면서 유념하지 않았다. 그래서 마치 젖어들고 관통하는 공을 기다리기를 참지 못하는 것처럼 하니, 심각하게 학자의 큰 병으로 여기고, 이것을 통절하게 끊지 않으면 결국에는 덕에 들어갈 기약이 없게 된다고 생각하였다. 공자 이래로 천 오백년 사이 책을 읽은 자가 많지만, 리理를 궁구하기를 이와 같이 정밀하게 한 자가 없었다. 선생은 천부적인 자질이 뛰어나고, 세속이 달갑게 여기는 것을 바라보는 것을 초개와 같이 할 뿐만 아니라, 초탈하게 홀로 도와 같이 하고 탁월하게 홀로 도와 함께 서 있으니, 이미 멀리 만물들 위로 우뚝 솟아올랐고 리理가 밝고 의義가 정밀하며 함양이 깊고 누적된 것이 성대하여 안으로 충실하여 덕행이 되고 겉으로 발현하여 사업이 된다. 사람들이 그를 보는 데에 단지 크게 웅혼하고 깊이 충만하여 다할 수 없음만을 보지, 그렇게 되는 것을 알지 못한다."

又曰: "先生入以事君, 則必思堯舜其君, 出以治民, 則必欲堯舜其民. 言論風旨之所傳, 政教條令之所布, 固皆可爲世法. 而其考諸先聖而不繆, 建諸天地而不悖, 百世以俟聖人而不惑者. 則以訂正羣書, 立爲準則, 使學者有所據依循守以入於堯舜之道, 此其勳烈之尤彰明盛大者. 『語』『孟』二書世所誦習, 爲之說者亦多, 而析理未精, 釋言未備. 『大學』『中庸』至程子始表章之. 然『大學』次序不倫, 闕遺未補, 『中庸』雖爲完篇而章句渾淪, 讀者亦莫知其條理之粲然也.

또 말했다. "선생은 조정에 들어가서 군주를 섬길 때 반드시 그 군주를 요순처럼 되기를 생각하고, 나아

· ·
34 '바닷물이 땅을 … 있다.': 『春秋左氏傳』「春秋左傳序」에 나온 두예의 말이다.

가 백성을 다스릴 때는 반드시 그 백성이 요순의 백성처럼 편안하게 되기를 원했다. 언론과 의도를 전한 것과 정교政敎와 조문 법령을 포교한 것은 실로 세상의 법이 될 수 있었다. 그것들은 여러 선성先聖에 상고하여도 잘못되지 않았고, 천지에 세워도 어그러지지 않아서, 백세에 성인을 기다려도 의혹되지 않는 것이다. 여러 책들을 교정하여 바로잡고 준칙을 세워서 배우는 자들로 하여금 의거하고 준수할 바가 있어서 요순의 도에 들게 하였으니, 이것이 공적 중에서도 가장 밝고 성대한 것이다. 『논어』 『맹자』 두 책은 세상이 암송하고 익히는 것이어서 그것을 해설한 자 또한 많지만, 리理를 분석하는 데에 정밀하지 못하고 말을 해석하는 것이 완비하지 못하다. 『대학』과 『중용』은 정자程子에 이르러 비로소 드러냈다. 그러나 『대학』은 순서가 가지런하지 못하고, 유실된 것이 보완되지 못하였다. 『중용』은 완전한 편으로 되어 있지만 장구章句가 혼란스러워 독자들 역시 그 조리가 분명함을 알지 못했다.

先生蒐輯先儒之說而斷以己意, 彙別區分, 文從字順, 妙得聖人之本旨, 昭示斯道之標的. 又使學者先讀『大學』以立其規模, 次及『語』『孟』以盡其蘊奧, 而後會其歸於『中庸』. 尺度權衡之旣定, 由是以窮諸經訂羣史以及百氏之書, 則將無理之不可精, 無事之不可處矣. 又嘗集小學, 使學者得以先正其操履, 集『近思錄』, 使學者得以先識其門庭, 羽翼四子以相左右. 蓋此六書者, 學者之飮食裘葛準繩規矩, 不可以須臾離也. 聖人復起, 不易斯言矣.

선생은 선유先儒들의 말들을 편집하여 자신의 뜻으로 판단하고, 나누어서 구분하니 문장이 통하고 글자의 뜻이 순조로워 성인의 본래 뜻을 오묘하게 얻었고 사도斯道의 표준을 밝혔다. 또 배우는 자들로 하여금 먼저 『대학』을 읽게 하여 그 규모를 세우고 다음으로 『논어』와 『맹자』를 읽어서 그 깊은 뜻을 다하고 뒤에 『중용』에 귀결케 했다. 척도와 권형權衡이 정해지고 이로 말미암아 여러 경서를 궁리하고 여러 역사서를 정정하여 여러 사람들의 책들에 미치면 배우는 자들이 이치에 정밀하지 못할 것이 없고, 일에 처리하지 못할 것이 없을 것이다. 또 『소학』을 편집하여 배우는 자들로 하여금 몸가짐을 먼저 바르게 하였고, 『근사록』을 편집하여 배우는 자들로 하여금 그 들어가는 차례를 알게 하여, 『논어』, 『맹자』, 『중용』, 『대학』 네 가지를 곁들어 도와주게 했다. 이 여섯 책들은 배우는 사람의 음식이고 옷이고 수평이고 먹통이고 규구規矩이니 잠시라도 떨어질 수가 없다. 성인이 다시 나와도 이 말을 바꾸지 못한다.

其於易也, 推卦畫之本體, 辨三聖之旨歸, 專主筮占而實該萬變, 以還潔靜精微之舊. 其於詩也, 深玩辭氣, 而得詩人之本意, 盡削小序, 以破後儒之臆說, 妄言美刺悉就芟夷, 以復溫柔敦厚之敎. 其於禮也, 則以儀禮爲經, 而取禮記及諸經史書所載有及於禮者, 皆以附於本經之下, 具列註疏諸儒之說, 補其闕遺, 而析其疑晦, 雖不克就, 而宏綱大要固已擧矣. 謂書之出於口授者多艱澁, 得於壁藏者反平易, 學者當沉潛反復於其易, 而不必穿鑿附會於其難. 謂春秋正義明道, 尊王賤霸, 尊君抑臣, 內夏外夷, 乃其大義, 而以爵氏名字日月土地爲褒貶之例, 若法家之深刻, 乃傳者之鑿說.

『역易』에 대해서는 괘획卦畫의 본체를 추론하고 삼성三聖의 요지를 분별했으니, 전적으로 점서占筮를 위주로 만 가지 변화를 포용해서 정결하고 정미한 옛날로 돌아가게 했다. 『시詩』에 대해서는 말의 기운을 깊이 완미하고 시인의 본래 뜻을 얻었으니, 「소서小序」[35]를 모두 깎아 후유後儒의 억설들을 타파하고 망언과 미사여구 풍자를 모두 베어버려서 온유하고 돈후한 가르침으로 돌아갔다. 『예禮』에 대해서는 『의례儀禮』를 경전으로 삼고 『예기禮記』와 여러 경전·역사서에 기재된 예를 언급한 것을 취하고 모두 본경의 아래에 붙여서 여러 유학자들의 주소注疏를 구비하여 나열하여 그 빠진 것을 보충하고 의심스러운 것과 어두운 것을 분석하니, 성취하지는 못했지만 그 대강과 대요는 이미 거론하였다. 『서경書經』이 입에서 전해진 것은 난삽한 것이 많고 벽에 감추어진 것을 오히려 평이하다고 하니, 배우는 자는 당연히 그 쉬운 것을 침잠하고 반복해서 그 어려운 것을 천착하고 견강부회할 필요가 없다. 『춘추』는 의義를 바르게 하고 도를 밝히며 왕도王道를 존중하고 패도霸道를 천시하며 군주를 높이고 신하를 누르며 중원中原을 안으로 하고 오랑캐를 배척하는 것이 그 대의大義라고 하니, 작爵·씨氏·명名·자字와 일월日月과 토지土地로 포폄하는 범례로 삼으나, 법가法家의 매우 각박한 것 같은 것은 전傳을 낸 자가 천착한 말이라고 한다.

謂周官徧布周密, 周公運用天理熟爛之書, 學者旣通四子, 又讀一經而遂學焉, 則所以治國平天下者思過半矣. 謂通鑑編年之體近古, 因就繩以策牘之法, 以綱提其要, 以目紀其詳, 綱倣春秋, 而兼探羣史之長, 目倣左氏, 而稽合諸儒之粹, 褒貶大義, 凜乎烈日秋霜而繁簡相發, 又足爲史家之矩範. 謂諸子百家其言多詭於聖人, 獨韓子論性專指五常, 最爲得之, 因爲之考訂其集之同異以傳于世, 而屈原忠憤, 千古莫白, 亦頗爲發明其旨. 樂律久亡, 淸濁無據, 亦嘗討論本末, 探測幽眇, 雖未及著爲成書, 而其大旨固已獨得之矣.

『주관周官』(『주례』)은 주밀하게 펼쳐져서 주공周公이 천리를 운용한 난숙한 책이라 하니, 배우는 자가 사서四書를 통달하고 또 하나의 경전을 읽고 비로소 배우면, 나라를 다스리고 천하를 평정하는 데에 생각을 반 이상을 한 것이다. 『자치통감강목』은 편년체가 옛날의 것에 가깝고 그래서 책독策牘의 법[36]으로 바로잡고서 강령으로 그 요점을 이끌고 조목으로 그 상세함을 기록하니, 강령은 『춘추』를 모방하고 여러 역사서의 장점을 겸하여 채택하였고, 조목은 『좌씨』를 모방하고 여러 유학자들의 정수를 종합하여 대의大義를 포폄하여, 뜨거운 태양과 가을 서리처럼 늠름하고 번잡함과 간략함이 서로 발현한다고 하니 사학자들의 규범이 되기에 족하다. 제자백가의 말은 성인을 속이는 것이 많은데 오직 한자韓子[韓愈]는 성을 논하는데 전적으로 오상五常을 가리켜서 가장 뜻을 얻었다고 하니, 그래서 그 문집의 동이同異를 상고하고 바로 잡아 세상에 전했으며, 굴원屈原의 충정과 분개는 천고에 밝히지 못하니, 또한 그 뜻을 밝혔다. 악율樂律은 없어진지 오래되어 청성淸聲과 탁성濁聲에 근거가 없으니 또한 본말本末을 토론하며 깊고 미묘한 것을 헤아려서 비록 저술하여 책을 만들지는 못했지만 그 큰 뜻은 이미 홀로 얻었다.

---

35 「小序」: 『毛詩』 가운데 각 편의 머리에 주제를 해석한 간단한 서언을 말한다. 『毛詩』에서는 「大序」, 「小序」를 합해서 「毛詩序」라고 한다.
36 策牘의 법: 『春秋』의 내용을 강과 목으로 나누어 큰 글자와 작은 글자로 구분하여 기록하는 방법을 말한다.

若夫析世學之繆, 辯異教之非, 擣其巢穴, 砭其隱微, 使學者由於大中至正之則, 而不躓於荊棘擭穽之塗, 摧陷肅清之功, 固非近世諸儒所能髣髴其萬一也. 自夫子設教洙泗, 以博文約禮授學者, 顔曾思孟相與守之未嘗失墜. 其後正學失傳, 士各以意爲學, 其騖於該洽者, 旣以聞見積累自矜, 而流於泛濫駁雜之歸, 其溺於徑約也, 又謂不立文字可以識心見性, 而陷於曠蕩空虛之域. 學者則知所傳矣, 亦或悅於持敬之約, 而憚於觀理之煩.

세속 학문의 오류를 분석하고 이단의 가르침의 잘못을 변론하여 그 소굴을 공격하고 그 은미함을 비판해서 배우는 사람들로 하여금 대중지정大中至正의 법칙을 말미암아서 형극과 함정의 길로 빠지지 않게 하니, 해로움을 공격하여 정돈한 공로는 근세 여러 유학자들이 그 만분의 일도 비슷할 수가 없다. 공자가 수사洙泗[37]에서 가르침을 세워 박문약례博文約禮로 배우는 사람을 가르친 이래로 안회, 증자, 자사, 맹자가 서로 전해주고 지켜서 실추한 적이 없었다. 그 뒤에 정학正學이 전해지지 않자 선비들이 각자의 의견으로 학문을 하니, 그 박람한 데로 치달리는 자는 문견聞見을 쌓는 것으로 자긍하여 범람하고 잡박한 지경으로 흘러가고, 지름길과 간략한 데로 빠진 자는 또 문자를 통하지 않고서 마음을 깨닫고 성性을 볼 수 있다고 하면서 방탕하고 공허한 데로 빠졌다. 배우는 자들은 전수받은 것을 알지만 또한 경敬을 지키는 간략함을 기뻐하면서 리理를 관찰하는 번거로움은 꺼려한다.

先生身任道統, 而廣覽載籍, 先秦古書, 旣加考索, 歷代史記, 國朝典章, 以及古今儒生學士之作, 靡不徧觀. 取其所同而削其不合, 稽其實用而翦其煩蕪, 參伍辨證以扶經訓, 而詰其舛差, 秋毫不得遁焉. 數千年間世道學術議論文詞之變, 皆若身親歷於其間而耳接目觀焉者. 大本大根, 固已上達直遂, 柯葉散殊, 亦皆隨其所至, 究其所窮, 條分派別. 經緯萬端, 本末巨細, 包羅囊括, 無所遺漏, 故所釋諸書悉有依據, 不爲臆度料想之說. 外至文章字畫亦皆高絶一世. 蓋其包涵停蓄溥博淵泉, 故其出之者自若是其無窮也.

선생은 몸소 도통道統을 자임하여 서적을 널리 보아서 선진先秦 시대의 고서古書는 이미 상고하여 사색하였으며, 역대의 역사 기록과 국조國朝 전장典章과 고금의 유생과 학자들의 저작을 두로 보지 않음이 없었다. 그래서 그 같은 것은 취하고 합치하지 않는 것은 삭제하며 그 실제 쓰임을 참고하고 번잡하고 거친 것은 잘라서 구분하고 변증하여 경전의 뜻을 지키고 그 오차를 따졌으니 추호도 빠뜨리지 않았다. 수천 년 동안 세상에 전해진 도와 학술과 의론과 문사文詞의 변화를 모두 몸소 직접 경험해서 귀로 접하고 눈으로 본 듯하였다. 큰 근본은 이미 상달上達하여 직접 깨달았고, 온 지엽적인 것은 또한 모두 그 이른 곳을 따라가고 궁극적인 것을 궁리하여 가지가 나뉘고 갈래가 구별되었다. 그래서 씨줄과 날줄의 만 가닥과 본말本末의 크고 세밀함을 모두 포괄시켜 유실된 것이 없으므로 여러 책들을 해석한 것이 모두 의거함이 있어서 억측과 상상의 말을 하지 않았다. 그 밖에 문장文章과 자획字畫에 이르기까지 역시

---

37 洙泗: 洙水와 泗水를 말한다. 옛날에 두 물줄기는 지금의 산동성 사수현 북쪽에서 합류하여 흘러내려 曲阜 북쪽에 이르러 또 나누어져 두 물줄기가 되었다. 洙水는 북쪽에 있고 泗水는 남쪽에 있다. 춘추 시기에는 노나라에 속하였다. 공자는 수수와 사수 사이에서 사람들을 모아 강학했다고 한다.

한 시대에 높이 뛰어났다. 그 포함하고 온축한 것이 두루 넓고 깊으므로[38] 그 나오는 것이 이와 같이 무궁하다.

學者據經辨疑, 隨問隨析, 固皆極其精要. 暇而辨難古今, 其應如響, 愈扣愈深, 亹亹不絶, 及詳味而細察之, 則方融貫於一理而已矣. 嘗有言曰, '學者望道未見, 固必卽書以窮理. 苟有見焉, 亦當考諸書, 有所證驗而後實, 有所裨助而後安. 不然, 則德孤而與枯槁寂滅者無以異矣, 潛心大業何有哉? 矧自周衰, 敎失禮樂, 養德之具一切盡廢, 所以維持此心者惟有書耳.' 謂可轢轢經傳遽指爲糟粕而不觀乎? 要在以心體之, 以身踐之, 而勿以空言視之而已矣. 以是存心, 以是克己, 仁豈遠乎哉? 至於晚歲德尊言立, 猶以義理無窮, 歲月有限, 慊然有不足之意. 洙泗以還, 博文約禮兩極其至者, 先生一人而已.

배우는 사람이 경에 의거하여 의문을 변론하는 때에 질문하는 데로 막힘없이 분석하니, 모두 그 정밀함과 요체를 지극히 했다. 틈이 나서 고금古今의 역사를 논의할 때 그 응답함이 메아리와 같았고, 두드리면 두드릴수록 더욱 깊어 물이 흘러가듯이 끊어지지 않았는데, 상세하게 음미하고 세밀하게 관찰하면 하나의 리理에 융합하고 관통될 뿐이다. 주자가 일찍이 이런 말이 있으니, '배우는 사람이 도를 바라보고 터득하지 않으면 실로 반드시 책에서 리理를 궁구할 것이고, 터득한 것이 있어도 마땅히 책을 상고하여 증험하는 것이 있은 뒤에 사실이 되고, 도움이 되는 것이 있은 뒤에 안심할 수 있다. 그렇지 않으면 덕이 고립되어 마치 마른 가지나 적멸한 것[39]과 차이가 없으니 대업에 마음을 쏟는 데에 무슨 유익함이 있겠는가? 하물며 주나라가 쇠락한 이래 가르침에 예악禮樂을 잃어서 덕을 기르는 도구가 모두 다 없어졌으니, 그래서 이 마음을 유지하고 있는 것은 오직 책이 있을 뿐이다.' '경전經傳을 짓밟으면서 대뜸 찌꺼기라고 하면서 보지 않을 수 있겠는가? 요점은 마음으로 그것을 체득하고 몸으로 그것을 실천하며 헛된 말로 보지 않을 뿐이다. 이것으로 마음을 보존하고 이것으로 자기를 극복하면 인仁이 어찌 멀리 있겠는가? 라고 했다. 만년에 이르러 덕이 높아지고 논의가 확립되었으나, 오히려 의리는 무궁하고 세월은 한계가 있다고 했으니, 겸연하게 부족해 하는 뜻이 있었다. 공자洙泗[40] 이래로 박문博文과 약례約禮 양쪽에 그 지극함에 이른 자는 선생 한 사람일 뿐이다.

---

38 두루 넓고 깊으므로 : 溥博淵泉을 해석한 말이다. 『中庸』 31장에 "두루 깊고 깊어서 때에 맞게 나온다. 두루 넓은 것은 하늘과 같고, 깊은 것은 연못과 같으니, 나타남에 백성들이 공경하지 않는 이가 없고, 말함에 백성들이 믿지 않는 이가 없고, 행함에 백성들이 기뻐하지 않는 이가 없다.(溥博淵泉, 而時出之, 溥博, 如天, 淵泉, 如淵, 見而民莫不敬, 言而民莫不信, 行而民莫不說.)"라고 하였다.

39 마른 가지나 … 것 : 枯槁寂滅은 老佛을 비판할 때 흔히 하는 상징이다. 고고는 노자나 도교를 상징하고 적멸은 불교를 상징한다.

40 洙泗 : 洙水와 泗水를 말한다. 옛날에 두 물줄기는 지금의 산동성 사수현 북쪽에서 합류하여 흘러내려 曲阜 북쪽에 이르러 또 나누어져 두 물줄기가 되었다. 洙水는 북쪽에 있고 泗水는 남쪽에 있다. 춘추 시기에는 노나라에 속하였다. 공자는 수수와 사수 사이에서 사람들을 모아 강학했다고 한다. 공자를 상징한다.

先生教人, 規模廣大, 而科級甚嚴, 循循有序, 不容躐等凌節而進. 至於切己務實, 辨別義利, 毋自欺, 謹其獨之戒, 未嘗不丁寧懇到, 提耳而極言之. 每誦南軒張公無所爲而然之語, 必三歎焉. 晚見諸生繳繞於文義之間, 深慮斯道之無傳, 始頗指示本體, 使深思而自得之, 其望於學者益切矣. 嗚呼! 道之在天下未嘗亡也, 而統之相傳苟非其人, 則不得而與. 自孟子沒, 千有餘年而後周程張子出焉. 歷時未久, 浸失其眞. 及先生出而後合濂溪之正傳, 紹鄒魯之墜緒, 前聖後賢之道該徧全備, 其亦可謂盛矣.

선생이 사람을 가르치는 것은 규모가 광대하고 단계가 매우 엄격하여 차례대로 순서가 있어서, 단계를 뛰어넘고 절차를 무시하고 나아가는 것을 용납하지 않았다. 자신에게 절실하고 실제적인 일에 힘쓰며 의리와 이익을 판별하고 자신을 속이지 않으며 그 홀로 있을 때 삼가는[41] 등의 경계에 이르러 정녕 간절하여 귀를 잡아당겨 심각하게 말하지 않음이 없었다. 매번 남헌장공南軒張公[張栻]이 '애쓰지 않아도 그렇게 된다.'[42]는 말을 암송하며 반드시 세 번 탄식했다. 만년에 제생諸生들이 문자의 의미 사이에서 얽매이는 것을 보고서 이 도가 전해지지 않음을 깊이 염려하여 비로소 본체本體를 보여주어 깊이 생각하여 스스로 터득하게 했으니 배우는 사람에게 기대하는 것이 더욱더 간절하였다. 아! 도가 세상에서 없어진 적이 없었으나, 그 도통이 서로 전해지는 것은 실로 그 적합한 사람이 아니면 참여할 수가 없다. 맹자가 돌아가신 뒤 천 여 년이 흐른 뒤에 주돈이周敦頤 · 이정二程 · 장재張載가 세상에 나오고 세월이 오래되지 않아서 그 참됨을 점점 잃었다. 그러나 선생이 나온 뒤에 염계濂溪[周敦頤]의 정통의 전수에 합치하고 추로鄒魯(공맹)의 끊어진 단서를 이어서 앞선 성인과 뒤의 현자의 도가 두루 온전히 구비하니 또한 성대하다고 할 만하다.

蓋昔者『易』更三古, 而混於八索, 『詩』『書』煩亂, 『禮』『樂』散亡, 而莫克正也. 夫子從而贊之, 定之, 刪之, 正之, 又作『春秋』. 六經始備, 以爲萬世道德之宗主. 秦火之餘, 六經旣已爛脫, 諸儒各以己見妄穿鑿爲說, 未嘗有知道者也. 周程張子其道明矣, 然於經言未暇釐正, 一時從遊之士或昧其旨, 遁而入於異端者有矣. 先生於是考訂訛繆, 探索深微, 總裁大典, 勒成一家之言, 仰包粹古之載籍, 下採近世之文獻, 集其大成以定萬世之法. 然後斯道大明, 如日中天, 有目者皆可睹也. 夫子之經得先生而正, 夫子之道得先生而明, 起斯文於將墜, 覺來裔於無窮, 雖與天壤俱弊, 可也."

옛날에 『역易』은 삼고三古[43]을 거치면서 『팔삭八索』[44]을 혼합했고, 『시詩』와 『서書』는 번잡하고 예와 악

<hr />

41 그 홀로 … 삼가는: 『中庸』의 愼其獨을 말한다. 주희는 獨을 혼자 있을 때만 아니라 남들은 모르고 혼자만 아는 것이라고 주석하고 있다. 결국 혼자만 아는 것을 삼간다는 의미이다.
42 『南軒集』 권14, 「序 · 孟子講義序」: "배우는 사람은 공맹에 깊이 마음 쏟아야 하나, 반드시 그 문을 얻어서 들어가야 한다. 어리석은 것은 義利를 분변하는 것보다 앞선 것은 없다. 聖學은 애쓰지 않아도 그렇게 되는 것이다.(學者, 潛心孔孟, 必得其門而入. 愚以爲莫先扵義利之辯. 蓋聖學無所爲而然也.)"
43 三古: 『漢書』 「藝文志」에 "『易』의 도는 깊으니 사람으로는 三聖을 거쳤고, 시대로는 三古를 거쳤다.(易道深

은 망실되어서 바로잡을 수가 없었다. 공자는 이에 보태고 정하고 줄이고 바로잡고, 또 『춘추春秋』를 지었다. 육경이 비로소 갖추어지니 만세에 도덕의 종주宗主가 되었다. 진나라의 분서갱유 이후로 육경이 망가져서 제유諸儒들이 각각 자신의 견해로 망령되이 천착하여 말을 만드니, 도를 아는 자가 없었다. 주돈이周敦頤·이정二程·장재張載가 그 도를 밝혔으나, 경전의 말은 바로잡을 겨를이 없어서 한 시대에 따라서 배우던 선비들이 혹 그 뜻에 어두워 달아나 이단에 빠진 자가 있었다. 선생은 이에 거짓과 오류를 교정하고 깊고 미묘한 뜻을 탐색하여 대전大典을 모두 마름질해서 일가一家의 말을 이루었으니, 위로 옛 전적을 포괄하고 아래로 근세의 문헌을 모아서 그것들을 집대성하여 만세의 법을 정하였다. 그런 뒤에 이 도가 크게 밝혀져 마치 해가 중천에 뜬 듯 하였으니, 눈이 있는 자는 모두 볼 수 있었다. 공자의 경전은 선생을 얻어 바르게 되었고 공자의 도는 선생을 얻어 밝혀졌으니, 사문斯文을 떨어지는 것에서 일으켜 세우고 후인들을 무궁하게 일깨우니, 비록 천지와 함께 없어진다 하더라도 괜찮을 것이다.”

[41-1-6]
吳氏壽昌曰：“先生每觀一水一石一草一木稍淸陰處, 竟日目不瞬, 飮酒不過兩三行. 又移一處, 大醉, 則趺坐高拱. 經史子集之餘, 雖記錄雜說擧輒成誦. 微醺則吟哦古文, 氣調淸壯. 某所聞見, 則先生每愛誦屈原楚騷, 孔明出師表, 淵明歸去來詞, 幷杜子美數詩而已.”[45]

오씨吳氏(수창壽昌)가 말했다. “선생은 매번 물, 돌, 초, 나무를 볼 적마다 조금 시원한 그늘에서 종일 눈 하나 깜박이지 않았으며, 술을 마실 때는 두 세 잔에 불과했다. 또 장소를 옮기어 대취하면 정좌하고 공손히 손을 모았다. 경사자집經史子集 이외에 기록과 잡설이라도 모두 암송했다. 약간 취하면 고문을 읊조렸는데, 그 기운과 목소리가 맑고 웅장했다. 내가 들으니, 선생은 매번 굴원의 초사와 이소, 제갈공명의 출사표, 도연명의 귀거래사, 두자미杜子美[杜甫]의 여러 시를 애송하였다.”

[41-1-7]
北溪陳氏曰：“先生道巍而德尊, 義精而仁熟. 立言平正溫潤, 淸巧的實, 徹人心, 洞天理, 達羣哲, 會百聖, 粹乎洙泗伊洛之緖. 凡曩時有發端而未竟者, 今悉該且備, 凡曩時有疑辨而未瑩者, 今益信且白. 宏綱大義, 如指諸掌, 掃千百年之繆誤, 爲後學一定不易之準則. 辭約而理盡, 旨明而味深, 而其心度澄朗, 瑩無查滓, 工夫縝密, 渾無隙漏, 尤可想見於辭氣間. 故孔孟周程之道至先生而益明, 所謂主盟斯世, 獨惟先生一人而已.”[46]

矣, 人更三聖, 世歷三古.）는 말이 있는데 顏師古는 孟康의 말을 인용하여 “복희는 上古이고 문왕은 中古이며 공자는 下古이다.（然則伏羲爲上古, 文王爲中古, 孔子爲下古.）”라고 주를 달고 있다. 또 『禮記』「禮運」에서 孔穎達은 “복희는 상고이고 신농은 중고이며 오제는 하고이다.（伏羲爲上古, 神農爲中古, 五帝爲下古.）”라고 주를 달고 있다. 여기서는 후자의 의미에 가깝다.
44 『八索』：도교에서 신비적으로 전해져오는 책을 말한다. 『雲笈七籤』 권9에 “後有八帝, 次三皇而治, 又各受一卷, 亦以神靈之敎治天下. 上三卷曰'三精', 次三卷曰'三變', 次二卷曰'二化', 凡八卷, 號曰'八索'.”라고 하였다.
45 『朱子語類』 권107, 52조목

북계 진씨北溪陳氏[陳淳][47]가 말했다. "선생의 도는 우뚝하고 덕은 존귀하며, 의리는 정밀하고 인仁은 성숙했다. 하는 말은 평정平正하고 온화하며 매우 정교하고 적실했다. 사람의 마음을 꿰뚫고 천리를 통하며 많은 철인들에 통달하고 모든 성인을 이해하니, 수사洙泗[48]와 이락伊洛[49]의 계통에 순수했다. 이전에 문제는 제기했으나 마치지 못한 것은 지금 모두 남김없이 갖추었고, 이전에 의심이 있었으나 밝히지 못한 것은 지금은 더욱 확실하고 명백해졌다. 큰 강령과 큰 의리를 손가락에서 가리키는 듯 하며, 천백 년의 오류를 없애서 후학들에게 한 번 정해져서 바꾸지 않는 준칙이 되었다. 말은 간략하고 리理는 다했으며, 뜻은 분명하고 의미는 깊다. 그 마음이 명징하고 밝아서 맑고 찌꺼기가 없고, 공부는 치밀하여 혼연히 틈과 새는 곳이 없으니, 이러한 것을 그 말과 기운 사이에서 생각해 볼 수 있다. 그러므로 공자·맹자·주돈이·이정二程의 도는 선생에 이르러서 더욱 밝혀졌으니 이른 바 이 세상의 맹주는 오직 선생 한 사람일 뿐이다."

[41-1-8]

鶴山魏氏曰: "天生斯民, 必有出乎其類者, 爲之君師以任先覺之責. 然而非一人所能自爲也, 必並生錯出, 交修互發, 然後道章而化成. 是故有堯舜, 則有禹皐陶, 有湯文, 則有伊尹萊朱太公望散宜生, 各當其世, 觀其會通以盡其所當爲之分. 然後天衷以位, 人極以立, 萬世之標準以定. 雖氣數詘信之不齊, 而天之愛人, 閱千古如一日也. 自比閭節授之法壞, 射飮讀法之禮無所於行, 君師之枋移於孔子, 則又有冉閔顏曾輩弟子左右羽翼之, 微言大義天開日揭, 萬物咸覩.

학산 위씨鶴山魏氏[魏了翁][50]가 말했다. "하늘이 이 백성을 낳음에 반드시 그 부류에서 빼어난 자가 있을 것이니 그를 군주와 스승으로 삼아 선각先覺의 책무를 맡겼다. 그러나 한 사람으로서 해낼 수 있는 일이 아니고, 반드시 아울러 낳고 섞어서 내니, 서로 수양하고 상호 발현한 뒤에 도가 밝아지고 조화가 이루어진다. 그래서 요순堯舜이 있으면 우禹와 고요皐陶가 있었고, 탕왕과 문왕이 있으면 이윤伊尹과 래주萊朱[51]

46　『北溪大全集』 권5 「書問·初見晦菴先生書」

47　北溪陳氏[陳淳]: 陳淳(1159~1223)의 자는 安卿이고, 호는 北溪이다. 송대 龍溪 사람으로 주희가 장주 지사일 때 제자가 되어, 주희에게 '남쪽에 와서 나의 도가 진순 한 사람을 얻었다.'라는 칭찬을 받았다. 시호는 文安이다. 저서는 『字義詳講』·『論孟學庸口義』·『北溪大全集』 등이 있다.

48　洙泗: 洙水와 泗水를 말한다. 옛날에 두 물줄기는 지금의 산동성 사수현 북쪽에서 합류하여 흘러내려 曲阜 북쪽에 이르러 또 나누어져 두 물줄기가 되었다. 洙水는 북쪽에 있고 泗水는 남쪽에 있다. 춘추 시기에는 노나라에 속하였다. 공자는 수수와 사수 사이에서 사람들을 모아 강학했다고 한다.

49　伊洛: 이락의 학문伊洛之學이라고 하는데 이는 二程의 理學을 의미한다. 정씨 형제는 낙양 사람으로 伊水와 洛水 사이에서 강학했다.

50　鶴山魏氏[魏了翁]: 魏了翁(1178~1237)의 자는 華父이고 호는 鶴山이며, 邛州蒲江(현 사천성 소속) 사람이다. 시호는 文靖이다. 벼슬은 知漢州·知眉州 등 사천성 지역에서 17년간의 지방관을 거쳐 同簽書樞密院事와 資政殿大學士에 이르렀다. 그는 소옹의 선천역학을 신봉하여 「河圖」와 「雒書」의 존재를 믿었으며 소옹이 말한 선천도도 옛날부터 있었던 것이라고 굳게 믿었다. 저술은 『周易要義』를 비롯한 『九經要義』가 있다.

와 태공망太公望과 산의생散宜生[52]이 있어서 각각 그 세상을 담당하여 그 회통하는 것을 관찰하여 그 마땅히 해야 하는 직분을 다하였다. 그런 뒤에 천충天衷[53]이 자리를 잡고 인극人極이 세워져서 만세의 표준으로 정해진다. 비록 기수氣數의 굴신屈伸이 가지런하지 않아도 하늘이 사람을 아끼는 것은 천고千古를 지나도 하루와 같음을 볼 수 있다. 마을 제도[54]와 절기에 따라 해야 할 일을 주는 법[55]이 무너진 이래로 향사례와 향음주와 독법讀法의 예가 행해지는 곳이 없고, 군사君師[56]의 도리가 공자에게로 옮겨가니 또한 염유冉有와 민자건閔子騫과 안연顔淵과 증삼曾參의 여러 제자가 좌우로 보좌하여 미언대의微言大義가 하늘이 열리고 해가 걸린 듯이 만물이 다 보게 되었다.

自孔子沒, 則諸子已有不能盡得其傳者, 於是子思孟子又爲之闡幽明微, 著嫌辨似, 而後孔氏之道歷萬世而亡弊. 嗚呼! 是不曰天之所命而誰爲之? 秦漢以來, 諸儒生於籍去書焚師異指殊之後, 不惟孔道晦蝕, 孟氏之說亦鮮知之. 千數百年間何可謂無人, 則往往孤立寡儔, 倡焉莫之和也, 絕焉莫之續也. 乃至國朝之盛, 南自湖湘, 北至河洛, 西極關輔, 地之相去何翅千餘里, 而大儒輩出, 聲應氣求, 若合符節. 曰極、曰誠、曰仁、曰道、曰中、曰恕、曰性命、曰氣質、曰天理人欲、曰陰陽鬼神, 若此等類, 凡皆聖門講學之樞要, 而千數百年習浮踵漏, 莫知其說者, 至是脫然如沈痾之間, 大寐之醒.

공자가 죽고 난 뒤부터는 제자諸子들이 그 전해진 것을 모두 얻을 수가 없었으니, 이에 자사子思와 맹자孟子가 또한 어두운 것을 열고 은미한 것을 밝혀서 의심스러운 것을 드러내고 유사한 것을 분별한 뒤에 공자의 도가 만세를 거쳐서도 폐단이 없었다. 아! 이를 하늘이 명하지 않은 것이라면 누가 한 것이겠는가? 진한秦漢 이래로 여러 유생儒生들이 전적이 없어지고 책들이 불타버리고 스승이 달라지고 요지가 갈라진 뒤에 공자의 도가 어둡게 되었을 뿐 아니라 맹자의 학설도 아는 이가 드물게 되었다. 수천 년 동안 어찌 사람이 없었다고 할 수 있겠는가만 왕왕히 고립되고 동반자가 드물어서, 선창해도 화답하지

<hr>

51 萊朱 : 仲虺(중훼)를 말한다. 奚仲의 후손으로 薛이 본거지이고, 萊朱라고 일컬었다. 湯의 신하이고, 右相인 이윤과 더불어 左相이 되어 탕을 보좌하여 상나라 건국에 공적을 세웠다.

52 散宜生 : 西周의 개국 공신으로 文王四友 가운데 하나이다. 姜尙과 太顚 등과 함께 西伯 姬昌을 구했다.

53 天衷 : 하늘의 뜻을 말한다. 『左傳』「僖公28년」에 "君臣不協之故, 用昭乞盟於爾大神, 以誘天衷."라고 하였다. 漢나라 蔡邕은 『郭有道碑』에서 이렇게 설명한다. "先生誕膺天衷, 聰睿明哲."

54 마을 제도 : 比閭를 해석한 말이다. 『周禮』「地官·大司徒」에 "다섯 가구를 比로 하여 서로 보호하게 하고, 다섯 비를 閭로 하여 서로 주고 받게 했다.(令五家爲比, 使之相保, 五比爲閭, 使之相受.)"라고 하였다. 비려란 고대 호적의 기본 단위이니 마을이라고 할 수 있다.

55 절기에 따라 … 법 : 『漢書』「魏相傳」에 "명왕이 尊天을 삼가 사람을 봉양하는 데에 신중하므로 희화의 관직을 세워 四時를 타고, 절기에 따라서 백성에게 해야 할 일을 알려 주었다.(明王謹於尊天, 愼于養人, 故立羲和之官以乘四時, 節授民事.)"라고 하였는데, 顔師古는 "각각 그 절기에 따라서 일을 주었다.(各依其節而授以事)"라고 주를 달고 있다.

56 君師 : 고대에는 군주와 스승을 존중하여 항상 군사로 천자를 통칭했다. 주희의 『大學章句』에서 "則天必命之以爲億兆之君師, 使之治而敎之."라고 했다.

못하고 끊어져서 잇지를 못하였다. 우리 송대에 이르러 남으로는 동정호[湖]와 상수湘水로부터 북쪽으로는 하수河水와 낙수洛水에 이르고 서쪽으로는 관중關中과 삼보三輔까지 땅의 거리가 어찌 천 여리 뿐이겠는가? 그런데도 대유大儒가 배출하여 같은 소리끼리 상응하고 같은 기로 서로 구하여 부절을 합하는 것과 같았다. 극極‧성誠‧인仁‧도道‧중中‧서恕‧성명性命‧기질氣質‧천리天理‧인욕人欲‧음양陰陽‧귀신鬼神 등은 모두 성인 문하에서 강학講學하던 요체이고 천 몇 백 년 동안 부화한 것을 익히고 온전하지 못한 것을 답습하여 그 학설을 아는 자가 없었는데 이에 이르러 시원하게 깊은 병이 낫고 큰 잠에서 깨어난 듯하였다.

至于呂謝游楊尹張侯胡諸儒切磋究之, 分別白之, 亦幾無餘蘊矣. 然而絶之久而復之難, 傳者寡而咻者衆也. 朱文公先生始以彊志博見, 凌高屬空, 自受學延平李先生, 逡然如將弗勝. 於是歛華就實, 反博歸約, 迨其蓄久而思渾, 資深而行熟, 則貫精粗, 合外內, 羣獻之精蘊, 百家之異指, 毫分縷析, 如示諸掌. 張宣公, 呂成公, 同心協力以閑先聖之道, 而僅及中身, 論述靡竟. 惟先生巍然獨存, 中更學禁, 自信益篤.

여씨呂氏[呂大臨],[57] 사씨謝氏[射上蔡], 유씨游氏[游酢], 양씨楊氏[楊時],[58] 윤씨尹氏[尹焞],[59] 장씨張氏[張載],[60] 후씨侯氏[侯仲良],[61] 호씨胡氏[胡安國][62] 등 여러 유생들이 절차탁마하여 연구하고 분별하여 명백하게 하는 데에

- - - - - - - - - - - - - - - - - - - -

57 呂氏[呂大臨]: 呂大臨(1040~1092)을 말한다. 자는 與叔이고, 당시 藝閣先生으로 불리었다. 송대 藍田(현 섬서성 소속) 사람으로 『呂氏鄕約』을 쓴 呂大鈞의 동생이다. 張載가 처음으로 關中에 와서 강학할 때 형들과 함께 장재를 스승으로 모셨으나, 장재가 죽은 뒤 二程에게 배워 謝良佐‧游酢‧楊時와 함께 '程門四先生'이라 일컫는다. 太學博士‧秘書省正字를 역임하였다. 저서는 『禮記傳』‧『考古圖』 등이 있다.

58 楊氏[楊時]: 楊時(1053~1135)를 말한다. 자는 中立이고 호는 龜山이며 시호는 文靖이다. 북송 將樂(현 복건성 장락현) 사람이다. 관직은 高宗 때 龍圖閣直學士에 이르렀다. 程顥‧程頤 형제에 師事했는데, 특히 형 정호의 신임을 받았다. 閩學의 창시자이자 정문 4대 제자 가운데 한 사람이다. 그는 오래 살면서 이정(二程: 程顥‧程頤)의 도학을 전하여 洛學(이정의 학파)의 大宗이 되었으며, 그 學系에서는 주희‧張栻‧呂祖謙 등 뛰어난 학자가 많이 배출되었다. 저서에 『龜山集』‧『龜山語錄』‧『二程粹言』 등이 있다.

59 尹氏[尹焞]: 尹焞(1071~1142)은 송나라 河南 사람. 자는 彦明이고, 德充이라고도 한다. 尹源의 손자이다. 어릴 적부터 정이를 스승으로 섬겼다. 과거에 응시했다가 시험문제가 元祐의 여러 신하를 주살한 일을 논의하라는 것이 나와 답하지 않고 나와서 평생토록 과거시험을 보지 않았다. 欽宗 靖康 초에 서울에 불려가서 和靖處士라는 호를 받았다. 高宗 때에 숭정전설서, 예부시랑겸시강을 역임했다. 『論語解』‧『和靖集』이 있다.

60 張氏[張載]: 張載(1020~1077)를 말한다. 자는 子厚이고, 세칭 橫渠先生이라고 한다. 송대 大梁縣(하남성 開封) 사람으로 거주지는 鄠縣橫渠鎭(현 섬서성 眉縣)이었다. 1057년 진사에 급제했고 雲巖令‧崇政院校書 등을 역임하였다. 젊어서 병법을 좋아하여 범중엄에게 서신을 보냈다가 『中庸』을 읽기를 권유받고, 얼마 뒤 『六經』에 전념하게 되었다. 특히 『易』과 『中庸』을 중시하여 『正蒙』‧『西銘』‧『易說』 등을 지었는데, 이로써 나중에 '關學'의 창시자가 되었다.

61 侯氏[侯仲良]: 자는 師聖이고, 송대 華陰(현 섬서성 화음시)사람이다. 二程의 외사촌동생으로서 어려서부터 이정과 가까이 지내면서 함께 독서했고, 학문적으로는 특히 程頤의 영향을 많이 받았다. 평생 강학에만 힘써서 문하에 胡宏을 두었다. 말년에는 전란을 피해 福建으로 내려와 羅仲素 등과 교류하기도 했다. 저서는

이르러 또한 거의 더 밝힐 것이 없었다. 그러나 도가 끊어진 것이 오래되고 회복시키기가 어려워 전하는 자가 드물고 떠드는 자가 많았다. 주문공朱文公 선생이 처음엔 강한 뜻과 넓은 식견으로 하늘을 찌를 듯이 기세가 등등했지만, 연평延平 이선생李先生[63]에게 학문을 배운 뒤부터 겸손하게 마치 감당하지 못하는 듯이 했다. 이에 화려한 것을 거두고 실질에 나아가고, 박학博學을 되돌려 약례約禮로 돌아가며, 그 축적된 것이 오래되어 생각이 혼연하고, 도움받은 것이 깊어지고 행함이 익숙해지니, 정밀하고 거친 것을 꿰뚫고 안과 밖을 합치시키며, 여러 현자들의 정밀한 온축과 백가의 다른 요지를 자세하게 분석하여 손바닥 보듯이 하였다. 장선공張宣公[張栻],[64] 여성공呂成公[呂祖謙][65]은 마음을 같이 하여 협력해서 선성先聖의 도를 보위했지만 오래 살지 못하여 논술을 마치지 못하였다. 오직 선생만이 우뚝하게 홀로 존재하면서 중간에 학금學禁을 당했지만, 스스로의 믿음은 더욱 도타워졌다.

蓋自『易』·『詩』·『中庸』·『大學』·『論語』·『孟子』, 悉爲之推明演繹, 以至三禮『孝經』, 下迨屈韓之文·周程邵張之書·司馬氏之史·先正之言行, 亦各爲之論著, 然後帝王經世之規, 聖

『論語說』과 『雅言』이 있는데, 그 가운데 『雅言』은 二程의 事跡과 학설을 이해할 수 있는 중요한 저작이다. 楊時와 遊酢의 '程門立雪' 고사도 이 책에 기재되어 있다.

62 胡氏[胡安國]: 胡安國(1074~1138)은 胡淵의 아들로 程頤의 학문을 사숙하고 사량좌·양시 등과 교유하였다. 정이의 학문을 계승하여 송대 이학의 발전에 중요한 역할을 담당했다. 왕안석이 『春秋』를 학관에서 폐지하자 춘추학이 쇠퇴하였다고 여겨, 20여 년 간 『春秋』를 연구해 『春秋胡氏傳』을 저술했다. 『宋儒學案』 권34 「武夷學案」에서는 이렇게 설명한다. "자는 康侯이고 호는 武夷로서 崇安 사람이다. 紹聖 4년에 진사 3등으로 합격하여 荊南敎授로 제수 받고, 중앙으로 드러와 太學博士가 되었다. 遺逸인 王繪와 鄧璋을 천거하여 范純仁의 식객으로 삼았는데 蔡京이 미워하여 제명했다. 大觀 4년에 다시 복직했다. …『春秋傳』을 써서 進覽했고 寶文閣直學士에 제수 되었다. 紹興 8년 4월 13일에 죽었으니 향년 65세이고 시호는 文定이다.(胡安國, 字康侯, 崇安人. 紹聖四年進士第三人, 除荊南敎授, 入爲太學博士. 以所擧遺逸王繪鄧璋爲范純仁之客, 蔡京惡之, 除名. 大觀四年復官. … 著春秋傳進覽, 除寶文閣直學士. 紹興八年四月十三日卒, 年六十五, 謚文定.)"

63 延平 李先生: 李侗(1093~1163)을 말한다. 자는 愿中이고, 세칭 延平先生이라 하며, 시호는 文靖이다. 송대 南劍州劍浦(현 복건성 南平) 사람으로 楊時·羅從彦과 함께 南劍三先生이라 불리운다. 나종언에게서 二程의 학문을 배우고, 40여 년간 세속을 끊고 연구한 뒤에 '理一分殊' 등 이정의 학문을 주희에게 전수해 주었다. 저서는 『延平文集』이 있다.

64 張宣公[張栻]: 張栻(1133~1180)을 말한다. 자는 敬夫·欽夫·樂齋이고, 호는 南軒이다. 송대 漢州 錦竹(현 사천성 廣漢縣) 사람이다. 그의 부친 張浚은 宋 高宗, 孝宗 양 조정에서 丞相을 지냈다. 知撫州·知嚴州·湖北安撫使·吏部侍郎兼侍講 등을 역임하였다. 주희보다 세 살 어리지만 呂祖謙과 더불어 친구로 지냈으며, 후대에 이들 셋을 '東南三賢'이라고 부른다. 장식은 스승 胡宏으로부터 이어지는 胡湘學派를 정립하였으며, 그의 察識端倪說은 주희의 中和舊說을 확립하는데 중요한 역할을 하였다. 저서는 『南軒易說』·『論語解』·『孟子說』, 『伊川粹言』·『南軒集』 등이 있다.

65 呂成公[呂祖謙]: 呂祖謙(1137~1181)을 말한다. 자는 伯恭이고, 세칭 東萊先生이라 한다. 송대 金華(현 절강성 소속) 사람으로 주희·張栻과 함께 '東南三賢'으로 불리었다. 直秘閣著作郎·國史院編修·實錄院檢討를 역임하였다. 『詩』·『書』·『春秋』에 대하여 많은 古義를 궁구했다. 1175년 주희와 『近思錄』을 편찬하였고, 信州(현 강서성 上饒) 鵝湖寺에 주희와 육구연을 초청하여 두 사람의 논쟁을 중재하려 하였다. 저서는 『古周易』·『東萊左氏博儀』·『東萊集』 등이 있다.

賢新民之學, 粲然中興. 學者習其讀, 推其義, 則知三才一本, 道器一致. 幽探乎無極大極之妙, 而實不離乎匹夫匹婦之所知, 大至於位天地, 育萬物, 而實不外乎暗室屋漏之無愧. 蓋至近而遠, 至顯而微, 非若棄倫絶學者之慕乎高, 而譁世取寵者之安於卑也. 猗其盛歟! 嗚呼! 帝王不作, 而洙泗之教興, 微孟子, 吾不知大道之與異端果孰爲勝負也. 聖賢旣熄, 而關洛之學興, 微朱子, 亦未知聖傳之與俗學果孰爲顯晦也. 韓子謂孟子之功不在禹下, 予謂朱子之功不在孟子下."[66]

『역』·『시』·『중용』·『대학』·『논어』·『맹자』를 모두 미루어 밝혔고 연역해 내었으며, 삼례三禮(『주례』, 『의례』, 『예기』)와 『효경』까지 미쳤고, 아래로 굴원屈原과 한유韓愈의 문장과 주돈이周敦頤, 이정二程, 소옹邵雍, 장재張載의 책들과 사마광司馬光의 역사서, 선정先正(선현)의 언행에 이르기까지 또 각각 논저한 뒤에 제왕帝王이 세상을 경륜하는 규모와 성현聖賢이 백성을 새롭게 하는 학문이 찬연하게 중흥하였다. 배우는 자들이 그 구두를 익히고 그 의미를 미루니, 삼재三才天地人가 근본이 하나이고 도기道器가 일치함을 알 것이다. 유현幽玄한 것을 무극과 태극의 묘함에서 탐구하지만, 실제로는 필부匹夫와 필부匹婦가 아는 것에서 벗어나지 않고, 크게는 천지를 자리 잡게 하고 만물을 육성시키지만 실제는 어두운 방과 구석진 방에서 부끄러움이 없는 것에서[67] 벗어나지 않는다. 대체로 그 학문이 지극히 가깝지만 고원하고, 지극히 드러나지만 은미함은 인륜을 버리고 배움을 끊는 자가 고원한 것을 사모하고, 세상을 시끄럽게 하고 총애를 취하려는 자가 비굴함에 편안해 하는 것과는 같지 않다. 아! 성대하구나! 아! 제왕이 나오지 않았는데도 수사洙泗[68]의 가르침이 일어났으니, 맹자가 없었더라면 우리는 대도大道와 이단異端이 과연 어느 것이 옳고 그른지를 알지 못했을 것이다. 성현聖賢이 없어졌지만 관락關洛[69]의 학문이 일어났으니, 주자가 없었더라면 또한 성인이 전한 것과 속세의 학문이 과연 어느 것이 밝고 어두운지를 알지 못했을 것이다. 한자韓子[韓愈]는 맹자의 공이 우禹보다 못하지 않다고 했는데, 나는 주자의 공이 맹자의 공보다 못하지 않다고 하겠다.

66 『鶴山集』 권54 「序·朱文公年譜序」
67 구석진 방에서 … 것에서 : 『中庸』에 『詩經』에 이르기를 '네가 홀로 방안에 있음을 보니, 여기서도 방 귀퉁이에 부끄럽지 않다.' 하였다. 그러므로 군자는 움직이지 않아도 공경하며, 말하지 않아도 믿게 한다.(詩云, '相在爾室, 尙不愧于屋漏', 故君子, 不動而敬, 不言而信.)"라고 하였다.
68 洙泗 : 洙水와 泗水를 말한다. 옛날에 두 물줄기는 지금의 산동성 사수현 북쪽에서 합류하여 흘러내려 曲阜 북쪽에 이르러 또 나누어져 두 물줄기가 되었다. 洙水는 북쪽에 있고 泗水는 남쪽에 있다. 춘추 시기에는 노나라에 속하였다. 공자는 수수와 사수 사이에서 사람들을 모아 강학했다고 한다.
69 關洛 : 關學은 장재의 학문을 말하고 洛學은 二程의 학문을 말한다.

張栻 字敬夫號南軒　장식 자는 경부이고 호는 남헌이다.

[41-2-1]

朱子曰: "南軒張公生有異質, 穎悟夙成, 忠獻愛之. 自其幼學而所以教者, 莫非忠孝仁義之實. 旣長, 命徃從胡仁仲之門問程氏學. 先生一見, 知其大器, 卽以所聞孔門論仁親切之指告之. 公退而思, 若有得也. 以書質焉, 而先生報之曰, '聖門有人, 吾道幸矣.' 公以是益自奮勵, 直以古之聖賢自期, 作希顔錄一篇, 夙夜觀省以自警策, 所造旣深遠矣. 猶未敢自以爲足, 則又取友四方, 益務求其所未至.

주자가 말했다. "남헌 장공南軒張公[70]은 나면서부터 독특한 자질을 가져서 영민하고 조숙하니 충헌忠獻(장식의 아버지 장준의 시호)[71]이 그를 아꼈다. 어린 시절 배울 때부터 가르친 것은 충효忠孝와 인의仁義의 실제가 아닌 것이 없다. 장성해서는 호인중胡仁仲[胡宏][72]의 문하를 찾아 정씨程氏 학문을 배우도록 명했다. 선생이 한 번 보고 큰 그릇임을 알고서, 알고 있던 공자 문하의 인을 논한 친절한 요지를 알려주었다. 공이 집으로 돌아와 생각함에 얻은 것이 있는 듯했다. 그래서 편지로 질문하니 선생이 그에 답하여 '성인의 문하에 인물이 났으니 우리 도에 다행이다.'라고 했다. 공이 이에 더욱더 발분 노력하여 다만 옛 성현이 되기를 스스로 기약하며, 『희안록希顔錄』[73] 한 편을 지어 새벽에나 밤이나 보고 살펴서 스스로를 경계하고 채찍질하였으니, 나아간 경지가 심원했다. 그러나 스스로 만족할 수가 없어 또 사방의 벗을 취하여 더욱더 이르지 못한 것을 힘써 구했다.

蓋玩索講評, 踐行體驗, 反覆不置者十有餘年, 然後昔之所造愈深遠, 而反以得乎簡易平實之

- - - - - - - - - - - -

70 南軒張氏[張栻]: 張栻(1133~1180)의 자는 敬夫・欽夫・樂齋이고, 호는 南軒이다. 송대 漢州 錦竹(현 사천성 廣漢縣)사람이다. 高宗, 孝宗 양 조정에서 丞相을 지낸 張浚의 아들로 知撫州・知嚴州・湖北安撫使・吏部侍郎兼侍講 등을 역임하였다. 주희보다 세 살 어리지만 呂祖謙과 더불어 주희와 친구로 지냈으며, 후대에 이들 셋을 '東南三賢'이라고 부른다. 스승 胡宏으로부터 이어지는 胡湘學派를 정립하였으며, 그의 察識端倪說은 주희의 中和舊說을 확립하는데 중요한 역할을 하였다. 저서는 『南軒易說』・『論語解』・『孟子說』・『伊川粹言』・『南軒集』 등이 있다.

71 忠獻: 張俊(1097~1164)은 자는 德遠이고 세상 사람들이 紫岩先生이라고 칭했다. 漢州 綿竹 사람이다. 南宋 시대 유명한 재상이고 금나라에 항거했던 유명한 장군이며 민족의 영웅이다. 장식의 아버지이다. 隆興 8년 8월 병으로 죽었다. 시호가 忠獻이다.

72 胡仁仲[胡宏]: 胡宏(1105~1155)의 자는 仁仲이고, 호는 五峰이다. 송대 建寧崇安(현 복건성 소속) 사람으로 胡安國의 아들이다. 어려서 楊時・侯仲良에게 배우고 마침내 부친의 학문을 닦아 張栻에게 전수하여 湖湘學派의 창시자가 되었다. 楊時 이후 남송에 낙학을 전파한 관건적인 인물이다. 저서는 『知言』・『五峰集』 등이 있다.

73 『希顔錄』: 『希顔錄』은 장식이 29세에 쓴 책으로 그가 안자가 되기를 희망했던 것이다. 그는 안자의 언행과 기록들을 수집하여 『希顔錄』 상하편을 만들었다. 호굉은 『希顔錄』에 대해서 상세하게 읽고 비판과 수정을 가했다.

地. 其於天下之理, 蓋皆瞭然心目之間, 而實有以見其不能已者. 是以決之勇, 行之力, 而守之固, 其所以篤於君親, 一於道義, 而沒世不忘者, 初非有所勉慕而强爲之也. 公爲人坦蕩明白, 表裏洞然, 詣理旣精, 信道又篤. 其樂於聞過而勇於徙義, 則又奮厲明決, 無毫髮滯吝意. 故其德日新, 業日廣, 而所以見於論說行事之間者, 上下信之至於如此. 雖小人以其好惡之私, 或能壅塞於一時, 然至於公論之久長, 蓋亦莫得而揜之也.

완색하여 강평講評하고 실천하여 체험하며 반복하여 쉬지 않기를 10여년 한 뒤에 이전에 도에 나아간 것이 더욱더 심원하였지만, 도리어 간이簡易하고 평실平實한 것을 얻었다. 천하의 리理가 모두 눈앞에 환해졌으니, 실로 그만 둘 수 없는 것을 알 수 있었다. 그래서 결단하는 데에 용기 있고 행하는 데에 힘쓰고 지키는 데에 견고하였으니, 군주와 부모에게 돈독하고 도의道義에 일관되어 돌아가신 뒤에도 세상 사람들이 잊지 않은 것은 애초에 애써서 흠모하고 억지로 하려는 것이 아니었다. 공의 사람됨은 호탕하고 명백하여 안과 겉이 투명했고 리理에 대한 조예造詣가 정밀하고 도에 대한 믿음 또한 돈독했다. 허물 듣는 것을 즐거워하는 것과 의義를 실천하는 것에 용감한 것에 대해서는 또한 발분 노력하고 명확하게 결단하여 털끝만치도 지체하거나 인색한 뜻이 없었다. 그러므로 그 덕이 날로 새롭고 공업이 날로 넓어져서, 논설하고 일을 행하는 사이에 드러난 것들을 위와 아래가 믿음직하게 여기는 것이 이와 같음에 이르렀다. 소인이 호오好惡의 사사로움으로 혹 한 때 막을 수는 있지만 그러나 공론公論의 장구함에 이르러서는 또한 가릴 수는 없다.

公之教人, 必使之先有以察乎義利之間, 而後明理居敬以造其極, 其剖析開明, 傾倒切至, 必竭兩端而後已. 平生所著書, 唯論語說最後出, 而洙泗言仁, 諸葛忠武侯傳爲成書. 其他如書詩孟子太極圖說經世編年之屬, 則猶欲稍更定焉而未及也. 然其提綱挈領, 所以開悟後學使不迷於所鄉, 其功則已多矣. 蓋其常言有曰, '學莫先於義理之辯, 而義也者, 本心之所當爲而不能自已, 非有所爲而爲之者也. 一有所爲而爲之, 則皆人欲之私而非天理之所存矣.' 嗚呼, 至哉言也! 其亦可謂擴前聖所未發, 而同於性善養氣之功者歟!"
又曰: "靖康之變, 國家之禍極矣. 小大之臣奮不顧身以任其責者, 蓋無幾人, 而其承家之孝, 許國之忠, 判決之明, 計慮之審, 又未有如公者. 雖降命不長, 不克卒就其業, 然其志義偉然, 死而後已, 則質諸鬼神而不可誣也."[74]

공이 사람을 가르치는 것은 반드시 먼저 의義와 이利 사이를 살피게 한 뒤에 리理를 밝히고 경敬에 거하여 그 극치를 만들게 했으며, 그 분석하고 밝게 깨우치는 것은 뒤집어 절실한 데에 이르는 데에서 반드시 양단兩端을 다한 뒤에 그쳤다. 평생토록 쓴 책은 오직 「논어설論語說」이 나중에 나왔으며 「사수언인洙泗言仁」과 「제갈충무후전諸葛忠武侯傳」이 책이 되었다. 기타 『서』, 『시』, 『맹자설孟子說』, 『태극도설』과 『경세편년經世編年』 따위는 약간 고쳐서 정하려고 했으나 완성을 못했다. 그러나 그가 강령을 제시하고

74 『朱文公文集』 권89 「碑・右文殿修撰張公神道碑」

이끌어서 후학을 일깨워 지향하는 것이 미혹되지 않게 하였으니 그 공이 이미 많다. 항상 말하기를 '배움은 의리의 변별보다 앞선 것은 없으니 의義는 본심本心의 당연히 할 것이고 스스로 그칠 수가 없는 것으로 의도적으로 하려고 해서 하는 것은 아니다. 하나라도 의도적으로 하려고 해서 하는 것이 있다면 모두 인욕人欲의 사사로움으로 천리天理가 보존된 것이 아니다.'라고 했으니, 아! 지극한 말이다! 또한 이전 성인이 발현하지 못한 것을 확충했다고 할 수 있으니 성선性善과 양기養氣[75]의 공과 동일하구나!" 또 말하였다. "정강靖康의 변란[76]에 국가의 재앙이 극에 달했다. 대소 신하들이 분연히 자신의 몸을 돌보지 않고 그 책무를 맡은 자가 몇 사람밖에 안 되었으나, 집안의 효를 잇고 나라의 충을 허여하며 판단하는 데에 밝고 사려하는 데에 자세한 것 또한 공과 같은 자가 있지 않았다. 수명이 짧아서 결국 그 과업을 이루지는 못했지만 그 뜻과 의리는 위대하여 죽은 뒤에야 그쳤으니, 귀신에게 물어보아도 속일 수가 없다."

[41-2-2]

"某嘗竊病聖門之學不傳, 而道術遂爲天下裂. 士之醇愨者拘於記誦, 其敏秀者衒於詞章, 旣皆不足以發明天理而見諸人事. 於是言理者歸於老佛, 而論事者騖於管商, 則於理事之正反皆有以病焉, 而去道益遠矣. 中間河洛之間, 先生君子得其不傳之緒而推明之. 然今不能百年, 而學者又失其指. 近歲乃幸得吾友敬夫焉, 而天下之士乃有以知理之未始不該於事, 而事之未始不根於理也."[77]

(주자가 말했다.) "나는 일찍이 성인 문하의 학문이 전해지지 않아 도술道術이 세상 사람들에 의해서 분열된 것을 마음 아파했다. 선비들 가운데 순수하고 성실한 사람은 기송記誦에 얽매여 있고, 영민하고 우수한 자들은 사장詞章에 자랑하여, 모두 천리를 밝게 드러내 인간사에 드러내기에는 부족하였다. 이에 리理를 말하는 자들은 노불老佛에 귀결되고 사事를 논하는 자들은 관중과 상앙으로 내달려서 리理와 사事의 정면과 반면이 모두 병통이 있어서 도에서 더욱 멀어졌다. 중간에 하락河洛[78]에서 선생 군자가 그 전해지지 않은 단서를 얻어 미루어 밝혔다. 그러나 지금 백 년도 못되어 배우는 자들이 또한 그 본질을 잃었다. 근세에 다행히 나의 친구 경부敬夫가 태어나 천하의 선비들이 리理는 애초에 사事에 갖추어지지 않은 적이 없고 사事는 애초에 리理에 근본하지 않음이 없음을 알게 되었다."

[41-2-3]

"孟子沒而義利之說不明於天下, 董相仲舒, 諸葛武侯, 兩程先生屢發明之, 而世之學者莫之能信, 是以其所以自爲者, 鮮不溺於人欲之私, 而其所以謀人之國家, 則亦曰功利焉而已爾. 自

---

75 性善과 養氣 : 맹자와 견주어 말한 것이다.
76 靖康의 변란 : 1126년 金이 宋의 개봉을 함락시키고 휘종과 그의 아들 흠종을 만주로 납치해 간 사건을 말한다. 정강의 변란 결과 북송은 공식적으로 끝나고 남송의 역사가 시작된다.
77 『朱文公文集』 권89 「碑 · 右文殿修撰張公神道碑」
78 중간에 河洛 : 북송 오자들을 말한다.

魏國張忠獻公唱明大義以斷國論, 南陽胡文定公誦說遺經以開聖學, 其託於空言, 見諸行事, 雖若不同, 而於孟子之言·董·葛·程氏之意, 則皆有所謂千載而一轍者. 張公敬夫, 則又忠獻公之嗣子, 而胡公季子五峯先生之門人也. 自其幼壯不出家庭, 而固已得夫忠孝之傳. 旣又講於五峯之門以會其歸, 則其所以默契於心者, 人有所不得而知也. 獨其見於論說, 則義利之間, 毫釐之辨, 蓋有出於前哲之所欲言而未及究者. 措諸事業, 則凡宏綱大用, 鉅細顯微, 莫不洞然於胷次而無一毫功利之雜. 是以論道於家, 而四方學者爭鄕徃之, 入侍經帷, 出臨藩屏, 則天子亦味其言, 嘉其績, 且將倚以大用, 而敬夫不幸死矣."[79]

(주자가 말했다.) "맹자가 죽고 난 뒤 의義와 리利의 학설이 천하에 밝혀지지 못하고, 강도상江都相 동중서와 제갈무후와 두 정선생程先生이 거듭 밝혔으나 세상의 배우는 사람들이 믿지 않아서, 자신을 위하는 일을 하는 데에는 인욕人欲의 사사로움에 빠지지 않는 것이 드물고, 국가를 도모하는 것은 또한 공리功利를 말할 뿐이다. 위魏나라 장충헌공張忠獻公[張俊]이 대의大義를 밝혀서 국론을 결단하고 남양南陽의 호문정공胡文定公胡安國이 남겨진 경전을 말하여 성학을 연 이래로, 그 공언空言[80]에 의탁한 것과 일에서 실행한 것이 다른 것 같지만 맹자의 말과 동중서, 제갈무후, 두 정씨程氏의 뜻에는 모두 천년이 지나도 동일한 길을 간 것이다. 장공경부張公敬夫는 또 충헌공의 맏아들이고 호공胡公의 막내아들인 오봉선생五峯先生의 문인이다. 청소년 때에 가정교육을 벗어나지 않았고 충효의 전통을 얻었다. 또 오봉의 문하에서 강론하여 그 귀결처를 이해했으니 마음에서 묵계한 것은 사람들이 알 수 없는 점이 있었다. 오직 그 논설에 드러난 것은 의義와 리利 사이와 털끝만한 차이를 분별하는 것에서 이전의 철인哲人들이 말하고자 했으나 궁구하지 못한 것이다. 사업에서 조치한 것은 큰 강령과 큰 쓰임과 크고 작고 드러나고 은미한 것에서 마음속에 환해서 털끝만큼의 공리功利가 섞인 것이 없었다. 그래서 집안에서 도를 논하여도 사방의 학자들이 다투어 향해 갔으며, 경연에 입시入侍하거나 변경에 나가 임하면 천자가 또한 그 말을 음미하고 그 공적을 기뻐해서 큰 쓰임으로 기용하려 했지만 경부敬夫가 불행히도 죽고 말았다."

[41-2-4]

"敬夫最不可得, 聽人說話便肯改."[81]

(주자가 말했다.) "장경부가 가장 뛰어난 점은 남이 말하는 것을 들으면 기꺼이 고친 것이다."

---

79 『朱文公文集』 권76 「序·張南軒文集序」

80 空言 : 호안국은 『春秋』로 유명한 사람이다. 空言이란 역사적 시비를 포폄하는 일을 의미한다. 『史記』 「太史公自序」에 "내가 실제적이지 않은 空言으로 기록하려고 했으나, 그 보다는 차라리 지금 재위에 있는 자들이 행한 일의 시시비비를 거론하여 더욱 더 절실하고도 명백하게 할 수 있었다.(子曰, '我欲載之空言, 不如見之於行事之深切著明也.')"라고 하였다.

81 『朱子語類』 권103, 46조목. 『宋名臣言行錄』(外集) 권13에도 나온다.

[41-2-5]

"敬夫見識純粹, 踐行純實, 使人望而敬之."[82]

(주자가 말했다.) "장경부는 식견이 순수하고 실천이 독실하여 사람들이 우러러보며 공경했게 했다."

[41-2-6]

"敬夫學問愈高, 所見卓然, 議論出人意表. 近讀其語說, 不覺胷中洒然, 誠可歎服."[83]

(주자가 말했다.) "경부의 학문은 날로 높아져서 견식이 탁월해서 그 의론이 사람들의 생각하는 것에서 벗어났다. 근래 그의 글을 읽으니 자신도 모르게 가슴속이 시원하여, 실로 탄복할 만하다."

[41-2-7]

"敬夫見處卓然不可及, 從游之久, 反復開益爲多. 但其天姿明敏, 從初不歷階級而得之, 故今日語人, 亦多失之太高."[84]

(주자가 말했다.) "경부의 식견은 탁월하여 미칠 수 없지만 사람들이 그와 교류하며 배우기를 오래하면 계속해서 마음을 열어주고 도움이 되는 것이 더욱 많았다. 다만 그 천부적인 자질이 명민하여 애초부터 등급을 거치지 않고 터득한 까닭에 지금 사람에게 말하는 것 또한 너무 고원한데서 오는 잘못이 많았다."

[41-2-8]

"南軒見處高, 如架屋相似, 大間架已就, 只中間少裝折."[85]

(주자가 말했다.) "남헌의 식견이 높으니, 마치 집을 짓는 것과 비슷하여 큰 구조는 세웠는데 안에 설비를 갖춘 것이 부족하다."

[41-2-9]

問: "先生舊與南軒反復論仁, 後來畢竟合否?"

曰: "亦有一二處未合. 敬夫說本出胡氏, 胡氏之說惟敬夫獨得之. 其餘門人皆不曉, 但云當守師之說. 向來徃長沙, 正與敬夫辨此."[86]

물었다. "선생은 옛날에 남헌과 반복해서 인을 논했는데, 나중에 결국 합치하셨나요?"

(주자가) 말했다. "또한 한 두 군데는 합하지 못한 곳이 있다. 경부의 학설은 본래 호씨胡氏로부터 나왔는 데 호씨의 학설을 유독 경부가 홀로 얻었다. 그 나머지 문인들은 모두 깨닫지 못했고, 단지 스승의 학설

---

82 『宋名臣言行錄』(外集) 권13
83 『朱文公文集』 권24 「書·與曹晉叔書」.
84 『朱文公文集』 권42 「書·答石子重」.
85 『朱子語類』 권93, 60조목
86 『朱子語類』 권103, 41조목

을 마땅히 지켜야 한다고 말할 뿐이다. 이전에 장사長沙에 가서 바로 경부와 이것을 변론했었다."

[41-2-10]

"敬夫高明, 他將謂人都似他, 纔一說時, 便更不問人曉會與否, 且要說盡他箇. 故他門人敏底, 祗學得他說話, 若資質不逮, 依舊無着摸. 某則性鈍, 讀書極是辛苦, 故尋常與人言, 多不敢爲高遠之論. 蓋爲是身曾親經歷過, 故不敢以是責人爾. 學記曰, '進而不顧其安, 使人不由其誠,' 今敎者之病多是如此."[87]

(주자가 말했다.) "경부는 고명하여, 그는 사람들은 모두 자신과 비슷하다고 여겨서 말할 때마다 다시는 다른 사람들이 이해했는지에 여부를 묻지 않고, 그의 말만을 다하려고 한다. 그러므로 그의 문하 가운데 명민한 자는 그가 말한 것을 배우지만 자질이 미치지 못한 자는 여전히 손에 잡히는 것이 없다. 나는 성품이 우둔하여 책을 읽을 때 매우 힘들었던 까닭에 평상시 사람들과 말할 때 대부분 감히 고원한 논의를 하지 않았다. 이 몸이 직접 겪어보았기 때문에 이것으로 사람들에게 요구하지 않은 것일 뿐이다. 「학기學記」에서 말하기를 '가르쳐 나아가게 하고 배우는 사람의 편안함 여부를 돌아보지 않으니, 배우는 사람이 그 성심誠心을 쓰지 않게 하는 것이다.'[88]라고 하니, 지금 가르치는 자들의 병통은 이러한 경우가 많다."

[41-2-11]

"學者於理有未至處, 切不可輕易與之說. 而敬夫爲人明快, 每與學者說話一切傾倒說出, 此非不可. 但學者見未到這裏, 見他如此說, 便不復致思, 亦甚害事. 某則不然, 非是不與他說, 蓋不欲與學者語未至之理耳."[89]

(주자가 말했다.) "배우는 자들이 리理에 대해서 이르지 못한 경우가 있으면, 절대 가볍게 그것을 사람들에게 말해 주어서는 안 된다. 그러나 경부는 사람됨이 명쾌하여 매번 배우는 사람들과 말할 경우 모든

---

87 『朱子語類』 권103, 35조목
88 『禮記』「學記」에 "지금의 가르치는 자들은 책이나 읽어주고 질문을 많이 하고 말도 많이 하여, 나아가게 하기는 배우는 사람들의 편안함 여부는 돌아보지 않으니, 배우는 사람이 그 誠을 쓰지 않게 하는 것이다. 사람을 가르치면서 그 재주를 다하게 하지 못하여, 그것의 시행은 어그러지고 구하는 것은 잘못된 것이 된다. 무릇 이러하기 때문에 학문은 은미해지고 그 스승을 미워하며, 학문의 어려움에 고생하지만 진보할 줄 모른다. 그 학업을 마치더라도 학문을 급히 버리고 마는 것이다. 가르침이 모범이 되지 못하는 것은 이 때문이다. 큰 학문의 방법은, 아직 드러나지 않았을 때 금하는 것을 豫라고 하고, 그 옳은 것에 합당한 것을 時라고 하며, 절도에 맞는 것을 넘어서지 않고 베푸는 것을 孫이라 하고, 서로 살펴서 善을 하는 것을 摩라고 한다. 이 네 가지는 가르침이 흥할 길이다.(今之敎者, 呻其佔畢, 多其訊, 言及于數, 進而不顧其安, 使人不由其誠. 敎人不盡其材, 其施之也悖, 其求之也佛. 夫然, 故隱其學而疾其師, 苦其難而不知其益也. 雖終其業, 其去之必速. 敎之不刑, 其此之由乎! 大學之法, 禁於未發之謂豫, 當其可之謂時, 不陵節而施之謂孫, 相觀而善之謂摩. 此四者, 敎之所由興也.)"라고 하였다.
89 『朱子語類』 권103, 36조목

것을 다 말하니, 이것은 옳지 않은 것은 아니다. 그러나 다만 배우는 사람의 식견이 여기에 미치지 못했을 때, 그가 이렇게 말하는 것을 보게 되면 다시 배우는 사람은 생각하지 않으니, 또한 매우 해로운 일이다. 나는 그렇지 않으니, 그와 함께 말을 안 하려는 것이 아니라, 배우는 자와 아직 이르지 못한 리理를 말하려 하지 않으려고 할 뿐이다."

[41-2-12]

"敬夫見識極高, 却不耐事. 呂伯恭學耐事, 却有病."[90]

(주자가 말했다.) "경부의 식견은 매우 높으나 인내하면서 일을 처리하지 못한다. 여백공呂伯恭[呂祖謙]은 인내하면서 일을 처리하는 것을 배웠지만 오히려 병통이 있다."

[41-2-13]

"南軒伯恭之學皆疎畧, 南軒疎畧從高處去, 伯恭疎畧從卑處去. 伯恭說道理與作爲自是兩件事, 如云仁義道德與度數刑政, 介然爲兩塗不可相通. 他在時不曾見與某說, 他死後, 諸門人弟子此等議論方漸漸說出來, 乃云皆原於伯恭也."[91]

(주자가 말했다.) "남헌과 백공의 학문은 모두 소략한데, 남헌의 소략함은 고원함에서 오고, 백공의 소략함은 비근함에서 온다. 백공은 도리와 작위作爲는 본래 두 가지 일이라고 말하니, 마치 인의도덕과 도수度數 형정刑政은 판연히 두 갈래 길이라 서로 통할 수 없다고 말하는 것과 같다. 그는 살아 있을 때 이 문제를 나와 말하지 못하였지만, 그가 죽은 뒤에 여러 문인 제자들이 이러한 논의를 점점 말하면서, 모두 백공에게 근원했다고 한다."

[41-2-14]

贊先生像曰: "擴仁義之端, 至於可以彌六合; 謹義利之判, 至於可以析秋毫. 拳拳乎其致主之功, 汲汲乎其幹父之勞, 仡仡乎其任道之勇, 卓卓乎其立心之高. 知之者, 識其春風沂水之樂, 不知者, 以爲湖海一世之豪. 彼其揚休山立之姿, 旣與其不可傳者死矣, 觀於此者, 尙有以卜其見伊呂而失蕭曹也耶?"[92]

선생先生[張栻]의 화상찬畵像讚에서 말했다. "인仁과 의義의 단서를 확충하여 육합六合을 가득 채우는 데에 이르렀고, 의義와 리利의 판별을 삼가 털끝만한 차이를 분석할 수 있는 데까지 이르렀다. 군주를 보좌하는 공에 애쓰고, 아버지의 일을 이어받는 노력에 힘쓰며, 도를 자임하는 용기가 웅장했으며, 마음을 세우는 고매함이 도도했다. 그를 알아보는 자는 그 봄바람을 쐬며 기수沂水[93]에서 노니는 즐거움을 알

---

90 『朱子語類』 권103, 32조목
91 『朱子語類』 권103, 33조목
92 『朱文公文集』 권85 「銘箴贊表疏啓婚書上梁文·張敬夫畫象贊」
93 『論語』 「先進」에 "點아 너는 어떻게 하겠느냐?" 그는 비파를 드물게 타다가 쟁하고 비파를 놓으며 일어나

것이고, 알아보지 못하는 자는 일세를 풍미한 호탕한 기개를 지닌 호걸이라고 여길 것이다. 그 양기가
만물을 기르는 모습[94]과 산처럼 우뚝한 자태는 이미 전할 수 없는 몸뚱이와 함께 죽었다. 이를 본 자는
오히려 이윤伊尹과 여상呂尙을 볼 것이라고 점칠 것이지만 소하蕭何와 조참曹參을 실색하게 할 것이다!"[95]

- - - - - - - - - - - - - - - - - - - -

답하였다. '세 사람이 갖고 있는 것과는 다릅니다.' 공자가 말했다. '무엇이 나쁘겠는가? 또한 각기 자기의
뜻을 말하는 것이다.' 대답하였다. '늦봄에 봄옷이 이미 이루어지면 冠을 쓴 어른 5, 6명과 童子 6, 7명과
함께 沂水에서 목욕하고 舞雩에서 바람 쐬고 노래하면서 돌아오겠습니다.' 孔子가 감탄하며 말했다. '나는
點을 허여한다.'('點, 爾, 何如?' 鼓瑟希, 鏗爾舍瑟而作, 對曰, '異乎三子者之撰.' 子曰, '何傷乎? 亦各言其志也.'
曰, '莫春者, 春服旣成, 冠者五六人, 童子六七人, 浴乎沂, 風乎舞雩, 詠而歸.' 夫子, 然嘆曰, '吾與點也.')"라고
하였다.

94 양기가 만물을 … 모습: 『禮記』「玉藻」에 "머리와 목은 반드시 반듯하게 한다. 산처럼 우뚝 서고, 가야 할
때에 가며, 성한 기운이 충실하고, 양명하게 하며 얼굴빛이 변치 않는 옥색이어야 한다.(頭頸必中, 山立, 時行,
盛氣顚實揚休, 玉色.)"라고 하였다. 정현은 이렇게 주석한다. "讀爲陽 …… 盛聲中之氣, 使之闐滿, 其息若陽
氣之休物也." 孔穎達은 이렇게 疏를 달고 있다. "使氣息出外, 如盛陽之氣生養萬物也."

95 蕭何와 曹參을 … 것이다!: 杜甫의 咏懷古迹이란 시가 있다. "제갈 승상의 큰 명성, 온 우주에 드리우고,
종신으로서 남긴 초상, 맑고 푸르도다. 천하를 삼분하는 큰 계책, 만고에 하늘을 나는 봉황의 모습. 뛰어난
재주는 이윤과 여상에 견줄 만하니, 승상의 지휘대로 되었다면 소하와 조참을 실색하게 했을 것이다. 국운이
이미 한나라를 떠나니 끝내 회복키 어려워, 뜻 품었으되 군무에 과로로, 몸이 먼저 죽는구나.(諸葛大名垂宇宙,
宗臣遺像蕭淸高. 三分割據紆籌策, 萬古雲霄一羽毛. 伯仲之間見伊呂 指揮若定失蕭曹. 運移漢祚終難服, 志決
身殲軍務勞.)"

諸儒四 제유 4

呂祖謙 字伯恭號東萊　여조겸 자는 백공이고 호는 동래이다.

[42-1-1]
朱子曰 : "伯恭說義理, 大多傷巧, 未免杜撰."[1]
주자가 말했다. "백공白恭[呂祖謙][2]이 의리를 말하는 데에 대부분 정교함이 없어서 근거 없이 만들어진 경우를 면치 못했다."

[42-1-2]
問 : "東萊博學多識則有之矣, 守約恐未也."
曰 : "然."[3]
물었다. "동래는 널리 배우고 많이 알고 있는 점은 있지만, 지키고 단속하는 것은 아마도 아직 못합니다."
(주자가) 말했다. "그렇다."

[42-1-3]
"某嘗謂人讀書, 寧失之拙, 不可失之巧, 寧失之低, 不可失之高. 伯恭之弊, 盡在於巧."[4]
(주자가 말했다.) "내가 일찍이 말하기를 사람이 독서를 하는데 차라리 서투른 데서 실수할지라도 교묘

．．．．．．．．．．．．．．．
1 『朱子語類』 권122, 3조목
2 白恭[呂祖謙] : 呂祖謙(1137~1181)은 자가 伯恭이고 호는 東萊先生이다. 婺州 사람이다. 太學博士・秘書郞・
　直秘閣著作郞 겸 國史院編修官을 역임했다. 朱熹・張栻과 더불어 東南三賢이라 한다. 浙東學派의 비조이다.
　저서로는『東萊集』・『呂氏家塾讀書記』・『東萊左傳博議』 등이 있다.
3 『朱子語類』 권122, 1조목
4 『朱子語類』 권122, 2조목

한 데서 실수해서는 안 되고, 차라리 저차원적인 데에서 실수할지라도 고차원적인 데에서 실수해서는 안 된다. 백공의 폐단은 모두 교묘한 데에 있다."

[42-1-4]
問東萊之學.
曰 : "伯恭於史分外子細, 於經却不甚理會."[5]

동래의 학문에 대해서 물었다.
(주자가) 답했다. "백공은 역사에 대해서는 특별히 자세하지만 경서에서는 그다지 이해하지 못한다."

[42-1-5]
"東萊聰明, 看文理却不子細. 向嘗與較程易到噬嗑卦和而且治, 一本治作洽, 據治字於理爲是. 他硬執要做洽字. 和已有洽意, 更下洽字不得. 緣他先讀史多, 所以看籠着眼讀書, 須是以經爲本, 而後讀史."[6]

(주자가 말했다.) "동래는 총명하지만 문리文理를 보는 데에는 오히려 자세하지 못하다. 이전에 정이천의 『역전』을 교정하는 데에 서합噬嗑괘의 '화이차치和而且治'[7]에 이르러 어떤 판본에는 '치治'라는 글자가 '흡洽'으로 되어 있다. '치'에 근거해야 이치에 옳은데 그는 '흡'자를 고집하려고 했다. '화和'에 이미 '흡'의 의미가 있어서 다시 '흡'자를 쓰지 못한다. 그는 우선 역사책을 많이 읽어서 대략적인 안목으로 독서하기 때문에 반드시 경전을 근본으로 삼은 뒤에 역사책을 읽어야 한다."

[42-1-6]
"伯恭教人看文字也籠. 有以論語是非問者, 伯恭曰, '公不會看文字, 管他是與非做甚, 但有益於我者, 切於我者, 看之足矣. 且天下須有一箇是與不是, 是處便是理, 不是處便是咈理, 如何不理會得?'[8]

(주자가 말했다.) "백공은 사람을 가르치는 데에 문자를 보는 것이 대략적이다. 어떤 사람이 『논어』의 옳음과 그름을 가지고 물었던 적이 있었는데 백공은 '당신은 문자를 볼 줄 모르니, 그 옳음과 그름에 간여해서 무엇하겠는가? 단지 자신에게 유익한 것이 있고, 자신에게 절실한 것이 있는데 그것을 보면 족하다.'고 했다. 천하에는 반드시 옳음과 옳지 않음이 있으니 옳은 곳이 리理이고, 옳지 않음이 리理가 아닌 것을 어찌하여 이해하지 못하는가?"

---

5 『朱子語類』 권122, 14조목
6 『朱子語類』 권122, 10조목
7 和而且治 : 아마도 정이천의 말일 듯한데 정이천의 『易傳』에는 이 말이 없다.
8 『朱子語類』 권122, 7조목

[42-1-7]

"東萊文鑑編得泛然亦見得淺."[9]

(주자가 말했다.) "동래의 문감文鑑은 편집하는 것이 범범하고, 또 견해도 낮다."

[42-1-8]

"伯恭所編奏議, 皆優柔和緩者, 亦未爲全是. 今丘宗卿作序者, 是舊所編. 後修文鑑不止乎此, 更添入."[10]

(주자가 말했다.) "백공이 편집한 주의奏議(상소문)는 모두 부드럽고 온화하지만 또한 전부 옳지 못하다. 지금 구종경丘宗卿이 서문을 쓴 것은 옛날에 편집된 것이다. 나중에 문감을 편수했는데 여기에 그칠 뿐 아니라 다시 첨가한 것이다."

[42-1-9]

"東萊自不合做這大事記. 他那時自感疾了, 一日要做一年. 若不死, 自漢武至五季只千來年, 他三年自可了此文字. 人多云其解題煞有工夫, 其實他當初作題目却煞有工夫, 只一句要包括一段意. 解題只見成檢令諸生寫. 伯恭病後, 旣免人事應接, 免出做官, 若不死, 大段做得文字."[11]

(주자가 말했다.) "동래가 이렇게 큰 역사 기록을 해서는 안 되었다. 그는 그때 병에 걸려 하루에 1년 치를 하려고 했다. 죽지 않았다면 한무제로부터 오계五季에 이르기까지 단지 천 여 년 인데 그는 3년에 이 문자를 마쳤을 것이다. 사람들은 그 해제는 분명 공부가 있다고 많이들 말하지만, 사실 그는 당초에 제목을 짓는 데에 오히려 공부가 있어서 단지 한 구절에 한 단락의 의미를 포괄했다. 해제는 단지 검사만 이루어졌고, 제생들로 하여금 쓰게 했다. 백공이 병이 난 후에 세상사의 대응과 접대를 면했으니 관직도 면하고 만약 죽지 않았다면 크게 문자를 썼을 것이다."

[42-1-10]

問: "伯恭少儀外傳多瑣碎處."

曰: "人之所見不同. 某只愛看人之大體大節磊磊落落處, 這般瑣碎便懶看. 伯恭又愛理會這處. 其間多引忍恥之說, 最害義. 緣他資質弱, 與此意有合, 遂就其中推廣得大. 想其於忠臣義士死節底事, 都不愛. 他亦有詩說張巡許遠那時不應出來."[12]

물었다. "백공의 『소의외전少儀外傳』[13]은 번쇄한 곳이 많습니다."

. . . .

9 『朱子語類』 권22, 27조목
10 『朱子語類』 권122, 28조목
11 『朱子語類』 권122, 21조목
12 『朱子語類』 권122, 22조목

(주자가) 답했다. "사람들의 견해가 다르다. 나는 사람의 대체大體와 대절大節이 뚜렷하고 공명정대한 것을 보기를 좋아한다. 백공도 이것을 이해하기를 좋아했다. 그 사이에 치욕을 참는 말을 많이 인용한 것이 가장 의義를 해친다. 그의 자질이 나약해서 이러한 뜻과 합치되고, 그 가운데서 미루어 확대한 것이 크다. 그러나 충신忠臣과 의사義士들이 절개로 죽은 일을 모두 아끼지 않았다. 그는 또한 시詩에서 장순張巡과 허원許遠이 그 때 응당 나서지 않아야 한다고 말했던 적이 있다."

[42-1-11]

"伯恭宗太史公之學, 以爲非漢儒所及. 某嘗痛與之辨. 子由古史言馬遷'淺陋而不學, 疎略而輕信', 此二句最中馬遷之失, 伯恭極惡之. 古史序云, '古之帝王其必爲善, 如火之必熱, 水之必寒. 其不爲不善, 如騶虞之不殺, 竊脂之不穀.' 此語最好. 某嘗問伯恭此豈馬遷所能及. 然子由此語雖好, 又自有病處. 如云帝王之道以無爲爲宗之類. 他只說得簡頭勢大, 下面工夫又皆空疎. 亦猶馬遷禮書云, 大哉! 禮樂之道, 洋洋鼓舞萬物, 役使羣動, 說得頭勢甚大, 然下面亦空疎, 却引荀子諸說以足之. 又加諸侯年表盛言形勢之利, 有國者不可無. 末却云形勢雖強, 要以仁義爲本. 他上文本意主張形勢, 而其末却如此說者, 盖他也知仁義是簡好底物事不得不說, 且說教好看.

(주자가 말했다.) "백공은 태사공太史公[呂祖]의 학문을 존숭하여 한나라 유학자들이 미칠바가 아니라고 여겼다. 내가 일찍이 그것을 통렬하게 변론했다. 자유子由[蘇轍][14]의 『고사古史』에는 사마천의 '천박하여 학문이 없고 소략하여 가볍게 믿는다.'는 말을 했다. 이 두 구절은 사마천의 실수를 가장 잘 맞춘 것이니, 백공이 매우 싫어했다. 『고사』 서문에서 말하기를 '옛날의 제왕帝王은 반드시 선을 행하는 데에 마치 불이 반드시 열이 나고 물이 반드시 찬 것과 같이 하며, 그 불선함을 행하지 않는 데에 마치 추우騶虞(전설에 나오는 의로운 동물)를 죽이지 않는 것과 절지竊脂(전설에 나오는 새)를 기르지 않는 것과 같이 한다.'고 했는데 이 말이 가장 좋다. 내가 일찍이 백공에게 '이것이 어찌 사마천이 미칠 수 있겠습니까?'라고 했다. 그러나 자유의 이 말이 좋지만 또 병통이 있으니, 예를 들어 '제왕의 도는 무無를 종宗으로 한다.'는 종류이다. 그는 단지 어세를 크게 말하지만 아래 부분 공부는 또한 모두 소략하고 공허하다. 또한 사마천은 「예서」에서 말하기를 '위대하구나! 예악禮樂의 도여, 성대하게 만물을 고무시키고 모두 움직이도록 한다.'고 말하는 어세는 매우 크지만 아래 부분은 또한 공소하니, 순자荀子의 여러 말을 인용하여 말하면 족할 것이다. 또 「제후연표諸侯年表」에서 형세의 이로움은 나라를 소유한 자가 없어서는 안 될 것이라고 성대히 말하고 말미에는 오히려 '형세는 비록 강하지만 인의仁義를 근본으로 해야 한다.'고 말했다. 그가

---

13 『少儀外傳』: 여조겸이 지은 『小學』에 관한 책이다.
14 子由[蘇轍]: 蘇轍(1039~1112)은 북송 眉州 眉山 사람으로 자는 子由 혹은 同叔이고, 호는 欒城 혹은 潁濱遺老이다. 소순, 소식과 함께 三蘇로 불린다. 蘇洵의 아들이고, 蘇軾의 동생이다. 시호는 文定이다. 저서는 『欒城集』・『欒城應詔集』・『詩集傳』・『春秋集傳』・『論語拾遺』・『孟子解』・『詩經傳』・『道德經解』・『春秋集解』・『古史』 등이 있다.

위 문장의 본래 의도가 형세를 주장하고 그 말미에서 이렇게 말하는 것은 그도 인의仁義가 좋은 것임을 알아서 부득이 해서 말한 것이고 또 말하여 보기 좋게 한 것이다.

如禮書所云, 亦此意也. 伯恭極喜渠此等說, 以爲遷知行夏之時, 乘殷之輅, 服周之冕, 爲得聖人爲邦之法, 非漢儒所及. 此亦衆所共知, 何必馬遷. 然遷嘗從董仲舒游, 史記中有'余聞之董生云', 此等語言亦有所自來也. 遷之學也說仁義, 也說詐力, 也用權謀, 也用功利. 然其本意, 却只在於權謀功利. 孔子說伯夷求仁得仁又何怨? 他一傳中首尾皆是怨辭, 盡說壞了伯夷. 子由古史皆删去之, 盡用孔子之語作傳. 豈可以子由爲非, 馬遷爲是? 聖賢以六經垂訓, 炳若丹青, 無非仁義道德之說. 今求義理不於六經, 而反取踈略淺陋之子長, 亦惑之甚矣."15

「예서禮書」에서 말한 것 또한 이 뜻이다. 백공은 이러한 말을 매우 좋아해서 사마천이 '하나라의 때를 행하고 은나라의 수레를 타고 주나라의 면류관을 쓸' 줄 알아서 성인이 나라를 다스리는 법을 얻었다고 여기니 한나라 유학자들이 미칠 바가 아니다. 이것도 사람들이 모두 아는 것이니 하필 사마천만이겠는가? 그러나 사마천은 동중서를 따라 공부해서 『사기』에 '나는 동중서선생이 말하는 것을 들었다.'라는 말이 있으니 이러한 말은 또한 여기서 유래한다. 사마천의 학문은 인의仁義를 말하기도 하고 거짓과 힘을 말하기도 하고 권모술수를 사용하기도 하고 공리功利를 사용하기도 하지만 그 본래의 의도는 오히려 권모술수와 공리功利에 있다. 공자가 백이를 평하여 말하기를 '인仁을 구하려 해서 인仁을 얻었으니, 또 무슨 원한이 있겠는가?'라고 했는데 그는 「열전」의 처음과 끝에서 모두 원한의 말을 하여 백이를 무너뜨렸다. 자유의 『고사』는 모두 깎아 버리고, 공자의 말을 모두 써서 전傳을 만들었으니 어찌 자유는 그르고 사마천은 옳다고 할 수 있겠는가? 성현聖賢이 육경六經으로 가르침을 내리니, 그 밝음이 단청과 같아서 인의仁義와 도덕道德의 말이 아님이 없다. 지금은 의리義理를 육경에서 구하지 않고 반대로 소량하고 비루한 자장子長에게서 취하니 또한 미혹됨이 심하다."

[42-1-12]

贊先生像曰: "以一身而備四氣之和, 以一心而涵千古之秘. 推其有, 足以尊主而庇民. 出其餘, 足以範俗而垂世. 然而狀貌不踰於中人, 衣冠不詭於流俗. 迎之而不見其來. 隨之而莫覩其蹤, 矧是丹青, 孰形心曲? 惟嘗見之者於此而復見之焉, 則不但遺編之可續而已."16

(주자가) 선생의 초상을 찬한 글에서 말했다. "한 몸에 네 가지 기氣의 조화를 갖추고, 한 마음에 천고의 비밀이 담겨 있다. 그 있는 것을 미루면 충분히 주인을 높이고 백성을 비호하며, 그 나머지를 내면 충분히 세속을 바르게 틀 지우고 세상에 가르침을 드리운다. 그러나 그 모습은 중인中人을 넘지 않고 의관衣冠은 풍속을 속이지 않는다. 맞이하면 그 오는 것을 볼 수 없고, 뒤따르면 그 자취를 보지 못하니, 하물며 단청으로 누가 그 마음의 곡절을 형상하겠는가? 오직 일찍이 여기서 본 자 만이 다시 볼 것이니, 단지

---

15 『朱子語類』 권122, 16조목
16 『朱文公文集』 권85 「銘・箴・贊・表・疏・啓・婚書・上梁文・呂伯恭畫象贊」

남긴 책을 계승할 수 있을 뿐만은 아니다."

[42-1-13]

西山眞氏曰 : "呂成公所傳, 中原之文獻也, 其所闡繹, 河洛之微言也. 扶持絶學, 有千載之功,
教育英材, 有數世之澤. 及慶元初, 孽臣始竊大柄, 大愚以一太府丞抗疏, 顯斥其姦, 孤忠凜
然, 之死不悔. 迨其晩年義精仁熟, 有成公之風焉."[17]

서산 진씨西山眞氏[眞德秀][18]가 말했다. "여성공呂成公이 전한 것은 중원中原의 문헌이고, 그가 천명한 것은
하락河洛의 은미한 말이다. 끊어진 학문을 유지하니 천년의 공이 있고 영재英材를 교육하니 수 세기의
덕택이다. 경원慶元 연간 초기에 이르러 간신들이 정권을 도둑질하니, 크게 어리석은 사람이 대부太府의
승상이 항거의 상소로 그 간악함을 드러내어 배척하니 외로운 충신이 늠름하게 죽어서도 후회하지 않았
다. 만년에 이르러 의리는 정밀하고 인仁은 성숙하니 성공成公의 풍모가 있다."

陸九淵 字子靜號象山 육구연 자는 자정이고 호는 상산이다.

[42-2-1]

朱子曰 : "陸子靜說只是一心, 一邊屬屬人心, 一邊屬道心. 那時尙說得好在."[19]

주자가 말했다. "육자정陸子靜[陸九淵]은 단지 하나의 마음을 한 편은 인심人心이고 한 편은 도심道心이라고
말했다. 이때는 오히려 말하는 데에 좋은 점이 있었다."

[42-2-2]

"子靜說克己復禮, 云'不是克去己私利欲之類, 別自有箇克處', 又却不肯說破. 某嘗代之下語
云, '不過是要言語道斷, 心行路絶耳.'" 因言此是陷溺人之深坑, 學者切不可不戒."[20]

(주자가 말했다.) "자정子靜이 극기복례克己復禮를 말하면서 '자신의 사사로움과 이로움과 욕심을 제거하
는 것이 아니라 스스로 극복해야할 것이 있다.'고 말하고 또 설파하려고 하지 않았다. 내가 그것을 대신

. . . .

17 『西山文集』 권25 「記・東萊大愚二先生祠記」

18 西山眞氏[眞德秀] : 眞德秀(1178~1235)이다. 자는 希元・景元・景希이고, 호는 西山이며, 시호는 文忠이다.
송대 浦城(복건성 蒲城) 사람으로 1199년에 진사에 급제하여 太學正・參知政事에 이르렀다. 어려서는 주희의
문인인 詹體仁에게 배우고, 스스로 '주희를 사숙하여 얻은 것이 있다.'라고 하였다. 특히 『大學』을 중시하여
'窮理・持敬'을 강조하였다. 저서는 『大學衍義』・『四書集篇』・『讀書記』・『文章正宗』・『唐書考疑』・『西山
文集』 등이 있다.

19 『朱子語類』 권124, 19조목

20 『朱子語類』 권124, 24조목

하여 말하자면 '언어도단일 뿐이니 마음의 행로가 끊어졌을 뿐이다.'라고 하겠다." (주자가) 이어서 말했다. "이것은 사람이 깊은 함정에 빠진 것이니 배우는 사람은 절실하게 경계하지 않으면 안 된다."

[42-2-3]
問: "子靜不喜人說性."

曰: "怕只是自理會不曾分曉, 怕人問難. 又長大了, 不肯與人商量, 故一截截斷了. 然學而不論性, 不知所學何事?"[21]

물었다. "자정은 사람들이 성性에 대해서 말하는 것을 좋아하지 않았습니다."
(주자가) 말했다. "아마도 스스로는 이해하지만 분명하게 할 수 없음을 두려워하는 것이고, 사람들이 질문하고 힐난하는 것을 두려워한 것이다. 또 크게 성장하여 사람들과 함께 생각하려 하지 않았기 때문에 일절로 단정했다. 그러나 배운다고 하면서 성性을 논하지 않으면 배운 것이 무엇인지 알지 못한다."

[42-2-4]
"某向與子靜說話, 子靜以爲意見, 某曰, '邪意見不可有. 正意見不可無.' 子靜說, '此是閑議論.' 某曰, '閑議論不可議論. 合議論則不可不議論.'"

又曰: "大學不曾說無意而說誠意. 若無意見, 將何物去擇乎中庸, 將何物去察逼言? 論語無意, 只是要無私意. 若是正意則不可無."

又曰: "他之無意見, 則是不理會理, 只是胡撞將去. 若無意見, 成甚麼人在這裏."[22]

(주자가 말했다.) "내가 이전에 자정子靜과 말했었는데 자정이 의견意見을 물어서, 내가 '사특한 의견은 있어서는 안 되지만, 올바른 의견은 없어서는 안 된다.'고 했다. 자정이 '이것은 한가한 의론이다.'고 해서 내가 '한가한 의론은 의론해서는 안 되지만, 합당한 의론은 의론하지 않을 수 없다.'고 했다."
또 말했다. 『대학大學』에서는 의意를 없애라고 말하지 않고 의意를 진실하게 하라고 했다. 만약 의견이 없으면 어떤 것으로 중용中庸을 택하겠는가? 『논어』에서는 '의意를 없애라.'고 했지만 단지 사사로운 의意를 없애라는 것이다. 만약 올바른 의意가 있다면 없애서는 안 된다."
또 말했다. "그의 의견이 없다면 리理를 이해하지 않고 단지 쳐서 없앤 것이다. 만약 의견이 없다면 여기에 어떤 사람을 이루겠는가?"

[42-2-5]
問: "告子不得於言勿求於心."

曰: "子靜不著言語, 其學正似告子, 故常諱這些子."

又問: "陸嘗云人不惟不知孟子高處, 也不知告子高處."

· ·
21 『朱子語類』 권124, 26조목
22 『朱子語類』 권124, 21조목

曰: "試說看. 陸只鶻突說過."

又曰: "陸子靜說告子也高, 也是他尚不及告子. 告子將心硬制得不動, 陸遇事未必皆能不動."[23]

물었다. "고자告子는 '말에서 얻지 못하면 마음에서 구하지 말라.'고 했습니다."

(주자가) 말했다. "자정은 언어에 집착하지 않아서 그 학문이 고자告子와 유사하다. 그러므로 항상 이렇게 숨긴다."

또 물었다. "육자정은 일찍이 '사람은 맹자의 높은 점을 알지 못할 뿐만 아니라, 고자의 높은 점을 알지 못한다.'고 했습니다."

(주자가) 답했다. "시험 삼아 말해보자. 육자정은 모호하게 말할 뿐이다."

또 말했다. "육자정은 고자도 높다고 하지만, 그는 오히려 고자에 미치지 못한다. 고자는 마음을 굳게 제어하여 요동하지 않았지만, 육자정은 매사에 반드시 모두 요동하지 않을 수는 없었다."

[42-2-6]

"向來見子靜與王順伯論佛, 云釋氏與吾儒所見亦同, 只是義利公私之間不同. 此說不然. 如此却是吾儒與釋氏同一箇道理. 若是同時, 何緣得有義利不同? 只彼源頭便不同. 吾儒萬理皆實. 釋氏萬理皆空."

(주자가 말했다.) "지난번에 자정子靜과 왕순백王順伯을 보고 불교를 논했는데 불교와 우리 유교가 보는 바는 역시 같지만 의義와 리利, 공公과 사私 사이가 같지 않다고 했다. 이 말은 그렇지 않다. 이렇다면 우리 유교와 불교가 하나의 도리로 같을 것이다. 만약 같다면 어떻게 의義와 리利의 차이가 있겠는가? 단지 그 근원이 다르다. 우리 유교는 만 가지 리理가 실제적이지만, 불교는 만 가지 리理가 모두 공허하다."

又曰: "他尋常要說集義所生者, 其徒包敏道至說成襲義而取, 却不說義集而取之. 他說如何?"

陳正淳曰: "他說須是實得. 如義集, 只是强探力取."

曰: "謂如人心知此義理, 行之得宜, 固自內發. 人性質有不同, 或有魯鈍, 一時見未到, 得別人說出來, 反之於心, 見得爲是而行之, 是亦內也. 人心所見不同, 聖人方見得盡. 今陸氏只是要自渠心裏見得底, 方謂之內, 若別人說底一句也不是, 才自別人說出, 便指爲義外. 如此乃是告子之說.

또 말했다. "그가 평상시 항상 말하는 '의義를 축적해서 생겨난다.'[24]는 것을 말하려고 하지만, 그 무리인 포민도包敏道는 '의義가 하루아침에 갑자기 엄습하여 취해지는 것'이라고 하고, 오히려 '의를 축적해서

23 『朱子語類』 권124, 14조목
24 『孟子』「公孫丑上」: "이 浩然之氣는 義理를 많이 축적하여 생겨나는 것이다. 義가 하루아침에 갑자기 엄습하여 취해지는 것은 아니니, 행하고서 마음에 부족하게 여기는 바가 있으면 굶주리게 된다. 내가 그러므로 '告子가 일찍이 義를 알지 못한다.'고 말한 것이니, 이는 義를 밖이라고 하기 때문이다.(是集義所生者. 非義襲而取之也, 行有不慊於心, 則餒矣. 我故曰, 告子未嘗知義, 以其外之也.)"

취하는 것'이라고 말하지 않는다. 그의 말이 어떠한가?"

진정순陳正淳이 말했다. "그의 말은 실제로 얻은 것이지만, 의를 축적한다는 것과 같은 것은 단지 억지로 찾고 힘써 취하는 것일 뿐입니다."

(주자가) 말했다. "만약 사람의 마음이 이 의리義理를 알고 행하여 마땅함을 얻는다면 분명 안에서 발현했다고 할 것이다. 사람의 본성의 질質은 다름이 있으니, 어떤 경우는 노둔해서 한 번에 보아 이르지 못하고, 다른 사람이 말해주면 마음에서 돌이켜 옳은 것을 보고서 행하니, 이것도 안에서 발현한 것이다. 사람 마음의 견해가 다르니 성인이 모두 보았다. 지금 육씨陸氏陸九淵는 단지 자신의 마음으로부터 보려고 한 것을 안이라고 하고서, 다른 사람이 말한 것은 한 구절도 옳지 않고 다른 사람으로부터 말해진 것은 의義의 밖에 것이라고 한다. 이와 같다면 곧 고자告子의 학설이다.

如生而知之, 與學而知之, 困而知之, 安而行之, 與利而行之, 勉強而行之, 及其知之行之則一也. 豈可一一須待自我心而出方謂之內? 所以指文義而求之者, 皆不爲內. 故自家才見得如此, 便一向執著, 將聖賢言語便亦不信, 更不去講貫, 只是我底是, 其病痛只在此. 只是專主生知安行, 而學知以下一切皆廢. 又只管理會一貫, 理會一, 且如一貫, 只是萬理一貫, 無內外本末隱顯精粗皆一以貫之. 此政同歸殊塗, 百慮一致, 無所不備. 今却不教人恁地會, 却只尋箇一, 不知去那裏討頭處."²⁵

'나면서부터 아는 것'과 '배우고 아는 것'과 '애써서 아는 것', '편안하게 행하는 것'과 '이롭게 여겨 행하는 것'과 '억지로 힘써 행하는 것'²⁶은 그것이 알게 되고 행하게 되면 마찬가지이다. 어찌 하나하나 반드시 나의 마음으로부터 나오기를 기다려야 비로소 안이라고 하겠는가? 그래서 문文의 의미를 가리켜 구하는 것은 모두 안이 아니다. 그러므로 자신들의 견해가 이와 같아 한결같이 고집하며 성현의 언어를 또한 믿지 않고 다시 강론하지 않으면서 단지 나의 것이 옳다고 하니 그 병통은 여기에 있다. 단지 오로지 나면서 아는 것과 편안하게 행하는 것만을 집중하고 배워서 아는 것 이하는 모두 없애 버린다. 또한 일관되게 이해하고 하나로 이해하며 또한 하나로 관통하는 듯이 하면 단지 모든 리理가 하나로 관통하여 안과 밖, 본과 말, 은미함과 드러남, 정밀함과 거침이 모두 하나로 관통한다. 이것이 바로 같은 곳에 귀일하나 길은 다르며, 백 가지 사려가 일치하는 것이니 갖추어지지 않음이 없다. 지금은 오히려 사람들이 이대로 이해하도록 하지 않고, 단지 하나를 찾게 한다면 어디에서 두서를 토론해야 할지를 모르겠다."

[42-2-7]

"子靜之學看他千般萬般病, 只在不知有氣稟之雜, 把許多麄惡底氣, 都做心之妙理合當恁地,

. . . .

25 『朱子語類』 항124, 37조목
26 '나면서부터 … 것' : 『中庸』에 "혹은 태어나서 알고, 혹은 배워서 알고, 혹은 애를 써서 아는데, 그 앎에 미쳐서는 똑같다. 혹은 편안히 행하고, 이롭게 여겨 행하고, 혹은 억지로 힘써 행하는데, 그 공을 이루는 것은 똑같다.(或生而知之, 或學而知之, 或困而知之, 及其知之, 一也. 或安而行之, 或利而行之, 或勉強而行之, 及其成功, 一也.)"라고 하였다.

自然做將去. 向在鉛山得他書, 云看見佛之所以與儒異者, 止是他底全是利, 吾儒止是全在
義. 某答他云, 公亦只見得第二著. 看他意只說吾儒絶斷得許多利欲, 便是千了百當, 一向任
意做出都不妨, 不知初自受得這氣稟不好. 今才任意發出許多不好底, 也只都做好商量了. 只
道這是胷中流出自然天理, 不知氣有不好底夾雜在裏, 一齊袞將去, 道害事不害事? 看子靜
書, 只見他許多麄暴底意思可畏. 其徒都是這樣. 才說得幾句, 便無大無小, 無父無兄, 只我胷
中流出底是天理, 全不著得些工夫. 看來這錯處, 只在不知有氣稟之性."[27]

(주자가) 말했다. "자정의 학문은 그의 천만가지 병통을 보면 단지 기품氣稟의 복잡함이 있음을 알지
못하고, 거칠고 악한 기를 모두 마음의 묘한 리理로 합당하게 하면 저절로 제거될 것이라고 하는 데에
있다. 지난번 연산鉛山에서 그의 편지를 받았는데 불교와 유교가 다른 것은 단지 불교는 온전히 이利에
그치고 우리 유교는 온전히 의義에 있다고 했다. 내가 그에게 답하여 공 역시 두 번째 것을 보았을
뿐이라고 했다. 그의 뜻을 보면 단지 우리 유교가 수많은 이욕利欲을 끊었다고 말하는데 이것은 천 번
백번 마땅하지만 계속해서 뜻에 따라서 말하는 것은 상관없지만, 애초에 기품을 받은 것이 좋지 않다는
점을 모른다. 지금 뜻대로 말하는 것이 대부분 좋지 않아도 모두 잘 생각해 본 것들이다. 단지 가슴속에
서 나오는 자연스런 천리天理를 말할 뿐이지 그 안에 기氣에 좋지 않은 것이 혼잡하게 섞여있음을 알지
못하고, 일제히 쏟아내니, 일을 해치는 것인가 아니면 일을 해치지 않는 것인가? 자정의 편지를 보면
그의 수많은 거칠고 사나운 생각이 두렵다는 것을 볼 뿐이다. 그 무리가 모두 저 모양이라서 몇 구절을
말하면 큰 것도 없고 작은 것도 없고 아버지도 없고 형도 없고 단지 내 가슴 속에서 나오는 것이 천리天理
라고 하여 전혀 공부를 하지 않는다. 그 잘못된 것을 보면 단지 기품의 성性이 있다는 점을 알지 못한다."

[42-2-8]

"或說象山說克己復禮, 不但只是欲克去那利欲忿懥之私, 只是有一念要做聖賢, 便不可."
曰 : "聖門何嘗有這般說話? 人要去學聖賢, 此是好底念慮, 有何不可? 若以爲不得, 則堯舜之
兢兢業業, 周公之思兼三王, 孔子之好古敏求, 顔子之有爲若是, 孟子之願學孔子之念, 皆當
克去矣. 看他意思, 只是禪. 誌公云'不起纖毫修學心, 無相光中常自在.' 他只是要如此, 然豈
有此理?"[28]

(주자가 말했다.) "어떤 사람은 상산象山이 극기복례克己復禮는 단지 이욕利欲과 분노와 성냄의 사사로움
을 극복하려는 것일 뿐만 아니라, 성현聖賢이 되려고 일관되게 생각하는 것이라는 것은 옳지 않다고
말했다."

(주자가) 말했다. "성인 문하는 어째서 이런 말이 있는가? 사람이 성현聖賢을 배워나가려 한다면 이것은
좋은 생각이지 어찌 옳지 않은 것이 있겠는가? 만약 할 수 없다고 여긴다면 요순의 조심하고 두려워
하는 것[29]과 주공이 삼왕三王을 겸하려고 생각한 것과 공자가 옛날을 좋아하여 민첩하게 구하려고 하는

· ·
27 『朱子語類』권124, 38조목
28 『朱子語類』권104, 38조목

것[30]과 안자가 힘써 일을 하는 자는 또한 이 순舜임금과 같다고 한 것[31]과 맹자가 공자의 생각을 배우기를 원했던 것은 모두 당연히 극복하는 것이다. 그의 생각을 보면 단지 선禪일 뿐이다. 지공誌公[32]이 '수양하여 배우려는 조그마한 마음을 일으키지 않으면 형상이 없이 빛 속에서 항상 자재自在한다.'고 했다. 그는 단지 이와 같으려고 하지만 어찌 이러한 리理가 있겠는가?"

又曰: "子靜說話常是兩頭明, 中間暗."

或問: "暗是如何?"

曰: "是他那不說破處. 他所以不說破, 便是禪家所謂鴛鴦繡出從君看, 莫把金針度與人. 他禪家自愛如此.[33] 子靜說良知良能四端等處, 且成片擧似經語, 不可謂不是. 但說人便能如此, 不假修爲存養. 此却不得. 譬如旅寓之人, 自家不能送他回鄕, 但與說云你自有田有屋, 大段快樂, 何不便回去. 那人旣無資送, 如何便回去得? 又如脾胃傷弱不能飮食之人, 却硬將飯將肉塞入他口, 不問他喫得與喫不得, 若是一頓便理會得, 亦豈不好? 然非生知安行者, 豈有此理. 便是生知安行, 也須用學. 大抵子思說率性, 孟子說存心養性, 大段說破. 夫子更不曾說, 只說孝弟忠信篤敬. 蓋能如此, 則道理便在其中矣."[34]

또 말했다. "자정의 말은 양쪽은 밝지만 중간은 어둡다."

어떤 이가 물었다. "어두운 것은 어떠합니까?"

(주자가) 답했다. "이것은 그가 설파하지 않는 속이다. 그가 설파하지 않는 것은 선가禪家에서 말하는 '원앙새 수를 놓아 그대에게 보일 수는 있지만, 금바늘은 그대에게 건네 줄 수 없다.'라는 것이니, 그 선가禪家의 자기 사랑이 이와 같다. 내가 15~6세 때 또한 여기에 마음을 두었다. 자정은 양지良知와 양능良能과 사단四端 등을 말하고, 또 단편적으로 거론하는 것이 경전의 말과 같으니 옳지 않다고 할

. . . .

29 조심하고 두려워하는 것: 兢兢業業을 번역한 말이다. 『書經』「虞書·皐陶謨」에 "안일과 욕심으로 제후들을 가르치지 마시고, 삼가고 두려워하소서. 하루 이틀 사이에도 기미가 만 가지나 됩니다. 모든 관직을 폐하지 마소서. 하늘의 일을 사람이 대신한 것입니다.(無敎逸欲有邦, 兢兢業業. 一日二日, 萬幾, 無曠庶官. 天工, 人其代之.)"라고 하였다.

30 옛날을 좋아하여 … 것: 『論語』「述而」에 "나는 나면서부터 안 자가 아니라, 옛것을 좋아하여 열심히 그것을 구한 자이다.(我非生而知之者, 好古敏以求之者也.)"라고 하였다.

31 힘써 일을 … 것: 『孟子』「滕文公上」에 "成覵이 齊景公에게 '저들도 丈夫이며 나도 장부이니, 내 어찌 저 聖賢들을 두려워하겠는가?' 하였으며, 顔淵이 '舜임금은 어떠한 분이며 나는 어떠한 사람인가? 힘써 일을 하는 자는 또한 이 舜임금과 같다.' 하였으며, 公明儀가 말하기를 '周公은 「文王은 내 스승이다.」라고 하였으니, 주공이 어찌 나를 속이겠는가?'라고 하였다.(成覵, 謂齊景公曰, 彼丈夫也, 我丈夫也, 吾何畏彼哉? 顔淵曰, 舜何人也, 予何人也, 有爲者亦若是. 公明儀曰, 文王, 我師也. 周公, 豈欺我哉?)"라고 하였다.

32 誌公: 志公禪師(418~514)를 말한다. 남북조 齊나라와 梁나라 때의 중이다. 寶志, 保志, 保公, 志公이라고도 한다. 속세의 성은 朱이고 金城 사람이다.

33 『朱子語類』 권104, 38조목

34 『朱子語類』 권124, 13조목

수는 없다. 그러나 사람이 이와 같을 수 있으니 수양과 보존과 함양을 빌리지 않는다고 말한다. 이것은 옳지 않다. 비유하자면 객지에서 머무는 사람을 자신은 그가 고향으로 돌아가도록 전송할 수 없으면서 단지 그에게 당신은 원래 밭과 집이 있어서 대단히 즐거울 텐데 어찌하여 돌아가지 않는가라고 하는 것과 같다. 이 사람은 돌아갈 밑천이 없는데 어떻게 돌아갈 수 있겠는가? 또 위장이 상하고 약해서 음식을 먹을 수 없는 사람에게 억지로 음식과 고기를 그의 입에 넣어주며 그가 먹을 수 있는지 없는지를 묻지 않는 것과 같으니, 만약 한 번에 이해할 수 있다면 어찌 좋지 않겠는가? 그러나 태어나면서 아는 사람이나 편안하게 행하는 자가 아니라면 어찌 이럴 리理가 있겠는가? 태어나면서 아는 사람이나 편안하게 행하는 자일지라도 반드시 배움을 가져야 한다. 대체로 자사子思는 '솔성率性'을 말하고 맹자는 '존심存心과 양성養性'을 말했으니 대단하게 설파한 것이다. 공자는 다시 말하지 않았으나 단지 효제孝弟, 충신忠信, 독경篤敬을 말했을 뿐이다. 이와 같이 할 수 있다면 도리는 그 가운데 있다."

[42-2-9]

"子靜云, '涵養是主人翁, 省察是奴婢.' 陳正己力排其說曰, '子靜之說無定. 常要云今日之說自如此, 明日之說自不如此. 大抵他只要拗. 才見人說省察, 他便反而言之謂須是涵養. 若有人向他說涵養, 他又言須是省察以勝之. 自渠好爲訶佛罵祖之說, 致令其門人以夫子之道反害夫子.'"[35]

(주자가 말했다.) "자정이 '함양은 주인이고 성찰은 노비이다.'라고 했는데 진정기陳正己는 그 말을 힘써 배척하면서 다음과 같이 말하였다. '자정의 말에는 일정함이 없이 오늘의 말은 이와 같다고 하고 내일의 말은 이와 같지 않다고 한다. 대체로 그는 단지 어긋날 뿐이다. 사람들이 성찰을 말하는 것을 보면 그는 도리어 반대로 말하면서 반드시 함양해야 한다고 한다. 만약 어떤 사람이 그에게 함양을 말하면 그는 또 반드시 성찰해야 한다고 하면서 이기려고 한다. 자신은 부처를 꾸짖고 조사를 욕하기를 좋아하면서 도리어 문인들이 공자의 도로 도리어 공자를 해친다고 한다.'"

[42-2-10]

問: "象山道當下便是."

曰: "看聖賢敎人, 曾有此等語無. 聖人敎人, 皆從平實地上做去. 所謂克己復禮天下歸仁, 須是先克去己私方得. 孟子雖云人皆可以爲堯舜, 也須是服堯之服, 誦堯之言, 行堯之行方得. 聖人告顏子以克己復禮告仲弓以出門如見大賓, 使民如承大祭, 告樊遲以居處恭, 執事敬, 與人忠, 告子張以言忠信行篤敬, 這箇是說甚底話? 又平時告弟子, 也須道是學而時習, 行有餘力, 則以學文, 又豈曾說箇當下便是底語. 大抵今之爲學者有二病. 一種只當下便是底. 一種便是如公平日所習底. 却是這中間一條路不曾有人行得. 而今人旣不能知, 但有聖賢之言可

· ·

35 『朱子語類』 권124, 28조목

以引路. 聖賢之言分分曉曉, 八字打開, 無些子回互隱伏說話."[36]

물었다. "상산象山은 지금 이 순간이 옳다고 합니다."

(주자가) 답했다. "성현이 사람들을 가르치는 것을 보면 이러한 말은 없다. 성현이 사람을 가르치는 것은 모두 평범하고 실제적인 것으로부터 해 나아갔다. 이른바 '자기의 사욕을 이겨 예禮에 돌아가면 천하가 인仁을 한다.'[37]라는 것이니 반드시 먼저 자신의 사욕을 극복해야 옳다. 맹자는 비록 사람이 모두 요순堯舜처럼 될 수 있다고 했지만 반드시 요堯의 옷을 입고 요의 말을 암송하며 요의 행동을 행해야 좋다. 성인이 안연에게 자신의 사욕을 이겨 예로 돌아간다고 말했고 중궁에게는 '문을 나갔을 때에는 큰손님을 만나듯이 하며, 백성에게 일을 시킬 때에는 큰 제사祭祀를 받들 듯이 한다.'[38]고 했고, 번지樊遲에게는 '거처居處할 때는 공손히 하며, 일을 집행할 때는 공경하며, 사람을 대할 때에 충직하게 하여야 한다.'[39]고 했고, 자장에게는 '말은 충신忠信하게 하고 행실은 독경篤敬하게 한다.'[40]고 했으니 이것들은 무엇을 말하는 것인가? 평상시에 제자들에게 말한 것도 반드시 '배우고 때로 익힌다.'는 것과 '행하고 힘이 남으면 학문을 한다.'고 했으니, 또한 어찌 지금 이 순간이 옳다는 말을 했겠는가? 대체로 지금 학자들에게는 두 가지 병통이 있다. 한 가지는 단지 지금 이 순간이 옳다는 것이고 한 가지는 옳은 것은 당신이 평일에 익힌 것과 같다는 것이다. 그러나 오히려 그 중간에 하나의 길이 사람들이 행하지도 못했고, 지금 사람들이 알 수 있지 못하지만, 단지 성현의 말이 길을 인도할 수가 있을 뿐이다. 성현의 말은 분명하게 깨우치라는 이 말로 길을 열 것이고, 조금이라도 에둘러서 말하거나 감추어서 말하는 것이 없어야 한다."

[42-2-11]

因說子靜云:[41] "這簡只爭些子, 才差了便如此. 他只是差過去了, 更有一項, 却是不及. 若使

....

36 『朱子語類』 권124, 52조목
37 '자기의 사욕을 … 한다.' : 『論語』「顏淵」에 다음과 같이 되어 있다. "顏淵이 仁을 묻자, 공자가 말했다. '자기의 사욕을 이겨 禮에 돌아가는 것이 인을 행하는 것이니, 하루 동안이라도 사욕을 이겨 禮에 돌아가면 천하가 仁을 허여 하는 것이다. 인을 하는 것은 자기 몸에 달려 있으니, 남에게 달려있는 것이겠는가?(顏淵問仁, 子曰, 克己復禮爲仁, 一日克己復禮, 天下歸仁焉. 爲仁由己, 而由人乎哉?)"
38 '문을 나갔을 … 한다.' : 『論語』「顏淵」에 다음과 같이 되어 있다. "仲弓이 仁을 묻자, 공자가 말했다. '문을 나갔을 때에는 큰 손님을 만나듯이 하며, 백성에게 일을 시킬 때에는 큰 祭祀를 받들 듯이 하고, 자신이 하고자 하지 않는 것을 남에게 베풀지 말아야 하니, 이렇게 하면 나라에 있어서도 원망함이 없으며, 집안에 있어서도 원망함이 없을 것이다.'(仲弓問仁, 子曰, 出門如見大賓, 使民如承大祭, 己所不欲, 勿施於人, 在邦無怨, 在家無怨.)"
39 '居處할 때는 … 한다.' : 『論語』「子路」에 다음과 같이 되어 있다. 樊遲가 仁을 묻자, 공자가 말했다. '居處할 때는 공손히 하며, 일을 집행할 때는 공경하며, 사람을 대할 적에 충성되게 하여야 한다. 이것은 비록 夷狄의 나라에 가더라도 버려서는 안 된다.'(樊遲問仁, 子曰, 居處恭, 執事敬, 與人忠, 雖之夷狄, 不可棄也.)"
40 '말은 충신하게 … 한다.' : 『論語』「衛靈公」에 다음과 같이 되어 있다. "말이 忠信하고 행실이 篤敬하면 비록 오랑캐의 나라라 하더라도 행해질 수 있거니와 말이 忠信하지 못하고 행실이 篤敬하지 못하면 州里라 하더라도 행해질 수 있겠는가?(言忠信, 行篤敬, 雖蠻貊之邦, 行矣, 言不忠信, 行不篤敬, 雖州里, 行乎哉?)"

過底拗轉來却好, 不及底趨向上去却好. 只緣他纏高了, 便不肯下, 纏不及了, 便不肯向上. 過底, 便道只是就過裏面求箇中. 不及底, 也道只就不及裏面求箇中. 初間只差了些子. 所謂差之毫釐, 繆以千里."

又曰: "某看近日學問高者, 便說做天地之外去. 卑者, 便只管陷溺. 高者, 必入於佛老, 卑者, 必入於管商, 定是如此. 定是如此."[42]

자정子靜에 관해 질문에 대해 (주자가) 말했다. "이것은 단지 조그만 것을 다투는 것이니, 차이가 나는 것은 다만 이와 같다. 그는 단지 지나치게 차이가 나버리게 되면 하나의 항목이 있어서 미치지 못한다. 만약 지나친 것을 전환시키면 좋고, 미치지 못한 것을 끌어 올리면 좋다. 단지 그는 높게 되면 다시 내리려 하지 않고, 미치지 못하게 되면 위로 올리려 하지 않는다. 지나친 것은 단지 지나친 것 속에서 중中을 구한다고 하고, 미치지 못한 것도 미치지 못한 것 속에서 중을 구한다고 한다. 처음에는 단지 조그만 차이가 있을 뿐이다. 그래서 털끝만한 차이가 천리의 어그러짐이 된다고 하는 것이다."

또 말했다. "내가 근래 학문을 보니, 고원한 자들은 천지 밖을 말하고 비천한 자들은 다만 세속의 일에 빠지기만 하니, 고원한 자는 불교나 도교에 들어가고 비천한 자는 관중管仲과 상앙商鞅으로 들어간다. 틀림없이 이와 같다, 틀림없이 이와 같다."

[42-2-12]

"陸氏會說, 其精神亦能感發人. 一時被他聳動底, 亦便淸明, 只是虛, 更無底簞. 思而不學則殆, 正謂無底簞, 便危殆也. '山上有木漸, 君子以居賢德善俗.' 有階梯而進, 不患不到. 今其徒往往進時甚銳, 然其退亦速. 纏到退時, 便如墜千仞之淵."[43]

(주자가 말했다.) "육씨陸氏[陸九淵]가 말해서 그 정신精神도 사람을 감동시켜 마음을 일으킬 수 있으니 일순간 그것에 의해서 마음이 감동한다면 또한 맑고 밝지만 단지 허망하고, 밑이 없는 대그릇이다. '사려만 하고 배우지 않으면 위태롭다.'[44]고 한 것은 바로 밑이 없는 대그릇을 말하여 위태롭다. '산 위에 나무가 있는 것이 점괘의 모습이니, 군자는 이것을 본받아 어진 덕에 자리하고 풍속을 좋게 만든다.'[45]라고 했으니, 단계를 밟아서 나아가야 이르지 못함을 근심하지 않는다. 지금 무리들은 자주 나아갈 때는 매우 예리하지만 물러설 때는 매우 빠르다. 물러설 때 천 길의 연못에 떨어지는 것과 같다."

[42-2-13]

問: "子靜君子喩於義口義."

---

41 『朱子語類』에서는 "因問陸子靜, 云:"이라고 끊어 읽고 있다. 『朱子語類』를 따랐다.

42 『朱子語類』 권124, 50조목

43 『朱子語類』 권124, 33조목

44 『論語』 「爲政」: "배우기만 하고 생각하지 않으면 얻음이 없고, 생각하기만 하고 배우지 않으면 위태롭다.(學而不思則罔, 思而不學則殆.)"

45 『周易』 「漸卦 · 象傳」

曰 : "子靜只是拗. 伊川云, '惟其深喻, 是以篤好.' 子靜必要云好後方喻. 看來人之於義利喻而好者多. 若全不曉, 又安能好? 然好之則喻矣. 畢竟伊川說占得多."[46]

물었다. "자정은 군자는 의義에 밝다는 것을 입의 의義라고 했습니다."

(주자가) 답했다. "자정은 단지 말 바꾸기를 잘한다. 이천은 '깊이 깨우치는 것이니 이것으로 돈독하게 하면 좋아하게 된다.'[47]고 했다. 자정은 반드시 '좋아한 후에 밝을 것이다.'라고 할 것이다. 생각해 보면 사람이 의義와 이利에 밝아서 좋아하는 경우가 많다. 만약 완전하게 깨닫지 못하면 어떻게 좋아할 수 있겠는가? 그러나 좋아하면 밝게 되기도 한다. 반드시 이천의 말한 경우도 많을 것이다."

朱子門人 주자문인

[42-3-1]

朱子曰 : "蔡神與博學強記, 高簡廓落, 易象之文, 地理之說, 無所不通. 季通承父志學行之餘, 尤邃律歷, 討論定著, 遂成一家之言. 使千古之誤曠然一新, 而遡其源流, 皆有成法."[48]

주자가 말했다. "채신여蔡神與[蔡季通][49]는 널리 알고 힘써 암기 하며 고결하고 간결하며 활달하여 역상易象의 무늬와 지리地理의 학설에 통하지 않는 것이 없었다. 계통은 아버지의 뜻을 계승하여 배우고 행한 나머지 더더욱 율력律歷에 정통하고, 토론하고 저서를 남겨 일가의 말을 이루었다. 천고의 잘못된 것은 깨끗하게 일신하니 그 원류로 거스러 올라가면 모두 법을 이룬 것이 있다."

[42-3-2]

"季通有精詣之識, 卓絕之才, 不可屈之志, 不可窮之辯."[50]

(주자가 말했다.) "계통季通은 정밀하고 조예가 깊은 견식과 탁월한 자질과 꺾이지 않는 의지와 다하지 않는 논변이 있었다."

....

46 『朱子語類』 권124, 8조목
47 『河南程氏經說』 「論語解」
48 『朱文公文集』 권83 「跋・跋蔡神與絶筆」
49 蔡神與[蔡季通] : 蔡元定(1135~1198)이다. 자는 季通이고, 세칭 西山先生이라 하였다. 송대 建陽(현 복건성 건양) 사람으로 주희를 경모하여 스승으로 받들었으나, 주희가 도리어 제자가 아닌 친구로 대우하였다. 그의 학문은 신유학뿐 아니라 천문・지리・樂律・歷數・兵陣 등에 뛰어났다. 특히 象數學에 조예가 깊어 주희의 『易學啓蒙』 저술에 참여한 것으로 알려진다. 말년에 주희와 함께 慶元黨禁의 표적이 되어 귀양을 가서 생을 마쳤다. 저서는 『律呂新書』・『八陣圖說』・『洪範解』 등이 있다.
50 『朱文公文集』 권87 「祭文・又祭蔡季通文」

"南軒云, '亡, 吾道益孤, 朋友亦難得十分可指擬者. 黃直卿明睿端莊, 造詣純篤, 斯道有望於直卿者不輕.'"[51]

(주자가 말했다.) "남헌南軒張栻[52]이 말하기를 '죽었구나, 나의 도가 더욱 외로우며, 친구들도 또한 분명하게 지적하고 의심할 자를 얻기 어렵다. 황직경黃直卿黃榦[53]은 밝고 슬기롭고 단정하고 당당하며 그 조예가 순수하고 돈돈하니, 이 도가 직경에서 기대하는 것이 가볍지 않다.'고 했다."

[42-3-4]

"輔漢卿身在都城俗學聲利場中, 而能閉門自守, 味衆人之所不味. 更幾勉力, 卒究大業."[54]

(주자가 말했다.) "보한경輔漢卿[輔廣][55]은 몸이 도성의 속학俗學과 명성과 이욕의 영역에 있으면서 문을 닫아 걸고 스스로 지키면서 대중들이 맛보지 못한 것을 맛보았으니, 다시 힘쓴다면 결국에는 대업大業을 이룰 것이다."

[42-3-5]

"陳安卿論顔子卓爾之說甚善, 論大本達道意甚備. 若得不容已處, 即自可默會矣."

(주자가 말했다.) "진안경陳安卿[陳淳][56]이 안자가 '우뚝 서 있다.'[57]고 말한 것을 논한 것이 매우 좋고,

---

51 『朱文公文集』 권1 「書・答黃直卿」
52 南軒張栻]: 張栻(1133~1180)은 자는 敬夫・欽夫・樂齋이고, 호는 南軒이다. 송대 漢州 錦竹(현 사천성 廣漢縣)사람이다. 高宗, 孝宗 양 조정에서 丞相을 지낸 張浚의 아들로 知撫州・知嚴州・湖北安撫使・吏部侍郎兼侍講 등을 역임하였다. 주희보다 세 살 어리지만 呂祖謙과 더불어 주희와 친구로 지냈으며, 후대에 이들 셋을 '東南三賢'이라고 부른다. 스승 胡宏으로부터 이어지는 胡湘學派를 정립하였으며, 그의 察識端倪說은 주희의 中和舊說을 확립하는데 중요한 역할을 하였다. 저서는 『南軒易說』・『論語解』・『孟子說』・『伊川粹言』・『南軒集』 등이 있다.
53 黃直卿[黃榦]: 黃榦(1152~1221)은 자는 直卿이고, 호는 勉齋이다. 송대 福州閩縣(현 복건성 福州) 사람으로 주희의 고족제자인 동시에 사위이다. 주희의 蔭補로 漢陽軍・安慶府 등을 역임하였다. 저서는 『書說』・『六經講義』・『勉齋集』 등이 있고, 『朱子行狀』을 집필했다.
54 『朱文公文集』 권59 「書・答輔漢卿」.
55 輔漢卿[輔廣]: 輔廣을 말한다. 송나라 越州 사람이다. 남도 후에 秀州 崇德에 살았다. 자는 漢卿이고, 호는 潛庵이다. 輔逵의 아들이다. 여조겸으로부터 배웠고 후에 주희에게서 배웠다. 寧宗 초에 僞學으로 금지 당했을 때 문도들은 모두 도피했지만 보광은 꿈쩍하지 않았다. 저서로는 『四書纂疏』・『六經集解』・『通鑑集義』・『日新錄』 등이 있다.
56 陳安卿[陳淳]: 陳淳(1159~1223)은 자는 安卿이고, 호는 北溪이다. 송대 龍溪(현 복건성 漳州) 사람으로 주희가 장주 지사일 때 제자가 되어, 주희에게 '남쪽에 와서 나의 도가 진순 한 사람을 얻었다.'라는 칭찬을 받았다. 시호는 文安이다. 저서는 『字義詳講』・『論孟學庸口義』・『北溪大全集』 등이 있다.
57 '우뚝 서 있다.': 『論語』 「子罕」에 顔淵이 크게 탄식하며 말하였다. '우러러볼수록 더욱 높고, 뚫을수록 더욱 견고하며, 바라봄에 앞에 있더니 홀연히 뒤에 있다. 공자는 차근차근히 사람을 잘 이끄시어 文으로써 나의 지식을 넓혀주시고 禮로써 나의 행동을 요약하게 해주셨다. 공부를 그만두고자 해도 그만둘 수 없어 이미

대본大本과 달도達道의[58] 뜻을 논한 것이 매우 갖추어져 있다. 만약 그칠 수가 없는 곳을 얻었다면 스스로 묵식默識하여 이해할 수 있다."

[42-3-6]

"陳才卿一室蕭然, 有以自樂, 令人敬歎. 日用工夫精進如此, 尤爲可喜. 若知此心此理端的在我, 則參前倚衡自有不容舍者."[59]

(주자가 말했다.) "진재경陳才卿은 한 방에서 숙연하여 스스로 즐거움을 가지고 있어서 사람들이 경탄하게 했다. 일상생활의 공부에서 정진하는 데에는 이와 같으니, 더욱 기뻐할 수 있다. 만약 이 마음과 이 리理가 단적으로 나에게 있다는 것을 안다면 수레에 있으면 그것이 앞에 있음을 볼 수 있고, 수레에 있으면 그것이 멍에에 기대여 있음을 볼 수 있어야[60] 스스로 버리는 것을 용납하지 않을 수 있다."

[42-3-7]

"徐子融志趣操守非他人所及, 大率志氣剛決痛快, 無支離纏繞之弊. 余正叔在此無日不講說, 終是葛藤不斷也. 方叔看得道理儘自穩實."[61]

(주자가 말했다.) "서자융徐子融의 지향과 지킴이 타인이 미칠 바가 아니나 대체로 그 의기가 강결하고 통쾌하여 지리하고 얽매이는 폐단이 없다. 여정숙余正叔이 여기에서 강설하지 않는 날이 없으며, 결국에는 갈등葛藤이 끊어지지 않았다. 방숙方叔은 도리를 보는 데에 스스로 온당하고 실제적이었다."

[42-3-8]

"廖德明學有根據, 爲政能擧先王已墜之典以活中路無告之人, 固學道愛人之君子所樂, 聞而願爲者."[62]

(주자가 말했다.) "요덕명廖德明[63]은 학문에 근거가 있어서, 정치를 하면 선왕의 이미 떨어진 법전法典을

....

나의 재주를 다하니, 내 앞에 우뚝 서있는 듯하다. 그리하여 그를 따르고자 하나 어디로부터 시작해야 할지 모르겠다.'(顏淵, 喟然歎曰, '仰之彌高, 鑽之彌堅, 瞻之在前, 忽焉在後. 夫子循循然善誘人, 博我以文, 約我以禮. 欲罷不能, 旣竭吾才, 如有所立卓爾. 雖欲從之, 末由也已.')"라고 하였다.

58 大本과 達道: 『中庸』 1장에 "기뻐하고 노하고 슬퍼하고 즐거워하는 情이 發하지 않은 것을 中이라 이르고, 發하여 모두 節度에 맞는 것을 和라 이르니, 中이란 것은 천하의 대본이요, 和란 것은 천하의 달도이다.(喜怒哀樂之未發, 謂之中, 發而皆中節, 謂之和, 中也者, 天下之大本也, 和也者, 天下之達道也.)"라고 하였다.

59 『朱文公文集』 권59 「書 · 答陳才卿」

60 그것이 멍에에 … 있어야: 『論語』「衛靈公」에 "일어서면 그것이 앞에 있음을 볼 수 있고, 수레에 있으면 그것이 멍에에 기대여 있음을 볼 수 있어야 하니, 이와 같은 뒤에야 행해질 수 있는 것이다.(立則見其參於前也, 在輿則見其倚於衡也, 夫然後行.)"라고 하였다.

61 『朱文公文集』 권58 「書 · 答徐子融」

62 『朱文公文集』 권83 「跋 · 書廖德明仁壽廬條約後」

63 廖德明: 남송 시대 사람으로 자는 子晦이다. 南劍 사람이다. 어렸을 때는 불교에 심취했고 후에 楊時의 책을

들어 길거리에서 고할 데 없는 사람을 살렸으니, 진실로 도를 배우고 사람을 사랑하는 군자가 즐거워하는 것을 듣고서 하기를 원했던 자이다."

[42-3-9]
"方賓王爲學之意親切的當, 而不失其序, 近日所見朋友講習未有能及此者."[64]
(주자가 말했다.) "방빈왕方賓王이 학문을 하는 뜻은 친절하고 적당하며 그 순서를 잃지 않아서 근래에 친구들이 강습하는 것을 본 바로는 여기에 미칠 수 있는 자가 없었다."

[42-3-10]
"鄭子上說易中庸甚子細. 論人心道心之說比舊益精密矣."
(주자가 말했다.) "정자상鄭子上[鄭可學][65]이 『역』, 『중용』을 말하는 것이 매우 자세하다. 인심人心과 도심道心을 논하는 학설이 옛날보다 더욱더 정밀하다."

[42-3-11]
"晏亞夫進學意氣頗多激昂, 而心志未甚凝定. 於日用之間益加持敬工夫, 則見得本來明德之體用動靜如一矣."
(주자가 말했다.) "안아부晏亞夫는 학문을 진작시키는 데에 그 의지가 다소 많이 격앙되어 있지만 심지가 매우 안정되지 못하여, 일상생활에서 경敬을 지키는 공부를 더욱더 힘쓰면 본래 명덕明德의 체용體用과 동정動靜이 하나인 듯함을 보게 될 것이다."

[42-3-12]
勉齋黃氏曰 : "晦翁先生之門從遊者多矣. 季通之來, 先生必留數日, 徃徃通夕對床不暇寢, 從先生遊者, 歸必過其家, 聽其言論不忍去, 去皆充然有所得也. 其負英邁之氣, 蘊該洽之學, 智極乎道德性命之原, 行謹乎家庭唯諾之際, 於先生之門可謂傑然者矣."[66]
면재 황씨勉齋黃氏[黃榦][67]가 말했다. "회옹晦翁 선생의 문하에서 함께 공부하는 자들이 많다. 계통季通이

읽고 주희에게서 배웠다. 저서로는 『文公語錄』·『春秋會要』·『槎溪集』이 있다.

64 『朱文公文集』 권56 「書·答方賓王」
65 鄭子上[鄭可學] : 鄭可學(1152~1212)을 말한다. 자는 子上이고 호는 持齋이다. 주희의 문인으로 수학했다. 오래되어 정밀함을 얻어 사방의 학자들이 찾아와 배웠다. 저서로는 『春秋薄儀』·『三朝北盟擧要』·『師說』 등이 있다.
66 『勉齋集』 권2 「題跋·書蔡西山家書」
67 勉齋黃氏[黃榦] : 黃榦(1152~1221)은 자는 直卿이고, 호는 勉齋이다. 송대 福州閩縣(현 복건성 福州) 사람으로 주희의 고족제자인 동시에 사위이다. 주희의 蔭補로 漢陽軍·安慶府 등에서 관직을 역임하였다. 저서는 『書說』·『六經講義』·『勉齋集』 등이 있고, 『朱子行狀』을 집필했다.

오면 선생은 반드시 몇 일을 묵게 하였으며, 자주 밤을 지새우면서 책상을 마주하고 잠을 잘 겨를이 없었는데, 선생을 따라 유학하는 자들이 집으로 돌아갈 때 반드시 그 집을 지나치면서 그들이 논쟁하는 소리를 듣고서 집으로 돌아갈 수가 없었고, 돌아갈 때는 충만하게 얻는 것이 있었다. 그는 뛰어난 기운을 짊어지고 해박한 학문을 쌓아서 그 지혜가 도덕道德과 성명性命의 근원에 지극하고, 행함은 가정에서 공손히 응대하는 때에 삼갔으니, 선생의 문하에서 가히 걸출한 사람이라고 말할 수 있다.”

[42-3-13]
西山眞氏曰: “季通師事文公, 文公顧曰, 季通吾老友也. 凡性與天道之妙, 他弟子不得聞者, 必以語季通焉. 異篇奧傳, 微辭邃旨, 先令討究而後折. 先生於經無所不通, 嘗語三子, 曰, ‘淵, 汝宜紹吾易學’, 曰, ‘沉, 汝宜演吾皇極數, 而春秋則以屬知方焉.’”

서산 진씨西山眞氏[眞德秀][68]가 말했다. “계통季通은 주문공朱文公[朱熹]을 스승으로 모셨으니 문공이 회고하면서 말하기를 ‘계통은 나의 오래된 친구이다.’라고 했다. 성性과 천도天道의 미묘함은 다른 제자들은 듣지 못한 것이지만 반드시 계통에게는 말했다. 다른 편에서 심오하게 전해지는 것과 은미한 말에서 깊은 뜻을 선생은 먼저 토론하고 연구한 뒤에 절충하였다. 선생은 경전에 대해서 통하지 않는 것이 없었는데 세 아들에게 말하기를 ‘연淵아, 너는 마땅히 나의 역학易學을 이어받아라.’라고 하고, ‘침沉아, 너는 마땅히 『황극경세서皇極經世書』의 수數를 이어라. 『춘추春秋』는 방도를 아는 사람에게 위촉하겠다.’고 했다.”

[42-3-14]
“仲黙自勝衣趣拜, 入則服膺父敎, 出則從晦庵游. 晦庵晩年訓傳諸經略備, 獨書未及爲, 環眠門下生求可付者, 遂以屬仲黙. 洪範之數學者久失其傳, 西山獨心得之. 然未及論著, 亦曰, ‘成吾書者沉也.’”[69]

(서산 진씨가 말했다.) “중묵仲黙[蔡沈][70]은 어릴 적부터[71] 문안을 드릴 때 예절을 지켜서[72] 집에 들어가면 부모님의 교육을 가슴에 품고, 나가서는 회암晦庵을 따라 공부하였다. 회암이 만년에 여러 경서에 훈을

---

68 西山眞氏[眞德秀]: 眞德秀(1178~1235)의 자는 希元·景元·景希이고, 호는 西山이다. 송대 浦城(복건성 蒲城) 사람으로 1199년에 진사에 급제하여 太學正·參知政事에 이르렀다. 어려서는 주희의 문인인 詹體仁에게 배우고, 스스로 ‘주희를 사숙하여 얻은 것이 있다.’라고 하였다. 특히 『大學』을 중시하여 ‘窮理·持敬을 강조하였다. 저서는 『大學衍義』·『四書集篇』·『西山文集』 등이 있다.
69 『西山文集』 권42 「墓表·九峯先生蔡君墓表」
70 仲黙[蔡沈]: 蔡沈(1176~1230)은 자는 仲黙이고, 호는 九峰이다. 송대 建陽(현 복건성 건양) 사람으로 채원정의 셋째 아들이다. 어려서부터 가학을 이으면서 주희에게 배웠다. 慶元黨禁으로 부친과 스승이 화를 당하자 구봉에 은거하여, 스승과 부친의 유지를 받들어 『書經集傳』과 『洪範皇極』을 저술하였다.
71 어릴 적부터: 勝衣를 번역한 말이다. 이는 옷을 감당한다는 말로 남의 도움을 받지 않고 혼자 힘으로 옷을 입고 벗는다는 뜻이다.
72 문안을 드릴 … 지켜서: 趣拜를 번역한 말이다. 안부와 문안을 드릴 때 예절을 지켰다는 뜻이다.

단 전傳들을 대략 갖추었으나, 오직『서경』은 하지 못하여 문하의 제생들을 둘러보고서 부탁할 수 있는 사람들 구하였으니 비로소 중묵에게 위촉했다. 홍범洪範의 수는 배운 자가 그 전한 것을 잃어버린 지 오래되었는데 서산西山이 홀로 마음에서 터득했다. 그러나 논하여 저술하는 데에는 미치지 못했는데 또한 '나의 책을 이룰 자는 오직 채침뿐이다.'라고 했다."

[42-3-15]

雲莊劉氏曰:"季通天資高, 聞道早. 於書無所不讀, 於事無所不講. 明陰陽消長之運, 達古今盛衰之理. 上稽天時下考人事, 皆有明證. 若禮樂兵制度數, 皆正其流而會于一. 方技曲學異端邪說, 悉扳其根而辨其非. 凡古書奇辭奧旨人所不能讀者, 一見即解. 文公嘗曰, 人讀易書難季通讀難書易. 又曰, 造化微妙, 惟深於理者能識之, 吾與季通言而未嘗厭也. 先生處家, 以孝弟忠信儀刑子孫. 而其敎人也, 以性與天道爲先. 自本而支, 自源而流, 聞者莫不興起. 嘗言文公敎人以訓詁文義爲先, 下學上達固是常序. 然世衰道微, 邪說交作, 學者未知本原, 未必不惑於異端之說也. 故文公晚年接引後學, 亦無隱焉."[73]

운장 유씨雲莊劉氏[劉爚][74]가 말했다. "계통季通은 천부적인 자질이 뛰어나고 도를 들은 것이 빨랐다. 읽지 않은 책이 없었고, 강론하지 않은 일이 없었다. 음양소장의 운행에 밝았고, 고금성쇠의 이치에 통달했다. 위로 천시天時를 살폈고, 아래로 인사人事를 고찰했으니 모두 분명한 증거가 있었다. 예악禮樂과 병제兵制와 도수度數와 같은 것은 모두 그 흐름을 바로잡아 하나로 모았으며, 방기方技와 학문을 곡해하는 이단異端과 사설邪說들은 모두 발본색원하여 그 그름을 변별했다. 옛 책에서 기이한 말과 심오한 요지로 사람들이 읽을 수가 없는 것을 한 번 보면 곧바로 해석했다. 문공文公이 항상 말하기를 '사람들은 쉬운 책을 읽는 것도 어려운데 계통은 읽기 어려운 책을 쉽게 읽었다.'라고 하고, 또 '조화造化의 미묘함은 오직 리理를 깊이 안 사람만이 그것을 알 수 있는데, 내가 계통과 말하는데 싫증난 적이 없었다.'라고 했다. 선생이 집에 있을 때에는 효제孝弟와 충신忠信으로 자손들을 가르치고, 사람들을 가르치는 데에는 성性과 천도天道를 우선시 하였으니, 뿌리에서 가치로 근원에서 말류로 나아가서 듣는 사람들이 흥기하지 않는 적이 없었다. 항상 (계통이) 말하기를 '문공은 사람들을 가르치는 데에 문장의 뜻을 훈고訓詁하는 것을 우선시하고, 하학下學하여 상달上達하게 하는 것을 정상적인 차례로 여겼다.' 그러나 세상의 도가 쇠미해지고 사설들이 번갈아 일어나 배우는 자가 본원을 알지 못하니, 이단의 학설에 미혹되지 않는다고 기필할 수가 없다. 그래서 문공은 만년에 후학들을 받아들여 또한 숨기는 것이 없었다."

---

73 『宋名臣言行錄』(外集) 권17
74 雲莊劉氏[劉爚] : 劉爚은 자가 晦伯이고 建陽 사람이다. 그와 그의 동생 劉韜仲은 주희와 여조겸에게 배웠다. 乾道 8년(1172)에 진사가 되고 山陽主簿로 제수받았다. 도학이 금지되었을 때 주희를 따라 무이산에서 도를 강론하며 책을 읽었다. 시호는 文簡이다. 저서는『史稿』・『經筵故事』・『禮記解』・『講堂故事』・『雲莊外稿』등이 있다.

[42-3-16]

李士英言行錄曰: "西山從晦翁游最久, 精識博聞, 同輩皆不能及. 義理大原, 固已心通意解, 尤長於天文, 地理, 樂律, 歷數, 兵陣之說. 凡古書盤錯肯綮, 學者讀之不能以句, 元定爬梳剖析, 細入秋毫, 莫不暢達. 晦翁論易, 推本河圖洛書, 邵氏皇極經世書先天圖, 徃徃多與元定徃復而有發焉."[75]

이사영李士英『언행록言行錄』에서 말했다. "서산은 회암에게서 공부한 것이 가장 오래되었는데 식견이 정밀하고 들은 것이 넓어서 동년배들 모두 그에 미치지 못했다. 의리義理의 큰 근원을 이미 마음 속에서 통하고 생각으로 이해하고 게다가 천문天文, 지리地理, 악률樂律, 역수歷數, 병진兵陣의 학설에 뛰어났다. 고서古書에서 교착되고 긴요한 것을 배우는 자들은 그것을 읽어도 자구를 뗄 수가 없는데 원정元定은 복잡한 것을 정리하여 분석해서 털끝처럼 미세한 것에 상세하게 들어가서 통달하지 못한 것이 없었다. 회옹이 역을 읽을 때에 하도河圖와 낙서洛書 그리고 소강절의 『황극경세서』의 선천도先天圖를 탐구하였는데 자주 원정元定과 함께 왕복하면서 깨달은 경우가 많았다."

[42-3-17]

"仲默年僅三十, 即屛去擧子業, 一以聖賢爲師. 平居仰觀俯察, 默坐終晷, 瞭然有見於天地之心, 萬物之情, 反求諸躬, 衆理具備, 信前聖之言不予欺也."[76]

"중묵仲默은 나이 겨우 30세에 자신의 업인 과거 공부를 버리고 한결같이 성현聖賢을 스승으로 삼았다. 평상시에 자리할 때는 우러러 보고 굽어 살피며, 조용히 정좌하여 해가 질 때까지 하였으니, 분명하게 천지의 마음과 만물의 실정에서 드러난 것이 있으면 돌이켜 자신에게서 구하여 여러 리理를 갖추었으니, 진실로 이전 성인의 말이 나를 속이지 않는다는 점을 믿었다."

[42-3-18]

"仲默父師之託凛凛焉常若有負, 盖沉潛反復者數十年, 然後克就. 其於書也考序文之誤, 訂諸儒之說, 以發明二帝三王羣聖賢用心, 洪範洛誥秦誓諸篇, 徃徃有先儒所未及者. 其於洪範數也, 謂體天地之撰者, 易之象, 紀天地之撰者, 範之數. 數始於一奇, 象成於二偶. 奇者數之所以立, 偶者象之所以在. 故二四而八, 八卦之象也, 三三而九, 九疇之數也. 由是八八而又八之爲四千九十六, 而象備矣, 九九而又九之爲五百六十一,[77] 而數周矣. 易更四聖而象已著. 範錫神禹而數不傳. 後之作者昧象數之源, 窒變通之妙, 或即象而爲數, 或反數而擬象. 洞極有書, 潜虛有圖, 非無作也, 牽合傅會, 自然之數益晦焉. 嗟夫! 天地之所以肇, 人物之所以生,

. . . .

75 『宋名臣言行錄』(外集) 권17
76 『西山文集』 권42 「墓表·九峯先生蔡君墓表」
77 『西山文集』에서는 "九九而又九之爲五百六十一"이 아니라 "九九而又九之爲六千五百六十一"로 되어 있다. 계산해 보면 6,561이 맞다.

萬事之所以得失, 莫非數也. 數之體著於形, 數之用妙於理, 非窮神知化者, 曷足以語此? 仲默
於二書闡發幽微至於如此, 眞不媿父師之託哉!"[78]

"중묵仲默은 아버지와 스승의 부탁을 두려운 듯이 항상 짊어지고 있는 듯이 하여, 침잠하고 반복하기를
수 십 년 이후에 성취하였다. 그는 『서書』에서 서문序文의 오류를 고치고 여러 유학자들의 학설을 교정하
여, 이제二帝·삼왕三王과 여러 성현聖賢들의 마음 씀과 「홍범洪範」과 「낙고洛誥」와 「진서秦誓」의 여러
편에서 이전 유학자들이 언급하지 못한 것들을 밝혀 드러냈다. 「홍범」의 수에 대해서는 천지의 법칙을
체찰體察한 것이 『역易』의 상象이고 천지의 법칙을 기록한 것이 「홍범」의 수數이다. 수는 하나인 기수奇
數, 홀수에서 시작하고, 상象은 둘인 우수偶數에서 완성된다. 기수奇數는 수가 세게 되는 것이고, 우수偶數
는 상이 있게 하는 것이다. 그러므로 2를 4배하면 8이니 팔괘八卦의 상이고, 3을 3배하면 9이니 구주九疇
의 수이다. 이에 말미암아 8을 8배하고 또 8배해서 나가면 4,096이니 상象이 갖추어지고, 9를 9배하고
또 9배해서 나가면 6,561이니 수가 충족된 것이다. 『역』은 네 성인이 번갈아 상象이 드러났지만, 「홍범」
은 우신禹神에게 주었으나 수가 전해지지 못하여 후대에 쓴 자가 상수象數의 근원을 알지 못하고 변통變
通의 미묘함이 막혀서 어떤 경우는 상象에 즉해서 수數라 여기고 어떤 경우는 수를 돌이켜서 상에 견준
다. 『통극洞極』[79]에는 글이 있고 『잠허潛虛』[80]에는 그림이 있지만 쓴 사람이 없는 것이 나니라 견강부회

78 『西山文集』 권42 「墓表·九峯先生蔡君墓表」
79 『洞極』: 關郎의 저작이다. 『洞極元經』 혹은 『洞極眞經』이라고도 한다. 關郎은 北魏 解州 사람으로 關羽의
　　후예이다. 關子明이라고도 한다. 지방에 은거하여 관직을 구하지 않았다. 孝文帝 太和 말에 王虯가 그를
　　왕실에 두었다. 그와 『周易』을 논하였는데 기이한 재주를 가지고 있어 황제에게 추천했다. 왕이 불러 『老子』
　　와 『易經』을 물어보니 관랑은 왕도를 논하면서 慈儉을 근본으로 하여 刑政禮樂으로 꾸며 다스리라고 했다.
　　효문제가 왕두가 사람을 볼 줄 안다 여겼다. 여러 차례 불러 물었지만 황제가 죽어 관직에는 오르지 못했다.(『古
　　今圖書集成』「氏族典」 권172)
80 『潛虛』: 사마광의 저서로서 양웅의 『太玄』을 모방하여 만든 책이다. 義理·圖式·術數 3부분으로 구성되어
　　있다. 의리 부분은 五行: 水·火·木·金·土을 기초로 陰陽·易卦·筮占의 기본사상을 흡수, 천지만물의
　　생성과 우주질서의 변화를 담고 있다. 『太玄』에서 의리 문제를 많이 설명했으나, 영향을 확대하기 어렵다고
　　생각하여 하나의 독특한 도식과 술수를 만들었다. 도식과 술수는 항상 결합되어 나타날 뿐 아니라 도와 수로
　　칭할 수 있다. 도는 氣·體·性·名·行·命의 6도로 나누며, 그 중 行圖는 變圖, 解圖를 포함한다. 氣圖의
　　핵심은 만물이 모두 허를 조상으로 하고, 기에서 생긴다는 것을 그림으로 풀이하는 데 있다. 수의 연원에서
　　설명하면, 1·2·3·4·5를 서로 더하면 15가 되니 生數이다. 6·7·8·9·10을 서로 더하면 40이 되니 곧
　　成數이다. 생수와 성수를 더하면 55가 되니, 이는 「易傳」에서 말하는 天地의 수이다. 사마광은 어떤 체계가
　　55의 서열에 부합하는지를 설명하는 것을 합리적이라 생각했다. 5행을 근본으로 하여 5의 제곱인 25로써 『太
　　玄』의 9의 제곱인 81을 변경했다. 1~5(15)는 生數, 25(5×5)는 天數, 6~10(40)은 成數, 55(생수+성수)는 천지의
　　수, 천수 25×3才=75는 命數, 命數 75에서 虛5한 70을 筮數로 하였다. 역은 64괘, (태)현은 81首, (잠)허는
　　55名이라고 하며, 역은 6효, 현은 9贊, 허는 7變이라 한다. 역의 괘는 內外가 있고, 현의 首는 4位가 있으며,
　　허의 體는 10등이 있다.
　　司馬光(1019~1086) 자는 君實이고, 호는 迂夫와 만년의 迂叟이며, 시호는 文正이다. 세칭 司馬太師·溫國
　　公·涑水先生이라 한다. 송대(夏縣 涑水鄕, 현 산서성 夏縣)사람으로 翰林侍讀·權御使中丞·門下侍郎 등을
　　역임하였다. 왕안석의 신법에 반대하여 퇴출되었다가 재상으로 복직하여 신법을 폐지하였다. 저서는 『文集』

하여 자연의 수에 더욱더 어두워졌다. 아! 천지의 시작된 까닭과 인물人物이 생겨난 까닭과 만사萬事가 얻고 잃는 까닭은 수數가 아님이 없다. 수의 체體는 형체에 나타나고, 수의 용用은 리理에서 미묘하니, 궁신지화窮神知化한 자가 아니라면 어찌 이것을 말하기게 족하겠는가? 중묵仲默은 이 두 가지 책에서 유미幽微한 것을 열어 밝힌 것이 이와 같은 경지에 이르렀으니, 진실로 아버지와 스승의 부탁에 부끄럽지 않을 것이다!"[81]

[42-3-19]

董氏訒曰：“勉齋先生得紫陽之正傳, 造詣精深. 而見於講說者, 特簡易明白, 的當痛快, 讀之使人興起."

동씨董氏[董訒가 말했다. “면재 선생勉齋先生[黃幹]은 자양紫陽의 올바르게 전해진 것을 얻었고 조예가 정밀하고 깊어서, 강설하는 데에 나타나서는 특히 간결하고 쉽고 명백하며, 적당하고 통쾌하여 그것을 읽어서 사람들이 흥기하게 하였다."

[42-3-20]

黃氏瑞節曰：“蔡氏祖子孫三世一轍. 朱子云, 蔡神與所以教其子者, 不干利祿而開之以聖賢之學, 其志識高遠非人所及."

황씨黃氏[黃瑞節][82]가 말했다. “채씨蔡氏는 조祖와 자子와 손孫 3세대가 하나로 연결되었다. 주자가 ‘채신여蔡神與가 그 자식을 가르치는 것은 이득과 녹봉에 간여하지 않고 성현의 학문으로 열어주었으니, 그 뜻이 고원하여 사람들이 미칠 바가 아니다.'[83]라고 했다."

眞德秀 字景元後更希元號西山　진덕수[84] 자는 경원인데 나중에 희원으로 고쳤고, 호는 서산이다.

[42-4-1]

勉齋黃氏曰：“西山在朝屢進危言, 力扶大義. 公論藉以開明, 善類爲之踊躍."[85]

. . . .
　과 『資治通鑑』・『稽古錄』・『易說』・『潛虛』 등이 있다. 중국 북송시대 정치가・사학자이다.

81　『西山文集』 권42 「墓表・九峯先生蔡君墓表」

82　黃瑞節 : 자는 觀樂이다. 송・원대 安福사람으로 송대에 泰和州學을 역임했으나, 원대에서는 은거하여 학문에 힘썼다. 주희가 편찬한 『太極解義』, 『通書解』, 『正蒙解』, 『易學啓蒙』, 『家禮』, 『律呂新書』, 『皇極經世』에 주석을 가하여 『朱子成書』라는 책을 지었다.

83　『朱文公文集』 권83 「跋・跋蔡神與絶筆」

84　眞德秀(1178~1235) : 자는 希元・景元・景希이고, 호는 西山이며, 시호는 文忠이다. 송대 浦城(복건성 蒲城) 사람으로 1199년에 진사에 급제하여 太學正・參知政事에 이르렀다. 어려서는 주희의 문인인 詹體仁에게 배우

면재 황씨勉齋黃氏가 말했다. "서산은 조정에서 여러 차례 높고 준엄한 말을[86] 진언해서 대의大義를 힘써 지켰다. 공론公論이 이를 바탕으로 밝게 들어나니, 선한 부류들이 뛸 듯이 기뻐했다."

[42-4-2]

吳郡李氏曰 : "子朱子沉潛乎性命而發越乎詞章, 先生心得其傳, 汪洋乎翰墨, 沉浸乎仁義. 所入雖不同, 其見於道一也. 子朱子之道不盡行於時, 故私淑諸其徒. 先生之道方大顯於世, 盖將公利澤於民物. 所遭雖不同, 其衣被萬世亦一也."

오군 이씨吳郡李氏[吳韶]가 말했다. "자주자子朱子는 성명性命에 침잠하여 사장詞章을 발산하였지만, 선생(진덕수)은 그 전한 것을 마음으로 터득해서 한묵翰墨(문장)에 박학하여 인의仁義에 깊이 몰입했다. 들어가는 바는 달랐지만 그들이 도를 본 것은 한 가지이다. 자주자의 도는 그 당시에 모두 행해지지 않았으므로 여러 문도들이 사숙했다. 선생의 도는 당시에 크게 드러나 공리公利를 백성들에게 미쳤다. 조우하는 바는 달랐지만 그들이 만세萬世에 영향을 미친 것은 또한 한 가지이다."

[42-4-3]

邵庵虞氏曰 : "先生大學衍義之書, 本諸聖賢之學, 以明帝王之治, 據已往之跡, 以待方來之事. 慮周乎天下, 憂及乎後世. 君人之軌範, 盖莫備於斯焉. 董仲舒曰, 人主而不知春秋, 前有讒而不知, 後有賊而不見, 此雖未敢上比於春秋, 然有天下國家者, 誠反覆於其言, 則治亂之別, 得失之故, 情僞之變, 其殆庶幾無隱者矣."[87]

소암 우씨邵庵虞氏[虞集]가[88] 말했다. "선생의 『대학연의大學衍義』라는 책은 성현의 학문에 근본하여 제왕의 통치를 밝혔고, 지나간 발자취에 근거하여 앞으로 일어날 일들을 기대했다. 사려가 천하에 두루 미쳤고, 근심이 후세에까지 미쳤으니, 군주의 궤범軌範이 여기에서 갖추지 않은 것이 없었다. 동중서董仲舒[89]

....

고, 스스로 '주희를 사숙하여 얻은 것이 있다.'라고 하였다. 특히 『大學』을 중시하여 '窮理·持敬을 강조하였다. 저서는 『大學衍義』·『四書集篇』·『讀書記』·『文章正宗』·『唐書考疑』·『西山文集』 등이 있다.

85 『勉齋集』 권15 「書·與眞景元直院」

86 높고 준엄한 말: 危言에 대한 번역이다. 주희는 "危는 높고 준엄한 뜻이다.(危, 高峻也.)"라고 하였다. 『論語』 「憲問」에는 "나라에 道가 있을 때에는 말을 높게 하고 행실을 높게 하며, 나라에 道가 없을 때에는 행실은 높게 하되 말은 공손하게 하여야 한다.(邦有道, 危言危行, 邦無道, 危行言孫.)"라고 하였다.

87 『道園學古錄』 권7 「記·西山書院記」

88 邵庵虞氏[虞集] : 虞集(1272~1348)은 元臨川 崇仁 사람이다. 자는 伯生이고 호는 邵庵이다. 조상은 蜀나라 사람인데 송나라가 망하자 부친이 숭인에 자리잡았다. 어려서부터 가학을 이어 여러 경전을 섭렵하였다. 吳澄을 따라 수학했다. 文宗이 즉위하자 奎章閣侍書學士에 제수되어 『經世大典』을 편수했다. 시호는 文靖이다. 우집은 박식하고 詩文에 뛰어났다. 『道園學古錄』과 『道園遺稿』가 있다.

89 董仲舒 : 漢武帝 때 廣川 사람으로 桂巖子라고 불렸다. 벼슬은 博士와 江都王相과 膠西王相을 지냈다. 春秋公羊學을 전공하여 무제에게 儒學을 국가의 기본 강령으로 삼게 하였다. 陰陽五行論을 바탕으로 天人感應說을 확립하였다. '도의 큰 근원은 하늘에서 나왔다.(道之大原出於天.)'는 등의 말로 송나라 정자와 주자로부터

는 '군주가 『춘추』를 알지 못하면 앞에 아첨이 있어도 알지 못하고 뒤에 도적이 있어도 보지 못한다.'고 했는데 이것은 비록 위로 『춘추』에 비견할 수는 없지만 천하의 국가를 소유한 자가 진실로 그 말을 반복한다면 질서와 혼란의 구별과 이득과 손실의 원인과 실정과 거짓의 변화가 거의 감추어지지 않을 것이다."

[42-4-4]

史傳云: "自韓侂胄立僞學之名以錮善類, 凡近世大儒之書皆顯禁以絶之. 德秀晚出, 獨慨然以斯文自任, 講習而身行之. 黨禁既開, 而正學遂明于天下後世, 多其力也."[90]

사전史傳에서 말했다. "한탁주韓侂胄[91]가 위학僞學의 이름을 세워서 좋은 부류의 사람들을 가두어 들이니, 근세 대유大儒의 책들이 모두 금지되어 끊어졌다. 덕수가 늦게 나와서 홀로 개탄하면서 사문斯文으로 자임하고 강습하고 실행하였다. 당금黨禁이 풀어지고 정학正學이 천하와 후세에 밝혀져 그 힘이 많아질 것이다."

魏華父 字了翁號鶴山 위화보[92] 자는 료옹이고 호는 학산이다.

[42-5-1]

邵庵虞氏曰: "孔子顔子歿, 其學不傳, 曾子以其傳授子思而孔子之精微益以明著, 孟子得以擴而充之. 後千五百年以至于宋, 汝南周氏始有以繼顔子之絶學, 傳之程伯淳氏, 而正叔氏又深有取於曾子之學以成已而教人, 而張子厚氏, 又多得於孟子者也. 顔曾之學均出於夫子, 豈有異哉? 固其資之所及而用力有不同焉者爾. 朱元晦氏論定諸君子之言而集其成, 一時小人用事, 惡其屬已, 倡邪說以爲之禁, 士大夫身蹈其禍, 而學者公自絶以苟全. 論世道者, 能無盡然于茲乎? 方是時臨邛魏華父起於白鶴山下, 奮然有以倡其說於摧廢之餘, 極其弊於口耳之末. 故其立朝, 惓惓焉以周程張朱四君子易名爲請, 尊其統而接其傳, 非直爲之名也."

소암 우씨邵庵虞氏가 말했다. "공자와 안자가 죽고 나서 그 학문이 전해지지 않고, 증자가 그 전한 것으로

漢나라 최고의 선비로 추앙받았다. 저서로 『春秋繁露』・『董子文集』 등이 있다.

90 『史傳三篇』 권7 「名儒傳六・宋・眞德秀」

91 韓侂胄(1152~1207) : 자는 節夫이고 조상의 본적은 河南 安陽이다. 중국 남송 시기의 權臣이고 재상이었다. 북송 韓琦의 증손자이다. 한탁주는 주희의 理學을 금지하고 趙汝愚를 유배 보냈기 때문에 리학자들이 그를 간신으로 여긴다.

92 魏華父 : 魏了翁(1178~1237)은 남송의 학자이다. 자는 華父이고 호는 鶴山이다. 邛州 蒲江 사람이다. 慶元 5년(1199) 進士가 되었다. 관직은 端明殿學士에 이르렀다. 嘉熙 元年(1237)에 죽었으니 향년 60세이고 시호는 文靖이다. 저서는 『鶴山集』・『九經要義』・『古今考』・『師友雅言』 등이 있다.

자사에게 전하니 공자의 정미한 뜻이 더욱 밝게 드러났고, 맹자가 그것을 얻어 확충시켰다. 후에 천오백년이 지나 송나라에 이르자 여남汝南의 주씨周氏[周敦頤]가 안자의 끊어진 학문을 계승하여 정백순程伯淳[程顥][93]에게 전하니 정숙正叔[程頤][94]이 또 증자의 학문에서 깊게 얻어서 자신을 완성하고 사람들에게 전했으며, 장자후張子厚[張載][95]가 또 맹자에게서 많이 얻었다. 안자와 증자의 학문은 모두 공자에게서 나왔으니 어찌 다름이 있겠는가? 실로 자질이 미치는 것과 힘을 쓰는 데에 차이가 있을 뿐이다. 주원회朱元晦[朱熹]가 여러 군자의 말들을 논하여 정하고 집대성하였으니, 한 때의 소인들이 일을 벌려 그들이 자신들을 괴롭히는 것을 미워하여 사설邪說을 창도하여 금지시켜서, 사대부들이 그 화를 당하고 학자들은 공공연하게 스스로 끊고 구차하게 자신을 보전하였다. 세상의 도리를 논하는 자들은 이에 애통해하지 않겠는가? 이때에 임공臨邛의 위화보가 백학산白鶴山 아래에서 일어나 분연히 꺾어 폐해진 속에서 그 학설을 창도하고, 눈과 귀의 말초에서 그 폐단을 없애었다. 그래서 조정에 서서 간절하게 주돈이, 정호, 정이, 장재, 주희 네 군자의 이름을 바꾸기를 청하고, 그 도통을 존중하고 그 전해진 것을 이으니 단지 그 명예만을 위한 것이 아니었다."

又曰: "魏氏之爲學, 即物以明義, 反身以求仁. 審夫小學文藝之細, 以推乎典禮會通之大, 本諸平居屋漏之隱, 而充極於天地鬼神之著, 巖巖然立朝之大節不以夷險而少變, 而立言垂世又足以作新乎斯人, 蓋庶幾乎不悖不惑者矣. 若夫聖賢之書, 實由秦漢以來諸儒誦而傳之得至于今. 其師弟子之所授受, 以顓門相尙, 雖卒莫得其要. 然而古人之遺制, 前哲之緖言, 或者存乎其間, 蓋有不可廢者. 自濂洛之說行, 朱氏祖述而發明之, 於是學者知趨乎道德性命之本, 廓如也.

또 말했다. "위화보의 학문은 사물에 나아가서 의리를 밝히는 것이고, 몸을 반성하여 인仁을 구하는

---

93 程伯淳[程顥]: 程顥(1032~1085)의 자는 伯淳이고, 호는 明道이다. 송대 洛陽(현 하남성 낙양) 사람으로 아우 程頤와 함께 '二程'이라 불리운다. 太子中允·監察御史理行 등을 역임하였다. '天理體認'과 '識仁' 등의 사상은 육구연·왕양명 등의 '心學' 체계에 영향을 끼쳤다. 저서는 『識仁篇』·『定性書』·『文集』 등이 있다. 현행 『二程集』에는 부분적으로 이정의 글이 뒤섞여 있는 곳이 있다.

94 正叔[程頤]: 程頤(1033~1107)의 자는 正叔이고, 호는 伊川이다. 송대 洛陽(현 하남성 낙양) 사람으로서 형 程顥와 함께 二程이라 불린다. 15세 무렵에 형과 함께 주돈이에게 배운 적이 있으며, 18세에는 태학에 유학하면서 「顔子好學論」을 지어 胡瑗(호는 安定)이 경이롭게 여겼다고 한다. 벼슬은 秘書省校書郞·崇政殿說書 등을 역임하였으나, 거의 30년을 강학에 힘 쏟아 북송 신유학의 기반을 정초하였다. 이정의 학문은 '洛學'이라고 하며, 특히 정이의 학문은 주희에게 결정적으로 영향을 끼쳐 세칭 '程朱學'이라고 하면 정이와 주희의 학문을 지칭한다. 저서는 『易傳』·『經說』·『文集』 등이 있다.

95 張子厚[張載]: 張載(1020~1077)의 자는 子厚이고, 세칭 橫渠先生이라고 한다. 송대 大梁(현 하남성 開封) 사람으로 거주지는 鄠縣橫渠鎭(현 섬서성 眉縣)이었다. 1057년 진사에 급제했고 雲巖令·崇政院校書 등을 역임하였다. 젊어서 병법을 좋아하여 범중엄에게 서신을 보냈다가 『中庸』을 읽기를 권유받고, 얼마 뒤 『六經』에 전념하게 되었다. 특히 『易』과 『中庸』을 중시하여 『正蒙』·『西銘』·『易說』 등을 지었는데, 이로써 나중에 '關學'의 창시자가 되었다.

것이다. 소학小學과 문예文藝의 자잘한 것을 살펴서 전례典禮와 회통會通의 거대한 것을 추론하였고, 평상시에 방 귀퉁이의 은미함을 근본으로 해서 천지 귀신의 드러남을 지극히 확충하였고, 엄격하게 조정에서는 큰 절개는 평탄하고 험한 것 때문에 조금도 변하지 않았으며, 말을 세워 세상에 드리우는 것은 또 사람들을 새롭게 하기에 충분했으니, 거의 어그러지지 않았고 미혹되지 않은 사람이었기 때문이었다. 성현의 책들과 같은 것들은 실체로 진한秦漢 이래로 여러 유학자들이 암송하여 전했기 때문에 지금에 이르러 얻었다. 그러나 그 스승과 제자들이 전하고 받는 과정에서 자신들의 문하를 서로 숭상하여서 결국에는 그 요체를 얻을 수 없었다. 그러나 옛 사람들이 남긴 제도와 이전 현자들의 말들이 혹 그 사이에 보존되었으니 폐할 수 없는 것이 있었기 때문이다. 염락濂洛의 학설이 성행한 이후로 주자가 조술祖述하고 밝혔으니, 이에 학자들이 도덕성명道德性命의 근본을 추구하는 것이 드넓다는 것을 알았다.

而從事於斯者誦習而成言, 惟日不足, 所以博文多識之事若將略焉, 則亦有所未盡者矣. 況乎近世之弊好爲鹵莽, 其求於此者或未切於身心, 而攷諸彼者曾弗及於詳博. 於是傳注之所存者, 其舛譌牴牾之相承, 旣無以明辨其非是, 而名物度數之幸在者, 又不察其本原. 誠使有爲於世, 何以徵聖人制作之意而爲因革損益之器哉? 魏氏又有憂於此也. 故其致知之日, 加意於儀禮周官大小戴之記, 及取九經注疏正義之文, 據事別類而錄之, 謂之九經要義. 其志將以見夫道器之不離, 而有以正其臆說聚訟之惑世. 此正張氏以禮爲敎, 而程氏所以有徹上徹下之語者也."[96]

이에 이것에 종사하는 자들이 암기하고 학습하고 말을 이루는 데에 오직 날이 부족하니 그래서 박학다식한 일이 소략해질 것 같아서 또한 미진한 것이 있게 된다. 하물며 근세에 폐단이 거칠고 소략해지기를 좋아하여 여기서 구하려는 자들은 어떤 경우에 심신心身에 절실하지 못하고, 저기서 상고하려는 자들은 상세하고 박학한 데에 미치지 않는다. 그래서 전주傳注의 남겨진 것이 그 어그러진 거짓과 모순된 것들이 서로 계승되어서 그 시비를 명확하게 분별할 수 없게 되었고, 명물名物과 도수度數에서 다행히 있는 것은 또 그 본원을 살피지 못한다. 진실로 세상에서 어떤 일을 하게 하려고 해도 어찌 성인이 제작한 뜻을 구하고 계승하고 변혁하며 덜고 덧붙이는 기구를 만들 수 있겠는가? 위씨魏氏는 또 이것을 근심하였다. 그러므로 치지致知하는 날에 『의례儀禮』와 『주관周官』의 「대대大戴」와 「소대小戴」의 기록에 뜻을 두고서 구경九經의 주소注疏인 『정의正義』의 글들을 취하고 일에 근거하고 종류를 분별해서 기록해서 『구경요의九經要義』라고 했다. 그 뜻이 도道와 기器는 서로 분리될 수 없다는 것을 본 것이고, 그 억설이 다툼을 일으켜서 세상을 미혹시키는 것을 바로 잡으려 했다. 이것이 바로 장씨張氏[張載]가 예禮로써 가르침을 삼고 정씨程氏(二程兄弟)가 상하를 관통한다는 말이 있게 된 것이다."

· ·
96 『道園學古錄』 권7「記·鶴山書院記」

許衡 字平仲號魯齋　허형[97] 자는 평중이고 호는 노재이다.

[42-6-1]

牧庵姚氏曰：“先生之學一以朱子之言爲師, 窮理以致其知, 反躬以踐其實, 始而行其家, 中而及之人. 故于魏, 于輝, 于秦, 摳衣其門, 所在林立. 盛德之聲, 昭聞于時, 官諸胄學. 其教也, 入德之門始惟由小學而四書, 講貫之精, 而後進于易書詩春秋. 耳提面命者, 莫不以孝弟忠信爲本. 四方化之, 雖吏爲師刀筆筐篋之流, 父以之訓其子, 兄以之勗其弟者, 亦惟以是爲先. 語述作固不及朱子之富, 而扶植人極, 開世太平之功不慚德焉.”[98]

목암 요씨牧庵姚氏가 말했다. “선생의 학문은 한결같이 주자의 말을 스승으로 삼아서 리理를 궁리하여 그 앎에 이르고, 자신을 반성하여 실제를 실천하되 처음에는 그 집안에서 행하여 중도에 사람에게 미치었다. 그러므로 우위于魏와 우휘于輝와 우진于秦이 그 문하에서 공경하였고[99] 그가 있는 곳에는 사람들이 운집하였다. 성대한 덕의 명성이 그 때에 밝게 소문이 나서 주학胄學(왕족의 장자를 위한 학문)으로 되었다. 그 가르침은 덕에 들어가는 입구에서 처음에는 『소학小學』과 사서四書로부터 강학하고 관통하는 것이 정밀해진 뒤에『역』, 『서』, 『시』, 『춘추』로 나아갔다. 귀를 당기고 얼굴을 맞대고 명하는 것이 효제충신을 근본으로 하지 않음이 없었다. 사방을 교화하여 비록 관리일지라도 필기도구와 상자들의 부류를 스승으로 삼았고, 아버지는 이것으로 그 자식을 가르쳤으며, 형은 이것으로 그 동생을 힘쓰게 하는 자 또한 오직 이것을 우선시했다. 말과 조술과 작위와 견고함이 주자의 풍부함에는 미치지 못하나 인극人極을 잡아 세워서 태평성대를 연 공은 덕에 부끄럽지 않았다.”

[42-6-2]

耶律氏有尙曰：“雪齋姚樞隱蘇門, 傳伊洛之學於南士趙復仁甫. 先生即詣蘓門訪求之, 得伊川易傳, 晦庵論孟集註, 大學中庸章句或問, 小學等書, 讀之深有默契于中, 遂一一手寫以還. 聚學者謂之曰, 昔所授受, 殊孟浪也. 今始聞進學之序. 若必欲相從, 當悉棄前日所學章句之習, 從事於小學洒掃應對以爲進學之基. 不然, 則當求他師. 衆皆唯. 遂悉取向來簡帙焚之, 使無大小皆自小學入. 先生亦旦夕精讀不輟, 篤志力行以身先之, 雖隆寒盛暑不廢也.”[100]

----

97 許衡(1209~1281)은 자는 仲平이고, 호는 魯齋이고 懷州 河內 사람이다. 요추로부터 이정자와 주희의 책을 얻어 공부했다. 원나라 때 대표적인 유학자이다. 京兆提學을 지냈으며, 즉위한 뒤에는 국자좨주國子祭酒에 임명되었다. 북쪽에 정주학을 전파한 공이 있다. 저서에『讀易私言』·『魯齋遺書』가 있다.

98 『魯齋遺書』권14「先儒議論·姚氏牧庵語」

99 공경하였고: 摳衣를 번역한 말이다. 옷은 앞단을 들어 올리는 것을 말한다. 공경의 뜻을 표하는 행동이다. 『禮記』「曲禮上」에 “어른이 계신 방 안으로 들어갈 때에는 옷자락을 공손히 치켜들고 실내 구석을 따라 빠른 걸음으로 가서 자리에 앉은 다음에 응대를 반드시 조심성 있게 해야 한다.(摳衣趨隅 必愼唯諾.)”라고 하였다.

100 『魯齋遺書』권13「附錄」

야율씨耶律氏 유상有尙이[101] 말했다. "설재 요추雪齋姚樞[102]가 소문蘇門에 은거하여 이락伊洛의 학문을 남사南士 조복趙復 인보仁甫[103]에 전했다. 선생은 즉시 소문으로 찾아가서 구하니 이천伊川의 『역전易傳』과 회암晦庵의 『논맹집주論孟集註』와 『대학』 『중용』의 장구章句와 혹문或問 그리고 『소학小學』 등의 책을 얻어서, 읽으니 깊게 마음속에 깨닫는 바가 있어서 하나 하나 써서 가지고 돌아왔다. 학자들을 모아놓고 '옛날에 전해주고 전해 받은 것들은 모두 맹랑하다. 지금 비로소 학문을 증진시키는 순서를 들었다. 만약 반드시 서로 따르려한다면 마땅히 이전에 배운 장구章句들의 습관을 버리고 『소학』의 쇄소응대灑掃應對를 배워서 학문의 기초를 삼아야 한다. 그렇지 않다면 다른 스승을 구해야만 한다.'고 말했다. 모두가 응낙하였다. 모두 이전부터 내려온 책들을 불사르고 크고 작은 것이 없이 모두 『소학』에 입문하였다. 선생은 또한 아침 저녁으로 정독하여 그치지 않고, 뜻을 돈독하게 하고 힘써 행하여 몸으로써 먼저 하니, 매우 춥고 매우 더운 날에도 그치지 않았다."

[42-6-3]

"先生自得伊洛之學, 冰釋理順, 美如芻豢. 嘗謂終夜以思, 不知手之舞, 足之蹈."[104]

(야율씨가 말했다.) "선생은 이락伊洛의 학문을 스스로 터득하여 얼음이 녹듯이 리理가 순하고 아름답기가 마치 맛있는 고기와 같았다. 일찍이 '밤새도록 사려하여 자신도 모르게 손과 발이 춤을 추듯 했다.'고 말했다."

[42-6-4]

"先生天資弘毅, 卓然有守. 其恭儉正直出於天性, 雖艱危窮阨之際, 所守益堅, 而好學不倦. 聞一善言, 見一善行, 不啻飢渴. 於名利紛革, 畏若探湯. 誠心自然, 人皆信之, 建元以來十被召旨, 未嘗不起, 然卒不肯枉尺直尋而去. 每入對, 則衆皆注意而聽之. 衛士或舉手加額曰, 是

---

101 耶律氏 有尙 : 耶律有尙(1235~1320)은 자가 伯强이고 辽東丹王 10세 손이다. 원나라 조정 昭文館의 大学士이다. 유상은 자질이 뛰어나서 학문에 뜻을 두고 許衡의 문하에서 배웠다. 그 학문은 性理에 바탕을 두고 誠을 근본으로 삼았다. 86세에 죽으니 시호는 文正이었다.

102 雪齋姚樞 : 姚樞(1201~1278)는 원나라 초기 정치가이며 이학자이다. 자는 公茂이소 호가 雪齋 혹은 敬齋이다. 여러 관직을 거치다가 몽고군이 德安을 함락시키자 요추는 포로 가운데 유명한 유학자 趙復을 방문하여 북쪽으로 올라가 학문을 전파하라고 권한다. 요추는 후에 조복으로부터 정주학의 여러 서적을 얻어 리학을 연마한다. 1241년 관직을 버리고 소문에 은거한다.

103 趙復 仁甫 : 趙復은 자는 仁甫이고 德安 사람이다. 요추의 권유로 북쪽에 정주학을 전파했다. 『傳道圖』와 『伊洛發揮』를 지어 정주학의 종지로 삼아 도학을 전파했다. 주자 문인들 53인을 뽑아 『師友圖』를 지었고 伊尹과 顏淵의 언행을 모아서 『希賢錄』을 지어 학자들이 배우도록 했다. 요추가 소문에 은거하여 그 학문을 전파하자, 許衡, 郝經, 劉因 등이 모두 그 책을 읽고 존숭했다. 북방에 程朱学이 전파된 것은 조복으로부터 비롯되었다. 조복은 江漢 위에 집을 지어 살아 江漢이라고 호를 삼았는데 학자들이 그를 江漢先生이라고 불렀다.

104 『魯齋遺書』 권13 「附錄」

欲澤被生民者也."[105]

(야율씨가 말했다.) "선생의 천부적인 자질은 넓고 강직했고, 도도하게 뜻을 지키는 것이 있었다. 공손하고 검소하며 정직함은 천성으로부터 나왔으니 어려움과 곤궁할 때에도 그 지키는 바가 더욱 견고하고 배움을 좋아하는 것을 지루해하지 않았다. 좋은 말을 하나라고 듣고 좋은 행동을 하나라도 보면 기갈이 들린 듯했고, 명리名利와 부귀에 대해서 두려워함이 마치 뜨거운 탕을 만지듯 했다. 진실한 마음이 자연스러워 사람들이 그를 신임했고, 건원建元 이래로 10차례나 부름을 받아 가지 않은 적은 없지만 결국에는 한 자를 굽혀 한 길을 편다고 해도[106] 가지 않았다. 매번 입대入對할 때 모든 사람들이 주의하여 그의 말을 경청하였다. 위사衛士는 혹 손을 이마에 대고 '이는 은택을 백성들에게 미치려고 하는 자이다.'라고 했다."

[42-6-5]

圭齋歐陽氏曰: "先生自謹獨之功, 充而至於天德王道之蘊. 故告世祖治天下之要, 惟曰王道. 及問其功, 則曰三年有成. 是以啟沃之際, 務以堯舜其君, 堯舜其民爲己任, 由其眞積力久, 至誠交孚, 言雖剴切, 終無以忤. 至於其身之進退, 則凛若萬夫之勇, 何可以利祿誘而威武屈也? 晚年義精仁熟, 躬備四時, 道出萬物之表. 無事而靜, 則大空晴雲, 舒卷自如, 應物而動, 則雷雨滿盈, 草木甲析. 事至而不凝, 事過而無迹. 四方之人聞之而知敬, 望之而知畏, 親之而知愛, 遠之而知慕. 求其所以然, 則惟見其胷中磅礴浩大, 人欲淨盡, 天理流行, 動靜語默, 無往而非斯道之著形也."[107]

규재 구양씨圭齋歐陽氏[108]가 말했다. "선생은 스스로 홀로됨을 삼가는 공이 충만하여 천덕天德과 왕도王道의 온축에 이르렀다. 그러므로 세조世祖에게 천하를 다스리는 요체를 고하되, '오직 왕도일 뿐이다.'라고 했다. 그 공을 묻는 데에 이르러 '3년이면 이룰 수 있다.'고 했다. 그래서 진정을 다해서 왕을 계도하고 보좌할 때[109] 군주를 요순 같이 하고 그 백성을 요순의 백성처럼 하는 것을 자신의 소임으로 여겼으니, 진실이 쌓이고 노력이 오래되어 지극한 정성이 신뢰를 교류하여 그 말이 비록 간절하여도 거스르는

....

105 『魯齋遺書』 권14 「先儒議論 · 耶律氏語」

106 한 자를 … 해도: 『孟子』 「滕文公下」에 "陳代가 말하였다. '諸侯王을 만나보지 않는 것은 작은 일인 것 같습니다. 이제 한 번 만나보시면 크게는 王者를 이루고, 작게는 霸者를 이룰 것입니다. 또 옛 기록에 「한 자를 굽혀 한 길을 편다.」 했으니, 의심컨대 할 만한 일 일듯 합니다.'(陳代曰, '不見諸侯, 宜若小然. 今一見之, 大則以王, 小則以霸. 且志, 曰, '枉尺而直尋.' 宜若可爲也.')"라고 하였다.

107 『圭齋文集』 권9 「神道碑」

108 圭齋歐陽氏: 歐陽玄(1274~1358)은 자는 元功이고 호는 圭齋이고 조상은 원적이 廬陵이고 瀏陽에서 태어났다. 歐陽修의 후손이다. 원나라 사학자이며 문학자이다. 후대 사람들은 荊山의 물을 취하여 歐陽湖라 칭했다.

109 진정을 다해서 … 때: 『書』 「說命上」에 "그 마음을 열고 짐의 마음을 비옥하게 한다.(啟乃心, 沃朕心.)"라고 하였는데, 孔穎達은 "마땅히 너의 마음이 품은 바를 열고 나의 마음을 비옥하게 하니, 그대의 소견으로 내가 알지 못하는 것을 가르친다.(當開汝心所有, 以灌沃我心, 欲令以彼所見, 教己未知故也.)"고 설명한다. 나중에 '啟沃'은 진정을 다하여 군주를 계도하고 보좌하는 의미를 가진다.

일이 없었다. 그 몸의 진퇴에 이르러서는 늠름하기가 만부萬夫의 용기와 같았으니, 어찌 이록利祿으로 유혹할 수 있으며 위무威武로 굴복시킬 수 있었겠는가? 만년에 의義가 정밀하고 인仁이 성숙하여 몸에 사시四時를 갖추었고, 도道가 만물의 밖에 드러났다. 일이 없어서 고요하면 하늘에 맑은 구름이 펼쳐졌다 거두었다를 마음대로 하였고, 사물을 대응하여 움직이면 우레와 비가 가득차서 초목이 싹을 터트리는 듯 했다. 일이 이르러도 긴장하지 않았고 일이 지나가도 자취가 없었다. 사방의 사람들이 그의 소문을 듣고 공경할 줄 알았고 멀리서 바라보면 두려워할 줄 알고 친하게 하면 사랑할 줄 알고, 멀어지면 흠모할 줄 알았다. 그렇게 되는 이유를 구하면 오직 그 가슴 속이 광대무변하고 호탕하여, 인욕人欲이 맑아지고 천리天理가 유행하며 동정動靜과 어묵語默에 가는 곳마다 사도斯道가 드러나지 않음이 없었다."

又曰: "先生天資之高, 固得不傳之妙於聖賢之遺言. 然淳篤似司馬君實, 剛果似張子厚, 光霽似周茂叔, 英邁似邵堯夫, 窮理致知, 擇善固執, 似程叔子, 朱元晦. 至於體用兼該, 表裏洞徹, 超然自得於不動而敬, 不言而信之域者, 又有濂洛數君子所未發者焉. 宜夫抗萬鈞之勢而道不危, 擅四方之名而行無毀."[110]

또 말했다. "선생의 천부적인 자질이 높은 것은 성현이 남긴 말에서 전해지지 않은 묘함을 얻었기 때문이다. 그러나 순박하고 돈독함은 사마군실司馬君實과 같고, 강직하고 과감함은 장자후張子厚와 같으며, 맑고 비 개인듯한 깨끗함은 주무숙周茂叔과 같고, 영특함은 소요부邵堯夫와 같다. 리理를 궁구하고 앎에 이르고 선을 택하여 고집함은 정숙자程叔子와 주원회朱元晦와 같다. 그러나 체용體用을 겸비하고 표리表裏가 통철한 것은 동하지 않아도 경敬하며 말하지 않아도 믿음직한 영역에서 초연하게 스스로 터득한 것이고, 또 염락濂洛의 여러 군자들이 개발하지 못한 것이 있다. 마땅히 수만의 세력에 겨루어도 도가 위태롭지 않았고, 사방의 명사들을 천단해도 행동에 훼손됨이 없었다."

[42-6-6]

邵庵虞氏曰: "南北未一, 許文正公先得朱子之書伏讀而深信之, 持其說以事世祖, 而儒者之道不廢, 許公實啓之. 是以世祖以來, 不愛名爵以起天下之處士, 雖所學所造各有以自見, 其質諸聖賢而不悖, 俟乎百世而不惑者, 論者尚慊然也."[111]

소암 우씨邵庵虞氏[112]가 말했다. "남북이 통일되지 않았을 때 허문정공許文正公이 주자의 책을 얻어 읽고서 깊게 믿었으며 그 학설을 가지고 세조世祖를 섬기니, 유자의 도가 폐하지 않았는데 이는 허공許公許衡이 실로 이를 열어준 것이다. 그래서 세조 이래로 명예와 관직을 아끼지 않고서 천하의 처사處士들을

• •
110 『圭齋文集』 권9 「神道碑」
111 『魯齋遺書』 권14 「先儒議論・虞氏邵庵語」
112 邵庵虞氏[虞集]: 虞集(1272~1348)은 元臨川 崇仁 사람이다. 자는 伯生이고 호는 邵庵이다. 조상은 蜀나라 사람인데 송나라가 망하자 부친이 숭인에 자리잡았다. 어려서부터 가학을 이어 여러 경전을 섭렵하였다. 吳澄을 따라 수학했다. 文宗이 즉위하자 奎章閣侍書學士에 제수되어 『經世大典』을 편수했다. 시호는 文靖이다. 우집은 박식하고 詩文에 뛰어났다. 『道園學古錄』과 『道園遺稿』가 있다.

일으키니, 비록 배운 것과 이룬 것이 각각 스스로의 견해가 있었지만 그 성현에게 물어도 어기지 않았고, 백세를 기다려도 미혹하지 않는 것은 논하는 자가 오히려 만족스럽지 못하다."

[42-6-7]

陳氏剛曰: "魏國文正公出, 學者翕然師之. 其學尊信朱子而濂洛之道益明. 使天下之人皆知誦習程朱之書以至於今者, 公之力也."[113]

진씨 강陳氏剛이 말했다. "위나라 문정공文正公이 나오니, 배우는 사람들이 몰려들어 스승으로 삼았다. 그 학문은 주자를 존숭하였으니 염락濂洛의 도가 더욱 밝아졌다. 천하의 사람들로 하여금 모두 정주程朱의 책을 외우고 익힐 줄 알게 하여 오늘에 이르게 한 것은 모두 공의 힘이다."

吳澄 字幼淸號草廬 오징[114] 자는 유청이고 호는 초려이다.

[42-7-1]

邵庵虞氏曰: "孟子歿, 千五百年而周子出, 河南兩程夫子爲得其傳. 時則有若張子精思以致其道, 其逈出千古, 則又有邵子焉. 邵子之學旣無傳, 而張子之歿, 門人往往卒業於程氏. 程門學者篤信師說, 各有所奮力以張皇斯道, 奈何! 世運衰微, 民生寡佑, 而亂亡隨之矣, 悲夫! 斯道之南, 豫章延平, 高明純潔, 又得朱子而屬之, 百有餘年間, 師弟子之言折衷, 無復遺憾求之書, 蓋所謂集大成者. 時則有若陸子靜氏超然有得於孟子先立乎其大者之旨, 其於斯文互有發明. 學者於焉可以見其全體大用之盛, 而二家門人區區異同相勝之淺見, 蓋無足論也. 先生之生, 炎運垂息, 自其豎齡, 特異常人, 得斷簡於衆遺, 發新知於卓識. 盛年英邁, 自任以天下斯文之重, 蓋不可禦也. 摧折窮山, 壯志莫遂, 艱難避地, 垂十數年, 其所以自致於聖賢之道者, 日就月將矣. 歷觀近代進學之勇, 其孰能過之?"[115]

소암 우씨邵庵虞氏가 말했다. "맹자가 죽고 나서 천 오백년 뒤에 주자周子[周敦頤]가 나오고 하남河南 두 정부자程夫子가 그 전함을 얻었다. 그 때는 장자張子[張載]와 같은 이는 정밀하게 사려하여 그 도에 이르렀고, 천고千古에 넘어선 뒤에 또 소자邵子[邵雍]이 있었다. 소자邵子[邵雍]의 학문은 전해지지 않고, 장자張子[張載]가 죽은 뒤에 문인들이 왕왕 정씨程氏에게서 업을 마쳤다. 정문程門의 학자들은 스승의 말을 돈독하

---

113 『魯齋遺書』 권14 「先儒議論・陳氏剛中語」

114 吳澄(1249~1333)은 자는 幼淸이고 만년의 자는 伯淸이다. 어릴 때부터 총명하고 학문에 힘썼다. 송나라 말기에 鄕貢 시험을 치렀으나 송나라가 망하자 은거했다. 사람들은 草廬 선생이라고 불렀다. 병으로 서거했으니 향년 85세였다. 죽은 뒤에는 臨川郡公에 봉해졌고, 시호는 文正이다. 『吳文正公全集』이 있다.

115 『吳文正集』 「附錄・行狀」

게 믿었고 각각 분투노력해서 사도斯道을 떨쳤으니, 어찌하겠는가! 세상의 운수가 쇠미하고 민생을 도와 주는 것이 드물고 혼란과 망함이 따라왔으니, 슬프도다! 사도가 남쪽으로 가서 예장豫章[羅從彦]116과 연평 延平[李侗]117은 고명하고 순결해서 또 주자朱子를 얻어 부탁하고, 백여 년 사이 스승과 제자의 말을 절충 하여 다시 유감을 남기어 구하는 책이 없었으니, 집대성한 자이다. 그때 육자정陸子靜[陸九淵]이 초연하게 맹자의 '먼저 대체를 세우라'는 요지를 얻었으니, 사문斯文에서 서로 밝힌 것이 있었다. 배우는 자들은 여기서 그 전체대용全體大用의 융성함을 볼 수 있었으니 이가二家의 문인들이 구구하게 서로 다르고 같음 을 서로 이기려는 천한 견해는 논할 만한 것이 없다. 선생은 나면서부터 염운炎運118이 그치니, 어려서부 터 보통사람과는 매우 달라서 선생이 남긴 것에서 단간斷簡(단편적인 殘簡)을 얻었고 탁월한 식견에서 새로운 앎을 발명했다. 성년이 되어 영리하여 천하의 사문斯文의 중대함을 자임하였으니, 막을 수가 없었다. 궁산窮山에서 좌절하여 장대한 뜻을 이루지 못했고, 벽지避地에서 어려움을 수십 년간 겪어서, 성현의 도에 이른 것이 일취월장하였다. 근래에 학문을 증진시키는 용기를 두루 보아도 누가 이를 넘어 설 수 있겠는가?"

[42-7-2]

"許文正公爲祭酒, 門人守其法, 久之寖失其舊. 先生繼至, 深閔乎學者之日就荒唐而徒從事 於利誘也, 思有以作新之. 於是六舘諸生以次授業, 晝退堂後寓舍, 則執經者隨而請問. 先生 懇懇循循, 其言明白痛切. 因其才質之高下, 聞見之淺深而開導誘掖之. 使其刻意研窮, 以究 乎精微之蘊, 反身克治, 以踐乎進修之實. 講論不倦, 每至夜分, 寒暑不廢. 於是一時游觀之 彦, 雖不列在弟子員者, 亦皆有所觀感而興起矣.

소암 우씨邵庵虞氏가 말했다. "허문정공許文正公이 제주祭酒119가 되니, 문인들이 그 법도를 지켰는데, 오래 되어서 그 옛 법도를 점차 잃었다. 선생이 이어서 왔다가 학자들이 날로 황당해지고 이익의 유혹에 몰두 할 뿐임을 매우 민망하게 여겨서 작위적으로 새롭게 할 생각을 하였다. 이에 육관六舘의 제생들을 차례로 수업하고, 낮에 학당에서 물러난 후에 집에 머무르면 경전을 잡고 따라와 묻기를 청하였다. 선생은 친절

---

116 豫章[羅從彦]: 羅從彦(1072~1135)은 자는 仲素이고 호는 豫章先生이다. 南沙 劍州 출신이다. 나종언은 어려
서 吳儀에게서 배웠고 이정 형제의 수제자인 楊時로부터 배웠다. 주희의 아버지와 이동은 모두 나종언을
스승으로 섬겼다. 학자들은 그를 예장 선생으로 불렀다. 시호는 文質이다. 『豫章文集』이 있다.

117 延平[李侗]: 李侗(1093~1163)은 송대 학자이며, 자는 願中이고, 延平先生이라고 불린다. 南劍州劍浦(현재
복건성 南平)사람으로 楊時·羅從彦과 함께 '南劍三先生'이라 불린다. 나종언에게서 二程의 학문을 배우고,
40여 년 간 세속을 끊고 연구한 뒤에 '理一分殊' 등 이정의 학문을 주희에게 전수해 주었다. 저서는 『延平文
集』이 있다.

118 炎運: 오행가들이 火德으로 흥하게 된다는 帝業의 운수를 말한다.

119 祭酒: 고대에 향연을 베풀 때 祭神에게 술을 따르는 연장자를 말한다. 후대에는 연장자나 지위가 높은 사람
을 말한다. 漢代 이후에는 관직명이다. 한대에는 博士祭酒가 있었는데 박사의 우두머리이다. 西晉시기에는
國子祭酒로 바뀌었고, 隋唐 이후에는 國子監祭酒로 바뀌어 國子監의 주관자이다. 청말에 폐지되었다. 이후
에는 문단이나 학술계, 문화계의 우두머리를 통칭하게 되었다.

하고 부드럽게 대답해 주었지만, 그 말은 명백하고 통절하였다. 상대의 자질의 높고 낮음과 듣고 본 것의 깊고 얕음에 따라서 인도해 주고 도와주었다. 뜻을 새겨서 연구하여 정미한 의미를 파헤치도록 하고, 몸을 돌이키고 사심을 극복하여 나아가고 수양하는 실제를 실천하게 했다. 강론을 게을리 하지 않기를 매번 한밤중에 이르렀고 추위와 더위에도 그만두지 않았다. 이에 한 때 유람하는 선비로 비록 제자의 구성원에 끼지 않았어도 또한 보고 느껴서 감흥하는 것이 있었다.

嘗與人書曰, 天生豪傑之士不數也. 夫所謂豪傑之士, 以其知之過人, 度越一世而超出等夷也. 戰國之時, 孔子徒黨盡矣, 充塞仁義若楊墨之徒又滔滔也, 而孟子生乎其時, 獨願學孔子而卒得其傳. 當斯時也, 曠古一人而已, 眞豪傑之士哉! 孟子歿, 千有餘年溺於俗儒之陋習, 淫於老佛之異教, 無一豪傑之士生於其間. 至于周程張邵一時迭出, 非豪傑其孰能與於斯乎? 又百年, 子朱子集數子之大成, 則中興之豪傑也. 以紹朱子之統自任者, 果有其人乎?"

일찍이 어떤 사람에게 준 편지에서 말하기를 '하늘이 호걸의 선비를 낳는 것이 빈번하지 않았다. 호걸의 선비는 그 아는 것이 사람들보다 뛰어나서 한 세대를 살아가는 데에 일반사람들의 등급을 뛰어넘었다. 전국 시기에 공자의 무리가 다하니, 인의仁義가 천하에 가득하며 양주와 묵적의 무리들 같은 사람들도 가득하였는데, 맹자가 그 때 태어나서 홀로 공자를 배우기를 원하여 마침내 그 전함을 얻었다. 이러한 때를 당하여 고금을 통틀어 한 사람이었을 뿐이었으니 진정으로 호걸의 선비였다! 맹자가 죽은 뒤에 천 여 년 동안 속유俗儒의 비루한 습속에 빠지고 노불老佛의 이교異教에 물들어서 그 사이에 하나의 호걸의 선비가 없었다. 주돈이周敦頤·이정二程 형제·장재張載·소옹邵雍이 일시에 번갈아 태어나니, 호걸의 선비가 아니라면 그 누가 여기에 참여할 수 있겠는가? 또 백년이 지나고 주자朱子가 여러 사람들을 집대성하니, 중흥中興의 호걸이다. 주자의 전통을 이어서 자임할 수 있는 자가 과연 있을 것인가?'라고 하였다.'

[42-7-3]
揭氏傒斯曰 : "先生磨研六經, 疏滌百氏, 綱明目張如禹之治水. 雖未獲任君之政, 而著書立言, 師表百世, 又豈一才一藝所得並哉? 其學之源, 則見于易書春秋禮記諸纂言, 其學之叙, 則見於學基學統諸書, 而深造極詣, 尤莫尚於邵子, 其所著書及文章, 皆行于世. 公隱居時, 有草屋數間, 程文憲公過而署之曰草廬."

게씨 혜사揭氏傒斯揭傒斯[120]가 말했다. "선생은 육경을 연마하고 백 가지 성씨의 학설을 연구했으니 강령이 명백하고 조목이 잘 전개되어 마치 우禹왕의 치수 사업과 같았다. 군주의 정사를 위임받지는 못했지

<hr />

[120] 揭氏傒斯揭傒斯 : 揭傒斯(1274~1344)는 원나라의 유명한 문학가이고, 書法家·史学家이다. 자는 曼碩이고 호는 貞文이다. 龍興 富州 사람이다. 집안이 빈한하여 힘써 학문했다. 延佑 初年에 布衣로 翰林国史院編修官으로 추천받고 여러 관직을 거쳐서 豫章郡公에 봉해졌다. 시호는 文安이고 『文安集』이 있다. 虞集, 楊載, 范梈同과 함께 元詩四大家로 불리고, 虞集, 柳貫, 黃溍과 함께 儒林四杰이라 칭한다.

만 책을 쓰고 말을 확립하여 백세의 사표가 되니 또 어찌 하나의 재주와 하나의 기예가 얻은 것과 나란히 할 것인가? 그 학문의 연원은 『역』, 『서』, 『춘추』, 『예기』의 모든 찬언纂言에 드러나고, 그 학문의 서술은 학문의 기초와 학문의 정통의 여러 책들에 나타나며, 깊은 조예는 소자邵子[邵雍]보다는 뛰어나지 못하지만, 그 저서와 문장들은 모두 세상에 통행했다. 공이 은거할 때 초옥이 몇 간이었는데 정문헌공程文憲公이 지나가다가 이름하여 초려草廬라고 했다."

[42-7-4]

"元文敏公明善以學自命, 問易詩書春秋. 歎曰, 與吳先生言, 如探淵海."

(게씨 혜사가 말했다.) "원元나라 문민공文敏公 명선明善이 학문으로 자처하더니 『역』, 『시』, 『서』, 『춘추』를 묻고는 탄식하여 말했다. '오선생과 더불어 말하니 마치 연못과 바다를 더듬는 것과 같았다.'"

學一　학 1

小學　소학

[43-1-1]

程子曰 : "古人雖胎教與保傅之教, 猶勝今日庠序鄉黨之教. 古人自幼學耳目游處所見皆善, 至長而不見異物, 故易以成就. 今日自少所見皆不善, 纔能言便習穢惡, 日日銷鑠, 更有甚天理?"[1]

정자程子가 말했다. "옛 사람들은 태교胎教와 보부保傅의 가르침[2]만으로 오히려 지금의 상서庠序와 향당鄉黨의 가르침[3]보다 나았다. 옛사람들은 어린 학동시절부터 귀와 눈이 머무는 곳에서 본 것이 모두 선한 것이었고, 자라서는 괴이한 것들을 보지 않았기 때문에 쉽게 성취했다. 지금은 어릴 때부터 보는 것이 모두 불선한 것인데다, 말만 하기 시작하면 더럽고 나쁜 것을 익혀서 날로 (천리를) 녹여 없애니 다시

----

1 『河南程氏遺書』 권2上

2 胎教와 保傅의 가르침 : 『小學集註總目』「立教」에 "처음 한 章은 잉태했을 때의 가르침을 세웠고, 다음 두 장은 선생의 가르침을 세웠고, 다음 다섯 장은 학교와 정치의 가르침을 세웠고, 뒤의 다섯 장은 스승과 제자간의 가르침을 세웠다.('首一章, 立胎孕之教 ; 次二章, 立保傅之教 ; 次五章, 立學校君政之教 ; 後五章, 立師弟子之教.')"로「立教」편을 분류했다. 『大戴禮記』 권3「保傅」에서는 보부에 대해 "保는 그 신체를 보호해 주는 것이고, 傅는 그 덕과 의를 펴는 것이다.(保, 保其身體 ; 傅, 傅其德義.)"라고 하였다.

3 庠序와 鄉黨의 가르침 : 『孟子』「滕文公上」에 "庠·序·學·校를 설치하여 백성들을 가르쳤으니, 庠은 봉양한다는 뜻이고, 校는 가르친다는 뜻이며, 序는 활쏘기를 익힌다는 뜻이다. 夏나라에서는 校라 하였고, 殷나라에서는 序라 하였고, 周나라에서는 庠이라 하였으며, 學은 三代가 이름을 함께 하였으니, 이는 모두 인륜을 밝히는 것이었다. 인륜이 위에서 밝으면 백성들이 아래에서 친해진다.(設爲庠序學校以教之, 庠者, 養也 ; 校者, 教也 ; 序者, 射也. 夏曰校, 殷曰序, 周曰庠, 學則三代共之, 皆所以明人倫也. 人倫明於上, 小民親於下.)"라고 하였고, 『禮記』「學記」에는 "옛날의 교육기관으로 家에는 塾이 있었고, 黨에는 庠이 있었으며, 述에는 序가 있었고 國都에는 學이 있었다.(古之教者, 家有塾, 黨有庠, 術有序, 國有學.)"라고 하였다.

무슨 천리天理가 있겠는가?"

[43-1-2]
"古之人自能食能言而教之, 是故大學之法, 以豫爲先. 蓋人之幼也, 智愚未有所主, 則當以格言至論日陳於前. 盈耳充腹, 久自安習, 若固有之者. 日復一日, 雖有讒說搖惑不能入也. 若爲之不豫, 及乎稍長, 意慮偏好生於內, 衆口辨言鑠於外, 欲其純全, 不可得已."⁴
(정자가 말했다.) "옛날 사람들은 먹고 말할 수 있을 때부터 가르쳤으니, 이 때문에 태학大學의 법에서는 미리 가르치는 것을 급선무로 삼았다. 대개 사람이 어릴 때에 지혜롭든 어리석든 자기주장이 없으니, 마땅히 격언格言과 지론至論을 날마다 그 앞에서 말해 주어, 귀에 넘치고 속에 채우기를 오래하면 저절로 편안하게 습관이 되어 마치 원래 있었던 것처럼 된다. 하루 또 하루 해 나가면 비록 참설讒說과 유혹誘惑이 있더라도 들어오지 못할 것이다. 만약 미리 하지 않았다가 조금이라도 크면, 치우친 의지와 생각이 안에서 생겨나고 분분한 말들이 밖에서 파고들어, 순수하고 온전하고자 해도 그럴 수 없을 것이다."

[43-1-3]
"人多以子弟輕俊爲可喜, 而不知其可憂也. 有輕俊之質者, 必教以通經, 學使近本, 而不以文辭之末習, 則所以矯其偏質而復其德性也."⁵
(정자가 말했다.) "사람들은 대부분 자제가 민첩하고 재주 있는 것을 기뻐할 만한 것으로만 여기고 그것이 근심할 만하다는 점은 알지 못한다. 자질이 민첩하고 재주 있는 자는 반드시 경전에 통달하도록 가르침으로써 근본에 가까운 것을 배우도록 해야 하지, 글의 말단적인 것을 익히게 해서는 안 되니, 이것이 그 치우친 기질을 바로잡아 덕성을 회복하게 하는 방법이다."

[43-1-4]
"勿謂小兒無記性. 所歷事皆能不忘. 故善養子者, 當其嬰孩, 鞠之使得所養, 全其和氣, 乃至長而性美, 教之示以好惡有常. 至如養犬者, 不欲其升堂, 則時其升堂而扑之. 若旣扑其升堂, 又復食之於堂, 則使孰從? 雖日撻而求其不升, 不可得也. 養異類且爾, 況人乎? 故養正者聖人也."⁶
(정자가 말했다.) "어린 아이가 기억하는 능력이 없다고 말하지 말라. 겪은 일을 모두 잊지 않을 수 있다. 그러므로 아이를 잘 기르는 사람은 영아 때에는 기르면서 잘 길러지게 하여 그 화和한 기운을 온전하게 하면 장성해서는 성질이 아름답게 되니, 보는 것의 좋고 나쁨에 항상됨이 있게 했기 때문이다. 예컨대 개를 기르는 사람은 개가 당堂 위에 올라오기를 원하지 않는다면, 당 위에 올라올 때마다 팰

4 『二程粹言』 권下
5 『二程粹言』 권上
6 『河南程氏遺書』 권2下

것이다. 이미 당에 올라온 것을 패 놓고도 또 당 위에서 밥을 준다면 (개가) 어느 쪽을 따르겠는가? 비록 매일 때리면서 오르지 못하게 하려 해도 그렇게 할 수 없을 것이다. 다른 종種을 기르는 데도 또한 그러하니, 사람에 있어서랴? 그러므로 바르게 기르는 사람은 성인聖人이다."

[43-1-5]
朱子曰 : "古者初年入小學, 只是敎之以事, 如禮樂射御書數, 及孝弟忠信之事. 自十六七入大學, 然後敎之以理, 如致知格物, 及所以爲忠信孝弟者."[7]

주자朱子가 말했다. "옛날 어린 나이에 소학에 들어가면 단지 일만 가르쳤으니, 예禮·악樂·사射·어御·서書·수數와 효孝·제悌·충忠·신信의 일과 같은 것이었다. 16~7세에 태학에 들어간 후에 이치理致를 가지고 가르쳤으니 격물格物·치지致知와 효·제·충·신을 하는 까닭과 같은 것이었다."

[43-1-6]
"古人自入小學時, 已自知許多事了, 至入大學時, 只要做此工夫. 今人全未曾知此. 古人只去心上理會, 至去治天下, 皆自心中流出. 今人只去事上理會."[8]

(주자가 말했다.) "옛사람들은 소학에 들어갈 때부터 이미 많은 일들을 알아서, 태학에 들어갔을 때는 단지 이에 대한 공부만 하면 되었다. 지금 사람들은 전혀 이것을 알지 못한다. 옛사람들은 단지 마음에서 이해하였으니, 천하를 다스리는 일에 이르기까지 모두 마음속에서 흘러나왔다. 지금 사람들은 단지 일에서 이해하려한다."

[43-1-7]
"古人小學養得小兒子誠敬, 善端發見了. 然而『大學』等事, 小兒子不會推將去, 所以又入大學敎之."[9]

(주자가 말했다.) "옛사람들은 소학에서 어린 아이들을 성誠과 경敬으로 길러서 선한 단서가 발현되도록 했다. 그러나 『대학』 등의 일은 어린 아이가 유추할 수 없으므로, 다시 태학에 입학시켜 가르친 것이다."

[43-1-8]
"古人便都從小學中學了, 所以大來都不費力. 如禮樂射御書數, 大綱都學了, 及至長大也更不大段學, 便只理會窮理致知工夫. 而今自小失了, 要補塡, 實是難. 但須莊敬誠實, 立其基本, 逐事逐物, 理會道理. 待此通透, 意誠心正了. 就切身處理會, 旋旋去理會禮樂射御書數. 今則無所用乎御, 如禮樂射御書數, 也是合當理會底, 皆是切用. 但不先就切身處理會得道理,

7 『朱子語類』 권7, 1조목
8 『朱子語類』 권7, 2조목
9 『朱子語類』 권7, 4조목

便教考究得些禮文制度, 又干自家身己甚事?"[10]

(주자가 말했다.) "옛사람들은 모두 소학에서 배웠기 때문에 커서는 힘을 낭비하지 않았다. 예·악·사· 어·서·수 같은 것은 대강大綱을 모두 배웠으므로 장성해서는 다시 크게 배우지 않고, 다만 궁리窮理와 치지致知의 공부를 이해했을 뿐이다. 그런데 지금은 어릴 때부터 놓쳐버렸으니 보충해서 메우려고 해도 실제로 어렵다. 다만 반드시 장경莊敬하고 성실히 해서 그 기본을 세우고 사물마다 도리를 이해해야 한다. 이것을 투철해진 다음에는 뜻이 성실해지고 마음이 바로잡히니, 자신에게 절실한 것부터 이해하여 조금씩 예·악·사·어·서·수를 이해해 가야 한다. 지금은 수레몰기御는 쓸 일이 없지만, 예·악· 사·서·수와 같은 것은 마땅히 알아야 하니, 모두 절실하게 쓰이는 것이기 때문이다. 그러나 먼저 몸에 절실한 것에서 도리를 이해하지 않고 예의 겉모습이나 제도 같은 것을 연구하게 한다면, 또한 자기 자신의 일과 무슨 관련이 있겠는가?"

[43-1-9]
"古人小學敎之以事, 便自養得他心, 不知不覺自好了. 到得漸長漸更歷, 通達事物, 將無所不能. 今人旣無本領, 只去理會許多閑汨董, 百方措置思索, 反以害心."[11]

(주자가 말했다.) "옛사람은 소학에서 일을 가지고 가르쳐서 스스로 그의 마음을 기를 수 있도록 했으니, 알지 못하는 사이에 저절로 좋아졌다. 자랄수록 점점 더 많이 경험하게 되어 사물에 통달하여 못하는 것이 없었다. 지금 사람들은 본령本領(근본)이 이미 없는데다가 한가하게 잡스러운 것만 많이 이해하니, 백방으로 조치하고 사색하는 것이 도리어 마음을 해친다."

[43-1-10]
問: "大學與小學不是截然爲二. 小學是學其事, 大學是窮其理以盡其事否?"
曰: "只是一箇事. 小學是學事親學事長, 且直理會那事. 大學是就上面委曲詳究那理, 其所以事親是如何, 所以事長是如何. 古人於小學存養已熟, 根基已深厚, 到大學只就上面點化出些精彩. 古人自能食能言, 便已敎了. 一歲有一歲工夫, 到二十時, 聖人資質已自有二三分.[12] 大學只出治光彩."

물었다. "대학과 소학은 완전 다른 두 가지가 아닙니다. 소학은 그 일을 배우는 것이고, 대학은 그 이치를 궁구하여 그 일을 완성하는 것이지요?"
(주자가) 대답했다. "하나의 일일 뿐이다. 소학은 어버이를 섬기고 어른을 받드는 일을 배우는 것이니, 다만 그 일만을 이해하는 것이다. 대학은 거기에다 부모를 섬기는 까닭이 무엇이며 어른을 받드는 까닭

10 『朱子語類』 권7, 8조목
11 『朱子語類』 권7, 9조목
12 到二十時, 聖人資質已自有二三分. : 『朱子語類』 권7, 10조목에는 "至二十時, 聖人資質已自有十分"으로 되어 있고, "寓作三分"이라는 간주가 있다.

이 무엇인지 일일이 상세하게 그 이치를 궁구하는 것이다. 옛사람은 소학의 존양存養에 이미 익숙하여 기본이 이미 깊고 두터웠으니, 대학에 이르러서는 거기에서 정채精彩한 것을 끌어낼 뿐이었다. 옛사람들은 먹을 수 있고 말할 수 있게 되었을 때부터 바로 가르쳤다. 일 년에 일 년치의 공부를 해 나가서 스무 살이 되면 성인聖人의 자질이 이미 20~30%는 드러났다. 대학에서는 단지 광채를 나게 했을 뿐이다."

又曰: "如今全失了小學工夫, 只得教人且把敬爲主. 收歛身心, 却方可下工夫."

(주자가) 또 말했다. "지금은 소학의 공부를 모두 잃어버렸으니, 사람들에게 우선 경敬을 잡는 것을 주로 하게 해야 한다. 몸과 마음을 수렴해야 비로소 공부를 할 수 있다."

"或云, '敬當不得小學', 某看來小學却未當得敬, 敬已是包得小學. 敬是徹上徹下工夫, 雖做得聖人田地, 也只放下這敬不得. 如堯舜也終始是一箇敬. 如說'欽明文思', 頌堯之德, 四箇字獨將這箇敬做擗初頭. 如說'恭己正南面而已', 如說'篤恭而天下平', 皆是."[13]

(주자가 말했다.) "어떤 이가 '경敬은 소학을 감당하지 못한다.'고 했는데, 내가 보기에 소학이 도리어 경을 감당하지 못하니, 경이 이미 소학을 포함하고 있기 때문이다. 경은 전체를 관통하는 공부이니, 설령 성인聖人의 경지에 있더라도 또한 경을 내려놓아서는 안 된다. 요·순과 같은 분도 경 하나로 시종일관했다. 예컨대 '공경하고 밝고 우아하고 깊은 생각[欽明文思]'은 요임금의 덕을 칭송한 것[14]인데, 이 네 글자는 다만 이 경을 가지고 초두初頭를 열어놓은 것이다. '자기를 공손하게 하여 똑바로 남면했을 뿐이다.[恭己正南面而已]'라고 한 것[15]과 '공손함을 돈독히 하여 천하가 평화롭게 된다.[篤恭而天下平]'는 것[16]도 모두 이것이다."

· ·

13 첫 단락의 問: "大學與小學不是截然爲二 … 大學只出治光彩."는 『朱子語類』 권7의 10조목, 두 번째 단락 又曰, "如今全失了小學工夫, 只得教人且把敬爲主. 收歛身心, 却方可下工夫."는 9조목, 이하 "或云 … 如說'篤恭而天下平', 皆是."는 11조목에 있는 내용이다.

14 '공경하고 밝고 … 것 : 『書經』 「堯典」에 "옛 제왕 요임금을 살펴보면 사방 끝까지 미쳐간 공훈을 세운 분이라 말할 수 있다. 공경하고 밝고 우아하고 깊은 생각들이 편안히 자연스러웠으며, 진실로 공손하고 더없이 잘 사양하여 그 빛이 사방 끝까지 덮여져 하늘과 땅에 미쳤다. 능히 큰 덕을 밝혀 구족을 친하게 하자 구족이 화목하여지고, 백성을 공평히 밝히자 백성의 덕이 밝아졌으며, 온 천하를 어우러져 화목하게 하자 백성이 아! 나쁜 마음이 변하여 화목하여졌다.(曰若稽古帝堯, 曰放勳. 欽明文思安安, 允恭克讓, 光被四表, 格于上下. 克明俊德, 以親九族, 九族既睦, 平章百姓, 百姓昭明 ; 協和萬邦, 黎民於變時雍.)"라고 하였다.

15 '자기를 공손하게 … 것 : 『論語』 「衛靈公」에 "작위함이 없이 다스리는 자는 요임금일 것이다. 무엇을 인위적으로 했겠는가? 자기를 공손히 하여 똑바로 남면했을 뿐이다.(無爲而治者, 其舜也與? 夫何爲哉, 恭己正南面而已矣.)"라고 하였다.

16 '공손함을 돈독히 … 것 : 『中庸』 33장에 『詩經』에 이르기를 '드러나지 않는 덕을 여러 제후들이 본받는다.' 하였다. 이 때문에 군자는 공손함을 돈독히 하여 천하가 평화롭게 된다.(詩曰, 不顯惟德, 百其刑之, 是故, 君子篤恭而天下平.)"라고 하였다.

[43-1-11]

陸子壽言：“古者教小子弟，自能言能食卽有教，以至洒埽應對之類，皆有所習．故長大則易語．今人自小卽教做對，稍大卽教作虛誕之文，皆壞其性質．”[17]

육자수陸子壽陸九齡가 말했다. “옛날 어린 자제들을 가르칠 때는 말할 줄 알고 먹을 줄 알게 되면 가르쳐서, 물 뿌리고 비질하고 응하고 대답하는 것 등에 이르기까지 모두 익히도록 했다. 그러기에 커서는 일러주는 것이 쉬웠다. 지금 사람들은 어릴 때부터 대구對句 짓기를 가르치고 조금 크면 허탄한 문장 짓기를 가르쳐서 모두 그 본성의 바탕을 무너뜨린다.”

[43-1-12]

“天命非所以教小兒．教小兒，只說簡義理大槩，只眼前事．或以洒埽應對之類作段子亦可．每嘗疑「曲禮」‘衣毋撥，足毋蹶．’ ‘將上堂，聲必揚，將入户，視必下．’等叶韻處，皆是古人初教小兒語．『列女傳』「孟母」又添兩句，曰‘將入門，問孰存．’”[18]

(주자가 말했다.) “천명은 어린 아이에게 가르치는 것이 아니다. 어린 아이를 가르칠 때는 의리의 대개만을 말해 주되 단지 눈앞의 일이어야 한다. 혹은 쇄소灑掃와 응대應對의 종류로 단계를 만드는 것도 괜찮다. 매양 『예기』「곡례」의 ‘옷은 펄럭거리지 말고, 발은 흐트러지게 하지 말라.’[19] ‘당堂에 오를 때에는 인기척을 반드시 높여서 내고, 방문을 들어갈 때는 시선을 반드시 아래로 한다.’[20]는 등 운韻을 맞춘 것을 의아하게 생각했는데, 모두 옛사람들이 어린 아이를 처음으로 가르치던 말이기 때문이다. 『열녀전烈女傳』「맹모孟母」에는 또 ‘문에 들어갈 때 누가 있는지 묻는다.’[21]는 두 구절이 추가되어 있다.”

---

17 『朱子語類』권7, 12조목
18 『朱子語類』권7, 13조목
19 ‘옷은 펄럭거리지 … 말라.’ : 『禮記』「曲禮」에 “주인이 묻지 않으면 객은 먼저 말을 하지 않는다. 자리에 나아가려 할 때는 안색에 부끄러움이 없게 하며, 두 손으로 옷자락을 잡아 땅에서 한 자 정도 떨어지게 한다. 옷이 펄럭거리지 말고, 발은 흐트러지게 하지 말라.(主人不問, 客不先擧. 將卽席, 容毋怍, 兩手摳衣, 去齊尺. 衣毋撥, 足毋蹶.)”라고 하였다.
20 ‘堂에 오를 … 한다.’ : 『禮記』「曲禮」에 “堂에 오를 때에는 목소리를 반드시 높이고, 문 밖에 신발이 두 켤레가 있을 경우, 말소리가 들리면 들어가고 들리지 않으면 들어가지 않는다. 문을 들어갈 때는 시선을 반드시 아래로 하고, 방안에 들어가서는 문빗장을 받들어 잡고 시선을 두리번거리지 않는다. 문이 열려 있었으면 열어 놓고 닫혀 있었으면 닫아 놓지만, 뒤에 들어오는 자가 있으면 닫더라도 꼭 닫지는 않는다.(將上堂, 聲必揚, 户外有二屨, 言聞則入, 言不聞則不入. 將入户, 視必下, 入户奉扃, 視瞻毋回. 户開亦開, 户闔亦闔. 有後入者, 闔而勿遂.)”라고 하였다.
21 ‘문에 들어갈 … 묻는다.’ : 『古列女傳』권1「鄒孟軻母」에 “맹자 어머니가 맹자를 불러서 말했다. 예에 말하는 ‘문에 들어갈 때 누가 있는지 묻는다.’는 것은 공경을 다하는 것이다.(孟母召孟子, 而謂之曰, ‘夫禮將入門, 問孰存, 所以致敬也.’)”라고 하였다.

[43-1-13]

"敎小兒讀『詩』, 不可破章."²²

(주자가 말했다.) "어린이에게 『시경詩經』을 읽게 할 때, 장章을 쪼개서 가르쳐서는 안 된다."

又曰 : "授書莫限長短, 但文理斷處便住. 若文勢未斷者, 雖多授數行, 亦不妨. 蓋兒時讀書, 終身改口不得. 嘗見人敎兒讀書限長短, 後來長大後, 都念不轉. 如訓詁則當依古註."

(주자가) 또 말했다. "글을 가르칠 때는 길이에 제한을 두지 말고, 다만 문리 상 끊어진 곳에서 그쳐야 한다. 만약 문장의 형세가 끊어지지 않았다면, 몇 행을 더 가르쳐 주어도 무방하다. 어린 아이 때의 글 읽는 습관은 종신토록 바꿀 수가 없다. 일찍이 어떤 사람이 아이에게 글을 읽게 할 때 길이에 따라 제한을 두었더니, 나중에 크고 나서는 모두 외우는 것이 원활하지 않은 것을 본 적이 있다. 훈고의 경우는 마땅히 옛 주에 의거해야 한다."

問 : "向謂小兒子讀書,²³ 未須把近代解說底音訓敎之, 却不知解時如何.²⁴ 若依古註, 恐他不甚曉."

曰 : "解時却須正說始得. 若大段小底, 又却只是粗義, 自與古註不相背了."²⁵

물었다. "지난번 어린이의 글 읽기를 말씀하시면서, 근대에 풀이한 음音과 훈訓으로 가르칠 필요는 없다고 하셨는데, 풀이할 때 어떻게 해야 할지 모르겠습니다.²⁶ 만약 옛 주석에 의거한다면 아마도 그들이 심히 이해하지 못할 것 같습니다."

(주자가) 대답했다. "풀이할 때는 반드시 정설로 말해야 비로소 옳다. 만약 매우 사소한 것은 중요하지 않은 것일 뿐이니 저절로 옛 주석에 위배되지 않을 것이다."

[43-1-14]

嘗訓其子曰 : "起居坐立, 務要端莊, 不可傾倚, 恐至昏怠. 出入步趨, 務要凝重, 不可票輕, 以害德性. 以謙遜自牧, 以和敬待人. 凡事切須謹飭, 無故不須出入. 少說閑話, 恐廢光陰 ; 勿觀

· ·

22 『朱子語類』 권7, 14조목

23 向謂小兒子讀書 : 『朱子語類』 권7, 15조목에는 "向來承敎, 謂小兒子讀書"로 되어 있다.

24 却不知解時如何. : 『朱子語類』 권7, 15조목에는 "却不知解與他時如何"로 되어 있다.

25 『朱子語類』 권7, 15조목

26 풀이할 때 … 모르겠습니다. : 『朱子語類』 권7, 15조목에는 "그들에게 풀어줄 때 어떻게 해야 할지 모르겠습니다.(却不知解與他時如何.)"라고 되어 있고, 『朱子語類考文解義』「學一」에 "'그[他]'는 어린아이를 가리킨다. 비록 이것(근대의 풀이)으로써 가르쳐서는 안 된다고 하지만, 그에게 풀이해 줄 때, 마땅히 어떻게 해야 하는지 모르겠다고 말한 것이다. 생각건대 마땅히 근대의 설을 사용해야 하고 반드시 순수하게 옛 주를 따를 것은 없다는 뜻인 듯하다.(他, 指小兒. 言雖不可以此敎之, 但未知與他解說時, 當如何而可乎. 意謂當用近世之說, 不必純用古注也.)"라고 한 것을 참고하여 이와 같이 해석할 수 있다.

雜書, 恐分精力. 早晚頻自點檢所習之業, 每旬休日, 將一旬內書溫習數過. 勿令心少有放佚, 則自然漸近道理, 講習易明矣."27

(주자가) 일찍이 그 아들에게 훈계하여 말했다. "앉고 서는 일에 단정하고 장엄하도록 힘써야지 삐딱하게 기대서는 안 되니, 혼미하고 게으른 데에 이를 수 있기 때문이다. 드나드는 걸음걸이는 엄정하고 묵직하도록 힘써야지 재바르고 가볍게 해서는 안 되니, 덕성을 해치기 때문이다. 겸손으로써 스스로 기르고, 화합과 공경으로써 남을 대하라. 모든 일은 반드시 삼가서, 특별한 일 없이는 들락날락해서는 안 된다. 한가한 말을 줄이는 것은 시간을 허비할까 해서이고, 잡서를 보지 말아야 하는 것은 정력이 분산될까 해서이다. 익힌 일들을 아침저녁으로 자주 스스로 점검해야 하고, 열흘마다 쉬는 날에는 열흘 동안 읽은 글을 몇 번 반복하여 익혀야 한다. 마음에 조금이라도 방탕함이 없게 하면, 저절로 점점 도리에 가까워지고, 배우고 익힌 것이 쉽게 밝아질 것이다."

[43-1-15]
問 : "女子亦當有敎, 自『孝經』之外, 如『論語』只取其面前明白者敎之, 如何?"
曰 : "亦可. 如曹大家『女戒』, 溫公『家範』, 亦好."28

물었다. "여자도 마땅히 가르쳐야 하니, 『효경孝經』 외에 『논어論語』 같은 것도 그 눈앞의 명백한 것은 취해서 가르치는 것이 어떻습니까?"
(주자가) 대답했다. "또한 옳다. 조대가曹大家[班昭]29의 『여계女誡』30와 사마온공司馬溫公[司馬光]31의 『가범家範』32 같은 것도 좋다."

[43-1-16]
問 : "『小學』載樂一段, 不知今人能用得否."

---
27 『朱文公文集』 권39 「與魏應仲」
28 『朱子語類』 권7, 18조목
29 班昭 : 後漢의 安陵사람으로 班彪의 딸이자, 班固의 누이동생이다. 14세에 曹世淑에게 시집을 갔는데 남편이 일찍 죽었다. 세숙이 죽은 뒤에도 절개를 지켜, 淑德이라는 칭송을 받았다. 和帝(재위 88~106)가 그녀의 명성을 듣고 궁궐로 불러 등황후의 스승으로 삼았다. 반고가 완성하지 못한 『漢書』를 완성했다. 사람들은 그녀를 존경하여 曹大家라고 불렀다.
30 『女誡』 : 반소가 편찬한 책이다. 「卑弱」, 「夫婦」, 「敬愼」, 「婦行」, 「專心」, 「曲從」, 「和叔妹」의 7편으로 구성되어 있다.
31 司馬光(1019~1086) : 자는 君實이고, 호는 迂夫와 만년의 迂叟이며, 시호는 文正이다. 세칭 司馬太師 · 溫國公 · 涑水先生이라 한다. 송대 夏縣 涑水鄕(현 산서성 夏縣)사람으로 翰林侍讀 · 權御使中丞 · 門下侍郞 등을 역임하였다. 왕안석의 신법에 반대하여 퇴출되었다가 재상으로 복직하여 신법을 폐지하였다. 저서는 『文集』과 『資治通鑑』 · 『稽古錄』 · 『易說』 · 『潛虛』 등이 있다.
32 『家範』 : 사마광이 편찬한 책이다. 『周易』 家人괘의 괘사로 시작하여 『大學』 · 『孝經』 · 「堯典」(『書經』) 등의 내용과 고사를 채록하였다.

曰: "姑使知之. 古人自小卽以樂教之, 乃是人執手提誨. 到得大來, 涵養已成, 稍能自立便可. 今人旣無此, 非志大有所立, 因何得成立."[33]

물었다. "『소학』에서 음악의 일을 실은 문단[34]은 지금 사람들이 쓸 수 있는지 모르겠습니다."
(주자가) 대답했다. "우선은 알게 해야 한다. 옛사람들은 어렸을 때부터 곧장 음악을 가르쳤는데, 이는 손을 잡고 이끌어서 가르친 것이다. 자라서 함양은 이루어지면 차츰 자립하는 것도 가능했다. 지금 사람들에게는 이미 이러한 것이 없으니, 뜻을 크게 세우지 않는다면, 무엇으로 말미암아 일어설 수 있겠는가?"

[43-1-17]

因論『小學』, 曰: "古者教必以樂, 後世不復然."
問: "此是作樂使之聽, 或其自作?"
曰: "自作. 若自理會不得, 自作何益? 古者國君備樂, 士無故不去琴瑟, 日用之物, 無時不列於前."[35]

이어서 『소학』을 논하며 (주자가) 말했다. "옛날에는 가르치기를 반드시 악樂으로 했는데, 후세에는 더 이상 그러하지 않다."
물었다. "그것은 음악을 만들어 듣게 하는 것입니까, 아니면 스스로 만드는 것입니까?"
대답했다. "스스로 만드는 것이다. 만약 스스로 이해하지 못했다면 스스로 만드는 것이 무슨 보탬이 있겠는가? 옛날에는 나라 임금은 악樂을 갖추었고, 선비들은 특별한 이유가 없으면 거문고와 비파를 폐하지 않았으니, 매일 쓰는 물건이라 그 앞에 펼쳐놓지 않는 적이 없었다."

[43-1-18]

"「弟子職」'所受是極', 云受業去後, 須窮究道理, 到盡處也. '毋驕恃力', 如恃氣力欲胡亂打人之類. 蓋自小便教之以德, 教之以尚德不尚力之事."[36]
(주자가 말했다.) "「제자직弟子職」의 '전수받은 것을 극진히 한다.[所受是極]'는 것[37]은 수업 후에 반드시

---

33 『朱子語類』 권7, 23조목
34 『小學』에서 음악의 … 문단: 『小學』「立教」 제2장에 "열세 살이 되면 음악을 배우고 시를 외우며, 「酌詩」에 맞춰 춤을 춘다. 成童(15세)이 되면 「象詩」에 맞춰 춤을 추고, 활쏘기와 말타기를 배운다.(十有三年, 學樂誦詩, 舞勺. 成童舞象, 學射御.)"라고 한 곳을 가리킨다.
35 『朱子語類』 권7, 24조목
36 『朱子語類』 권7, 27조목
37 '전수받은 것을 … 것: 『小學』「立教」 제9장에 "「弟子職」에 '선생님이 가르침을 베푸시거든 제자는 이를 본받아 온화·공손하고 스스로 겸허히 하여 전수받은 것을 극진히 해야 한다. 善을 보면 따르고, 義를 들으면 행하며, 온화·유순하고 효도·우애할 것이며, 교만하게 힘을 믿지 말아야 한다.'(「弟子職」曰, '先生施教, 弟子是則, 溫恭自虛, 所受是極. 見善從之, 聞義則服, 溫柔孝弟, 毋驕恃力.')"라고 하였다.

그 도리를 궁구하여 지극한 곳에 이름을 만한 것이다. '교만하게 힘을 믿지 말라.[毋驕恃力]'고 한 것은 예를 들면 기력을 믿고 남들을 마구 때리려 하는 것과 같은 종류이다. 어릴 때부터 덕으로써 가르쳐야 하니, 힘을 숭상하지 않고 덕을 숭상하는 일로써 가르치는 것이다."

[43-1-19]
"後生初學, 且看『小學』之書. 那是做人底樣子."[38]

(주자가 말했다.) "후대에 태어난 초학자는 우선 『소학』을 보아야 한다. 그것은 사람을 사람으로 만들어 주는 틀이다."

[43-1-20]
"『小學』多說那恭敬處, 少說那防禁處."[39]

又曰 : "前賢之言, 須是眞箇躬行佩服, 方始有功. 不可只如此說過, 不濟事."[40]

(주자가 말했다.) "『소학』은 공경恭敬을 말한 곳은 많고, 금지禁止를 말한 곳은 적다."

또 말했다. "선현先賢의 말은 반드시 진짜로 몸소 행하고 몸에 지녀야만 비로소 공효가 있다. 다만 이와 같이 말만 해서는 안 되니, 일이 이루어지지 못하기 때문이다."

[43-1-21]
問 : "『小學』'父慈而教, 子孝而箴.'"

曰 : "人旣自有箇良知良能了, 聖賢又恁地說, 直要人尋教親切. '父慈而教, 子孝而箴', 看我是能恁地不恁地. 『小學』所說, 教人逐一去上面尋許多道理. 到著『大學』, 亦只是這道理, 又教人看得親切實如此, 不是胡亂恁地說去."[41]

『소학』의 '아버지는 자애로우면서 가르치고, 자식은 효도하면서 간한다.'[42]는 것에 대해 물었다.

(주자가) 대답했다. "사람이 이미 본래 양지良知와 양능良能을 가지고 있는데도 성현聖賢이 또 이와 같이 말한 것은 다만 사람들에게 절실한 것에서 찾게 하려 한 것이다. '아버지는 자애로우면서 가르치고 자식

---

38 『朱子語類』 권7, 19조목
39 『朱子語類』 권105, 21조목
40 『朱子語類』 권7, 20조목
41 『朱子語類』 권105, 18조목
42 '아버지는 자애로우면서 … 간한다.' : 『小學』「明倫·通論」 104장에 "임금은 명령하되 스스로 어기지 않고, 신하는 공손하되 마음을 두 갈래로 하지 않으며, 아버지는 자애로우면서 가르치고, 자식은 효도하면서 간하며, 형은 사랑하면서 친하게 하고, 아우는 공경하면서 순종하며, 남편은 화하면서 의롭고, 아내는 유순하면서 바르게 하며, 시어머니는 자애로우면서 따르고, 며느리는 순종하면서 온순하게 하는 것이 禮의 좋은 것이다. (君令而不違, 臣共而不貳, 父慈而教, 子孝而箴, 兄愛而友, 弟敬而順, 夫和而義, 妻柔而正, 姑慈而從, 婦聽而婉, 禮之善物也.)"라고 하였다.

은 효도하면서 간한다.'는 것에서 내가 이와 같이 할 수 있는지 없는지를 보아야 한다. 『소학小學』에서 말한 것은 사람에게 그 하나하나에서 많은 도리를 찾게 하는 것이다. 『대학大學』 또한 단지 이 도리일 뿐이니, 또 사람들에게 절실하게 보아서 실제 이와 같이 하게 하려는 것이지, 제멋대로 그렇게 말한 것은 아니다."

[43-1-22]

問: "某今看『大學』, 如『小學』中有未曉處, 亦要理會?"

曰: "相兼看亦不妨. 學者於文爲度數, 不可存終理會不得之心. 須立箇大規模, 都要理會得. 至於其明其暗, 則係乎人之才如何耳."[43]

물었다. "저는 지금 『대학』을 보고 있습니다만, 만일 『소학』 중에서 이해하지 못했던 부분이 있다면 또한 이해해야 합니까?"

(주자가) 대답했다. "서로 겸해서 보는 것 또한 무방하다. 배우는 자는 글에 대해서 헤아리기를 많이 해서, 배우는 사람은 문물과 제도에 대해 끝내 이해할 수 없다는 생각이 있어서는 안 된다. 반드시 큰 규모를 세워서 모두 이해해야 한다. 이해한 것이 분명한지 어두운지는 사람의 재주가 어떠하냐에 달려 있을 뿐이다."

[43-1-23]

東萊呂氏曰: "敎小兒當以正, 不可便使之情竇日開."[44]

동래 여씨東萊呂氏[呂祖謙][45]가 말했다. "어린아이를 가르칠 때는 마땅히 바른 것으로 해야지, 정욕情慾에 날로 눈뜨도록 두어서는 안 된다."

[43-1-24]

問: "敎小兒以何爲先?"

曰: "先敎以恭謹, 不輕忽, 不躐等, 讀書乃餘事. 今之有資質者, 父兄便敎以科擧之文, 不容不躐等, 皆因父兄無識見. 至有以得一第便爲成材者."[46]

물었다. "어린아이를 가르치는 데 무엇을 먼저 해야 합니까?"

....

43 『朱子語類』 권7, 22조목
44 『東萊外集』 권6 「門人周公謹所記」
45 呂祖謙(1137~1181): 자는 伯恭이고, 세칭 東萊先生이라 한다. 송대 金華(현 절강성 소속) 사람으로 주희·張栻과 함께 '東南三賢'으로 불리었다. 直秘閣著作郞·國史院編修·實錄院檢討를 역임하였다. 『詩』·『書』·『春秋』에 대하여 많은 古義를 궁구했다. 1175년 주희와 『近思錄』을 편찬하였고, 信州(현 강서성 上饒) 鵝湖寺에 주희와 육구연을 초청하여 두 사람의 논쟁을 중재하려 하였다. 저서는 『古周易』·『東萊左氏博議』·『東萊集』 등이 있다.
46 『東萊外集』 권6 「門人周公謹所記」

(동래 여씨가) 대답했다. "먼저 공손하고 삼감을 가르쳐서 경박하지 않고 등급을 뛰어넘지 않도록 해야 하니, 책을 읽는 것은 여력이 있을 때의 일이다.[47] 지금의 자질이 있는 자에게는 부형이 과거의 문장을 가르치면서 등급을 뛰어넘게 하고 있으니, 모두 부형이 식견이 없기 때문이다. 심지어 한번 과거에 합격하면 재목이 완성되었다고 여기는 일도 있다."

[43-1-25]

"後生學問, 且須理會「曲禮」·「少儀」·『儀禮』等, 學灑掃應對進退之事, 及先理會『爾雅』訓詁等文字, 然後可以語上. 下學而上達, 自此脫然有得, 自然度越諸子也. 不如此, 則是躐等犯分陵節, 終不能成. 孰先傳焉, 孰後倦焉, 不可不察也."[48]

(동래 여씨가 말했다.) "후생이 학문을 할 때는 우선 『예기禮記』의 「곡례曲禮」, 「소의少儀」 및 『의례儀禮』 등을 이해해서 청소하고 응대하고 나아가고 물러나는 일을 배우고, 『이아爾雅』의 「석훈釋訓」·「석고釋詁」 등의 문자를 먼저 이해한 후에야 상급의 것을 말해줄 수 있다. 아래로 인사人事를 배워 위로 천리天理를 깨닫는 것이니,[49] 여기서부터 시원스레 터득한 것이 있으면 자연히 여러 학자들을 뛰어넘을 것이다. 이와 같지 않다면 등급을 뛰어넘고 분수와 절차를 범하게 되어 끝내 성공할 수 없다. 무엇을 먼저 전할 것인지, 무엇을 뒤로 미룰 것인지[50] 살피지 않으면 안 된다."

[43-1-26]

西山眞氏曰 : "『小學』之書, 先載胎教之法, 而後以內則之文繼之. 『列女傳』曰, '古者婦人姙子, 寢不側, 坐不邊, 立不蹕. 不食邪味, 割不正不食, 席不正不坐. 目不視惡色, 耳不聽淫聲.

· · · · · · · · · · · · · · · · · · · ·

47 책을 읽는 … 일이다 : 『論語』「學而」에서 "공자가 말했다. '아우와 아들은 집에 들어가서는 효도하고 나와서는 공손하며, 행실을 삼가고 말을 성실하게 하며, 널리 사람들을 사랑하되 仁한 사람을 친근하게 해야 한다. 이것을 행하고 餘力이 있으면 글을 배워야 한다.'(子曰, '弟子入則孝, 出則弟, 謹而信, 汎愛衆, 而親仁. 行有餘力, 則以學文.')"라고 하였다.

48 『童蒙訓』 권상

49 아래로 人事를 … 것이니 : 『論語』「憲問」 편에 "공자가 말했다. '나를 알아주는 이가 없구나!' 자공이 말했다. '어찌하여 선생님을 알아주는 이가 없는 것입니까' 하자, 공자가 말했다. '(나는) 하늘을 원망하지 않으며 사람을 탓하지 않고, 아래로부터 배우면서 위로 통달하니, 나를 알아주는 것은 하늘일 것이다.(子曰, '莫我知也夫!' 子貢曰, '何爲其莫知子也?' 子曰, '不怨天, 不尤人. 下學而上達, 知我者其天乎!')"라고 하였다.

50 무엇을 먼저 … 것인지 : 『論語』「子張」에 "子游가 말했다. '子夏의 제자들은 물 뿌리고 청소하며, 응대하고 進退하는 예절에 당면해서는 좋지만, 이는 말단이고, 근본적인 것은 없으니, 어찌하겠는가?' 子夏가 이 말을 듣고서 말했다. '아! 言游의 말이 지나치다. 군자의 道에 어느 것을 먼저 전수하며, 어느 것을 뒤로 미루겠는가? 草木에 비유하면 구역으로 구별되는 것과 같으니, 군자의 道가 어찌 이처럼 속이겠는가? 처음과 끝을 구비한 것은 오직 성인이다!'(子游曰, '子夏之門人小子, 當灑掃應對進退則可矣, 抑末也, 本之則無, 如之何?' 子夏聞之曰, '噫! 言游過矣. 君子之道孰先傳焉, 孰後倦焉? 譬諸草木, 區以別矣, 君子之道焉可誣也? 有始有卒者, 其惟聖人乎!')"라는 말이 있다.

夜則令瞽誦詩, 道正事. 如此, 則生子形容端正, 才過人矣.' 此言姙子之時, 必慎所感. 感於善則善, 感於惡則惡也. 合『列女傳』與「內則」二篇觀之, 則『小學』之敎略備矣."[51]

서산 진씨西山眞氏[眞德秀][52]가 말했다. "『소학小學』책은 먼저 태교의 방법을 실었고 다음으로 「내칙內則」의 글로 이었다. 『열녀전』에 '옛날 부인이 아기를 가지면 옆으로 눕지 않고 가장자리에 앉지 않으며 한 발로 서지 않는다. 맛이 바르지 않은 음식을 먹지 않고, 똑바로 잘라진 것이 아니면 먹지 않으며, 자리가 바르지 않으면 앉지 않는다. 눈으로는 나쁜 광경을 보지 않고, 귀로는 음탕한 소리를 듣지 않는다. 밤에는 소경[瞽(악사)]으로 하여금 시를 읽게 하고 바른 일을 말하게 한다. 이와 같이 하면 태어난 아들의 모습이 단정하고 재주가 남보다 뛰어날 것이다.'[53]라고 하였다. 이는 아기를 가졌을 때 감응을 신중히 해야 함을 말한 것이다. 감응하는 것이 선하면 선해지고, 감응하는 것이 악하면 악해진다. 『열녀전』과 「내칙」 두 편을 합해서 보면, 『소학』의 가르침이 대략 갖추어진다."

[43-1-27]

魯齋許氏曰: "『小學』內明父子之親, 言凡爲人子, 爲人婦, 幼男與未嫁女子, 皆當盡愛盡敬, 不敢自專, 事親之道也."[54]

노재 허씨魯齋許氏[許衡][55]가 말했다. "『소학小學』의 부자父子의 친함을 밝힌 부분[56]은, 자식 된 이와 부인 된 이, 어린 남자와 시집 안 간 여자가 모두 마땅히 사랑과 공경을 다하여 감히 멋대로 하지 않는 것이 부모를 섬기는 도리임을 말한 것이다."

[43-1-28]

"凡人幼小時不引得正, 後便難了. 如字畫端楷之類, 是也."

(노재 허씨가 말했다.) "무릇 사람은 어릴 때 바른 방향으로 인도하지 않으면 나중에 바로잡기 어려워진다. 예컨대 글자의 획을 단정하게 하는 부류가 이것이다."

. . . .

51 『西山讀書記』 권21 「小學大學」
52 眞德秀(1178~1235): 자는 希元·景元·景希이고, 호는 西山이다. 송대 浦城(복건성 蒲城)사람으로 1199년에 진사에 급제하여 太學正·參知政事에 이르렀다. 어려서는 주희의 문인인 詹體仁에게 배우고, 스스로 '주희를 사숙하여 얻은 것이 있다.'라고 하였다. 특히 『大學』을 중시하여 '窮理·持敬을 강조했다. 저서는 『大學衍義』·『四書集篇』·『西山文集』 등이 있다.
53 『古列女傳』 권1 「周室三母」
54 『魯齋遺稿』 권2 「語錄下」
55 許衡(1209~1281): 원 河內 출신. 이름은 衡. 자는 仲平. 호는 魯齋. 程朱學者로 魯齋先生이라고 불린다. 시호는 文正. 經學, 子史, 禮樂, 名物, 星曆, 兵刑, 食貨, 水利에 널리 통달했다. 특히 程朱의 학을 받들었다. 劉因과 함께 원의 두 大家라고 불렸다. 世祖 때 벼슬에 나아가 國子祭酒, 中書左丞을 지냈다. 阿哈馬特의 擅權을 논하고 관직을 떠났다. 가르치기를 잘하여 따라서 배우는 사람이 많았다. 저서에 『讀易私言』·『魯齋心法』·『魯齋遺書』가 있다.
56 『小學』의 父子의 … 부분: 『小學』「明倫」의 제1장부터 38장까지를 가리킨다.

臨川吳氏曰：“古之教者, 子能食而教之食, 子能言而教之言. 欲其有別也, 而教之以異處；欲其有讓也, 而教之以後長. 因其良知良能而導之, 而未及乎讀誦也. 教之數, 教之方, 教之日. 與夫學書計, 學幼儀, 則旣辨名物矣, 而亦非事夫讀誦也. 弟子之職曰孝, 曰弟, 曰謹, 曰信, 曰愛, 曰親, 行之有餘力而後學文. 今世童子甫能言, 不過教以讀誦而已, 其視古人之教何如也?

임천 오씨臨川吳氏[吳澄][57]가 말했다. “옛날의 가르침은 아이가 먹을 수 있게 되면 먹는 것을 가르치고 말할 수 있게 되면 말하는 것을 가르쳤다. 분별하게 하려면 거처를 다르게 하는 것으로 가르쳤고, 사양할 줄 알게 하려면 순서상 어른의 뒤에 하도록 가르쳤다. 그 양지良知와 양능良能에 따라 인도하되 아직 독송에까지 미치지는 않았다. 수數를 가르치고 방위를 가르치고 날짜를 가르쳤다. 글과 계산을 배우고 어린 아이의 의칙을 배우면 사물의 이름을 분별할 정도는 되었지만, 또한 독송을 일삼지는 않았다.[58] 자제의 직무는 ‘효孝’, ‘제弟’, ‘근謹’, ‘신信’, ‘애愛’, ‘친親’이니 그것을 행하고 여력이 있은 후에 글을 배웠다. 요즘의 어린 아이는 말할 수 있게 되기만 하면 독송이나 가르치는 데 불과하니, 옛사람의 가르침에 비교해 보면 어떠한가?

然古人豈廢讀誦哉? 戴氏記拾曲禮遺經, 句三言, 或四言, 管氏書載弟子職一篇, 句四言, 或五言六言, 皆韻語, 句短而音諧. 蓋取其讀誦之易, 而便於童習也. 古書闕而教法泯, 俗間教子, 率以周興嗣『千文』, 李瀚『蒙求』開其先, 讀誦雖易, 而竟何所用? 士大夫之家頗欲知其無用而舍㫋, 童習之初, 遽授『小學』『孝經』等書, 字語短長參差不齊, 往往不能以句. 教者強攞, 而學者苦其難, 又胡能使之樂學哉? 程子嘗欲作詩, 略言教童子洒掃應對事長之節, 而不果作. 陳

57 吳澄(1249~1333)：자는 幼淸이고, 이른바 草廬先生으로 불린다. 宋元교체기 崇仁(현재 강서성) 사람으로 國子監司業・翰林學士를 역임했다. 시호는 文正이다. 그의 학문은 주로 주희와 육구연의 사상을 절충하는 경향이 있으며, 특히 주희 이래의 道統을 은연중에 자임하고 있다. 저서는 『學基』・『學統』・『書・易・春秋・禮記纂言』・『吳文正公集』・『孝經章句』 등이 있다.

58 옛날의 가르침은 … 않았다. : “자식이 밥을 먹을 수 있게 되면 오른손을 쓰도록 가르치며, 말하게 되면 남자는 빨리 대답하고 여자는 천천히 대답하게 한다. 남자는 가죽 띠를 하고 여자는 실띠를 한다. 여섯 살이 되면 숫자와 방위의 이름을 가르친다. 일곱 살이 되면 남자와 여자가 자리를 함께 하지 않으며 함께 밥을 먹지 않는다. 여덟 살이 되면 門戶를 출입할 때와 자리에 나아가거나 음식을 먹을 때 반드시 장자보다 뒤에 하여 처음으로 謙讓을 가르친다. 아홉 살이 되면 날짜 세는 것을 가르친다. 열 살이 되면 나가서 외부의 스승에게 배우는데 바깥에서 거처하고 머물면서, 글과 계산을 배운다. 옷은 저고리와 바지를 비단으로 하지 않으며, 예절은 기초를 따르며, 아침저녁으로 어린아이의 의칙을 배우는데 간략하고 진실한 것을 청하여 익힌다. 열세 살이 되면 음악을 배우고 詩를 외우며, 勺詩에 맞춰 춤을 춘다. 열다섯 살이 되면 象詩에 맞춰 춤을 추며, 활쏘기와 말타기를 배운다.(子能食食教以右手, 能言男唯女兪. 男鞶革, 女鞶絲. 六年教之數與方名. 七年男女不同席, 不共食. 八年出入門戶及卽席飲食, 必後長者, 始教之讓. 九年教之數日. 十年出就外傅, 居宿於外, 學書計. 衣不帛襦袴, 禮帥初, 朝夕學幼儀, 請肄簡諒. 十有三年學樂誦詩, 舞勺, 成童舞象, 學射御.)”라고 하였다.

氏「五言禮詩」近之, 而有未備, 君子病焉."[59]

그렇다고 옛사람들이 어찌 독송을 폐했겠는가? 대씨戴氏[戴聖]가 남은 경전에서 소소한 예를 수습하여 기록한 것은 세 글자를 구句로 했는데, 혹은 사언도 있고, 관씨管氏[管仲]가 쓴 「제자직弟子職」은 네 글자를 구로 했는데, 혹은 다섯 · 여섯 글자도 있는데, 모두 운韻으로 되어 있으니 구는 짧고 음은 조화된다. 이는 그 독송의 쉬운 점을 취해서 어린이들이 익히기 편하게 하기 위함이었다. 옛 글이 일실되고 가르치는 법이 사라지자, 세속에서 자제를 가르치는 데 대부분 주흥사周興嗣[60]의 『천자문』과 이한李瀚의 『몽구蒙求』[61]가 그 선단을 열었으니, 독송은 비록 쉽지만 결국 어디에 쓰겠는가? 사대부 집에서는 자못 그 무용함을 알아서 버리고, 아동이 익히는 초기에 갑자기 『소학』· 『효경』 등의 책을 가르치려 하지만, 글의 길이가 들쭉날쭉해서 왕왕 구가 되지 못한다. 가르치는 자는 억지로 조장하고 배우는 자는 그 어려움에 괴로워하니, 또 어찌 즐겁게 배우게 할 수 있겠는가? 정자程子가 일찍이 시를 지어서 어린아이들의 청소하고 응대하고 어른 섬기는 예절을 가르치는 것을 간략히 말하려 했다가, 끝내 짓지 못했다. 진씨陳氏의 「오언예시五言禮詩」는 근사하지만 미비한 것이 있다. 군자가 근심하는 것이다."

總論爲學之方 학문하는 방법의 총론

[43-2-1]

程子曰 : "學也者, 使人求於內也. 不求於內而求於外, 非聖人之學也. 何謂求於外? 以文爲主者 是也. 學也者, 使人求於本也. 不求於本而求於末, 非聖人之學也. 何謂求於末? 考詳略, 採同異者是也. 是二者無益於德, 君子弗之學也."[62]

정자程子[程頤]가 말했다. "학문이란 사람들이 내면에서 탐구하도록 하는 것이다. 내면에서 탐구하지 않고

. . . .

59 『吳文正集』 권17 「虞舜氏禮學韻語序」

60 周興嗣(470?~521) : 남조 梁나라 陳郡 項땅(지금의 河南省 沈丘縣) 사람으로, 자는 思纂이다. 경전에 두루 능통했고, 특히 글을 잘 지었다. 蕭衍(梁武帝)이 병사를 일으켰을 때, 「休平賦」를 지어 올렸는데, 문장이 매우 아름다워 소연이 감탄했다고 한다. 양나라가 건국되자 安成王國侍郞, 員外散騎侍郞을 거쳐 給事中에 이르렀다. 梁武帝의 명령으로 王羲之의 글씨를 모아 『千字文』을 지었는데, 다 짓고 나니 머리가 백발이 되었다고 한다.

61 李瀚의 『蒙求』 : 『周易』 蒙卦의 '童蒙求我'에서 제목을 딴 것으로, 아동용 교재로 편찬되었다. 한 사항을 4자 1구로 요약하여, 비슷한 내용의 2구로 한 對句를 만들고, 1구 걸러 운을 달며, 또 8구마다 운자를 바꿈으로써 음조도 좋고 기억하기도 좋게 고안되어 있다. 모두 596 항목으로 이루어져 있으며, 堯舜 시대부터 南北朝 시대에 이르기까지의 저명한 인물들에 관한 일들이 널리 수록되어 있다.

62 『二程粹言』 권상 「論學篇」. 『河南程氏遺書』 권25에 실려 있는 글은 약간 다르다. "學也者, 使人求於內也. 不求於內而求於外, 非聖人之學也. 何謂不求於內而求於外? 以文爲主者是也. 學也者, 使人求於本也. 不求於本而求於末, 非聖人之學也. 何謂不求於本而求於末? 考詳略, 採同異者是也. 是二者皆無益於身, 君子弗學."

외부에서 탐구하는 것은 성인의 학문이 아니다. 외부에서 탐구한다는 것은 무엇을 말하는가? 문장을 중심으로 삼는 것이 이것이다.[63] 학문이란 사람들이 근본에서 탐구하도록 하는 것이다. 근본에서 탐구하지 않고 말단에서 탐구하는 것은 성인聖人의 학문이 아니다. 말단에서 탐구한다는 것은 무엇을 말하는가? 자세함과 간략함을 살피고, 동일함과 상이함을 가려내는 것이 이것이다. 이 두 가지는 덕에 유익함이 없으니 군자는 배우지 않는다."

[43-2-2]

"名數之學, 君子學之而不以爲本也. 言語有序, 君子知之而不以爲始也."[64]

(정자가 말했다.) "사물의 명칭[65]에 관한 학문을 군자가 배우기는 하나 학문의 근본으로 삼지 않는다. 언어에 순서가 있음을 군자가 알기는 하나 학문의 시작으로 삼지 않는다."[66]

[43-2-3]

"義之精者, 須是自求得之. 如此則善求義也."[67]

．．．．．．．．．．．．．．．．．．．

63 문장을 중심으로 … 이것이다. : 여기서 '文'은 文章으로 문장을 읽고 작문을 하는 것을 말한다. 程頤는 이에 대한 학문을 文章學이라고 하였다. 『河南程氏遺書』 권18에서, "옛날의 학문은 한 가지였으나 지금의 학문은 세 가지이니, 이단은 여기에 끼지 않는다. 첫 번째는 문장학이고, 두 번째는 훈고학이며, 세 번째는 儒者의 학문이니, 도에 나아가고자 한다면 유자의 학문을 버리고서는 안 된다.(古之學者一, 今之學者三, 異端不與焉. 一曰文章之學, 二曰訓詁之學, 三曰儒者之學, 欲趨道, 舍儒者之學, 不可.)"라고 하였다.

64 『河南程氏遺書』 권25

65 사물의 명칭 : 名數의 사전적 의미는 '名物과 度數'이다. 그러나 여기서는 '名物의 의미로 풀이하였다. 程頤의 名數에 관한 언급은 다음의 구절에서 찾아볼 수 있다. "물었다. 『五經解』가 있다고 들었는데 이미 완성되었습니까?' 대답했다. '역만은 내가 직접 찬술하고 나머지 經典들은 관중의 여러 분이 나누어 나의 학설로써 완성하였다. 예의 명칭은 섬서의 여러 분이 수정을 거쳐 확정하여 呂大臨에게 보냈는데, 여여숙이 지금 사망하여 그 책이 어디에 있는지 모르겠다. 그러나 확정한 것은 그저 예의 명칭일 뿐 예문으로 말하자면 또한 직접 찬술하지 않으면 안 된다.'(曰, '聞有五經解, 已成否?' 曰, '惟易須親撰, 諸經則關中諸公分去, 以某說撰成之. 禮之名數, 陝西諸公刪定已, 送與呂大叔, 與叔今死矣, 不知其書安在也. 然所定只禮之名數, 若禮之文, 亦非親作不可也.')"(『河南程氏遺書』 권18) 여기서 볼 수 있듯이 '名數'란 다름 아닌 명칭의 의미로 사용되고 있다. 朱熹 역시 『朱子語類』에서 모두 '명칭'의 의미로 사용하였다. "또 예컨대 『詩經』의 명칭과 『書經』의 반과 고는 이해하기 어려울 듯하다.(又如詩之名數, 書之盤誥, 恐難理會.)"(권8, 90조목) "경서의 취지는 상하 문장의 의미를 자세히 살피도록 해야 한다. 명칭과 제도 따위는 대략적으로 알아도 되니 굳이 매우 깊이 빠져 학문을 방해할 필요가 없다.(經旨要子細看上下文義. 名數制度之類, 略知之便得, 不必大段深泥, 以妨學問.)"(권11, 100조목) "鄭玄은 훌륭한 사람이다. 예의 명칭을 고찰하는 데 대단히 공이 있으니, 사례마다 모두 이해할 수 있다. 예컨대 한의 율령에도 또한 모두 주를 두었고 모두 많은 정력을 들였다. 동한의 여러 유학자들은 매우 훌륭하고, 노식도 훌륭하다.(鄭康成是箇好人. 考禮名數大有功, 事事都理會得. 如漢律令亦皆有注, 儘有許多精力. 東漢諸儒煞好, 盧植也好.)"(권87, 9조목)

66 이 구절에 대하여 呂柟은 『二程子抄釋』에서 "외부적인 학문은 내면적인 학문이 아니며, 후차적인 학문은 우선적인 학문이 아니다.(外者, 非內也, 後者, 非先也.)"라고 풀이하였다.

(정자가 말했다.) "의의 정밀함은 스스로 탐구하여 터득해야 한다. 이와 같이 하면 의를 잘 탐구하는 것이다."

[43-2-4]

"學莫貴於自得. 得非外也, 故曰自得.[68] 學而不自得, 則至老而益衰."[69]

(정자가 말했다.) "학문은 스스로 터득함보다 귀중한 것이 없다. 터득함이 외부에서 온 것이 아니므로 스스로 터득함이라고 한다. 학문을 닦는데도 스스로 터득하지 못하면 늙어서 더욱 쇠퇴한다."

[43-2-5]

"自得者, 所守不變, 自信者, 所守不疑."[70]

(정자가 말했다.) "스스로 터득한 사람은 지키는 것을 바꾸지 않고, 스스로를 믿는 사람은 지키는 것을 의심하지 않는다."

[43-2-6]

"解義理若一向靠書冊, 何由得'居之安, 資之深?' 不惟自失, 兼亦誤人."[71]

(정자가 말했다.) "의리를 이해할 때 만일 한결같이 서책에만 의지한다면 어떻게 의리대로 편안히 살고 의리에 깊이 의뢰[72]할 수 있겠는가? 자신도 잘못될 뿐만 아니라 남도 망치는 것이다."

[43-2-7]

"古之學者, 優柔厭飫, 有先後次序. 今之學者, 却只做一場話說, 務高而已. 常愛杜元凱語, '若江海之浸, 膏澤之潤, 渙然冰釋, 怡然理順, 然後爲得也.' 今之學者, 往往以游夏爲小不足學. 然游夏一言一事却總是實."[73]

(정자가 말했다.) "옛날의 배우는 사람은 느긋하고 지긋이 사색하여 선후의 순서가 있었다. 요즈음 배우

---

67 『河南程氏遺書』 권6 ; 권17

68 『河南程氏遺書』 권25. 程頤의 어록으로 실려 있으나 朱熹의 『論孟精義』에는 程顥의 말로 되어 있다. "明道曰, 學莫貴於自得. 得非外也, 故曰自得."(『論孟精義』「孟子正義」 권2)

69 『二程粹言』 권상 「論學篇」

70 『二程粹言』 권상 「論學篇」

71 『河南程氏遺書』, 권15. 그러나 朱熹의 『論孟精義』에는 程顥의 말로 되어있다.(『論孟精義』「孟子正義」 권2)

72 어떻게 의리대로 … 의뢰 : 『孟子』「離婁下」에 "군자가 (도에 나아가는) 방법으로써 도에 깊이 나아가는 것은 도를 스스로 터득하고자 하는 것이다. 도를 스스로 터득하면 도에 거처하는 데에 편안하고 도에 거처하는 데에 편안하면 도를 의지함이 깊으며, 도를 의지함이 깊으면 좌우에서 도를 이용할 때마다 그 근원을 만나게 된다. 그러므로 군자는 도를 스스로 터득하고자 하는 것이다.(君子深造之以道, 欲其自得之也. 自得之, 則居之安, 居之安, 則資之深, 資之深, 則取之左右逢其原. 故君子欲其自得之也.)라고 했다.

73 『河南程氏遺書』 권15

는 사람은 도리어 그저 한바탕 떠들어대면서 고원함에 힘쓸 뿐이다. 나는 두원개杜元凱[杜預][74]가 '강과 바다가 대지를 잠기게 하고 단비가 만물을 적시듯이, 의심이 봄날 얼음 녹듯이 풀리고 즐거움 속에서 이치가 순조롭게 통한 뒤에야 터득함이 된다.'[75]라고 말한 것을 항상 사랑한다. 요즈음 배우는 사람들은 흔히 자유子游[76]와 자하子夏[77]를 하찮게 여겨 배우기에 부족하다고 여긴다. 그러나 자유와 자하는 한 마디 말과 한 가지 일이 모두 진실하였다."

[43-2-8]

"知之必好之, 好之必求之, 求之必得之, 古人此簡學是終身事. 果能'顚沛造次必於是', 豈有不得道理?"[78]

(정자가 말했다.) "알면 반드시 좋아하고 좋아하면 반드시 탐구하며 탐구하면 반드시 터득하니, 옛사람들은 이 학문이 평생의 일이었다. 과연 위급하거나 다급할 때에도 반드시 이 일에 힘쓸 수 있다면,[79]

• • • • • • • • • • • • • • •

74 杜預(222~284) : 자는 元凱이며 서진 京兆杜陵(陝西省 長安縣) 출생이다. 그의 조부 杜畿는 위나라에서 중신을 지냈고 부친 杜恕는 위나라의 대학자였다. 사마씨가 위왕조를 찬탈하여 나라를 세우자 부친은 이에 반대하여 유배형을 받았다. 두예는 이런 성장배경을 통해 학자로서의 면모를 갖추어 나갔다. 두예는 사마사의 누이동생과 결혼하여 주요 요직을 역임하였다. 河南尹·秦州刺史 등을 역임하고 鎭南大將軍이 되었다. 유일하게 삼국시대의 명맥을 유지하고 있던 吳나라를 공격하여 평정(280년)하였으며 뛰어난 군사전략가로서 실력을 발휘하였다. 그 공으로 무제(사마염)의 신임을 받았으며 형주를 총괄하는 직위에 封해졌다. 4년간의 임기를 마치고 수도 낙양으로 돌아오다 사망하였다. 만년에는 학문과 저술에 힘을 기울였다. 저서에『春秋左氏經傳集解』·『春秋釋例』 등이 있는데, 특히『春秋左氏經傳集解』는 종래 별개의 책으로 되었던『春秋』의 經文과『左氏傳』을 한 권의 책으로 정리하여, 경문에 대응하도록『左氏傳』의 문장을 분류하여 春秋義例說을 확립하고, 춘추학으로서의 좌씨학을 집대성하였다. 또한, 훈고 측면에서도 先儒의 학설의 좋은 점을 모아『左氏傳』을 춘추학의 정통적 위치로 올려놓았다. 이 저서는 현재에도 가장 기본적인 주석으로 꼽힌다.

75 '강과 바다가 … 된다.' : 杜預,「春秋左氏傳序」. 이 구절에 대한 附註에서 朱申은 다음과 같이 풀이하였다. "비유컨대, 강과 바다가 물이 깊기 때문에 잠기는 범위가 먼 것과 같고, 단비가 비가 많기 때문에 적시는 범위가 넓은 것과 같으니, 그로써 경의 전에 널리 기록하고 자세히 말한 것도 경문을 잠기고 적시어 의리가 통달되도록 함을 비유한 것이다. 그러므로 학문하는 사람의 의심이 봄 얼음 녹듯이 풀리고 즐거움 속에서 모든 이치가 순조롭게 통해야 하니 그런 뒤에야 진실로 터득한 바가 있을 것이다.(譬如江海以水深之, 故所浸者遠, 如膏澤以雨多之, 故所潤者博, 以喩傳之廣記備言, 亦欲浸潤經文, 使義理通洽也. 故學者之心, 渙然解散, 如春氷之釋, 怡然喜悅, 而衆理皆順, 然後眞有所得.)"

76 子游(B.C.506~?) : 공자의 제자이다. 중국 춘추 시대 吳나라 사람이며 성명은 言偃이고 자유는 字이다. 孔門十哲의 한 사람으로 문학에 뛰어났고 魯나라에서 벼슬하였다.

77 子夏(B.C.507~B.C.400) : 공자의 제자이다. 자하는 중국 춘추 시대 衛나라 사람이다. 성명은 卜商이며 子夏는 字이다. 孔門十哲의 한 사람으로 문학에 뛰어났고 魏文公의 스승이 되었다.

78 『河南程氏遺書』권17. 程頤의 어록으로 실려 있으나 朱熹의『論孟精義』에는 정호의 어록으로 되어 있다.(『論孟精義』「孟子正義」권8)

79 위급하거나 다급할 … 있다면 :『論語』「里仁」, "군자는 밥 먹는 동안에도 인을 떠남이 없으니 다급할 때에도 반드시 여기에 힘쓰고 위급할 때에서 여기에 힘쓴다.(君子無終食之間違仁, 造次必於是, 顚沛必於是.)" 주희는 이 구절을 "군자가 인을 행하는 것은 부유함과 귀함, 가난함과 천함을 취하거나 버리는 사이로부터 밥 먹는

어떻게 도리를 터득하지 못함이 있겠는가?"[80]

[43-2-9]

問: "何如學可謂之有得?"

曰: "大凡學問, 聞之知之, 皆不爲有得. 得者須默識心通. 學者欲有所得, 須是要誠意燭理. 上知則穎悟自別. 其次須以義理涵養而得之."[81]

물었다. "어떻게 학문을 닦으면 터득함이 있다고 말할 수 있습니까?"

(정자가) 대답했다. "대체로 학문은 듣고 아는 것으로는 모두 터득함이 있다고 하지 않는다. 터득함이란 묵묵히 아는 가운데 마음으로 통하도록 해야 한다. 배우는 사람이 터득하려고 하면 뜻을 성실히 하여 리를 밝히도록 해야 한다. 지혜가 매우 뛰어난 사람[82]은 총명함이 본래 다르다. 그 다음 단계의 사람은 의리로써 함양하여 터득해야 한다."

[43-2-10]

"凡志於求道者, 可謂誠心矣. 欲速助長而不中理, 反不誠矣. 故求道而有迫切之心, 雖得之, 必失之. 觀天地之化, 一息不留, 疑於速也. 然寒暑之變極微, 曷嘗遽哉?"[83]

(정자가 말했다.) "무릇 도를 탐구하는 데에 뜻을 둔 사람은 마음을 성실하게 한다고 말할 수 있다. 그러나 빨리 하려고 조장하다가 이치에 들어맞지 않으면 도리어 성실하지 않게 된다. 그러므로 도를 탐구하면서 조급한 마음을 가지면, 비록 얻더라도 반드시 잃게 될 것이다. 천지의 조화를 살펴보면 잠시도 머물지 않으니, 빨리 변화하는 게 아닐까 의심한다. 그러나 추위와 더위의 변화는 지극히 미미하니 어찌 갑자기 일어난 적이 있겠는가?"

. . . .

동안, 그리고 다급함과 위급함의 순간에 이르기까지 어느 때 어느 곳에서건 힘을 쓰지 않음이 없다.(君子爲仁, 自富貴貧賤 取舍之間, 以至於終食造次顚沛之頃, 無時無處而不用其力也.)"라고 풀이하였다.

80 "알면 반드시 … 있겠는가?": 程頤의 이 말을 인용하고 있는 『近思錄』에서 葉采는 다음과 같이 풀이하였다. "학문은 평생의 일이다. 그렇다면 빨리 이루려는 것도 바라지 않고 중도에 그만두는 것도 용납하지 않아야 하니, 부지런히 힘써 죽고 난 다음에나 그만둘 수 있을 것이다. 위급할 때나 다급할 때에도 반드시 여기에 힘쓰면 어떠한 일도 학문이 아님이 없고 어떠한 때에도 힘쓰지 않음이 없으니, 만일 이와 같이 할 수 있다면 이 도를 반드시 터득할 수 있을 것이다. 그 때문에 배우는 사람이 스스로 그만두지 않도록 이끌어 간 것이다. (學是終身事, 則不求速成, 不容半途而廢, 勉焉孶孶, 死而後已可也. 顚沛造次必於是, 則無一事而非學, 無一時 而不勉, 苟能如是, 其有得於斯道, 可必矣. 所以誘進學者之不容自已也.)"

81 『河南程氏遺書』 권17. 程頤의 어록으로 실려 있으나, 朱熹의 『論孟精義』에는 程顥의 어록으로 되어 있다.(『論 孟精義』 「孟子正義」 권8) 『河南程氏遺書』에는 "須是要誠意燭理"가 "須是篤, 誠意燭理"로 되어 있다.

82 지혜가 매우 … 사람: 『論語』 「陽貨」 편에서 "공자가 말했다. '오직 지혜가 매우 뛰어난 사람과 매우 어리석은 사람은 변화시킬 수 없다.'(子曰, '唯上知與下愚不移.')"라고 하였다.

83 『二程粹言』 권상 「論道篇」

[43-2-11]

“學者須要知言."[84]

(정자가 말했다.) “배우는 사람은 (다른 사람의) 말의 의도를 알도록[85] 해야 한다.”

[43-2-12]

“凡人纔學便須知著力處, 旣學便須知得力處."[86]

(정자가 말했다.) “무릇 사람은 처음 학문을 닦을 때에는 힘을 쓸 곳을 알아야 하며, 학문을 닦고 나서는 힘을 얻는 곳을 알아야 한다.”

[43-2-13]

“多聞識者, 猶廣儲藥物也. 知所用爲貴."[87]

(정자가 말했다.) “견문과 지식이 많은 것은 약물을 많이 비축해 둔 것과 같다. 쓸 곳을 아는 것이 중요하다.”

[43-2-14]

“進學莫大於致知, 養心莫大於理義. 古人所養處多. 若聲音以養其耳, 舞蹈以養其血脈. 今人都無, 只有簡義理之養, 人又不知求."[88]

(정자가 말했다.) “학문에 정진함에는 지식을 극진히 하는 것[89]보다 큰 것이 없고 마음을 기르는 데에는 리理와 의義[90]보다 큰 것이 없다. 옛 사람들은 기를 곳이 많았다. 예컨대 음악은 귀를 기르고, 춤은 혈맥

84 『河南程氏遺書』 권22상 「伊川雜錄」 ; 『論孟精義』「孟子正義」 권3

85 말의 의도를 알도록 : 『孟子』「公孫丑上」에서 맹자는 ‘지언’에 대해 “치우친 말에는 그 가리어진 것을 알고, 장황한 말에는 푹 빠져있는 바를 알며, 거짓된 말에는 도리에 어긋난 것을 알고, 회피하는 말에 그 궁색한 바를 아는 것(詖辭知其所蔽, 淫辭知其所陷, 邪辭知其所離, 遁辭知其所窮)”이라고 하였다.

86 『河南程氏遺書』 권12(程顥의 어록)

87 『二程粹言』 권상 「論學篇」

88 『河南程氏遺書』 권17. 『論孟精義』「孟子正義」 권14에는 다음과 같이 되어 있다. : “학문은 지식을 지극히 하는 것보다 큰 것이 없고 마음을 기르는 것은 의리보다 큰 것이 없다. 옛 사람은 기르는 곳이 많았다. 예컨대 음악은 귀를 기르고 채색은 눈을 기르며, 춤은 혈맥을 기르고 위의는 사체를 기른다. 요즈음 사람은 이러한 것이 전혀 없다. 그저 의리로써 마음을 기르지만 그것마저도 탐구할 줄 모른다.(學莫大於致知, 養心莫大於義理. 古人所養處多. 若聲音以養其耳, 采色以養其目, 舞蹈以養其血脉, 威儀以養其四體. 今之人都無此. 只有簡義理以養心, 又不知求.)”

89 지식을 극진히 … 것 : 『大學章句』 제1장. 程頤는 “‘치지’란 지식을 극진히 함이다.(致知, 盡知也.)”라고 풀이하였다.(『河南程氏遺書』 권18)

90 理와 義 : 『孟子』「告子上」에 다음과 같이 되어 있다. “누구나 마음에 똑같이 옳게 여기는 것이 무엇입니까? 리와 의를 말한다. 성인이 우리 마음에 똑같이 옳게 여기는 것을 먼저 터득하셨을 뿐이다. 그러므로 리와 의가 우리의 마음을 즐겁게 하는 것은 먹을거리가 우리의 입을 즐겁게 하는 것과 같다.(心之所同然者何也?

을 기른다. 요즈음 사람들은 (기를 곳이) 전혀 없으니, 오직 의리의 기르는 것만 있으나 사람들은 그것마저도 탐구할 줄 모른다."

[43-2-15]

"恥不知而不問, 終於不知而已. 以爲不知而必求之, 終能知之矣."⁹¹

(정자가 말했다.) "알지 못함을 부끄러워하여 묻지 않으면, 끝내 알지 못할 뿐이다. 알지 못한다고 여겨 반드시 탐구하면 끝내 알 수 있을 것이다."

[43-2-16]

"學而未有所知者, 譬猶人之方醉也, 亦何所不至? 及其旣醒, 必惕然而恥矣. 醒而不以爲恥, 末如之何也."⁹²

(정자가 말했다.) "배우는 데도 아는 것이 없는 사람은 비유하자면 사람이 한창 취해 있는 것과 같으니 또한 무슨 짓엔들 이르지 못하겠는가? 그러다가 깨어나면 반드시 삼가는 모습으로 부끄러워한다. 깨어나서도 부끄럽게 여기지 않는다면 어떻게 할 수 없다."

[43-2-17]

"學者必知所以入德. 不知所以入德, 未見其能進也. 故孟子曰, '不明乎善, 不誠其身,' 『易』曰, '知至至之.'"⁹³

(정자가 말했다.) "배우는 사람은 반드시 덕에 들어가는 방법을 알아야 한다. 덕에 들어가는 방법을 모르는데도 진보할 수 있는 경우를 보지 못했다. 그러므로 맹자는 '선에 밝지 못하면 그 몸을 성실하게 하지 못한다.'⁹⁴라고 하였으며, 『주역周易』에서는 '이를 곳을 알아서 거기에 이른다.'⁹⁵라고 하였다."

[43-2-18]

"學者自治極於剛, 則守道愈固, 勇於進, 則遷善愈速."⁹⁶

• •

謂理也, 義也. 聖人先得我心之所同然耳. 故理義之悅我心, 猶芻豢之悅我口.)" 이때의 리와 의에 대해 程頤는 "사물 속에 있는 것을 리라고 하고 사물에 대처하는 것을 의라고 한다.(在物爲理, 處物爲義.)"라고 하였고, 程顥는 이때의 "리는 본체이고 의는 작용이다.(理義, 體用也.)"라고 하였다.(『二程粹言』 권상, 「論道篇」; 『論孟精義』「孟子正義」 권11)

91 『二程粹言』 권상 「論學篇」
92 『二程粹言』 권상 「論學篇」
93 『河南程氏外書』 권7. 『論孟精義』「孟子正義」 권7에는 程頤의 말로 실려 있다.
94 '선에 밝지 … 못한다.': 『孟子』「離婁上」
95 '이를 곳을 … 이른다.': 『周易』「乾卦·文言傳」
96 『二程粹言』 권상 「論學篇」

(정자가 말했다.) "배우는 사람은 스스로 다스려 지극히 굳세면 도의 지킴이 더욱 견고해 지고, 정진하는 데 용맹하면 선에 옮겨감이 더욱 빠르다."

[43-2-19]

"今之學者, 如登山麓, 方其迤邐莫不濶步, 及到峻處便逡巡."[97] 一云, "或以峻而遂止, 或以難而稍緩. 苟能遇難而益堅, 聞過則改, 何遠弗至也?"

(정자가 말했다.) "요즈음 배우는 사람을 산기슭을 오르는 것에 비유하자면, 완만한 곳에서는 성큼성큼 걷지 않음이 없다가, 가파른 곳에 이르면 나아가지 못하고 머뭇거리는 것과 같다." 어떤 본은 다음과 같이 되어 있다. "어떤 때에는 가파르다고 여겨 마침내 멈추고, 어떤 때에는 어렵다고 여겨 조금 늦춘다. 만일 어려움을 만나더라도 더욱 견고해지고 허물을 듣고서 바로 고칠 수 있다면 아무리 멀다한들 어떻게 이르지 못하겠는가?"

[43-2-20]

"人少長須激昂自進. 中年已後, 自至成德者事, 方可自安."[98]

(정자가 말했다.) "사람은 어릴 때부터 장성하기까지 분발하여 스스로 정진해야 한다. 중년이후에는 저절로 덕을 이룬 사람의 일에 이르러야 비로소 스스로 편안할 수 있다."

[43-2-21]

"君子之學必日新. 日新者, 日進也. 不日新者必日退. 未有不進而不退者. 唯聖人之道無所進退, 以其所造者極也."[99]

(정자가 말했다.) "군자의 학문은 반드시 날로 새로워야 한다.[100] 날로 새로운 사람은 날로 진전한다. 날로 새롭지 못한 사람은 반드시 날로 퇴보한다. 진전하지 않는데도 퇴보하지 않는 사람은 있지 않다. 오직 성인의 도는 진전하거나 퇴보하는 일이 없으니, 그 나아간 곳이 궁극이기 때문이다."

[43-2-22]

"君子莫進於學, 莫止於畫, 莫病於自足. 莫罪於自棄. 進而不止, 湯·武所以反之而聖."[101]

- -

97 『河南程氏遺書』 권17

98 『河南程氏遺書』 권6. 『二程粹言』 권상 「論學篇」에는 다음과 같이 되어있다. "학문은 반드시 분발하여 스스로 정진해야 하니, 덕을 이룸에 이르지 않으면 감히 편하게 여기지 않아야 한다.(學必激昂自進, 不至於成德, 不敢安也.)"

99 『河南程氏遺書』 권25

100 날로 새로워야 한다. : 『大學章句』 2장에 "진실로 어느 날 새로워졌으면, 나날이 새롭고 또 날로 새로워야 한다.(苟日新, 日日新, 又日新.)"라고 하였다.

101 『二程粹言』 권상 「論學篇」. 『河南程氏遺書』 권25에는 다소 달리 실려 있다. "君子莫大於學, 莫害於畫, 莫病於自足, 莫罪於自棄. 學而不止, 此湯武所以聖也."

(정자가 말했다.) "군자는 학문을 닦는 것보다 더 나아가야 것이 없고 자신의 한계를 긋는 것[102]보다 더 금지할 것이 없으며, 스스로 만족하는 것보다 더 문제로 여길 것이 없고 스스로를 버리는 것[103]보다 더 죄로 여길 것이 없다. 정진하여 그만두지 않아야 하니 탕왕[104]·무왕[105]은 그 때문에 회복하여 성인이 되었다."[106]

[43-2-23]

"學者所見所期, 不可不遠且大. 然行之亦須量力有漸. 志大心勞, 力小任重, 恐終敗事."[107]

(정자가 말했다.) "배우는 사람은 비전과 목표가 원대하지 않으면 안 된다. 그러나 실행할 때에는 또한 역량을 헤아려 점진적인 과정이 있어야 한다. 뜻이 큰데도 마음이 지치고 힘은 적은데도 임무가 과중하면 끝내 일을 그르치게 될까 염려된다."

· · · · · · · · · · · · · · · · · · · ·

102 자신의 한계를 … 것 : 『論語』「雍也」에, "冉求가 말했다. '선생님의 도를 좋아하지 않는 것이 아니라 힘이 부족하기 때문입니다.' 공자가 대답했다. '힘이 부족한 사람은 중도에 그만두니 지금 너는 스스로 자신의 한계를 긋고 있구나.'(冉求曰, '非不說子之道, 力不足也.' 子曰, '力不足者, 中道而廢, 今女畫.')"라고 하였다.

103 스스로를 버리는 것 : 『孟子』「離婁上」에서, "스스로 해치는 사람은 더불어 말할 수 없고 스스로를 버리는 사람은 더불어 일할 수 없다. 말할 때 예의를 비방하는 사람을 '自暴'라고 하고 나의 몸은 인에 거처하고 의를 따를 수 없다는 것을 '自棄'라고 한다.(自暴者, 不可與有言也, 自棄者, 不可與有爲也. 言非禮義, 謂之自暴也, 吾身不能居仁由義, 謂之自棄也.)"라고 하였다.

104 湯王(?~?) : 이름 履 또는 天乙·太乙이다. 탕은 자이며, 成湯이라고도 한다. 『史記』에 의하면 시조 契의 14세에 해당한다. 당시 夏왕조의 桀王이 학정을 하였으므로, 제후들의 대부분이 有德한 성탕에게 복종하게 되었다. 걸왕은 성탕을 夏臺에 유폐하여 죽이려 하였으나, 재화와 교환하여 용서하였다. 탕왕은 현능한 재상 伊尹 등의 도움을 받아 곧 걸왕을 鳴條에서 격파하여 패사시켰다. 그리고 亳에 도읍하여 국호를 商이라 정하여, 제도와 전례를 정비하고 13년간 재위하였다. 그가 걸왕을 멸한 행위는 유교에서 周나라 武王이 상나라 紂王을 토벌한 일과 함께, 올바른 '혁명'의 군사행동이라 불리고 있다. 『書經』의 「湯誓篇」은 그때의 軍令이라 전해진다.

105 武王(?~B.C.1043?) : 姓은 姬이고 이름은 發이다. 周 文王 姬昌의 둘째아들이므로 仲發이라고도 한다. 西周 시대의 靑銅器에서는 '珷'라는 글자로 나타내고 있다. 기원전 1050년 무렵부터 姬昌의 뒤를 이어 關中 평야에 중심지를 둔 周族을 이끌었으며, 서쪽 제후들을 규합해 商을 멸망시키고 周를 건국하였다.

106 회복하여 성인이 되었다. : 『孟子』「盡心下」에 "요·순은 본성대로 하였고 탕·무는 회복하였다(堯舜, 性者也, 湯武, 反之也.)"라고 하였다. 또한 「盡心上」에서 맹자는 "요·순은 본성대로 한 것이고 탕·무는 실천한 것이며, 오패는 빌린 것이다.(堯舜, 性之也, 湯武, 身之也, 五霸, 假之也.)"라고 하였다. 이에 대해 程顥는 "탕·무가 되돌리고 실천한 것은 학문을 닦아 회복한 것이다.(湯武反之身之者, 學而復者也.)"라고 하였다. 『河南程氏遺書』권11에서도 또한 程頤는 "요·순은 태어나면서부터 알았고 탕·무는 학문을 닦아 알았으니, 그 공을 이룸에 있어서는 똑같다. '身之'는 실천하였음을 말하고, '反之'는 올바름에 되돌아옴을 말한다.(堯舜生知, 湯武學而知之, 及其成功一也. 身之言履之也, 反之言歸於正也.)"라고 하였다.

107 『河南程氏遺書』권2상. 『二程粹言』권상「論學篇」에는 다음과 같이 되어있다. "배우는 사람은 비전과 목표가 원대하지 않으면 안 된다. 그러나 일상생활에 실천할 경우에는 반드시 점차적인 과정이 있어야 한다.(學者所見所期, 不可不遠且大也. 及夫施於用, 則必有其漸.)"

[43-2-24]

"學貴乎成. 旣成矣, 將以行之也. 學而不能成其業, 用而不能行其學, 則非學矣."[108]

(정자가 말했다.) "학문은 학업을 성취하는 것이 귀중하다. 성취하고 나면 그것을 실행해야 한다. 학문을 닦는데도 그 학업을 성취하지 못하고, 일상생활을 하는데도 그 학문을 실행하지 못하면 학문이 아니다."

[43-2-25]

"百工治器, 必貴於有用. 器而不可用, 工不爲也. 學而無所用, 學將何爲也?"[109]

(정자가 말했다.) "모든 장인匚이 기물을 만들 때에는 반드시 유용함을 귀중하게 여긴다. 기물을 만들어도 쓸 수 없으면 장인의 일이 되지 못한다. 학문을 닦는데도 쓸모가 없다면 학문을 닦은들 장차 무엇을 하겠는가?"

[43-2-26]

"力學而得之, 必擴充而行之. 不然者, 局局其守耳."[110]

(정자가 말했다.) "학문에 힘써 터득하면 반드시 확충하여 실행해야 한다. 그렇지 않는 사람은 고작 지킬 뿐이다."

[43-2-27]

"學者有所聞而不著於心, 不見乎行, 則其所聞, 故自他人之言耳. 於己何與焉?"[111]

(정자가 말했다.) "배우는 사람이 알게 된 것이 있는데도 마음에 새기지 않고, 행동으로 드러나지 않는다면, 그 알게 된 것이라고 해도 다른 사람의 말일 뿐이다. 자신과 무슨 상관이 있겠는가?"

[43-2-28]

"學莫大於平心. 平莫大於正. 正莫大於誠."[112]

(정자가 말했다.) "학문을 닦는 것은 마음을 공평하게 하는 것보다 더 큰 것이 없다. 공평함은 올바름보다 더 큰 것이 없다. 올바름은 성誠보다 더 큰 것이 없다."[113]

. . . .

108 『二程粹言』 권상 「論學篇」
109 『二程粹言』 권상 「論學篇」
110 『二程粹言』 권상 「論學篇」
111 『二程粹言』 권상 「論學篇」
112 『河南程氏遺書』 권25
113 올바름은 誠보다 … 없다. : 程頤는 『河南程氏遺書』, 권21하에서 "진실함은 誠과 가까우니 성이란 함부로 함이 없음을 말한다.(眞近誠, 誠者無妄之謂.)"라고 하였다.

[43-2-29]

問 : "有因苦學失心者, 何也?"

曰 : "未之聞也. 善學者之於其心, 治其亂, 收其放, 明其蔽, 安其危. 曾謂爲心害乎?"[114]

물었다. "학업에 애쓰느라 마음을 잃는 사람이 있는 것은 무엇 때문입니까?"

대답했다. "듣지 못했다. 학문을 잘 닦는 사람은 그 마음에서 어지러운 것을 치유하고 잃어버린 것을 수습하며, 가리어진 것을 밝히고 위태로운 것을 편안하게 한다. 어떻게 마음에 해가 된다고 말하는가?"

[43-2-30]

"古之人十五而學, 四十而仕. 其未仕也, 優游養德, 無求進之心. 故其所學必至於有成. 後世之人, 自其爲兒童從父兄之所教, 與其壯長追逐時習之所尚, 莫不汲汲於勢利也. 善心何以不喪哉?"[115]

(정자가 말했다.) "옛 사람들은 15세부터 학문을 닦아 40세에 벼슬하였다. 아직 벼슬하지 않았을 때에는 충분하게 여유를 갖고 덕을 함양하여 벼슬을 바라는 마음이 없었다. 그러므로 그 닦은 학문이 반드시 성취함에 이르렀다. 후세의 사람들은 어린 시절부터 아버지와 형이 가르쳐준 것을 따르면서 어른들과 더불어 당시 습속에서 숭상하는 것을 추구하니, 권세와 이익에 급급하지 않음이 없다. 선한 마음이 어떻게 상실되지 않겠는가?"

[43-2-31]

"學而爲名, 內不足也."[116]

(정자가 말했다.) "학문을 닦으면서 명예를 목표로 하면 내면이 충족되지 않는다."

[43-2-32]

"根本須是先培壅, 然後可立趨向也. 趨向旣正, 一作立 所造有淺深, 則由勉與不勉也."

(정자가 말했다.) "근본을 먼저 공고히 해야 하니, 그런 뒤에야 나아갈 방향을 정립할 수 있다. 나아갈 방향이 이미 올바른데도 어떤 본은 '정립되었는데도'로 되어 있다. 나아간 곳에 얕고 깊음의 차이가 있다면 힘을 썼는가의 여부에서 비롯된 것이다."

[43-2-33]

"守之必嚴, 執之必定. 少怠而縱之, 則存者亡矣."[117]

114 『二程粹言』 권상 「論學篇」
115 『二程粹言』 권상 「論學篇」
116 『二程粹言』 권상 「論學篇」
117 『二程粹言』 권하 「心性篇」, 『河南程氏外書』 권1에 "(『詩經』 「衛」의) '垂帶悸兮'는 惠公이 조정에 임하여 가

(정자가 말했다.) "(마음을) 지킬 때에는 반드시 엄격하고, 다잡을 때에는 반드시 안정되어야 한다. 조금이라도 태만하여 제멋대로 하면 보존된 것이 없어진다."

[43-2-34]

"君子之學, 要其所歸而已矣."[118]

(정자가 말했다.) "군자의 학문은 그 귀의할 곳을 추구할 뿐이다."

[43-2-35]

"有志於道, 而學不加進者, 是無勇也."[119]

(정자가 말했다.) "도에 뜻을 두었는데도 학문이 더 진전되지 않는 사람이 있으니, 이것은 용기가 없기 때문이다."

[43-2-36]

"博奕, 小技也, 不專心致志, 猶不可得, 況學聖人之道! 悠悠焉何能自得也? 孔子曰 : '吾嘗終日不食, 終夜不寢, 以思, 無益. 不如學也.' 又曰, '朝聞道, 夕死可矣.' 夫聖人何所爲而迫切至於如是其極哉? 善學者當求其所以然之故, 不當誦其文過目而 已也. '學如不及, 猶恐失之.' 苟曰姑俟來日, 斯自棄也."[120]

승이 두근거려 마음이 안정되지 않은 것이다.(臨朝悸悸然執心不定.)"라는 표현이 보인다. 또한 呂喬年이 呂祖謙의 말을 수록한 『麗澤論說集錄』에는 "善學者之於心, 治其亂, 收其放, 明其蔽, 安其危. 守之必嚴, 執之必定, 少怠而縱之, 則存者亡矣."라는 표현이 보인다.

118 『河南程氏遺書』 권25. 이와 관련하여 『二程粹言』 권상 「論學篇」에 다음과 같은 글이 실려 있다. "요즈음 배우는 사람들은 세 가지 폐단이 있으니, 문장에 빠지고 훈고에 이끌리며 이단에 유혹된다. 만일 이 세 가지가 없다면 장차 어디에 귀의할 것인가? 반드시 성인의 도에 나아가야 할 것이다.(今之學者有三弊, 溺於文章, 牽於訓詁, 惑於異端. 苟無是三者, 則將安歸? 必趨於聖人之道矣.)"(본서 [43-1-47] 참조)

119 『二程粹言』 권상 「論學篇」

120 『二程粹言』 권상 「論學篇」. 『河南程氏遺書』 권18에는 다음과 같이 되어 있다. "장기와 바둑은 하찮은 기술이지만 마음을 기울이고 뜻을 다하지 않으면 터득할 수가 없는데, 하물며 도를 배우면서 빈둥댄다면 어찌 터득할 수 있겠는가? 공자는 '내가 일찍이 종일토록 식사도 하지 않고 밤새도록 잠도 자지 않으면서 사유만 해보았더니, 아무런 유익함도 없었다. 학문을 닦는 것만 못하다.'라고 하였고, 또 '아침에 도를 들으면 저녁에 죽어도 좋다.'라고 하였다. 성인이 무슨 일을 가지고 이와 같이 죽을 지경에 이르도록 절박했는지 모르겠다. 그러나 글 뜻이 이해하기 어렵지 않으니, 이와 같은 까닭이 무엇 때문인지 탐구해야 비로소 된다. 성인은 본래 태어나면서부터 아는 사람인데도 이와 같이 말한 것은 사람들을 가르치기 위한 것이다. 미치지 못할 듯이 학문을 닦으면서도 그마저 잃지 않을까 염려해야 된다. 잠시라도 내일 하려고 한다고 말하면 안 된다.(博弈, 小數, 不專心致志, 猶不可得, 況學道而悠悠, 安可得也? 仲尼言, '吾嘗終日不食, 終夜不寢, 以思, 無益. 不如學也.' 又曰, '朝聞道, 夕死可矣.' 不知聖人有甚事來, 迫切了底死地如此. 文意不難會, 須是求其所以如此何故, 始得. 聖人固是生知, 猶如此說, 所以敎人也. 學如不及, 猶恐失之. 纔說姑待來日, 便不可也.)"

(정자가 말했다.) "장기와 바둑은 하찮은 재주인데도 마음을 기울이고 뜻을 다하지 않으면 터득할 수가 없는데 하물며 성인聖人의 도를 배우는데도 빈둥거리며 어떻게 스스로 터득할 수 있겠는가? 공자가 말했다. '내가 일찍이 종일토록 식사도 하지 않고 밤새도록 잠도 자지 않으면서 사유만 해보았더니, 아무런 유익함도 없었다. 학문을 닦는 것만 못하다.'[121] 또 말했다. '아침에 도를 들으면 저녁에 죽어도 좋다.'[122] 성인이 무엇 때문에 절박함이 이처럼 그 한계에 이르렀겠는가? 학문을 잘 닦는 사람은 마땅히 그 존재 근거를 탐구해야 그 글을 소리 내어 읽으며 눈으로만 보아서는 안 된다. '미치지 못할 듯이 학문을 닦으면서도 그마저 잃지 않을까 염려해야 한다.'[123] 만일 잠시라도 내일 하려 한다고 말하면 이는 스스로를 버리는 것이다."

[43-2-37]
"無好學之志, 則雖聖人復出, 亦無益矣."[124]

(정자가 말했다.) "학문을 좋아하는 의지가 없으면 비록 성인이 다시 나와도 아무런 유익함이 없을 것이다."

[43-2-38]
"不知性善, 不可以言學. 知性之善, 而以忠信爲本, 是曰, '先立乎其大者也.'"[125]

(정자가 말했다.) "성性이 선하다는 것을 모르면 학문을 말할 수 없다. 성이 선하다는 것을 알고 충忠과 신信을 근본으로 삼아야 하니, 이것을 '그 큰 것을 앞서 정립한다.'[126]라고 한다."

[43-2-39]
問 : "人有日記萬言, 或妙絶技藝者, 是可學乎?"

曰 : "不可. 才可勉而少進, 鈍者不可使利也. 惟積學明理旣久而氣質變焉, 則暗者必 明, 弱者 必立矣."[127]

· · · · · · · · · · · · · · · · · · · ·
121 '내가 일찍이 … 못하다.' : 『論語』「衛靈公」
122 '아침에 도를 … 좋다.' : 『論語』「里仁」
123 '미치지 못할 … 한다.' : 『論語』「泰伯」
124 『河南程氏遺書』 권25 ; 『二程粹言』 권상 「論學篇」
125 『二程粹言』 권하 「心性篇」, 『河南程氏外書』 3권 및 『論孟精義』 「孟子正義」 권11에는 程顥의 말로 기록되어 있다.
126 '그 큰 … 정립한다.' : 『孟子』 「告子上」에서 "먼저 그 큰 것을 정립하면 작은 것이 빼앗을 수 없다.(先立乎其 大者, 則其小者弗能奪也.)"라고 하였다.
127 『二程粹言』 권상 「論學篇」, 『河南程氏遺書』 권18에는 다음과 같이 되어 있다. "물었다. '매일 수많은 말을 암송하거나 기예를 절묘하게 부리는 사람이 있다면 이것을 배워도 되겠습니까?' 대답했다. '안 된다. 대체로 받은 재주는 더 힘쓰기 어렵고 그저 조금 진전할 뿐이니 둔한 사람은 잘하게 할 수 없다. 오직 이치만은 진전할 수 있다. 오직 학문을 축적하는 일을 오래토록 하고나서 기질을 변화시킬 수 있어야만 어리석음이

물었다. "날마다 수많은 말을 기억하거나 기예를 절묘하게 부리는 사람이 있다면, 이것을 배워도 되겠습니까?"

대답했다. "안 된다. 재주는 열심히 해도 조금 진전할 수 있을 뿐이니, 둔한 사람은 잘하게 할 수 없다. 오직 학문을 축적하고 이치를 밝히는 일을 오래토록 하고나서 기질이 변화하면, 어두운 것은 반드시 밝아지고 약한 것은 반드시 세워진다."

[43-2-40]

"質之美者, 一明卽盡, 濁滓渾化, 斯與天地同體矣. 莊敬持養, 抑其次也. 及其至則一也."[128]

. . . .

반드시 밝아지고, 유약한 것이 반드시 막강해 진다. 대현 이하의 사람들이 재주를 따지지, 대현 이상의 사람은 더 이상 재주를 따지지 않는다. 성인은 천지와 더불어 덕이 부합하고 일월과 더불어 밝음이 부합한다. 육척의 몸으로 기예가 얼마나 있을 수 있겠는가? 사람은 몸이 있으니 재주를 써야겠지만 성인은 자신의 몸을 잊고 더 이상 재주를 따지지 않는다.'(問, '人日誦萬言, 或妙絶技藝, 此可學否? 曰, '不可. 大凡所受之才, 難加勉强, 止可少進, 而鈍者不可使利也. 惟理可進. 除是積學旣久, 能變得氣質, 則愚必明, 柔必强. 蓋大賢以下卽論才, 大賢以上更不論才. 聖人與天地合德, 日月合明. 六尺之軀, 能有多少技藝? 人有身, 須用才, 聖人忘己, 更不論才也.')

128 『二程粹言』권하「心性篇」.『河南程氏遺書』, 권11(程顥의 어록)에는 다음과 같이 되어있다. "기질이 아름다운 사람은 모두 다 밝혀 찌꺼기가 완전히 변화되어 천지와 똑같은 몸이 된다. 그 다음은 엄숙과 공경을 지키고 기르는 것이다. 그 지극함에 이르면 똑같다.(質美者, 明得盡, 査滓便渾化, 却與天地同體. 其次惟莊敬持養. 及其至則一也.)" 朱熹는『朱子語類』권45, 13조목에서, 이 구절에 대해 다음과 같이 풀이하고 있다. "또 물었다. '기질이 아름다운 사람은 모두 다 밝혀 찌꺼기가 완전히 변화되어 천지와 똑같은 몸이 된다.라는 것은 무슨 뜻입니까? 대답했다. '속속들이 다 밝혀서 찌꺼기가 저절로 완전히 변화된다는 것이다.' 또 물었다. '찌꺼기가 무엇입니까? 대답했다. '찌꺼기는 사사로운 뜻과 인욕이다. 천지와 같은 몸이라는 곳은 예컨대 의리의 가장 순수한 부분이라는 곳과 같다. 찌꺼기는 사사로운 뜻과 인욕이 아직 사라지지 않은 것이다. 사람은 천지와 본래 한 몸이지만 다만 찌꺼기가 아직 제거되지 않았기 때문에 간격이 있다. 만약 찌꺼기가 없다면 천지와 똑같은 몸이 된다. 「자기의 사욕을 이기고 예로 돌아감이 인을 행하는 것이다.」(『論語』「顔淵」)에서 「자기의 사욕」은 찌꺼기이고 「예로 돌아감」은 천지와 똑같은 몸이라는 곳이다. 「선하지 못함이 있으면 알지 못한 적이 없다」(『周易』「繫辭下」)에서 「선하지 못함」이라는 곳이 찌꺼기이다. 안자는 「3개월 동안 인은 떠나지 않았다」(『論語』「雍也」)에서는 이미 기한을 두고 있으니 이 기한 외에는 알 수 없다. 예컨대 증자가 「남을 위하여 도모함에 충성스럽지 못하였는가? 친구와 사귐에 신의를 다하지 못하였는가? 스승에게 전수받은 것을 복습하지 못하였는가?」(『論語』「學而」)라고 한 것은 증자의 찌꺼기인 곳이다. 칠조개가 「나는 벼슬하는 것에 아직 자신할 수 없습니다.」(『論語』「公冶長」)라고 말한 것은 모두 조금의 찌꺼기가 있는 곳이다. 오직 기질이 아름다운 사람만이 또한 속속들이 통찰하여 저 찌꺼기인 곳을 모조리 다 변화시킨다. 만약 여기에 이르지 못한다면 마땅히 엄숙과 공경으로 지키고 길러서 (찌꺼기를) 점차 연마하여 없어지도록 해야 한다.'(又問, '質美者明得盡, 渣滓便渾化, 與天地同體, 是如何? 曰, '明得透徹, 渣滓自然渾化.' 又問, '渣滓是甚麽? 曰, '渣滓是私意人欲. 天地同體處, 如義理之精英. 渣滓是私意人欲之未消者. 人與天地本一體, 只緣渣滓未去, 所 以有間隔. 若無渣滓, 便與天地同體. 「克己復禮爲仁」, 己是渣滓, 復禮便是天地同體處. 「有不善, 未嘗不知」, 不善 處是渣滓. 顔子「三月不違仁」, 旣有限, 此外便未可知. 如曾子「爲人謀而不忠, 與朋友交而不信, 傳而不習」, 是曾子渣滓處. 漆雕開言「吾斯之未能信」, 皆是有些渣滓處. 只是質美者, 也見得透徹, 那渣滓處都盡化了. 若未到此, 須當 莊敬持養, 旋旋磨擦去敎盡.')"

(정자가 말했다.) "기질이 아름다운 사람은 한번 밝히면 속속들이 다 밝혀 (기질의) 찌꺼기가 완전히 변화되니, 이에 천지와 똑같은 몸이 된다. 엄숙과 공경으로 지키고 기르는 것은 그 다음이다. 그 지극함에 이르면 똑같다."

[43-2-41]

"氣質沈靜, 於受學爲易."[129]

(정자가 말했다.) "기질이 침착하고 조용하면 학문을 배우기 쉽다."

[43-2-42]

"意必固我旣亡之後, 必有事焉. 此學者所宜盡心也. 夜氣之所存者, 良知也, 良能也. 苟擴而充之, 化旦晝之所害, 爲夜氣之所存, 然後可以至於聖人."[130]

(정자가 말했다.) "'사사로운 뜻·기필하는 마음·고집하는 마음·이기심'[131]이 없어지고 나면 '반드시 종사할 일을 두어야 한다.'[132] 이것이 배우는 사람이 마땅히 마음을 다해야 하는 것이다. 야기夜氣[133]가 보존하는 것이 양지이고 양능이다.[134] 진실로 확충하되 낮에 해치는 것을 변화시켜 야기가 보존하는 것으로 삼아야 하니 그런 뒤에야 성인에 이를 수 있다."

. . . .

129 『二程粹言』 권하 「心性篇」. 『河南程氏外書』 권1에는 "성품이 조용한 사람은 학문을 닦을 수 있다.(性靜者可以爲學.)"라는 程顥의 말이 실려 있다.

130 『河南程氏遺書』 권25. 『二程粹言』 권하 「心性篇」에는 다음과 같이 되어 있다. "야기가 보존하는 것이 양지이고 양능이다. 진실로 확충하여 낮에 옥죄는 것을 변화시켜 야기가 보존하는 것으로 삼아야 하니, 그런 다음에야 성인에 이르게 된다.(夜氣之所存者, 良知也, 良能也. 苟擴而充之, 化旦晝之所梏, 爲夜氣之所存, 然後有以至於聖人也.)"

131 '사사로운 뜻·기필하는 마음·고집하는 마음·이기심': 『論語』 「子罕」에서 "공자는 네 가지가 없었으니, 사사로운 뜻이 없고, 기필하는 것이 없으며, 고집이 없고, 이기심이 없었다.(子絶四, 毋意, 毋必, 毋固, 毋我.)"라고 하였다.

132 '반드시 종사할 … 한다.': 『孟子』 「公孫丑上」에 "반드시 종사할 일을 두되 효과를 미리 기대하지도 말고 잊지도 말며 조장하지도 말아야 한다.(必有事焉而勿正, 心勿忘, 勿助長也.)"라고 하였다.

133 夜氣: 『孟子』 「告子上」에 "사람에게 보존된 것이라고 해서 왜 인의의 마음이 없겠는가? 그 양심을 잃어버리게 된 것은 또한 도끼와 자귀가 나무를 아침마다 베어가는 것과 같으니, 아름다울 수 있겠는가? 매일 밤마다 자라남과 아침의 맑은 기운에도 그 호오의 본성은 남들과 서로 흡사한 것이 얼마 되지 않는데 낮의 소행이 그마저 옥죄고 없앤다. 옥죔이 반복되면 야기가 보존될 수 없고 야기가 보존될 수 없으면, 짐승과의 거리가 멀지 않다. 사람들은 그 짐승 같은 소행만 보고 훌륭한 재질이 있은 적이 없다고 여기니, 이것이 어떻게 사람의 본래 모습이겠는가?(雖存乎人者, 豈無仁義之心哉? 其所以放其良心者, 亦猶斧斤之於木也, 旦旦而伐之, 可以爲美乎? 其日夜之所息, 平旦之氣, 其好惡與人相近也者幾希, 則其旦晝之所爲, 有梏亡之矣. 梏之反覆, 則其夜氣不足以存, 夜氣不足以存, 則其違禽獸不遠矣. 人見其禽獸也, 而以爲未嘗有才焉者, 是豈人之情也哉?)"라고 하였다.

134 양지이고 양능이다.: 『孟子』 「盡心上」에 "사람들이 배우지 않고도 능한 것은 양능이고 생각하지 않아도 아는 것은 양지이다.(人之所不學而能者, 其良能也, 所不慮而知者, 其良知也.)"라고 하였다.

[43-2-43]

"學禮義, 考制度, 必求聖人之意. 得其意, 則可以沿革矣."135

(정자가 말했다.) "예법과 도의를 배우고 제도를 상고할 때에는 반드시 성인의 뜻을 탐구해야 한다. 그 뜻을 알면 전례를 따르거나 변혁할 수 있다."

[43-2-44]

"人之於學, 避其所難, 而姑爲其易者, 斯自棄也已. 夫學者必志於大道, 以聖人自期, 而猶有不至者焉."136

(정자가 말했다.) "사람이 학문을 닦을 때 어려운 것을 피하고 잠시라도 그 쉬운 것을 하는 것은 스스로를 버리는 것일 뿐이다. 배우는 사람이 반드시 큰 도에 뜻을 두어 성인이 되기를 스스로 기약하더라도 이르지 못하는 경우가 있다."

[43-2-45]

"人皆可以爲聖人, 而君子之學, 必至於聖人而後已. 不至於聖人而已者, 皆自棄也. 孝其所當孝, 悌其所當悌, 自是而推之, 是亦聖人而已矣."137

(정자가 말했다.) "사람은 모두 성인이 될 수 있으니, 군자의 학문은 반드시 성인에 이른 다음에야 그친다. 성인에 이르지 못했는데도 그만두는 사람은 모두 스스로를 버리는 것이다. 마땅히 효도해야 할 일에 효도하고 마땅히 공손해야 할 일에 공손하여 이로부터 미루어 간다면, 이 또한 성인일 뿐이다."

[43-2-46]

"學者不學聖人則已, 欲學之, 須是熟玩聖人氣象, 不可止於名上理會. 如是, 只是講論文字."138

(정자가 말했다.) "배우는 사람이 성인을 배우지 않는다면 그만이지만, 배우고자 한다면 성인의 기상을 충분히 완미해야 하니, 명칭만 이해하는데 그쳐서는 안 된다. 이와 같이 한다면 그저 문자만을 연구하고 논의할 뿐이다."

[43-2-47]

"今之學者有三弊, 溺於文辭, 牽於詁訓, 惑於異端. 苟無是三者, 則必求歸於聖人之道矣."139

---

135 『二程粹言』 권상 「論學篇」
136 『二程粹言』 권상 「論學篇」
137 『河南程氏遺書』 권25
138 『河南程氏遺書』 권15
139 『河南程氏遺書』 권25에는 다음과 같이 되어 있다. "今之學者有三弊, 一溺於文章, 二牽於訓詁, 三惑於異端. 苟無此三者, 則將何歸? 必趨於道矣." 또한 『二程粹言』 권상 「論學篇」에는 다음과 같이 되어 있다. "今之學者有三弊, 溺於文章, 牽於訓詁, 惑於異端. 苟無是三者, 則將安歸? 必趨於聖人之道矣."

(정자가 말했다.) "지금의 배우는 사람은 세 가지의 폐단이 있으니, 문장文章에 빠지고 훈고訓詁에 끌리며 이단異端에 유혹되는 것이다. 진실로 이 세 가지가 없다면 반드시 성인聖人의 도道에 귀의할 것을 추구해야 한다."

[43-2-48]

"人之學當以大人爲標準. 然上面更有'化'爾. 人當學顏子之學."[140] 一作事

(정자가 말했다.) "사람의 학문은 마땅히 대인을 표준으로 삼아야 한다. 그러나 그 위에 다시 화化의 단계[141]가 있다. 사람은 마땅히 안자顏子[顏回][142]의 학문을 배워야 한다." 어떤 본은 '(안자가) 종사한 것'으로 되어 있다.

[43-2-49]

"君子之學貴乎一. 一則明, 明則有功."[143]

(정자가 말했다.) "군자의 학문은 전일함을 귀중하게 여긴다. 전일하면 밝고, 밝으면 공이 있다."

[43-2-50]

"學要在敬也, 誠也. 中間便一作更有箇仁, 博學而篤志, 切問而近思, 仁在其中矣之意."[144] 敬主事.

(정자가 말했다.) "학문은 요컨대 경과 성에 달려 있다. 중간에 바로 어떤 본은 '다시[更]'로 되어 있다. 인이 있으니, '학문을 널리 하고 뜻을 독실하게 하며 절실히 묻고 가까이 생각하면 인은 그 가운데 있다.'[145]고 할 때의 의미이다." 경은 일을 중심으로 한다.[146]

- - - - - - - - - - - - - - - - - - - -

140 『河南程氏遺書』권12(程顥의 어록)
141 化의 단계 : 『孟子』「盡心下」에 "욕심낼 만함을 善人이라고 하고, 선을 자신의 몸에 소유함을 信人이라고 하고, 선으로 충만함을 美人이라고 하고, 선으로 충만하여 광채가 남을 大人이라고 하고, 커져서 변화함을 聖人이라고 하고, 성스러워 알 수 없는 것을 神人이라고 한다.(可欲之謂善, 有諸己之謂信, 充實之謂美, 充實而有光輝之謂大, 大而化之之謂聖, 聖而不可知之之謂神.)"라고 하였다.
142 顏回(B.C.521~B.C.490) : 字는 子淵이다. 공자가 가장 신임하였던 제자이며, 공자보다 30세 年少이나 공자보다 먼저 죽었다. 학문과 덕이 특히 높아서, 공자도 그를 가리켜 학문을 좋아하는 사람이라고 칭송하였고, 또 가난한 생활을 이겨내고 道를 즐긴 것을 칭찬하였다. 隱君子的인 성격 때문인지 그는 "자기를 극복하고 禮로 돌아가는 것이 곧 仁을 행하는 것이다."라든가, "예가 아니면 보지도 말고, 듣지도 말고, 말하지도 말고, 행동하지도 말아야 한다."는 공자의 가르침을 지킨 사람임에도 불구하고, 莊子와 같은 道家에게서도 높이 평가되었다. 젊어서 죽었기 때문에 著述이나 업적은 남기지 못했으나 『論語』에 「顏淵篇」이 있고, 그 외에 몇몇 서적에도 그를 賢者와 好學者로서 德行이 뛰어난 사람이라고 전하는 구절이 보인다.
143 『河南程氏遺書』권25 ;『二程粹言』권상「論學篇」
144 『河南程氏遺書』권14(程顥의 어록)
145 '학문을 널리 … 있다.':『論語』「子張」
146 경은 일을 … 한다. :『論語』「子路」에 "번지가 인에 대해 물었다. 공자가 대답했다. '거처함에 공손恭하며, 일을 집행함에 敬하며, 남을 대하기를 충성스럽게 함을, 비록 이적의 나라에 가더라도 버려서는 안 된다.'(樊

[43-2-51]

"不思故有惑. 不求故無得, 不問故莫知."¹⁴⁷

(정자가 말했다.) "생각하지 않기 때문에 의혹이 있고, 탐구하지 않기 때문에 터득함이 없으며, 묻지 않기 때문에 아는 게 없다."

[43-2-52]

"學不貴博, 貴於正而已, 正則博. 言不貴文, 貴於當而已, 當則文."¹⁴⁸

(정자가 말했다.) "학문은 박식함을 귀중하게 여기지 않고 올바름을 귀중하게 여길 뿐이니, 올바르면 박식하다. 말은 문식文飾을 귀중하게 여기지 않고 마땅함을 귀중하게 여길 뿐이니, 마땅하면 문식이 난다."

[43-2-53]

"能盡飲食言語之道, 則可以盡去就之道. 能盡去就之道, 則可以盡死生之道. 飲食言語, 去就死生, 小大之勢一也. 故君子之學, 自微而顯, 自小而章."¹⁴⁹

(정자가 말했다.) "음식과 언어의 도리를 다 구현할 수 있으면 거취의 도리를 다 구현할 수 있다. 거취의 도리를 다 구현할 수 있으면 생사의 도리를 다 구현할 수 있다. 음식과 언어, 거취와 생사는 큼과 작음의 형세가 한 가지이다. 그러므로 군자의 학문은 은미한 것에서부터 드러나고, 작은 것에서부터 나타난다."

[43-2-54]

問: "立德進德先後?"

遲問仁. 子曰, '居處恭, 執事敬, 與人忠. 雖之夷狄, 不可棄也.')"라 하였고, 주희는 "공손함은 용모를 중심으로 하고, 경은 일을 중심으로 한다. 공손함은 겉으로 드러나고, 경은 마음속으로 주관하는 것이다.(恭主容, 敬主事. 恭見於外, 敬主乎中.)"라고 주석하였다.

147 『二程粹言』 권상, 「論學篇」. 『河南程氏遺書』 권25에는 다음과 같이 되어 있다. "생각하지 않기 때문에 의혹이 있다. 탐구하지 않기 때문에 터득함이 없다. 묻지 않기 때문에 알지 못한다.(不思故有惑. 不求故無得. 不問故不知.)"

148 『二程粹言』 권상, 「論學篇」에는 다음과 같이 되어 있다. "학문은 박식함을 귀중하게 여기지 않고 올바름을 귀중하게 여길 뿐이니, 올바르면 박식하다. 말은 문식을 귀중하게 여기지 않고 마땅함을 귀중하게 여길 뿐이니, 마땅하면 문식이 난다. 정치는 상세함을 귀중하게 여기지 않고 순리를 귀중하게 여길 뿐이니, 순리대로 하면 상세하다.(學不貴博, 貴於正而已, 正則博. 言不貴文, 貴於當而已, 當則文. 政不貴詳, 貴於順而已, 順則詳.)" 또한 『河南程氏遺書』 권25에는 다음과 같이 되어 있다. "학문은 귀중함을 귀중하게 여기지 않고 올바름을 귀중하게 여길 뿐이다. 말은 많음을 귀중하게 여기지 않고 올바름을 귀중하게 여길 뿐이다. 정치는 상세함을 귀중하게 여기지 않고 순리를 귀중하게 여길 뿐이다.(學不貴博, 貴於正而已矣. 言不貴多, 貴於當而已矣. 政不貴詳, 貴於順而已矣.)"

149 『河南程氏遺書』 권25

曰 : "此有二, 有立而後進, 有進而至於立. 立而後進, 則是卓然定後有所進, 立則是'三十而立', 進則是'吾見其進'也. 有進而至於立, 則進而至於立道處也. 此進是'可與適道'者也, 立是'可與立'者也."¹⁵⁰

물었다. "덕을 정립하는 것과 덕에 정진精進하는 것 중에 선후가 있습니까?"

대답했다. "여기에는 두 가지 경우가 있으니, 정립한 뒤에 정진하는 경우가 있고 정진하여 정립함에 이르는 경우가 있다. 정립한 뒤에 정진하는 것은 높이 정립한 뒤에 정진할 곳을 두는 것이니, 정립함은 30세에 정립하는 것¹⁵¹이고 정진함은 내가 그 정진함을 보는 것¹⁵²이다. 정진하여 정립함에 이르는 경우가 있다는 것은 정진하여 도를 정립할 곳에 이르는 것이다. 이러한 정진함은 더불어 도에 갈 수 있는 것이며 정립함은 더불어 정립할 수 있는 것¹⁵³이다."

[43-2-55]

張子曰 : "在始學者, 得一義須固執, 從粗入精也. 如孝事親, 忠事君, 一種是義. 然其中有多少義理也."¹⁵⁴

장자張子張載가 말했다. "처음 배우는 사람은 하나의 의리를 얻어 반드시 굳게 지키되, 거친 것에서부터 정밀한 것으로 들어가야 한다. 예컨대 효孝는 어버이를 섬기고 충忠은 군주를 섬기는 것으로서 한 종류인 의리이다. 그러나 그 가운데에는 많은 의리가 있다."

[43-2-56]

"聞見之善者, 謂之學則可, 謂之道則不可. 須是自求己能, 尋見義理, 則自有旨趣. 自得之, 則居之安矣."¹⁵⁵

(장자가 말했다.) "듣고 본 것 가운데 선한 것을 '배운 것'이라고 말하는 것은 괜찮지만 '도道'라고 말하는

---

150 『河南程氏遺書』 권1, 『二程粹言』 권상 「論學篇」에는 다음과 같이 되어 있다. "언림재가 물었다. '덕을 정립함과 덕에 나아감에서 무엇을 먼저 해야 합니까?' 程子가 대답했다. '정립하고 나서 더욱 나아가는 경우가 있으니 가장 좋고, 용기를 내어 정립할 곳에 이르는 경우가 있으니 그 다음이다.'(彦霖再問, '立德進德, 當何先?' 子曰, '有旣立而益進者上也, 有勇而至於立者次也.')" 『論孟精義』 「論語正義」 권5상에 朱熹는 程顥의 말로 기록하고 있다.

151 30세에 정립하는 것 : 『論語』 「爲政」에 "공자가 말했다. '나는 15세에 학문에 뜻을 두었고, 30세에 정립하였다. (子曰, '吾十有五而志于學, 三十而立.')"라고 하였다.

152 내가 그 … 것 : 『論語』 「子罕」에 "공자가 안연에 대해 말했다. '애석하다! 나는 그가 나아가는 것을 보았지 그치는 것을 보지 못했다.'(子謂顔淵. 曰, '惜乎! 吾見其進也, 未見其止也.')"라고 하였다.

153 더불어 정립할 … 것 : 『論語』 「子罕」에 "공자가 말했다. '더불어 배울 수는 있어도 함께 도에 나아갈 수는 없으며, 함께 도에 나아갈 수는 있어도 함께 설 수 없으며, 함께 설 수는 있어도 함께 權道를 쓸 수는 없다.' (子曰, '可與共學, 未可與適道 ; 可與適道, 未可與立 ; 可與立, 未可與權.')"라고 하였다.

154 『張子全書』 권7

155 『張子全書』 권6

것은 옳지 않다. 반드시 스스로 자신이 잘 하는 것을 구하여 의리를 찾으면 저절로 지향점을 갖게 된다. 이것을 스스로 얻으면 거처함에 편안하다."

[43-2-57]

"學者只是於義理中求. 譬如農夫, 是穮是蓘, 雖有饑饉, 必有豐年. 蓋求之, 則須有所得.[156] 發源端本處旣不誤, 則義可以自求."[157]

(장자가 말했다.) "배우는 사람은 오직 의리 가운데에서 구할 뿐이다. 비유컨대 농부가 김매고 뿌리를 북돋으면 비록 기근이 있더라도 반드시 풍년이 드는 것과 같다. 그것을 구하면 반드시 소득이 있다. 근원과 근본이 잘못되지 않으면 의리를 스스로 구할 수 있다."

[43-2-58]

"人欲得正己而物正. 大抵道義雖不可緩, 又不欲急迫. 在人固須求之有漸, 於己亦然. 蓋精思潔慮以求大功, 則其心隘. 惟是得心弘放得如天地易簡. 易簡然後能應物皆平正."[158]

(장자가 말했다.) "사람은 자기를 바르게 하고서 남이 바르게 될 수 있도록 해야 한다. 대체로 도의道義는 비록 늦춰서는 안 되지만 또 급박하게 하려고 해서도 안 된다. 남에게도 참으로 반드시 도의를 요구함에 점진적으로 해야 하고, 자기에게도 그러하다. 사고를 정밀하게 하고 사려를 정결하게 하면서 큰 공효功效를 구하면 그 마음이 편협해진다. 그러나 마음을 넓게 하고 내려놓아 마치 천지가 간이簡易한 것처럼 할 수 있어야 한다. 간이하게 한 다음에야 사물에 대응함이 모두 공평하고 바르게 된다."

[43-2-59]

"玩心未熟, 可求之平易, 勿迂也. 若始求太深, 恐自玆愈遠."[159]

(장자가 말했다.) "마음 쓰는 것이 성숙되지 않으면 평이함에서 구할 수 있으니, 먼 길을 에돌지 말아야 한다. 만약 처음에 너무 깊이 구하면, 이로부터 더욱 더 멀어질까 염려된다."

[43-2-60]

"爲學所急, 在於正心求益. 若求之不已, 無有不獲. 惟勉勉不忘爲要耳."[160]

(장자가 말했다.) "학문을 하는 데에 급히 여겨야 할 것은 마음을 바르게 하는 것이 증진되기를 구하는 데에 있다. 만일 구하기를 멈추지 않으면, 얻지 못함이 없을 것이다. 다만 힘쓰고 힘써 잊지 않음이 요점이 될 뿐이다."

. . . .

156 『張子全書』 권7
157 『張子全書』 권6
158 『張子全書』 권7
159 『張子全書』 권6
160 『張子全書』 권14

[43-2-61]

"人若志趣不遠, 心不在焉, 雖學無成. 人惰於進道, 無自得達. 自非成德君子, 必勉勉, 至從心所欲不踰矩, 方可放下. 德薄者終學不成也."[161]

(장자가 말했다.) "사람이 만일 지향하는 바가 원대하지 않다면 마음이 여기에 있지 않으니, 배우더라도 성취가 없을 것이다. 사람이 도에 나아가는 데 게을리 하면 스스로 도달함이 없을 것이다. 덕을 이룬 군자가 아니라면 반드시 힘쓰고 힘써야 하니, 마음이 하고 싶은 것을 따라도 법도를 넘지 않은 경지에 이르러야 비로소 (힘씀을) 내려놓을 수 있다. 덕德이 박약한 사람은 끝내 배움을 이루지 못한다."

[43-2-62]

"學之不勤者, 正猶七年之病, 不蓄三年之艾. 今之於學, 加工數年, 自是享之無窮. 人多是恥於問人. 假使今日問於人, 明日勝於人, 有何不可? 如是則孔子問於老聃, 萇弘, 郯子, 賓牟賈, 有甚不得? 聚天下衆人之善者, 是聖人也. 豈有得其一端, 而便勝於聖人也?"[162]

(장자가 말했다.) "배움에 부지런히 하지 않는 자는 7년 된 병에 3년 묵은 쑥을 비축해 놓지 않는 것과 같다.[163] 지금 배움에 몇 년을 더 공부하면 저절로 끝없이 누리게 된다. 사람들은 대부분 남에게 묻는 것을 부끄러워한다. 가령 오늘 남에게 묻는다 해도 내일 남을 능가하는 데에, 어찌 안 될 것이 있겠는가? 이와 같다면, 공자孔子가 노담老聃, 장홍萇弘,[164] 담자郯子,[165] 빈모가賓牟賈[166]에게 물은들, 어찌 안 될 것이 있겠는가?[167] 천하의 온갖 사람들의 선을 모으는 사람이 성인이다. 어찌 하나의 단면을 얻고서 곧바로 성인을 능가함이 있겠는가?"

---

161 『張子全書』 권6, 권14

161 『張子全書』 권6, 권14

162 『張子全書』 권7

163 배움에 부지런히 … 같다. : 『孟子』 「離婁上」에 "지금 왕노릇 하고자 하는 자는 7년 된 병에 3년 묵은 쑥을 구하는 것과 같으니, (만일 지금 쑥을 뜯어) 저축해 두지 않으면 종신토록 얻지 못할 것이다.(今之欲王者, 猶七年之病求三年之艾也. 苟爲不畜, 終身不得.)"라고 하였다.

164 萇弘(미상~B.C.492): 춘추시대 周나라 景王과 敬王 때 사람으로 大夫를 지냈다. 萇宏으로도 불리며, 자가 叔이라 萇叔으로도 불린다. 孔子가 일찍이 그에게 樂을 배웠다. 경왕 28년 晉나라의 대부 范吉射와 中行寅이 난을 일으켰는데, 함께 일을 도모했다. 진나라 사람이 이 일로 주나라 왕실을 문책하자 蜀 땅에서 주나라 사람들에게 살해되었다. 또는 周靈王 때 사람으로, 천문에 밝았고 귀신에 관한 일을 잘 알았다고 한다. 일설에 따르면 그가 죽은 뒤, 피가 흘러 돌 또는 碧玉으로 변했는데, 시신은 보이지 않았다고 한다.

165 郯子(생몰미상): 춘추시대 郯國의 임금으로서 공자가 그에게 관직명에 대해 가르침을 청했다고 한다.

166 賓牟賈: 춘추 시대 사람으로 楚 나라 藏孫의 후손이다. 『禮記』 「樂記」에 武王의 음악에 대한 공자와의 논의가 소개되어 있다.

167 공자가 老聃 … 있겠는가? : 韓愈의 「師說」에 "孔子師郯子·萇弘·師襄·老聃. 郯子之徒, 其賢不及孔子."라는 구절이 보인다.

[43-2-63]

"義理有疑一作礙, 則濯去舊見以來一作求新意. 心中苟有所開, 卽便劄記. 不思則還塞之矣, 更須得朋友之助. 一日間朋友論著, 則一日間意思差別. 須日日如此講論, 久則自覺進也."[168]

(장자가 말했다.) "의리에 의심이 있다면, 어떤 본에는 '의疑'가 '애礙'로 되어 있다. 옛 견해를 버리고 새로운 뜻을 맞이해야 한다. 어떤 본에는 '내來'가 '구求'로 되어 있다. 심중心中에 떠오르는 것이 있으면, 곧바로 기록해 놓는다. 생각하지 못하면 다시 막히게 되니, 재차 친구의 도움을 얻어야 한다. 하루 동안 친구와 의논하면 하루 동안 생각이 달라진다. 반드시 나날이 이렇게 강론해야 하니, 오래되면 저절로 진전함을 깨달을 것이다."

[43-2-64]

"慕學之始, 猶聞都會紛華盛麗, 未見其美, 而知其有美不疑. 步步進則漸到, 畫則自棄也. 觀書解大義, 非聞也, 必以了悟爲聞. 人之好强者, 以其所知少也. 所知多則不自强滿. 學然後知不足. '有若無, 實若虛,' 此顔子之所以進也."[169]

(장자가 말했다.) "학문을 열망하기 시작할 때는 마치 도회지가 화려하고 번성하다는 소문을 듣기만 하고서 그 아름다움을 보지 못했는데도, 그 아름다움이 있음을 알고 의심하지 않는 것과 같다. 한 걸음 한 걸음 나아가면 도회지에 점차 도달하겠지만, 한계를 그으면 스스로를 버리게 된다. 책에서 대의를 해석한 것을 보는 것은 앎이 아니니, 반드시 이해하여 깨달은 것을 앎이라고 해야 한다. 사람들 중에 억지를 좋아하는 자는 아는 것이 작기 때문이다. 아는 것이 많으면, 저절로 억지로 만족하지 않는다. 배운 다음에야 부족함을 안다. '있어도 없는 듯하고 차있어도 비어 있는 듯한 것'[170]이 안자顔子가 진전하게 된 까닭이다."

[43-2-65]

"變化氣質, 孟子曰, '居移氣, 養移體.' 況居天下之廣居者乎! 居仁由義, 自然心和而體正. 更要約時, 但拂去舊日所爲, 使動作皆中禮, 則氣質自然全好. 『禮』曰, '心廣體胖.' 心旣弘廣, 則自然舒泰而樂也. 若心但能弘廣, 不謹敬則不立. 若但能謹敬, 而心不弘廣, 則入于隘. 須寬而敬. 大抵有諸中者必形諸外, 故君子心和則氣和, 心正則氣正. 其始也固亦須矜持. 古之爲冠者以重其首, 爲履者以重其足. 至於盤盂几杖爲銘, 皆所以愼戒之."[171]

---

168 『張子全書』 권7

169 『張子全書』 권7

170 '있어도 없는 … 것': 『論語』 「泰伯」에서, "증자가 말했다. '능하면서 능하지 못한 이에게 물으며, 학식이 많으면서 적은 이에게 물으며, 있어도 없는 것처럼 여기고, 가득해도 빈 것처럼 여기며, 자신에게 잘못을 범하여도 따지지 않는 것을, 옛적에 내 벗이 일찍이 이 일에 종사하였었다.'(曾子曰, '以能問於不能, 以多問於寡; 有若無, 實若虛, 犯而不校, 昔者吾友嘗從事於斯矣.')"라고 하였다.

171 『張子全書』 권5

(장자가 말했다.) "기질을 변화시키는 것에 대해, 맹자는 '거처가 기운을 바꿔놓으며, 봉양이 몸을 바꿔놓는다.'[172]라고 하였는데, 하물며 천하의 넓은 거처에 사는 사람은 어떠하겠는가! 인仁에 거처하고 의義를 따라가면, 자연히 마음이 화평하고 몸이 바르게 된다. 다시 요약됨을 구하고자 할 때에는 다만 옛날의 소행을 떨어버리고 움직임이 모두 예에 맞게 하면, 기질이 자연히 온전하고 좋아진다. 『예기』에 '마음이 넓고 몸이 펴진다.'[173]라고 하였다. 마음이 넓어지면 자연히 편안해져 즐겁게 된다. 만약 마음이 그저 넓기만 할 뿐, 삼가지 않으면 서지 못한다. 만약 그저 삼가기만 할 뿐, 마음이 넓지 않으면 협소함에 빠지게 된다. 반드시 넓고도 삼가야 한다. 대체로 심중에 있는 것은 반드시 밖으로 드러나므로, 군자는 마음이 화평하면 기가 온화해지며, 마음이 바르면 기가 바르게 된다. 그 처음에는 참으로 또한 신중해야 한다. 옛날 관을 썼던 것은 머리를 중시했기 때문이며, 신발을 신었던 것은 발을 중시했기 때문이다. 세숫대야·그릇·안석·지팡이에 글자를 새긴 경우에도 모두 삼가고 경계한 까닭이다."

[43-2-66]

"人之氣質美惡, 與貴賤夭壽之理, 皆是所受定分. 如氣質惡者, 學卽能移. 今人所以多爲氣所使, 而不得爲賢者, 蓋爲不知學."[174]

(장자가 말했다.) "사람의 기질이 아름답거나 추악하며, 귀하거나 천하며, 일찍 죽거나 장수하는 이치는 모두 받은 바의 정해진 분수分數이다. 그러나 예컨대 기질이 추악한 사람이라도 배우면 바로 변화시킬 수 있다. 지금 사람들이 대부분 기질에 부림을 당하여 현명하게 되지 못하는 까닭은 배울 줄 모르기 때문이다."

[43-2-67]

"爲學大益, 在自能變化氣質. 不爾卒無所發明, 不得見聖人之奧. 故學者先須變化氣質. 變化氣質, 與虛心相表裏. 大中, 天地之道也. 得大中, 陰陽鬼神莫不盡之矣."[175]

(장자가 말했다.) "학문을 하는 커다란 유익함은 스스로 기질을 변화시킬 수 있다는 데에 있다. 그렇게 하지 않으면 마침내 밝혀낸 것이 없으니, 성인의 심오함을 보지 못한다. 그러므로 배우는 사람은 먼저 기질을 변화시켜야 한다. 기질을 변화시키는 것은 마음을 비우는 것과 서로 겉과 속이 된다. 대중大中[176]은 천지의 도이다. 대중大中을 얻으면 음양과 귀신을 다하지 않음이 없다."

---

172 '거처가 기운을 … 바꿔놓는다.': 『孟子』「盡心上」
173 '마음이 넓고 … 살찐다.': 『禮記』「大學」
174 『張子全書』 권5
175 『張子全書』 권6
176 大中: 『周易』「大有·象傳」에 "대유는 부드러운 것이 높은 위치를 얻고 크게 가운데가 되어 위와 아래가 응하므로 대유라고 한다. 그 덕이 굳세어 문화가 밝아지고 하늘에 응하여 때에 맞게 행하기 때문에 크게 형통해진다.(大有, 柔得尊位大中, 而上下應之, 曰大有. 其德剛健而文明, 應乎天而時行, 是以元亨.)"라고 하였다.

[43-2-68]

"天資美, 不足爲功. 惟矯惡爲善, 矯惰爲勤, 方是爲功. 人必不能便無是心. 須是思慮, 但使常游心於義理之間. 立本處以易簡爲是, 接物處以時中爲是. 易簡而天下之理得, 時中則要博學素備."[177]

(장자가 말했다.) "타고난 자품資稟이 아름다운 것으로는 공功을 이루기에 부족하다. 오직 악을 교정하여 선으로 만들고 나태함을 교정하여 근면함이 되도록 해야 비로소 공을 이룰 수 있다. 사람은 반드시 이러한 마음이 없을 수 없다. 반드시 염두에 두되 다만 항상 마음을 의리의 사이에서 노닐게 해야 한다. 근본을 세우는 것은 간이簡易한 것이 옳고, 사물과 접하는 것은 시중時中하는 것이 옳다. 간이하여 천하의 이치를 얻고, 시중은 널리 배워 평소에 예비하도록 해야 한다."

[43-2-69]

"有志於學者, 都更不論氣之美惡, 只看志如何. 匹夫不可奪志也, 惟患學者不能堅勇."[178]

(장자가 말했다.) "배움에 뜻을 둔 사람은 모두 더 이상 기질의 아름다움과 추악함을 따지지 않고 그저 뜻이 어떠한지를 볼 뿐이다. 필부匹夫에게서도 뜻을 빼앗을 수 없으니,[179] 다만 배우는 사람이 굳건하고 용감하지 못함을 근심할 뿐이다."

[43-2-70]

"多求新意, 以開昏蒙. 吾學不振, 非強有力者不能自奮. 惟信篤持謹, 何患不至?"[180]

(장자가 말했다.) "새로운 뜻을 많이 구하여 몽매함을 깨우쳐야 한다. 나의 학문이 진작되지 않을 때, 굳건하여 힘이 있는 자가 아니면 스스로 분발할 수 없다. 오직 독실하고 삼간다면 어찌 이르지 못함을 근심하겠는가?"

[43-2-71]

"書多閱而好忘者, 只爲理未精耳. 理精則須記了無去處也. 仲尼一以貫之, 蓋只著一義理都貫却. 學者但養心識明靜, 自然可見."[181]

(장자가 말했다.) "책을 많이 읽으면서도 잘 잊는 것은 다만 조리에 정밀하지 못하기 때문이다. 조리에 정밀하면 틀림없이 기억되어 잊는 것이 없다. 공자孔子의 일이관지一以貫之[182]는 그저 하나의 의리를 가

---

177 『張子全書』권6
178 『張子全書』권12
179 匹夫에게서도 뜻을 … 없으니: 『論語』「子罕」에 "三軍의 장수를 뺏을 수는 있지만, 필부는 뜻은 빼앗을 수가 없다.(三軍可奪帥, 匹夫不可奪志也.)"라고 하였다.
180 『張子全書』권12
181 『張子全書』권6
182 孔子의 一以貫之: 『論語』「里仁」

지고 모두 관통한 것이다. 배우는 사람들이 다만 마음을 기르고 식견이 분명하여 고요하게 되면 자연히 알 수 있을 것이다."

[43-2-72]

"下學而上達者兩得之, 人謀又得, 天道又盡. 任私意以求是, 未必是. 虛心以求是, 方爲是. 夫道, 仁與不仁, 是與不是而已."[183]

(장자가 말했다.) "하학下學하고서 상달上達하는[184] 사람은 두 가지를 터득하니, 사람의 지혜도 얻고, 천도天道도 다하게 된다. 사의私意에 내맡긴 채 옳음을 구하면 반드시 옳지는 않을 것이다. 마음을 비우고서 옳음을 구해야 비로소 옳게 된다. 도道는 인仁과 불인不仁,[185] 옳음[是]과 옳지 않음[不是]일 뿐이다."

[43-2-73]

"旣學而先有以功業爲意者, 於學便相害. 旣有意, 必穿鑿創意作起事也. 德未成而先以功業爲事, 是代大匠斲, 希不傷手也."[186]

(장자가 말했다.) "배우면서 먼저 공업功業(공적)에 마음을 두는 것은 배움과 서로 해가 된다. 공업功業에 뜻이 있게 되면 반드시 천착하고 새로 의견을 생각해내어 사단을 일으킨다. 덕이 이루어지기도 전에 먼저 공업을 일삼으면 이는 '대목수를 대신하여 깎는 것이니, 손을 다치지 않는 경우가 드물 것이다.'"[187]

[43-2-74]

"學者大不宜志小氣輕. 志小則易足, 易足則無由進. 氣輕則虛而爲盈, 約而爲泰, 亡而爲有, 以未知爲已知, 未學爲已學. 人之有恥於就問, 便謂我勝於人, 只是病在不知求是爲心. 故學者當毋我."[188]

(장자가 말했다.) "배우는 사람은 뜻이 작고 기질이 가벼워서는 절대로 안 된다. 뜻이 작으면 만족하기 쉽고, 만족하기 쉬우면 나아갈 길이 없다. 기질이 가벼우면, 비어 있으면서도 차 있다고 하고, 적으면서도 많다고 하고, 없으면서도 있다고 하며, 알지 못하는 것을 알았다고 하고, 배우지 않은 것을 배웠다고 하게 된다. 사람이 묻는 것에 부끄러움이 있는 것은 내가 남보다 낫다고 생각하는 것이니, 단지 이러한

183 『張子全書』 권6
184 下學하고서 上達하는 : 『論語』 「憲問」에 "공자가 말했다. '하늘을 원망하지 않고, 사람을 탓하지 않으며, 아래로부터 배워서 위로 통달하니, 나를 알아주는 이는 하늘일 것이로다!'(子曰, '不怨天, 不尤人, 下學而上達, 知我者其天乎!')"라고 하였다.
185 道는 仁과 不仁 : 『孟子』 「離婁上」에 "공자가 말했다. '道는 仁하거나 不仁한 것, 둘 중 하나일 뿐이다.(孔子曰, '道二, 仁與不仁而已矣.')"라고 하였다.
186 『張子全書』 권6
187 '대목수를 대신하여 … 것이다.' : 『老子』 74장
188 『張子全書』 권7

문제는 옳음을 구하는 것으로 마음을 삼을 줄 모르는 데에 있다. 그러므로 배우는 사람은 마땅히 이기심이 없어야 한다."[189]

[43-2-75]

"明善爲本, 固執之乃立. 擴充之則大, 易視之則小, 在人能弘之而已."[190]

(장자가 말했다.) "선善을 밝힘이 근본이 되니, 이것을 굳게 잡아 지켜야 마침내 확립된다. 확충하면 커지고 하찮게 보면 작아지니, 사람이 이것을 크게 할 수 있느냐에 달려 있을 뿐이다."

[43-2-76]

"富貴之得不得, 天也, 至于道德則在己, 求之而無不得者也."[191]

(장자가 말했다.) "부귀를 얻고 얻지 못함은 하늘에 달려 있으나 도덕의 경우에는 나에게 달려 있으니, 구하면 얻지 못함이 없다."

[43-2-77]

上蔡謝氏曰 : "學須是熟講. 學不講, 用盡工夫只是舊時人. 學之不講, 是吾憂也. 仁亦在夫熟而已."[192]

상채 사씨上蔡謝氏[謝良佐][193]가 말했다. "배움은 반드시 충분히 익혀야 한다. 배움이 무르익지 않으면 노력을 다 하더라도 그저 예전 그대로의 사람일 뿐이다. 배움이 무르익지 않은 것이 나의 근심이다. 인仁 또한 익힘에 달려 있을 뿐이다."

[43-2-78]

"今之學, 須是如飢之須食, 寒之須衣始得. 若只欲彼善於此則不得."[194]

(상채 사씨가 말했다.) "오늘날의 배움은 반드시 배고플 때 밥을 구하듯, 추위에 옷을 구하듯이 해야 비로소 된다. 만일 그저 저것(나중)이 이것(지금)보다 좋게 되기를 원하는 정도로 해서는 안 된다."

. . . .

189 이기심이 없어야 한다. : 『論語』「子罕」에서 "공자는 네 가지가 없었으니, 사사로운 뜻이 없고, 기필하는 것이 없으며, 고집이 없고, 이기심이 없었다.(子絶四, 毋意, 毋必, 毋固, 毋我.)"라고 하였다.

190 『張子全書』 권14

191 『張子全書』 권6

192 『上蔡語錄』 권2

193 謝良佐(1050~1103) : 자는 顯道이고, 시호는 文肅이며, 上蔡先生이라고 불리었다. 游酢・呂大臨・楊時와 함께 '程門四先生'이라 일컫고 상채학파의 시조가 되었다. 처음에 정호에게 배우다가 정호가 죽자 정이에게 배웠다. 송대 上蔡(현재 하남성) 사람으로 知應城縣・京師에 이르렀다. 저서는 『論語解』・『上蔡語錄』 등이 있다.

194 『上蔡語錄』 권2

[43-2-79]

"人須先立志. 立志則有根本. 譬如樹木, 須先有箇根本, 然後培養能成合抱之木. 若無根本, 又培養箇甚?"[195]

(상채 사씨가 말했다.) "사람은 반드시 뜻을 먼저 세워야 한다. 뜻을 세우면 뿌리가 있게 된다. 비유컨대 나무는 반드시 먼저 뿌리가 있고 나서야 길러서 아름드리나무를 이룰 수 있다. 만일 근본이 없다면 또 무엇을 기르겠는가?"

[43-2-80]

"顏子工夫眞百世軌範. 舍此應無入路, 無住宅."[196]

(상채 사씨가 말했다.) "안자顏子[顏淵]의 공부는 참으로 영원한 본보기이다. 이것을 버리면 마땅히 진입할 길이 없고 머무를 집이 없게 된다."

[43-2-81]

龜山楊氏曰: "今之學者, 只爲不知爲學之方, 又不知學成要何用. 此事體大, 須是曾著力來, 方知不易. 夫學者, 學聖賢之所爲也. 欲爲聖賢之所爲, 須是聞聖賢所得之道. 若只要博通古今, 爲文章, 作忠信愿愨, 不爲非義之士而已, 則古來如此等人不少. 然以爲聞道則不可.

구산 양씨龜山楊氏[楊時][197]가 말했다. "요즈음 배우는 사람들은 단지 학문을 하는 방법을 모르기 때문에, 나아가 학문을 이룬들 어디에 써야 하는지도 모른다. 이것은 규모가 커서 반드시 힘을 기울여야 비로소 쉽지 않음을 알게 된다. 배움이란 성현聖賢이 행한 것을 배우는 것이다. 성현이 행한 것을 행하려고 한다면, 반드시 성현이 터득한 도를 깨우쳐야 한다. 만일 그저 고금에 널리 통하고 문장을 지으며, 충신忠信하고 성실하며, 의롭지 못한 일은 하지 않는 정도의 선비라면, 예로부터 이와 같은 사람들은 적지 않다. 그러나 도를 깨우쳤다고 해서는 안 된다.

且如東漢之衰, 處士逸人, 與夫名節之士, 有聞當世者多矣. 觀其作處, 責之以古聖賢之道, 則略無毫髮髣髴相似, 何也? 以彼於道初無所聞故也. 今時學者平居則曰, '吾當爲古人之所爲', 纔有一事到手, 便措置不得. 蓋其所學以博通古今, 爲文章, 或志於忠信愿愨, 不爲非義而已,

....

195 『上蔡語錄』 권2
196 『上蔡語錄』 권3
197 楊時(1053~1135): 자는 中立이고 호는 龜山이며 시호는 文靖이다. 북송 將樂(현 복건성 장락현) 사람이다. 관직은 高宗 때 龍圖閣直學士에 이르렀다. 程顥 · 程頤 형제에 師事했는데, 특히 형 정호의 신임을 받았다. 閩學의 창시자이자 정문 4대 제자 가운데 한 사람이다. 그는 오래 살면서 二程(程顥 · 程頤)의 도학을 전하여 洛學(이정의 학파)의 大宗이 되었으며, 그 學系에서는 주희 · 張栻 · 呂祖謙 등 뛰어난 학자가 많이 배출되었다. 저서에 『龜山集』 · 『龜山語錄』 · 『二程粹言』 등이 있다.

而不知須是聞道, 故應如此. 由是觀之, 學而不聞道, 猶不學也."[198]

예컨대 동한東漢이 쇠락할 때 처사處士나 은자隱者, 명절名節의 선비로서 당대에 명망 있는 자들은 많았다. 그러나 그들이 행한 것을 보고서 옛 성현의 도를 요구한다면, 거의 조금도 흡사한 점이 없으니, 왜 그런가? 저들은 도에 대해 애초에 깨우친 것이 없기 때문이다. 요즈음 배우는 사람들은 평소에는 '나는 마땅히 옛 사람들이 행한 것을 행한다.'라고들 하지만, 한 가지 일이 손 안에 들어오면 처리해내지 못한다. 이는 그들이 배운 것이 고금에 널리 통하고 문장을 지으며, 간혹 충신忠信하고 성실하며, 의롭지 못한 일은 하지 않는다는 정도에 뜻을 두었을 뿐, 도를 깨우쳐야 한다는 점을 몰랐기 때문에 응당 이와 같이 된 것이다. 이로부터 본다면 배우고도 도를 깨우치지 못한 것은 배우지 못한 것과 같다."

[43-2-82]

"爲己之學, 正猶飢渴之於飮食, 非有悅乎外也. 以爲弗飮弗食, 則飢渴之病, 必至於致死, 人而不學, 則失其本心, 不足以爲人, 其病蓋無異於飢渴者. 此固學之不可已也. 然古之善學者, 必先知所止, 知所止然後可以漸進. 倀倀然莫知所之, 而欲望聖賢之域, 多見其難矣. 此理宜切求之, 不可忽也."[199]

(구산 양씨가 말했다.) "위기지학爲己之學(자신의 수양을 위한 배움)은 바로 배고프고 목마를 때 먹고 마시는 것과 같으니, 외면적인 데에 기쁨이 있는 것이 아니다. 마시고 먹지 못하면 배고프고 목마름의 병해病害가 반드시 죽음에 이르고, 사람으로서 배우지 않는다면 자신의 본심本心을 잃어버려 사람이 될 수 없으니, 그 병해病害가 아마도 배고픔이나 목마름과 다름이 없을 것이다. 이것이 참으로 배움을 멈출 수 없는 까닭이다. 그러나 옛날에 배우기를 잘 했던 사람은 반드시 먼저 머무를 곳을 알았으니, 머무를 곳을 안 뒤에야 점차 진전할 수 있다. 갈팡질팡하여 가야할 곳을 모른다면, 성현의 영역을 바라보려고 한들 대부분 어려움을 당할 것이다. 이러한 이치는 마땅히 절실히 구해야지 소홀히 해서는 안 된다."

[43-2-83]

"六經之義, 驗之於心而然, 施之於行事而順, 然後爲得. 驗之於心而不然, 施之於行事而不順, 則非所謂經義. 今之治經者, 爲無用之文, 徼幸科第而已, 果何益哉?"[200]

(구산 양씨가 말했다.) "육경六經[201]의 의미는 마음에서 징험하여 그러하다고 생각하며, 일을 행할 때에 적용하여 순조롭게 진행된 다음에야 터득하게 된다. 마음에서 징험했으나 그러하다고 생각하지 않고, 일을 행할 때에 적용하였으나 순조롭게 진행되지 않으면 이른바 경전의 의미가 아니다. 요즈음 경전을 다루는 사람은 쓸데없는 글이나 짓고 요행히 과거 급제만 바랄 뿐인데 과연 어떻게 유익하겠는가?"

- - - - - - - - - - - -
198 『龜山集』 권12
199 『龜山集』 권16
200 『龜山集』 권10
201 六經 : 『易經』, 『書經』, 『詩經』, 『春秋』, 『禮記』, 『樂記』

[43-2-84]

"學者必以孔孟爲師. 學而不求諸孔孟之言亦末矣. 『易』曰, '君子多識前言往行以蓄其德.' 孟子曰, '博學而詳說之, 將以反說約也.' 世之學者, 欲以雕繪組織爲工, 誇多鬪靡, 以資見聞而已. 故擭其華, 不茹其實, 未嘗蓄德而反約也. 彼亦焉用學爲哉?"[202]

(구산 양씨가 말했다.) "배우는 사람은 반드시 공자孔子와 맹자를 스승으로 삼아야 한다. 배움을 공자와 맹자의 말씀에게서 구하지 않는 것은 말단이다. 『주역周易』에 '군자君子가 옛 성현聖賢들의 말씀과 지나간 행실을 많이 알아 덕德을 쌓는다.'[203]고 하였다. 맹자는 '널리 배우고 상세히 말함은 장차 돌이켜 요약함을 말하려고 하는 것이다.'[204]고 하였다. 세상의 배우는 사람들은 문장을 아름답게 꾸미고 시 구절을 만드는 것을 공교工巧하다고 여기고, 많음을 과시하고 사치함을 다투어 견문의 밑천으로 삼으려 할 뿐이다. 그러므로 화려함을 추구하고 내용을 추구하지 않으니, 일찍이 덕을 쌓고 돌이켜 요약한 적이 없다. 저러한 것들을 또한 어찌 배움으로 삼겠는가?"

[43-2-85]

"自孟子沒, 聖學失傳. 荀卿而下, 皆未得其門而入者也. 七篇之書具在, 始終考之, 不過道性善而已. 知此則天下之理得, 而諸子之失其傳皆可見也. 夫學道者, 捨先聖之書何求哉? 譬之適九達之衢, 未知所之, 六經能指其攸趣而已. 因其所指而之焉, 則庶乎其有至也. 徒弊精神於章句之間, 則末矣."[205]

(구산 양씨가 말했다.) "맹자가 죽은 이래 성학聖學은 전함을 잃었다. 순경荀卿으로부터는 모두 그 문을 찾아 들어가지 못하였다. 7편으로 이루어진 책(『맹자』)이 모두 남아 있으나 처음부터 끝까지 살펴보면, 성선性善을 말하는 데 불과할 뿐이다. 이 점을 알면 천하의 이치가 터득되어 제자諸子들이 그 전함을 잃었음을 알 수 있다. 도道를 배우는 사람이 앞선 성인의 책을 버리고 어디에서 구하겠는가? 비유하자면 '사방팔방으로 통하는 길[九達之衢]'[206]을 갈 때 가야할 곳을 모르는 것이다. 육경六經은 가야할 곳을 가리킬 수 있을 뿐이니, 가리키는 곳을 따라 가면 거의 도달할 수 있을 것이다. 한갓 문장과 구절 사이에서 정신을 피폐하는 것은 말단이다."

· ·

202 『龜山集』권21
203 '君子가 옛 … 쌓는다.': 『周易』「大畜·象傳」
204 '널리 배우고 … 것이다.': 『孟子』「離婁下」
205 『龜山集』권20
206 사방팔방으로 통하는 길[九達之衢]: 『與猶堂全書』권25 「小學珠串·九之類」에서 "九達은 도로의 크고 작음을 구별한 것이다. 일달은 도로이고, 이달은 岐旁이며, 삼달은 劇旁이고 사달은 衢이며, 오달은 康이고 육달은 莊이며, 칠달은 劇驂이고 팔달은 崇期이며, 구달은 逵이다. 이것을 구달이라고 한다. 구달에 관한 세목은 『爾雅』에 보인다.(九達者, 道路大小之別也. 一達曰道路, 二達曰岐旁, 三達曰劇旁, 四達曰衢, 五達曰康, 六達曰莊, 七達曰劇驂, 八達曰崇期, 九達曰逵. 此之謂九達也. 九達之目, 見『爾雅』.)"라고 하였다.

[43-2-86]

"古之學者以聖人爲師, 其學有不至, 故其德有差焉. 人見聖人之難爲也, 故凡學者以聖人爲可至, 則必以爲狂而竊笑之. 夫聖人固未易至, 若舍聖人而學, 是將何所取則乎? 以聖人爲師, 猶學射而立的然, 的立於彼, 然後射者可視之而求中. 若其中不中, 則在人而已. 不立之的, 何以爲準?"[207]

(구산 양씨가 말했다.) "옛날의 배우는 사람들은 성인聖人을 스승으로 삼았으나, 그 배움이 지극하지 못한 경우가 있어 그 덕에 문제점이 있었다. 사람들이 성인되기의 어려움을 알고 있으므로, 배우는 사람이 성인을 이룰 수 있는 것이라고 여긴다면 분명 미친 사람이라고 하며 속으로 비웃을 것이다. 성인은 참으로 이르기 쉽지 않지만, 그렇다고 성인을 포기하고 배운다면 장차 어디에서 본보기를 취할 것인가? 성인을 스승으로 삼는 것은 활쏘기를 배울 때에 표적을 세우는 것과 같으니, 표적이 저기에 세워진 다음에야 활 쏘는 사람이 그것을 보고 적중하기를 구하게 된다. 적중하거나 적중하지 못하는 것은 사람에게 달려 있을 뿐이다. 세우지 않은 표적을 어떻게 기준으로 삼겠는가?"

[43-2-87]

"顏淵請問其目, 學也, 請事斯語, 則習矣. 學而不習, 徒學也. 譬之學射而志於彀, 則知所學矣. 若夫承蜩而目不瞬, 貫虱而懸不絶, 由是而求盡其妙, 非習不能也. 習而察, 故說. 久而性成之, 則說不足道也."[208]

(구산 양씨가 말했다.) "안연顏淵이 '그 조목을 묻겠습니다.'라고 한 것은 배움[學]이고, '이 말씀에 종사하겠습니다.'라고 한 것은 익힘[習]이다.[209] 배우고서 익히지 않는 것은 헛된 배움이다. 비유하자면 활쏘기를 배울 때 활을 당김에 뜻을 두면 배울 것을 알게 된다. 그런데 몽둥이로 맞아도 눈도 깜빡이지 않거나, 서캐의 심장을 꿰뚫고도 매단 털이 끊어지지 않도록 하는 것[210]은, 이로부터 그 신묘함을 다하기를 구하

---

207 『龜山集』권10

208 朱子의 『論孟精義』 「論語正義」 권1상에 楊時의 글로 인용되어 있다.

209 顏淵이 그 … 익힘[習]이다. : 『論語』 「顏淵」에서, "顏淵이 仁에 대해 물었다. 공자가 대답했다. '자기의 私慾을 이겨 禮에 돌아감이 仁을 실천하는 것이니, 하루 동안이라도 사욕을 이겨 예에 돌아가면 천하가 仁을 허락하는 것이다. 인을 실천하는 것은 자기 몸에 달려 있지, 남에게 달려있는 것이겠는가?' 안연이 물었다. '그 條目을 묻겠습니다.' 공자가 대답했다. '禮가 아니면 보지 말고, 禮가 아니면 듣지 말며, 禮가 아니면 말하지 말고, 禮가 아니면 움직이지 않는 것이다.' 안연이 말했다. '제가 비록 不敏하지만 이 말씀에 종사하겠습니다.'(顏淵問仁. 子曰, '克己復禮爲仁, 一日克己復禮, 天下歸仁焉. 爲仁由己, 而由人乎哉?' 顏淵曰, '請問其目.' 子曰, '非禮勿視, 非禮勿聽, 非禮勿言, 非禮勿動.' 顏淵曰, '回雖不敏, 請事斯語矣.')"라고 하였다.

210 서캐의 심장을 … 것 : 甘蠅은 고대의 명사수로 이름난 사람인데, 그가 활을 당기기만 하면 길짐승이 넘어지고 날짐승이 떨어졌다 한다. 그의 제자 飛衛가 그에게 활 쏘는 법을 배워 스승보다 뛰어났고, 紀昌이 또 비위에게 비법을 배워 명사수가 되었다. 기창이 활쏘기를 배울 때 "작은 것이 크게 보이고 희미한 것이 뚜렷하게 보인 뒤에 배우라."라는 스승의 말에 따라 털끝에 서캐를 잡아매어 창문 사이에 드리워 두고 그것만 바라보았다. 날짜가 지날수록 차츰 크게 보이더니, 3년이 지나자 수레바퀴만큼이나 크게 보였다. 그때서

는 것이니, 익히지 않고서는 할 수 없다. 익히고도 잘 살피기 때문에[211] 기쁜 것이다. 오래되어 성품으로 이루어지면 기쁨이라는 표현은 말할 것이 없다."

[43-2-88]

"學者當有所疑, 乃能進德. 然亦須著力深, 方有疑. 今之士讀書爲學, 蓋自以爲無可疑者, 故其學莫能相尚. 如孔子門人所疑, 皆後世所謂不必疑者也.

(구산 양씨가 말했다.) "배우는 사람은 마땅히 의문을 품어야 덕에 나아갈 수 있다. 그러나 또한 반드시 힘을 몹시 쏟아야 비로소 의문을 가지게 된다. 요즈음의 선비들은 독서하고 학문할 때 스스로 의심할 만한 것이 없다고 생각하므로 그 배움이 더 나은 자가 없다. 가령 공자의 문인들이 의문을 품었던 것을 모두 후세에는 군이 의문할 필요가 없다고 하는 것이다.

子貢問政, 子曰, '足食, 足兵, 民信之矣.' 子貢疑所可去, 答之以去兵. 於食與信猶有疑焉, 故能發孔子民無信不立之說. 若今之人問政, 答之足食與兵, 何疑之有?

자공子貢이 정사政事를 묻자, 공자孔子는 '양식을 풍족히 하고, 군대를 풍족히 하면 백성들이 믿을 것이다.'라고 하였다.[212] 자공이 버릴 수 있는 것을 의문했을 때, 군대를 버리라고 대답했다. 양식과 믿음에 대해서도 여전히 의문이 있었기 때문에 공자의 백성은 믿음이 없으면 설 수 없다는 설을 펼 수 있었다. 만일 요즈음의 사람들이 정사에 대해 물었을 때 양식을 풍족히 하고 군대를 풍족히 하라고 대답했다면 무슨 의문을 두겠는가?

樊遲問仁. 子曰, '愛人.' 問知, 子曰, '知人.' 是蓋甚明白, 而遲猶曰未達, 故孔子以擧直錯諸枉, 能使枉者直敎之. 由是而行之, 於知之道, 不其庶矣乎? 然遲退而見子夏, 猶再問擧直錯諸枉之義. 於是又得舜擧皐陶湯擧伊尹之事爲證. 故仁知兼盡其說.

야 활을 당겨 쏘아 서캐의 심장을 꿰뚫었는데, 서캐를 매달았던 털이 끊어지지 않고 그대로 있었다.(『列子』 「湯問」)

211 익히고도 잘 … 때문에 : 『孟子』「告子下」에 "맹자가 말했다. '행하면서도 밝게 알지 못하며, 익히면서도 살피지 못한다. 그러므로 종신토록 행하면서도 그 道를 모르는 자가 많은 것이다.'(孟子曰, '行之而不著焉, 習矣而不察焉. 終身由之而不知其道者, 衆也.')"라고 하였다.

212 子貢이 … 하였다. : 『論語』「顔淵」에서 "子貢이 政事에 대해 물었다. 공자가 대답했다. '양식을 풍족히 하고, 兵을 풍족히 하면 백성들이 믿을 것이다.' 자공이 물었다. '반드시 부득이 해서 버린다면 이 세 가지 중에 무엇을 먼저 해야 합니까?' 공자가 대답했다. '兵을 버려야 한다.' 자공이 물었다. '반드시 부득이해서 버린다면 이 두 가지 중에 무엇을 먼저 해야 합니까?' 공자가 대답했다. '양식을 버려야 하니, 예로부터 사람은 누구나 다 죽음이 있거니와, 사람은 신의가 없으면 설 수 없는 것이다.'(子貢問政, 子曰, '足食, 足, 民信之矣.' 子貢曰, '必不得已而去, 於斯三者何先?' 曰, '去兵.' 子貢曰, '必不得已而去, 於斯二者何先?' 曰, '去食. 自古皆有死, 民無信不立.')"라고 하였다.

번지樊遲가 인仁을 묻자, 공자는 '사람을 사랑하는 것이다.'라고 했고, 지知를 묻자 공자는 '사람을 아는 것이다.'라고 하였다. 이것은 매우 명백한데도 번지가 아직 '알지 못하겠습니다.'라고 했기 때문에 공자는 '곧은 이를 등용하고 굽은 이를 버리면 굽은 이를 곧게 할 수 있을 것'이라는 말로써 가르쳤던 것이다. 이로부터 행한다면 지知의 도道에 대해서는 이치에 가깝지 않겠는가? 그러나 번지는 물러나 자하子夏를 만나서 여전히 재차 '곧은 이를 등용하고 굽은 이를 버린다.'는 말의 의미를 물었다. 이에 대해 또 '순舜임금이 고요皐陶를 등용하고 탕湯임금이 이윤伊尹을 등용한' 사례를 들어 증거로 삼았다.[213] 그러므로 인仁과 지知가 함께 그 설을 다하게 되었다.

如使今之學者, 方得其初問之答, 便不復疑矣. 蓋嘗謂古人以爲疑者, 今人不知疑也, 學何以進?"[214]

가령 요즈음의 배우는 사람이 이제 막 그 첫 물음에 대한 답을 얻는다면 다시는 의문을 두지 않을 것이다. 일찍이 옛 사람이 의심스럽게 여긴 것을 요즈음 사람은 의심할 줄 모르니, 학문이 어떻게 진전되겠는가?"

[43-2-89]

和靖尹氏曰: "凡學問切忌間斷, 便不是學. '一日暴之, 十日寒之,' 奚可哉?"

화정 윤씨和靖尹氏[尹焞][215]가 말했다. "무릇 학문은 끊김을 절대로 삼가야 하니, 끊기면 배움이 아니다. '하루 동안 따뜻하게 하고 열흘 동안 춥게 하면,'[216] 어떻게 될 수 있겠는가?"

• •

213 樊遲가 仁을 … 삼았다. : 『論語』「顏淵」에서 "樊遲가 仁에 대해 물었다. 공자가 대답했다. '사람을 사랑하는 것이다.' (번지가 또) 智에 대해 물었다. 공자가 대답했다. '사람을 아는 것이다.' 樊遲가 그 내용을 통달하지 못하자, 공자가 말했다. '정직한 사람을 들어 쓰고 모든 부정한 사람을 버리면 부정한 자로 하여금 곧게 할 수 있는 것이다.' 번지가 물러가서 子夏를 만나보고 물었다. '지난번에 夫子를 뵙고 智를 물었더니, 선생께서 「정직한 사람을 들어 쓰고 모든 부정한 사람을 버리면 부정한 자로 하여금 곧게 할 수 있다.」라고 하였는데, 무슨 말씀인가?' 子夏가 말했다. '풍요하다. 그 말씀이여! 舜임금이 천하를 소유함에 여러 사람들 중에서 선발해서 皐陶를 들어 쓰시니, 不仁한 자들이 멀리 사라졌고, 湯임금이 천하를 소유함에 여러 사람들 중에서 선발하여 伊尹을 들어 쓰시니, 不仁한 자들이 멀리 사라졌다.'(樊遲問仁. 子曰, '愛人.' 問知. 子曰, '知人.' 樊遲未達, 子曰, '擧直錯諸枉, 能使枉者直.' 樊遲退, 見子夏, 曰, '鄕也吾見於夫子而問知, 子曰, 「擧直錯諸枉, 能使枉者直」, 何謂也? 子夏曰, '富哉言乎! 舜有天下, 選於衆, 擧皐陶, 不仁者遠矣. 湯有天下, 選於衆, 擧伊尹, 不仁者遠矣.')"라고 하였다.

214 『龜山集』 권11

215 尹焞(1071~1142) : 자는 彦明·德充이고, 호는 三畏齋와 황제가 하사한 호인 和靖處士가 있으며, 시호는 肅公이다. 송대 洛陽(현 하남성 낙양) 사람으로 과거에 응시하지 않았으나, 천거에 의해 崇政殿說書겸 侍講을 역임하였다. 어려서부터 程頤에게 사사하여 스승의 학설을 가장 돈독하게 이어받았다고 한다. 저서는 『論語解』·『孟子解』·『和靖集』 등이 있다.

216 '하루 동안 … 하면,': 『孟子』「告子上」에 "비록 천하에 쉽게 생장하는 것이라 해도 하루 햇볕을 쪼이고 열흘 동안 춥게 한다면 생장할 수 있는 것이 없을 테니, 내가 임금을 만나는 것이 드물고, 내가 물러 나오면

[43-2-90]

“學問不可有私心. 私心, 人欲也, 人欲去, 天理還.”

(화정 윤씨가 말했다.) “학문은 사심私心을 두어서는 안 된다. 사심은 인욕人欲이니, 인욕이 떠나가야 천리天理가 돌아온다.”

[43-2-91]

問 : “如何仕而優則學?”

曰 : “學豈有休時? 『書』曰, ‘念終始主于學,’ 荀子曰, ‘學至死乃已,’ 是也.”

물었다. “‘벼슬하여 여유가 있을 때 배우는 것’[217]은 어떻습니까?”

(화정 윤씨가) 말했다. “배움에 어찌 쉴 때가 있겠는가? 『서경書經』에 ‘생각의 종終과 시始를 배움을 주로 해야 한다.’[218]라고 하였고, 순자荀子가 ‘배움은 죽고서야 마침내 끝나는 것이다.’[219]라고 한 것이 이것이다.”

[43-2-92]

涑水司馬氏曰 : “學者所以求治心也. 學雖多而心不治, 安以學爲?”[220]

속수 사마씨涑水司馬氏[司馬光][221]가 말했다. “배움은 마음을 다스리는 것을 구하는 것이다. 배움이 비록 많은들 마음이 다스려지지 않는다면, 어찌 배움이라고 하겠는가?”

[43-2-93]

問 : “蘧伯玉五十而知四十九年非, 信乎?”

曰 : “何嘗其然也? 古之君子好學者, 有垂死而知其未死之前所爲非者, 況五十乎? 夫道, 如山也, 愈升而愈高, 如路也, 愈行而愈遠. 學者亦盡其力而止耳. 自非聖人, 有能窮其高遠者哉?”[222]

- - - - - - - - - - - - - - - - - - - -

임금 마음을 차갑게 만드는 자가 가니, 싹이 있은들 내가 어찌 할 수 있겠는가?(雖有天下易生之物也, 一日暴之, 十日寒之, 未有能生者也. 吾見亦罕矣, 吾退而寒之者至矣, 吾如有萌焉何哉?)”라고 하였다.

217 ‘벼슬하여 여유가 … 것’: 『論語』「子張」

218 ‘생각의 終과… 한다.’: 『書經』「商書·說命下」제5장

219 ‘배움은 죽고서야 … 것이다.’: 『論語』「泰伯」에 “선비는 도량이 넓고 뜻이 굳세지 않으면 안 된다. 책임이 무겁고 길이 멀기 때문이다. 군자는 仁으로써 자기의 책임을 삼으니 막중하지 않은가? 죽은 뒤에야 끝나는 것이니 멀지 않은가?(士不可以不弘毅, 任重而道遠. 仁以爲己任, 不亦重乎? 死而後已, 不亦遠乎?)”라고 하였고, 『荀子』「勸學」에 “배움은 죽고 난 다음에 그친다.(學乎沒而後止.)”라고 하였다.

220 『傳家集』권74

221 司馬光(1019~1086): 자는 君實이고, 호는 迂夫, 迂叟이며, 시호는 文正이다. 세칭 司馬太師·溫國公·涑水先生이라 한다. 송대 夏縣 涑水鄕(현 산서성 夏縣)사람으로 翰林侍讀·權御使中丞·門下侍郞 등을 역임하였다. 왕안석의 신법에 반대하여 퇴출되었다가 재상으로 복직하여 신법을 폐지하였다. 저서는 『文集』·『資治通鑑』·『稽古錄』·『易說』·『潛虛』 등이 있다.

물었다. "거백옥蘧伯玉은 나이 50세에 49년 동안의 잘못을 알았다고 했는데[223] 믿을 만합니까?"
(속수 사마씨가) 말했다. "어찌 그럴 뿐이겠는가? 옛날 군자로서 배움을 좋아하는 자는 죽어갈 때 죽기 직전 잘못을 행한 것도 알았는데, 50세에야 어떠하겠는가? 도道는 산과 같아 오르면 오를수록 더욱 높고, 길과 같아 갈수록 더욱 멀어진다. 배우는 사람 또한 힘을 다 하고서야 멈출 뿐이다. 만일 성인聖人이 아니라면 그 높고 먼 곳까지 궁구할 수 있는 자가 있겠는가?"

[43-2-94]
五峰胡氏曰 : "學欲博不欲雜, 守欲約不欲陋. 雜似博, 陋似約, 學者不可不察也."[224]
오봉 호씨五峰胡氏[胡宏][225]가 말했다. "배움은 넓고자 하되 잡박해지려고 해서는 안 되며, 지킴은 요약되고자 하되 비루하고자 해서는 안 된다. 잡박함은 넓음과 흡사하고 비루함은 요약됨과 흡사하니, 배우는 사람은 살피지 않으면 안 된다."

[43-2-95]
"學貴大成, 不貴小用. 大成者, 參於天地之謂也. 小用者, 謀利計功之謂也."[226]
(오봉 호씨가 말했다.) "배움은 커다란 성취가 귀하고 작은 쓰임은 귀하지 않다. 큰 성취는 천지天地에 참여하는 것을 말한다. 작은 쓰임은 이익을 도모하고 공功을 따지는 것을 말한다."

[43-2-96]
"人之生也, 良知良能根於天, 拘於己, 汨於事, 誘於物, 故無所不用學也. 學必習, 習則熟, 熟則久, 久則天, 天則神. 天則不慮而行, 神則不期而應."[227]
(오봉 호씨가 말했다.) "사람이 태어남에 양지良知와 양능良能이 하늘에 뿌리박고 있으나, 자신에게 얽매이고 일에 매몰되며 외물外物에 유혹되기 때문에 어디에서든 배워야 한다. 배우면 반드시 익혀야 하니, 익히면 숙련되고, 숙련되면 오래가며, 오래가면 하늘처럼 되고, 하늘처럼 되면 신묘해 진다. 하늘처럼 된다는 것은 생각하지 않아도 행하는 것이고, 신묘해 진다는 것은 기필하지 않아도 응하는 것이다."

· · · · · · · · · · · · · · · · · · ·

222 『傳家集』 권74
223 蘧伯玉은 나이 … 했는데 : 『論語』 「憲問」에 주에 莊周의 말로 실려 있으나 『莊子』 「雜篇 · 庚桑」에는 "蘧伯玉行年六十而六十化"라는 말만이 보일 뿐이다.
224 『知言』 권2
225 胡宏(1105~1155) : 자는 仁仲이고, 호는 五峰이다. 송대 建寧崇安(현 복건성 소속) 사람으로 胡安國의 아들이다. 어려서 楊時 · 侯仲良에게 배우고 마침내 부친의 학문을 닦아 張栻에게 전수하여 湖湘學派의 창시자가 되었다. 楊時 이후 남송에 낙학을 전파한 중요한 인물이다. 저서는 『知言』 · 『五峰集』 등이 있다.
226 『知言』 권3
227 『知言』 권4

[43-2-97]

"以反求諸己爲要法, 以言人不善爲至戒."[228]

(오봉 호씨가 말했다.) "돌이켜 자기에게서 구하는 것으로 긴요한 법法을 삼고, 남의 선하지 못한 것을 말하는 것으로 지극한 경계를 삼는다."

[43-2-98]

"靜觀萬物之理, 得吾心之悅也易, 動處萬物之分, 得吾心之樂也難. 是故, 知仁合一, 然後君子之學成."[229]

(오봉 호씨가 말했다.) "정시靜時에 만물의 이치를 보는 일로써 내 마음의 기쁨을 얻기는 쉽고, 동시動時에 만물의 분수分數에 대처하는 일로써 내 마음의 즐거움을 얻기는 어렵다. 그러므로 지知와 인仁이 합일된 후에야 군자의 학문이 완성된다."

[43-2-99]

"有之在己, 知之在人. 有之而人不知, 從而與人較者, 非能有者也."[230]

(오봉 호씨가 말했다.) "(도를) 지니는 것은 자기에게 달려있고, 알아주는 것은 남에게 달려있다. 지니고 있는 데도 남이 알아주지 않는다고 해서 남과 비교하는 사람은 제대로 지니고 있는 사람이 아니다."

[43-2-100]

"學道者, 正如學射. 纔持弓矢, 必先知的, 然後可以積習而求中的矣. 若射者不求知的, 不求中的, 則何用持弓矢以射爲? 列聖諸經, 千言萬語, 必有大體, 必有要妙, 人自少而有志, 尙恐奪於世念, 日月蹉跎, 終身不見也. 若志不在於的, 苟欲玩其辭而已. 是謂口耳之學, 曾何足云?

(오봉 호씨가 말했다.) "도를 배우는 것은 바로 활쏘기를 배우는 것과 같다. 활과 화살을 손에 쥐면 반드시 먼저 표적을 파악하고 나서 오랫동안 익혀야 표적에 명중하기를 구할 수 있다. 만일 활 쏘는 사람이 표적을 파악하기를 구하지 않거나 표적에 명중시키기를 구하지 않는다면, 활과 화살을 손에 쥐고 쏘는 것이 무슨 소용이 있겠는가? 여러 성인聖人의 경전의 수많은 말에는 필시 대체大體가 있고 오묘함이 있는데, 사람들은 어려서부터 뜻을 두고도 오히려 속세의 생각에 빼앗겨 세월만 축내다가 평생 보지 못할까 염려된다. 뜻이 표적에 있지 않으면 구차하게 말장난을 하려는 것일 뿐이다. 이것을 구이지학口耳之學[231]이라고 하니, 무슨 말할 가치가 있겠는가?

. . . .

228 『知言』 권3
229 『知言』 권1
230 『知言』 권2
231 口耳之學: 『荀子』 「勸學篇」에 "군자의 학문은 귀로 들어가서 마음에 자리 잡혀서 온몸에 퍼져서 행동에 드러나니, 작은 말과 미미한 움직임도 한결같이 법칙이 될 만하다. 소인의 학문은 귀로 들어가서 입으로 나오니, 입과 귀의 네 촌 밖에 되지 않는데, 어찌 일곱 자가 되는 몸을 아름답게 할 수 있겠는가?(君子之學也,

夫滯情於章句之末, 固遠勝於博奕戱豫者矣, 特以一斑自喜, 何其小也? 何不志於大體以求要妙? 譬如遊山, 必上東岱, 至於絶頂, 坐使天下高峰遠岫, 卷阿大澤, 悉來獻狀, 豈不偉歟?"[232]

문장과 구절의 말단에 생각이 막혀 있는 것이라도 참으로 바둑이나 두고 놀고 즐기는 것보다는 훨씬 낫지만, 그저 작은 것으로 우쭐대는 것이니 얼마나 도량이 좁은가? 어찌 대체大體에 뜻을 두어 오묘함을 구하지 않는가? 비유하자면, 산행을 할 때 반드시 동쪽 태산泰山에 올라 꼭대기에 이르러서는 앉아서 천하의 높고 먼 봉우리들과 굽이진 언덕, 큰 못에게 모두 '자신의 참모습을 보이도록[獻狀][233] 하는 것과 같으니 어찌 위대하지 않은가?'

[43-2-101]

"修身以寡欲爲要, 行己以恭儉爲先, 自天子至於庶人一也."[234]

(오봉 호씨가 말했다.) "수신修身은 욕심을 적게 하는 것으로 요점을 삼고, 행실은 공손함과 검약함으로 우선을 삼아야 하니, 천자로부터 서인庶人에 이르기까지 똑같다."

[43-2-102]

延平李氏曰: "講學切在深潛縝密, 然後氣味深長, 蹊徑不差. 若槩以理一而不察乎其分之殊, 此學者所以流於疑似亂眞之說而不自知也."[235]

연평 이씨延平李氏[李侗][236]가 말했다. "강학講學의 핵심은 깊이 침잠하고 치밀하게 살피는 데에 있으니, 그러고 나야 맛이 깊어지고 방법이 잘못되지 않는다. 만일 리일理一만을 개괄하고 그 분수分數의 다름을 살피지 않는다면, 배우는 사람은 애매모호하고 참됨을 어지럽히는 설로 흐르는데도 스스로 알지 못한다."

[43-2-103]

"學問之道, 不在多言, 但黙坐澄心體認天理. 若眞有所見, 雖一毫私欲之發, 亦退聽矣. 久久用力於此, 庶幾漸明, 講學始有力耳."[237]

入乎耳, 箸乎心, 布乎四體, 形乎動靜, 端而言, 蝡而動, 一可以爲法則. 小人之學也, 入乎耳, 出乎口, 口耳之閒則四寸, 曷足以美七尺之軀哉?)"라고 하였다.

232 『知言』권4

233 '자신의 참모습을 보이도록[獻狀]': 『春秋左傳』「僖公 28년」에 "三月丙午, 入曹, 數之以其不用僖負羈而乘軒者三百人也. 且曰獻狀."이라고 하였는데, 이때의 '獻狀'에는 여러 설이 있으나 문맥상 '獻體(옷을 벗어 알몸을 드러내다)'라는 설을 차용하였다.

234 『知言』권1

235 『延平答問』「附錄」

236 李侗(1093~1163): 자는 愿中이고, 세칭 延平先生이라 불렸으며, 시호는 文靖이다. 송대 南劍州劍浦(현 복건성 南平) 사람으로 楊時·羅從彦과 함께 '南劍三先生'이라 불렸다. 나종언에게 二程의 학문을 배우고, 40여 년간 세속을 끊고 연구한 후, 이정의 학문을 주희에게 전수해 주었다. 저서는 『延平文集』이 있다.

(연평 이씨가 말했다.) "학문의 방법은 말을 많이 하는 데에 있지 않으니, 다만 묵묵히 앉아 마음을 맑게 하여 천리天理를 체인體認할 뿐이다. 참으로 알게 된 것이 있으면, 비록 조금의 사욕私欲이 발동하더라도 또한 물러나게 된다. 오래토록 여기에 힘을 쓰면 아마도 점차 밝아져 강학에도 비로소 힘이 붙게 될 것이다."

[43-2-104]

"學者之病, 在於未有洒然冰釋凍解處, 縱有力持守, 不過苟免顯然尤悔而已. 若此者, 恐未足道也."[238]

(연평 이씨가 말했다.) "배우는 사람의 문제점은, 후련하게 얼음 녹듯이 의심이 풀리는 것이 없다는 데에 있으니, 비록 힘이 있고 굳게 지키더라도 허물과 후회를 구차하게 면할 뿐이다. 이와 같은 사람은 말할 것도 못된다."

[43-2-105]

"孔門諸子, 群居終日, 交相切磨, 又得夫子爲之依歸, 日用之間, 觀感而化者多矣. 恐於融釋而脫落處, 非言說所及也. 不然, 子貢何以言夫子之言性與天道, 不可得而聞也耶?"[239]

(연평 이씨가 말했다.) "공자 문하의 여러 제자들은 함께 기거할 때에는 종일토록 서로 절차탁마切磋琢磨하였고, 또 공자에게 귀의하면서 일상생활에서 보고 느끼면서 교화되는 일이 많았다. 의심이 풀려 시원하게 되는 것에 대해서는 말로 언급할 수 있는 것은 아닌 것 같다. 그렇지 않다면, 자공子貢이 어떻게 '선생님께서 성性과 천도天道를 말하는 것은 들을 수 없었다.'[240]고 말했겠는가?"

[43-2-106]

"大率有疑處須靜坐體究, 人倫必明, 天理必察. 於日用處著力, 可見端緒, 在勉之爾."[241]

(연평 이씨가 말했다.) "대체로 의심스러운 곳이 있을 때에는 반드시 정좌靜坐하여 자세히 체득해야 하니, (그러면) 인륜이 틀림없이 밝아지고 천리가 틀림없이 드러날 것이다. 일상생활에 힘을 쏟으면 단서를 볼 수 있으니, 노력에 달려있을 뿐이다."

[43-2-107]

朱子曰 : "聖門日用工夫, 甚覺淺近. 然推之理, 無有不包, 無有不貫, 及其充廣, 可與天地同其

237 『延平答問』「附錄」
238 『延平答問』「與劉平甫書」
239 『延平答問』「庚辰七月書」
240 '선생님께서 性과 … 없었다.' : 『論語』「公冶長」, "子貢曰, '夫子之文章, 可得而聞也 ; 夫子之言性與天道, 不可得而聞也.'"
241 『延平答問』「與劉平甫書」

廣大. 故爲聖爲賢, 位天地育萬物, 只此一理而已."242

주자朱子가 말했다. "성인 문하의 일상공부는 일상의 비근卑近한 일을 잘 깨달아 가는 것이다. 그러나 그 이치를 미루면 포함되지 않는 것이 없고 꿰뚫지 않는 것이 없으니, 채우고 넓히면 천지와 더불어 그 광대함을 함께 할 수 있다. 그러므로 성인이 되고 현인이 되어 천지의 제자리를 정하고 만물을 화육하는 것243은 단지 이 하나의 이치일 뿐이다."

[43-2-108]

"常人之學, 多是偏於一理, 主於一說. 故不見四旁以起爭辯. 聖人則中正和平, 無所偏倚."244

(주자가 말했다.) "일반 사람들의 학문은 하나의 이치에 치우치고 하나의 설을 위주로 하는 경우가 많다. 그러기에 사방四方을 보지 못해 논쟁을 일으킨다. 성인은 중정中正하고 화평和平하여 치우치거나 기욺이 없다."

[43-2-109]

"聖賢所說工夫都只一般, 只是一箇擇善固執. 『論語』則說學而時習之, 『孟子』則說明善誠身, 只是隨他地頭所說不同, 下得字來各自精細. 其實工夫只是一般. 須是盡知其所以不同, 方知其所謂同也."245

(주자가 말했다.) "성현이 말한 공부는 모두 똑같을 뿐이니, 단지 선善을 택하여 굳게 잡는 것일 뿐이다.246 『논어』에서는 '배우고 때에 맞게 익힌다.'247라고 하였고 『맹자』에서 '선을 밝혀 몸을 성誠하게 한다.'248라고 하였으나 단지 처한 상황에 따라 말한 것이 같지 않을 뿐이지, 표현은 각자 정밀하고 상세하다. 그러나 사실 공부는 똑같을 뿐이다. 같지 않는 까닭을 남김없이 알아야 비로소 같다고 한 것을 알게 된다."

[43-2-110]

"學者工夫, 但患不得其要. 若是尋究得這箇道理, 自然頭頭有箇著落, 貫通浹洽, 各有條理. 如

---

242 『朱子語類』 권8, 9조목
243 천지의 제자리를 … 것 : 『中庸』 1장
244 『朱子語類』 권8, 10조목
245 『朱子語類』 권8, 11조목
246 단지 善을 … 뿐이다. : 『中庸』 제20장에 "誠은 하늘의 도이고, 성하는 것은 사람의 도이다. 성은 힘쓰지 않아도 中하고 생각하지 않아도 얻으니, 중도를 따르는 사람은 성인이다. 성하는 자는 선을 택하여 굳게 잡는 자이다.(誠者, 天之道也 ; 誠之者, 人之道也. 誠者不勉而中, 不思而得, 從容中道, 聖人也. 誠之者, 擇善而固執之者也.)"라고 하였다.
247 '배우고 때에 … 익힌다.' : 『論語』 「學而」
248 '선을 밝혀 … 한다.' : 『孟子』 「離婁上」에 "몸을 誠하게 하는 것에 방법이 있으니, 선에 밝지 못하면 그 몸을 성하게 할 수 없다.(誠身有道, 不明乎善, 不誠其身矣.)"라고 하였다.

或不然, 則處處窒礙. 學者常談, 多說持守, 未得其要, 不知持守甚底. 說擴充, 說體驗, 說涵養, 皆是揀好底言語做箇說話, 必有實得力處方可. 所謂要於本領上理會者, 蓋緣如此."[249]

(주자가 말했다.) "배우는 사람은 공부가 그 요점을 얻지 못할까 걱정할 뿐이다. 만일 이러한 도리를 살펴 궁구한다면, 자연히 하나하나 귀결처가 있고 관통되고 젖어들어 각기 조리가 있게 된다. 혹 그렇지 않다면 곳곳마다 막힐 것이다. 배우는 사람들이 일상적으로 말할 때, 대부분 굳게 지키는 것을 말하지만, 그 요점을 얻지 못하면 무엇을 굳게 지켜야 할지 알지 못한다. 확충을 말하고 체험을 말하며 함양을 말하는 것이 모두 좋은 말을 뽑아 표현하고 있으나 반드시 실제로 힘을 얻는 곳이 있어야 된다. 본령本領에서 이해하도록 해야 한다고 하는 것도 이와 같은 이유이다."

[43-2-111]

"爲學須先立得箇大腔當了, 却旋去裏面修治壁落教綿密. 今人多是未曾知得箇大規模, 先去修治得一間半房, 所以不濟事."[250]

(주자가 말했다.) "학문을 할 때에는 반드시 먼저 큰 골격을 세우고서 다시 그 속에 들어가 벽을 수리하여 빈틈이 없도록 해야 한다. 요즈음 사람들은 대부분 큰 규모도 알지 못한 채, 먼저 쪽방을 수리하려 들기 때문에 일을 이루지 못한다."

[43-2-112]

"識得道理源頭, 便是地盤. 如人要起屋, 須是先築教基址堅牢, 上面方可架屋. 若自無好基址, 空自今日買得多少木去起屋, 少間只起在別人地上, 自家身己自没頓放處."[251]

(주자가 말했다.) "도리의 근원을 아는 것이 곧 지반地盤이다. 예컨대 사람이 집을 지으려 할 때에는, 반드시 먼저 집터를 다져서 단단하게 해야 위에 비로소 집채를 올릴 수 있는 것과 같다. 만약 잘 닦여진 집터도 없는데 공연히 오늘부터 얼마간의 목재를 구입해서 집을 짓기 시작한다면, 잠시 다른 사람의 땅 위에 집을 짓는 것일 뿐, 자기 몸은 머물 곳이 없다."

[43-2-113]

"學問須是大進一番方始有益. 若能於一處大處攻得破, 見那許多零碎, 只是這一箇道理, 方是快活. 然零碎底, 非是不當理會, 但大處攻不破, 縱零碎理會得些少, 終不快活. 曾點漆雕開已見大意, 只緣他大處看得分曉. 今且道他那大底是甚物事? 天下只有一箇道理, 學只要理會得這一箇道理. 這裏纔通, 則凡天理人欲義利公私善惡之辨, 莫不皆通."[252]

---

249 『朱子語類』권8, 13조목
250 『朱子語類』권8, 14조목
251 『朱子語類』권8, 15조목
252 『朱子語類』권8, 18조목

(주자가 말했다.) "학문은 반드시 한차례 크게 진전해야만 비로소 유익함이 있다. 하나의 큰 곳을 간파하여, 수많은 자잘한 것들은 그저 이 하나의 도리일 뿐임을 알 수 있어야 비로소 통쾌할 수 것이다. 자잘한 것들을 이해해서는 안 된다는 것이 아니지만, 다만 큰 곳을 공략하지 않으면 비록 자잘한 것들이 조금 이해되었다고 해도 끝내 통쾌하지 않을 것이다. 증점曾點과 칠조개漆雕開가 큰 뜻을 깨달았던 것은[253] 오직 그 큰 곳을 분명하게 보았기 때문이다. 그런데 저 큰 곳이라고 말한 것은 어떤 것인가? 천하에는 단지 하나의 도리가 있을 뿐이니, 학문은 단지 그 하나의 도리를 이해하려는 것이다. 그것에 통하면, 무릇 천리天理와 인욕人欲, 의로움과 이로움, 공평함과 사사로움, 선함과 악함의 분별에 모두 통하지 않음이 없다."

[43-2-114]

或問 : "氣質之偏, 如何救得?"

曰 : "纔說偏了, 又著一箇物事去救他偏, 越見不平正了, 越討頭不見. 要緊只是看教大底道理分明, 偏處自見得. 如暗室求物, 把火來便照見. 若只管去摸索, 費盡心力只是摸索不見. 若見得大底道理分明, 有病痛處也自會變移不自知, 不消得費力."[254]

어떤 사람이 물었다. "기질의 치우침은 어떻게 바로 잡을 수 있습니까?"

(주자가) 말했다. "치우쳤다고 말하고 또 어떤 것에 집착하여 그것의 치우침을 바로 잡으려고 한다면, 더욱 견해가 공평하거나 바르지 않게 되어, 더욱 단서를 보지 못하게 된다. 긴요한 것은 오직 큰 도리를 분명하게 살펴 치우친 곳을 저절로 보도록 해야 한다. 예컨대 어두운 방에서 물건을 찾을 때 불을 밝히면 환히 보는 것과 같다. 만일 줄곧 찾으려만 한다면 힘을 다 들여도 그저 찾기만 할 뿐 보지 못한다. 만일 큰 도리를 분명하게 깨달으면 문제가 있는 곳도 저절로 자신도 모르게 바뀔 수 있게 되니 힘을 허비할 필요가 없다."

[43-2-115]

"成己方能成物, 成物在成己之中. 須是如此推出, 方能合義理. 聖賢千言萬語, 敎人且從近處做去. 如灑掃大廳大廊, 亦只是如洒掃小室模樣, 掃得小處淨潔, 大處亦然. 若有大處開拓不去, 卽是於小處便不曾盡心.

(주자가 말했다.) "자신을 완성해야 비로소 남을 완성할 수 있으니 남을 완성하는 것은 자신을 완성하는 데에 달려있다. 반드시 이와 같이 미루어 나가야 비로소 의리에 부합할 수 있다. 성현의 수많은 말은

....

253 曾點과 漆雕開가 … 것은: 曾點은 『論語』「先進」에서 그가 "늦은 봄에 봄옷이 이미 만들어지면 冠을 쓴 어른 5~6명과 童子 6~7명과 함께 沂水에서 목욕하고 舞雩에서 바람 쐬고 노래하면서 돌아오겠습니다.(莫春者, 春服旣成. 冠者五六人, 童子六七人, 浴乎沂, 風乎舞雩, 詠而歸.)"라고 한 말을 의미하고, 漆雕開는 『論語』「公冶長」에서 "공자가 칠조개에게 벼슬을 하도록 하자, (칠조개가) 대답했다. '저는 벼슬하는 것에 대해 아직 자신할 수 없습니다.(子使漆雕開仕. 對曰, '吾斯之未能信.')"라고 한 것을 가리킨다.

254 『朱子語類』 권8, 19조목

사람들에게 우선 가까운 것에서부터 행하도록 한 것이다. 예컨대 큰 대청과 큰 행랑을 청소하는 것도 단지 작은 방을 청소하는 것과 같을 뿐이니, 작은 방을 깨끗하게 청소할 수 있다면 큰 곳도 그렇게 할 수 있다. 만일 큰 곳을 개척하지 못했다면 일찍이 작은 곳에도 마음을 다하지 못한 것이다.

學者貪高慕遠, 不肯從近處做去, 如何理會得大頭項底? 而今也有不曾從裏做得底, 外面也做得好. 此只是才高, 以智力勝將去. 『中庸』說細處, 只是謹獨謹言謹行, 大處是武王周公達孝經綸天下無不載. 小者便是大者之驗, 須是要謹行謹言從細處做起, 方能充得如此大."

배우는 사람이 고원한 것을 탐하고 사모한 나머지 가까운 곳부터 행하려 들지 않는다면 어떻게 큰 것을 이해하겠는가? 요즈음에는 일찍이 내면을 따라 철저하게 행하지 않고 외면적으로만 좋게 한다. 이것은 단지 재주가 높아 지력으로 감당해 나가는 것이다. 『중용中庸』에서 말한 작은 것²⁵⁵은 단지 혼자 있을 때 삼가는 것과 말을 삼가고 행동을 삼가는 것이고,²⁵⁶ 큰 것은 무왕武王과 주공周公의 달효達孝(더할 나위 없는 효)²⁵⁷와 천하를 경륜하는 것과 다스려서 싣지 못하는 것이 없는 것이다.²⁵⁸ 작은 것은 곧 큰 것을 징험하는 것이니, 반드시 말을 삼가고 행동을 삼가며 미세한 곳에서 시작해야 비로소 이와 같이 큰 것을 채울 수 있다."

又曰 : "如今爲學甚難, 緣『小學』無人習得. 如今却是從頭起. 古人於『小學』小事中, 便皆存箇『大學』大事底道理在. 『大學』只是推將開闊去. 向來小時做底道理存其中, 正似一箇坯素相似."

또 (주자가) 말했다. "오늘날 학문하기가 매우 어려운 것은 『소학小學』을 아무도 익히지 않기 때문이다. 오늘날에는 도리어 근원적인 것으로부터 시작하고 있다. 옛 사람들은 『소학』의 작은 일속에 『대학大學』의 큰 일이 갖는 도리가 모두 있었다. 『대학』은 단지 그것을 미루어 나아가 넓힐 뿐이다. 옛날 어릴 때 행했던 도리가 마음속에 간직되어 있는 것은 바로 원래의 바탕과 비슷하다."

---

255 『中庸』에서 말한 … 것 : 『中庸』 제1장에서 "道는 잠시도 떠날 수 없는 것이니, 떠날 수 있으면 도가 아니다. 이 때문에 군자는 그 보지 않는 것에도 경계하여 삼가고 그 듣지 않는 것에도 몹시 두려워한다. 은미한 것보다 더 잘 드러나는 것이 없고 미세한 것보다 더 잘 나타나는 것이 없으니, 군자는 홀로 있을 때를 삼간다.(道也者, 不可須臾離也, 可離非道也. 是故君子戒愼乎其所不睹, 恐懼乎其所不聞. 莫見乎隱, 莫顯乎微, 故君子愼其獨也.)"라고 한 것을 가리킨다.

256 말을 삼가고 … 것이고 : 『中庸』 13장에 "평범한 덕을 행하고 평범한 말을 삼가며, 부족한 것이 있으면 감히 힘쓰지 않음이 없고, 넘침이 있으면 감히 다할 수 없어서, 말이 행함을 돌아보고 행함이 말을 돌아볼 것이니, 군자가 어찌 독실하게 하지 않겠는가?(庸德之行, 庸言之謹 ; 有所不足, 不敢不勉 ; 有餘, 不敢盡 ; 言顧行, 行顧言, 君子胡不慥慥爾?)"라고 한 것을 가리킨다.

257 武王과 周公의 達孝(더할 나위 없는 효) : 『中庸』 19장에 "무왕과 주공은 더할 나위 없는 효를 하신 분이신 저!(武王周公, 其達孝矣乎!)"라고 하였다.

258 천하를 경륜하는 … 것이다. : 『中庸』 12장에 "군자가 큰 것을 말하면, 천하에 실을 것이 없는 것이다.(君子語大, 天下莫能載焉.)"라고 하였다.

[43-2-116]

"學者做工夫, 莫說道是要待一箇頓段大項目工夫後方做得, 卽今逐些零碎積累將去. 纔等待大項目後方做, 卽今便蹉過了. 學者只今便要做去, 斷以不疑, 鬼神避之. 需者, 事之賊也."[259]

(주자가 말했다.) "배우는 사람은 공부를 할 때, 한 단락의 큰 항목의 공부를 기다린 뒤에 비로소 하려고 한다고 말하지 말고, 눈앞의 자잘한 문제들마다 쌓아가야 한다. 큰 항목을 기다린 뒤에 비로소 한다면, 눈앞의 문제는 잘못되고 만다. 배우는 사람은 오직 지금 당장 하려고 해야 하니, 결단하여 의혹되지 않으면 귀신도 피할 것이다. 망설임은 일을 해치는 적이다."

[43-2-117]

"如今學問未識箇入路, 就他自做倒不覺. 惟旣識得箇入頭, 却事事須著理會. 且道世上多多少少事! 旣識得路頭, 許多事都自是合著如此, 不如此不得. 自是天理合下當然."[260]

(주자가 말했다.) "요즈음 학문은 들어가는 길을 알지 못하니, 그 자신의 생각으로 스스로 행하면 도리어 알지 못한다.[261] 오직 들머리를 알고 나서 일마다 이해해야 한다. 생각해보면 세상에 얼마나 많은 일이 있는가! 들어가는 길을 알고 나면 수많은 일들이 모두 저절로 이와 같이 해야 하니, 이와 같이 하지 않으면 안 된다. 천리天理가 원래 당연히 그러한 것이다."

[43-2-118]

"若不見得入頭處, 緊也不可, 慢也不得. 若識得些路頭, 須是莫斷了. 若斷了便不成. 待得再新整頓起來, 費多少力! 如雞抱卵, 看來抱得有甚煖氣, 只被他常常恁地抱得成. 若把湯去湯便死了, 若抱纔住便冷了. 然而實是見得入頭處, 也自不解住了, 自要做去, 他自得些滋味了. 如喫果子相似, 未識滋味時, 喫也得, 不消喫也得. 到識滋味了, 要住, 自住不得."[262]

(주자가 말했다.) "만일 들머리를 알지 못하면, 조바심을 내서도 안 되고 태만해서도 안 된다. 만일 들머리를 조금 알았다면, 반드시 중단함이 없어야 한다. 중단하면 이루지 못한다. 다시 새롭게 정돈되기를 기다린 뒤에 시작한다면, 힘을 얼마나 허비하는가! 예컨대 닭이 알을 품을 때를 살펴보면 품어서 아주 따뜻한 기운이 있는데, 이는 오직 닭이 항상 이렇게 품어서 된 것이다. 만일 끓는 물을 부으면 죽고 말 것이며, 품는 일을 멈추면 바로 식어버릴 것이다. 그렇지만 진실로 들어가는 길을 알면, 또한 저절로

---

259 『朱子語類』 권8, 21조목
260 『朱子語類』 권8, 22조목. 원문은 다음과 같다. "如今學問未識箇入路, 就他自做, 倒不覺. 惟旣識得箇入頭, 却事事須著理會. 且道世上多多少少事!" 江文卿云, "只先生一言一語, 皆欲爲一世法, 所以須著如此." 曰, "不是要說爲世法. 旣識得路頭, 許多事都自是合著如此, 不如此不得. 自是天理合下當然."
261 그 자신의 … 못한다. : 『朱子語類考文解義』 「學而」에 "자기의 사견으로 공부를 하면 도리어 도에 들어가는 길을 알지 못한다는 것을 말한다. '倒'는 '反(도리어)'과 같다.(謂自以私見做工夫, 則反不識入道路徑也. 倒, 猶反.)"고 했다.
262 『朱子語類』 권8, 23조목

멈출 수 없을 것이며 저절로 하려고 할 것이니, 그 자신 조금 맛을 안 것이다. 마치 과자를 먹는 것과 흡사하니, 맛을 알지 못할 때는 먹어도 그만이고 먹지 않아도 그만이다. 그러나 맛을 알게 되면 멈추려고 하더라도 저절로 멈추지 못한다."

[43-2-119]

"爲學切須收斂端嚴, 就自家身心上做工夫, 自然有所得."[263]

(주자가 말했다.) "학문을 할 때에는 기필코 삼가고 단정하고 엄숙하게 하여 자신의 몸과 마음에서 공부를 해야 저절로 소득이 있을 것이다."

[43-2-120]

"爲學工夫, 固當有先後, 然亦不是截然今日爲此, 明日爲彼也. 且如所謂先明性之本體, 而敬以守之, 固是如此. 然從初若都不敬, 亦何由得有見耶?"[264]

(주자가 말했다.) "공부는 참으로 선후가 있어야 하지만 또한 무 자르듯이 오늘은 이것을 하고 내일은 저것을 하는 것이 아니다. 예컨대 먼저 성性의 본체를 밝히고서 경敬으로 지킨다고 하는 것은 참으로 이렇게 해야 한다. 그러나 애초부터 만일 전혀 경敬하지 않는다면, 또한 어떻게 식견이 있을 수 있겠는가?"

[43-2-121]

或言: "學者工夫多間斷."

曰: "聖賢教人, 只是要救一箇間斷."[265]

(어떤 사람이) 말했다. "배우는 사람들은 공부에 끊김이 많습니다."

(주자가) 대답했다. "성인은 사람들을 가르칠 때 다만 끊김을 바로잡으려고 했을 뿐이다."

[43-2-122]

"收拾放心, 乃是緊切下功夫處. 講學乃其中之一事. 今但專一於此下功, 不須思前筭後, 計較得失. 講學亦且看直截明白處, 不要支蔓."[266]

(주자가 말했다.) "잃어버린 마음을 수습하는 것이야말로 긴요하고 절실하게 공부해야 할 곳이다. 학문을 연마하는 것도 바로 그 중 하나의 일이다. 요즈음은 단지 학문연마에만 공을 들일 뿐, 앞뒤를 생각하려 들지 않고 득실을 따진다. 학문을 연마할 때에도 우선 단순명쾌하고 명백한 것을 보아야지, 번잡해서

263 『朱子語類』 권120, 92조목
264 『朱文公文集』 권62 「答余國秀」(2)
265 『朱子語類』 권121, 25조목
266 『朱文公文集』 권54 「答周叔謹」(5)

는 안 된다."

[43-2-123]
"學問緊要是見處要得透徹. 然不自主敬致知上著功夫, 亦無入頭處也."[267]
(주자가 말했다.) "학문에서 긴요한 것은 보는 것마다 밝고 확실해야 한다. 그러나 경敬을 위주로 앎을 지극하게 하는 것에 입각하여 공부하지 않으면, 또한 들어갈 길이 없다."

[43-2-124]
"爲學不厭卑近. 愈卑愈近則功夫愈實, 而所得愈高遠. 其直爲高遠者則反是, 此不可不察也."[268]
(주자가 말했다.) "학문을 함에 비근함을 싫어하지 않아야 한다. 낮고 가까울수록 공부가 더욱 알차고 터득함은 더욱 고원해진다. 그저 고원하기만 한 것은 이와 반대이니, 이 점을 살피지 않으면 안 된다."

[43-2-125]
"持敬讀書, 表裏用力, 切須實下功夫, 不可徒爲虛說. 然表裏亦非二事, 但不可取此而舍彼耳. 其實互相爲用, 只是一事."[269]
(주자가 말했다.) "지경持敬과 독서는 겉과 속에 힘을 쓰는 것이니, 부디 진실하게 공부해야지 한갓 빈말을 꾸며서는 안 된다. 그러나 겉과 속 또한 두 가지 일이 아니므로, 단지 이것을 취하고 저것을 버려서는 안 된다. 사실은 서로 용用이 되므로 하나의 일일 뿐이다."

[43-2-126]
"人須做功夫方有疑. 初做時定是觸著相礙, 沒理會處. 只如居敬窮理, 始初定分作兩段. 居敬則執持在此, 纔動則便忘了."
(주자가 말했다.) "사람은 반드시 공부를 해야 비로소 의문이 있게 된다. 처음 공부할 때에는 반드시 서로 막혀 이해하지 못하는 곳에 부딪힌다. 예컨대 거경居敬궁리窮理는 처음에는 반드시 두 가지로 나뉘게 된다. 경敬에 머무를 때에는 여기에 지니고 있지만 움직이자마자 잊어버리고 만다."

問: "始學必如此否?"
曰: "固然. 要知居敬在此, 動時理便自窮. 只是此話, 功夫未到時難說."
又曰: "但能無事時存養教到, 動時也會求理."[270]

....
267 『朱文公文集』 권35 「答劉子澄」(4)
268 『朱文公文集』 권53 「答胡季隨」(10)
269 『朱文公文集』 권62 「答李晦叔」(2)
270 『朱子語類』 권119, 40조목

물었다. "처음 배울 때에는 반드시 이렇습니까?"

(주자가) 말했다. "참으로 그러하다. 거경居敬이 여기에 있다는 것을 알아야 움직일 때 리理가 저절로 궁구된다. 다만 이러한 말은 공부가 미처 도달하지 못할 때에는 설명해 주기가 어렵다."

(주자가) 또 말했다. "오직 일이 없을 때 존양存養이 이르도록 할 수 있어야 움직일 때에 또한 리理를 구할 수 있다."

[43-2-127]

"學者精神短底, 看義理只到得半途, 便以爲前面沒了."

或曰 : "若功夫不已, 亦須有向進."

曰 : "須知得前面有, 方肯做功夫. 今之學者, 大槪有二病, 一以爲古聖賢亦只此是了, 故不肯做功夫, 一則自謂做聖賢事不得, 不肯做功夫."271

(주자가 말했다.) "배우는 사람들이 정신이 부족한 것은 의리를 볼 때 그저 중간쯤만 도달하면, 바로 과거의 것을 없애 버리기 때문이다."

어떤 사람이 말했다. "만일 공부를 멈추지 않는다면 또한 틀림없이 전진함이 있을 것입니다."

(주자가) 말했다. "이전의 것이 있음을 알아야 비로소 공부를 하려고 한다. 요즈음의 배우는 사람들은 대개 두 가지 문제가 있는데, 하나는 옛 성현도 다만 이와 같을 뿐이라고 생각하기 때문에 공부를 하려고 하지 않는 것이고, 또 다른 하나는 스스로 성현의 일을 할 수 없다고 생각하여 공부를 하려고 하지 않는 것이다."

[43-2-128]

"學者須於主一上做功夫. 若無主一功夫, 則所講底義理無安著處, 都不是自家物事, 若有主一功夫, 則外面許多義理方始爲我有, 都是自家物事. 功夫到時, 纔主一, 便覺意思好卓然精明. 不然便緩散消索了沒意思. 做功夫只自脚下便做將去, 固不免有散緩時, 但纔覺, 便收欲將來漸漸做去. 但得收欲時節多, 散緩之時少, 便是長進處. 故孟子說'學問之道無他, 求其放心而已.' 所謂求放心者, 非是別去求簡心來存著, 只纔覺放, 心便在此. 孟子又曰, '雞犬放則知求之. 心放則不知求.' 某嘗謂雞犬猶是外物, 纔放了須去外面捉將來 ; 若是自家心更不用別求, 纔覺便在這裏. 雞犬放, 猶有求不得時 ; 自家心, 則無求不得之理."

(주자가 말했다.) "배우는 사람은 반드시 주일主一해서 공부해야 한다. 주일 공부가 없으면 연마한 의리가 머물 곳이 없으니 모두 자신의 것이 아니고, 주일 공부가 있으면 외부의 수많은 의리가 비로소 내가 가진 것이 되니 모두 자신의 것이다. 공부할 때 하나에 집중하면 생각이 매우 뛰어나고 잘 돌아감을 알게 된다. 그렇지 않으면 산만하고 쇠퇴하여 생각이 없게 된다. 공부를 할 때에는 단지 가까운 것에서부

271 『朱子語類』 권117, 16조목

터 해 가더라도 참으로 산만해 질 때가 있을 수밖에 없으니, 바로 알아차리자마자 수렴하여 점진적으로 나아가야 한다. 다만 수렴할 때가 많고 산만해질 때가 적게 되면 크게 진전한다. 그러므로 맹자는 '학문의 방법은 다름 아니라 잃어버린 마음을 찾는 것일 뿐이다.'[272]라고 말했다. 이른바 잃어버린 마음을 찾는 것이란 별도로 한 마음을 찾아서 보존하는 것이 아니라, 바로 잃어버림을 알아차리자마자 마음을 여기에 두는 것이다. 맹자는 또 '닭과 개는 잃어버리면 찾을 줄 아는데 마음은 잃어버리면 찾을 줄 모른다.'[273]라고 했다. 나는 일찍이 다음과 같이 말한 적이 있다. 닭과 개는 그래도 외부의 사물이라 잃어버리면 반드시 밖으로 나가 붙잡아 와야 하지만, 만일 자신의 마음이라면 다시 따로 찾을 필요가 없이 알아차리기만 하면 여기에 있는 것이다. 닭과 개는 잃어버리면 그래도 찾지 못할 때가 있지만 자신의 마음은 찾지 못할 리가 없다는 말이다."

因言: "橫渠說做功夫處, 更精切似二程. 二程資稟高潔净, 不大段用工夫. 橫渠資稟有偏駁夾雜處, 他大段用功夫來. 觀其言曰, '心清時少, 亂時多. 其清時, 視明聽聰, 四體不待羈束而自然恭謹, 其亂時反是,' 說得來大段精切."[274]

(주자가) 이어서 말했다. "횡거橫渠張載가 공부를 하는 것에 대해 말한 것은 더욱 정밀하고 간절하니 이정二程과 흡사하다. 이정은 자질이 고결하여 그다지 공부할 필요가 없었다. 횡거는 자질이 편협하고 잡박한 점이 있었기에, 그는 많이 공부를 하였다. 그의 말을 보면 '마음이 맑을 때는 적고 어지러울 때는 많다. 맑을 때는 눈도 밝고 귀도 밝아 몸을 단속하지 않아도 저절로 공손하고 삼갔으나 어지러울 때는 이와 반대였다.'[275]고 하였으니, 말이 매우 정밀하고 간절하다."

[43-2-129]
"人生與天地一般, 無些欠缺處. 且去子細看秉彝常性是何如, 將孟子言性善處看是如何善, 須精細看來."[276]

(주자가 말했다.) "사람이 태어날 때에는 천지와 똑같아 조금의 흠결도 없다. 우선 병이秉彝와 상성常性이 어떠한 지를 자세히 살피고, 맹자가 성선性善을 말한 곳이 어떻게 선한지를 보되 정밀하고 자세하게 살펴야 한다."

[43-2-130]
"質敏不學, 乃大不敏. 有聖人之資, 必好學, 必下問. 若就自家杜撰, 更不學更不問, 便已是凡

272 '학문의 방법은 … 뿐이다.': 『孟子』 「告子上」
273 '닭과 개는 … 모른다.': 『孟子』 「告子上」
274 『朱子語類』 권113, 24조목
275 '마음이 맑을 … 반대였다.': 『張子全書』 권7 「學大原下」
276 『朱子語類』 권116, 36조목

下了. 聖人之所以爲聖, 也只是好學下問. '舜自耕稼陶漁以至于帝, 無非取諸人以爲善.' 孔子說禮'吾聞諸老聃,' 這也是學於老聃, 方知得這一事."[277]

(주자가 말했다.) "자질資質이 명민하나 배우지 않는 것은 바로 매우 명민하지 못한 것이다. 성인의 자질이 있으면 반드시 배우기를 좋아하고 반드시 아랫사람에게 묻는다.[278] 만일 스스로 허술한데도 더 배우지 않고 더 묻지 않으면, 이미 수준 이하인 것이다. 성인이 성인이 될 수 있는 까닭도 배우기를 좋아하고 아랫사람에게 묻는 것일 뿐이다. 순舜임금은 밭 갈고 곡식을 심으며 질그릇 굽고 고기 잡을 때로부터 황제가 됨에 이르기까지 남에게서 취한 것 아님이 없었다.[279] 공자孔子는 예를 설명하면서 '내가 노담老聃에게 들었다.'[280]라고 하였으니, 이것 또한 노담에게 배우고서야 이 하나의 일을 알게 된 것이다."

[43-2-131]
或問 : "東萊謂'變化氣質, 方可言學.'"

曰 : "此意甚善. 但如鄙意, 則以爲學乃能變化氣質耳. 若不讀書窮理, 主敬存心而徒切切計較於昨非今是之間, 恐亦勞而無補也."[281]

어떤 사람이 물었다. "동래東萊呂祖謙는 '기질을 변화시켜야 비로소 배움을 말할 수 있다.'라고 하였습니다."

(주자가) 말했다. "이 말의 뜻은 매우 좋다. 다만 비루한 뜻은 배움이 곧 기질을 변화시킬 수 있다고 여길 뿐이다. 만일 독서하여 궁리하고 경敬을 주主로 하여 마음을 보존하지 않고서, 한갓 예전에는 그르다고 여겨지던 것이 이제는 옳은 것으로 여겨지는 차원에서만 절실하게 따진다면, 또한 수고로울 뿐 아무런 보탬이 없을까 염려된다."

[43-2-132]
"'待文王而後興者凡民也. 若夫豪傑之士, 雖無文王猶興.' 豪傑質美, 生下來便見這道理, 何用費力! 今人至於沈迷而不反, 聖人爲之屢言, 方始肯來, 已是下愚了. 況又不知求之, 則終於爲禽獸而已. 蓋人爲萬物之靈, 自是與物異. 若迷其靈而昏之, 則與禽獸何別!"[282]

(주자가 말했다.) "문왕文王을 기다린 뒤에야 흥기하는 자는 일반 백성이다. 호걸豪傑의 선비는 비록 문왕文王이 없을지라도 오히려 흥기한다.'[283] 호걸의 선비는 자질이 아름다워 태어날 때부터 곧 도리를

277 『朱子語類』 권121, 50조목
278 배우기를 좋아하고 … 묻는다. : 『論語』「公冶長」에서 자공이 공자에게 孔文子에게 어떻게 文子 시호가 내려졌는지 묻자 공자는 "명민하면서도 배우기를 좋아하고 아랫사람에게 묻기를 부끄러워하지 않아서 이 때문에 문자 시호로 부른 것이다.(敏而好學, 不恥下問, 是以謂之文也.)"라고 하였다.
279 舜임금은 밭 … 없었다. : 『孟子』「公孫丑上」
280 '내가 老聃에게 들었다.' : 『禮記』「曾子問」
281 『朱子語類』 권122, 5조목
282 『朱子語類』 권8, 24조목
283 '文王을 기다린 … 흥기한다.' : 『孟子』「盡心上」

깨닫는데, 어찌 힘을 낭비하겠는가! 요즈음 사람들은 미혹된 길에 빠지고도 돌이키지 않다가 성인이 그들을 위해 여러 번 말하고서야 비로소 돌아오려 해도, 이미 어리석은 사람이 되어 버린다. 하물며 그것을 구하지 않는다면, 끝내 짐승이 되고 말 뿐이다. 사람은 만물의 영장靈長이니 본래 외물과 다르다. 만일 그 영명靈明함을 어지럽혀 어둡게 한다면, 짐승과 무엇이 구별되겠는가?"

[43-2-133]

"學問是自家合做底. 不知學問, 則是欠闕了自家底. 知學問則方無所欠闕. 今人把學問來做外面添底事看了."[284]

(주자가 말했다.) "학문은 스스로 마땅히 해야 하는 것이다. 학문을 알지 못하면, 자신의 것을 빠뜨리게 된다. 학문을 알아야 비로소 빠뜨린 것이 없게 된다. 요즈음 사람들은 학문을 밖에서 무언가를 더하는 일이라고 여긴다."

[43-2-134]

"聖賢只是做得人當爲底事盡. 今做到聖賢止, 是恰好, 又不是過外."[285]

(주자가 말했다.) "성현聖賢은 그저 사람이 마땅히 해야 할 일을 다했을 뿐이다. 지금 성현에 이르는 것은 합당하게 하는 것일 뿐, 넘어서 있거나 밖에 있는 것이 아니다."

[43-2-135]

"凡人須以聖賢爲己任. 世人多以聖賢爲高, 而自視爲卑, 故不肯進. 抑不知使聖賢本自高, 而己別是一樣人, 則早夜孜孜, 別是分外事, 不爲亦可, 爲之亦可. 然聖賢禀性與常人一同. 旣與常人一同, 又安得不以聖賢爲己任?

(주자가 말했다.) "무릇 사람은 반드시 성현聖賢을 자신의 임무로 삼아야 한다. 세상 사람들은 대부분 성현을 높다고 여기고 자신을 낮다고 보기 때문에 나아가려 들지 않는다. 잘 모르겠지만 가령 성현은 본래 높고 자신은 다른 종류의 사람이라면, 밤낮으로 쉬지 않고 노력하는 것은 별도의 내 분수分數 밖의 일이니, 하지 않아도 되고 해도 될 것이다. 그러나 성현이 품부 받은 본성은 보통 사람과 똑같다. 이미 보통 사람과 같다면, 또 어찌 성현을 자기의 임무로 삼지 않을 수 있겠는가?

自開闢以來, 生多少人, 求其盡己者, 千萬人中無一二, 只是袞同枉過一世. 『詩』曰'天生烝民, 有物有則.' 今世學者, 往往有物而不能有其則. 『中庸』曰, '尊德性而道問學, 極高明而道中庸.' 此數句乃是徹首徹尾. 人性本善, 只爲嗜慾所迷, 利害所逐, 一齊昏了. 聖賢能盡其性, 故耳極天下之聰, 目極天下之明, 爲子極其孝, 爲臣極其忠.

....

284 『朱子語類』 권8, 25조목
285 『朱子語類』 권8, 26조목

세상이 열린 이래 많은 사람들이 생겨났지만 자기를 다하기를 구하는 사람은 천 명이나 만 명 가운데 한두 사람도 안 되니, 대부분은 그저 휩쓸려 한 평생을 헛되이 보낼 뿐이다. 『시경』에 '하늘이 백성을 내시니 사물이 있으면 준칙이 있다.'[286]고 했다. 요즈음 배우는 사람들은 사물은 있지만 자기의 준칙이 있지 못하는 경우가 많다. 『중용』에는 '군자君子는 덕성德性을 높이고 학문學問을 말미암으니, 고명高明을 다하고 중용中庸을 따른다.'[287]고 하였다. 이 몇 구절은 처음부터 끝까지 관통하고 있다. 사람의 본성은 본래 선하지만, 즐기고 좋아하는 것에 미혹되고 이해에 쫓겨 일제히 어두워졌다. 성현은 그 본성을 다할 수 있으므로, 귀 밝음은 세상 사람들의 총기보다 지극하고 눈 밝음은 세상 사람들의 눈보다 지극하여, 자식이 되어서는 효도가 극진하고 신하가 되어서는 충성이 지극하다.

或問: '明性須以敬爲先.'
曰: '固是. 但敬亦不可混淪說, 須是每事上檢點. 論其大要, 只是不放過耳. 大抵爲己之學, 於他人無一毫干預. 聖賢千言萬語, 只是使人反其固有而復其性耳.'[288]
어떤 사람이 물었다. '본성을 밝히는 것은 반드시 경敬을 우선해야 합니까?'
(주자가) 대답했다. '참으로 그렇다. 경도 두루뭉술하게 말해서는 안 되고 반드시 매사에 점검해야 한다. 그 큰 핵심을 논한다면 다만 놓아버리지 않는 것이다. 대체로 자기 수양을 위한 공부는 다른 사람과는 조금도 관계가 없다. 성현의 수많은 말은 단지 사람들이 본래 가지고 있는 것을 돌이켜 자신의 본성을 회복하도록 한 것일 뿐이다.'"

[43-2-136]
"學者大要立志. 所謂志者, 不道將這些意氣去蓋他人, 只是直截要學堯舜. 孟子'道性善, 言必稱堯舜,' 此是眞實道理. 世子自楚反復見孟子. 孟子曰, '世子疑吾言乎? 夫道一而已矣.'" 這些道理, 更無走作, 只是一箇性善可至堯舜, 別沒去處了. 下文引成覸顏子公明儀所言, 便見得人人皆可爲也. 學者立志須教勇猛, 自當有進. 志不足以有爲, 此學者之大病."[289]
(주자가 말했다.) "배우는 사람에게 가장 중요한 것은 뜻을 세우는 일이다. 이른바 뜻이라는 것은 의지와 기개 같은 것을 가지고 다른 사람을 압도하는 것을 말하는 것이 아니라, 곧바로 요堯와 순舜을 배우는 것이다. '맹자는 본성이 선하다고 말하되, 말할 때마다 반드시 요와 순을 거론하였다.'라고 한 것은 진실한 도리이다. '세자世子가 초楚 나라에서 돌아와 다시 맹자를 만나자, 맹자는 「세자는 저의 말을 의심하십니까? 도리는 하나일 뿐입니다.」라고 말했다.' 이 도리는 더 달려갈 곳이 없으니, 단지 본성의 선함으로 요와 순의 경지에 이르는 것 일 뿐, 달리 갈 곳이 없다. 다음 글에 성간成覸·안자顏子·공명의公明儀가

---

286 '하늘이 백성을 … 있다.' : 『詩經』「大雅·蕩之什·蒸民」
287 '君子는 德性을… 따른다.' : 『中庸』 제27장
288 『朱子語類』 권8, 27조목
289 『朱子語類』 권8, 28조목

했던 말을 인용한 곳에서 사람마다 모두 그렇게 될 수 있다는 것을 알 수 있다.[290] 배우는 사람이 뜻을 세움에 반드시 용맹하게 하면, 저절로 진전이 있을 것이다. 뜻이 실행하기에 부족한 것이 배우는 사람의 큰 문제이다."

[43-2-137]

"世俗之學, 所以與聖賢不同者, 亦不難見. 聖賢直是眞箇去做. 說正心, 直要心正, 說誠意, 直要意誠, 修身齊家, 皆非空言. 今之學者, 說正心但將正心吟詠一餉, 說誠意又將誠意吟詠一餉, 說脩身又將聖賢許多說脩身處諷誦而已. 或掇拾言語, 綴緝時文.

(주자가 말했다.) "세속의 학문이 성현의 학문과 다른 까닭 또한 알기 어렵지 않다. 성현은 곧바로 진실하게 행한다. 마음을 바르게 하는 것을 말하면 곧바로 마음을 바르게 하려고 하고, 뜻을 성실하게 하는 것을 말하면 곧바로 뜻을 성실하게 하려고 하며, 몸을 수양하고 나라를 다스리는 것도 모두 빈말이 아니다. 요즈음 배우는 사람들은 마음을 올바르게 한다고 말하고는 그저 마음을 올바르게 한다고 잠깐 읊조릴 뿐이고, 뜻을 성실하게 한다고 말하고는 또 뜻을 성실하게 한다고 잠깐 읊조릴 뿐이며, 몸을 수양한다고 말하고는 또 몸을 닦는 것에 대한 성현의 수많은 말들을 암송하기만 할 뿐이다. 경우에 따라서는 성현의 말들을 주워 모아 시류를 따르는 글을 짜깁기하기도 한다.

如此爲學, 却於自家身上有何交涉? 這裏須用著意理會. 今之朋友, 固有樂聞聖賢之學, 而終不能去世俗之陋者, 無他, 只是志不立爾. 學者大要立志, 纔學便要做聖人是也."[291]

그렇게 학문을 한들 자기 자신과 무슨 상관이 있겠는가? 이점을 주의 깊게 이해해야 한다. 요즈음 벗들이 참으로 성현의 학문을 즐겨 들으면서도 끝내 세속의 고루함을 벗어나지 못하는 것은 다름 아니라 단지 뜻이 서지 않은 것일 뿐이다. 배우는 사람에 가장 중요한 것은 뜻을 세우는 것이니, 배우자마자 곧 성인이 되려고 하는 것이 이것이다."

---

290 '맹자는 본성이 … 있다. : 『孟子』「滕文公上」에 "滕文公이 世子로 있을 때에 장차 楚 나라로 가기 위하여 宋 나라를 지나다가 맹자를 만났다. 맹자는 본성이 선하다고 말하되, 말할 때마다 반드시 堯와 舜을 거론하였다. 세자가 楚나라에서 돌아와 다시 맹자를 만나자, 맹자가 말했다. '世子는 저의 말을 의심하십니까? 道는 하나일 뿐입니다. 成覵은 齊景公에게 「저 사람[聖賢]도 대장부이고 나도 대장부인데, 내가 어찌 저 사람을 두려워하겠습니까?」라고 하였고, 顔淵은 「舜임금은 어떠한 분이며 나는 어떠한 사람인가? 훌륭한 일을 하는 자는 또한 이 舜임금과 같다.」라고 하였으며, 公明儀는 「文王은 내 스승이니, 周公이 어찌 나를 속였겠는가?」라고 하였습니다.'(滕文公爲世子, 將之楚, 過宋而見孟子. 孟子道性善, 言必稱堯舜. 世子自楚反, 復見孟子. 孟子曰, '世子疑吾言乎? 夫道一而已矣. 成覵謂齊景公曰, 「彼丈夫也, 我丈夫也, 吾何畏彼哉?」顔淵曰, 「舜何人也? 予何人也? 有爲者亦若是.」 公明儀曰, 「文王我師也, 周公豈欺我哉?」')"라는 대화가 있다.

291 『朱子語類』 권8, 29조목

[43-2-138]

問：“人氣力怯弱, 於學有妨否?”

曰：“爲學在立志, 不干氣禀強弱事.”

又曰：“爲學何用憂惱? 但放令平易寬快去.”

물었다. “사람이 기력이 약하면 학문을 하는데 방해가 됩니까?”

(주자가) 대답했다. “학문을 하는 것은 뜻을 세우는 데 달려 있지, 품부 받은 기의 강약과는 관계가 없다.”

(주자가) 또 말했다. “학문을 하면서 왜 근심하고 걱정하는가? 단지 쉽고 여유 있게 해야 한다.”

或擧聖門弟子, 唯稱顏子好學, 其次方說及曾子, 以此知事大難.

曰：“固是如此, 某看來亦有甚難, 有甚易. 只是堅立著志, 順義理做去, 他無蹺欹也.”292

어떤 사람은 성인 문하의 제자에 대해 거론하면서 오직 안자顏子만이 학문을 좋아한다고 말할 만하고, 그 다음에야 비로소 증자曾子를 말할 수 있으니, 이로써 학문하는 일이 매우 어렵다는 것을 알게 되었다고 하였다.

(주자가) 말했다. “참으로 그렇지만 내가 살펴보건대 매우 어려운 점도 있고 매우 쉬운 점도 있다. 단지 뜻을 굳게 세우고 의리에 따라 행한다면, 다른 것은 잘못되는 일이 없을 것이다.”

[43-2-139]

“這簡物事要得不難, 如飢之欲食, 渴之欲飲, 如救火, 如追亡. 似此年歲間看得透, 活潑潑地, 在這裏流轉方是.”293

(주자가 말했다.) “이 일(학문)은 어렵다고 여기지 않아야 하니, 마치 배고플 때 음식을 먹고 싶고, 목마를 때 물을 마시고 싶듯이 하고, 마치 불을 끄고 도둑을 쫓듯이 해야 한다. 흡사 금년 한 해 동안 투철하게 살펴서 활발함이 여기에서 흘러나와야 비로소 옳다.”

[43-2-140]

“學者做工夫, 當忘寢食做一上. 使得些入處, 自後方滋味接續. 浮浮沈沈, 半上落下, 不濟得事.”294

(주자가 말했다.) “배우는 사람은 공부할 때 마땅히 먹고 자는 것조차 잊고 하나씩 공부해야 한다. 가령 조금 진입할 곳을 얻게 되면, 그 후에는 막 재미가 붙어 이어진다. 떴다가 가라앉고 반쯤 올라갔다 아래로 떨어지면 일을 이루지 못한다.”

• •

292 『朱子語類』 권8, 31조목
293 『朱子語類』 권8, 35조목
294 『朱子語類』 권8, 36조목

[43-2-141]

"而今緊要且看聖人是如何, 常人是如何, 自家因甚便不似聖人, 因甚便只是常人. 就此理會得透, 自可超凡入聖."[295]

(주자가 말했다.) "지금 긴요한 것은 우선 성인은 어떠하고 보통 사람은 어떠한지, 자신이 무엇 때문에 성인과 같지 않고 무엇 때문에 보통 사람일 뿐인지를 아는 것이다. 이점에 대해 철저히 이해하게 되면 저절로 평범한 사람을 넘어 성인의 경지에 들어갈 수 있을 것이다."

[43-2-142]

"爲學, 須覺今是而昨非, 日改月化, 便是長進."[296]

(주자가 말했다.) "학문을 할 때는 모름지기 어제는 틀렸지만 지금은 옳다고 깨달아 날마다 고치고 달마다 변해야 크게 진전될 것이다."

[43-2-143]

"今之學者, 全不曾發憤."[297]

(주자가 말했다.) "오늘날 배우는 사람들은 전혀 분발하지 않는다."

[43-2-144]

"爲學不進, 只是不勇."[298]

(주자가 말했다.) "학문을 해도 전전되지 않는 것은 단지 용맹스럽지 않기 때문이다."

[43-2-145]

"不可倚靠師友."[299]

(주자가 말했다.) "스승과 벗에 의존해서는 안 된다."

[43-2-146]

"今人做工夫, 不肯便下手, 皆是要等待. 如今日早間有事, 午間無事, 則午間便可下手, 午間有事, 晚間便可下手, 却須要待明日. 今月若尚有數日, 必直待後月, 今年尚有數月, 不做工夫, 必曰'今年歲月無幾, 直須來年.' 如此, 何緣長進!"

- - - - - - - - - - - - - - - - -

295 『朱子語類』권8, 37조목
296 『朱子語類』권8, 38조목
297 『朱子語類』권8, 40조목
298 『朱子語類』권8, 41조목
299 『朱子語類』권8, 42조목

(주자가 말했다.) "요즈음 사람들은 공부할 때 곧바로 착수하려고 하지 않고 모두 기다리려고 한다. 예를 들어 오늘 아침에는 일이 있으나 낮에 일이 없다면 낮에 바로 착수할 수 있고, 낮에 일이 있다면 저녁에 바로 착수할 수 있는데도, 반드시 내일을 기다리려고 한다. 이번 달에 아직 여러 날이 남아 있는데도, 반드시 다만 다음 달을 기다리며, 올해 아직도 여러 달이 남아 있는데도, 공부하지는 않고 반드시 '금년은 얼마 남지 않았으니 다만 내년을 기다린다.'고 한다. 이렇게 해서야 어떻게 큰 진전이 있겠는가!"

[43-2-147]

"凡人便是生知之資, 也須下困學勉行底工夫方得. 蓋道理縝密, 去那裏捉摸! 若不下工夫, 如何會了得!"[300]

(주자가 말했다.) "무릇 사람이 생이지지生而知之의 자질을 지녔더라도 반드시 곤경을 통해 배우고 힘써 행하는 공부를 해야 비로소 된다. 도리가 매우 세밀한데 어디에서 붙잡을 것인가! 만일 공부하지 않는다면, 어떻게 이해할 수 있겠는가!"

[43-2-148]

"大抵爲學, 雖有聰明之資, 必須做遲鈍工夫始得. 旣是遲鈍之資, 却做聰明底樣工夫如何得!"[301]

(주자가 말했다.) "대개 학문할 때 비록 총명한 자질을 지녔더라도, 반드시 노둔하게 공부해야 비로소 된다. 노둔한 자질을 지녔는데도 도리어 총명한 방식의 공부를 한다면 어떻게 되겠는가!"

[43-2-149]

"今人不肯做工夫. 有是覺得難後遂不肯做. 有自知不可爲, 公然遜與他人. 如退産相似, 甘伏批退, 自己不願要."[302]

(주자가 말했다.) "요즈음 사람들은 공부하려고 들지 않는다. 어려움을 알고서 마침내 하려 들지 않는 사람이 있고, 스스로 할 수 없음을 알고 공공연하게 다른 사람에게 양보하는 사람도 있다. 이는 마치 '재산을 둘러싼 송사에서 이기지 못함을 알고 물러나는 것退産'과 같으니, 판결을 달게 받아들이고 물러나 스스로 이기려고 하지 않는 것이다."

[43-2-150]

"爲學勿責無人爲自家剖析出來, 須是自家去裏面講究做工夫, 要自見得."[303]

(주자가 말했다.) "배울 때에는 자신을 위해 분명하게 이해시켜 주는 사람이 없음을 탓하지 말고, 반드시

300 『朱子語類』 권8, 48조목
301 『朱子語類』 권8, 50조목
302 『朱子語類』 권8, 51조목
303 『朱子語類』 권8, 52조목

스스로 내면에 따라 공부하여 스스로 알려고 해야 한다."

[43-2-151]

"小立課程, 大作工夫."[304]

(주자가 말했다.) "과정은 작게 세우되, 공부는 많이 해야 한다."

[43-2-152]

"且理會去, 未須計其得."[305] "纔計於得, 則心便二, 頭便低了."[306]

(주자가 말했다.) "우선 이해해 나가고, 결과를 따지지 말아야 한다." "결과를 따지자마자 마음이 둘로 갈라지고 생각이 저속해진다."

[43-2-153]

"嚴立功程, 寬著意思, 久之自當有味, 不可求欲速之功."[307]

(주자가 말했다.) "공부의 과정을 엄정하게 세우고 생각을 여유 있게 한다면, 오래 지남에 따라 저절로 맛이 있게 되니, 서둘러 이루려는 공을 구하지 않아야 한다."

[43-2-154]

"人多言爲事所奪, 有妨講學. 此爲不能使船嫌溪曲者也. 遇富貴, 就富貴上做工夫, 遇貧賤, 就貧賤上做工夫. 『兵法』一言甚佳, 因其勢而利導之也. 人謂齊人弱, 田忌乃因其弱以取勝. 又如韓信特地送許多人安於死地, 乃始得勝. 學者若有絲毫氣在, 必須進力. 除非無了此氣, 只口不會說話方可休也."[308]

(주자가 말했다.) "사람들은 대부분 일에 마음을 빼앗겨 학문 연마에 방해가 된다고 말한다. 이것은 '배는 물 구비를 피하게 할 수 없다.'는 것과 같다. 부귀하게 되면 부귀한 상태에서 공부하고, 빈천하게 되면 빈천한 상태에서 공부해야 한다. 『병법』의 한 마디 말이 매우 좋은데 '형세를 이용하여 유리하도록 이끈다.'[309]라고 하였다. 사람들은 제齊나라 사람이 약하다고 여겼지만 전기田忌는 자기의 약한 힘을 이

---

304 『朱子語類』권8, 53조목
305 『朱子語類』권8, 55조목
306 『朱子語類』권8, 56조목
307 『朱子語類』권8, 57조목
308 『朱子語類』권8, 59조목의 원문은 다음과 같다. "人多言爲事所奪, 有妨講學, 此爲"不能使船嫌溪曲"者也. 遇富貴, 就富貴上做工夫 ; 遇貧賤, 就貧賤上做工夫. 兵法一言甚佳 : "因其勢而利導之"也. 人謂齊人弱, 田忌乃因其弱以取勝, 今日三萬灶, 明日二萬灶, 後日一萬灶. 又如韓信特地送許多人安於死地, 乃始得勝. 學者若有絲毫氣在, 必須進力! 除非無了此氣, 只口不會說話, 方可休也."
309 '형세를 이용하여 … 이끈다.' : 『史記』「列傳·孫子」권65

용하여 승리를 거두었다. 또 예를 들면 한신韓信은 일부러 수많은 사람을 보내 사지死地에 배치하고서야 마침내 비로소 승리할 수 있었다.[310] 배우는 사람은 약간의 기운이라도 있다면 반드시 힘써 나아가야 한다. 오직 이 기운조차 없어져 말도 할 수 없는 지경이 되었을 때에야 비로소 쉬어도 된다."

[43-2-155]

"爲學極要求把篙處著力. 到工夫要斷絕處, 又更增工夫, 著力不妨令倒, 方是向進處. 爲學正如撐上水船. 方平穩處, 儘行不妨. 及到灘脊急流之中, 舟人來這上一篙不可放緩. 直須著力撐上, 不得一步不緊. 放退一步, 則此船不得上矣."[311]

(주자가 말했다.) "학문을 할 때에는 반드시 삿대를 잡고 힘을 쏟는 것이 매우 중요하다. 공부가 중단되는 곳에 이르면 더욱 더 공부하여 넘어지지 않도록 힘을 쏟아야 비로소 진보하는 것이다. 학문하는 것은 바로 배를 지탱하면서 거슬러 올라가는 것과 같다. 평온한 곳에서는 나아가게 하는데 문제가 없다. 그러나 여울이나 급류에 이르면 사공은 삿대를 위로 젓는 것을 늦추어서는 안 된다. 곧바로 힘을 쏟아 지탱하면서 거슬러 올라가 조금도 늦추어서는 안 된다. 조금이라도 물러난다면, 이 배는 거슬러 올라가지 못하고 만다."

[43-2-156]

"學者理會道理, 當深沈潛思."

又曰 : "讀書如煉丹, 初時烈火煅煞, 然後漸漸慢火養. 又如煮物, 初時烈火煮了, 却須慢火養. 讀書初勤敏著力, 子細窮究, 後來却須緩緩溫尋, 反復玩味, 道理自出. 又不得貪多欲速, 直須要熟, 工夫自熟中出."[312]

(주자가 말했다.) "배우는 사람은 도리를 이해할 때 마음을 가라앉히고 깊이 생각해야 한다."

또 (주자가) 말했다. "독서는 예컨대 단약丹藥을 만들 때, 처음에 센 불로 가열한 다음에 점점 불길을 늦추는 것과 같다. 또 어떤 것을 삶을 때 처음에 센 불로 삶고는 반드시 불길을 늦춰야 하는 것과 같다. 독서는 처음에는 부지런하고 민첩하게 힘을 쏟아 자세히 궁구한 다음에는 반드시 천천히 복습하고 반복하면서 음미해야 도리가 저절로 나오게 된다. 또 욕심을 부려 많이 읽으려 하거나 빨리 읽으려 해서는 안 되고 다만 반드시 무르익도록 해야 하니, 공부는 무르익는 가운데에서부터 나오는 것이다."

[43-2-157]

"大要須先立頭緒. 頭緒旣立, 然後有所持守. 『書』曰'若藥弗瞑眩, 厥疾弗瘳.' 今日學者皆是養病."[313]

• • • • • • • • • • • • • • • • • •
310 韓信은 일부러 … 있었다. : 『史記』「列傳·淮陰侯」 권92
311 『朱子語類』 권8, 65조목
312 『朱子語類』 권114, 38조목

(주자가 말했다.) "가장 중요한 것은 먼저 실마리를 세우는 것이다. 실마리가 서고 난 후에 굳게 지킬 것이 있다. 『서경』에 '만일 약이 독하지 않으면, 그 병은 낫지 않는다.'314라고 하였다. 오늘날 배우는 사람들은 모두 병을 키우고 있다."

[43-2-158]

"須磨屬精神去理會. 天下事, 非燕安暇豫之可得."315

(주자가 말했다.) "반드시 정신을 연마하여 이해해야 한다. 세상의 일은 한가하게 즐기면서 얻을 수 있는 것이 아니다."

[43-2-159]

"陽氣發處, 金石亦透. 精神一到, 何事不成!"316

(주자가 말했다.) "양陽의 기운이 발산하면 쇠와 돌도 뚫는다. 정신을 한군데 집중하면, 무슨 일인들 이루지 못하겠는가!"

[43-2-160]

"人氣須是剛, 方做得事. 如天地之氣剛, 故不論甚物事皆透過. 人氣之剛, 其本相亦如此. 若只遇著一重薄物事, 便退轉去, 如何做得事!"317

(주자가 말했다.) "사람은 기운이 강해야만 비로소 일을 해낼 수 있다. 예컨대 천지의 기운이 강하기 때문에 무엇을 막론하고 다 뚫는 것과 같다. 사람의 기운이 강한 것은 그 본모습이 또한 이러하기 때문이다. 만일 그저 한 겹의 얇은 일을 만났는데도 물러난다면 어떻게 일을 해내겠는가!"

[43-2-161]

"進取得失之念放輕, 却將聖賢格言處, 研窮考究. 若悠悠地似做不做, 如捕風捉影, 有甚長進? 今日是這簡人, 明日也是這簡人."318

(주자가 말했다.) "이해득실을 따져서 취하려는 마음을 놓아 가볍게 여기고, 도리어 성현의 격언을 연구하고 생각해야 한다. 만일 느긋하게 하는 둥 마는 둥 한다면, 바람을 잡고 그림자를 쥐는 것과 같으니, 무슨 큰 발전이 있겠는가! 오늘도 그런 사람이고 내일도 그런 사람일 것이다."

• • • • • • • • • • • • • • • • • •

313 『朱子語類』 권8, 67조목
314 '만일 약이 … 않는다.' : 『書經』 「商書・說明上」
315 『朱子語類』 권8, 69조목
316 『朱子語類』 권8, 71조목
317 『朱子語類』 권8, 73조목
318 『朱子語類』 권8, 78조목

[43-2-162]

"學者只是不爲己, 故日間此心安頓在義理上時少, 安頓在閑事上時多. 於義理却生, 於閑事却熟."[319]

(주자가 말했다.) "배우는 사람이 자기의 수양을 위한 공부를 하지 않기 때문에 하루 중에서 마음을 의리에 두는 시간은 적고 쓸데없는 일에 두는 시간이 많다. 그래서 의리에 대해서는 생소하고, 쓸데없는 일에 대해서는 익숙한 것이다."

[43-2-163]

"今學者要緊且要分別簡路頭, 要緊是爲己爲人之際. 爲己者直拔要理會這簡物事, 欲自家理會得, 不是漫恁地理會, 且恁地理會做好看, 教人說道自家也曾理會來. 這假饒理會得十分是當, 也都不關自身己事. 要須先理會這簡路頭. 若分別得了, 方可理會文字."[320]

(주자가 말했다.) "요즈음 배우는 사람에게 긴요한 것은 우선 길을 분별하도록 하는 것이니, 긴요한 것은 자기 수양을 위한 공부와 남에게 보이기 위한 공부를 구별하는 것이다. 자기 수양을 위한 공부는 직접 그 사물을 파악하고 스스로 이해하고자 하는 것이지, 제멋대로 이해하거나 그럴 듯하게 이해하고는 다른 사람에게 자신도 이미 이해했다고 말하도록 하는 것이 아니다. 이것은 설령 충분히 이해했다고 하더라도 자신의 일과는 아무 상관없다. 반드시 이 길을 먼저 이해해야 한다. 이 길을 분별하게 된 경우에야 비로소 글을 이해할 수 있다."

[43-2-164]

"今之學者直與古異. 今人只是強探向上去. 古人則逐步步實做將去."[321]

(주자가 말했다.) "요즈음 학문하는 사람들은 옛날과 아주 다르다. 요즈음 사람들은 억지로 고원한 것을 탐구해 가려 할 뿐이다. 옛 사람들은 한 걸음씩 진실하게 해 나갔다."

[43-2-165]

"爲學須是切實爲己, 則安靜篤實, 承載得許多道理. 若輕揚淺露, 如何探討得道理? 縱使探討得, 說得去, 也承載不住."[322]

(주자가 말했다.) "공부할 때 반드시 자신을 위해 절실하게 한다면, 안정되고 독실해져 수많은 도리를 받아들일 수 있다. 만일 경박하게 과시한다면 어떻게 도리를 탐구할 수 있겠는가? 설령 도리를 탐구하여 설명한다고 해도, 또한 받아들이지 못할 것이다."

---

319 『朱子語類』 권8, 79조목
320 『朱子語類』 권8, 80조목
321 『朱子語類』 권8, 84조목
322 『朱子語類』 권8, 87조목

[43-2-166]

"入道之門, 是將自家身己入那道理中去. 漸漸相親, 久之與己爲一. 而今人道理在這裏, 自家身在外面, 全不曾相干涉."[323]

(주자가 말했다.) "도道에 들어가는 문은 자기 자신을 저 도리 속에 두는 것이다. 점차 서로 가까워져 오래 지나면 자기와 하나가 된다. 그러나 오늘날 사람들은 도리가 여기에 있더라도, 자신은 밖에 있어 전혀 서로 관련되지 않는다."

[43-2-167]

或問爲學.

曰: "今人將作箇大底事說, 不切己了, 全無益. 一向去前人說中乘虛接渺, 按取許多枝蔓, 只見遠了, 只見無益於己. 聖賢千言萬語, 儘自多了. 前輩說得分曉了, 如何不切己去理會!

어떤 사람이 학문하는 것에 대해 물었다.

(주자가) 대답했다. "요즈음 사람들은 학문을 대단한 일로 말하지만, 자신에게 절실하지 않으면 전혀 도움이 안 된다. 줄곧 앞 사람들이 말한 것 가운데 공허하고 아득한 것만을 받아들이고 수많은 곁가지들을 함부로 취한다면, 단지 고원한 것만 알고 단지 자신에게 무익한 것만 알 뿐이다. 성현의 수많은 말들은 모두 스스로 이해한 것이다. 선배들은 분명하게 알고 말했으니 어찌 자신에게 절실하지 않은 것을 이해했겠는가!

如今看文字, 且要以前賢程先生等所解爲主, 看他所說如何, 聖賢言語如何. 將己來聽命於他, 切己思量體察, 就日用常行中著衣喫飯, 事親從兄, 盡是問學. 若是不切己, 只是說話.

요즈음 글을 볼 때에는 우선 정선생程先生(程顥·程頤) 등 현명한 선배들이 해설한 것을 위주로 하여, 그들이 말한 것이 무엇인지 성현의 말은 어떠한지를 보도록 해야 한다. 자신을 그들의 말에 내맡기고 자신에게 절실하게 생각하고 몸소 살핀다면, 일상생활 가운데 옷 입고 밥 먹고 부모를 섬기며 윗사람을 받드는 것이 모두 학문이다. 만일 자신에게 절실하지 않다면, 단지 말에 그칠 뿐이다.

今人只憑一己私意, 瞥見些子說話, 便立箇主張, 硬要去說, 便要聖賢從我言語路頭去, 如何會有益. 此其病只是要說高說妙將來做箇好看底物事做弄. 如人喫飯, 方知滋味. 如不曾喫, 只要攤出在外面與人看, 濟人濟己都不得."[324]

요즈음 사람들이 단지 자기의 사사로운 생각에 의거해서 몇 마디 말을 언뜻 보고는 곧바로 주장을 세우고 억지로 말하려고 한다면, 이것은 성현에게 내 말의 맥락을 따르도록 하는 것이니 어찌 유익함이

---

323 『朱子語類』 권8, 88조목
324 『朱子語類』 권8, 89조목

있겠는가! 이것은 그 병폐가 다만 고원하고 오묘한 것만을 말하고, 장차 보기 좋은 일을 꾸며 장난치려고 하는 것이다. 예컨대 사람은 밥을 먹어야만 그 맛을 아는 것과 같다. 만일 밥을 먹지는 않고 단지 바깥에 펼쳐 놓고 다른 사람들에게 보이려고만 한다면, 남은 물론 자기 자신도 모두 구제하지 못한다."

[43-2-168]

或問 : "爲學如何做工夫?"

曰 : "不過是切己, 便的當. 此事自有大綱, 亦有節目. 常存大綱在我, 至於節目之間, 無非此理, 體認省察, 一毫不可放過. 理明學至, 件件是自家物事. 然亦須各有倫序."

어떤 사람이 물었다. "학문할 때에는 어떻게 공부합니까?"

(주자가) 말했다. "단지 자기에게 절실하면 알맞다. 이 일에는 본래 큰 강령이 있고, 또한 절목節目도 있다. 항상 큰 강령을 내안에 보존한다면, 절목에 이르기까지 이 도리가 아닌 것이 없다. 체인하고 성찰하여 조금이라도 지나쳐서는 안 된다. 이치가 밝아지고 학문이 지극해지면 일마다 자신의 것이 된다. 그러나 또한 각각에는 순서가 있어야 한다."

問 : "如何是倫序?"

曰 : "不是安排此一件爲先, 此一件爲後, 此一件爲大, 此一件爲小. 隨人所爲, 先其易者, 闕其難者, 將來難者亦自可理會. 且如讀書, 三禮『春秋』, 有制度之難明, 本末之難見, 且放下未要理會亦得. 如『詩』『書』, 直是不可不先理會. 又如『詩』之名數, 『書』之「盤」「誥」, 恐難理會, 且先讀「典」「謨」之『書』, 「雅」「頌」之『詩』, 何嘗一言一句不說道理, 何嘗深潛諦玩無有滋味, 只是人不曾子細看. 若子細看, 裏面有多少倫序, 須是子細參研方得, 此便是格物窮理.

물었다. "어떤 것이 순서입니까?"

(주자가) 말했다. "이 일은 먼저하고 저 일은 뒤에 하며, 이 일은 중대하고 저 일은 사소하다고 인위적으로 정하는 것이 아니다. 사람마다 하는 일에 따라 쉬운 것을 먼저 하고 어려운 것을 남겨 둔다면, 장차 어려운 것도 저절로 이해될 것이다. 예컨대 독서할 때, 삼례三禮와 『춘추』에는 밝히기 어려운 제도가 있고, 근본과 말단을 알기 어려운 경우도 있는데, 이해되지 않은 것은 잠시 내버려 두어도 된다. 『서경』과 『시경』은 먼저 이해하지 않을 수 없다. 그러나 또 『시경』의 세세한 이름이나 『서경』의 「반盤」・「고誥」 같은 것은 아마 이해하기 어려울 것이다. 우선 『서경』의 「전典」・「모謨」와 『시경』의 「아雅」・「송頌」을 읽어야 한다. 어찌 한 마디 한 구절인들 도리를 말하지 않은 것이 있겠는가? 어찌 침잠하여 찬찬히 음미하면 맛이 나지 않는 것이 있겠는가? 단지 사람들이 자세히 보지 않았기 때문이다. 만일 자세히 본다면 그 안에 어느 정도 순서가 있을 것이니, 반드시 자세히 헤아리고 연구해야만 된다. 이것이 바로 사물에 나아가 이치를 궁구하는 것이다.

如遇事亦然. 事中自有一箇平平當當道理, 只是人討不出, 只隨事衮將去, 亦做得, 却有掣肘不中節處, 亦緣鹵莽了, 所以如此聖賢言語, 何曾誤天下後世, 人自學不至耳."[325]

예컨대 일을 할 때에도 그러하다. 일에는 본래 공평하고 마땅한 도리가 있으나, 다만 사람들이 찾아 내지 못하고 그저 일에 따라 휩쓸릴 뿐이니, 일을 한다 해도 방해되어 절도에 맞지 않는 곳이 있게 되고, 또한 경솔하기 때문에 그렇게 되는 것이다. 성현의 말들이 후세 사람들을 그르친 적이 있는가! 다만 사람들 스스로 배움에 이르지 못했기 때문이다."

[43-2-169]
"爲學須是專一. 吾儒惟專一於道理, 則自有得."[326]
(주자가 말했다.) "학문을 할 때에는 반드시 정신을 하나로 집중해야 한다. 우리 유학자들이 오직 도리에 집중한다면, 저절로 얻음이 있을 것이다."

[43-2-170]
"須是在己見得只是欠闕, 他人見之却有長進方可."[327]
(주자가 말했다.) "반드시 자신이 보기에는 부족할 뿐이지만, 다른 사람이 보기에는 오히려 크게 진보한 것이 있어야 비로소 옳다."

[43-2-171]
"爲學之道, 須先存得這箇道理, 方可講究事情."[328]
(주자가 말했다.) "학문하는 방법은 반드시 먼저 도리를 보존해야 비로소 일의 실정을 궁리하여 알 수 있다."

[43-2-172]
"今人口略依稀說過, 不曾心曉."[329]
(주자가 말했다.) "요즈음 사람들은 입으로 대략 어렴풋이 말할 뿐, 마음으로 알지 못한다."

[43-2-173]
"博學, 謂天地萬物之理, 修己治人之方皆所當學. 然亦各有次序, 當以其大而急者爲先, 不可雜而無統也."[330]
(주자가 말했다.) "널리 배운다는 것은 천지 만물의 이치와 자신을 수양하고 백성을 다스리는 방법 모두

---

325 『朱子語類』 권8, 90조목
326 『朱子語類』 권8, 93조목
327 『朱子語類』 권8, 95조목
328 『朱子語類』 권8, 97조목
329 『朱子語類』 권8, 98조목
330 『朱子語類』 권8, 101조목

를 마땅히 배워야 함을 말한다. 그러나 또한 각각 순서가 있으니, 마땅히 그 중대하고 시급한 것을 먼저 해야지 잡다하여 계통이 없어서는 안 된다.”

[43-2-174]

“今之學者多好說得高, 不喜平, 殊不知這箇只是合當做底事.”[331]

(주자가 말했다.) “오늘날 배우는 사람들은 대부분 고원한 것을 말하기 좋아하고 평이한 것을 좋아하지 않는데, 이것이 바로 마땅히 해야 할 것임을 전혀 알지 못한다.”

[43-2-175]

“譬如登山, 人多要至高處, 不知自低處不理會, 終無至高處之理.”[332]

(주자가 말했다.) “비유하자면 등산과 같아 사람들은 대부분 높은 곳에 이르려고 할 뿐, 낮은 곳에서부터 이해하지 않으면 끝내 높은 곳에 이를 리 없다는 것을 모른다.”

[43-2-176]

“於顯處平易處見得, 則幽微底自在裏許.”[333]

(주자가 말했다.) “현저하고 평이한 것에 대해 알면, 그윽하고 은미한 것은 저절로 그 안에 있다.”

[43-2-177]

“學者須是直前做去, 莫起計獲之心. 如今說底, 恰似畫卦影一般, 吉凶未應時, 一場鶻突, 知他是如何, 到應後, 方始如元來是如此.”[334]

(주자가 말했다.) “배우는 사람은 반드시 곧바로 앞으로 나아가되 얻음을 꾀하는 마음을 일으키지 않아야 한다. 요즈음 말하는 것은 흡사 괘영卦影[335]을 그리는 것과 같으니, 길흉이 아직 드러나지 않았을 때에는 모호하게 그것이 무엇인지 알다가, 길흉이 드러난 후에야 비로소 원래 그러한 것을 알게 된다.”

[43-2-178]

“學者須是熟. 熟時一喚便在目前, 不熟時須著旋思索. 到思索得來, 意思已不如初了.”[336]

(주자가 말했다.) “배움은 반드시 무르익어야 한다. 무르익었을 때에는 한번만 들어도 눈앞에 펼쳐지지

331 『朱子語類』 권8, 102조목
332 『朱子語類』 권8, 103조목
333 『朱子語類』 권8, 104조목
334 『朱子語類』 권8, 107조목
335 卦影: 점을 쳐서 점괘를 얻고 나서 그 뜻을 나타내기 위해 그리는 그림을 말한다.
336 『朱子語類』 권8, 109조목

만, 무르익지 않았을 때에는 반드시 그 자리에서 생각을 해야 한다. 그러나 생각이 떠오르게 되면, 의미가 이미 처음만큼 명료하지 않다."

學二 학 2

總論爲學之方 학문하는 방법의 총론

[44-1-1]

朱子曰 : "學問不只於一事一路上理會."[1]

주자가 말했다. "학문은 다만 한 가지 일 한 가지 길에서 이해할 뿐만이 아니다."

[44-1-2]

"未有耳目狹而心廣者, 其說甚好."[2]

(주자가 말했다.) "안목이 좁으면서 마음이 넓은 이는 아직 없다는 것[3]이 매우 좋다."

[44-1-3]

"學者若有本領, 相次千枝萬葉都來湊著這裏, 看也須易曉, 讀也須易記."[4]

(주자가 말했다.) "배우는 사람이 본령이 있으면, 천만 갈래의 앎이 서로 차례지어서 모두 이 속에 모여 있게 되니, 보면 반드시 쉽게 알고 읽으면 반드시 쉽게 기억한다."

· · · · · · · · · · · · · · · ·

1 『朱子語類』 권8, 117조목
2 『朱子語類』 권8, 119조목
3 안목이 좁으면서 … 것 : 李覯의 『旴江集』 권21 「經歷民言三十篇 · 廣意」에 "안목이 좁으면서 마음이 넓은 이는 아직 없다.(耳目狹而心廣者, 未之有也.)"라고 하였다.
　李覯(1009~1057) : 자는 泰伯이고 호는 旴江이다. 일찍이 『常語』를 지어 『孟子』를 비난했다. 『孟子』가 없어도 된다는 이구의 말에 대해 朱子는 『六經』이 없어서는 안 되지만, 『孟子』는 더욱 없어서는 안 된다고 논박했다.
4 『朱子語類』 권8, 124조목

[44-1-4]

"學問須嚴密理會, 銖分毫析."[5]

又曰: "愈細密愈廣大, 愈謹確愈高明."[6]

(주자가 말했다.) "학문은 반드시 엄밀하게 이해하여 털끝까지도 분석해야 한다."

또 말했다. "세밀할수록 더욱 광대하고 신중·확실할수록 더욱 고명해진다."

[44-1-5]

"開闊中又著細密, 寬緩中又著謹嚴."[7]

(주자가 말했다.) "광범한 중에도 세밀하게 해야 하고, 느긋한 중에도 근엄하게 해야 한다."

[44-1-6]

"如其窄狹, 則當涵泳廣大氣象; 頹惰, 則當涵泳振作氣象."[8]

(주자가 말했다.) "만일 좁으면 광대한 기상을 함양해야 하고, 나태하면 진작하는 기상을 함양해야 한다."

[44-1-7]

"學者須養教氣宇開闊弘毅."[9]

(주자가 말했다.) "배우는 사람은 반드시 수양하여 기량을 광범하고 굳세게 해야 한다."

[44-1-8]

"常使截斷嚴整之時多, 膠膠擾擾之時少方好."[10]

(주자가 말했다.) "항상 끊은 듯이 엄정한 때가 많게 하고, 산란한 때가 적게 해야 좋다."

[44-1-9]

"『易』曰, '學以聚之, 問以辨之, 寬以居之, 仁以行之.' 『語』曰, '執德不弘, 信道不篤, 焉能爲有, 焉能爲亡!' 學問之後, 斷以寬居, 信道篤而又欲執德弘者, 人之爲心不可促迫也. 人心須令著得一善, 又著一善, 善之來無窮, 而吾心受之有餘地方好. 若只著得一善, 第二般來又未便容得, 如此, 無緣心廣而道積也."[11]

---

5 『朱子語類』권8, 128조목
6 『朱子語類』권8, 129조목
7 『朱子語類』권8, 130조목
8 『朱子語類』권8, 131조목
9 『朱子語類』권8, 132조목
10 『朱子語類』권8, 133조목

(주자가 말했다.) "『역易』에 '배움으로 덕德을 모으고 질문으로 분별하고 너그러움으로 거처하고 인으로 행한다.'[12] 하였고, 『논어論語』에 '덕을 잡음이 넓지 못하며, 도道를 믿음이 돈독하지 못하면, 어찌 덕이 있다고 하겠으며 어찌 덕이 없다고 하겠는가!'[13]라고 하였다. 학문한 뒤에는 단연코 관대함으로 거처해야 할 것이니, 도道를 믿기를 돈독하게 하고 또 덕을 잡기를 넓게 하려고 하는 자는 마음먹기를 촉박하게 해서는 안 된다. 사람의 마음은 반드시 한 가지 선善을 붙이게 하고 또 한 가지 선을 붙이게 하여, 선이 한없이 오게 하여 내 마음에 그것을 받아들임이 여유롭게 되어야 좋다. 만약 다만 한 가지 선만 붙이면 두 가지가 올 때 또 포용할 수 없게 되니, 이와 같으면 마음이 광대하여 도가 축적될 길이 없게 된다."

[44-1-10]

"自家猶不能快自家意, 如何他人却能盡快我意? 要在虛心以從善."[14]

(주자가 말했다.) "자신도 오히려 자신의 뜻을 상쾌하게 할 수 없거늘, 어떻게 남이 나의 뜻을 모두 상쾌하게 할 수 있겠는가? 요컨대 마음을 겸허하게 하여 선을 따르는 데에 있을 뿐이다."

[44-1-11]

"虛心順理, 學者當守此四字."[15]

(주자가 말했다.) "마음을 비우고 이치를 따를 것, 배우는 사람은 마땅히 한 마디를 지켜야 한다."

[44-1-12]

"聖人與理爲一, 是恰好. 其它以心處這理, 却是未熟, 要將此心處理."[16]

(주자가 말했다.) "성인聖人은 리理와 하나된 사람이라는 것은 아주 좋다. 그 이외 사람은 마음으로 이 리理를 처리하는 것은 아직 미숙하니, 이 마음이 리理를 처리해야 한다."

[44-1-13]

"今人言道理說要平易, 不知到那平易處極難, 被那舊習纏繞, 如何便擺脫得去? 譬如作文一般, 那箇新巧者易作, 要平淡便難. 然須還他新巧, 然後造於平淡."

又曰: "自高險處移下平易處甚難."[17]

(주자가 말했다.) "지금 사람들이 도리를 설명하는 데에 평이하게 하려 하지만, 평이함에 이르는 것이

11 『朱子語類』 권8, 140조목
12 '배움으로 德을 … 행한다.' : 『周易』 「乾卦·文言傳」
13 '덕을 잡음이 … 하겠는가!' : 『論語』 「子張」
14 『朱子語類』 권8, 141조목
15 『朱子語類』 권8, 142조목
16 『朱子語類』 권8, 143조목
17 『朱子語類』 권8, 144조목

매우 어려움을 알지 못하고 과거 인습에 얽매이니 어떻게 벗어날 수 있겠는가? 글짓기에 비유하자면, 새롭고 교묘한 것은 짓기 쉬우나 평이·담박하게 하려면 어려운 것과 같다. 그러나 반드시 그것이 새롭고 교묘한 뒤에 평이·담박한 데에 이르게 된다."

또 말했다. "높고 험한 곳에서 평이한 곳으로 옮겨 내려가는 것은 매우 어렵다."

[44-1-14]

"學者當常令道理在胷中流轉."[18]

(주자가 말했다.) "배우는 사람은 항상 도리가 가슴 속에서 활동하게 해야 한다."

[44-1-15]

"今學者之於大道, 其未及者, 雖有遲鈍, 却須終有到時. 唯過之者, 便不肯復回來耳."[19]

(주자가 말했다.) "지금 배우는 자들은 대도大道에는 미치지 못하고 있으나, 비록 늦고 둔하더라도 반드시 결국 이를 때가 있을 것이다. 오직 뛰어난 이들은 기꺼이 다시 돌아오려 하지 않을 뿐이다."

[44-1-16]

"師友之功, 但能示之於始而正之於終爾. 若中間二十分工夫,[20] 自用喫力去做. 旣有以喻之於始, 又自勉之於中, 又其後得人商量是正之, 則所益厚矣. 不爾, 則亦何補於事?"[21]

(주자가 말했다.) "선생과 학우의 공功은 다만 처음에 보여주고 끝에 바로잡아주는 것일 뿐이다. 그 사이의 두 배의 (노력을 들여야 하는) 공부는 자신이 힘을 써서 해야 된다. 이미 처음에 일깨워줌이 있고, 또 자신이 중간에 노력하고, 또 그 뒤에 남이 헤아려서 바로잡아줌이 있다면 유익한 것이 두텁게 된다. 그렇지 않으면 또한 일에 무슨 보탬이 되겠는가?"

[44-1-17]

或論人之資質, 或長於此而短於彼.

曰 : "只要長善救失."

或曰 : "長善救失, 不特敎者當如此, 人自爲學亦當如此."

曰 : "然."[22]

어떤 사람이 사람의 자질을 논하는데, 어떤 이는 이것에 장점이 있지만 저것에 단점이 있었다.

. . . .

18 『朱子語類』 권121, 70조목
19 『朱子語類』 권8, 147조목
20 若中間二十分工夫 : 『朱子語類』에는 "若中間三十分工夫"로 되어 있다.
21 『朱子語類』 권8, 150조목
22 『朱子語類』 권8, 151조목

(주자가) 말했다. "단지 잘하는 것을 기르고 잘못하는 것을 고치면 된다."

어떤 사람이 말했다. "잘하는 것을 기르고 잘못하는 것을 고치는 것은, 가르치는 사람만 이와 같이 할 뿐만 아니라, 사람이 혼자 공부하는 것도 이와 같이 해야 합니다."

(주자가) 답했다. "그렇다."

[44-1-18]

"凡言誠實, 都是合當做底事. 不是說道誠實好了方去做, 不誠實不好了方不做. 自是合當誠實."[23]

(주자가 말했다.) "무릇 성실이라고 하는 것은 모두 마땅히 해야 할 일이다. 성실은 좋은 것이므로 하려고 하고, 불성실은 좋지 않은 것이므로 하지 않는다고 말해서는 안 된다. 스스로 마땅히 성실할 뿐이다."

[44-1-19]

"有一分心向裏, 得一分力 ; 有兩分心向裏, 得兩分力."[24]

(주자가 말했다.) "한 푼의 마음이 안을 향하면 한 푼의 힘을 얻고, 두 푼의 마음이 안을 향하면 두 푼의 힘을 얻는다."

[44-1-20]

"世間萬事須臾變滅, 皆不足置胷中. 惟有窮理修身, 爲究竟法耳."[25]

(주자가 말했다.) "세상의 모든 일은 잠깐사이에 변해서 사라지니 모두 가슴속에 두기에 부족하다. 오직 이치를 연구하고 몸을 닦는 것만이 궁극적인 방법이 될 뿐이다."

[44-1-21]

"大凡人只合講明道理而謹守之, 以無愧於天之所與者. 若乃身外榮辱休戚, 當一切聽命而已."[26]

(주자가 말했다.) "대체로 사람은 도리를 강구해 밝히고 신중히 지켜서, 하늘이 부여해 준 성性에 부끄러움이 없게 해야 한다. 이와 같으면 외재적 영예와 욕됨, 평안과 근심이 모두 명命을 따르게 될 것이다."

[44-1-22]

"聖人千言萬語, 只是要教人做人."[27]

．．．．．．．．．．．．．．．．．．．．．

23 『朱子語類』 권8, 152조목
24 『朱子語類』 권8, 155조목
25 『朱子語類』 권8, 157조목
26 『朱子語類』 권8, 158조목

(주자가 말했다.) "성인의 천만마디 말은 다만 사람을 가르치고 사람을 만들려는 것일 뿐이다."

[44-1-23]

"爲學只要至誠耐久, 無有不得. 不須別生計較, 思前算後也."²⁸

(주자가 말했다.) "학문을 하는 것은 다만 지극한 정성으로 참고 오래하여 터득하지 못함이 없게 해야 한다. 별도로 계교를 부려서 앞뒤를 생각하고 따질 필요가 없다."

[44-1-24]

"爲學之要, 只在著實操存, 密切體認, 自己身心上理會. 切忌輕自表襮, 引惹外人辯論, 枉費酬應, 分却向裏工夫."²⁹

(주자가 말했다.) "학문을 하는 요점은 다만 착실하게 마음을 잡아 보존하고, 세밀하고 절실하게 체인하여 자기의 심신에서 이해해야 한다. 경솔히 자신을 드러내고 남의 논변을 끌어들여서, 맞대응에 힘을 소모하고 분리되어가는 공부는 절대로 피해야 한다."

[44-1-25]

"人須打疊了心下閑思雜慮. 如心中紛擾, 雖求得道理, 也沒頓處, 須打疊了後, 得一件方是一件. 兩件方是兩件."³⁰

(주자가 말했다.) "사람은 반드시 마음에 한가하고 잡된 생각을 거두어들여야 한다. 마음이 어수선하면 비록 도리를 구하여 얻더라도 안착될 곳이 없으니, 반드시 거두어들인 뒤에야 한 가지 방법을 얻으면 한 가지이고 두 가지 방법을 얻으면 두 가지가 되는 것이다."

[44-1-26]

"人固有終身爲善而自欺者, 不特外面有, 心中欲爲善, 而常有箇不肯底意思, 便是自欺也. **須是要打疊得盡. 蓋意誠而後, 心可正, 過得這一關後, 方可進.**"³¹

(주자가 말했다.) "사람들 중에 진실로 평생토록 선善을 행하면서도 자신을 속이는 이가 있으니, 외면에 있을 뿐만 아니라 마음에 선을 행하려 하면서도 항상 기꺼이 하지 않는 뜻을 두는 것이 바로 자신을 속이는 것이다. 반드시 거두어내어 다 없애야 한다. 뜻이 성실하게 된 뒤에 마음을 바르게 할 수 있으니, 이 한 관문을 지난 뒤에야 전진할 수 있다."

---

27 『朱子語類』 권13, 142조목
28 『朱文公文集』 권60 「答林叔恭」
29 『朱文公文集』 권59 「答寶文卿」
30 『朱子語類』 권118, 5조목
31 『朱子語類』 권16, 80조목

[44-1-27]

"學者須是培養. 今不做培養工夫, 如何窮得理? 程子言, '動容貌, 整思慮, 則自生敬. 敬只是主一也. 存此則自然天理明.' 又曰 : '整齊嚴肅則心便一. 一則自是無非僻之干. 此意但涵養久之, 則天理自然明.' 今不曾做得此工夫, 胷中膠擾駁雜, 如何窮得理? 一如他人不讀書,[32] 是不肯去窮理. 今要窮理, 又無持敬工夫. 從陸子靜學, 如揚敬仲輩, 持守得亦好, 若肯去窮理, 須窮得分明. 然他不肯讀書, 只任一己私見, 有似簡稊稗. 今若不做培養工夫, 便是五穀不熟, 又不如稊稗也."[33]

(주자가 말했다.) "배우는 사람은 반드시 (본심을) 배양培養해야 한다. 지금 배양공부를 하지 않으면 어떻게 이치를 연구할 수 있겠는가? 정자程子가 말하기를 '몸을 움직이고 생각을 가지런히 하면 절로 경敬이 생긴다. 경은 다만 하나를 주로 하는 것이다. 이를 보존하면 자연히 천리가 밝아진다.'[34]라고 하고, 또 '가지런히 하고 엄숙히 하면 마음이 한결같아지니, 한결같아지면 저절로 사악함을 범하는 일이 없게 된다. 이 뜻은 다만 함양을 오래하면 천리가 자연히 밝아지는 것이다.'[35]라고 하였다. 지금 이 공부를 한 적이 없이 가슴속이 어지러이 뒤섞이면 어떻게 이치를 연구할 수 있겠는가? 한결같이 그 사람처럼 독서하지 않으면 이치를 기꺼이 연구하지 않게 된다. 지금 이치를 연구하려 하면서 또 경敬을 지키는 공부를 안 한다. 육자정陸子靜陸九淵[36]을 따라 배운 양경중揚敬仲楊簡[37]과 같은 이는 지키기를 또한 잘 하였으니, 만약 이치를 궁구하기를 좋아했다면 틀림없이 분명하게 이치를 궁구했을 것이다. 그러나 그는 독서를 좋아하지 않고, 다만 자기의 사견私見을 믿었으니 이는 일개 돌피稊稗와 비슷하다. 지금 만약 배양공부를 하지 않으면 오곡五穀이 익지 않아 돌피만도 못해질 것이다."

[44-1-28]

"爲學之道, 更無他法, 但能熟讀精思, 久久自有見處. 尊所聞, 行所知, 則久久自有至處."[38]

32　一如他人不讀書 : 『朱子語類』에는 '一'이 없다.

33　『朱子語類』 권124, 58조목

34　'몸을 움직이고 … 밝아진다.' : 『河南程氏遺書』 권15

35　가지런히 하고 … 것이다.' : 『河南程氏遺書』 권15

36　陸九淵(1139~1192) : 자는 子靜이고, 호는 存齋・象山翁이며, 象山先生이라고 부르기도 한다. 송대 金溪(현 강서성 금계현) 사람으로 1172년에 진사에 급제하여 崇安縣主簿, 知荊門軍을 역임하였다. 孟子를 계승하여 程朱의 理學과 대비되는 陸王 心學의 학파를 열었다. 주희가 정이천의 학통에 따라 道問學을 더 존중한 데 반하여, 육구연은 정명도의 尊德性을 존중했다. 이 때문에 주희는 格物致知의 性卽理說을 제창하고, 육구연은 致知를 주로 한 心卽理說을 제창했다. 주희와 학문방법론 및 무극・태극론 등을 논쟁한 '鵝湖之爭'으로 유명하다. 그의 학문은 그의 제자 楊慈湖 등에 의하여 江西와 浙江 각지에서 계승되었다. 저서로는 『象山先生全集』이 있다.

37　楊簡(1141~1226) : 송나라 明州 慈谿 사람으로 자는 敬仲이다. 陸九淵의 高弟로 心學을 발전시켜 慈湖先生이라 불리었다. 벼슬은 樂平知縣事, 國子博士, 寶謨閣學士를 지냈다. 시호는 文元이다.

38　『朱子語類』 권115, 25조목

(주자가 말했다.) "학문을 하는 방도는 다시 다른 방법이 없고 다만 익숙하게 읽고 정밀하게 생각하는 것일 뿐이니, 오래되면 절로 견해가 있게 된다. 들은 것을 높이고 아는 것을 행하면 오래되어 저절로 이르는 곳이 있게 된다."

[44-1-29]

"書不記, 熟讀可記 ; 義不精, 細思可精. 唯有志不立, 直是無著力處. 只如而今貪利祿而不貪道義, 要作貴人而不要作好人, 皆是志不立之病. 直須反復思量, 究見病痛起處, 勇猛奮躍, 不復作此等人, 一躍躍出, 見得聖賢所說千言萬語, 都無一字不是實語, 方始立得此志. 就此積累工夫, 迤邐向上去, 大有事在.[39][40]

(주자가 말했다.) "글이 잘 기억되지 않으면 익숙하게 읽어서 기억할 수 있게 하고, 뜻이 정밀하지 못하면 자세하게 생각하여 정밀해질 수 있게 해야 한다. 오직 뜻이 서 있지 않으면 곧 힘을 쓸 곳이 없는 것이다. 다만 지금 이익과 녹봉을 탐내면서 도의道義를 탐내지 않고, 귀한 사람이 되기를 바라면서 좋은 사람이 되기를 바라지 않으니, 모두 이는 뜻이 서지 않은 병통이다. 다만 반드시 반복하여 생각하면 결국 병통이 생겨난 곳을 알 수 있으며, 용감하게 떨치고 나오면 다시 그와 같은 사람이 되지 않을 것이다. 한번 도약하여 성현聖賢의 천언만어千言萬語를 보게 되면, 온통 한 글자도 실질적인 말이 아닌 것이 없을 것이니, 비로소 이 뜻을 세우게 될 것이다. 여기에 나아가 공부를 쌓고 끊임없이 위로 향해 간다면, 크게 일이 이루어질 것이다."

[44-1-30]

"爲學之道無他, 只是要理會得目前許多道理. 世間事無大無小, 皆有道理. 如『中庸』所謂'率性之謂道', 也只是這箇道理. '道不可須臾離', 也只是這箇道理. 見得是自家合當做底, 便做將去, 不當做底, 斷不可做, 只是如此."[41]

(주자가 말했다.) "학문을 하는 방도는 다른 것이 없고 다만 눈앞의 수많은 도리를 이해해야 한다. 세상 일에는 크고 작은 것이 없이 모두 도리가 있다. 예컨대 『중용中庸』에서 말한 '성性을 따름을 도道라 이른다.'는 것 또한 다만 이러한 도리이고, '도道는 잠시도 떠날 수 없는 것' 또한 다만 이러한 도리이다. 자신이 해야 할 것을 보아서 해 나가고, 하지 않을 것을 단연코 해서는 안 되니, 다만 이와 같이 할 뿐이다."

[44-1-31]

"爲學無許多事, 只是要持守身心, 硏究道理. 分別得是非善惡, 直是'如好好色, 如惡惡臭.' 到

---

39 大有事在 : 『朱文公文集』에는 이 뒤에 '諸君勉旃, 不是小事.'가 더 있다.
40 『朱文公文集』 권74 「又論學者」
41 『朱子語類』 권118, 52조목

這裏方是踏著實地, 自住不得."[42]

(주자가 말했다.) "학문을 하는 데는 수많은 일이 없고 다만 마음과 몸을 지켜서 도리를 연구할 뿐이다. 시비是非와 선악善惡을 분별하여 다만 '아름다운 여색을 좋아하듯이 하며 나쁜 냄새를 싫어하듯'[43] 하라. 이와 같은 경지에 이르러야 비로소 실지實地를 밟아가서 절로 그칠 수 없게 된다."

[44-1-32]

"爲學當以存主爲先, 而致知力行亦不可以偏廢. 縱使己有一長, 未可遽視以輕彼,[44] 而長其驕吝克伐之私. 況其有無之實又初未可定乎! 凡日用間, 知此一病而欲去之, 則卽此欲去之心, 便是能去之藥. 但當堅守, 常自警覺, 不必妄意推求, 必欲舍此拙法而必求妙解也."[45]

(주자가 말했다.) "학문을 하는 데는 마땅히 마음을 보존함을 우선해야 하고 앎을 지극히 함致知과 힘써 시행함力行을 또한 한 가지도 폐기해서는 안 된다. 가령 자기가 한 가지 장점이 있더라도 선뜻 그것에 의지하여 상대방을 경시하고 교만 인색하며 이기려 하고 자랑하려는 사사로움을 키우지 않아야 하거늘, 하물며 그 실지의 유무가 애초에 정해질 수 없는 것이겠는가! 무릇 일용하는 속에 이 한 가지 결점을 알아서 제거하려 하면, 이 제거하려는 마음에 나아가는 것이 바로 제거할 수 있는 약이다. 다만 굳게 지켜서 항상 스스로 경각警覺하게 할 것이고 경망한 뜻으로 추구할 필요가 없으니 반드시 이 졸렬한 방법을 버리고 반드시 오묘한 해법을 구하려고 해야 한다."

[44-1-33]

"爲學之實, 固在踐履, 苟徒知而不行, 誠與不學無異. 然欲行而未明於理, 則所踐履者, 又未知其果何事也. 故大學之道, 雖以誠意正心爲本, 而必以格物致知爲先. 所謂格物致知, 亦曰窮盡物理, 使吾之知識無不精切而至到耳. 夫天下之物莫不有理, 而其精蘊則已具於聖賢之書, 故必由是以求之. 然欲其簡而易知, 約而易守, 則莫若『大學』『論語』『中庸』『孟子』之篇也."[46]

(주자가 말했다.) "학문을 하는 실질은 진실로 실천에 있으니, 만일 알기만 하고 실행하지 않으면 진실로 배우지 않은 것과 다름이 없다. 그러나 실행하려 해도 이치에 밝지 못하면 실천하는 것이 또 과연 어떤 일인지 알지 못하게 된다. 그러므로 대학大學의 도道는 비록 뜻을 성실하게 하고[誠意] 마음을 바르게 하는 것[正心]으로 근본을 삼지만, 반드시 사물의 이치에 이르고[格物] 앎을 지극히 하는 것[致知]을 우선으로 하였다. 사물의 이치에 이르고 앎을 지극히 한다는 것은 또한 사물의 이치를 다 연구하여 나의 지식을

---

42 『朱子語類』 권118, 52조목
43 '아름다운 여색을 … 싫어하듯': 『大學』 전6장
44 未可遽視以輕彼: 『朱文公文集』에는 '未可遽恃以輕彼'로 되어 있다. 『朱文公文集』에 의해 번역하였다.
45 『朱文公文集』 권59 「答李處謙」
46 『朱文公文集』 권59 「答曹元可」

정밀 절실하게 하여 지극하게 하지 않음이 없게 함을 말한다. 천하의 사물은 이치가 없는 것이 없으니, 그 정밀하고 오묘한 것은 이미 성현聖賢의 글에 갖추어져 있으므로 반드시 이것을 통하여 구하여야 한다. 그러나 간결이 하여 알기 쉽고 요약하여 지키기 쉬운 것은 『대학』·『논어』·『중용』·『맹자』 책만한 것이 없다."

[44-1-34]
"學必貴於知道, 而道非一聞可悟, 一超可入也. 循下學之則, 加窮理之工, 由淺而深, 由近而遠, 則庶乎其可矣."47

(주자가 말했다.) "학문은 반드시 도를 아는 것에서 귀하지만 도는 한 번 들어 깨닫거나 한 번 뛰어서 들어갈 수 있는 것이 아니다. 아래에서 배우는 법칙을 따라 이치를 연구하는 공부를 더하고, 얕은 데서부터 깊이 들어가고 가까운 데서부터 멀리 나아가면, 거의 옳을 것이다."

[44-1-35]
"自家旣有此身, 必有主宰. 理會得主宰, 然後隨自家力量窮理格物, 而合做底事, 不可放過些子."
因引程子言: "如行兵, 當先做活計."48

(주자가 말했다.) "자신이 이미 이 몸을 가지고 있으니 반드시 주재함이 있어야 한다. 주재할 줄을 안 뒤에 자신의 역량을 따라 궁리窮理하고 격물格物하여 합당하게 일을 해야 하니, 조금이라도 방심하여 지나쳐서는 안 된다."
이어서 정자程子의 말을 인용하여 말했다. "예컨대 전쟁을 할 때에는 마땅히 먼저 살 계획을 세워야 한다."49

[44-1-36]
"主敬者, 存心之要. 而致知者, 進學之功. 二者交相發焉, 則知日益明, 守日益固, 而舊習之非, 自將日改月化於冥冥之中矣."50

(주자가 말했다.) "경敬을 위주로 하는 것은 마음을 보존하는 요점이고, 앎을 지극히 하는 것은 학문을 진취하는 공부이다. 두 가지는 상호적으로 발언한 것이니 지식이 날마다 더욱 밝아지고 지킴이 날마다 더욱 굳어지면, 과거 인습의 잘못이 절로 은연중에 날마다 바뀌고 달마다 변화될 것이다."

---

47 『朱文公文集』 권90 「曹立之墓表」
48 『朱子語類』 권9, 79조목
49 "예컨대 전쟁을 … 한다.": 『河南程氏遺書』 권7. 『河南程氏遺書』에는 "行兵須不失家計"로 되어 있다.
50 『朱文公文集』 권38 「答徐元敏」

[44-1-37]

“講學貴於實見義理, 要在熟讀精思, 潛心玩味. 不可貪多務得, 搜獵敷衍, 便爲究竟也.”[51]

(주자가 말했다.) “학문을 강론하는 것은 의리를 실제로 아는 것이 귀하지만, 요점은 익숙하게 읽고 정밀하게 생각하며 마음을 침잠하여 완미하는 데에 있다. 많은 것을 탐내며 터득하기를 힘쓰고 찾아내며 확장하는 것을 목표로 삼아서는 안 된다.”

[44-1-38]

“爲學之要, 先須持己, 然後分別義利兩字, 令趨向不差, 是大節目. 其他隨力所及爲之, 務在精審, 而不貴於泛濫涉獵也.”[52]

(주자가 말했다.) “학문을 하는 요령은 우선 자기를 지킨持己 뒤에 도의道義와 이익利益 두 가지를 분별하여 지향을 어긋나지 않게 하는 것이 큰 절목이다. 그 외에는 능력이 미치는 대로 행하며, 정밀 세심한 데에 힘쓸 것이니, 널리 많이 읽는 것은 귀하게 여기지 않는다.”

[44-1-39]

“聖賢之敎, 不過博文約禮四字. 博文, 則須多求博取, 熟講而精擇之, 乃可以浹洽而通貫. 約禮, 則只敬之一字已是多了. 日用之間, 只以此兩端立定程課 不令間斷, 則久之自有進步處矣.”[53]

(주자가 말했다.) “성현의 가르침은 박문약례博文約禮[54]네 글자를 벗어나지 않는다. 박문은 모름지기 많이 구하고 널리 취하여 익숙하게 따지고 정밀하게 선택해야 비로소 푹 젖어 관통할 수 있다. 약례는 단지 경敬 한 글자로도 이미 충분하다. 날마다 생활하는 사이에 단지 이들 두 가지로 과정을 세워 끊임없이 노력한다면, 오랜 시간이 지나면 저절로 나아지는 곳이 있을 것이다.”

[44-1-40]

問: “橫渠張氏云, ‘義理有疑, 卽濯去舊見, 以來新意.’”

曰: “此說甚當最有理. 若不濯去舊見, 何處得新意來? 今學者有二種病. 一是主自家意思; 一是舊有先入之說, 雖欲擺脫, 亦被他自來相尋.”[55]

....

51 『朱文公文集』 권58 「答宋深之」

52 『朱文公文集』 권46 「答朱魯叔」

53 『朱文公文集』 권60 「答章季思」

54 博文約禮: 이는 『論語』「雍也」의 글을 축약한 것이다. 내용은 다음과 같다. “공자가 말씀하셨다. ‘군자가 글을 널리 배우고 예로 그것을 요약한다면 또한 도를 등지지 않을 것이다.’(子曰, ‘君子博學於文, 約之以禮, 亦可以弗畔矣夫!’)”

55 『朱子語類』 권11, 73조목. 단 이글은 73조목에는 횡거의 말 가운데 ‘義理有疑’가 빠져 있다. ‘義理有疑’가 포함된 글은 『朱子語類』 권9, 49조목인데, 49조목은 주자의 말이 이글과 다르다.

물었다. "횡거 장씨橫渠張氏[張載]가 '의리에 의심이 나면 바로 예전의 견해를 씻어내 새로운 생각이 떠오르게 해야 한다.'[56]고 하였습니다."

(주자가) 대답했다. "이 말은 매우 온당하고 이치에도 가장 맞다. 만일 예전의 견해를 씻어내지 않는다면 어느 곳에서 새로운 뜻이 얻어지겠는가? 오늘날 배우는 자들에게는 두 가지 병통이 있다. 하나는 자신의 의사만을 으뜸으로 치는 것이고, 하나는 예전에 가졌던 선입견에서 벗어나려 하지만 또한 그 생각에 영향을 받아 저절로 그것을 찾는다는 점이다."

[44-1-41]

"看道理, 須要就那大處看, 便前面開濶. 不要就壁角裏, 地步窄, 一步便觸, 無去處了. 而今且要看天理人欲, 義利公私, 分別得明, 將自家日用底與他勘驗, 須漸漸有見處, 前頭漸漸開濶. 那箇大壇場, 不去上面做, 不去上面行, 只管在壁角裏, 縱理會得一句, 只是一句透, 道理小了. 如破斧詩, 須看那'周公東征, 四國是皇', 見得周公用心始得."[57]

(주자가 말했다.) "도리를 보려할 때에는 모름지기 그 도리의 큰 곳에 나아가 보려 해야 앞이 확 열린다. 담장 모퉁이의 구석진 곳으로 나아가려 해서는 안 되니, 땅이 비좁아 한 발 떼어놓아도 당장 부딪쳐 갈 곳이 없어진다. 현재는 우선 천리天理와 인욕人欲, 의義와 리利, 공公과 사私를 밝게 분별하여, 자신의 평소의 생활을 저것들과 대조해 검토하여 차츰차츰 깨닫는 것이 있어야 앞이 차츰차츰 열리게 된다. 이러한 큰 단장壇場(의식을 거행하는 장소)이 있는데 그 속에서 일하지 않고 그 속에서 행하지 않으면서, 줄곧 담장 모퉁이의 구석진 곳에 있으려 하면, 설사 한 글귀를 이해한다 하여도 단지 한 글귀만을 통한 것이니, 깨달은 도리가 작다. 예컨대 「파부시破斧詩」의 '주공周公이 동쪽을 정벌하자 사방 나라가 바루어졌다.'[58]고 한 데서 주공의 마음 씀씀이를 보아야 비로소 옳다고할 수 있다."

[44-1-42]

"天下無不可說底道理. 如爲人謀而忠, 朋友交而信, 傳而習, 亦都是眼前事, 皆可說. 只有一

---

56 『張子全書』권7 「學大原下」

57 『朱子語類』권117, 42조목

58 「破斧詩」의 '周公이 … 바루어졌다.': 파부는 『詩經』「豳風」의 한 편이다. 이 시의 배경은 다음과 같다. 은나라를 무너뜨리고 주나라를 세운 武王이 죽고 어린 아들 成王이 등용하며 周公이 攝政하게 되었다. 앞서 무왕이 은나라를 무너뜨리며 은나라 주의 아들 武庚을 은나라의 옛 땅에 봉해 은나라 옛 왕의 제사를 이어가게 하였다. 그리고 아우 管叔鮮과 蔡叔度를 무경의 봉지 주위의 땅에 제후로 봉해주어 무경을 감시하게 하였다. 그런데 이들 형제는 주공이 앞으로 어린 성왕을 헤칠 것이라는 말을 전파시키며 무경과 함께 반란을 일으켰다. 이에 주공은 군사를 이끌고 이들을 쳐 2년 만에 이들의 반란을 평정하였다. 반란을 평정하고 돌아온 주공은 군사들의 노고를 위로하는 東山이라 명명된 시를 지었다. 그러자 출정했던 군인들이 파부시를 지어 주공의 위로에 답하였다. 이 시는 모두 3장 6구로 구성되어 있다. 그런데 이 시를 보면서 18구의 전체를 하나하나 따지는 것보다는 바로 이 두 구의 글에서 이 파부시의 전체 뜻을 짐작해야 한다고 말한 것이다. (『詩經』「豳風·鴟鴞·破斧」集傳)

簡熟處說不得. 除了熟之外, 無不可說者. 未熟時, 頓放這裏又不穩帖, 拈放那邊又不是, 然終不成住了, 也須從這裏更著力始得. 到那熟處, 頓放這邊也是, 頓放那邊也是, 七顚八倒無不是. 所謂'居之安, 則資之深, 資之深, 則左右逢其原.' 譬如梨柿, 生時酸澀喫不得, 到熟後, 自是一般甘美, 相去大遠, 只在熟與不熟之間."[59]

(주자가 말했다.) "세상에 말로 하지 못할 도리道理는 없다. 예컨대 '남을 위해 꾀하며 내 마음을 다하는 것, 벗과 사귀며 믿음 있게 하는 것, 배운 것을 익히는 일들'[60]은 모두 눈앞의 일이라서 모두 말로 할 수 있다. 다만 한 가지 익히는 일만은 말하기 어렵다. 익히는 일 한 가지를 제쳐두면 말하지 못할 것은 없다. 익숙하지 않았을 때는 이곳에 놓아두어도 또 온당하지 않고, 저쪽에 놓아두어도 또 옳지 않지만, 그러나 끝까지 멈추지 않아야 하니, 또한 이것에 종사하여 다시 더 힘을 써야 비로소 완전해진다. 그것이 익숙하여졌을 때는 이곳에 놓아두어도 또한 옳고 저곳에 놓아두어도 또한 옳아서, 일곱 번을 구르고 여덟 번을 자빠져도 옳지 않을 것이 없다. 이른바 '거하는 것이 편안하면, 바탕으로 하는 것이 깊고, 바탕으로 하는 것이 깊으면 좌우에서 만나는 일마다 그 근원을 찾아내게 된다.'[61]라는 것이다. 비유하자면 배와 감이 익지 않았을 때는 시고 떫어 먹을 수 없으나, 익은 뒤에는 저절로 일반 단맛보다 월등히 차이가 나게 되니, 다만 익었는지 덜 익었는지의 차이일 뿐이다."

[44-1-43]

"書有合講處, 有不必講處. 如主一處, 定是如此了, 不用講, 只是便去下工夫. 不要放肆, 不要戲慢, 整齊嚴肅, 便是主一, 便是敬. 聖賢說話, 多方百面, 須是如此說. 但是我恁地說他簡無形無狀, 去何處證驗, 只去切己理會, 此等事久自會得."[62]

(주자가 말했다.) "글에는 당연히 강론해야 할 곳이 있고 강론할 필요가 없는 곳이 있다. 예컨대 하나를 주장한다主一는 것이 바로 이 같은 곳이니 강론할 필요는 없고, 다만 노력해야 할 뿐이다. 방자하게 하지 않고 장난스럽지 않으려 하며, 정제엄숙하는 것이 바로 주일主一이고 바로 경敬이다. 성현의 말씀은 여러 수백 가지가 당연히 이런 형식의 말이다. 다만 내가 이런 형식으로 말한 형체도 없고 모양도 없는 것을, 어떤 곳에서 증험해서라도 다만 몸에 간절하게 이해되게 해야 하니, 이런 등속의 일은 오랜 시간이

---

59 『朱子語類』 권117, 36조목

60 '남을 위해 … 일들' : 『論語』 「學而」의 曾子의 말을 축약한 것이다. 자세한 것은 다음과 같다. 증자가 말했다. "나는 날마다 세 가지 일로 내 몸을 살피니, 남을 위해 꾀하며 내 마음을 다했는가? 벗과 사귀며 믿음 있게 했는가? 가르침 받은 것을 잘 익혔는가?(曾子曰, 吾日三省吾身, 爲人謀而不忠乎? 與朋友交而不信乎? 傳不習乎?)" 이를 인용한 것이다. 뒤에 이어지는 '익히다'에 대한 것들은 바로 스승에게 배운 것을 얼마나 내 몸에 잘 익혔는지에 대해 말한 것이다.

61 '거하는 것이 … 된다.' : 『孟子』 「離婁下」에 "군자가 깊이 나아가기를 道로써 함은 그 自得하고자 해서이니, 자득하면 居하는 것이 편안하고, 거하는 것이 편안하면 바탕으로 하는 것이 깊고, 바탕으로 하는 것이 깊으면 좌우에서 취하여 씀에 그 근원을 만나게 된다.(君子深造之以道, 欲其自得之也, 自得之則居之安, 居之安則資之深, 資之深則取之左右, 逢其原.)"라고 하였다.

62 『朱子語類』 권116, 5조목

흘러야 저절로 깨달아진다."

[44-1-44]

"學, 則處事都是理. 不學, 則看理便不恁地周匝, 不恁地廣大, 不恁地細密. 然理亦不是外面硬生道理, 只是自家固有之理. '堯舜性之', 此理元無失; '湯武反之', 已有些子失, 但復其舊底. 學只是復其舊底而已. 蓋向也交割得來, 今却失了, 可不汲汲自脩而反之乎? 此其所以爲急. 不學, 則只是硬隄防, 處事不見理, 一向任私意. 平時却也强勉去得, 到臨事變便亂了."[63]

(주자가 말했다.) "배우면 일 처리가 모두 이치대로 될 것이다. 배우지 않으면 이치를 보는 것이 이처럼 두루 하지 못하고 이렇게 광대하지 못하며 이렇게 세밀하지 않다. 그러나 이치란 밖에서 생경하게 만들어진 도리가 아니고, 단지 자신에게 본디 있던 이치이다. '요순堯舜은 타고난 성性대로 행했다.'는 것은 이 이치를 원래 잃지 않은 것이고, '탕임금과 무왕은 회복했다.'[64]는 것은 기왕에 조금 잃어버린 것이 있었는데, 다만 옛날대로 회복시킨 것이다. 학문은 다만 옛것을 회복할 따름이다. 지난날 할당받은 것을 지금은 잃어버렸으니 허둥지둥 자신을 닦아 회복하지 않을 수 있겠는가? 이것이 급선무로 삼는 까닭이다. 배우지 않으면 다만 제방만 튼튼히 하려 하고 일 처리에 이치를 알지 못해, 하나같이 사사로운 뜻에 맡기게 된다. 평시에는 억지로 해서라도 (이치를) 얻을 수도 있지만, 일에 변화가 있으면 바로 혼란에 빠지게 된다."

[44-1-45]

"爲學之道, 莫先於窮理; 窮理之要, 必在於讀書. 讀書之法, 莫貴於循序而致精; 而致精之本, 則又在於居敬而持志, 此不易之理也. 夫天下之事, 莫不有理. 爲君臣者有君臣之理; 爲父子者有父子之理; 爲夫婦, 爲兄弟, 爲朋友, 以至於出入起居, 應事接物之際, 亦莫不各有理焉. 有以窮之, 則自君臣之大, 以至事物之微, 莫不知其所以然, 與其所當然, 而無纖芥之疑, 善則從之, 惡則去之, 而無毫髮之累. 此爲學所以莫先於窮理也.

(주자가 말했다.) "학문의 도리는 궁리에 앞설 것이 없고, 궁리의 요점은 반드시 독서에 있다. 책을 읽는 법은 순서에 따라 정밀함을 이루는 것보다 귀할 것이 없고, 정밀함을 이루는 근본은 또 경敬에 마음을 두어 뜻을 붙잡음에 있으니, 이는 바꿀 수 없는 이치다. 천하의 일은 이치가 없는 것이 없다. 군주와 신하 된 자에게는 군주와 신하의 이치가 있고, 아버지와 아들 된 자에게는 아버지와 아들의 이치가

---

63 『朱子語類』 권117, 40조목
64 '堯舜은 타고난 … 회복했다.': 이는 모두 『孟子』 「盡心上」과 「盡心下」의 말을 반영한 것이다. 먼저 「盡心下」의 말을 보면 다음과 같다. "맹자가 말하였다. '요순은 타고난 성 그대로이고, 탕임금과 무왕은 타고난 성을 회복하였다.(孟子曰, 堯舜性者也, 湯武反之也.)" 「盡心上」의 말은 다음과 같다. "맹자가 말하였다. '요순은 타고난 성대로이고, 탕임금과 무왕은 몸으로 본받아 회복시켰고, 오패는 仁義의 이름을 빌리기만 하였다.(孟子曰, 堯舜性之也; 湯武身之也; 五霸假之也.)"

있고, 지아비와 지어미가 되고, 형과 아우가 되고, 벗이 되고, 출입하고 생활하며, 일에 대응하고 사물을 접하는 사이에 이르기까지도 또한 각기에 이치가 있지 않음이 없다. 그것을 궁구하게 되면 군주와 신하의 큰 것에서부터 사물의 미미한 것에 이르기까지 그 소이연所以然과 그 소당연所當然을 알지 못한 것이 없어 지푸라기만큼의 의심도 없게 될 것이다. 선하면 따르고 악하면 없애서 털끝만큼의 잘못도 없게 해야 한다. 이것이 학문에서 궁리보다 앞서는 것이 없는 까닭이다.

至論天下之理, 則要妙精微, 各有攸當, 亘古亘今不可移易. 唯古之聖人爲能盡之, 而其所行所言, 無不可爲天下後世不易之大法. 其餘, 則順之者爲君子而吉, 背之者爲小人而凶. 吉之大者, 則能保四海而可以爲法 ; 凶之甚者, 則不能保其身而可以爲戒. 是其粲然之跡, 必然之效, 蓋莫不具於經訓史冊之中. 欲窮天下之理, 而不卽是而求之, 則是正墻面而立爾. 此窮理所以必在乎讀書也.

천하의 이치를 논하기로 들면, 긴요함·미묘함·정밀함·은미함에 각기 해당됨이 있어, 예전으로부터 지금까지 바꿀 수가 없다. 오직 옛 성인만이 그것을 다할 수 있어 행동과 말씀이 천하 후세의 바꾸지 못할 큰 법이 될 수 있다. 그 나머지 중, 그것에 순응한 사람은 군자가 되어 길하고 그것을 등진 자는 소인이 되어 흉하다. 길한 것 가운데 큰 것은 천하를 보유하여 법이 될 만한 일이고, 흉한 것 가운데 큰 것은 제 한 몸도 보존하지 못하여 경계의 귀감이 된 것이다. 이것들은 찬연한 자취이고 필연의 효험이니, 모두가 경전의 가르침과 역사책 가운데 갖춰져 있지 않음이 없다. 천하의 이치를 궁리하고자 하는 자가 이것을 찾아보지 않는다면, 이는 바로 담장을 마주해 선 것과 같다. 이것이 궁리가 반드시 독서에 있는 까닭이다.

若夫讀書, 則其不好之者, 固怠忽間斷而無所成矣 ; 其好之者, 又不免乎貪多而務廣. 往往未啓其端, 而遽已欲探其終, 未究乎此, 而忽已志在乎彼. 是以雖復終日勤勞, 不得休息, 而意緖忽忽, 常若有所奔趨迫逐, 而無從容涵泳之樂. 是又安能深信自得, 常久不厭, 以異於彼之怠忽間斷而無所成者哉? 孔子所謂'欲速則不達', 孟子所謂'進銳者退速', 正謂此也. 誠能鑒此而有以反之, 則心潛於一, 久而不移, 而所讀之書, 文意接連, 血脉貫通, 自然漸漬浹洽, 心與理會, 而善之爲勸者深, 惡之爲戒者切矣. 此循序致精, 所以爲讀書之法也.

책을 읽는 일은, 그것을 좋아하지 않는 사람은 참으로 게으름피우며 중간 중간 뜸을 들여 성취가 없고, 그것을 좋아하는 사람은 또 많은 것을 탐하고 널리 읽기를 힘쓰는 일에서 벗어나지 못한다. 종종 아직 그 뚜껑조차 열어보지 못하고서 갑작스럽게 그 끝을 탐구하려들고, 이것 하나도 파고들지 못했으면서 홀연히 뜻을 저쪽에 두기도 한다. 이런 까닭에 하루 종일 고생스럽게 쉬지도 못하지만 마음이 바빠늘 분주하게 뛰어다니는 것만 있고, 조용히 함영涵泳하는 즐거움이 없다. 이것이 또 어찌 깊이 믿고 스스로 터득하여 줄곧 싫어함이 없는 것이, 저들 게으름피우며 중간 중간 뜸을 들여 성취가 없는 자들과 다르겠는가? 공자가 말한 '속히 하고자 하는 사람은 이루지 못한다.'[65]는 것과 맹자가 말한 '나아감에 빠른 자는 물러남도 빠르다.'[66]는 것이 바로 이를 두고 한 말이다. 참으로 이를 거울삼아 회복시킴이 있게 되면, 마음이 하나—에 푹 잠겨 오랫동안 바뀌지 않고, 읽은 책의 글 뜻이 이어지고 혈맥이 소통되며, 저절로 점차 푹 젖어지며 마음과 이치가 합쳐져서, (경전 속의) 권면하는 선한 말이 마음에 깊이 와 닿고, 경계하는 악이 간절해 질 것이다. 이것이 순서에 따라 정밀함을 이루는 것이자 책을 읽는 법이 되는 까닭이다.

若夫致精之本, 則在於心, 而心之爲物, 至虛至靈, 神妙不測. 常爲一身之主, 以提萬事之綱, 而不可有頃刻之不存者也. 一不自覺, 而馳騖飛揚, 以徇物欲於軀殼之外, 則一身無主, 萬事無綱. 雖其俯仰顧盼之間, 蓋已不自覺其身之所在, 而況能反覆聖言, 參考事物, 以求義理至當之歸乎? 孔子所謂'君子不重則不威, 學則不固.' 孟子所謂'學問之道無他, 求其放心而已矣者', 正謂此也. 誠能嚴恭寅畏, 常存此心, 使其終日儼然, 不爲物欲之所侵亂. 則以之讀書, 以之觀理, 將無所往而不通. 以之應事, 以之接物, 將無所處而不當矣. 此居敬持志, 所以爲讀書之本也."[67]

정밀함을 이루는 근본은 마음에 있으나, 마음이란 것이 지극히 텅 비고 지극히 신령하며 헤아릴 수 없게 신묘하다. 늘 일신의 주인이 되어 모든 일의 강령을 틀어쥐고 있으니, 경각이라도 보존되지 않아선 안 된다. 만에 하나 스스로 그것을 깨닫지 못하고 분주하게 내달려서 외재적인 물욕을 따르게 되면, 일신의 주인이 없어지고 모든 일에 강령이 사라진다. 한번 움직이고 눈 돌리는 사이에도 이미 자신의 몸이 있는 곳조차 깨닫지 못하는데, 하물며 성인聖人의 말씀을 되새기고 사물을 살펴서 의리의 지당한 귀취를 구할 수 있겠는가? 공자孔子가 말한 '군자가 중후하지 않으면 위엄이 없어 학문조차 굳건하지 못하다.'[68]는 것과 맹자가 말한 '학문의 도리란 다른 것이 아니고 방심放心을 거두어들이는 것일 따름'[69]이라는 것이 바로 이를 두고 한 말이다. 참으로 엄숙하고 공손하고 공경하고 두려워해야 하니, 늘 이 마음을 지녀 하루 종일 엄숙하게 하여 물욕이 넘보아 어지럽히지 못하게 해야 한다. 이러한 상태에서 책을 읽고 이러한 상태에서 이치를 본다면, 가는 곳마다 통하지 않음이 없을 것이다. 이러한 상태에서 일에 대응하고 이러한 상태에서 사물과 만난다면, 조치하는 일마다 합당하지 않음이 없을 것이다. 이것이 마음을 경에 두고 뜻을 붙잡는 것이 독서의 근본이 되는 까닭이다."

[44-1-46]
"生知之聖, 不待學而自至. 若非生知, 須要學問. 學問之先, 止是致知. 所知果至, 自然透徹,

. . . .

65 '속히 하고자 … 못한다.' : 『論語』「子路」
66 '나아감에 빠른 … 빠르다.' : 『孟子』「盡心上」에 "나아감이 빠른 자는 물러남도 빠르다.(其進銳者其退速.)"라고 했다.
67 『朱文公文集』 권14「行宮便殿奏劄 2」
68 '군자가 중후하지 … 못하다.' : 『論語』「學而」
69 '학문의 도리란 … 따름' : 『孟子』「告子上」

不患不進."

問: "知得, 須要踐履."

曰: "不眞知得, 如何踐履得? 若是眞知, 自住不得, 不可似他們只把來說過了."

(주자가 말했다.) "타고난 성인[生知之聖]은 학문을 기다리지 않고 혼자로서 지극하다. 만일 타고난 성인이 아니면 당연히 학문을 해야 한다. 학문에서의 으뜸은 앎을 지극히 하는 일이다. 앎이 과연 지극해지게 되면 저절로 투철해져 학문의 진취는 걱정할 것이 없다."

물었다. "알았으면 당연히 실천해야 합니다."

(주자가) 대답했다. "정확하게 알지 못하면 어떻게 실행할 수 있겠는가? 만일 정확하게 알았으면 저절로 그대로 있을 수 없어, 그것들을 단지 가져온 말처럼 흘려보낼 수 없다."

又問: "今之言學者滿天下, 家誦『中庸』『大學』『語』『孟』之書, 人習『中庸』『大學』『語』『孟』之說. 究觀其實, 不惟應事接物與所學不相似; 而其爲人擧足動步, 全不類學者所爲. 或做作些小氣象, 或自治一等議論, 專一欺人. 此豈其學使然歟? 抑踐履不至歟? 抑所學之非歟?"

曰: "此何足以言學? 某與人說學問, 止是說得大槩, 要人自去下工. 譬如寶藏一般, 其中至寶之物, 何所不有? 某止能指與人說, 此處有寶. 若不下工夫自去討, 終不濟事. 今人爲學, 多是爲名, 不肯切己."[70]

또 물었다. "오늘날 학문을 말하는 사람이 천하에 가득하여, 집집마다『중용』·『대학』·『논어』·『맹자』의 책을 외우고, 사람마다『중용』·『대학』·『논어』·『맹자』의 말을 익히나, 그들의 실지를 자세히 관찰해보면, 일에 대응하고 사물과 만나는 것이 학문과 서로 엇비슷하지 않을 뿐만 아니고, 그들의 사람됨됨이도 한 발을 떼고 걸음을 옮기는 것에서 전혀 배우는 사람이 하는 짓과 유사하지 않습니다. 혹은 사소한 모습을 짓거나 혹은 자신을 다스리는 최고의 주장마저도 오로지 한 사람의 속임수를 쓰는 사람일 뿐입니다. 이 어찌 학문이 시켜서 그런 것이겠습니까? 아니 실행이 지극하지 못해서 그런 것이겠습니까? 아니면 배운 것이 글러서 그런 것이겠습니까?"

(주자가) 대답했다. "이것들을 어찌 학문이라 할 수 있겠는가? 나는 사람들과 학문에 대해 말할 적마다 다만 그 큰 줄기만을 말하여 사람들에게 스스로 노력하게 한다. 비유하자면 보물창고와 같으니 그 안에 더없이 보화가 되는 물건이 어딘들 없겠는가? 내가 다만 사람들에게 이곳에 보물이 있다고만 가리켜 말해줄 뿐이다. 그러나 만일 노력하여 스스로 찾지 않으면 끝내 일을 이루지 못한다. 오늘날 사람들은 대부분 명예만을 위하고 기꺼이 자신에게서 간절히 구해보려 하지 않는다."

[44-1-47]

"向見前輩有志於學, 而性猶豫者, 其內省甚深, 下問甚切, 然不肯沛然用力於日用間, 是以終

70 『朱子語類』 권116, 22조목

身抱不決之疑. 此爲可戒而不可爲法也."[71]

(주자가 말했다.) "지난날 앞 시대 사람들의 학문에 뜻 둔 것을 살펴보았더니, 품성이 머뭇대는 자는 마음속으로 살피는 것이 매우 깊고[72] 아랫사람에게 묻는 것도 매우 간절하였으나,[73] 날마다의 생활 속에서 기꺼이 소나기가 쏟아져 내리 듯 강력한 힘을 쓰지 않은 까닭에, 죽을 때까지 단안을 내리지 못하는 의심을 껴안고 있었다. 이는 경계할 만한 것이고 본받아서는 안 될 것이다."

[44-1-48]

與東萊呂氏書曰: "承喻'整頓收斂, 則入於著力, 從容游泳, 又墮於悠悠.' 此正學者之通患. 然程子嘗曰, '亦須且自此去, 到德盛後, 自然左右逢其原.' 今亦當且就整頓收斂處著力, 但不可用意安排等候, 卽成病耳."[74]

(주자가) 동래 여씨東萊呂氏에게 보낸 편지에 이렇게 말했다. "보내온 편지에서 말한 '정돈하여 수렴하면 힘만 쓰는 데 빠지고, 조용히 헤엄치는 듯이 하면 또 한가로움에 떨어진다.'[75]는 말은, 이는 바로 배우는 자들의 공통 된 병통입니다. 그러나 정자程子가 일찍이 '또한 당연히 이로부터 시작하여야 하니, 덕德이 성한 경지에 이르면 저절로 하는 일마다 그 근원을 만나게 될 것이다.'[76]라고 했습니다. 오늘날도 또한 당연히 우선 정돈하여 수렴하는 곳에서부터 힘을 써야 할 것이나, 다만 뜻을 두어 안배하거나 기다리는 것은 옳지 않으니 바로 병통이 될 뿐입니다."

[44-1-49]

"人看文字, 多有淺迫之病. 淺則於其文義多所不盡, 迫故於其文理, 亦或不暇周悉. 兼義理精微, 縱橫錯綜, 各有意脉. 今人多是見得一邊, 便欲就此執定, 盡廢他說, 此乃古人所謂'執德不弘者.' 非但讀書爲然也, 要須識破此病, 隨事省察, 庶幾可以'深造而自得也.'"[77]

(주자가 말했다.) "사람들이 글을 보는데 대부분 옅음(淺)과 서두름(迫)의 병통이 있다. 옅으면 그 글의

. . . .

71 『朱文公文集』 권35 「答劉子澄 2」
72 마음속으로 살피는 … 깊고: 『論語』 「顔淵」에서 司馬牛가 군자에 대해 묻자 공자는 "마음속에 살폈을 때 흠될 것이 없으면 무얼 걱정하고 무얼 두려워하겠는가?(內省不疚, 夫何憂何懼?)"라고 하였다.
73 아랫사람에게 묻는 … 간절하였으나: 『論語』 「公冶長」에서 자공이 공자에게 孔文子에게 어떻게 '文'자 시호가 내려졌는지 묻자 공자는 "명민하면서도 배우기를 좋아하고 아랫사람에게 묻기를 부끄러워하지 않아서 이 때문에 '문'자 시호로 부른 것이다.(敏而好學, 不恥下問, 是以謂之文也.)"라고 하였다.
74 『朱文公文集』 권35 「答呂伯恭問龜山中庸 2」
75 『東萊別集』 권7, 「尺牘·與朱侍講元晦」
76 '또한 당연히 … 것이다.': 『河南程氏遺書』 권2상. 이글에서 근원 云云한 것은 『孟子』 「離婁下」의 "군자가 깊이 나아가기를 道로써 함은 그 自得하고자 해서이니, 자득하면 居하는 것이 편안하고, 거하는 것이 편안하면 바탕으로 하는 것이 깊고, 바탕으로 하는 것이 깊으면 좌우에서 취하여 씀에 그 근원을 만나게 된다.(君子深造之以道, 欲其自得之也, 自得之則居之安, 居之安則資之深, 資之深則取之左右, 逢其原.)"에 의거해 한 말이다.
77 『朱文公文集』 권19 「答林正卿 4」

뜻을 대부분 다 알아내지 못하고, 서두르는 까닭에 그 글의 이치를 또한 혹여 꼼꼼하게 다 살필 겨를이 없다. 의리의 정미함을 겸한 것은 종횡으로 얽혀있고 각기 의미의 맥락이 있다. 오늘날 사람들은 대부분 한쪽을 알아내면 바로 이것을 고집해 결정하고, 다른 주장은 모두 무시해버린다. 이는 바로 옛사람이 말한 '덕을 지녀 지키는 것이 크지 못하다.'[78]는 것이다. 비단 글을 읽는 것만 그런 것은 아니니, 모름지기 이런 병통을 깨트려야할 줄 알아서 일마다 성찰하게 되면, 거의 '깊이깊이 도달해 스스로 터득한다.'는 것에 가까울 수 있을 것이다."

[44-1-50]

"橫渠, '未能立心,[79] 惡思多之致疑', 此說甚好, 便見有次序處 一云, 事固當考索, 然心未有主, 却泛然理會不得 若是思慮紛然, 趨向未定, 未有箇主宰,[80] 如何地講學?"[81]

(주자가 말했다.) "횡거橫渠가 '아직 결심을 하지 못해서 생각이 많아 의심하게 되는 것을 싫어하였다.'는 이 말이 매우 좋으니, 곧 차례가 있음을 본다. 일설에는 '일은 진실로 마땅히 연구해야 하지만 마음에 아직 주인이 없으면, 도리어 보통으로 이해할 수도 없다.'라고 했다. 만일 생각은 잡다한데 방향은 아직 정해지지 않았으면, 아직 주재자가 없는 것이니 어떻게 학문을 하겠는가?"[82]

[44-1-51]

問：“理有未窮, 且只持敬否?”

曰：“不消恁地說. 持敬便只管持將去. 窮理便只管窮將去. 如說前面萬一有持不得, 窮不得處, 又去別生計較, 這箇都是枉了思量. 然亦只是不曾眞箇持敬窮理. 若是眞箇曾持敬窮理, 豈有此說? 譬如出路, 要乘轎便乘轎, 要乘馬便乘馬, 要行便行, 都不消思量前面去不得時又著如何. 但當勇猛堅決向前, 那裏要似公說'居敬不得處又著如何, 窮理不得處又著如何?' 古人所謂心堅石穿, 蓋未嘗有箇不得底事.”

又曰：“聖人之言本是直截,[83] 若裏面有屈曲處, 聖人亦必說在上面. 若上面無底, 又何必思量

---

78 '덕을 지녀 … 못하다.'：『論語』「子張」에서 자장이 한 말이다.
79 未能立心：'能'은 『張子全書』권14 「性理拾遺」에 '知'로 되어 있다.
80 未有箇主宰：'有'는 『朱子語類』권98, 109조목에 '是'로 되어 있다.
81 『朱子語類』권98, 109조목
82 『朱子語類』권98, 110조목에 다음의 글을 참조한다. 問"未知立心, 惡思多之致疑 ; 旣知所以立, 惡講治之不精" 一章. 曰, "未知立心, 則或善或惡, 故胡亂思量, 惹得許多疑起 ; 旣知所立, 則是此心已立於善而無惡, 便又惡講治之不精, 又却用思. 講治之思, 莫非在我這道理之內. 如此, 則雖勤而何厭? '所以急於可欲者', 蓋急於可欲之善, 則便是無善惡之雜, 便是'立吾心於不疑之地.' 人之所以有疑而不果於爲善者, 以有善惡之雜 ; 今旣有善而無惡, 則若決江河以利吾往矣. '遜此志, 務時敏', 雖是低下著這心以順他道理, 又却抖擻起那精神, 敏速以求之, 則厥修乃來矣. 這下面云云, 只是說一'敏'字."
83 聖人之言本是直截：'是'는 『朱子語類』권121, 58조목 燾錄에 '自'로 되어 있다.

從那屈曲處去, 都是枉了工夫!"84

물었다. "리理를 아직 궁구窮究하지 못했으면 우선 다만 지경持敬을 합니까?

(주자가) 답했다. "굳이 이렇게 말할 필요 없다. 지경은 줄곧 유지해나가는 것이고, 궁리는 줄곧 궁구해나가는 것이다. 가령 '앞에 만에 하나라도 유지할 수 없고 궁구할 수 없는 곳이 있으니 또 다른 계책을 내야한다'고 말한다면, 이것은 아주 생각을 잘못한 것이다. 그러나 역시 한번도 진정으로 지경과 궁리를 하지 않았을 뿐이다. 만일 한번이라도 진정으로 지경과 궁리를 했었다면 어찌 이런 말을 하겠는가? 비유하자면, 길을 나서서 가마를 타려고 하면 가마를 타고, 말을 타려고 하면 말을 타고, 걸으려고 하면 걷는 것이니, 앞으로 갈 수 없을 때는 또 어떻게 할 것인가를 생각할 필요가 전혀 없다. 다만 용맹하고 확고하게 앞으로 나아갈 수 있다면, 어찌 그대처럼 '거경居敬할 수 없는 곳에서는 또 어떻게 하고, 궁리할 수 없는 곳에서는 또 어떻게 할까?'라고 말하겠는가? 옛사람이 말한 '마음이 굳으면 돌이 뚫린다.'는 것은 할 수 없는 일은 아직 있지 않았었다는 것이다."

또 말했다. "성인聖人의 말은 본래 간단명료하니, 속에 무언가 곡절이 있다면 성인은 역시 반드시 앞에서 말했을 것이다. 만일 앞에서 숨긴 것이 없다면, 또 왜 꼭 곡절이 있는 곳으로부터 생각을 해서 공부를 아주 잘못되게 하려는가!"

[44-1-52]

問學者曰："公今在此坐, 是主靜, 是窮理?"

久之未對, 曰："便是公不曾做工夫. 若不是主靜, 便是窮理, 只有此二者. 旣不主靜, 又不窮理, 便是心無所用, 閑坐而已. 如此做工夫, 豈有長進之理. 夫子嘗云,85 '造次必於是, 顛沛必於是', 須是如此做工夫方得. 公等每日只是閑用心, 問閑事, 說閑話底時節多. 問要緊事,86 究竟自己事底時節少.87 若是眞箇做工夫底人, 他自是無閑工夫說閑話, 問閑事. 聖人言語, 有幾多緊要大節目, 都不曾理會. 小者固不可不理會, 然大者尤緊要."88

(주자가) 배우는 사람에게 물어 말했다. "그대는 지금 여기 앉아서 주정主靜하는 것인가, 궁리하는 것인가?"

한참동안 대답하지 못하자 말했다. "바로 그대는 공부한 적이 없는 것이다. 만일 주정하는 것이 아니면, 바로 궁리하는 것이니, 단지 이 두 가지가 있을 뿐이다. 이미 주정하는 것도 아니고 또 궁리하는 것도 아니라면, 바로 마음이 할 일 없이 한가히 앉아있는 것일 뿐이다. 이렇게 공부하면 어찌 진보할 리가 있겠는가? 공자孔子께서 일찍이 말씀하시길, '경황 중에도 반드시 여기에 있고, 넘어질 때도 반드시 여기에 있다.'89고 하셨으니, 반드시 이렇게 공부해야만 된다. 그대들은 매일 다만 마음을 한가로이 쓰고

. . . .

84 『朱子語類』 권121, 58조목

85 夫子嘗：'嘗'은 『朱子語類』 권121, 60조목에 '亦'으로 되어 있다.

86 要緊事：'要緊'은 『朱子語類』 권121, 60조목에 '緊要'로 되어 있다.

87 自己事底：'自己事底'는 『朱子語類』 권121, 60조목에 '自己底事'로 되어 있다.

88 『朱子語類』 권121, 60조목

한가한 일을 물으며 한가한 말을 하는 때가 많다. 요긴한 일과 자기에게 귀결되는 일을 물을 때는 적다. 만일 진정으로 공부하는 사람이라면, 그에게는 저절로 공부를 한가히 하고 한가한 말을 하며 한가한 일을 묻는 일은 없을 것이다. 성인의 말씀 중에 긴요하고 핵심적인 것이 얼마나 있는지는 도대체 이해한 적이 없다. 작은 것도 진실로 이해하지 않으면 안 되지만, 큰 것은 더욱 긴요하다."

[44-1-53]

"日用之間, 隨事隨處提撕此心,[90] 勿令放逸, 而於其中隨事觀理, 講求思索, 沈潛反復, 庶於聖賢之敎, 漸有黙相契處, 則自然見得天道性命眞不外乎此身,[91] 而吾之所謂學者, 舍是無有別用力處."[92]

(주자가 말했다.) "일상생활 속에서 일마다 곳곳마다 이 마음을 일깨워서 방일放逸하지 않게 하여, 그런 중에서 일마다 도리를 살피되, 사색하여 찾고 잠심潛心·반복하여, 성인의 가르침에 점점 서로 묵묵히 깨닫는 것이 있게 하면, 자연히 천도天道와 성명性命이 참으로 이 몸을 벗어나지 않고, 내가 말하는 학문이 이 외에 별도로 힘쓸 곳이 없다는 것을 알 것이다."

[44-1-54]

"人無英氣, 固安於卑陋, 而不足以語上. 其或有之而無以制之, 則又反爲所使, 而不肯遜志於學, 此學者之通患也. 所以古人設敎, 自灑掃應對進退之節,[93] 禮樂射御書數之文, 必皆使之抑心下首, 以從事於其間而不敢忽. 然後可以消磨其飛揚倔强之氣, 而爲入德之階. 今旣皆無此矣, 則唯有讀書一事, 尚可以爲攝伏身心之助. 然不循序而致謹焉, 則亦未有益也."[94]

(주자가 말했다.) "사람에게 호방豪放한 기운英氣이 없으면 진실로 비루鄙陋한 데 안주할 것이니 상급의 것을 말해 줄 수 없다. 혹 이것이 있으나 제어하지 못하면 또 도리어 그에 휘둘려서 기꺼이 학문에 뜻을 두지 못하니, 이것이 배우는 자의 공통된 병통이다. 그러므로 옛사람이 교육을 할 때, 쇄소灑掃·응대應對·진퇴進退의 절차와 예禮·악樂·사射·어御·서書·수數의 문文[95]로부터 반드시 다 마음을 누르

---

89 '경황 중에도 … 있다.' : '여기'란 仁을 가리킨다. 『論語』「里仁」에 "군자는 밥을 먹는 동안에도 仁을 떠나지 않으니, 경황 중에도 반드시 여기에 있고, 위급한 상황에도 반드시 여기에 있다.(君子無終食之間違仁, 造次必於是, 顚沛必於是.)"라고 하였다.

90 隨事隨處提撕此心 : '事'는 『朱文公文集』 권60 「答度周卿正」에 '時'로 되어 있다.

91 則自然見得天道性命眞不外乎此身 : '道'는 『朱文公文集』 권60 「答度周卿正」에 '理'로 되어 있다.

92 『朱文公文集』 권60 「答度周卿正」

93 自灑掃應對進退之節 : '灑'는 『朱文公文集』 권63 「答孫仁甫」에 '洒'로 되어 있다.

94 『朱文公文集』 권63 「答孫仁甫」

95 灑掃·應對·進退의 … 文 : 『大學章句大全』 小註에서 절차와 글을 다음과 같이 설명하였다. 반양 제씨가 말하였다. "六德으로 시작하여 六行으로 이은 후에 六藝를 배운다. 8세 이상이 아닌 자는 그 일을 다 연구할 수 없고, 그 이름과 물건을 이해하게 할 뿐이다. 그러므로 위 세 가지는 절차라고 말하였으니 品節이 있다. 아래 여섯 가지는 글이라고 말하였으니, 글이란 이름과 물건을 말하는 것이고, 그 일이 아니다.(番易齊氏曰,

고 머리를 숙여서 그 사이에 종사하면서 감히 소홀하게 하지 않았다. 그 후에 방종하고 고집스런 기운을 갈아내고 덕에 들어가는 계단이 된다. 지금 이미 이것이 전혀 없다면 오직 독서 한 가지가 오히려 몸과 마음을 굴복시키는 보조자가 될 것이다. 그러나 차례를 지키며 조심하지 않으면 역시 보탬이 없다."

[44-1-55]

"主一之功, 固須常切提撕, 不令間斷. 窮理之事, 又在細心耐煩, 將聖賢遺書, 從頭循序, 就平實明白處玩味, 不須貪多, 但要詳熟, 自然見得意緒."[96]

(주자가 말했다.) "주일主一하는 공부는 진실로 반드시 항상 일깨워서 끊어지지 않게 해야 한다. 궁리하는 일은 또 세밀하고 조급하게 굴지 않는 데에 있으니, 성현聖賢이 남긴 글을 가지고 처음부터 차례대로 평범하고 명백한 곳으로부터 음미하며, 많기를 탐내서는 안 되며, 단지 자세하고 익숙하게 하려고 하면 자연히 의도를 알 것이다."

[44-1-56]

"讀書固不可廢, 然亦須以主敬立志爲先, 方可就此田地上推尋義理, 見諸行事. 若平居泛然略無存養之功, 又無實踐之志, 而但欲曉解文義, 說得分明, 則雖盡通諸經, 不錯一字, 亦何所益? 況又未必能通而不誤乎."[97]

(주자가 말했다.) "독서는 진실로 폐기해서는 안 되지만, 역시 반드시 지경持敬과 입지立志를 우선으로 여겨야만, 비로소 이런 바탕 위에서 의리를 찾고 일을 할 때에 드러낼 수 있다. 만일 평상시에 대충 넘어가서 존양存養하는 공부가 없고, 또 실천하려는 의지도 없이 다만 글의 뜻만 이해하고 설명을 분명히 하려고 하면, 모든 경서를 다 통하여 한 글자도 어긋나지 않는다 하더라도, 또 무엇이 보탬이 되겠는가? 더구나 또 능통하다고 하여 반드시 잘못하지 않는 것도 아니다."

[44-1-57]

"學問根本, 在日用間持敬集義功夫, 直是要得念念省察. 讀書求義, 乃其間之一事耳. 近日學者之弊, 苦其說之太高太多.[98] 如此, 只見意緒叢雜,[99] 都無玩味工夫, 不唯失却聖賢本意, 亦分却日用實功, 不可不戒也."[100]

. . . .

始以六德, 繼以六行, 後及於六藝. 非八歲以上者, 所能盡究其事, 不過使曉其名物而已. 故上三者言節, 有品節存焉, 下六者言文. 文者名物之謂也, 非其事也.)"

96 『朱文公文集』 권61 「答曾景建」
97 『朱文公文集』 권50 「答鄭仲禮」
98 苦其說之太高太多. : '高'字 다음에 『朱文公文集』 권50 「答潘恭叔」에는 '與' 한 字가 더 있다.
99 只見意緒叢雜 : '見'은 『朱文公文集』 권50 「答潘恭叔」에 '是'로 되어 있다. 見은 是의 誤字로 보여 바로잡아 번역한다.
100 『朱文公文集』 권50 「答潘恭叔」

(주자가 말했다.) "학문의 근본은 일상생활 속에서 지경持敬하고 집의集義하는[101] 공부에 있으니, 단지 생각마다 성찰하기만 하면 된다. 독서해서 도의를 구하는 것은 곧 그런 일 중의 하나일 뿐이다. 요즘의 배우는 사람들의 폐단은 그 주장을 너무 고상하고 너무 많이 하려고 애쓰는 것이다. 이렇게 하면 다만 생각은 복잡하고 도무지 완미하는 공부는 없어서, 성현의 본의를 잃어버릴 뿐만 아니라, 역시 일용생활 속에서 실제로 하는 공부도 분산되니 경계하지 않으면 안 된다."

[44-1-58]

"窮理涵養, 要當並進. 蓋非稍有所知, 無以致涵養之功. 非深有所存, 無以盡義理之奧. 正當交相爲用而各致其功耳."[102]

(주자가 말했다.) "궁리窮理와 함양涵養은 마땅히 함께 진보해야 한다. 대개 조금도 아는 것이 없으면 함양 공부를 할 수 없다. 깊이 간직한 것이 있지 않으면 의리의 깊이를 다할 수 없다. 바로 마땅히 번갈아 서로 용用이 되게 하여 각각 그 공을 들여야 한다."

[44-1-59]

"今之學者, 不知古人爲己之意, 不以讀書治己爲先, 而急於聞道. 是以文勝其質, 言浮於行, 而終不知所底止也."[103]

(주자가 말했다.) "오늘날 배우는 사람은 옛사람의 위기爲己의 뜻을 알지 못하여 독서와 자기 다스림을 우선으로 삼아 도道를 묻는 데에 급하지 않다. 그러므로 문채가 그 바탕을 이기고 말이 행동보다 많아서 끝내 그칠 곳을 알지 못한다."

[44-1-60]

"讀書須嚴立課程.[104] 思慮亦不可過苦, 但虛心游意, 時時玩索, 久之當自見縫罅意味. 持守亦不必著意安排, 但亦只且如此從容, 纔覺放慢,[105] 即便提撕, 即自常在此矣."[106]

(주자가 말했다.) "독서는 과정을 엄격히 세워야 한다. 사색思索도 역시 지나치게 급박하게 해서는 안 되니, 다만 마음을 비우고 신경을 여유 있게 쓰고, 때때로 깊이 생각하면서 오랜 시간이 지나면 저절로

. . . .

101 集義하는 : 『孟子』「公孫丑上」 2에 "義를 모아서 생기는 것이니, 義는 엄습해서 가져오는 것이 아니다.(是集義所生者, 非義襲而取之也)"라고 하였다.

102 『朱文公文集』 권45 「答游誠之」

103 『朱文公文集』 권45 「答歐陽慶似光祖(答歐陽慶似光祖)」

104 讀書須嚴立課程. : '須嚴立課程'은 『朱文公文集』 권62 「答杜貫道」에 '課程甚善但'으로 되어 있다. 이 경우 '독서 과정은 매우 좋지만~'의 뜻이다.

105 放慢 : '放慢'은 『朱文公文集』 권62 「答杜貫道」에 '散漫'으로 되어 있다. 의미는 서로 비슷하나 어감이 더 분명한 '산만'으로 고쳐 번역한다.

106 『朱文公文集』 권62 「答杜貫道」

꿰매 이은 자리의 의미[107]를 알게 될 것이다. 붙들어 지키는 것[持守]도 역시 의도적으로 안배할 필요 없으니, 단지 역시 이처럼 너그럽게 하다가 산만散漫함을 느끼자마자 즉시 바로 일깨우면 곧 항상 저절로 여기 있게 될 것이다."

[44-1-61]

"學者須虛心涵泳,[108] 未要生說. 却且就日用間實下持敬工夫, 求取放心. 然後却看自家本性元是善與不善, 自家與堯舜元是同與不同. 若信得及, 意思自然開明, 持守亦不費力矣."[109]

(주자가 말했다.) "배우는 사람은 반드시 마음을 비우고 함영涵泳하며, 새 주장을 만들어 내려고 하지 말아야 한다. 도리어 일상 속에서 실제로 지경持敬 공부하는 데에서 방심放心을 구해야 한다. 그런 뒤에 도리어 자신의 본성이 원래 선한가 선하지 않은가, 자신과 요순堯舜은 원래 같은가 다른가를 안다. 만일 서로 믿으면 생각이 자연히 열리고 밝아져서 붙들어 지키는 것도 힘들지 않을 것이다."

[44-1-62]

問: "'君子無終食之間違仁.'[110] 不但終食之間而已也, 雖造次必於是, 不但造次而已也, 雖顚沛必於是, 蓋欲此心無頃刻須臾之間斷也. 及稱顏子則曰三月不違, 於衆人則曰日月至焉而已. 今學者於日月至焉, 且茫然不知其所謂, 況其上者乎? 克己工夫, 要當自日月至焉, 推而上之, 至終食之間, 以至造次, 至顚沛, 一節密一節去. 庶幾持養純熟, 而三月不違可學而至. 不學則已, 欲學聖人, 則純亦不已, 此其進步之階歟."

曰: "下學之功, 誠當如此. 其資質之高明者, 自應不在此限, 但我未之見耳"[111]

물었다. "'군자는 밥 먹는 사이라도 인仁을 어기지 않는다.'[112]는 것은 밥 먹는 사이뿐만이 아니라 비록 급히 임시 조치할 때도 반드시 여기서 한다는 것이며, 급히 임시 조치할 때뿐만이 아니라 비록 넘어질 때도 반드시 여기서 한다는 것이니, 대개 이 마음이 눈 깜박할 사이나 순식간의 끊임도 없고자 하는 것입니다. 안자顏子를 칭찬함에 미쳐서는 '석 달 동안 어기지 않았다.'고 하고, 여러 사람에 대해서는 '하루에 한 번, 한 달에 한 번 이를 뿐'[113]이라고 하였습니다. 지금 배우는 사람은 '하루에 한 번, 한

---

107 꿰매 이은 … 의미: '縫罅意味'를 번역한 것이다. 『朱子大全箚疑』 권62에 "道理 경계 중의 의미를 말한다.(謂 道理界分中意味也)"라고 하였다.

108 學者須虛心涵泳: '學者'는 『朱文公文集』 권50 「答周舜弼」에 없으나, 편찬자가 추가하여 편찬한 것이다.

109 『朱文公文集』 권50 「答周舜弼」

110 問: 君子無終食之間違仁: '問'은 『朱文公文集』 권50 「答周舜弼」에 글자로는 없으나, 주순필과 주자의 문답이 번갈아 편집되어 있으므로 『性理大全』 편찬자가 보충하여 표시한 것이다.

111 『朱文公文集』 권50 「答周舜弼」

112 '군자는 밥 … 않는다.': 『論語』「里仁」

113 顏子를 칭찬함에 … 뿐: 『論語』「雍也」에 "子曰, '回也, 其心三月不違仁, 其餘則日月至焉而已矣.'"라고 한 것을 가리킨다.

달에 한 번 이르는 것' 조차도 아득하여 그 무슨 말인지 모르겠는데, 하물며 그 이상은 어떻겠습니까? 극기克己공부는 응당 '하루에 한 번, 한 달에 한 번 이르는 것'으로부터 미루어 올라가서 '밥 먹는 사이'에 이르고, 또 '급히 임시 조치할 때'에 이르고, '넘어질 때'에 이르는 것이니, 조금씩 세밀해져 가는 것입니다. 거의 지키고 기르는 것持養이 익숙해지면 '석 달 동안 어기지 않는 것'도 배워서 이를 수 있을 것입니다. 배우지 않으면 그만이지만, 성인聖人을 배우고자 한다면 순수하게 하며 그치지 않아야 하니, 이것이 그 진보하는 단계일 것입니다."

(주자가) 말했다. "아래로부터 배우는 공부는 진실로 마땅히 이와 같아야 한다. 그 자질이 고명高明한 자는 저절로 응당 이런 제한에 들지 않겠지만, 나는 아직 이런 사람을 보지 못했을 뿐이다."

[44-1-63]

"爲學雖有階漸, 然合下立志, 亦須略見義理大槩規模. 於自己方寸間, 若有箇惕然愧懼, 奮然勇決之志, 然後可以加之討論玩索之功, 存養省察之力, 而期於有得. 夫子所謂志學, 所謂發憤, 政爲此也. 若但悠悠泛泛, 無箇發端下手處, 而便謂可以如此平做將去, 則恐所謂莊敬持養, 必有事焉者, 亦且若存若亡, 徒勞把捉, 而無精明的確親切至到之效也."[114]

(주자가 말했다.) "학문을 하는 데는 비록 단계가 있지만, 먼저 뜻을 세우고, 또 의리義理의 대강적인 규모를 어느 정도 알아야 한다. 자기 마음속에 조심스런 두려움과 과감한 결단을 내리는 의지가 있은 뒤에야 토론하고 완색玩索하는 공부와 존양存養하고 성찰省察하는 노력을 더하여 얻는 것이 있음을 기약할 수 있다. 공자가 말한 '학문에 뜻을 둔다.'는 것과 '분발奮發한다.'는 것이 바로 이런 것이다. 만일 다만 한가로이 노닐기나 하고 새로 마음잡고 힘쓰는 곳도 없으면서 곧 이렇게 평범하게 할 수 있다고 한다면, 이른바 장엄하고 공경하며 지키고 기르며 '반드시 일삼음이 있다.'[115]는 것도 있는 듯 없는 듯할 것이며, 부질없이 다잡기만 하여 정명精明하고 적확的確하고 확실한 최상의 효과는 없다."

[44-1-64]

"人之爲學, 當知其何所爲而爲學. 又知其何所事而可以爲學. 然後循其次第, 勉勉而用力焉, 必使此心之外更無異念. 而舊習之能否, 世俗之毀譽, 身計之通塞, 自無一毫入於其心, 然後乃可幾耳."[116]

(주자가 말했다.) "사람이 학문을 하는 데는 마땅히 무엇 때문에 배우려고 하는지, 또 무슨 일을 해야 배움이 될 수 있는지를 알아야 한다. 그런 뒤에야 차례대로 부지런히 노력하여, 반드시 이런 마음 이외에 다시 다른 생각이 없게 해야 한다. 옛 습관이 좋은지 나쁜지, 세속의 헐뜯음과 칭찬, 자신의 영달과 막힘 등은 저절로 털끝만큼도 그 마음에 들어오지 못하게 한 뒤에야 비로소 거의 가까울 것이다."

114 『朱文公文集』 권55 「答陳超宗」
115 '반드시 일삼음이 있다.' : 『孟子』 「公孫丑上」
116 『朱文公文集』 권60 「答曾無疑三異」

[44-1-65]

"道之體用雖極淵微, 而聖賢言之則甚明白. 學者誠能虛心靜慮, 而隨以求之日用躬行之實,[117] 則其規模之廣大曲折之詳細, 固當有以得之燕閒靜一之中, 其味雖淡而實腴, 其旨雖淺而實深矣. 然其所以求之者, 不難於求而難於養. 故程夫子之言曰, '學莫先於致知, 然未有能致知而不在敬者, 而邵康節之告章子厚曰, 以君之材, 於吾之學, 頃刻可盡, 但須相從林下一二十年, 使塵慮銷散, 胸中豁豁無一事, 乃可相授, 正爲此也.'"[118]

(주자가 말했다.) "도道의 체용體用은 비록 극히 깊고 정밀하지만 성현이 이를 말한 것은 매우 명백하다. 배우는 사람이 진실로 마음을 비우고 조용히 생각하여 일상의 몸소 행하는 실천 속에서 따라서 구할 수 있으면 그 규모의 광대함과 그 곡절의 상세함은 본디 편안하고 안정된 가운데에서 얻을 수 있으니, 그 맛은 담백하나 실은 기름지고, 그 의미는 비록 얕으나 실은 깊다. 그러나 이를 구하는 까닭은 구하기가 어려워서가 아니라 기르기가 어렵기 때문이다. 그러므로 정자程子의 말에 이르기를, '배움은 치지致知보다 먼저 할 것이 없으나 치지를 할 수 있으면서 경에 있지 않은 자는 아직 없다'[119]고 하고, 소강절邵康節邵雍이 장자후張子厚張載에게 고하기를 '그대의 재주로 나의 학문은 잠깐이면 다 배울 수 있으나, 숲속에서 일이십년을 함께 지내야 속세의 생각을 흩어버리고, 가슴이 후련하여 한 일도 없어야 비로소 서로 전수할 수 있을 것이다.'고 한 것은 바로 이 때문이다."

[44-1-66]

"爲學工夫不在日用之外. 檢身則動靜語黙, 居家則事親事長, 窮理則讀書講義. 大抵只要分別一箇是非, 而去彼取此耳, 無他玄妙之可言也. 論其至近至易, 則卽今便可用力, 論其至急至切, 則卽今便當用力. 莫更遲疑, 且隨深淺, 用一日之力, 便有一日之效, 到有疑處, 方好尋人商量, 則其長進通達不可量矣. 若卽今全不下手, 必待他日遠求師友, 然後用力, 則目下蹉過却合做底親切工夫, 虛度了難得底少壯時節. 正使他日得聖賢而師之, 亦無積累憑藉之資可受鉗錘, 未必能眞有益也."[120]

(주자가 말했다.) "학문하는 것은 일상생활 밖에 있지 않다. 몸을 검속하는 것은 움직이고 가만히 있고 말하고 침묵하는 데서 하며, 일상생활은 어버이를 섬기고 어른을 섬기는 데서 하며, 궁리는 독서와 강의에서 한다. 대저 하나의 시비是非를 분별하여 저것을 버리고 이것을 취하려고만 하면 되는 것이지, 말해야 할 다른 현묘한 것은 없다. 그 지극히 가깝고 지극히 쉬운 것으로 논하면 지금이 바로 힘을 쓸만하며, 지극히 급하고 지극히 절실한 것으로 논하면 지금이 바로 마땅히 힘써야 할 때이다. 다시 미적거리고

---

117 而隨以求之日用躬行之實: '隨'는 『朱文公文集』 권59 「答吳生批」에 '徐'로 되어 있다.
118 『朱文公文集』 권59 「答吳生批」
119 '배움은 致知보다 … 없다': '進學莫先乎致知, 養心莫大乎理義.'(『二程粹言』 권상)라는 말과, '入道莫如敬, 未有能致知而不在敬者.'(『河南程氏遺書』 권3)라는 말을 주자가 편집한 것이다.
120 『朱文公文集』 권58 「答陳廉夫」

의심하지 말고, 우선 깊건 얕건 하루의 힘을 쓰면 곧 하루치의 효과가 있고, 의문이 있는 곳에 이르러서 비로소 사람을 잘 찾고 잘 생각하면 그 진보하고 통달함을 이루 헤아릴 수 없다. 만일 지금 전혀 손을 대지 않고 반드시 훗날 멀리 스승과 친구를 구하기를 기다린 후에 힘을 쓴다면, 눈앞에서 잘못하고 지나가버린 것이 도리어 마땅히 해야 할 절실한 공부인데 얻기 어려운 젊은 시절을 헛되이 보낸 것이 된다. 비록 훗날 성현을 만나 스승으로 모시더라도 역시 교정[鉗錘][121]을 받을 만큼 축적한 없어 참으로 반드시 보탬이 될 것은 아니다."

[44-1-67]

"夫義利之間, 所差毫末, 而舜跖之歸異焉. 是以在昔君子之爲學也, 莊敬涵養以立其本, 而講於義理以發明之, 則其口之所誦也有正業, 而心之所處也有常分矣. 至於希世取寵之事, 不惟有所愧而不敢, 實亦有所急而不暇焉.[122]"[123]

(주자가 말했다.) "의義와 이익 사이에 어긋난 것이 털끝 만큼이라 하더라도 결국 순舜임금이나 도척盜跖이 되는 귀착점歸着點은 다르다. 그러므로 옛날에 군자가 학문을 할 때에는 장경莊敬하고 함양涵養하여 그 근본을 세우고 의리를 강론하여 밝혔으니, 입으로 되뇌는 것은 바른 일[正業]이고, 마음 씀씀이에는 정해진 분수[常分]가 있었다. 세속에 영합하여 총애를 받는 일은 부끄러워서 감히 하지 않을 뿐만 아니라, 진실로 급한 일이 있었기 때문에 그럴 겨를도 없었다."

[44-1-68]

問 : "致知以明之, 持敬以養之, 此學之要也. 不致知則難於持敬, 不持敬亦無以致知."

曰 : "二者交相爲用固如此. 然亦當各致其力, 不可恃此而責彼也."[124]

물었다. "앎을 이루어서 밝히고 경敬을 유지해서 기르는 것이 이 학문의 요체입니다. 앎을 이루지 않으면 경敬을 유지가 어렵고, 경敬을 유지하지 않으면 또한 앎을 이룰 수 없습니다."

(주자가) 대답했다. "이 둘이 서로 간에 쓰임 되는 것이 진실로 이와 같다. 그러나 또한 각각의 경우에서 그 힘을 다해야지, 이것에 힘을 기울인 것을 믿고 저것이 저절로 이루어지기를 요구해서는 안 된다."

· · · · · · · · · · · · · · · · · · ·

121 교정[鉗錘] : 鉗錘는 『朱子大全箚疑』 卷58에 "鉗의 음은 箝이다. 쇠로 만들어 겁박함이 있다. 錘는 上聲이다. 단련한 기구이다.(鉗音箝 以鐵有所劫束也 錘上聲 鍛器也)"라고 하였다. 鉗은 죄인 목에 씌우는 칼이고, 錘는 쇠를 불에 달궈 두드려 만든 기구이니, 잘못된 것을 칼을 씌워 바로 잡고 불에 달궈 두드려 새로 모양을 만드는 것이다. 잘못된 것을 이처럼 바로 잡아 고쳐나가는 것인데 그동안 공부한 것이 없으면 잘못한 것도 없어서 성인을 만나도 지도 받을 내용이 없다는 것이다.

122 實亦有所急而不暇焉. : '實'은 『朱文公文集』 권46 「答詹元善」에 '爲'로 되어 있다. 이럴 경우 '實'은 앞 구절에 붙어야 하며, 文理上 이것이 좋은 것 같아 고쳐 번역했다.

123 『朱文公文集』 권46 「答詹元善」

124 『朱文公文集』 권41 「答程允夫」

[44-1-69]

"大抵思索義理, 到紛亂窒塞處, 須是一切掃去, 放教胸中空蕩蕩地了, 却擧起一看, 便自覺得有下落處. 此說向見李先生曾說來, 今日方眞實驗得如此, 非虛語也."[125]

(주자가 말했다.) "대체로 의리義理를 사색함에 있어서, 뒤섞여 어지럽고 막힌 곳에 이르면 모름지기 일체를 싹 쓸어버려서 가슴속이 완전히 텅 비게 해놓고, 다시 그것을 제기해서 한 번 보면 곧 낙착하는 곳이 있다는 것을 스스로 깨닫게 된다. 이 말은 예전에 이 선생李先生[李侗][126]이 그렇게 말한 것을 보았는데, 오늘 바야흐로 이와 같음을 진실로 증험했으니, 헛된 말이 아니다."

[44-1-70]

"天下之物, 無一物不具夫理. 是以聖門之學, 下學之序, 始於格物以致其知, 不離乎日用事物之間, 別其是非, 審其可否, 由是'精義入神, 以致其用.' 其間曲折纖悉, 各有次序, 而一以貫通, 無分段, 無時節, 無方所. 以爲精也, 而不離乎粗. 以爲末也, 而不離乎本. 必也優游潛玩, 饜飫而自得之, 然後爲至固不可以自畫而緩. 亦不可以欲速而急. 譬如草木, 自萌芽生長, 以至於枝葉華實, 不待其日至之時, 而揠焉以助之長, 豈不無益而反害之哉?"[127]

(주자가 말했다.) "천하의 사물은 어느 하나도 리理를 갖추지 않은 것이 없다. 그러므로 공자 문하의 학문에서 하학下學의 순서는 사물을 궁구하는 데에서 시작하여 그 앎을 이루되, 일상생활에서 벗어나지 않으면서 시비是非를 가리고 가부可否를 살피니, 이것으로 말미암아 '의義를 정밀히 하여 신령한 경지에 들어가 그 쓰임을 지극히 한다.'[128] 또 그 안에 곡절이 세밀하게 갖추어진 것은 각각 순서가 있지만 하나의 이치로 관통하면,[129] 모든 시공간에 나뉘어 끊어짐이 없으니 특별한 시절도 없고 특별한 장소도 없다. 그것을 정미한 것이라고 생각해도 조잡한 것에서 떨어지지 않고, 그것을 말단이라고 생각해도 근본에서 떨어지지 않는다. 반드시 조용히 푹 빠져서 완미하고 충분히 만족하게 되어 자득한 다음에야, 지극히 견고하여 스스로 한계를 정해서 느긋해질 수 없고 빨리 하려고 하여 급해질 수 없게 된다. 초목에

---

125 『朱文公文集』 권44 「答蔡季通」
126 李侗(1093~1163): 자는 愿中이고, 세칭 延平先生이라 하며, 시호는 文靖이다. 송대 南劍州劍浦(현 복건성 南平) 사람으로 楊時·羅從彦과 함께 '南劍三先生'이라 불리운다. 나종언에게서 二程의 학문을 배우고, 40여 년간 세속을 끊고 연구한 뒤에 '理一分殊' 등 이정의 학문을 주희에게 전수해 주었다. 저서는 『延平文集』이 있다.
127 『朱文公文集』 권100 「答江隱君」
128 '義를 정밀히 … 한다.': 『易』 「繫辭下」에서 "자벌레가 몸을 굽히는 것은 폄을 구하기 위해서이고, 용과 뱀이 칩거하는 것은 몸을 보존하기 위해서이며, 義를 정밀히 하여 신령한 경지에 들어가는 것은 쓰임을 지극히 하기 위해서이고, 쓰임을 이롭게 하여 몸을 편안히 하는 것은 德을 높이기 위해서이다. 이것을 넘어서 그 이후는 혹 알 수 없으니, 神을 궁구하여 造化를 아는 것이 德의 융성함이다.(尺蠖之屈, 以求信也; 龍蛇之蟄, 以存身也; 精義入神, 以致用也; 利用安身, 以崇德也. 過此以往, 未之或知也, 窮神知化, 德之盛也.)"라고 하였다.
129 하나의 이치로 관통하면: 『論語』 「里仁」에서 "공자가 말했다. '參아! 우리 道는 한 가지 理가 만 가지 일을 꿰뚫고 있다.' 曾子가 '예!' 하고 대답했다.(子曰, '參乎! 吾道一以貫之.' 曾子曰, '唯!')"라고 하였다.

비유하면 싹이 트고 생장하는 것으로부터 가지와 잎이 무성해지고 꽃이 피고 열매 맺는 것에 이르기까지, 그 때가 이르기를 기다리지 않고 뽑아 올려서 자라는 것을 도우려 한다면 어찌 무익할 뿐만 아니라 도리어 해가 되지 않겠는가?"[130]

[44-1-71]

"人之所以爲學者, 以吾之心未若聖人之心故也. 心未能若聖人之心, 是以燭理未明, 無所準則. 隨其所好, 高者過, 卑者不及, 而不自知其爲過且不及也. 若吾之心卽與天地聖人之心無異矣, 則尚何學之爲哉? 故學者必因先達之言, 以求聖人之意, 因聖人之意, 以達天地之理. 求之自淺以及深, 至之自近而及遠, 循循有序, 而不可以欲速迫切之心求也. 夫如是, 是以浸漸經歷, 審熟詳明, 而無躐等空言之弊. 馴致其極, 然後吾心得正, 天地聖人之心不外是焉. 非固欲畫於淺近而忘深遠, 舍吾心以求聖人之心, 棄吾說以徇先儒之說也."[131]

(주자가 말했다.) "사람들이 배우는 까닭은 내 마음이 아직 성인의 마음과 같지 않기 때문이다. 마음이 아직 성인의 마음과 같을 수 없으므로 이 때문에 이치를 밝히는 것이 분명하지 못하고 법도로 삼는 것이 없다. 자기가 좋아하는 것을 따라서 높은 것에 대해서는 지나치고 낮은 것에 대해서는 미치지 못하면서도 자신이 지나치거나 미치지 못한다는 것을 스스로 알지 못한다. 만약 나의 마음이 곧 천지와 성인의 마음과 차이가 없다면 또한 무엇을 더 배우겠는가? 그러므로 배우는 자는 반드시 선인先人들의 통달한 말에 근거하여 성인의 뜻을 구하고, 성인의 뜻에 근거하여 천지의 이치에 통달해야 한다. 그것을 구하는 데에는 얕은 데서부터 깊은 곳에 미치고, 그것에 이르는 데에는 가까운 곳에서부터 먼 곳에 미치면서, 차근차근 순서를 따라야지, 빨리 하려고 하여 절박한 마음으로 구해서는 안 된다. 무릇 이와 같이 하면, 이 때문에 차츰차츰 과정을 거치가고 세밀하고 익숙하게 자세히 밝아져서, 단계를 뛰어넘거나 공허하게 말하는 폐단이 없게 된다. 그 지극한 경지에 도달한 다음에는 나의 마음이 바름을 얻어서 천지와 성인의 마음도 이것을 벗어나지 못한다. 진실로 비천하고 친근한 것을 한계 지으려고 심원한 것을 잊는 것이 아니고, 나의 마음을 버려서 성인의 마음을 구하는 것도 아니며, 나의 말을 버려서 선배 학자들의 말을 좇는 것도 아니다."

---

130 그 때가 … 않겠는가?: 『孟子』「公孫丑上」에서 "반드시 호연지기를 기르는 일에 종사하고 효과를 미리 기대하지 말아서, 마음에 잊지도 말며 억지로 助長하지도 말아야 한다. 그리하여 宋나라 사람과 같이 하지 말아야 한다. 宋나라 사람 중에 벼 이삭이 자라지 않는 것을 안타깝게 여겨 뽑아놓은 자가 있었다. 그는 아무 것도 모르고 돌아와서 집안사람들에게 말하기를 '오늘 나는 매우 피곤하다. 내가 벼 이삭이 자라도록 도왔다.' 하자, 그 아들이 달려가서 보았더니, 벼 이삭은 말라 있었다. 천하에 벼 이삭이 자라도록 억지로 조장하지 않는 자가 적으니, 유익함이 없다 해서 버려두는 자는 비유하면 벼 이삭을 김매지 않는 자이며, 억지로 조장하는 자는 벼 이삭을 뽑아놓는 자이니, 이는 다만 유익함이 없을 뿐만 아니라, 도리어 해치는 것이다.(必有事焉而勿正, 心勿忘, 勿助長也. 無若宋人然. 宋人有閔其苗之不長而揠之者, 芒芒然歸. 謂其人曰, '今日病矣, 予助苗長矣.' 其子趨而往視之, 苗則槁矣. 天下之不助苗長者寡矣. 以爲無益而舍之者, 不耘苗者也; 助之長者, 揠苗者也. 非徒無益, 而又害之.)"라고 하였다.

131 『朱文公文集』 권42 「答石子重」

[44-1-72]

"鄕道之勤, 衛道之切, 不若求其所謂道者, 而修之於己之爲本. 用力於文詞, 不若窮經觀史以求義理, 而措諸事業之爲實也. 蓋人有是身, 則其秉彝之則初不在外. 與其鄕往於人, 孰若反求諸己? 與其以口舌馳說而欲得行於世, 孰若得之於己而一聽其用舍於天耶? 至於文詞, 一小伎耳. 以言乎邇, 則不足以治己 ; 以言乎遠, 則無以治人. 是亦何所與於人心之存亡·世道之隆替, 而校其利害, 勤懇反復, 至於連篇累牘而不厭耶?"¹³²

(주자가 말했다.) "부지런히 도道를 향해 가고 절실하게 도를 수호하는 것은 이른바 도를 구하여 그것을 자신에게 닦는 것으로 근본을 삼는 것만 못하다. 문사文詞에 힘을 쏟는 것은 경전을 궁구하고 역사서를 보아서 의리義理를 구하여 사업에 시행하는 것으로 실질을 삼는 것만 못하다. 대개 사람에게 이 몸이 있게 되면 그 떳떳한 성품이 가지고 있는 법칙¹³³이 애초에 밖에 있지 않다. 그 다른 사람에게로 향해 가는 것이 어찌 자신에게서 돌이켜 구하는 것만 하겠는가? 말로 유세하여 세상에 행세할 수 있기를 바라는 것이, 어찌 자기에게서 그것을 얻어 놓고 그것이 사용되거나 사용되지 않는 것을 한결같이 천天에 따르는 것만 하겠는가? 문사文詞의 경우는 하나의 작은 기술일 뿐이다. 가까운 것으로 말하면 자신을 다스리기에도 부족하고, 먼 것으로 말하면 남을 다스릴 수도 없다. 이것은 또한 인심人心의 존망存亡이나 세도世道의 성쇠盛衰에 무슨 관계가 있다고, 그 이해利害를 비교해 가며 부지런히 되풀이 하면서 문장이 번거롭고 길어지는 데도 이르러도 싫어하지 않는가?"

[44-1-73]

"爲學之序, 必先成己, 然後可以成物.¹³⁴ 此心·此理, 元無間斷虧欠, 聖賢遺訓具在方冊. 若果有意, 何用遲疑等待, 何用準擬安排? 只從今日爲始, 隨處提撕, 隨處收拾, 隨時體究, 隨事討論. 但使一日之間, 整頓得三五次, 理會得三五事, 則日積月累, 自然純熟, 自然光明矣. 若只如此立得箇題目頓在面前, 又却低徊前却, 不肯果決向前, 眞實下手, 則悠悠歲月豈肯待人? 恐不免但爲自欺自誣之流, 而終無得力可恃之地也."¹³⁵

(주자가 말했다.) "학문을 하는 순서는 반드시 먼저 자신을 이룬 다음에 남을 이루게 할 수 있다.¹³⁶

---

132 『朱文公文集』 권59 「答汪叔耕」
133 떳떳한 성품이 … 법칙 : 『詩經』 「大雅·蕩之什·烝民」에서, "天이 많은 백성을 낳으니 사물이 있으면 법칙이 있다. 백성들이 떳떳한 성품을 가지고 있어서 아름다운 덕을 좋아한다.(天生烝民, 有物有則. 民之秉彝, 好是懿德.)"라고 하였다.
134 然後可以成物 : 『朱文公文集』 권60 「答周南仲」에는 이 구절 뒤에 "反復來示, 似於自己分上未免猶有所闕, 恐不若且更向裏用工也.(보내 준 편지를 반복해서 읽어보면, 자기 본분에 오히려 부족함이 있는 것을 아직 벗어나지 못하는 듯하니, 우선 내면을 향해 더욱 공부하는 것만 못할 것 같습니다.)"라는 말이 더 있다.
135 『朱文公文集』 권60 「答周南仲」
136 먼저 자신을 … 있다. : 『中庸』 제25장에서, "誠은 스스로 자기만을 이룰 뿐이 아니라 남을 이루어 주니, 자기를 이루는 것은 仁이고, 남을 이루어 주는 것은 智이다. 이는 性의 德이니, 內外를 합한 道이다. 그러므

이 마음과 이 리理는 원래 끊어지거나 결함이 없으며, 성현이 남긴 가르침은 책에 모두 갖추어져 있다. 만약 과연 확고한 뜻이 있으면 의심하고 망설이면서 기다리고 있을 필요가 무엇이며, 어떤 것을 기준으로 본받아 안배할 필요가 무엇인가? 다만 오늘부터 시작하여 어느 곳이든지 각성하고 어느 곳이든지 수습하며, 어느 때이든지 연구하고 어느 때이든지 토론해야 한다. 다만 하루 사이에도 서너덧 번 정돈하고 서너덧 가지 일을 이해하면, 날이 갈수록 축적되어 자연스럽게 숙련될 것이고 자연스럽게 환히 밝게 될 것이다. 만약 다만 이와 같이 제목만을 만들어 눈앞에 그냥 놓아 둔 채, 도리어 고개를 숙이고 배회하며 앞으로 갔다가 뒤로 갔다가 하면서 기어이 과감하게 앞을 향해 참된 착수를 하지 않는다면, 유유히 흐르는 저 세월이 어찌 사람을 기다려 주려 하겠는가? 다만 스스로 속이고 스스로 무고誣告하는 부류가 되는 것을 벗어나지 못해, 끝내 힘을 얻어서 믿을 수 있는 곳이 없게 될까 두렵다."

[44-1-74]

"觀浮圖者, 仰首注視而高談, 不若俯首歷階而漸進. 蓋觀於外者, 雖足以識其崇高鉅麗之爲美, 孰若入於其中者, 能使眞爲我有, 而又可以深察其層累結架之所由哉? 自今而言, 聖賢之言具在方冊, 其所以幸敎天下後世者, 固已不遺餘力. 而近世一二先覺, 又爲之指其門戶, 表其梯級, 而後學者由是而之焉, 宜亦甚易而無難矣. 而有志焉者, 或不能以有所至, 病在一觀其外, 粗覰彷彿, 而便謂吾已見之, 遂無復入於其中, 以爲眞有而力究之計. 此所以驟而語之, 雖知可悅, 而無以深得其味, 遂至半途而廢, 而卒不能以有成耳."[137]

(주자가 말했다.) "부도浮圖[佛陀]를 살펴보는 자는 머리를 들고 주시하면서 고원한 것을 담론하는 것이 머리를 숙이고 단계를 거쳐서 점차로 나아가는 것만 같지 못하다고 보았다. 밖에서 보는 자들은 비록 그 숭고하고 화려한 것이 아름다운 줄은 알지만, 어찌 그 속에 들어간 자가 진실로 자신의 소유가 되게 하고 또 그 층계를 쌓아 칸을 만든 것의 유래를 깊이 살필 수 있는 것만 같겠는가? 지금으로부터 말하면 성현들의 말씀은 모두 책 속에 있고, 그것이 다행히도 천하 후세에 가르침을 펴는 것이 진실로 이미 여력을 남기지 않았다. 그리고 근세의 한 두 명의 선각자들이 또 문호를 가리키고 오르는 등급을 밝혀 주었으니, 후학들이 이것으로 말미암아 들어간다면 마땅히 매우 쉽고 어려움이 없을 것이다. 그런데 여기에 뜻을 둔 자가 혹 이를 수 없다고 하는데, 문제점은 한 번 그 밖을 관찰하여 대략 그럴 듯한 것을 보고는 곧 내가 이미 보았다고 하여, 마침내 그 속에 다시 들어가서 진정한 자신의 소유로 만들어 힘써 궁구할 계책으로 삼음이 없다는 것이다. 이것은 갑자기 말한 것이기 때문에 비록 기뻐할 만하다는 것을 알지만 그 맛을 깊이 얻지 못한 것이니, 마침내 도중에 그만두게 되어 끝내는 성공을 이룰 수 없을 뿐이다."

로 때에 따라 조처하는 것의 마땅함이다.(誠者, 非自成己而已也, 所以成物也, 成己, 仁也 ; 成物, 知也. 性之德也, 合內外之道也. 故時措之宜也.)"라고 하였다.

137 『朱文公文集』 권38 「答林正夫」

[44-1-75]

問: "今之學者不是忘, 便是助長."

曰: "這只是見理不明耳. 理是自家固有底, 從中而出, 如何忘得? 使他見之明, 如饑而必食, 渴而必飲, 則何忘之有? 如食而至於飽則止, 飲而至於滿腹則止, 又何助長之有? 此皆是見理不明之病."[138]

물었다. "요즘 배우는 사람들은 잊어버리지 않으면 곧 조장합니다."

(주자가) 대답했다. "이것은 다만 리理를 분명하게 보지 못했기 때문일 뿐이다. 리는 자신이 본래 가지고 있는 것이어서 마음속에서부터 나오는데 어찌 잊을 수 있겠는가? 그에게 그것을 분명하게 보아서 예컨대 굶주려서는 반드시 음식을 먹고, 갈증이 날 때는 반드시 물을 마시는 것 같도록 하면, 어찌 잊을 수 있겠는가? 또 예컨대 음식을 먹어서 배부르게 되면 그만 먹고, 물을 마실 때 배가 꽉 차면 그만 마시는 것과 같도록 하면, 어찌 조장할 수 있겠는가? 이것은 모두 리理를 보는 데에 분명하지 않은 병통이다."

[44-1-76]

問: "工夫有間斷, 亦是氣質之偏使然."

曰: "固是氣質, 然大患是不子細. 嘗謂今人讀書, 得如漢儒亦好. 漢儒各專一家, 看得極子細. 今人纔看這一件, 又要看那一件, 下梢都不曾理會得."[139]

물었다. "공부에 끊어짐이 있는 것도 또한 치우친 기질氣質이 그렇게 하도록 한 것입니까?"

(주자가) 대답했다. "참으로 기질이 그렇게 한 것이지만, 큰 문제점은 자세하지 않다는 것이다. 일찍이 요즘 사람들은 독서할 때에 한대漢代 학자들만큼 만 할 수 있어도 좋겠다고 말한 적이 있다. 한대 학자들은 각자 하나의 학파를 전공하여 지극히 자세하게 보았다. 그런데 요즘 사람들은 여기의 한 가지 일을 보자마자 또 저기의 한 가지 일을 보려고 하니, 끝에 가서는 전혀 이해한 적이 없었다."

[44-1-77]

"今須先正路頭, 明辨爲己·爲人之別, 直見得透, 却旋旋下工夫, 則思慮自通, 知識自明, 踐履自正. 積日累月, 漸漸熟, 漸漸自然. 若見不透, 路頭錯了, 則讀書雖多, 爲文日工, 終做事不得."[140]

(주자가 말한다.) "이제 먼저 길목을 바로잡아야 하니, 위기지학爲己之學과 위인지학爲人之學을 분명하게 변별하여,[141] 곧바로 투철하게 이해하고 또한 점차적으로 공부를 하면, 사려가 저절로 통하고 지식이

---

138 『朱子語類』권120, 31조목
139 『朱子語類』권121, 85조목
140 『朱子語類』권114, 16조목
141 爲己之學과 爲人之學을 … 변별하여: 『論語』「憲問」에서 "공자가 말했다. '옛날에 배우는 자들은 자신을

저절로 밝아지며 실천이 저절로 바르게 될 것이다. 그것이 날이 갈수록 축적되면 점점 익숙해지고 점점 자연스러워 진다. 만약 투철하지 못하게 보아 길이 틀려버리면, 독서량이 비록 많고 글짓기가 나날이 교묘해져도 끝내는 어떤 일도 제대로 하지 못할 것이다."

[44-1-78]

"自天降衷, 萬理皆具. 仁義禮智, 君臣父子兄弟朋友夫婦, 自家一身都擔在這裏. 須是理會了, 體認教一一周足, 略欠闕些子不得. 須要緩心, 直要理會教盡. 須是大作規模, 闊開其基, 廣闢 其地, 少間到逐處, 卽看逐處都有頓放處. 日用之間, 只在這許多道理裏面轉,[142] 更無些子空 闕處. 堯舜禹湯, 也只是這道理."[143]

(주자가 말했다.) "천天이 충衷을 내려 주면서부터[144] 온갖 리理가 모두 갖추어졌다. 인·의·예·지와 군신·부자·형제·붕우·부부관계에 자신의 한 몸이 모두 여기에 맡겨져 있다. 모름지기 그것을 이해하고 하나하나가 모두 두루 충족되도록 체인體認해서 조금이라도 결함이 있어서는 안 된다. 모름지기 마음을 느긋하게 해서 곧바로 모두 다 이해하도록 해야 된다. 또 모름지기 크게 규모를 잡아서 그 기반을 넓게 열고 그 땅도 넓게 열어, 잠깐 사이에도 쫓는 곳에 이르러서는 곧바로 쫓는 곳이 모두 안치安置되는 곳이 있도록 보아야 한다. 일상생활에서 다만 이 수많은 도리가 그 속에서 움직여 다시는 조금이라도 비어있는 곳이 없다. 요·순·우·탕도 다만 이 도리일 뿐이다."

위한 학문을 하였는데, 지금 배우는 자들은 남에게 알려지기 위한 학문을 한다.'(子曰, '古之學者爲己, 今之學者爲人.')라고 하였다. 주자는 이 구절에 대해 『集註』에서, "程子가 말했다. '爲己는 道를 자기 몸에 얻으려고 하는 것이고, 爲人은 남에게 인정을 받고자 하는 것이다.' 程子가 말했다. '옛날에 배우는 자들은 자신을 위한 학문을 하여 끝내는 남을 이루어 주는데 이르렀고, 지금 배우는 자들은 남을 위한 학문을 하여 끝내는 자신을 상실하는데 이른다.' 내 생각에, 성현이 배우는 자들의 마음을 쓰는 것에 대한 得失의 차이를 논한 말이 많지만, 이 말과 같이 절실하고도 긴요한 것이 있지 않았다. 이에 대하여 밝게 분변하고 날마다 살피면, 거의 따르는 바에 어둡지 않게 될 것이다.(程子曰, '爲己, 欲得之於己也 ; 爲人, 欲見知於人也.' 程子曰, '古之學者爲己, 其終至於成物. 今之學者爲人, 其終至於喪己.' 愚按 : 聖賢論學用心得失之際, 其說多矣, 然未有如此言之切而要者. 於此明辨而日省之, 則庶乎其不昧於所從矣.)"라고 하였다.

142 只在這許多道理裏面轉 : 『朱子語類』 권121, 28조목에는, 이 구절 뒤에 "喫飯也在上面, 上床也在上面, 下床也在上面, 脫衣服也在上面.(밥 먹을 때도 거기에 있고, 침대에 오를 때도 거기에 있으며, 침대에서 내려올 때도 거기에 있고 옷을 벗을 때도 거기에 있다.)"라는 말이 더 있다.

143 『朱子語類』 권121, 28조목

144 天이 衷을 … 주면서부터 : 『書經』 「商書·湯誥」에서 "王이 말했다. '아! 너희 萬方의 무리들아. 나 한 사람의 가르침을 분명히 들어라. 훌륭하신 上帝가 下民들에게 衷을 내려주어 순순히 떳떳한 性을 소유하였으니, 그 道에 편안하게 할 수 있는 사람은 군주인 것이다.'(王曰, '嗟! 爾萬方有衆. 明聽予一人誥. 惟皇上帝降衷于下民, 若有恒性, 克綏厥猷, 惟后.')"라고 하였다. 주희는 '衷'자에 대해 『朱子語類』 권79, 25조목에서 "孔安國은 '衷'을 '善'이라고 하였는데 의미가 없다. '衷'은 다만 '中'일 뿐이니, '백성들이 천지의 중을 받았다.'고 하는 것과 마찬가지이다.(孔安國以'衷'爲'善', 便無意思. '衷'只是'中', 便與'民受天地之中'一般.)"라고 하였다.

[44-1-79]

"大凡學問不可只理會一端. 聖賢千言萬語, 看得雖似紛擾, 然却都是這一箇道理. 而今只就緊要處做固好, 然別箇也須一一理會, 湊得這一箇道理都一般, 方得. 天下事硬就一箇做, 終是做不成.

(주자가 말했다.) "대저 학문은 다만 한 부분만을 이해해서는 안 된다. 성현의 수많은 말은 보기에 비록 혼란스러운 것 같지만 또한 모두 이 하나의 도리이다. 이제 다만 긴요한 곳만이라도 제대로 이해하는 것은 참으로 좋지만, 다른 것들도 모름지기 하나하나 이해하여 이 하나의 도리로 모아서 모두 마찬가지가 되어야 한다. 천하의 일 가운데 굳이 한 가지만을 한다면 끝내 해 낼 수 가 없을 것이다.

如莊子說, '風之積也不厚, 則其負大翼也無力.' 須是理會得多, 方始襯簞得起. 且如'籩豆之事, 各有司存',145 非是說籩豆之事, 置之度外, 不用理會. '動容貌'三句, 亦只是三句是自家緊要合做底. 籩豆是付與有司做底, 其事爲輕. 而今只理會三句, 籩豆之事都不理會, 萬一被有司喚籩做豆, 若不曾曉得, 便被他瞞.146

예컨대 장자莊子는 '바람이 쌓인 것이 두텁지 않으면 저 붕새의 큰 날개를 날리기에 힘이 없을 것이다.'147라고 하였다. 반드시 이해하는 것이 많아야 비로소 몸소 경험할 수 있다. 또 예컨대 '변두籩豆(祭器의 일종)를 다루는 등의 소소한 일로 말하면 유사有司(담당자)가 있어 하는 것이다.'148라고 하였는데, 이 말은 변두籩豆

---

145 各有司存 : 『朱子語類』 권118, 49조목에는 "則有司存."으로 되어 있다.
146 便被他瞞 : 『朱子語類』 권118, 49조목에는 이 구절 뒤에 "又如田子方說'君明樂官, 不明樂音', 他說得不是. 若不明得音, 如何明得官? 次第被他易宮爲商, 也得?(또 예컨대 田子方이 '군주는 악관을 아는 데에 밝지, 樂音을 아는 데는 밝지 않다.'라고 말했다고 하는데, 그의 말은 옳지 않다. 만약 음에 대해 밝지 못하다면 어떻게 악관에 대해 밝을 수 있겠는가? 악음의 차례에서 그에 의해 宮음을 바꿔서 商음으로 하여도 되겠습니까?)"라는 말이 더 있다.
   참고로 여기에서 전자방의 말은, 司馬光, 『資治通鑑』 권1 「周紀 一」에서 "田子方이 말했다. '臣이 알기로는, 군주는 악관을 아는 데에 밝지, 樂音을 아는 데는 밝지 않다고 합니다. 지금 군주께서 음을 자세히 살피는데, 신은 악관에게 농락당할까 염려됩니다.(子方曰, '臣聞之, 君明樂官, 不明樂音. 今君審於音, 臣恐其聾於官也.')"라고 하였다.
147 '바람이 싸인 … 것이다.' : 『莊子』 「逍遙遊」에서 "바람이 쌓인 것이 두텁지 않으면 저 붕새의 큰 날개를 날리기에 힘이 없을 것이다. 그러므로 구만리를 올라가면 바람이 이에 그 밑에 있게 되고, 그런 뒤에 이제 바람을 타고 푸른 하늘을 날아가는데 가로막는 것이 없어야 그 다음에 남쪽으로 날아갈 수 있다.(風之積也不厚, 則其負大翼也無力. 故九萬里, 則風斯在下矣, 而後乃今培風, 背負青天而莫之夭閼者, 而後乃今將圖南.)"라고 하였다.
148 '籩豆(祭器의 일종)를 … 것이다.' : 『論語』 「泰伯」에서 "군자가 귀중히 여기는 道가 세 가지 있으니, 용모를 움직일 때에는 사나움과 태만함을 멀리하고, 얼굴빛을 바르게 할 때에는 誠實함에 가깝게 하며, 말과 소리를 낼 때에는 비루함과 도리에 위배되는 것을 멀리하여야 한다. 祭器를 다루는 등의 소소한 일로 말하면 有司(담당자)가 있어 하는 것이다.(君子所貴乎道者三, 動容貌, 斯遠暴慢矣 ; 正顏色, 斯近信矣 ; 出辭氣, 斯遠鄙倍矣. 籩豆之事, 則有司存.)"라고 하였다.

를 다루는 등의 소소한 일을 한쪽에 내버려두고 이해할 필요가 없다고 말하는 것이 아니다. '용모를 움직일 때'라고 시작하는 세 구절[149]도 역시 다만 이 세 구절의 내용은 자신이 긴요하게 실천해야 하는 것일 뿐이다. 변두를 다루는 일을 유사에게 맡기는 것은 그 일이 가볍기 때문이다. 그런데 이제 다만 세 구절의 내용만을 이해하고 변두를 다루는 일은 전혀 이해하지 못해서, 만일 유사가 변籩을 두豆라고 부르는데,[150] 만약 알아차리지 못했다면 곧 유사에게 기만당하게 되는 것이다.

所以『中庸』先說箇'博學之', 孟子曰, '博學而詳說之.' 且看孔子雖曰'生知', 是事去問人.[151] 若問禮·問喪於老聃之類甚多. 只如官名不曉得, 莫也無害, 聖人亦汲汲去問郯子. 蓋是我不識底, 須是去問人, 始得."

그러므로 『중용』에서는 먼저 '널리 배운다.'고 하였고,[152] 맹자도 '넓게 배우고 자세하게 말한다.'라고 하였다.[153] 또 공자를 보면, 비록 '태어나면서부터 아는 사람'[154]이라고 하지만, 일마다 가서 다른 사람에게 물었다.[155] 노담老聃(老子)에게 예禮에 대해 묻고 상례喪禮에 대해 물은 것과 같은 것[156]은 매우 많다. 다만 관직의 명칭을 잘 모르는 것과 같은 것은 또한 해로울 것이 없지만 성인은 역시 서둘러서 담자郯子에게 가서 물었다.[157] 대개 내가 모르는 것은 반드시 다른 사람에게 가서 물어야 하는 것이다."

. . . .

149 '용모를 움직일 … 구절: 바로 앞의 각주를 참조

150 籩을 豆라고 부르는데 : 籩과 豆의 차이에 대해, 주자는 『集註』에서 "籩은 대나무로 만든 제기이고, 豆는 나무로 만든 제기이다.(籩, 竹豆. 豆, 木豆.)"라고 하였다.

151 是事去問人:『朱子語類』 권118, 49조목에서는 "事事去問人."이라고 되어 있다.

152 『中庸』에서는 먼저 … 하였고:『中庸』 제20장에서 "誠함은 天의 道이고, 誠하려고 하는 것은 사람의 도이다. 誠한 자는 힘쓰지 않고도 道에 맞으며, 생각하지 않고도 알아서 조용히 도에 맞으니, 성인이다. 誠하려고 하는 자는 善을 택하여 굳게 잡는 자이다. 이것을 널리 배우고, 자세히 물으며, 신중히 생각하고, 밝게 변별하며, 독실하게 실행해야 한다.(誠者, 天之道也 ; 誠之者, 人之道也. 誠者不勉而中, 不思而得, 從容中道, 聖人也. 誠之者, 擇善而固執之者也. 博學之, 審問之, 愼思之, 明辨之, 篤行之.)"라고 하였다.

153 맹자도 넓게 … 하였다.:『孟子』「離婁下」에서 "맹자가 말했다. '널리 배우고 자세하게 말하는 것은 장차 돌이켜서 요약하는 것을 말하려고 했기 때문이다.(孟子曰, '博學而詳說之, 將以反說約也.')"라고 하였다.

154 '태어나면서부터 아는 사람':『論語』「季氏」에서 "孔子께서 말씀하셨다. '태어나면서 아는 자가 上等이요, 배워서 아는 자가 다음이요, 不通하여 배우는 자가 또 그 다음이니, 不通한데도 배우지 않으면 백성으로서 下等이 된다.' (孔子曰, '生而知之者, 上也 ; 學而知之者, 次也 ; 困而學之, 又其次也 ; 困而不學, 民斯爲下矣.')"라고 하였다.

155 일마다 가서 … 물었다:『論語』「八佾」에서 "공자가 大廟에 들어가 每事를 물었다. 어떤 사람이 말했다. '누가 鄹땅 사람의 아들(공자를 가리킴)을 일러 禮를 안다고 하는가? 大廟에 들어가 每事를 묻는다.' 공자가 이 말을 듣고 말했다. '이것이 바로 禮이다.(子入大廟, 每事問. 或曰, '孰謂鄹人之子知禮乎? 入大廟, 每事問.' 子聞之曰, '是禮也.')"라고 하였다.

156 老聃(老子)에게 … 것:『史記』「孔子世家」에서 "周나라에 가서 老子에게 禮를 묻고 돌아오자, 弟子들이 더욱 많이 찾아왔다.(適周, 問禮於老子, 旣反, 而弟子益進.)"라고 하였다.

157 관직의 명칭을 … 물었다 : 鄹은 옛 나라 이름이다. 帝 少昊의 후예들이다. 盈 姓이다. 郯子가 공자의 스승이라는 설이 있다. 『孔子家語』 권4「六本」에서는, "담자가 노나라에 조회를 갔는데, 노나라 사람들이 '少昊氏가 새 이름으로 관직 명칭을 삼았는데 무엇 때문인가?'하고 물었다. (담자가) 대답했다. '우리 조상이니,

因說 : "南軒『洙泗言仁』, 編得亦未是. 聖人說仁處固是仁, 然不說處不成非仁. 天下只有箇道理, 聖人說許多說話, 都要理會. 豈可只去理會說仁處, 不說仁處便掉了不管?"[158]

(주자가) 이어서 말했다. "남헌南軒張栻[159]의 『수사언인洙泗言仁』은 편집한 것이 또한 옳지 않다.[160] 성인이 인仁을 말한 곳은 참으로 인이지만, 말하지 않은 곳은 인仁이 아니라고 말할 수 없을 것이다. 천하에 다만 하나의 도리가 있을 뿐이지만 성인이 말한 많은 말도 모두 이해해야 된다. 어찌 다만 인을 말한 것만 이해를 하고, 인을 말하지 않은 곳은 곧 내버려두어 관여하지 않을 수 있겠는가?"

[44-1-80]
問 : "如古人詠歌舞蹈, 到動盪血脉·流通精神處, 今旣無之 ; 專靠義理去硏究, 恐難得悅樂. 不知如何."

물었다. "예컨대 옛사람들이 노래를 하고 춤을 추는 것은 혈맥을 뛰게 하고 정신을 막힘없이 통하게 하는[161] 지경에 이르렀지만, 지금은 이미 없어졌습니다. 오로지 의리義理에만 의지하여 연구해가면 열락悅樂을 얻기 어려울까 염려됩니다. 어떠한지 모르겠습니다."

. . . .

내가 그것을 안다. 옛날에 黃帝는 雲紀官(천문을 담당하는 관리)이었기 때문에 雲師가 되었고 雲으로 관직 명칭을 삼았다. 炎帝(神農)는 火로 관직의 명칭을 삼았으며, 共工은 水로 관직의 명칭을 삼았고, 大昊(伏義)는 龍으로 관직의 명칭을 삼았는데 그 의미는 한 가지이다. 나의 고조부인 소호 摯가 즉위할 때 봉새가 마침 이르러, 이에 鳥로 기록하였기 때문에 鳥師가 되었고 鳥로 관직 명칭을 삼았다. 顓頊氏 이후부터는 먼 것을 기록할 수 없어서 이에 가까운 것을 기록하여 民師가 되고 民事로 명하였으니, 할 수 없었기 때문이다.' 공자가 그 말을 듣고 마침내 담자를 뵙고 배웠다.(郯子朝魯, 魯人問曰, '少昊氏以鳥名官, 何也?' 對曰, '吾祖也, 我知之. 昔黃帝以雲紀官, 故爲雲師而雲名. 炎帝以火, 共工以水, 大昊以龍, 其義一也. 我高祖少昊摯之立也, 鳳鳥適至, 是以紀之於鳥, 故爲鳥師而鳥名. 自顓頊氏以來, 不能紀遠, 乃紀於近, 爲民師而命以民事, 則不能故也.' 孔子聞之, 遂見郯子而學焉.)"라고 하였다.

158 『朱子語類』 권118, 49조목
159 張栻(1133~1180) : 자는 敬夫 또는 樂齋이고 호는 南軒이다. 南宋 漢州綿竹(현 사천성 綿竹) 사람이다. 주자, 呂祖謙과 함께 남송의 '東南三賢'이라고 불렸다. 아버지 張浚이 송의 승상을 지내고 魏國公에 봉해졌기 때문에 그도 일찍이 출사하여 吏部侍郎 겸 侍講, 秘閣修撰, 右文殿修撰 등을 역임하였으나, 잦은 직언 때문에 퇴임했다. 어려서는 가학을 이어 받았고, 성장하여 胡宏에게 배워 湖湘學派의 학술을 정립시켰다. 저서에 『南軒集』·『南軒易說』·『癸巳論語解』 등이 있다.
160 南軒張栻의 … 않다. : 주자는 『朱文公文集』(續集) 권8「答李伯諫」에서 "欽夫張栻에게 요 몇 번 자주 편지를 받았는데, 論述한 것이 매우 많다. 『言仁(洙泗言仁)』과 江西에서 간행한 『太極解』는 대개 인쇄 판본을 거두어들일 것을 여러 번 권유하였는데, 아직 별로 그렇다고 생각하지 않는 듯 하니 깊이 논의할 수 없다.(欽夫此數時常得書, 論述甚多. 『言仁』及江西所刊『太極解』, 蓋屢勸其收起印板, 似未甚以爲然, 不能深論也.)"라고 하였다.
161 혈맥을 뛰게 … 하는 : 『史記』「樂書論」에 "그러므로 음악은 혈맥을 뛰게 하고 정신을 막힘없이 통하게 하여 마음을 조화롭고 바르게 한다.(故音樂者, 所以動盪血脈, 通流精神而和正心也.)"라는 글이 있다.

曰: "只是看得未熟耳. 若熟看, 待浹洽, 則悅矣. 而今且放置閑事,[162] 不要閑思量. 只專心去玩味義理, 便會心精, 心精, 便會熟. '涵養當用敬,[163] 進學則在致知.' 無事時, 且存養在這裏, 提撥警覺, 不要放肆. 到那講習應接, 便當思量義理, 用義理做將去. 無事時, 便著存養收拾此心."[164]

(주자가) 대답했다. "다만 보는 것이 익숙하지 못했을 뿐이다. 만약 익숙하게 보아 푹 젖어들면 열락悅樂을 얻을 것이다. 이제 또한 한가한 일은 방치해야지 한가로이 그것을 생각해서는 안 된다. 다만 전심전력하여 의리를 완미玩味하면 마음이 정미해지고, 마음이 정미해지면 곧 익숙해질 수 있다. 정자程子는 '마음을 함양하는 것은 경敬으로 해야 하고, 학문의 진전은 치지致知에 달려있다.'[165]라고 하였다. 일이 없을 때는 여기에서 보존하여 길러서 경각심을 일깨우고 방자해서는 안 된다. 강습하거나 사물에 응접하게 되면 마땅히 의리를 생각하여 의리로써 일을 처리해 나가야 한다. 일이 없을 때는 곧 이 마음을 보존하고 길러서 거두어들인다."

[44-1-81]
問: "爲學工夫, 以何爲先?"
曰: "亦不過如前所說. 專在人自立志. 旣知這道理, 辦得堅固心, 一味向前, 何患不進? 只患立志不堅, 只恁聽人言語, 看人文字, 終是無得於己."
或云: "須是做工夫, 方覺言語有益."
曰: "別人言語, 亦當子細窮究. 孟子說, '我知言, 我善養吾浩然之氣.' 知言便是窮理別人言語. 他自邪說, 何與我事? 被他謾過, 理會不得, 便有陷溺. 所謂'生於其心, 害於其政, 作於其政, 害於其事.' 蓋謂此也."[166]

물었다. "학문은 무엇을 먼저 해야 합니까?"
(주자가) 말했다. "또한 이전에 말한 것에 불과하다. 오로지 사람이 스스로 뜻을 세우는 데에 있다. 이 도리를 알았다면, 마음을 견고하게 하는 데에 힘써서 앞으로 나아가는 것을 한 번 맛보면, 어찌 증진되지

----

162 而今且放置閑事:『朱子語類』권115, 34조목에는 이 구절 앞에 "先生因說寓, '讀書看義理, 須是開豁胸次, 令磊落明快, 恁地憂愁作甚底? 亦不可先責效. 才責效, 便見有憂愁底意思, 只管如此, 胸中結聚一餅子不散. 須是胸中寬閑, 始得.'(선생(朱子)이 이어서 寓(주자 문인)에게 말했다. '책을 읽어서 의리를 보는 것은 모름지기 마음속을 훤하게 열어서 당당하고 쾌활하도록 해야지, 그렇게 우수에 젖어서 무엇을 하겠는가? 또한 먼저 효험을 요구해서도 안 된다. 효험을 요구하자마자 바로 우수에 젖어드는 것을 보게 될 것이니, 오로지 이와 같으면 가슴속에 응어리진 덩어리가 흩어지지 않을 것이다. 모름지기 가슴속을 넓고 느긋하게 해야 비로소 의리를 볼 수 있을 것이다.')"라는 말이 더 있다.
163 涵養當用敬:『河南程氏遺書』권18에는 "涵養須用敬"이라고 되어 있다.
164 『朱子語類』권115, 34조목
165 '마음을 함양하는 … 달려있다.':『河南程氏遺書』권18
166 『朱子語類』권116, 20조목

않음을 걱정하겠는가? 단지 뜻이 견고하지 못함을 근심할 뿐이지, 다른 사람의 말을 듣고 다른 사람의 문자를 보는 것에 의지하면 결국에는 자기에게 보탬이 될 것이 없다."

어떤 사람이 말했다. "공부를 하는 데에 반드시 말을 깨달아야 유익합니다."

(주자가) 말했다. "다른 사람들의 말은 또한 자세하게 연구해야 한다. 맹자가 '나는 말을 알며, 나는 나의 호연지기浩然之氣를 잘 기른다.'[167]고 했다. 말을 안다는 것은 다른 사람의 말을 궁리하는 것이다. 그가 사특하게 말한다면 어찌 내가 간여할 일인가? 그에게 속임을 당했는데 이해하지 못하면 속임에 빠져들게 된다. '마음에서 생겨나 정사에 해를 끼치며, 정사에 일어나 일에 해를 끼친다.'[168]는 것은 이것을 말한다."

[44-1-82]

問: "講學須當志其遠者大者."

曰: "固是. 然細微處亦須研窮. 若細微處不研窮, 所謂遠者大者, 只是揣作一頭詭怪之語, 果何益? 須是知其大小, 測其淺深, 又別其輕重."

因問: "平時讀書, 因見先生說, 乃知只得一模樣耳."

曰: "模樣亦未易得. 恐只是識文句."[169]

물었다. "강학 공부는 반드시 마땅히 그 원대한 것에 뜻을 두어야 합니다."

(주자가) 말했다. "분명 그렇다. 그러나 세세하고 미천한 곳 역시 자세하게 연구해야 한다. 만약 세세하고 미세한 곳을 연구하지 않으면 원대한 것이란 단지 괴이한 말을 일으킨 것일 뿐이니 과연 무슨 유익함이 있겠는가?"

이어서 물었다. "평상시에 독서하고 이어서 선생님의 말씀을 보면 곧 하나의 규모라는 것을 알 뿐입니다."

(주자가) 말했다. "규모 역시 쉽게 얻을 수 있지 않다. 단지 문자를 깨우쳐야 한다."

[44-1-83]

問: "未知學問, 知有人欲, 不知有天理. 旣知學問, 則克己工夫有著力處. 然應事接物之際,

---

167 '나는 나의 … 기른다.': 『孟子』「公孫丑上」에 "감히 묻겠습니다. 夫子께서는 어디에 장점이 계십니까? 맹자가 말했다. '나는 말을 알며, 나는 나의 浩然之氣를 잘 기른다.'"(敢問夫子, 惡乎長? 曰, '我, 知言, 我, 善養吾浩然之氣.')"라고 하였다.

168 '마음에서 생겨나 … 끼친다.': 『孟子』「公孫丑上」에 "무엇을 知言이라 합니까? 맹자가 말했다. '편벽된 말에서는 그 가려진 것을 알며, 방탕한 말에서는 빠져 있는 것을 알며, 부정한 말에서는 괴리된 것을 알며, 도피하는 말에서는 논리가 궁함을 알 수 있으니, 마음에서 생겨나 정사에 해를 끼치며, 정사에 일어나 일에 해를 끼치니, 성인이 다시 나오더라도 반드시 내 말을 따르실 것이다.'(何謂知言? 曰, 詖辭, 知其所蔽, 淫辭, 知其所陷, 邪辭, 知其所離, 遁辭, 知其所窮, 生於其心, 害於其政, 發於其政, 害於其事, 聖人復起, 必從吾言矣.')"라고 하였다.

169 『朱子語類』 권118, 18조목

苟失存主, 則心不在焉, 及旣知覺, 已爲間斷. 故因天理發見, 而收合善端, 便成片段. 雖承見教如此, 而工夫最難."

曰: "此亦學者常理. 雖顏子亦不能無間斷. 正要常常點檢, 力加持守, 使動靜如一, 則工夫自然接續."[170]

물었다. "학문을 알지 못하면 인욕이 있음을 알지만 천리가 있음을 알지 못합니다. 학문을 알았다면 극기 공부에 힘을 쓸 곳이 있습니다. 그러나 일을 대응하고 사물을 처리할 때 보존하는 주체를 잃으면 마음이 그 자리에 있지 않아 지각한 것에도 단절이 있습니다. 그러므로 천리가 발현하는 것에 따라서 선한 단서를 모으면 단계를 이룹니다. 이와 같은 가르침을 받았으나 공부가 가장 어렵습니다."

(주자가) 말했다. "이것 또한 배우는 사람의 일상적인 이치이다. 안자顏子라고 해도 단절이 없을 수가 없었다. 바로 항상 점검하면서 지키고 보존하여 동정動靜에 한결같이 하면 공부가 저절로 이어진다."

[44-1-84]

"學問無賢愚, 無大小, 無貴賤, 自是人合理會底事. 且如聖賢不生, 無許多書冊, 無許多發明, 不成不去理會, 也只當理會. 今有聖賢言語, 有許多文字, 却不去做. 師友只是發明得. 人若不自向前, 師友如何著得力?"[171]

(주자가 말했다.) "학문에는 현자와 어리석은 사람의 차이가 없고, 귀하고 천한 차이가 없으니 본래 사람이 당연히 알아야 하는 일이다. 또한 성현이 생겨나지 않았다면 수많은 책이 없었을 것이고, 허다한 도리가 밝혀지지 않았을 것이지만, 이해하지 않아도 된다는 것이 아니니, 마땅히 이해해야만 한다. 지금 성현의 말은 수많은 문자가 있지만 오히려 이해해가지 않는다. 스승과 친구는 단지 밝혀줄 뿐이다. 사람이 만약 스스로 앞으로 나아가려고 하지 않는다면 스승과 친구가 어떻게 힘을 보태줄 수 있겠는가?"

[44-1-85]

問所觀書. 滕璘以讀告子篇對.

曰: "古人'興於詩.' '詩可以興.' 又曰, '雖無文王猶興.' 人須要奮發興起必爲之心, 爲學方有端緒. 古人以詩吟詠起發善心. 今旣不能曉古詩. 某以爲告子篇諸處, 讀之可以興發人善心者, 故勸人讀之. 且如'理義之悅我心, 猶芻豢之悅我口.' 讀此句, 須知義理可以悅我心否, 果如芻豢悅口否, 方是得."

책을 보는 것을 묻자, 등린滕璘이 「고자편告子篇」을 읽었다고 대답했다.

(주자가) 말했다. "옛사람이 '시에서 마음을 일으킨다.'[172] '시詩는 감흥을 불러일으킬 수 있다.'[173]고 했고,

170 『朱子語類』 권117, 10조목
171 『朱子語類』 권10, 4조목
172 '시에서 마음을 일으킨다.' : 『論語』「泰伯」에 "詩에서 마음을 흥기시키며, 禮에 서며, 樂에서 완성한다.(興於詩, 立於禮, 成於樂.)"라고 하였다.

또 '문왕이 없을지라도 오히려 흥기한다.'[174]고 했다. 사람은 반드시 하고야 만다는 마음을 분발하여 일으켜야 한다. 또한 예를 들어 '리理와 의義가 우리 마음을 기쁘게 하는 것은 추환芻豢(고기)이 내 입맛을 즐겁게 하는 것과 같다.'[175]는 이 구절을 읽었다면 반드시 의리義理가 내 마음을 기쁘게 하는 것인가, 과연 추환이 입을 기쁘게 하는 것과 같은지를 알아야 비로소 얻는 것이다."

璘謂: "義理悅心, 亦是臨事見得此事合理義, 自然悅懌."

曰: "今則終日無事, 不成便廢了理義, 便無悅處. 如讀古人書, 見其事合理義, 思量古人行事, 與吾今所思慮欲爲之事, 纔見得合理義, 則自悅. 纔見不合理義, 自有羞愧憤悶之心, 不須一一臨事時看."[176]

등린이 말했다. "의리가 마음을 기쁘게 하는 것 역시 일에 임하여 이러한 일이 의리에 합치된다는 것을 알게 되면 저절로 기쁘게 됩니다."

(주자가) 말했다. "지금 종일토록 아무런 일도 않고서 의리가 없고 기쁨이 없다고 해서는 안 된다. 옛사람의 책을 읽고서 그 일이 의리에 합치됨을 보고, 옛사람이 행한 일을 생각하면서 지금 내가 생각하고 하려고 하는 일과 함께 의리가 합치되는 것을 알면, 저절로 기쁘게 된다. 의리에 합치되지 않음을 알면 저절로 부끄럽고 성이 나고 괴로운 마음이 있다. 반드시 하나하나 일에 임해서 아는 것이 아니다."

[44-1-86]
問: "程子云'且省外事, 但明乎善, 唯進誠心.' 只是敎人'鞭辟近裏.' 切謂明善是致知, 誠心是誠意否?"

曰: "知至卽便意誠. 善纔明, 誠心便進."

· · · · · · · · · · · · · ·

173 '詩는 감흥을 … 있다.' : 『論語』「陽貨」에 "詩는 감흥을 불러일으킬 수 있고, 사물을 잘 살필 수 있으며, 사람들과 잘 어울릴 수 있고, 사리에 맞게 원망할 수 있으며, 가까이는 부모를 섬기고, 멀리는 임금을 섬기며, 새와 짐승과 풀과 나무의 이름에 대해서도 많이 알게 된다.(詩, 可以興, 可以觀, 可以群, 可以怨, 邇之事父, 遠之事君, 多識於鳥獸草木之名.)

174 '문왕이 없을지라도 … 흥기한다.' : 『孟子』「盡心上」에 "文王을 기다린 뒤에 흥기 하는 자는 일반 백성이니, 豪傑의 선비로 말하면 비록 문왕이 없을지라도 오히려 흥기한다.(待文王而後興者, 凡民也, 若夫豪傑之士, 雖無文王, 猶興)"라고 하였다.

175 '理와 義가 … 같다.' : 『孟子』「告子上」에 이 부분을 소개하면 다음과 같다. "그러므로 말하기를 '입이 맛에 대하여 똑같이 즐김이 있으며, 귀가 소리에 대하여 똑같이 들음이 있으며, 눈이 색깔에 대하여 똑같이 아름답게 여김이 있다.'고 하는 것이니, 마음에 있어서만 홀로 똑같이 옳다고 하는 것이 없겠는가? 마음에 똑같이 옳다고 하는 것은 무엇인가? 理와 義를 말한다. 聖人은 우리 마음에 똑같이 옳다고 하는 것을 먼저 알았다. 그러므로 理와 義가 우리 마음을 기쁘게 하는 것은 芻豢(초식동물과 곡식 동물)이 내 입맛을 즐겁게 하는 것과 같다.(故曰, 口之於味也, 有同耆焉, 耳之於聲也, 有同聽焉, 目之於色也, 有同美焉. 至於心, 獨無所同然乎? 心之所同然者何也? 謂理也, 義也. 聖人先得我心之所同然耳. 故理義之悅我心, 猶芻豢之悅我口.)"

176 『朱子語類』 권118, 39조목

又問: "'其文章雖不中不遠矣.' 便是應那'省外事'一句否?"

曰: "然. 外事所可省者卽省之, 所不可省者亦强省不得. 善只是那每事之至理. 文章, 是威儀制度. '所守不約, 汎濫無功.' 說得極切. 這般處只管將來玩味, 則道理自然都見."[177]

물었다. "정자程子가 '잠시 외부의 일을 줄이고 단지 선善을 밝혀 오직 진실한 마음을 진척시켜라.'[178]고 했습니다. 이는 사람에게 '자신의 내면을 채찍질하는 것'[179]을 가르친 것입니다. 선을 밝힌다는 것은 앎에 이르는 것이고 진실한 마음은 뜻을 진실 되게 하는 것입니까?"

(주자가) 말했다. "앎에 이르는 것이 곧 뜻을 진실 되게 하는 것이다. 선이 밝혀지면 진실한 마음은 진척된다."

또 물었다. "'예법과 제도가 중도中道에 맞지 않더라도 도道에서 멀지 않게 될 것이다.'는 것은 '외부의 일을 줄이라.'는 한 구절과 호응됩니까?"

(주자가) 말했다. "그렇다. 외부의 일을 줄일 수 있는 것은 줄이고, 줄일 수 없는 것 역시 억지로 줄일 수는 없다. 선이란 단지 모든 일들의 지극한 리理이다. 문장이란 위의威儀와 제도制度이니 '지키는 것이 요점을 얻지 못하면 넘쳐서 공이 없게 된다.'고 한 말이 매우 절실하다. 이러한 곳은 장차 완미하면 도리는 저절로 모두 드러난다."

[44-1-87]

問爲學大端.

曰: "且如士人應擧, 是要做官, 故其工夫勇猛, 念念不忘, 竟能有成. 若爲學, 須立箇標準. 我

---

177 『朱子語類』권95, 123조목

178 '잠시 외부의 … 진척시켜라.': 『河南程氏遺書』권2상. 전체의 내용은 다음과 같다. "잠시 외부의 일을 줄이고 단지 선을 밝혀 오직 진실한 마음을 진척시켜라. 그러면 예법과 제도가 중도에 맞지 않더라도 도에서 멀지 않게 될 것이다. 지키는 것이 요점을 얻지 못하면 넘쳐서 공이 없게 된다.(且省外事, 但明乎善, 惟進誠心. 其文章雖不中不遠矣. 所守不約, 泛濫無功.)" 섭채의 『近思錄集解』에는 주희의 다음과 같은 설명이 있다. "앎을 지극하게 하면 뜻이 성실하게 된다. 선이 밝아지면 성실한 마음이 진척된다. 문장이란 위의와 제도 같은 종류이다. 이 구절은 아마도 여여숙이 관중에서 와서 처음 정자를 만났을 때 정자가 한 말인 듯하다. 대체로 장재의 제자들은 예법과 제도에 마음을 쓰는 때가 많고, 내면을 가까이 힘쓰지 않으므로 이렇게 말했다.(知至則意誠, 善才明, 誠心便進. 文章是威儀制度之類. 此段疑呂與叔自關中來初見程子時說話. 蓋橫渠學者, 多用心於禮文制度之事, 而不近裏. 故以此告之.)"

179 '자신의 내면을 … 것': 『河南程氏遺書』권2 전체의 내용은 이러하다. "배움은 자신의 내면을 채찍질하여 몸에 배게 하려는 것일 뿐이다. 널리 배우되 뜻을 독실히 하며, 절실하게 묻되 가까이 생각하라. 말은 충직하고 신실하며 행위는 돈독하고 경건히 하라. 서 있으면 그런 마음이 앞에 펼쳐지는지 살피고, 수레에 타고 있으면 그런 마음이 멍에에 깃들어 있는지 살펴라. 오직 이것이 배움이다. 바탕이 뛰어난 자가 온전히 명철해져 욕심의 찌꺼기가 다 녹아 없어지면 천지와 한 몸이 된다. 그 다음인 자는 오직 단정함과 경건함으로 지키고 기르지만 온전해지기는 마찬가지이다.(學只要鞭辟近裏, 著己而已. 故切問而近思, 則仁在其中矣. 言忠信, 行篤敬, 雖蠻貊之邦行矣. 言不忠信, 行不篤敬, 雖州里行乎哉. 立則見其參於前也, 在輿則見其倚於衡也, 夫然後行. 只此是學質美者, 明得盡, 查滓便渾化, 却與天地同體. 其次惟莊敬持養. 及其至則一也.)"

要如何爲學? 此志念念不忘, 工夫自進. 蓋人以眇然之身, 與天地並立而爲三, 常思我以血氣之身, 如何配得天地, 且天地之所以與我者, 色色周備, 人自汚壞了?"

학문을 하는 큰 단서에 대해 물었다.

(주자가) 대답했다. "예를 들어, 사인士人들이 과거에 응시하여 관직에 오르려고 하기 때문에 그 공부를 용맹하게 정진하니, 모두 기억하여 잊지 않아서 결국에는 성취할 수 있다. 학문을 한다면 표준을 세워야만 한다. 내가 어떻게 학문을 하려는가? 이러한 뜻을 기억하여 잊지 않으면 공부는 저절로 증진된다. 사람의 약소한 몸으로 천지와 함께 서서 세 가지가 되는데, 내가 이 혈기의 몸으로 어떻게 천지와 나란히 할 수 있을지, 또 천지가 나와 함께 할 수 있는 바탕을 다양하게 두루 갖추었는데 사람들이 스스로 망치는 것인지 항상 생각해야 한다."

因擧'萬物皆備於我, 反身而誠, 樂莫大焉'一章.

"今之爲學, 須是求復其初. 求全天之所以與我者始得. 若要全天之所以與我者, 便須以聖賢爲標準, 直做到聖賢地位, 方是全得本來之物而不失. 如此, 則工夫自然勇猛. 臨事觀書, 常有此意, 自然接續. 若無求復其初之志, 無必爲聖賢之心, 只見因循荒廢了"[180]

이어서 '만물이 모두 나에게 갖추어져 있으니, 몸에 돌이켜보아 성실하면 즐거움이 이보다 더 클 수 없다.'[181]는 장章을 거론하였다.

(주자가 말했다.) "지금 학문을 하는 데에 반드시 그 시초를 회복하는 것을 구해야 한다. 하늘이 나에게 부여한 것을 구하여 보전해야 비로소 된다. 만약 하늘이 나에게 준 것을 보전하려고 한다면, 반드시 성현을 표준으로 삼아 곧장 성현의 지위에 이르러야 비로소 본래의 것을 보전하여 잃지 않는다. 이렇게 한다면 공부는 저절로 용맹정진하게 된다. 일에 임하거나 책을 볼 때에도 항상 이러한 뜻을 가지면 저절로 이어져 연속된다. 만약 그 처음을 회복하는 것을 구하려는 뜻이 없다면 반드시 성현이 되겠다는 마음이 없이, 단지 과거의 습관에 따라 황폐해지는 것이다."

[44-1-88]

"學問只要理會一箇道理. '天生烝民, 有物有則.' 有一箇物, 便有一箇道理. 所以大學之道, 教人去事物上逐一理會得箇道理. 若理會一件未得, 直須反覆推究研窮, 行也思量, 坐也思量, 早上思量不得, 晚間又把出思量, 晚間思量不得, 明日又思量. 如此, 豈有不得底道理? 若只略略地思量, 思量不得便掉了. 如此, 千年也理會不得."[182]

. . . .

180 『朱子語類』 권118, 33조목
181 '만물이 모두 … 없다.': 『孟子』 「盡心上」에 "만물이 모두 나에게 갖추어져 있으니, 몸에 돌이켜보아 성실하면 즐거움이 이보다 더 클 수 없고, 恕를 힘써서 행하면 仁을 구함이 이보다 가까울 수 없다.(萬物, 皆備於我矣, 反身而誠, 樂莫大焉, 強恕而行, 求仁, 莫近焉.)"라고 하였다.
182 『朱子語類』 권120, 36조목

(주자가 말했다.) "학문은 단지 하나의 도리를 이해해야 한다. '하늘이 백성을 낳으니, 사물이 있으면 법칙이 있다.'[183] 하나의 사물이 있으면 하나의 도리가 있다. 그래서 대학大學의 도는 사람들에게 사물에서 하나하나 도리를 이해하도록 사람들을 가르쳤다. 만약 한 가지를 이해하지 못하면 곧장 반복해서 연구해야만 하니, 행하면서도 생각하고, 앉아서도 생각하며, 아침에 생각해서 얻지 못하면 저녁에도 생각해야 하고, 저녁에 생각하지 못하면 내일 또 생각해야 한다. 이렇게 하면 어찌 얻지 못할 도리가 있겠는가? 만약 대충대충 생각하면 생각을 얻지 못해 포기해버린다. 이렇게 한다면 천년이 지나도 이해하지 못한다."

[44-1-89]

問 : "人固欲事事物物理會, 然精力有限, 不解一一都理會得."

曰 : "固有做不盡底, 但立一箇綱程, 不可先自放倒. 也須靜着心, 實着意, 沈潛反覆, 終久自曉得去."[184]

물었다. "사람이 진실로 모든 사물을 이해하고자 하지만, 정력精力에 한계가 있으니, 하나하나를 모두 이해할 수 있는 것인지 알 수 없습니다."

(주자가) 대답했다. "진실로 다할 수는 없는 것이지만, 그러나 하나의 원칙을 세우고서 먼저 스스로 뒤집어버려서는 안 된다. 또한 마음을 고요하게 하고 뜻을 참되게 하면서, 반복해서 침잠하면, 결국에는 스스로 이해할 수 있다."

[44-1-90]

問 : "人之思慮, 有邪有正. 若是大段邪僻之思, 却容易制 ; 惟是許多無頭面不緊要底思慮, 不知何以制之?"

曰 : "此亦無他, 只是覺得不當思量底, 便莫要思, 便從脚下做將去, 久久純熟, 自然無此等思慮矣. 譬如人坐不定者, 兩脚常要行. 但纔要行時, 便自省覺莫要行, 久久純熟, 亦自然不要行而坐得定矣. 前輩有欲澄治思慮者, 於坐處置兩器, 每起一善念, 則投白豆一粒於器中 ; 每起一惡念, 則投黑豆一粒於器中. 初時黑豆多, 白豆少 ; 後白豆多, 黑豆少, 後來遂不復有黑豆, 最後則雖白豆亦無之矣. 然此只是箇死法. 若更加以讀書窮理底工夫, 則去那般不正當底思慮, 何難之有?

물었다. "사람의 사려思慮에는 사악함과 올바름이 있습니다. 대강 사악하고 편벽된 생각의 경우에는 쉽

183 '하늘이 백성을 … 있다.' : 『詩經』「大雅 · 蕩之什 · 烝民」에 "하늘이 여러 백성을 내시니 사물이 있음에 법칙이 있다. 백성이 떳떳한 성품을 갖고 있는지라 이 아름다운 德을 좋아한다. 하늘이 周나라를 굽어보시니 밝은 德으로 아래에 강림하기에 天子를 보우하사 仲山甫를 낳으셨도다.(天生烝民, 有物有則. 民之秉彝, 好是懿德. 天監有周, 昭假于下, 保玆天子, 生仲山甫.)"라고 하였다.

184 『朱子語類』권121, 57조목

게 제어할 수 있습니다만, 오직 수많은 얼굴 없는 긴요하지 않은 생각들은 어떻게 제어해야 할 지 모르겠습니다."

(주자가) 말했다. "이 또한 다른 것이 없이, 다만 마땅히 생각하지 말아야 하는 것은 바로 생각해서는 안 된다는 것을 알고, 바로 당장 실행하여 오랫동안 완전히 익숙해지도록 하면 자연히 이러한 사려가 없게 될 것이다. 비유하자면, 마치 어떤 사람이 앉아있는 것이 안정되지 않아, 두 다리가 늘 움직이려고 하지만, 그러나 막 움직여지려고 할 때 곧 움직여서는 안 된다는 것을 스스로 깨달아, 오랫동안 완전히 익숙해지도록 하면, 또한 자연히 움직이지 않고 안정되게 앉게 되는 것과 같다. 선배들 중 사려를 맑게 다스리고자 한 사람이 있는데, 앉는 자리에 두 개의 그릇을 두고, 매번 착한 생각이 한 번 일어날 때면 흰 콩 한 알을 그릇 속에 던져 넣고, 매번 나쁜 생각이 한 번 일어날 때면 검은 콩 한 알을 그릇 속에 던져 넣었다. 처음에는 검은 콩이 많고 흰 콩은 적었는데, 후에는 흰 콩은 많고 검은 콩은 적게 되었으며, 나중에는 결국 다시는 검은 콩이 있지 않게 되었고, 마지막에는 흰콩마저도 없어지게 되었다. 그러나 이것은 다만 하나의 죽은 방법[死法]일 뿐이다. 독서하고 궁리하는 공부를 더한다면, 그런 정당하지 않은 생각을 제거하는 데에 무슨 어려움이 있겠는가?

又如人有喜做不要緊事, 如寫字作詩之屬. 初時念念要做, 更遏捺不得. 若能將聖賢言語來玩味, 見得義理分曉, 則漸漸覺得此重彼輕, 久久不知不覺, 自然剝落消殞去. 何必橫生一念, 要得別尋一捷徑, 盡去了意見, 然後能如此? 此皆是不奈煩去脩治他一箇身心了, 作此見解. 譬如人做官, 則當至誠去做職業, 却不奈煩去做, 須要尋箇倖門去鑽. 道鑽得這裏透時, 便可以超躐將去. 今欲去意見者, 皆是這箇心.

또 어떤 사람은 긴요한 일을 하는 것을 기뻐하지 않도록 했는데, 예를 들면 글씨를 쓰고 시를 짓는 부류의 일이다. 처음에는 해야 한다고 마음으로 항상 생각하지만, 다시 참지 못한다. 만약 성현의 언어를 완미할 수 있어서 의리를 분명하게 볼 수 있다면, 점차 이것이 중요하고 저것이 가볍다는 것을 알게 되어, 오래 지나면 부지불식간에 (사사로운 뜻이) 자연히 벗겨지고 떨어져나가게 된다. 하필 한 가지 생각을 제멋대로 지어내어 특별히 지름길을 찾아 생각意見을 모두 제거한 다음에만 이와 같이 할 수 있는 것이겠는가? 이는 모두 더 이상 번거로움을 견디며 그 심신을 다스리려 하지 않고, 이러한 견해를 만든 것이다. 비유하자면 마치 어떤 사람이 관리가 되었으면 마땅히 지성으로 직책을 수행해야 하는데, 도리어 번거로움을 견디며 수행하지 않고, 요행히 출세한 소인들의 문호에 가서 뚫어보려고 아첨하는 것과 같다. 길을 뚫어서 이 무리 속으로 들어가게 될 때, 등급을 뛰어 넘어 빠르게 승진해갈 수 있다. 지금 생각意見을 제거하고자 하는 자들은 모두 이런 마음이다.

學者但當就意見上分眞妄, 存其眞者, 去其妄者而已. 若不問眞妄盡欲除之, 所以游游蕩蕩, 虛度光陰, 都無下工夫處. 因擧『中庸』曰, '喜怒哀樂未發謂之中, 發而皆中節謂之和. 中也者, 天下之大本; 和也者, 天下之達道. 致中和, 天地位焉, 萬物育焉.' 只如喜怒哀樂皆人之所不能無者, 如何要去得? 只是要發而中節爾. 所謂致中, 如孟子之求放心與存心養性是也; 所謂致和, 如孟子論平旦之氣與充廣其仁義之心是也. 今却不奈煩去做這樣工夫, 只管要求捷徑去意見, 只恐所謂去意見者, 正未免爲意見也. 聖人敎人如一條大路, 平平正正, 自此直去, 可以到聖賢地位, 只是要人做得徹. 做得徹時, 也不大驚小怪, 只是私意剝落淨盡, 純是天理融明爾."

배우는 자들은 다만 마땅히 생각[意見]에 나아가 참됨과 망령됨을 구분하여, 그 참된 것을 보존하고, 그 망령된 것을 제거해야 할 뿐이다. 만약 참됨과 망령됨을 따지지 않고 다 제거하고자 한다면, 방탕하게 노닐며 헛되이 그저 시간을 보내는 것으로, 모두 공부함이 없는 것이다. 『중용』에서 '희노애락喜怒哀樂이 아직 발동하지 않은 것을 중中이라 이르고 발동하여 모두 절도에 맞는 것을 화和라 이른다. 중은 천하의 큰 근본이고 화는 천하에 두루 통하는 도이다. 중中과 화和를 이루면 천지가 자리를 잡으며 만물이 길러진다.'라고 한 것을 들어보면, 다만 희노애락은 모두 사람이 없을 수 없는 것인데, 어떻게 해야 제거할 수 있겠는가? 다만 발동하는 것을 절도에 맞게 할 뿐이다. 이른바 '중中을 이룬다.'는 것은 예컨대 『맹자』의 '방심을 구한다.[求放心]'185는 것과 '마음을 보존하고 성을 기른다.[存心養性]'186는 것이 이것이고, 이른바 '화和를 이룬다'는 것은 예컨대 『맹자』에서 '평단지기平旦之氣'187와 '그 인의의 마음을 채우고 넓힘[充廣其仁義之心]'188을 논한 것이 이것이다. 그런데 지금 도리어 번거로움을 견디며 이런 공부를 하지 않고 오로지 지름길을 구하여 생각[意見]을 제거하려고만 한다. 다만 아마도 이른바 생각[意見]을 제거하는 것은 바로 생각[意見]을 짓는 것을 면하지 못할 것이다. 성인이 사람들을 가르치는 것은 하나의 큰 길과 같아서 평평하고 반듯하여, 이로부터 곧바로 가면 성현의 경지에 도달할 수 있으니, 다만 사람들에게 철저히 다하기만을 요구할 뿐이다. 철저히 다하게 되면, 또한 작은 괴이한 일에 크게 놀랄 것도 없이, 다만 사사로운 뜻이 떨어져 나가 깨끗하게 되어, 온통 천리天理가 융통하여 명철할 뿐이다."

....

185 '방심을 구한다.[求放心]': 『孟子』「告子上」에 "사람들은 닭과 개가 도망가면 찾을 줄 알지만, 마음을 잃고서는 찾을 줄 알지 못하니, 학문하는 방법은 다른 것이 없다. 그 放心을 찾는 것일 뿐이다.(人有鷄犬放, 則知求之, 有放心而不知求, 學問之道無他, 求其放心而已矣.)"라는 내용이 있다.

186 '마음을 보존하고 … 기른다.[存心養性]': 『孟子』「盡心上」에 "그 마음을 보존하여 그 性을 기름은 하늘을 섬기는 것이다(存其心, 養其性, 所以事天也.)"라는 내용이 있다.

187 '平旦之氣': 『孟子』「告子上」에 "비록 사람에게 보존된 것인들 어찌 仁義의 마음이 없겠는가 … 낮과 밤에 자라나는 바와 平旦의 맑은 기운에 그 좋아하고 미워함이 남들과 서로 가까운 것이 얼마 되지 않는데, 낮에 하는 소행이 이것을 질식시켜 없애버린다[梏亡].(雖存乎人者, 豈無仁義之心哉 … 其日夜之所息, 平旦之氣, 其好惡與人相近也者幾希, 則其旦晝之所爲, 有梏亡之矣.)"라고 되어있고, 주자는 『집주』에서 "平旦之氣는 사물과 접하지 않았을 때의 淸明한 기운을 이른다. … 그러므로 平旦에 사물과 접하지 않아서 그 기운이 淸明할 때에는 良心이 반드시 발현되는 것이 있다.(平旦之氣, 謂未與物接之時淸明之氣也. … 故平旦未與物接, 其氣淸明之際, 良心猶必有發見者.)"라고 주해하였다.

188 '그 인의의 … 넓힘[充廣其仁義之心]': 『孟子』「公孫丑上」에 "四端이 나에게 있는 것을 다 넓혀서 채울 줄 알면, 마치 불이 처음 타오르며 샘물이 처음 나오는 것과 같을 것이니, 만일 이것을 채울 수 있다면 충분히 四海를 보호할 수 있고, 만일 채우지 못한다면 부모도 섬길 수 없을 것이다.(凡有四端於我者, 知皆擴而充之矣, 若火之始然, 泉之始達, 苟能充之, 足以保四海, 苟不充之, 不足以事父母.)"라고 되어있고, 주자는 『集註』에서 "擴은 미루어 넓힌다는 뜻이다. 充은 가득함이다.(擴, 推廣之意. 充, 滿也.)"라고 주해하였다.

又曰：“‘興於詩, 立於禮, 成於樂.’ 聖人做出這一件物事來, 使學者聞之, 自然歡喜, 情願上這一條路去, 四方八面擁掇他去這路上行.”

又曰：“所謂致中者, 非但只是在中而已, 纔有些子偏倚, 便不可. 須是常在那中心十字上立, 方是致中. 譬如射, 雖射中紅心, 然在紅心邊側, 亦未當. 須是正當紅心之中, 乃爲中也.”

(주자가) 또 말했다. “‘詩에서 흥기시키며, 예禮에 서며, 악樂에서 완성한다.’[189] 성인이 하나의 사물을 만들어 내어, 학자들에게 들려주어 자연히 기뻐하며, 이 길로 가기를 진심으로 원하게 하니, 그가 이 길로 가도록 온갖 방법으로 종용한다.”

(주자가) 또 말했다. “이른바 ‘중中을 이룬다.’는 것은 비단 중中에 있는 것일 뿐만이 아니라, 조금의 치우침이라도 있어선 안 되는 것이다. 반드시 항상 그 중심中心 십자에 서 있어야 비로소 ‘중中을 이룬다.’는 것이다. 비유하자면 마치 활을 쏠 때, 비록 화살이 과녁의 붉은 원에 적중한다 하더라도, 그러나 붉은 원 모퉁이에 있어서는 또한 아직 마땅하지 못한 것이다. 반드시 붉은 원 한 가운데에 바로 맞아야만, 적중한 것이 된다.”

輔廣云：“此非常存戒謹恐懼底工夫不可.”

曰：“固是. 只是簡戒謹恐懼, 便是工夫.”

又曰：“‘博我以文. 約我以禮.’ 聖門教人, 只是兩事, 須是互相發明. 約禮底工夫深, 則博文底工夫愈明；博文底工夫至, 則約禮底工夫愈密.”[190]

보광輔廣이 물었다. “이것은 항상 삼가고 두려워하는[戒謹恐懼][191] 공부를 하지 않으면 안 됩니다.”

(주자가) 대답했다. “진실로 옳다. 다만 삼가고 두려워하는 것[戒謹恐懼]이 바로 공부이다.”

(주자가) 또 말했다. “‘文으로써 나의 지식을 넓혀주시고 예禮로써 나의 행동을 요약하게 해주셨다.’[192]고 하는데, 성인의 문하에서 사람들을 가르치는 것은 다만 이 두 가지 일일 뿐이니, 반드시 상호 드러내어 밝혀야 한다. 예禮로써 요약하는 공부가 깊어지면, 문文으로써 넓히는 공부가 더욱 밝아지고, 문으로써 넓히는 공부가 지극해지면, 예로써 요약하는 공부가 더욱 긴밀해진다.”

[44-1-91]

“學者最怕因循, 莫說道一下便要做成. 今日知得一事亦得, 行得一事亦得, 只不要間斷. 積累之久, 自解做得徹去. 若有疑處, 且須自去思量, 不要倚靠人. 道待去問他, 若無人可問時, 不

---

189 ‘詩에서 … 완성한다.’：『論語』「泰伯」
190 『朱子語類』 권113, 26조목
191 삼가고 두려워하는[戒謹恐懼]：『中庸』 제1장에 “도라는 것은 잠시라도 떠날 수 없는 것이니, 떠날 수 있으면 도가 아니다. 이러므로 군자는 그 보지 않는 바에도 삼가며[戒愼] 그 듣지 않는 바에도 두려워[恐懼]하는 것이다.(道也者, 不可須臾離也, 可離, 非道也. 是故君子, 戒愼乎其所不睹, 恐懼乎其所不聞.)”라고 하였다.
192 ‘文으로써 나의 … 해주셨다.’：『論語』「子罕」

成便休也? 人若除得箇倚靠人底心, 學也須會進."[193]

(주자가 말했다.) "배우는 자는 인습대로 따르는 것[因循]을 가장 두려워하지만, 한 번에 곧바로 하려고 한다고 말하지 말라. 오늘 한 가지 일을 알아도 되고, 한 가지 일을 행해도 되니, 다만 끊어지면 안 된다. 쌓기를 오랫동안 하면 스스로 이해하여 끝까지 해나갈 수 있다. 만약 의문 나는 곳이 있으면 우선 반드시 스스로 생각[思量]을 해야지, 다른 사람에게 의지하려고 하지 말아야 한다. 다른 사람에게 물으려고 하면서, 만약 물어볼 사람이 없으면 그만두겠다고 하면 안 된다. 사람이 만약 남에게 의지하려는 마음을 없앨 수 있다면 학문도 반드시 진보할 수 있을 것이다."

[44-1-92]

"人說道頓段做工夫, 亦難得頓段工夫. 莫說道今日做未得, 且待來日做. 若做得一事, 便是一事工夫; 若理會得這些子, 便有這些子工夫. 若見處有積累, 則見處自然貫通; 若存養處有積累, 則存養自然透徹."[194]

(주자가 말했다.) "사람이 공부를 단박에 한다고 하는데, 역시 공부를 단박에 하기는 어렵다. 오늘 하지 못한 것을 내일 한다고 말하지 말라. 만약 한 가지 일을 하면 곧 한 가지 일의 공부이고, 만약 어떤 몇몇 가지를 이해한다면 곧 어떤 몇몇 가지 공부가 있는 것이다. 만약 통찰한 것에 축적되면, 통찰한 것이 자연히 관통하게 되고, 만약 존양存養이 축적되면, 존양한 곳이 자연히 투철해지는 것이다."

[44-1-93]

問: "橫渠言'得尺守尺, 得寸守寸.'[195] 先生却云'須放寬地步', 如何?"

曰: "只是且放寬看將去, 不要守殺了, 橫渠說自好. 但如今日所論, 却是大局促了."[196]

물었다. "횡거橫渠는 '한 자를 얻으면 한 자를 지키고, 한 치를 얻으면 한 치를 지킨다.'라고 하였는데, 선생님은 도리어 '보폭을 넓혀야한다.'라고 하시니 어떻게 된 것입니까?"

(주자가) 대답했다. "다만 우선 넓혀서 보아가되, 줄이는 것을 지켜서는 안 되니, 횡거의 설은 본래 훌륭하다. 다만 오늘 논한 것의 경우에는 너무 협소하다."[197]

. . . .

193 『朱子語類』 권113, 28조목
194 『朱子語類』 권113, 29조목
195 問, 橫渠言得尺守尺, 得寸守寸. : 『朱子語類』 권97, 51조목에는 "論遺書中說'放開'二字. 先生曰, '且理會收斂.' 問, '昨日論橫渠言「得尺守尺, 得寸守寸」'('河南程氏遺書』에서 '넓힌다'라는 내용에 대해 논의했다. 선생이 말했다. '우선 수렴을 이해하라.' 물었다. '어제 횡거의 「한 자를 얻으면 한 자를 지키고, 한 치를 얻으면 한 치를 지킨다」라는 말을 논의했는데')"라고 되어 있다.
196 『朱子語類』 권97, 51조목. 『朱子語類』에는 "却是大局促了"가 "却是太局促了"로 되어 있다.
197 너무 협소하다 : 『朱子語類考文解義』 권22에는 "그 설을 오늘 '넓힌다'는 설과 비교하면, 너무 협소하니, 그러므로 '처지를 넓혀야 한다.'라고 말했을 뿐이다.(謂其說比今日'放開'之說, 則太局促, 故言'須放寬地步'耳.)"라고 주해했다.

[44-1-94]

問:“動容周旋未能中禮, 於應事接物之間, 未免有礙理處, 如何?”

曰:“只此便是學, 但能於應酬之頃, 逐一點檢, 使一一合於理, 久久自能中禮也.”[198]

물었다. “동작의 용모와 몸가짐이 아직 예에 들어맞지 못하면, 사물에 만나고 대응하는 사이에 아직 이치에 막히는 곳이 있는데, 어떠합니까?”

(주자가) 대답했다. “다만 이것은 배움일 뿐인데, 그러나 응대하는 순간에 하나하나 점검하여 일일이 이치에 부합되도록 할 수 있어, 오래 지나면 자연히 예에 들어맞을 수 있게 된다.”

[44-1-95]

語萬人傑曰:“平日工夫, 須是做到極時, 四邊皆黑, 無路可入, 方是有長進處, 大疑則可大進. 若自覺有些長進, 便道我已到了, 是未足以爲大進也. 顏子‘仰高鑽堅, 瞻前忽後’, 及至‘雖欲從之, 末由也已’, 直是無去處了 ; 至此, 可以語進矣.”[199]

(주자가) 만인걸萬人傑에게 말해주었다. “평상시의 공부는 반드시 지극히 할 때 사방이 모두 어두워서 들어갈 수 있는 길이 없게 되어야, 비로소 장족으로 진보하는 곳이 있으니, 크게 의심하면 크게 나아갈 수 있다. 만약 어느 정도 진보함이 있는 것을 자각한다면, 곧 내가 이미 도달했다고 말하는 셈인데, 이는 아직 크게 진보했다고 할 수는 없는 것이다. 안자顏子의 ‘우러러볼수록 높고, 뚫을수록 견고하며, 바라보면 앞에 있더니 홀연히 뒤에 있다.’[200]는 것에서 ‘비록 그를 따르고자 하나 어디로부터 시작해야 할지 모르겠다.’[201]는 것에 이르면, 곧 갈 곳이 없어진 것이니, 여기에 이르면 진보했다고 말할 만하다.”

[44-1-96]

洪慶將歸, 先生召入與語曰:“此去且存養, 要這簡道理分明常在這裏, 久自有覺. 覺後, 自是此物洞然通貫圓轉.”

乃擧孟子‘求放心’, ‘操則存’兩節, 及明道語錄中, ‘聖賢教人千言萬語, 下學上達’一條云:“自古聖賢教人, 也只就這理上用功. 所謂放心者, 不是走作向別處去. 蓋一瞬目間便不見, 纔覺得便又在面前, 不是苦難收拾. 公且自去提撕, 便見得.”

홍경洪慶이 돌아가려 하는데, 선생[주자]이 불러 들여 그와 말했다. “이는 우선 존양을 해보아야 하니, 이 도리가 분명히 항상 여기에 있으면, 오래 지나 스스로 깨달음이 있게 될 것이다. 깨달은 후에 본래

---

198 『朱子語類』권119, 13조목
199 『朱子語類』권115, 8조목
200 ‘우러러볼수록 높고, … 있다.’ : 『論語』「子罕」에 “안연이 크게 탄식하며 말하였다. ‘(선생님의 도는) 우러러볼수록 더욱 높고, 뚫을수록 더욱 견고하며, 바라봄에 앞에 있더니 홀연히 뒤에 있도다.’(顏淵喟然歎曰, ‘仰之彌高, 鑽之彌堅, 瞻之在前, 忽焉在後.’)”라고 하였다.
201 ‘비록 그를 … 모르겠다.’ : 『論語』「子罕」

이것이 탁 트여 관통하고 원만하게 된다."

그리고는 『맹자』의 '방심을 구한다.[求放心]'는 것과 '잡으면 보존된다.[操則存]'²⁰²는 두 구절과 명도明道의 어록 중의 '성현이 사람들을 가르친 천 가지 만 가지 말은 아래로부터 배워 위로 이르는 것이다.'²⁰³라는 조목을 들어서 말했다. "예로부터 성현이 사람들을 가르친 것은 또한 다만 이 이치상에서 힘쓴 것일 뿐이다. 이른바 방심放心은 다른 곳을 향해 가는 것이 아니다. 한번 눈 깜짝할 동안 보이지 않더라도, 바로 또 면전에 있다는 것을 깨닫는 것이니, 고생스럽게 수습하는 것이 아니다. 그대는 우선 스스로를 잡아끌면 곧 알 수 있다."

又曰: "如今要下工夫, 且須端莊存養, 獨觀昭曠之原. 不須枉費工夫, 鑽紙上語. 待存養得此中昭明洞達, 自覺無許多窒礙. 恁時方取文字來看, 則自然有意味, 道理自然透徹, 遇事時自然迎刃而解, 皆無許多病痛. 此等語, 不欲對諸人說, 恐他不肯去看文字, 又不實了. 且教他看文字, 撞來撞去, 將來自有撞著處."²⁰⁴

(주자가) 또 말했다. "만일 지금 공부를 하려면 우선 단정하고 장중하게 존양存養을 하며, 텅 비고 밝은 근원을 홀로 살펴보라. 헛되이 애써 공부하며 종이 위의 문자에 매달리지 말라. 존양하여 이 마음이 밝고 명백해지기를 기다리면, 수많은 것들이 막힘없게 됨을 스스로 깨닫게 된다. 이때에 비로소 글자를 가져다 보면, 자연히 의미가 있고, 도리가 자연히 투철해지며, 일을 만나면 자연히 순리대로 해결되니, 모두 수많은 병통이 없어진 것이다. 이러한 말은 다른 사람을 상대하여 하고자 한 말이 아니니, 아마도 그는 글자를 보려고 하지 않고, 또 더 이상 실증하려고 하지도 않았다. 또 그에게 글자를 보도록 한다면, 이리저리 좌충우돌하면서 장차 충돌하는 곳이 있게 될 것이다."

[44-1-97]

"爲學之道, 須先存得這箇道理, 方可講究. 若居處必恭, 執事必敬, 與人必忠, 要如顏子直須就視聽言動上警戒到復禮處. 仲弓出門如見大賓, 使民如承大祭, 是無時而不主敬. 如今亦不須較量顏子仲弓如何會如此? 只將他那事, 就自家切己處, 便做他底工夫, 然後有益."

(주자가 말했다.) "학문을 하는 도는 먼저 이 도리를 보존해야만 비로소 깊이 연구할 수 있는 것이다. '거처할 때는 반드시 공손히 하며, 일을 집행할 때는 반드시 공경하며, 사람을 대할 때에는 반드시 충성

· · · · · · · · · · · · · · · · · · · ·

202 '잡으면 보존된다.[操則存]' : 『孟子』 「告子上」에 "잡으면 보존되고 놓으면 잃어서, 나가고 들어옴이 정한 때가 없으며, 그 방향을 알 수 없는 것은 오직 사람의 마음을 두고 말한 것이다.(操則存, 舍則亡, 出入無時, 莫知其鄕, 惟心之謂與.)"라고 하였다.

203 '성현이 사람들을 … 것이다.' : 『河南程氏遺書』 권1에 "성현의 천 가지 만 가지 말은 다만 사람들이 이미 놓쳐버린 마음을 묶어 돌이켜서 다시 몸속으로 들어와 스스로 위를 향해 찾아갈 수 있어서, 아래로부터 배워 위로 이를 수 있게 되기를 바란 것일 뿐이다.(聖賢千言萬語, 只是欲人將已放之心, 約之使反, 復入身來, 自能尋向上去, 下學而上達也.)"라고 하였다.

204 『朱子語類』 권115, 41조목

되게 해야 한다[205]는 것과 같아야 하고, 안자의 다만 보고 듣고 말하고 행동하는 것에서 경계하여, 예에 돌아가는 곳[206]에 이르는 것과 같아야 한다. 중궁의 '문을 나갔을 때에는 큰손님을 뵙는 듯이 하며, 백성에게 일을 시킬 때에는 큰 제사를 받들 듯이 해야 한다.'[207]는 것은 어느 때이건 경敬을 위주로 하지 않음이 없는 것이다. 지금 또한 안자와 중궁을 견주어 헤아리지 않으면 어떻게 이것을 이해할 수 있겠는가? 다만 그들의 그 일을 가지고, 스스로 자기에게 절실한 곳에 나아가 그의 공부를 한 연후에야 유익함이 있게 된다."

又曰 : "爲學之道, 如人耕種一般. 先須辨了一片地在這裏了, 方可在上耕種. 今却就別人地上鋪排許多種作底物色, 這田地元不是我底. 又如人作商, 亦須先安排許多財本, 方可運動. 若財本不瞻, 則運動未得. 到論道處, 如說水, 只說是冷, 不能以不熱字說得 ; 如說湯, 只說是熱, 不能以不冷字說得. 又如飮食, 喫著酸底, 便知是酸底 ; 喫著鹹底, 便知是鹹底 ; 始得."[208]
(주자가) 또 말했다. "학문을 하는 도는 예를 들면 사람이 땅을 갈고 파종하는 것과 같다. 먼저 여기에 한 조각의 땅을 준비해야 비로소 그 위에 땅을 갈고 파종할 수 있다. 지금 도리어 다른 사람의 땅에다 수많은 경작할 것들을 배치하는데, 이 땅은 원래 나의 것이 아니다. 또 사람이 장사를 하는 것과 같으니, 또한 먼저 수많은 자본을 안배해야 비로소 운용할 수 있다. 만약 자본이 넉넉하지 않으면, 운용을 할 수가 없다. 도를 논하는 곳에 이르면, 예를 들어 물을 이야기할 때 다만 차갑다고만 말하면, 뜨겁다는 것을 말할 수 없다. 예를 들어 탕湯을 이야기할 때 다만 뜨겁다고만 말하면 차갑다는 것을 말할 수 없다. 또 예컨대 음식의 경우에 신 것을 먹을 때 바로 신 것을 알게 되고, 짠 것을 먹을 때 바로 짠 것을 알게 되어야만 된다."

[44-1-98]
"今學者不會看文字, 多是先立私意, 自主張己說. 只借聖人言語做起頭, 便自把己意接說將去, 病痛專在這上, 不可不戒."[209]
(주자가 말했다.) "지금 배우는 자들은 문자를 볼 줄 모르고, 대부분 먼저 사사로운 뜻을 세우고 자기의

205 '거처할 때는 … 한다.' : 『論語』「子路」에 "樊遲가 仁을 묻자, 공자가 대답하였다. '居處할 적에 공손히 하며, 일을 집행할 적에 공경하며, 사람을 대할 적에 충성되게 하여야 한다. 이것은 비록 夷狄의 나라에 가더라도 버려서는 안 된다.'(樊遲問仁, 子曰, '居處恭, 執事敬, 與人忠, 雖之夷狄, 不可棄也.')"라고 하였다.
206 보고 듣고 … 곳 : 『論語』「顔淵」에 "안연이 仁을 물었다. 공자가 말하셨다. '자기의 사욕을 이겨 예에 돌아감이 인이 된다. … 예가 아니면 보지 말며, 예가 아니면 듣지 말며, 예가 아니면 말하지 말며, 예가 아니면 動하지 말라.'(顔淵問仁. 子曰, '克己復禮爲仁. … 非禮勿視, 非禮勿聽, 非禮勿言, 非禮勿動.')"라고 하였다.
207 '문을 나갔을 … 한다.' : 『論語』「顔淵」에 "仲弓이 仁을 묻자, 공자가 말하였다. '문을 나갔을 때에는 큰손님을 뵙는 듯이 하며, 백성에게 일을 시킬 때에는 큰 제사를 받들 듯이 해야 한다.(仲弓問仁. 子曰, '出門如見大賓, 使民如承大祭.')"라고 하였다.
208 『朱子語類』 권115, 41조목
209 『朱子語類』 권117, 15조목

이론을 스스로 주장한다. 다만 성인의 말씀을 빌려 첫머리로 삼기만 하고, 곧 스스로 자기의 뜻을 붙여 이론을 만들어 가는데, 병통이 오로지 여기에 있으니 경계하지 않을 수 없다."

[44-1-99]

問治心修身之要, 以爲雖知事理之當爲, 而念慮之間多與日間所講論者相違.

曰 : "且旋恁地做去, 只是如今且說箇'熟'字. 這'熟'字如何便得到這地位? 到得熟地位, 自有忽然不可知處. 不是被你硬要得, 直是不知不覺得如此."[210]

마음을 다스리고 몸을 닦는 요결을 물으면서, 비록 사리事理의 마땅히 행해야 하는 것[當爲]을 알더라도, 여러 가지로 헤아려 걱정하는 사이에 대부분 하루 동안 강론하는 것과 서로 차이가 난다고 여겼다. (주자가) 대답했다. "우선 이렇게 해나가되, 다만 지금 또 '익숙해짐'을 말할 뿐이다. 이 '익숙해짐'이 어떻게 이런 자리를 얻게 되는가? 익숙해진 자리에 도달하면, 저절로 홀연히 알 수 없는 곳이 있게 된다. 그대에 의해서 억지로 해야 하는 것이 아니라, 곧바로 부지불식간에 이와 같이 깨닫는 것이다."

[44-1-100]

問 : "學者忌先立標準, 如何?"[211]

曰 : "如'必有事焉而勿正'之謂. 而今雖道是要學聖人, 亦且從下頭做將去. 若日日恁地比較, 也不得. 雖則是曰'舜何人也, 予何人也?' 若只管將來比較, 不去做工夫, 又何益?"[212]

물었다. "배우는 자가 먼저 표준을 세울 것을 꺼리니, 어떠합니까?"

(주자가) 대답했다. "예컨대 '반드시 종사함이 있으면서 효과를 미리 기대하지 말아야 함[213]을 말한 것과 같다. 그런데 지금 비록 도道는 성인을 배우려고 하면서도, 또한 우선 아래로부터 실행해나가야 한다. 날마다 이와 같이 비교하는 것도 또한 안 된다. 비록 '순舜임금은 어떠한 분이며, 나는 어떠한 사람인가?'[214]라고 말하더라도 만약 오로지 미래를 비교하기만 하고, 실제로 공부하지 않는다면 또 무슨 유익함이 있겠는가?"

---

210 『朱子語類』 권120, 94조목

211 學者忌先立標準如何? : 『朱子語類』 권95, 173조목에는 '忌'가 '思'로 되어 있다.

212 『朱子語類』 권95, 173조목

213 '반드시 종사함이 … 함' : 『孟子』「公孫丑上」에 "반드시 浩然之氣를 기름에 종사하고, 효과를 미리 기대하지 말아서 마음에 잊지도 말며 억지로 助長하지도 말아야 한다.(必有事焉而勿正, 心勿忘, 勿助長也.)"라고 하였다.

214 '舜임금은 어떠한 … 사람인가?' : 『孟子』「滕文公上」

學三 학 3

學三
학 3

總論爲學之方 학문하는 방법의 총론

[45-1-1]
朱子曰: "爲學之道, 聖經賢傳所以告人者, 已竭盡而無餘, 不過欲人存此一心, 使自家身有主宰. 今人馳騖紛擾, 一箇心都不在軀殼裏. 孟子曰, '學問之道無他, 求其放心而已.' 又曰, '存其心養其性, 所以事天也.' 學者須要識此."[1]

주자가 말했다. "학문하는 방도는 성인聖人의 경經과 현인賢人의 전傳에서 사람들에게 알려준 것이 이미 남김이 없는데, 사람들이 이 하나의 마음을 보존하여 자신의 몸에 주재자가 있게 하려는 것일 뿐이다. 지금 사람들은 (마음이) 어지럽게 치달아서, 하나의 마음조차 몸 안에 두지 못한다. 맹자는 '학문의 방도는 다른 것이 아니다. 그 방심放心을 구하는 것일 뿐이다.'[2]라고 했고, 또 '그 마음을 보존하고, 그 성性을 기르는 것이 하늘을 섬기는 일이다.'[3]라고 했다. 배우는 자는 반드시 이것을 알아야 한다."

[45-1-2]
"涵養工夫, 如一粒菜子, 中間含許多生意, 亦須是培壅澆灌, 方得成. 不成說道有那種子在此, 只待他自然生根生苗去. 若只見道理如此, 便要受用去, 則一日止如一日, 一年止如一年, 不會長進. 正如菜子無糞去培壅, 無水去澆灌. 也須是更將『語』『孟』『中庸』『大學』中道理來涵養."[4]

---

1 『朱子語類』 권120, 81조목
2 '학문의 방도는 … 뿐이다.': 『孟子』「告子上」
3 '그 마음을 … 일이다.': 『孟子』「盡心上」
4 『朱子語類』 권120, 4조목

(주자가 말했다.) "함양공부는 마치 속에 많은 생의生意를 품은 한 알의 씨앗을 반드시 북돋아 주고 물을 주듯 해야 비로소 성공할 수 있다. 여기에 씨가 있으니 그저 자연히 뿌리가 나고 싹이 나기를 기다리기만 하면 된다고 해서는 안 된다. 만약 정해진 도리가 이와 같다고 보고 받아들이려고만 하면,⁵ 하루는 그저 하루와 같을 뿐이고 일 년은 그저 일 년과 같을 뿐, 크게 진보할 수 없다. 이는 마치 씨앗에 거름을 주어 배양하지도 않고, 물도 주지 않는 것과 같다. 반드시 『논어』·『맹자』·『대학』·『중용』 속의 도리를 가지고 함양해야 할 것이다."

[45-1-3]

"人之爲學, 惟患不自知其所不足, 旣知之, 則亦卽此而加勉焉耳. '爲仁由己', 豈他人所能與? 惟讀書窮理之功, 不可不講也."⁶

(주자가 말했다.) "사람이 학문을 함에 오직 스스로 자기의 부족한 점을 알지 못할까 근심할 것이니, 이미 알았다면 여기에 나아가서 더욱 힘써야 한다. '인仁을 하는 것이 자기에게서 말미암는 것이니'⁷, 어찌 다른 사람이 간여할 수 있는 것이겠는가? 오직 독서와 궁리의 공부는 강구講究하지 않을 수 없다."

[45-1-4]

"涵養致知力行三者, 便是以涵養做頭, 致知次之, 力行次之. 不涵養則無主宰. 如做事須用人, 纔放下或困睡, 這事便無人做主, 都由別人, 不由自家. 旣涵養又須致知, 旣致知又須力行. 若致知而不力行, 與不知同. 亦須一時並了, 非謂今日涵養, 明日致知, 後日力行也. 要當皆以敬爲本. 敬却不是將來做一箇事, 今人多先安一箇敬字在這裏, 如何做得? 敬只是提起這心, 莫教放散, 怎地則心便自明. 這裏便窮理格物, 見得當如此便是, 不當如此便不是, 旣見了, 便行將去. 今且將『大學』來讀, 便見爲學次第, 初無許多屈曲."

(주자가 말했다.) "함양涵養·치지致知·역행力行 세 가지에서 함양을 첫머리로, 치지를 다음으로, 역행을 그 다음으로 삼아야 한다. 함양을 하지 않으면 주재자가 없다. 예컨대 일을 하면서 사람을 써야 하는데, 일을 맡기고는 곤히 잠들어버리기라도 한다면, 이 일은 주재할 사람이 없으니, 일은 모두 다른 사람이 하는 것이지 자기가 하지 않는 것이 된다. 함양을 했다면 또 반드시 치지를 해야 하고, 치지를 했다면

<hr>

5 만약 단지 … 하면: 여기서 '見道理'는 '見定道理', 즉 이미 견해가 성립된 도리를 가리킨다. 『朱子語類攷文解義』 권28에서는 "'견도리여차'는 견정도리를 가리킨다.(見止如此, 指見定道理.)"고 했다. 이 조목은 주자가 나이가 상당히 많은 문인 李丈에게 함양공부의 필요성을 설파하는 내용이다. 『朱子語類』의 이 앞 조목(권120, 3조목)에 역시 나이가 많은 제자 堯卿(李唐臣)에게 학문하는 요령을 설명하는 내용이 보인다. 여기서 주자는 "그대는 나이가 많으니, 이미 확정된 도리를 받아들이는 것에 의거하라.(公年高, 且據見定底道理受用.)"고 지시했다. 한편 이 조목에서는 이미 확정된 도리를 받아들이는 데 멈춘다면 큰 진보가 없고, 반드시 함양공부를 해야 함을 강조하면서 이와 같이 말한 것이다.

6 『朱子語類』 권119, 43조목

7 '인을 하는 … 것이니': 『論語』「顔淵」

또 반드시 역행을 해야 한다. 만약 치지만 하고 역행하지 않는다면 이는 알지 못하는 것과 같다. 또한 반드시 일시에 병행해야 하는 것이니, 오늘 함양하고 내일 치지하며 다음날 역행함을 말하는 것이 아니다. 요컨대 마땅히 모두 경敬을 근본으로 삼아야 한다. 경은 별도로 해야 할 일이 아닌데도 지금 사람들은 먼저 경을 여기에다가 안배하려드니, 어떻게 해낼 수가 있겠는가? 경은 단지 이 마음을 일깨워서 흐트러지지 않도록 하는 것이니, 이와 같이 하면 마음은 저절로 밝아진다. 여기에서 궁리窮理·격물格物하면, 마땅히 이렇게 해야 하는 것은 옳고, 이렇게 하지 말아야 할 것은 옳지 않다는 것을 알 수 있으니, 알았으면 곧 실행해야 한다. 지금 우선 『대학』을 읽으면 학문을 하는 순서를 알게 되니, 처음부터 많은 굴곡은 없을 것이다.”

又曰 : “某於『大學』中所以力言小學者, 以古人於小學中, 已自把捉成了, 故於大學之道, 無所不可. 今人旣無小學之功, 却當以敬爲本.”[8]
(주자가) 또 말했다. “내가 『대학』에서 소학小學을 강조한 것[9]은, 옛사람들이 소학에서 이미 스스로를 다잡아서 이루어 대학大學의 도道를 못할 것이 없었기 때문이다. 지금 사람들은 소학의 공부를 한 것이 없으니, 마땅히 경을 근본으로 삼아야 한다.”

. . . .
8 『朱子語類』 권115, 26조목
9 내가 『大學』에서 … 것 : 주희는 『大學集註』「大學章句序」에서 小學의 중요성을 다음과 같이 강조했다. “三代가 융성했을 때에 그 법이 점차 갖추어져서 王宮과 國都로부터 시골마을에 이르기까지 학교가 있지 않은 곳이 없었다. 사람이 태어나 8세가 되면 王公으로부터 庶人의 자제에 이르기까지 모두 小學에 들어가게 하여 물 뿌리고 비질하며, 응하고 대답하며, 나아가고 물러가는 예절과 禮·樂·射·御·書·數의 글을 가르쳤다. 15세에 이르면 … 모두 太學에 들어가서 이치를 궁구하고 마음을 바르게 하며 스스로를 수양하고 사람을 다스리는 방법을 가르쳤으니, 이는 또 학교의 가르침에 크고 작은 구분이 있게 된 이유이다. … 그러므로 당시 사람들은 배우지 않은 자가 없었고, 배운 자들은 그 性分의 固有함과 職分의 當然함을 알아서 각자 그 힘을 다하지 않음이 없었다. … 周나라가 쇠퇴함에 이르러 성현 군주가 나오지 못하고, 학교의 정책이 닦아지지 못하여 교화가 침체되고 風俗이 무너졌다. 이때에는 공자 같은 성인이 있어도 임금이나 스승의 지위를 얻어 정사와 가르침을 행할 수 없었다. 이에 홀로 先王의 법을 취해 배워서 後世에 전하여 가르쳤으니 「曲禮」·「少儀」·「內則」·「弟子職」과 같은 여러 편은 진실로 小學의 支流이자 후예[餘裔]이다. 이 책은 小學의 공을 이룸으로 인하여 大學의 밝은 법을 드러내었으니, 밖으로는 그 規模의 큼을 다했으며, 안으로는 그 節目의 상세함을 다했다.(三代之隆, 其法寖備, 然後王宮國都以及閭巷, 莫不有學. 人生八歲, 則自王公以下, 至於庶人之子弟, 皆入小學, 而敎之以灑掃應對進退之節, 禮樂射御書數之文. 及其十有五年, … 皆入大學, 而敎之以窮理正心修己治人之道. 此又學校之敎大小之節所以分也. … 是以當世之人無不學, 其學焉者, 無不有以知其性分之所固有, 職分之所當爲, 而各俛焉以盡其力. … 及周之衰, 賢聖之君不作, 學校之政不修, 敎化陵夷, 風俗頹敗. 時則有若孔子之聖, 而不得君師之位以行其政敎, 於是獨取先王之法, 誦而傳之以詔後世. 若曲禮少儀內則弟子職諸篇, 固小學之支流餘裔. 而此篇者, 則因小學之成功, 以著大學之明法, 外有以極其規模之大, 而內有以盡其節目之詳者也.)”

[45-1-5]

問 : "程子云, '看雞雛, 可以觀仁.' 如何?"

曰 : "旣通道理後, 這般簡久久自知之. 『記』曰, '善問者如攻堅木, 先其易者, 後其節目.'¹⁰ 所以游先生問, '陰陽不測之謂神', 而程子問之曰, '公是揀難底問, 是疑後問?' 故昨日與公說, 讀書須看一句後又看一句, 讀一章後又讀一章, 格物須格一物後又格一物. 見這簡物事道理旣多, 則難者道理自然識得."

물었다. "정자가 '병아리를 보면 인仁을 알 수 있다.'¹¹고 했는데, 어떤 말입니까?"

(주자가) 대답했다. "도리에 통달한 후, 이러한 것은 오래 지나면 저절로 알게 된다. 『예기』에 '질문을 잘 한다는 것은 견고한 나무를 다듬을 때, 쉬운 부분을 먼저 하고 옹이를 나중에 하는 것과 같다.'¹²고 했다. 그래서 유선생遊先生游酢이 '음양의 헤아릴 수 없는 것을 일러 신神이라고 한다.'는 것에 대해 묻자, 정자가 '그대는 어려운 것을 골라서 묻는 것인가, 의심이 나서 묻는 것인가?'라고 반문했던 것이다.¹³ 그러므로 지난날 그대와 말할 때, 책을 읽는 것은 반드시 한 구절을 본 후에 또 한 구절을 보고, 한 장章을 읽은 후에 또 한 장을 읽어야 하며, 격물格物은 반드시 한 가지를 격물한 후에 또 한 가지를 격물해야 한다고 했던 것이다. 이 사물의 도리를 많이 알게 되면, 어려운 도리는 자연히 알게 된다."

童蜚卿曰 : "程子謂近思只是比類推去."

曰 : "程子說得推字極好."

又曰 : "比類, 莫是比這一箇意思推去否?"

曰 : "固是. 如爲子則當止於孝, 爲臣則當止於忠, 自此節節推去. 然只一愛字雖出於孝, 畢竟千頭萬緒, 皆當推去須得."¹⁴

동비경童蜚卿이 물었다. "정자程子는 '가까운 데서 생각한다.'는 것을 단지 유추하는 것¹⁵이라 하였습니다."

(주자가) 대답했다. "정자가 말한 '미룬다推'는 것이 극히 좋다."

(동비경이) 또 물었다. "유類를 견준다는 것은 이 하나의 의사를 견주어서 미루어 가는 것 아닙니까?"

---

10 後其節目. : 『朱子語類』 권97, 30조목에는 '後其難者.(어려운 것을 나중에 한다.)'로 되어 있다.

11 '병아리를 보면 … 있다.' : 『河南程氏遺書』 권3. 『河南程氏遺書』에는 '觀雞雛'로 되어 있고, '此可觀仁'은 소자 쌍행으로 처리되어 있다.

12 '질문을 잘 … 같다.' : 『禮記』「學記」

13 遊先生[游酢]이 … 것이다. : 『河南程氏外書』 권12

14 '問, 程子云 … 則難者道理自然識得.'은 『朱子語類』 권97, 30조목의 글이고, '童蜚卿曰, … 皆當推去須得.'은 『朱子語類』 권49, 25조목의 글이다.

15 유추하는 것 : 『論語』「子張」에 "자하가 말했다. '널리 배우고 뜻을 독실히 하며, 절실하게 묻고 가까이 생각하면 仁이 그 가운데 있다.'(子夏曰, 博學而篤志, 切問而近思, 仁在其中矣.)"는 구절의 주에 "가까이 생각한다는 것은 類로써 미루는 것이다.(近思者, 以類而推.)"라고 한 程子의 말이 있다.

(주자가) 대답했다. "진실로 그렇다. 마치 아들이 되어서는 마땅히 효에 머물고, 신하가 되어서는 마땅히 충에 머무는 것과 같으니, 여기에서부터 하나하나 미루어 가야 한다. 그러나 사랑[愛]이 비록 효에서 나온 것이지만, 마침내 천만 가지 일들에서 모두 마땅히 미루어 가야 비로소 될 수 있다."

[45-1-6]

"人之爲學, 五常百行, 豈能盡常常記得? 人之性, 惟五常爲大, 五常之中, 仁尤爲大. 而人之所以爲是仁者, 又但當守敬之一字. 只是常求放心, 晝夜相承, 只管提撕, 莫令廢惰, 則雖不能常常盡記衆理, 而義禮智信之用, 自然隨其事之當然而發見矣. 子細思之, 學者最是此一事爲要, 所以孔門只是敎人求仁也."16

(주자가 말했다.) "사람이 학문을 하면서 오상五常(인의예지신)・백행百行(모든 행동의 규범)을 어찌 다 항상 기억할 수 있겠는가? 사람의 성性은 오상이 큰 것이 되고, 오상 중에는 인仁이 더욱 큰 것이 된다. 사람이 이 인仁을 하는 방법은 또한 마땅히 단지 하나의 경敬을 지켜야 하는 것이다. 단지 항상 방심放心을 구해서 밤낮으로 이어지고, 오직 (마음을) 깨워서 폐하거나 게을리 하지 않는다면, 항상 모든 이치를 기억하지 않더라도 의・예・지・신의 용用이 저절로 일의 마땅함에 따라서 발현될 것이다. 자세히 생각해 보면, 배우는 자에게 이 하나의 일이 가장 긴요하기 때문에 공자孔子 문하에서는 단지 사람들에게 인仁을 구하게 한 것이다."

[45-1-7]

"爲學無許多事. 只是要持守身心, 硏究道理, 分別得是非善惡, 直是如好好色, 如惡惡臭. 到這裏, 方是踏著實地, 自住不得."17

(주자가 말했다.) "배우는 것은 많은 일이 있지 않다. 단지 이 몸과 마음을 지키고 도리를 연구하여 시비와 선악을 분별하기를 마치 예쁜 것을 좋아하고 악취를 싫어하는 것처럼 하는 것일 뿐이다. 여기에 이르면 비로소 '참된 경지[實地]'를 체험하여 저절로 멈출 수 없게 된다."

[45-1-8]

問: "持敬, 豈不欲純一於敬? 然自有不敬之念, 固欲與己相反, 愈制則愈甚. 或謂只自持敬, 雖念慮妄發, 莫管他, 久將自定, 還如此得否?"

曰: "要之, 邪正本不對立. 但恐自家胸中無箇主, 若有主, 邪自不能入."

물었다. "경敬을 유지하는데, 어찌 경에 순일하려 하지 않겠습니까? 그러나 저절로 경敬하지 못한 생각이 일어나 자기 자신과 상반되려 하는데, 제어하려 할수록 더욱 심해집니다. 어떤 사람이 말하기를, 단지 스스로 경을 유지하여, 생각이 망령되이 생겨나더라도 거기에 관여하지 않으면, 오랜 뒤에 저절로 안정

---

16 『朱子語類』 권121, 65조목
17 『朱子語類』 권118, 52조목

된다고 합니다. 과연 이와 같이 하는 것이 옳습니까?"

(주자가) 대답했다. "중요한 것은, 사악함과 바름은 본래 서로 대립하는 것이 아니라는 것이다. 다만 자기 가슴속에 주인이 없는 것이 두려울 뿐이니, 만약 주인이 있으면 사악은 저절로 들어오지 못한다."

又問 : "不敬之念, 非出於本心. 如忿慾之萌, 學者固當自克, 雖聖賢亦無如之何. 至於思慮妄發, 欲制之而不能."

曰 : "纔覺恁地, 自家便挈起了. 但莫先去防他, 然此只是自家見理不透, 做主不定, 所以如此. 『大學』曰, '物格而後知至, 知至而後意誠', 纔意誠, 則自然無此病."[18]

또 물었다. "경하지 못한 생각은 본심本心에서 나오는 것이 아닙니다. 예컨대 분노나 욕심이 싹틀 때, 배우는 자가 진실로 마땅히 스스로 극복해야지, 비록 성현이라도 어떻게 해줄 수 없습니다. 사려가 망령되이 발동하는 데 이르면 제지하려 해도 할 수가 없습니다."

(주자가) 대답했다. "이와 같은 것을 깨달았다면, 스스로 일깨워야 하고, 다만 먼저 막으려 해서는 안 된다. 그러나 이는 단지 자기가 이치를 보는 것이 투철하지 못하고 주인이 정해지지 않았기 때문에 이와 같은 것이다. 『대학』에 '물物이 격格한 후에 앎이 이르고, 앎이 이른 후에 의意가 성誠해진다.'[19]고 하였는데, 의意가 성誠해지기만 하면, 저절로 이 병은 없어진다."

[45-1-9]

"爲學大要, 只在求放心. 此心流溢, 無所收拾, 將甚處做管轄處? 其他用工總閑慢. 須先就自心上立得定, 決不雜, 則自然光明四達, 照用有餘. 凡所謂是非美惡亦不難辨. 況天理人欲, 決不兩立, 須得全在天理上行, 方見人欲消盡. 義之與利, 不待分辨而明. 至若所謂利者, 凡有分毫求自利便處皆是, 便與克去, 不待顯著, 方謂之利.

(주자가 말했다.) "학문을 하는 큰 요점은 단지 방심放心을 구하는 데 있다. 이 마음이 흘러넘치는데 수습되지 않는다면, 무엇을 관할하는 것으로 삼을 것인가? 다른 공부는 모두 느슨해질 것이다. 반드시 먼저 자기 마음에서 확고하게 하여 결코 섞이지 않게 하면, 저절로 광명이 사방으로 퍼져 비추고도 여유가 있을 것이다. 이른바 옳고 그름과 좋고 나쁨도 분별하기 어렵지 않을 것이다. 하물며 천리와 인욕은 결코 양립하지 않으니, 반드시 온전히 천리에 따라 행해야만 비로소 인욕이 사라지는 것을 볼 수 있을 것이다. 의義와 리利는 분변하지 않고도 명확하다. 이른바 리利의 경우는 터럭만큼이라도 스스로 이롭고 편하기를 구하는 것이 모두 이것이라, 바로 그것을 제거해야 하니, 드러나기를 기다리지 않아도 리利라고 한다.

此心須令純, 純只在一處, 不可令有外事參雜. 遇事而發, 合道理處, 便與果決行去, 勿顧慮.

• •
18 『朱子語類』 권12, 125조목
19 '物이 格한 … 誠해진다.' : 『大學』 경1장

若臨事見義, 方復遲疑, 則又非也. 仍須勤勤把將做事, 不可俄頃放寬. 日日時時如此, 便須見驗. 人之精神, 習久自成. 大凡人心若勤緊收拾, 莫令寬縱逐物, 安有不得其正者? 若眞箇提得緊, 雖半月見驗可也."[20]

이 마음은 반드시 순수하게 해야 하는데, 순수함은 마음을 하나로 하는데 있으니, 외부의 일이 끼어들도록 내버려 두어서는 안 된다. 일을 만나서 발할 때는 도리에 합당하면 바로 과감히 결행할 것이요, 주저하지 말 것이다. 만약 일에 임해서 의義를 보고도 망설인다면, 또한 잘못이다. 또한 부지런히 이 마음으로 일을 해 나가야지 잠시라도 느슨해서는 안 된다. 날마다 때마다 이와 같이 하여 반드시 효험을 보아야 한다. 사람의 정신은 습관이 오래되면 저절로 이루어지는 것이다.[21] 대개 사람의 마음을 바짝 거두어들여, 방종하게 외물을 따라가지 않게 한다면, 어찌 바르지 못할 것이 있겠는가? 만약 정말로 긴절하게 한다면, 반 달 만에도 효험을 보게 될 것이다."

[45-1-10]

"凡看文字, 非是要理會文字, 正要理會自家性分上事. 學者須要主一, 主一常要心存在這裏, 方可做工夫. 如人須尋箇屋子住, 至於爲農工商賈, 方惟其所之. 主者無箇屋子, 如小人趂得百錢, 亦無歸宿. 孟子說'求其放心', 已是兩截. 如常知得心存這裏, 則心自不放."

又云: "無事時須要知得此心. 不知此心, 恰似睡困, 都不濟事. 今看文字, 又理會理義不出, 亦只緣主一工夫欠闕."[22]

(주자가 말했다.) "무릇 문자를 보는 것은 문자를 이해하려고 해서가 아니라 바로 자신의 본성에 관한 일을 알려고 하는 것이다. 배우는 자는 반드시 주일主一해야 하니, 주일主一하여 항상 마음을 여기에 두어야 비로소 공부를 할 수 있다. 예컨대 사람은 집을 찾아서 머물러야 하고, 농부·장인·행상行商·장사꾼賈[23]도 그들이 갈 곳을 생각한다. 주인이 집이 없는 것은 소인이 많은 돈을 가지고도 돌아가서 잘 곳이 없는 것과 같다. 맹자가 '방심放心을 구하라.'고 말한 것은 이미 (수렴된 마음과 풀어진 마음의) 두 단계로 나눈 것이다. 만일 마음을 항상 여기에 둘 줄 안다면, 마음은 저절로 풀어지지 않을 것이다."

(주자가) 또 말했다. "일이 없을 때에도 반드시 이 마음을 알아야 한다. 이 마음을 모르면 흡사 곤히 잠든 것과 같아서 도무지 일을 처리할 수 없다. 지금 문자를 보고도 의리를 이해하지 못하는 것은 단지 주일공부가 결핍되었기 때문이다."

---

20 『朱子語類』 권113, 38조목
21 습관이 오래되면 … 것이다. : 『書經』 「商書·太甲」에 "이렇게 의롭지 못한 것은 습관이 性과 더불어 이루어졌기 때문이다.(玆乃不義, 習與性成.)"라는 말이 있다.
22 『朱子語類』 권121, 30조목
23 행상行商·장사꾼賈 : 재물을 가지고 다니는 상인을 商이라 하고, 재물을 놓고 장사하는 사람을 賈라 한다.(行貨曰商, 居貨曰賈.)(『孟子』 「梁惠王上」 註)

[45-1-11]

"學者若不爲己, 看做甚事, 都只是爲別人, 雖做得好, 亦不關己. 自家去從師, 也不是要理會身己 ; 自家去取友, 也不是要理會身己. 只是漫怎地, 只是要人說道也曾如此, 要人說道好. 自家又識得甚麼人, 自家又有幾箇朋友, 這都是徒然. 說道, 看道理, 不曾著自家身己, 如何會曉得? 世上如此爲學者多, 只看爲己底是如何, 他直是苦切. 事事都是自家合做底事, 如此方可, 不如此定是不可. 今有人苦學者, 他因甚怎地苦? 只爲見這物事是自家合做底事. 如人喫飯, 是自家肚饑, 定是要喫. 又如人做家主要錢使, 在外面百方做計, 壹錢也要將歸. 這是爲甚如此? 只爲自家身上事. 若如此爲學, 如何會無所得?"[24]

(주자가 말했다.) "배우는 자가 위기지학을 하지 않으면 어떤 일을 만나도 모두 단지 다른 사람에게 보여주기 위한 것으로 보게 되니, 비록 잘했더라도 자기와는 관계가 없다. 자기가 스승을 따라 배우는 것도 자신을 이해하려는 것이 아니고, 자기가 벗을 사귀는 것도 자신을 이해하려는 것이 아니게 된다. 허술하기가 이와 같다면, 남에게 도를 말해주기를 원해도 이와 같을 뿐이라, 남에게 좋은 것을 말하는 격이 된다. 자기가 어떤 사람을 알고, 자기에게 몇 명의 벗이 있다 해도, 이는 모두 헛된 것일 뿐이다. 도를 말하고 도리를 아는데, 자기에게 밀접하지 않다면 어떻게 밝게 이해할 수 있겠는가? 세상에 이와 같이 학문을 하는 자가 많지만, 위기지학이 어떠한 것인지 알기만 한다면, 그는 곧장 통절하게 힘쓸 것이다. 일마다 모두 자기가 마땅히 해야 할 일이라면, 이와 같이 하면 옳고, 이와 같이 하지 않으면 결코 불가한 것이다. 지금 어떤 사람이 힘들게 배우고자 한다면 그는 무엇 때문에 이와 같이 괴롭게 하겠는가? 이 일이 자기가 마땅히 해야 할 일임을 알았기 때문일 뿐이다. 사람이 밥을 먹는 것을 예로 들자면, 자기 배가 고프기 때문에 꼭 밥을 먹으려 하는 것이다. 또 예를 들자면, 사람이 집의 주인이 되어 돈이 필요할 때, 밖에서 백방으로 계책을 세워 한 푼이라도 가지고 돌아오려는 것과 같다. 이들은 무엇 때문에 이와 같이 하는가? 자기 자신의 일이기 때문이다. 만약 이와 같이 학문을 한다면, 어떻게 얻는 것이 없을 수 있겠는가?'

[45-1-12]

"學問之功, 無內外身心之間, 無粗細隱顯之分. 初時且要大綱持守, 勿令放逸, 而常切提撕, 漸加嚴密. 更讀聖賢之書, 逐句逐字, 一一理會, 從頭至尾, 不要揀擇. 如此久之, 自當見得分明, 守得純熟矣."[25]

(주자가 말했다.) "학문의 공은 안과 밖, 몸과 마음의 사이가 없고, 거칢과 세밀함, 은미함과 드러남의 구분도 없다. 처음에 먼저 큰 강령을 지켜야 하니, 방자하거나 안일해서는 안 되고 항상 마음을 일깨워서 점점 엄밀하게 해야 한다. 다시 성현의 책을 읽어 구절마다 글자마다 이해하는 것을 첫머리에서 끝까지 가리려고 해서는 안 된다. 이와 같이 오래하면 저절로 이해가 분명해지고, 지키는 것이 순수하고 익숙해

---

24 『朱子語類』 권120, 93조목
25 『朱文公文集』 권62 「答余國秀」

질 것이다."

[45-1-13]
"學道做工夫, 須是奮厲警發, 悵然如有所失, 不尋得則不休. 如自家有一大光明寶藏, 被人偸將去, 此心還肯放捨否? 定是去追捕尋捉得了, 方休. 做工夫亦須如此."[26]

(주자가 말했다.) "도를 배우려 공부를 하는 데는 반드시 힘쓰고 분발하여, 잃어버린 것이 있는 것처럼 해야 하니, 찾지 못하고서는 그만두지 않아야 한다. 가령 자기가 가지고 있던 하나의 크고 빛나는 보물을 다른 사람에게 도둑맞았다면, 이 마음이 그것을 기꺼이 놓아두겠는가? 반드시 쫓아가 잡아서 찾은 다음에야 그만둘 것이다. 공부도 또한 이와 같이 해야 한다."

[45-1-14]
或問理會應變處.

曰: "今且當理會常, 未要理會變. 常底許多道理未能理會得盡, 如何便要理會變? 聖賢說話, 許多道理平鋪在那裏, 且要闊著心胸平去看, 通透後自能應變. 不是硬捉定一物, 便要討常, 便要討變. 今也須如僧家行脚, 接四方之賢士, 察四方之事情, 覽山川之形勢, 觀古今興亡治亂得失之迹, 這道理方見得周徧. '士而懷居, 不足以爲士矣.' 不是塊然守定這物事在一室, 關門獨坐便了, 便可以爲聖賢. 自古無不曉事情底聖賢, 亦無不通變底聖賢, 亦無關門獨坐底聖賢. 聖賢無所不通, 無所不能, 那箇事理會不得?

어떤 사람이 변화變化에 응하는 것을 이해하는 데 대해 물었다.

(주자가) 대답했다. "지금 우선 마땅히 평상적인 것을 이해해야지, 아직 변화를 이해하려 해서는 안 된다. 숱한 평상적인 도리를 다 이해하지 못하고서 어떻게 변화를 이해하려 하는가? 성현의 말씀에는 많은 도리가 그 안에 평이하게 들어 있으니, 우선 마음을 열고 평탄하게 보아서 완전하게 이해한 후에는 저절로 변화에 응할 수 있을 것이다. 굳이 한 건의 일을 굳게 잡아서 평상을 찾으려 하거나 변화를 찾으려 하는 것은 아니다. 이제 반드시 불가의 행각승行脚僧처럼 사방의 현자들을 접하고, 사방의 사정을 살피며, 산천의 형세를 보고, 고금의 흥망興亡과 치란治亂, 득실得失의 형적을 보아야 이 도리를 비로소 두루 이해할 수 있을 것이다. '선비가 안주安住할 것을 생각하면 선비라고 하기에 부족하다.'[27] 꼼짝 않고 방 안에서 어떤 일을 지키면서 문을 닫고 홀로 앉아있기만 하면 성현이 될 수 있는 것은 아니다. 자고로 일의 실정에 밝지 않은 성현은 없었고, 변화에 통달하지 않은 성현도 없었으며, 문을 닫고 홀로 앉아있는 성현도 없었다. 성현은 통달하지 않은 것이 없고 능하지 않은 것도 없으니, 어떠한 일인들 알지 못하겠는가?

....

26 『朱子語類』 권121, 7조목
27 선비가 安住할…… 부족하다.': 『論語』「憲問」

如『中庸』天下國家有九經, 便要理會許多物事. 如武王訪箕子陳洪範, 自身之視聽言貌思, 極至於天人之際, 以人事則有八政, 以天時則有五紀, 稽之於卜筮, 驗之於庶徵, 無所不備. 如『周禮』一部書, 載周公許多經國制度. 那裏便有國家當自家做, 只是古聖賢許多規模大體也要識.

예컨대 『중용』의 '천하 국가에 아홉 가지 항상된 법이 있다.'[28]는 것은 곧 많은 사물을 이해하고자 하는 것이다. 예컨대 무왕武王이 방문했을 때 기자箕子가 「홍범洪範」을 말해주었는데, 일신一身의 보고 듣고 말하고 움직이고 생각하는 것[29]에서 지극히는 하늘과 사람의 관계에 이르기까지 인사人事로서는 팔정八政[30]을 두었고, 천시天時로서는 오기五紀[31]를 두었으며, 복서卜筮에서 헤아리고[32] 뭇 징후에서 징험하는 등, 갖추지 않음이 없다.[33] 예컨대 『주례』라는 한 부의 책은 주공周公의 수많은 국가경영 제도를 싣고

---

28 '천하 국가에 … 있다.': 『中庸』제20장에 "무릇 천하와 國家를 다스림에 아홉 가지 항상된 법[九經]이 있으니, 몸을 닦는 것, 현자를 존숭하는 것, 친척을 친하게 대하는 것, 大臣을 하는 것, 여러 신하들의 마음을 體察하는 것, 여러 백성들을 자식처럼 사랑하는 것, 百工들을 오게 하는 것, 먼 곳 사람들을 懷柔하는 것, 제후들을 품는 것이다.(凡爲天下國家有九經, 曰, 修身也, 尊賢也, 親親也, 敬大臣也, 體群臣也, 子庶民也, 來百工也, 柔遠人也, 懷諸侯也.)"라고 했다.

29 一身의 보고 … 것 : 홍범구주의 두 번째 항목인 五事를 가리킨다. 『書經』「洪範」에는 "두 번째, 五事의 첫 번째는 모습이고, 두 번째는 말이고, 세 번째는 보는 것이고, 네 번째는 듣는 것이고, 다섯 번째는 생각이다. 모습은 공손하고, 말은 순종하고, 보는 것은 밝고, 듣는 것은 밝게 하고, 생각은 지혜롭다. 공손은 엄숙함을 만들고, 순종은 다스림을 만들고, 밝음은 지혜를 만들고, 귀 밝음은 헤아림을 만들고, 지혜은 성스러움을 만든다.(二五事, 一曰貌, 二曰言, 三曰視, 四曰聽, 五曰思. 貌曰恭, 言曰從, 視曰明, 聽曰聰, 思曰睿. 恭作肅, 從作乂, 明作哲, 聰作謀, 睿作聖.)"라고 했다.

30 八政 : 홍범구주의 세 번째 항목. 『書經』「洪範」에는 "세 번째 八政은 첫 번째는 식량이고, 두 번째는 재물이고, 세 번째는 祭祀이고, 네 번째는 司空(토목 · 건축을 관장하는 관직)이고, 다섯 번째는 司徒(교육을 관장하는 관직)이고, 여섯 번째는 司寇(형법을 관장하는 관직)이고, 일곱 번째는 외교관이고, 여덟 번째는 군사이다.(三八政, 一曰食, 二曰貨, 三曰祀, 四曰司空, 五曰司徒, 六曰司寇, 七曰賓, 八曰師.)"라고 했다.

31 五紀 : 홍범구주의 네 번째 항목. 『書經』「洪範」에는 "네 번째 五紀는 첫 번째는 해[歲]이고, 두 번째는 달[月]이고, 세 번째는 날[日]이고, 네 번째는 星辰이고, 다섯 번째는 曆數이다.(四五紀, 一曰歲, 二曰月, 三曰日, 四曰星辰, 五曰曆數.)"라고 했다.

32 卜筮에서 헤아리고 : 홍범구주의 일곱 번째 항목 稽疑를 가리킨다. 『書經』「洪範」에는 "일곱 번째 稽疑는 점을 칠 사람을 가려 세우고 나서 命하여 점을 치게 한다.(七稽疑, 擇建立卜筮人, 乃命卜筮.)"라고 했다. 채침은 『集傳』에서 "稽는 상세히 고찰해 보는 것이니, 의심스러운 일이 있으면 卜筮로 점을 쳐서 상세히 고찰해 보는 것이다. 거북점을 '卜'이라 하고, 蓍草占을 '筮'라 한다. 시초점과 거북점은 지극히 공정하고 사사로움이 없으므로 하늘의 밝은 命을 이을 수 있는 것이니, 점을 치는 자 또한 지극히 공정하고 사사로움이 없은 뒤에야 시초와 거북의 뜻을 전달할 수 있는 것이다. 반드시 이러한 사람을 가려서 세운 뒤에야 복서로 점을 치게 하는 것이다.('稽', 考也, 有所疑則卜筮以考之. 龜曰'卜', 蓍曰'筮'. 蓍龜者, 至公無私, 故能紹天之明, 卜筮者, 亦必至公無私而後, 能傳蓍龜之意, 必擇是人而建立之然後, 使之卜筮也.)"라고 했다.

33 뭇 징후에서 … 없다. : 홍범구주의 여덟 번째 항목 庶徵을 가리킨다. 『書經』「洪範」에는 "여덟 번째 庶徵은 비가 옴과 볕이 남과 더움과 추움과 바람과 때이니, 다섯 가지가 와서 다 갖춰지는데, 각기 그 절도와 순서에 맞으면 여러 풀들도 번성한다.(八庶徵, 曰雨, 曰暘, 曰燠, 曰寒, 曰風, 曰時, 五者來備, 各以其敍, 庶草蕃.)"라고

있다. 어찌 국가경영을 내 일로 삼을 것이 있겠는가마는, 다만 옛 성현들의 많은 기획[規模]과 대체大體는 또한 알아두어야 한다.[34]

蓋這道理無所不該, 無所不在. 且如禮·樂·射·御·書·數, 許多周旋升降文章品節之繁, 豈有妙道精義在? 只是也要理會, 理會得熟時, 道理便在上面. 又如律曆刑法天文地理軍旅官職之類, 都要理會. 雖未能洞究其精微, 然也要識箇規模大槩, 道理方浹洽通透. 若只守箇些子捉定在這裏, 把許多都做閒事, 便都無事了. 如此, 只理會得門內事, 門外事便了不得, 所以聖人教人要博學.

이 도리는 해당되지 않는 일이 없고, 있지 않은 곳이 없다. 또 예를 들자면 예禮·악樂·사射·어御·서書·수數에서 주선周旋·승강升降·문장文章(제도)·품절品節(절차)의 번다함 속에 어찌 신묘한 도道와 정밀한 의義가 있겠는가? 그러나 그것도 이해해야 할 것이니, 충분히 이해되었을 때 도리가 거기에 있다. 또 예를 들면 율력律曆·형법刑法·천문天文·지리地理·군사軍事·관직官職 등도 모두 알아야 한다. 비록 그 정미한 곳까지 연구할 수는 없다 하더라도, 규모와 대개는 알고 있어야만 도리가 비로소 익숙하고 투철해질 것이다. 만일 단지 일부분에만 집착해서 마음속에 고정해 놓고 많은 것들은 모두 필요 없는 것으로 간주한다면, 아무런 할 일이 없을 것이다. 이와 같다면 단지 내 전공의 일만을 이해하고 전공 밖의 일을 알지 못할 것이니, 이 때문에 성인聖人이 사람들로 하여금 널리 배우도록 했다.

須是'博學之, 審問之, 愼思之, 明辨之, 篤行之.' 子曰: '我非生而知之者, 好古敏以求之者也.' '文武之道, 布在方冊, 在人. 賢者識其大者, 不賢者識其小者. 夫子焉不學, 而亦何常師之有? 聖人雖是生知, 然也事事理會過, 無一之不講. 這道理不是只就一件事上理會見得便了. 學時無所不學, 理會時却是逐件上理會去. 凡事雖未理會得詳密, 亦有箇大要處, 縱詳密處未曉得, 而大要處已被自家見了.

반드시 '널리 배우고, 살펴서 묻고, 신중하게 생각하고, 밝게 분변하고, 독실하게 행해야 한다.'[35] 공자는 '나는 나면서부터 안 자가 아니라 옛것을 좋아하여 민첩하게 구하는 자이다.'[36]라고 했다. '문왕과 무왕의 도道는 방책에 펼쳐져 있어 사람에게 있다. 현명한 자는 그 큰 것을 알고 현명하지 못한 자는 그 작은 것을 안다. 공자는 어디에서인들 배우지 않았을 것이며, 또한 일정한 스승이 있었겠는가?'[37] 성인聖人이

하였고, 채침은 『集傳』에서 "'徵'은 징험이다. … 징험하는 방법이 한 가지가 아니므로 庶徵이라 했다.('徵', 驗也. … 所驗者非一, 故謂之庶徵.)"라고 했다.

34 어찌 국가경영을 … 한다. : 『朱子語類考文解義』 권28에서는 "자기가 비록 국가의 일에 대해서 할 것이 없지만 반드시 먼저 다스리는 법의 대개는 알아두어야 한다.(自家雖無做得國家之事, 要須先識治法大槩也.)"고 했다.

35 '널리 배우고 … 한다.' : 『中庸』 제20장

36 '나는 나면서부터 … 자이다.' : 『論語』「述而」

비록 나면서부터 안 사람이기는 하지만, 또한 일마다 이해해 나가서 한 가지도 연구해서 밝히지 않은 것이 없었다. 이 도리는 단지 한 가지 일에서 이해했다고 하여 끝나는 것이 아니다. 배울 때는 배우지 않는 것이 없으며, 이해할 때에는 또한 하나하나 이해해야 한다. 모든 일에 비록 세밀한 곳은 이해하지 못했더라도 큰 요점이 있으니, 설사 세밀한 부분에 밝지 못했더라도 큰 요점은 이미 스스로 알게 될 것이다.

今只就一線上窺見天理, 便說天理只恁地了, 便要去通那萬事, 不知如何得. 萃百物然後觀化工之神, 聚衆材然後知作室之用. 於一事一義上欲窺聖人之用心, 非上智不能也, 須開心胸去理會. 天理大, 所包得亦大. 且如五常之敎, 自家而言, 只有箇父子夫婦兄弟. 纔出外便有朋友, 朋友之中事已煞多, 及身有一官, 君臣之分便定, 這裏面又煞多事, 事事都合講過. 他人未做工夫底, 亦不敢向他說. 如吾友於己分上已自見得, 若不說與公又可惜了. 他人於己分上不曾見得, 泛而觀萬事, 固是不得, 而今已有箇本領, 却只捉定這些子便了, 也不得.

지금 단지 한 측면으로만 천리天理를 살펴보고서 곧 천리가 이런 것이라고 말해 버리고 온갖 일에 적용시키고자 한다면, 어떻게 이것이 가능한지 모르겠다. 모든 사물을 모은 이후에 조물주의 신묘함을 볼 수 있으며, 많은 재목을 모은 다음에 집 짓는 사람의 의도를 알 수 있다. 어떤 일과 어떤 의리義理에서 성인의 마음 씀을 보려고 하면 상지上智가 아니고는 할 수 없으니, 반드시 가슴을 활짝 열고 이해해야 한다. 천리는 크고, 그것이 포함하는 것도 또한 크다. 예컨대 오상五常[五倫]의 가르침을 집안에서 말한다면 부자父子와 부부夫婦, 형제가 있을 뿐이다. 밖으로 나가면 바로 벗이 있는데 벗 사이에서의 일도 이미 많으며, 자신에게 어떤 관직이 주어진다면 임금과 신하의 분수가 정해지고 여기에도 또 일이 많을 것이니, 일마다 모두 강구해 가야 한다. 다른 사람이 아직 공부하지 않은 것을 감히 그에게 말할 수 없다. 예컨대 나의 벗이 자기의 능력으로 직분상의 일을 스스로 이해했는데, 그대(陳淳을 가리킴)에게 말하지 않는다면 또한 애석할만한 일이다.[38] 다른 사람이 자기의 직분에서 알지 못했는데 범범하게 만사萬事를

....

37 '문왕과 무왕의 … 있었겠는가?' : 『論語』「子張」에는 "위나라 공손조가 자공에게 물었다. '중니는 어디서 배웠습니까?' 자공이 대답했다. '문왕과 무왕의 도가 땅에 떨어지지 않아 사람에게 있습니다. 현명한 사람은 그 큰 것을 알고 있고 현명하지 못한 자는 그 작은 것을 알고 있습니다. 문왕과 무왕의 도가 아닌 것이 없으니, 공자는 어디선들 배우지 않았을 것이며, 또한 어디 일정한 스승이 있었겠습니까?(衛公孫朝問於子貢曰, '仲尼焉學?' 子貢曰, '文武之道, 未墜於地, 在人. 賢者識其大者, 不賢者識其小者. 莫不有文武之道焉. 夫子焉不學, 而亦何常師之有?)"라는 내용이 있고, 『中庸』 20장에는 "문왕과 무왕의 정치가 방책에 펼쳐져 있다. 그러한 사람이 있으면 그 정치가 일어나고, 그러한 사람이 없으면 그 정치는 종식된다.(文武之政, 布在方策. 其人存, 則其政擧 ; 其人亡, 則其政息.)"라고 되어 있다.

38 이 조목은 주희가 제자 陳淳과 둘만 있는 자리에서 질문에 응답한 내용이다. 『朱子語類』 권117에는 여기에 수록된 내용 앞에 "모든 벗들이 읍을 하고 물러나자 선생이 淳을 홀로 멈춰 세워 말했다. '왜 어려운 것을 물어보지 않는가?' 내가 말했다. '며칠 전에 선생님의 가르침을 받고 이미 큰 뜻을 이해했습니다. 이제 돌아가서 실제로 공부할까 합니다.' '이제 헤어지면 다시 서로 만날 수가 없다.' 내가 물었다. '자기의 직분상의 일은 이미 이해했습니다. 다만 변화에 응하는 것에 대해 가르쳐 주시기를 원합니다.'(諸友揖退, 先生留淳獨語, 曰,

본다면 진실로 안 되는 것이며, 지금 능력이 있어도 것에 그것에 집착되어 그만둔다면 이것 또한 안 되는 것이다.

如今只道是持敬收拾身心, 日用要合道理無差失, 此固是好. 然出而應天下事, 應這事得時, 應那事又不得. 學之大本, 『中庸』『大學』已說盡了. 『大學』首便說格物致知, 爲甚要格物致知? 便是要無所不格, 無所不知. 物格知至, 方能意誠心正身修, 推而至於家齊國治天下平, 自然滔滔去都無障礙."[39]

이제 단지 경敬을 지녀서 심신을 수습하여 일상생활에 도리에 맞아 잘못이 없고자 한다고 말한다면 이것은 정말로 좋다. 그러나 나가서 천하의 일에 대응할 때, 어떤 일에는 때를 얻고, 어떤 일에는 때를 얻지 못하기도 한다. 배움의 큰 근본은 『중용』과 『대학』에 이미 다 말했다. 『대학』의 첫머리에서는 격물치지格物致知를 말했다. 격물치지가 왜 중요한가? 궁구하지 않는 것이 없고 알지 못하는 것이 없고자 하는 것이다. 물物의 이치가 이르고 앎이 지극하면, 비로소 뜻이 성실하고 마음이 바르며 몸이 닦아지는 것이니, 나아가 집이 가지런하고 나라가 다스려지고 천하가 태평해지는 데까지, 자연히 거침없이 모두 장애가 없을 것이다."

[45-1-15]

"古人學問, 只是爲己而已. 聖賢教人, 具有倫理. 學問是人合理會底事, 學者須是切己方有所得. 今人知爲學者, 聽人說一席好話, 亦解開悟. 到切己工夫, 却全不曾做, 所以悠悠歲月, 無可理會. 若使切己下工, 聖賢言語雖散在諸書, 自有箇通貫道理. 須實有見處, 自然休歇不得. 今人事無小大, 皆老草[40]過了. 只如讀書一事, 頭邊看得兩段, 便揭過後面. 或看得一二段, 或看得三五行, 殊不曾子細理會, 如何會有益?"[41]

(주자가 말했다.) "옛사람이 학문하는 것은 단지 위기지학일 뿐이었다. 성현이 사람을 가르치는 데는 윤리를 갖추었다. 학문은 마땅히 사람이 이해해야 할 일이니, 배우는 자는 반드시 자기에게 절실하게 해야 비로소 얻는 바가 있다. 지금 사람들은 학문을 남이 한바탕 훌륭한 말을 하는 것을 듣고 바로 깨우치는 것으로 알고 있다. 도리어 자기에게 절실한 공부는 전혀 한 적이 없고, 유유히 세월만 보내고 있으니 알 수 있는 것이 없다. 만약 자기에게 절실한 공부를 한다면, 비록 성현의 말이 여러 책에 산재하여 있더라도, 저절로 관통하는 도리가 있다. 실제로 안 것이 있다면 자연히 멈출 수 없게 될 것이다. 지금 사람들은 일의 크고 작음에 관계없이 모두 대충 넘어간다. 책 읽는 것 하나만 보더라도, 첫머리의

. . . .

'何故無所問難?' 淳曰, '數日承先生教誨, 已領大意. 但當歸去作工夫.' 曰, '此別定不再相見.' 淳問曰, '己分上事己理會, 但應變處更望提誨.')"라는 대화가 있다.

39 『朱子語類』 권117, 52조목
40 老草: 『朱子語類』에는 '潦草'로 되어 있다.
41 『朱子語類』 권116, 18조목

한두 단락을 보고 바로 뒷면으로 넘어간다. 한두 단락만 보거나 서너덧 행만을 보는 식으로 하여 자세히 이해한 적이 없으니, 무슨 보탬이 있겠는가?'

[45-1-16]

"爲學大端, 在於求復性命之本然, 求造聖賢之極致, 須是便立志如此, 便做去始得. 若曰'我之志只是要做箇好人.' 識些道理便休, 宜乎工夫不進, 日夕漸漸消靡. 今須思量天之所以與我者, 必須是光明正大, 必不應只如此而止. 就自家性分上儘做得去, 不到聖賢地位不休. 如此立志自是歇不住, 自是儘有工夫可做, 如顏子之欲罷不能, 如小人之孳孳爲利, 念念自不忘. 若不立志終不得力."

(주자가 말했다.) "학문하는 큰 단서는 성명性命의 본연을 회복하기를 구하고, 성현의 극치에 나아가려는 데 있으니, 반드시 이와 같이 뜻을 세워서 실천해가야 한다. 만약 '나의 뜻은 그저 좋은 사람이 되는 것이다.'라고 하여, 어느 정도의 도리를 알았다고 멈추어 버린다면, 당연히 공부는 진척되지 않고 그나마도 아침저녁으로 점점 없어질 것이다. 이제 하늘이 나에게 부여한 것이 광명정대하니 이런 정도로 그쳐서는 안 된다는 점을 반드시 생각해야 한다. 자기의 본성本性대로 모두 실행해 나가서 성현의 지위에 이르지 않고서는 멈추지 않는다. 이와 같이 뜻을 세운다면 저절로 멈추지 못하며, 저절로 할 수 있는 공부를 다 할 것이니, 안자顏子의 그만두려 해도 그만둘 수 없는 것[42]처럼, 소인이 부지런히 이익에 힘쓰는 것[43]처럼, 생각마다 저절로 잊지 못할 것이다. 만약 뜻을 세우지 않으면 끝내 힘을 얻지 못할 것이다."

因擧程子云: "學者爲氣所勝, 習所奪, 只可責志."

又擧云: "'立志以定其本, 居敬以持其志.' 此是五峯議論好處."

又擧"士尙志, 何謂尙志? 曰仁義而已矣." 又擧"舜爲法於天下可傳於後世, 我猶未免爲鄕人也, 是則可憂也. 憂之如何? 如舜而已矣." 又擧"三軍可奪帥, 匹夫不可奪志也."

"如孔門亦有不能立志者, 如冉求'非不說子之道力不足也', 是也. 所以其後志於聚歛無足怪."[44]

....

[42] 顏子의 그만두려 … 것: 『論語』「子罕」에 "顏淵이 크게 탄식하며 말했다. "우러러볼수록 더욱 높고, 뚫으려 할수록 더욱 단단하며, 바라보면 앞에 있더니 홀연히 뒤에 있구나! 夫子께서 차근차근 사람을 잘 이끄시어 文으로써 나를 넓혀주시고 禮로써 나를 집약하게 해주셨다. 그만두고자 해도 그만둘 수 없어 이미 나의 재주를 다하니, (夫子의 道가) 내 앞에 우뚝 서있는 듯하다. 그를 따르고자 하나 어디로부터 시작해야 할지 모르겠다.(顏淵喟然歎曰, "仰之彌高, 鑽之彌堅. 瞻之在前, 忽焉在後. 夫子循循然善誘人, 博我以文, 約我以禮, 欲罷不能. 旣竭吾才, 如有所立卓爾. 雖欲從之, 末由也已.")"라는 말이 있다.

[43] 소인이 부지런히 … 것: 『孟子』「盡心上」에 "맹자가 말했다. "닭이 울면 일어나서 부지런히 선을 하는 자는 舜임금의 무리요, 닭이 울면 일어나서 부지런히 利를 추구하는 자는 盜跖의 무리이다. 순임금과 도척의 구분을 알고자 한다면 다른 것이 없다. 利와 善의 차이일 뿐이다.(孟子曰, '雞鳴而起, 孳孳爲善者, 舜之徒也, 雞鳴而起, 孳孳爲利者, 跖之徒也. 欲知舜與跖之分, 無他, 利與善之閒也.')"라는 말이 있다.

[44] 『朱子語類』 권118, 34조목

이어 정자程子를 거론하여 말했다. "배우는 자가 기氣에 눌리고 습관習慣에 빼앗기는 것은 의지를 책망할 만한 일이다."[45]

또 거론하여 말했다. "'뜻을 세워 그 근본을 확정하고, 경敬에 거하면서 그 뜻을 지킨다.'[46]고 한 것은 오봉五峯[47]이 잘 논의한 것이다."

또 '선비는 뜻을 숭상해야 하는데, 무엇을 일러 뜻을 숭상한다고 하는가? 인의仁義일 뿐이다.'[48]는 말을 거론했다. 또 '순舜은 천하의 법이 되어 후세에 전해질 만한데, 나는 아직 향인鄉人에 머물러 있으니, 이것은 근심할 만한 일이다. 근심한다면 어떻게 해야 하는가? 순처럼 될 뿐이다.'[49]는 말을 거론했다. 또 '삼군三軍의 장수를 뺏을 수는 있지만, 필부의 뜻은 빼앗을 수가 없다.'[50]는 말을 거론했다.

(주자가 말했다.) "예컨대 공자 문하에서도 입지를 하지 못한 사람이 있었으니, 염구冉求가 '선생님의 덕을 좋아하지 않은 것은 아니지만 역부족입니다.'[51]라고 한 것이 이것이다. 나중에 뜻을 취렴聚斂에 둔 것[52]도 괴이할 것은 아니다."

[45-1-17]

問: "下學與上達, 固相對是兩事. 然下學却當大段多著工夫."

曰: "聖賢敎人, 多說下學事, 少說上達事. 說下學工夫要多也好, 但只理會下學, 又局促了. 須事事理會過, 將來也要知簡貫通處. 不去理會下學, 只理會上達, 卽都無事可做, 恐孤單枯燥. 程先生云, '但是自然, 更無玩索.' 旣是自然, 便都無可理會了. 譬如耕田, 須是種下種子, 便去耘鋤灌漑, 然後到那熟處. 而今只想像那熟處, 却不曾下得種子, 如何會熟? 如一以貫之,

---

45 "배우는 자가 … 일이다.": 『河南程氏遺書』 권15
46 '뜻을 세워 … 지킨다.': 『五峯集』 권3
47 五峯: 胡宏(1106~1161). 자는 仲仁, 호는 五峰이다. 宋대 建寧 崇安(복건성) 사람으로 胡安國의 아들이다. 湖湘學派의 개창자로서, 어린 시절 楊時와 侯仲良에게 배웠다. 謝良佐·胡安國·호굉을 이른바 '湖湘學派'라고 한다.
48 '선비는 뜻을 … 뿐이다.': 『孟子』 「盡心上」에 "왕자 墊이 물었다. '선비는 무엇을 일삼습니까?' 맹자가 말했다. '뜻을 숭상합니다.' (왕자 점이) 물었다. '무엇을 일러 뜻을 숭상한다고 합니까?' (맹자가) 말했다. '仁義일 뿐입니다. 한 사람이라도 無罪한 사람을 죽이는 것은 인이 아니며, 자기의 소유가 아닌데 취하는 것은 의가 아닙니다. 거할 곳이 어디에 있습니까? 인이 이것입니다. 길은 어디에 있습니까? 의가 이것입니다. 인에 거하고 의를 따른다면 大人의 일이 갖추어진 것입니다.'(王子墊問曰, '士何事?' 孟子曰, '尚志.' 曰, '何謂尚志?' 曰, '仁義而已矣. 殺一無罪非仁也, 非其有而取之非義也. 居惡在? 仁是也, 路惡在? 義是也. 居仁由義, 大人之事備矣.')"라는 대화가 있다.
49 '舜은 천하의 … 뿐이다.': 『孟子』 「離婁下」
50 '三軍의 장수를 … 없다.': 『論語』 「子罕」
51 '선생님의 덕을 … 역부족입니다.': 『論語』 「雍也」
52 뜻을 聚斂에 … 것: 『論語』 「先進」에 "季氏가 周公보다 부유하였는데도 求가 그를 위해 賦稅를 가혹하게 걷어 재산을 더 늘려주자, 공자가 말했다. '求는 우리 사람이 아니니, 小子들아! 북을 울려 죄를 聲討함이 옳다.'(季氏富於周公, 而求也爲之聚斂而附益之. 子曰, '非吾徒也. 小子鳴鼓而攻之, 可也.')"라는 내용이 있다.

是聖人論到極處了. 而今只去想像那一, 不去理會那貫. 譬如討一條錢索在此, 都無錢可穿."

물었다. "하학下學과 상달上達[53]은 본래 상대로서 두 가지 일입니다. 그런데 하학 쪽은 대단히 많이 공부해야 하는 것입니다."

(주자가) 대답했다. "성현이 사람을 가르치면서 하학의 일을 많이 말했고 상달의 일은 적게 말했다. 하학공부를 많이 말하려 한 것은 좋으나, 단지 하학만을 이해한다면 또한 움츠려든다. 반드시 일마다 이해해서 나중에는 관통하는 곳을 알아야 한다. 하학을 이해하지 않고 단지 상달만을 이해한다면 전혀 할 수 있는 일이 없어서 아마도 쓸모없고 무미건조해질 것이다. 정선생程先生은 '단지 저절로 그러한 것이라면 다시 완미하고 사색할 것이 없다.'[54]고 했는데, 이미 저절로 그러한 것이라면 모두 이해할 만한 것이 없다. 그러나 밭 가는 일에 비유하자면 반드시 종자를 뿌리고 김을 매고 물을 준 다음에야 익는 데 이를 것이다. 그런데 지금 그 익은 것만을 상상하고는 오히려 씨를 뿌리지 않았다면 어떻게 익는 것이 가능하겠는가? 예컨대 '하나로 꿰뚫음一以貫之'은 성현이 지극한 곳을 논한 것이다. 요즘은 다만 그 하나一만 상상하고 그 꿰뚫음貫을 이해하려 하지 않는다. 비유하자면 여기 한 가닥의 돈꿰미만 찾으려 하지만 꿸 수 있는 돈이 없는 것과 같다."

又問: "爲學工夫, 大槩在身則有簡心, 心之體爲性, 心之用爲情; 外則目視耳聽, 手持足履; 在事則自事親事長, 以至於待人接物·洒掃應對·飲食寢處, 件件都是合做工夫處. 聖賢千言萬語, 便只是其中細碎條目."

曰: "講論時是如此講論, 做工夫時須是著實去做. 道理聖人都說盡了. 『論語』中有許多, 『詩』·『書』中有許多, 須是一一與理會過方得. 程先生謂或讀書講明道義, 或論古今人物而別其是非, 或應接事物而處其當否.'[55] 如何而爲孝, 如何而爲忠, 以至天地之所以高厚, 一物之所以然, 都逐一理會, 不只是簡一便都了."

또 물었다. "공부에 대해서 말하자면, 대개 일신一身에 있어서는 마음이 있는데, 마음의 본체는 성性이고 마음의 작용은 정情입니다. 밖으로는 눈으로 보는 것, 귀로 듣는 것, 손으로 잡는 것, 발로 밟는 것이며, 일에 있어서는 부모를 섬기고 어른을 섬기는 것에서 사람을 대하고 사물에 접하며, 물 뿌리고 비질하고 응낙하고 상대하며, 마시고 먹고 잠자고 거처하는 데 이르기까지 일마다 모두 공부해야 할 곳입니다. 성현의 수많은 말씀은 그 가운데의 세세한 조목일 뿐입니다."

(주자가) 대답했다. "강론할 때에는 이와 같이 강론하고, 공부할 때에는 반드시 착실하게 공부해야 한다.

---

53 下學과 上達: 『論語』「憲問」 제37장에 "공자가 말했다. '나를 알아주는 이가 없구나!' 자공이 말했다. '어찌하여 선생님을 알아주는 이가 없는 것입니까?' 하자, 공자가 말했다. '하늘을 원망하지 않으며 사람을 탓하지 않고, 아래로 인사를 배우고 위로 天理를 통달하니, 나를 알아주는 것은 하늘일 것이다.'(子曰, '莫我知也夫!' 子貢曰, '何爲其莫知子也?' 子曰, '不怨天, 不尤人, 下學而上達, 知我者, 其天乎!')"라는 내용이 있다.

54 '단지 저절로 … 없다.': 『河南程氏遺書』 권15에 "단지 자연으로 귀결시킬 것이라면 볼 것도 없고, 더 완색할 것도 없다.(只歸之自然, 則無可觀, 更無可玩索.)"라고 했다.

55 或應接事物而處其當否.: 『河南程氏遺書』 권18에는 "或應接事物而處其當"으로 되어 있다.

도리道理는 성인이 모두 다 지극하게 말했다. 『논어』속에도 많은 것이 있고, 『시경』·『서경』속에도 많은 것이 있으니, 반드시 하나하나 이해해 나가야 한다. 정선생은 '글을 읽어 도의를 밝히기도 하고, 고금의 인물을 논하여 그 시비를 분별하기도 하고, 사물에 대응하여 그 마땅함과 잘못을 처리한다.'[56]고 했다. 어떻게 해야 효가 되고 어떻게 해야 충이 되는지 하는 것에서 하늘과 땅이 높고 두터운 까닭과 하나의 사물이 그러한 까닭에 이르기까지도 모두 하나하나 좇아서 이해해야 하지, 단지 그 하나면 되었다고 할 수 없다."

又問: "下學莫只是就切近處求否?"

曰: "也不須恁地揀, 事到面前, 便與他理會. 且如讀書, 讀第一章, 便與他理會第一章; 讀第二章, 便與他理會第二章. 今日撞著這事, 便與他理會這事; 明日撞著那事, 便理會那事. 萬事只是一理, 不成只揀大底要底理會, 其他都不管. 譬如海水, 一灣一曲, 一洲一渚, 無非海水, 不成道大底是海水小底不是.

또 물었다. "하학下學은 단지 절실하고 가까운 곳에서 구하는 것 아닙니까?"

(주자가) 대답했다. "또한 이와 같이 가려내어서는 안 되니, 일이 코앞에 닥치면 그에 맞추어 이해해야 한다. 우선 글을 읽는 것을 예로 들자면, 제1장을 읽을 때는 그에 맞추어 제1장을 이해할 것이며, 제2장을 읽을 때는 그에 맞추어 제2장을 이해해야 한다. 지금 이 일에 맞닥뜨리면 그에 맞추어 이 일을 이해해야 하고, 내일 저 일에 맞닥뜨리면 그에 맞추어 저 일을 이해해야 한다. 만사는 단지 하나의 이치이니, 단지 큰 것이나 중요한 것만을 골라서 이해하고, 나머지 것은 모두 관여하지 않아서는 안 된다. 바닷물에 비유하자면, 하나의 만灣과 하나의 굽이, 하나의 모래섬과 하나의 물가의 것도 바닷물이 아닌 것이 없으니, 큰 것은 바닷물이라고 하고 작은 것은 아니라고 해서는 안 된다.

程先生云, '窮理者, 非謂必盡窮天下之理, 又非謂止窮得一理便到. 但積累多後, 自當脫然有悟處.' 又曰, '自一身之中, 以至萬物之理, 理會得多, 自當豁然有箇覺處.' 今人務博者, 却要盡窮天下之理; 務約者, 又謂'反身而誠, 則天下之物無不在我', 此皆不是. 且如一百件事, 理會得五六十件了, 這三四十件雖未理會, 也大綮可曉了."[57]

정선생은 '이치를 궁구하는 것은 반드시 천하의 이치를 모두 궁구함을 말하는 것이 아니며, 또한 단지 하나의 이치만을 궁구하면 다 된다고 말하는 것도 아니다. 쌓인 것이 많아진 뒤에 저절로 씻은 듯 깨닫는 것이 있을 것이다.'[58]라고 했다. 또 '자기 몸에서부터 만물의 이치에 이르기까지 이해한 것이 많으면

56 '글을 읽어 … 처리한다.': 『河南程氏遺書』 권18

57 『朱子語類』 권117, 44조목

58 '이치를 궁구하는 … 것이다.': 『河南程氏遺書』 권2상에는 "이치를 궁구하는 것은 반드시 천하 만물의 이치를 모두 궁구해야 함을 말하는 것이 아니요, 또한 하나의 이치만 이해하고는 되었다고 말하는 것도 아니다. 쌓인 것이 많은 후에 저절로 (이치를) 알게 될 것이다.(所務於窮理者, 非道須盡窮了天下萬物之理, 又不道是窮

저절로 활연하게 깨닫는 곳이 있을 것이다.'[59]라고 했다. 지금 사람 중 박학博學에 힘쓰는 자는 천하의 이치를 모두 궁구하려 하고, 간결約에 힘쓰는 자는 또 자신을 돌이켜보아 진실되면 천하의 사물이 나에게 있지 않은 것이 없다고 하는데,[60] 이는 모두 옳지 않다. 예컨대 백 가지 일에서 5~60가지 일을 이해하면 나머지 3~40가지는 비록 이해하지 못하더라도 대체大體는 알 수 있다."

[45-1-18]

問：“爲學道理, 日用間做工夫. 所以要步步縝密者, 蓋緣天理流行乎日用之間, 千條萬緒, 無所不在. 故不容有所欠缺, 若工夫有所欠缺, 便於天理不湊得著.”

曰：“也是如此. 理只在事物之中. 做工夫須是密, 然亦須是那疎處斂向密, 又就那密處展放開. 若只拘要那縝密處, 又却局促了.”

물었다. "학문하는 도리는 일상의 일에서 공부하는 것입니다. 이것을 하든 저것을 하든 치밀하게 해야 하는 까닭은 천리天理가 일상생활에 유행하여 모든 일에 있지 않은 곳이 없기 때문입니다. 그래서 빠뜨리는 것이 있어서는 안 되니, 만약 공부하는 데 빠뜨리는 것이 있다면 천리에 가까이가지 못합니다." (주자가) 대답했다. "또한 이와 같다. 리理는 단지 사물 속에 있다. 공부는 치밀해야 하지만, 또한 반드시 거친 부분은 수렴하여 치밀한 쪽으로 향하고 치밀한 부분은 펼쳐서 개방해야 한다. 만약 치밀한 쪽에만 얽매인다면, 또한 움츠려들고 만다.

問：“放開底樣子如何?”

曰：“亦只是見得天理是如此, 人欲是如此, 便做將去.”

물었다. "개방放開의 모양새는 어떠한 것입니까?" (주자가) 대답했다. "단지 천리天理는 이와 같고 인욕人欲은 이와 같다는 것을 알아서 실천해 나가는 것이다."

“或云, ‘無時不戒謹恐懼, 則天理無時而不流行；有時而不戒謹恐懼, 則天理有時而不流行.’ 此語如何?”

曰：“不如此也不得. 然也不須得將戒謹恐懼說得太重, 也不是恁地驚恐. 只是常常提撕, 認得這物事, 常常存得不失. 今人只見他說得此四箇字重, 便作臨事驚恐看了. ‘如臨深淵, 如履薄冰’, 曾子也只是順這道理, 常常恁地把捉去. 一云：‘恁地兢謹把捉去, 不成便恁地驚恐, 學問只是要此心常存.’ 若不用戒謹恐懼, 而此理常流通者, 惟天地與聖人耳. 聖人‘不勉而中, 不思而得, 從容

....

　　得一理便到, 只是要積累多後, 自然見去.)”라고 되어 있다.

59　‘자기 몸에서부터 … 것이다.’：『河南程氏遺書』 권17, 64조목

60　『孟子』「盡心上」 4장에 “맹자가 말했다. ‘萬物이 모두 나에게 갖추어져 있으니, 몸에 돌이켜 보아 진실되면 즐거움이 이보다 더 큰 것이 없다.’(孟子曰, ‘萬物皆備於我矣. 反身而誠, 樂莫大焉.’)”라는 내용이 있다.

中道', 亦只是此心常存, 理常明, 故能如此. 賢人所以異於聖人, 衆人所以異於賢人, 亦只爭
這些子境界, 存與不存而已. 嘗謂人無有極則處,[61] 便是堯舜周孔, 不成說我是從容中道, 不
要去戒謹恐懼. 那工夫亦自未嘗得息.

(물었다.) "누군가가 '어느 때고 계신戒愼 · 공구恐懼하지 않음이 없으면 천리는 어느 때고 유행하지 않음
이 없지만, 어느 때라도 계신 · 공구하지 않음이 있다면, 천리도 유행하지 않음이 있다.'고 했는데, 이
말이 어떠합니까?"

(주자가) 대답했다. "이와 같지 않으면 안 된다. 그러나 계신 · 공구를 너무 무겁게 말할 필요도 없고,
이와 같이 놀라고 두려워하는 것도 옳지 않다. 단지 항상 마음을 일깨워서 이 계신 · 공구의 일을 인식하
면서 항상 마음을 두어 잃어버리지 않아야 할 뿐이다. 요즘 사람들은 그가 이 네 글자(계신 · 공구)에
대해 무겁게 설명한 것[62]을 보고는, (계신 · 공구를) 일에 임해서 무서워하는 것으로 여긴다. '깊은 못가
에 임한 듯, 살얼음을 밟는 듯한.'[63]는 것은 증자曾子가 단지 이 도리에 따라 항상 이와 같이 지켜갔다는
것일 뿐이다. 일설에는 '이와 같이 조심하여 잡고 있는 것은 이와 같이 무서워하는 것이 아니다. 학문은 단지
이 마음을 항상 보존하려는 것일 뿐이다.'라고 했다. 계신 · 공구를 하지 않는데도 이 리理가 항상 소통되는
것은 오직 천지와 성인聖人뿐이다. 성인이 '힘쓰지 않고도 적중하고, 생각하지 않고도 얻으며, 조용히
도에 합치하는 것'[64]도 단지 이 마음이 항상 보존되어 리理가 항상 밝기 때문에 이와 같을 수 있는 것이
다. 현인賢人이 성인과 다르고, 보통사람이 현인과 다른 것도 단지 이러한 경계를 다투는 것이니, 보존하
느냐 보존하지 못하느냐일 뿐이다. (나는) 사람들 가운데 준칙으로 삼을 것이 따로 없는 사람은 요堯 · 순
舜 · 주공周公 · 공자孔子인데, 그들이라 하더라도 '나는 조용하게 도道에 맞으니 계신 · 공구를 할 필요가
없다.'고 해서는 안 된다고 한 적이 있다. 그러한 공부는 누구라도 그만둔 적이 없다.

子思說尊德性, 又却說道問學; 致廣大, 又却說盡精微; 極高明, 又却說道中庸; 溫故, 又却
說知新; 敦厚, 又却說崇禮. 這五句是爲學用工精粗全體說盡了. 如今所說, 却只偏在尊德性
上, 去揀那便宜多底占了, 無道問學底許多工夫. 只恐是占便宜自了之學, 出門動步便有礙,
做一事不得. 今人之患, 在於徒務末而不究其本. 然只去理會那本, 而不理會那末, 亦不得. 時

61 嘗謂人無有極則處: 『朱子語類』권117, 45조목에는 "常謂人無有極則處"로 되어 있다.
62 『朱子語類』에 따르면 이 말은 李丈이 廖倅의 편지를 인용해서 한 말이다. 이장은 陳淳의 장인이고, 요쉬는
미상이다.
63 '깊은 못가에 … 듯한.': 『論語』「泰伯」제3장에 "증자가 병이 위중하자, 제자들을 불러 말했다. '(이불을
걷어) 나의 발과 손을 보아라. 『詩經』에 이르기를「戰戰하고 兢兢하여, 깊은 못가에 임한 듯, 살얼음을 밟는
듯이 하라.」고 하였는데, 이제서야 나는 (이 몸을 손상시킬까 하는 근심에서) 면한 것을 알겠구나! 제자들아!'
(曾子有疾, 召門弟子曰, '啓予足! 啓予手! 詩云,「戰戰兢兢, 如臨深淵, 如履薄氷.」而今而後, 吾知免夫! 小子!')
라고 했다. "戰戰하고 兢兢하여, 깊은 못가에 임한 듯, 살얼음을 밟는 듯이 하라.(戰戰兢兢, 如臨深淵, 如履薄
氷.)"는 말은 『詩經』「小雅 · 節南山之什 · 小旻」에 보인다.
64 '힘쓰지 않고도 … 것': 『中庸』제20장

變日新而無窮, 安知他日之事, 非吾輩之責乎?

자사子思는 '덕성을 높임[尊德性]'을 말하고도 묻고 '배움을 말미암음[道問學]'을 말했고, '광대함에 이름[致廣大]'을 말하고도 '정미함을 다함[盡精微]'을 말했으며, '고명한 것에 지극함[極高明]'을 말하고도 '중용으로 말미암음[道中庸]'을 말했고, '옛것을 잊지 않음'을 말하고도 '새로운 것을 앎[溫故]'을 말했으며, '돈후함'을 말하고도 '예禮를 숭상함'을 말했다.[65] 이 다섯 구절은 학문과 공부의 정미하고 거친 것에 대해 전부를 모두 말한 것이다. 지금 말한 바와 같다면, 오히려 덕성을 높이는 데에 치우쳐서 그 편리한 것만을 골라서 했지, 묻고 배움을 말미암는 많은 공부는 없다. 단지 자기에게 편리한 자기만의 학문[66]이라면, 문을 나가서 움직일 때마다 장애가 있어 한 가지 일도 제대로 해낼 수 없을 것이다. 요즘 사람들의 병통은 한갓 말단에만 힘쓰고 근본을 궁구하지 않는 데 있다. 그러나 그 근본만을 이해하고 그 말단을 이해하지 않는 것도 또한 안 될 일이다. 시대의 변화는 날로 새로워져서 끝이 없으니, 뒷날의 일이 우리들의 책임이 아니라고 어찌 장담할 수 있겠는가?

若是少間事勢之來, 當應也只得應. 若只是自了, 便待工夫做得二十分到, 終不足以應變. 到那時, 却怕人說道不能應變, 也牽强去應, 應得便只成杜撰, 便只是人欲, 又有誤認人欲作天理處. 若應變不合義理, 則平日許多工夫依舊都是錯了. 一日之間事變無窮, 小而一身有許多事, 一家又有許多事, 大而一國, 又大而天下, 事業恁地多, 都要人與他做. 不是人做, 却教誰做? 不成我只管得自家. 若將此樣學問去應變, 如何通得許多事情, 做出許多事業? 學者須是立定此心, 汎觀天下之事, 精粗巨細, 無不周徧, 下梢打成一塊, 亦是一箇物事, 方可見於用. 不是揀那精底放在一邊, 粗底放在一邊.

작은 일이라 하더라도 마땅히 응해야 할 것이라면 응해야 한다. 만약 자기만의 학문이라면 공부를 200% 했다 하더라도 끝내 변화에 응하기에 부족할 것이다. 그때에 남들이 변화에 응하지 못한다고 말할까 두려워 억지로 응하게 되면, 응한 것은 허구가 되고 인욕일 뿐이며, 또 인욕을 천리로 오인하는 경우도 있을 것이다. 만약 변화에 응한 것이 의리義理에 부합하지 않는다면, 평소의 많은 공부는 여전히 모두

65 子思는 덕성을 … 말했다.:『中庸』 제27장에서 "위대하다, 성인의 道여! 충만하게 만물을 발육하여 높음이 하늘에 다했다. 넉넉히 크다. 禮儀가 3백 가지요, 威儀가 3천 가지이나, 그 사람을 기다린 뒤에 행해진다. 그러므로 '만일 지극한 덕이 아니면 지극한 도가 모이지 않는다.'고 말한 것이다. 그러므로 군자는 덕성을 높이고 학문을 말미암으니, 廣大함을 지극히 하고 精微함을 다 발휘하며, 高明을 끝까지 하고 中庸을 따르며, 옛것을 잊지 않고 새로운 것을 알며, 두터움을 돈독히 하고 禮를 높이는 것이다.(大哉, 聖人之道! 洋洋乎! 發育萬物, 峻極于天. 優優大哉! 禮儀三百, 威儀三千, 待其人而後行. 故曰'苟不至德, 至道不凝焉.' 故君子尊德性而道問學, 致廣大而盡精微, 極高明而道中庸. 溫故而知新, 敦厚以崇禮.)"라고 했다.
66 자기만의 학문:『朱子語類』 권117, 45조목에는 이에 대해 다음과 같이 예시를 든 주자의 말이 있다. "나의 벗이 먼 지방에 궁벽하게 처해 있어서 강구하여 밝힐 스승이나 벗이 없고 또 사방의 현인들을 접하지 못하고 또 먼 지방의 사정을 알지 못하며, 또 고금의 사람과 사태의 변화를 알지 못한다면 이 한쪽은 쉽게 어두워진다.(吾友僻在遠方, 無師友講明, 又不接四方賢士, 又不知遠方事情, 又不知古今人事之變, 這一邊易得暗昧了.)"

틀린 것이다. 하루 사이에도 일의 변화는 무궁하니, 작게는 한 몸에 많은 일이 있고, 한 집에도 또한 많은 일이 있으며, 크게는 한 나라, 더 크게는 천하에 이르기까지 일은 그렇게 많으니, 모두 사람이 거기에 참여해서 해야 한다. 사람이 하지 않는다면 누구에게 하게 할 것인가? 나는 단지 나의 일만을 관리한다고 해서는 안 된다. 이러한 학문으로 변화에 응한다면, 어떻게 많은 일의 실정에 통달할 것이며, 어떻게 수많은 일을 처리할 수 있겠는가? 배우는 자는 반드시 이 마음을 정립해서 천하의 일을 두루 살피는데 정미하고 거칠고 크고 세세한 곳에 두루 다하지 않음이 없어야, 결국에 가서 하나의 덩어리를 이루는 것도 하나의 사물임을 비로소 작용에서 볼 수 있을 것이다. 정밀한 것을 골라 한쪽에 놓고 거친 것을 한쪽에 놓는 것은 아니다.

所謂天理人欲, 只是一箇大綱如此, 下面煞有條目. 須是就事物上辨別那箇是天理, 那箇是人欲, 不可恁地空說, 將大綱來單却, 籠統無界分. 恐一向暗昧, 更動不得. 如做器具, 固是教人要做得好, 不成要做得不好. 好底是天理, 不好底是人欲. 然須是較量所以好處, 如何樣做方好做得.[67][68]

이른바 천리와 인욕의 대체大體는 이와 같을 따름이지만[69] 아래에는 많은 항목이 있다. 반드시 일과 사물에서 저것은 천리이고 저것은 인욕이라는 것을 변별해야지 그와 같이 공허하게 이야기해서 그 대체를 가지고 덮어씌워서 흐리멍덩하게 경계를 짓지 않아서는 안 된다. 줄곧 애매하기만 하면 더욱 나아가지 못한다. 예컨대 기구를 만드는데, 진실로 사람으로 하여금 잘 만들도록 해야지 잘못 만들도록 해서는 안 된다. 잘 만든 것은 곧 천리이고, 잘 만들지 못한 것은 인욕이다. 그러나 반드시 잘한 것이 어떻게 해서 잘되었는지를 헤아려야 비로소 될 것이다."

[45-1-19]
南軒張氏曰: "人之性善. 然自非上智生知之資, 其氣稟不容無所偏. 學也者, 所以化其偏而若其善也. 氣稟之偏, 其始甚微, 惟夫習而不察, 日以滋長. 非用力之深, 末由返也."[70]

남헌 장씨南軒張氏[張栻]가 말했다. "사람의 성性은 선하다. 그러나 본래 상지上智나 생지生知의 자질이 아니면 그 기품氣稟에 치우침이 없을 수 없다. 배움이라는 것은 그 치우침을 변화시켜 선을 따르게 하는 것이다. 기품의 치우침은 처음에는 매우 미미하지만, 오직 익히면서도 살피지 않으면 날로 불어난다.[71]

---

67 如何樣做方好做得. : 『朱子語類』 권117, 45조목에는 "如何樣做方好始得"이라고 되어 있다.

68 『朱子語類』 권117, 45조목

69 이른바 천리와 … 따름이지만 : 『朱子語類』 권117, 45조목에는 이 구절의 앞에 "일찍이 胡文定(胡安國)이 증길보에게 답한 편지를 보니, 사람은 단지 천리를 보존하고 인욕을 제거해야 한다는 주장이 있었는데, 뒷부분은 한결같이 칭찬만 하고 분석한 것은 전혀 없었다. 이것이 곧 이전 사람들이 남을 위하지 못했던 것이니, 여기에서는 바로 확정해서 그것을 분서해야만 비로소 옳다.(嘗見胡文定答曾吉甫書, 有人只要存天理去人欲之論, 後面一向稱贊, 都不與之分析. 此便是前輩不會爲人處, 此處正好捉定與他剖判始得.)"라고 되어 있다.

70 『南軒集』 권15 「送方耕道序」

깊이 노력하지 않는다면 돌이킬 수 없다."

[45-1-20]

"古人所以從事於學者, 其果何所爲而然哉? 天之生斯人也, 則有常性; 人之立于天地之間也, 則有常事. 在身有一身之事, 在家有一家之事, 在國有一國之事. 其事也非人之所能爲也, 性之所有也. 弗勝其事, 則爲弗有其性; 弗有其性, 則爲弗克若天矣. 克保其性而不悖其事, 所以順乎天也. 然則捨講學其能之哉? 凡天下之事, 皆人之所當爲. 君臣·父子·兄弟·夫婦·朋友之際, 人事之大者也, 以至於視聽言動, 周旋食息, 至纖至悉, 何莫非事者? 一事之不貫, 則天性以之陷溺也. 然則講學其可不汲汲乎? 學所以明萬事而奉天職也.

(남헌 장씨가 말했다.) "옛사람들이 학문에 종사한 것은 과연 무엇을 위해서 그런 것이겠는가? 하늘이 사람을 내어놓음에 항상된 성性이 있고, 사람이 하늘과 땅 사이에서 항상된 일이 있다. 한 개인에 있어서는 개인의 일이 있고, 집에 있어서는 집의 일이 있고, 나라에 있어서는 나라의 일이 있다. 그 일은 사람이 할 수 있는 것이 아니라 성性이 지니고 있는 것이다. 그 일을 해내지 못하는 것은 그 성을 지니지 못해서이고, 그 성을 지니지 않은 것은 하늘에 순응하지 못해서이다. 그 성을 잘 보존하고 그 일을 어그러뜨리지 않는 것이 하늘을 따랐기 때문이다. 그렇다면 학문을 강론하는 것을 버려두고 해낼 수 있겠는가? 무릇 천하의 일은 모두 사람들이 마땅히 해야 할 것들이다. 군주와 신하, 부모와 자식, 형제, 부부, 벗 사이는 인사人事의 큰 일이니, 보고 듣고 말하고 행동하는 것, 일상의 움직임과 먹고 쉬는 것 같은 지극히 세세하고 지극히 남김 없는 부분까지 무엇이 일이 아니겠는가? 하나의 일이라도 일관되지 않으면 천성天性이 이로 인해 무너진다. 그러니 학문을 강론하는 것에 급급하지 않을 수 있겠는가? 학문은 만사萬事를 밝히고 천직天職을 받드는 것이다.

雖然, 事有其理而著於吾心, 心也者, 萬事之宗也. 惟人放其良心, 故事失其統紀. 學也者, 所以收其放而存其良也. 夏葛而冬裘, 饑食而渴飮, 理之所固存, 而事之所當然者. 凡吾於萬事, 皆見其若是也, 而後爲當其可, 學者求乎此而已. 嘗竊怪今世之學者, 其所從事, 往往異乎是. 鼓篋入學, 抑亦思吾所謂學者, 果何事乎? 聖人之立敎者, 果何在乎, 而朝廷建學羣聚而敎養者, 又果何爲乎? 嗟夫! 此獨未之思而已矣. 使其知所思, 則必竦然動于中, 而其朝夕所接君臣·父子·兄弟·夫婦·朋友之際, 視聽言動之間, 必有不得而遁者, 庶乎可以知入德之門矣."72

---

71 익히면서도 살피지 … 불어난다 : 『孟子』「盡心上」 5장에 "행하면서도 밝게 알지 못하고, 익히면서도 살피지 못하니 종신토록 말미암으면서도 그 道를 모르는 자가 많다.(行之而不著焉, 習矣而不察焉, 終身由之而不知其道者, 衆也.)"라는 말이 있다.
72 『南軒集』 권9 「靜江府學記」

비록 그렇기는 하지만 일에는 그 이치가 있고 (그 이치는) 우리 마음에 붙어 있으니 마음이란 것은 만사의 종주宗主다. 오직 사람이 그 양심良心을 놓아버리기 때문에 일이 그 조리를 잃어버린다. 배움이라는 것은 그 방심放心을 거두어들이고 양심良心을 보존하는 일이다. 여름에는 갈옷을 입고 겨울에는 갖옷을 입으며 배고프면 먹고 목마르면 마시는 것은 이치가 본래 있는 곳이고 일의 마땅한 것이다. 무릇 내가 만사에 있어서 모두 이와 같이 본 이후에 행위가 그에 합당할 것이니, 배우는 자들은 이것을 구할 뿐이다. 일찍이 요즘의 학자들은 그 종사하는 것이 왕왕 이와 다른 것을 괴이하게 여겼다. 북이 울려 책상자를 여는 것이 배움에 들어가는 것[73]이라면, 내가 말하는 배움이라는 것을 과연 어떤 것이라고 생각하는가? 성인聖人이 가르침을 세운 것이 과연 어디에 있으며, 조정朝廷에서 학교를 세우고 무리를 모아 교육하여 양성하는 것은 또 과연 어떤 것이라 생각하는가? 아! 이것은 다만 그것에 대해 생각해보지 않았을 따름이다. 생각할 것을 알았다면, 반드시 뜨끔하게 마음속에서 움직임이 일어나, 그 아침저녁으로 접하는 군주와 신하, 부모와 자식, 형제, 부부, 벗 사이의 관계와 보고 듣고 말하고 행동하는 사이에서 반드시 피할 수 없는 것이 있을 테니, 그렇다면 거의 덕德으로 들어가는 문을 알게 될 것이다."

[45-1-21]

"入德有門戶, 得其門而入, 然後有進也. 夫子之教人循循善誘, 始學者聞之, 即有用力之地, 而至于成德, 亦不外是. 今欲求所持循而施吾弗措之功, 其可不深考之於夫子之遺經乎? 試擧一端而論. 夫子之言曰, '弟子入則孝, 出則弟, 謹而信, 汎愛衆, 而親仁, 行有餘力, 則以學文.' 嗟乎! 是數言者, 視之若易, 而爲之甚難; 驗之不遠, 而測之愈深. 聖人之言, 化工也.

(남헌 장씨가 말했다.) "덕에 들어가는 것에는 문이 있으니, 문을 찾아서 들어간 후에 진전이 있다. 공자孔子가 사람을 가르치면서 차근차근히 잘 이끌어주어,[74] 처음 배우는 자가 그것을 들으면 곧 노력을 할 자리가 있었고, 덕을 이루는 것도 또한 여기에서 벗어나지 않는다. 지금 간직하면서 따를 것을 찾아서, 내가 '버려두지 않는[弗措][75] 공부를 펴고자 한다면, 공자가 남긴 경전을 깊이 고찰해 보지 않아서야

---

73 북이 울려 … 것: 『禮記』「學記」에 "대학에서 수업을 시작할 때, 먼저 皮弁 차림으로 先師에게 釋菜를 올리는데, 이는 공경하는 도를 나타내는 것이고, 대학에 들어가면 북을 쳐서 학생을 모아 상자를 열고 책을 꺼내게 하는데, 이는 수업에 공손히 임하게 하기 위함이다.(大學始教, 皮弁祭菜, 示敬道也, 入學鼓篋, 孫其業也.)"라고 했다.

74 孔子가 사람을 … 이끌어주어: 『論語』「子罕」에 "顔淵이 크게 탄식하며 말했다. '(공자의 道는) 우러러 볼수록 더욱 높고 뚫을수록 더욱 견고하며, 바라볼 때는 앞에 있더니 홀연히 뒤에 있다. 夫子(孔子)께서 차근차근히 사람을 잘 이끌어주어 학문으로써 나의 지식을 넓혀주고 禮로써 나의 행동을 요약하게 해주었다. (공부를) 그만두려고 해도 그만둘 수 없어 이미 나의 재주를 다하니, (공자의 道는) 내 앞에 우뚝 서있는 듯하다. 비록 그를 따르려고 하지만 어디로부터 시작해야 할지 모르겠다.'(顔淵喟然歎曰, '仰之彌高, 鑽之彌堅; 瞻之在前, 忽焉在後. 夫子循循然善誘人, 博我以文, 約我以禮. 欲罷不能, 旣竭吾才, 如有所立卓爾, 雖欲從之, 末由也已.')"라고 했다.

75 '버려두지 않는[弗措]': 『中庸』제20장에 "배우지 않을지언정 배운다면 잘 할 수 없는 것을 내버려두지 않고, 묻지 않을지언정 묻는다면 알지 못하는 것을 내버려두지 않으며, 생각하지 않을지언정 생각했다면 알지 못하

되겠는가? 한 구절만 들어서 논해보겠다. 공자의 말에 '젊은이들은 집에 들어와서는 효도하고 나가서는 공손하며, 행실을 삼가고 말을 미덥게 하며, 널리 사람들을 사랑하되 인(仁)한 사람을 가까이 해야 한다. 이것을 행하고 여력(餘力)이 있으면 글을 배워야 한다.'[76]고 했다. 아! 이 몇 마디 말씀은 보기에는 쉬운 듯하지만 실천하기는 매우 어렵고, 멀지 않은 곳에서 경험할 수 있지만 헤아려 보면 더욱 심오하다. 성인의 말씀은 '조화옹의 솜씨[化工]'이기 때문이다.

學者如果有志, 盡亦於所謂入孝出弟, 所謂謹而信, 所謂汎愛親仁者, 學之而弗措乎? 學然後知不足, 其間精微曲折, 未易盡也, 其亦問之而弗措乎? 思之未至, 終不爲己物, 盡亦思之而弗措乎? 思之而有疑, 盡亦辨之而弗措乎? 思而得, 辨而明, 又盡行之而弗措乎? 是五者, 蓋同體以相成, 相資而互相發也. 眞積力久, 所見益深, 所履益固, 而所以弗措者, 蓋有不可以已,[77] 高明博厚, 端可馴而識矣.[78]

배우는 자가 만약 과연 뜻을 두었다면 또한 이른바 '집에 들어와서는 효도하고 나가서는 공손하라.'는 것과, '행실을 삼가고 말을 미덥게 하라.'는 것과, '널리 사람들을 사랑하되 인(仁)한 사람을 가까이하라.'는 것에 있어서, 어찌 배우지 않고 버려둘 수 있겠는가? 배운 후에야 부족함을 알 것이요, 그 사이의 자세하고 복잡한 것들을 남김없이 다하기가 쉽지 않으니, 또한 묻지 않고 버려둘 수 있겠는가? 생각이 지극하지 못하면 끝내 자기 것이 되지 못하니, 또한 생각하지 않고 버려둘 수 있겠는가? 생각해서 의문이 있다면, 또한 분변하지 않고 버려둘 수 있겠는가? 생각해서 얻고 분변해서 밝힌 것은 또한 실천하지 않고 버려둘 수 있겠는가? 이 다섯 가지는 같은 몸체로서 서로를 이루어주고, 서로 바탕이 되어 서로 밝혀주는 것들이다. 참됨이 쌓이고 노력이 오래되면, 소견이 더욱 깊어지고 실천한 것이 더욱 확고해져서, 버려두지 않음을 그만둘 수 없을 것이니, '높고 밝아짐[高明]'과 '넓고 두터워짐[博厚]'[79]을 틀림없이 점차 알 수 있을

는 것을 버려두지 않고, 분변하지 않을지언정 분변한다면 분명하지 못하는 것을 버려두지 않으며, 행하지 않을지언정 행한다면 독실하지 못한 것을 버려두지 않아서, 남이 한 번에 잘 할 수 있으면 자신은 백 번을 하며, 남이 열 번에 잘 할 수 있으면 자신은 천 번을 한다.(有弗學, 學之弗能弗措也 ; 有弗問, 問之弗知弗措也 ; 有弗思, 思之弗得弗措也 ; 有弗辨, 辨之弗明弗措也 ; 有弗行, 行之弗篤弗措也 ; 人一能之己百之, 人十能之己千之.)"라고 했다.

76 '젊은이들은 집에 … 한다.' : 『論語』「學而」

77 蓋有不可以已 : 『南軒集』권11 「弗措齋記」에는 "益有不可以已(더욱 그만둘 수 없을 것이니)"로 되어 있다.

78 端可馴而識矣. : 『南軒集』권11 「弗措齋記」에는 "端可馴而至矣.(틀림없이 점차 이를 수 있을 것이다.)"로 되어 있다.

79 '높고 밝아짐[高明] … 두터워짐[博厚]' : 『中庸』제26장에 "그러므로 至誠은 멈춤이 없으니, 멈추지 않으면 오래가고, 오래가면 징험이 나타나고, 징험이 나타나면 멀리 가고, 멀리 가면 넓고 두텁고[博厚], 넓고 두터우면 높고 밝대[高明]. 넓고 두터운 것은 물건을 실어 주고, 높고 밝은 것은 물건을 덮어 주며, 오래가는 것은 물건을 이루어 주는 것이다. 넓고 두터움은 땅에 짝하고, 높고 밝음은 하늘을 짝하며, 오래가는 것은 다함이 없다. 이와 같은 자는 보여주지 않아도 드러나고, 움직이지 않아도 변하며, 함이 없이도 이루어진다.(故至誠無息, 不息則久, 久則徵, 徵則悠遠, 悠遠則博厚, 博厚則高明. 博厚所以載物也, 高明所以覆物也, 悠久所以成物也.

것이다.

噫! 學不躐等也, 譬如燕人適越, 其道里之所從, 城郭之所經, 山川之阻修, 風雨之晦冥, 必一一實履焉, 中道無畫, 然後越可幾也. 若坐環堵之室而望越之渺茫, 車不發軔, 而欲乘雲駕風以遂抵越, 有是理哉? 且夫爲孝, 必自冬溫夏淸·昏定晨省始; 爲弟, 必自徐行後長者始. 故善言學者, 必以洒掃應對進退爲先焉. 惟夫弗措之爲貴也."[80]

아! 배움은 단계를 건너뛸 수 없는 것이다. 비유컨대, 연燕 사람이 월越로 가는데,[81] 가는 길과 마을, 경유하는 성곽, 멀고 험한 산천, 어두운 비바람 등을 반드시 하나하나 실제로 겪고, 도중에 그만두는 일이 없고서야 월에 가까이 갈 수 있다. 만약 담으로 둘러싸인 집에 앉아서 월나라의 아득함만을 보고 수레를 출발시키지도 않고, 구름을 타고 바람에 멍에를 씌워 월나라에 도달하려고 한다면, 이런 이치가 있겠는가? 먼저 효를 하는 것은 반드시 겨울에는 따뜻하게, 여름에는 시원하게 해 드리는 것과 저녁에는 이부자리를 봐 드리고 아침에는 안부를 살피는 것으로 비롯되고,[82] 공손함을 실천하는 것은 반드시 천천히 어른의 뒤를 따르는 것으로 시작된다.[83] 그러므로 학문을 잘 말하는 자는 반드시 물 뿌리고 비질하고 응하고 대답하는 나아가고 물러가는 예절을 우선으로 삼는다. '버려두지 않음'이 중요한 일이다."

[45-1-22]

"學必有序. 故自洒掃應對進退而往, 皆序也. 由近以及遠, 自粗以至精, 學之方也. 如適千里者, 雖步步踏實, 亦須循次而進. 今欲闊步一蹴而至, 有是理哉? 自欺自誤而已."[84]

(남헌 장씨가 말했다.) "배움에는 반드시 순서가 있다. 그러므로 물 뿌리고 비질하며, 응하고 대답하며, 나아가고 물러가는 예절로부터 시작해 가는 것이 모두 순서이다. 가까운 데서부터 먼 곳에 미치고, 거친 것으로부터 정밀한 것에 이르는 것이 학문의 방법이다. 예컨대 천리千里를 가는 자는 비록 한 걸음씩 실제로 걸어가더라도 순서대로 나아가야 한다. 이제 큰 걸음으로 한번에 이르고자 한다면, 이런 이치가 있겠는가? 스스로를 속이고 스스로를 그르칠 뿐이다."

· ·

博厚配地, 高明配天, 悠久無疆. 如此者, 不見而章, 不動而變, 無爲而成.)"라고 했다.

80 『南軒集』 권11 「弗措齋記」

81 중국에서 燕은 동북의 끝이고 越은 서남의 끝으로 가장 긴 거리를 말한다.

82 먼저 효를 … 비롯되고: 『禮記』 「曲禮上」에 "무릇 사람의 자식된 자는 겨울에는 따뜻하게 해 드리고 여름에는 시원하게 해 드리며, 저녁으로 이부자리를 봐 드리고 아침으로 안부를 살피며 동료들과는 다투지 않는 것에 있다.(凡爲人子之禮, 冬溫而夏淸, 昏定而晨省, 在醜夷不爭.)"라고 했다.

83 공손함을 실천하는 … 시작된다: 『孟子』 「告子下」에 "천천히 걸어서 어르신[長者]보다 뒤에 감을 '공손하다[弟]'고 하고, 빨리 걸어서 어르신보다 앞서 감을 '공손하지 않다[不弟]'고 하니, 천천히 걸어가는 것이 어찌 사람들이 할 수 없는 것이겠는가? 하지 않는 것일 뿐이니, 堯舜의 도는 효제일 뿐이다.(徐行後長者, 謂之弟, 疾行先長者, 謂之不弟, 夫徐行者, 豈人所不能哉? 所不爲也, 堯舜之道, 孝弟而已矣.)"라고 했다.

84 『南軒集』 권32 「答胡季隨 又答」

[45-1-23]

"講究義理, 須要看得如饑食渴飲, 只是平常事. 若談高說妙, 便是懸高揣度, 去道遠矣."

(남헌 장씨가 말했다.) "의리를 강구하는 것은 배고플 때 밥 먹고 목마를 때 물 마시는 것처럼 단지 평상의 일로 보아야 한다. 고담준론高談峻論과 같은 것은 고공을 더듬는 일이니 도道에서 거리가 멀다."

[45-1-24]

"近日學者論仁字, 多只是要見得仁字意思. 縱使逼眞, 亦終非實得. 看『論語』中聖人所言, 只欲人下工夫, 升高自下, 陟遐自邇, 循序積習, 自有所至. 存養省察, 固當並進, 存養是本. 工夫固不越於敬, 敬固在主一. 此事惟用力者, 方知其難."[85]

(남헌 장씨가 말했다.) "요즘 배우는 자들이 인仁을 논할 때에 대부분 인의 의미만을 이해하려 할 뿐이다. 설령 진의에 가까워졌다 하더라도 결국은 실제로 얻는 것이 아니다. 『논어』에서 성인聖人이 말한 것을 보면, 단지 사람들이 공부하기를 높은 곳을 오를 때 낮은 데서 출발하고 먼 곳을 갈 때 가까운 곳에서 출발하듯 하여, 순서에 따라 익히기를 축적하면 저절로 도달하는 곳이 있도록 하려는 것이다. 존양存養과 성찰省察은 본래 함께 나아가야 하는 것이지만, 존양이 근본이다. 그 공부는 진실로 경敬을 넘어서지 않으니, 경은 주일主一하는 데 있다. 이 일은 오직 노력을 해본 사람이라야 그 어려움을 알 수 있다."

[45-1-25]

"講學不可以不精也. 毫釐之差, 則其弊有不可勝言者. 故夫專於考索, 則有遺本溺心之患; 而騖於高遠, 則有躐等憑虛之憂. 二者皆其弊也. 考聖人之敎,[86] 固不越乎致知力行之大端, 患在人不知所用力耳, 莫非致知也. 日用之間, 事之所遇, 物之所觸, 思之所起, 以至於讀書考古, 苟知所用力, 則莫非吾格物之妙也. 其爲力行也, 豈但見於孝悌忠信之所發, 形於事而後爲行乎? 自息養瞬存, 以至於三千三百之間, 皆合內外之實也. 行之力, 則知愈進; 知之深, 則行愈達."[87]

(남헌 장씨가 말했다.) "강학講學은 정밀하지 않으면 안 된다. 털끝만한 차이에도 그 폐단은 이루 말할 수 없는 것이 있다. 그러므로 자잘한 것을 살피는 데만 골몰하면 그 근본을 버리고 생각에 빠지는 병통이 있고, 고원한 것에 힘쓰면 순서를 건너뛰어 공허한 데로 달려갈 우려가 있다. 이 두 가지는 모두 그 폐단이다. 성인聖人의 가르침을 상고해 보면, 진실로 치지致知와 역행力行의 큰 갈래를 벗어나지 않는데, 문제는 사람들이 힘써야 할 곳을 알지 못하는 데 있을 뿐으로 치지致知 아닌 것이 없다. 일상생활 속에서 만나는 일들, 접하는 사물들, 일어나는 생각들에서 책을 읽고 옛일을 상고하는 것에 이르기까지, 진실로 힘써야 할 곳을 아는 것이 나의 격물格物의 오묘함이 아닌 것이 없다. 그 역행할 것이란, 어찌 다만

85 『南軒集』 권27 「答喬德瞻」
86 考聖人之敎: 『南軒集』 권26 「答陸子壽」에는 "考聖人之敎人"으로 되어 있다.
87 『南軒集』 권26 「答陸子壽」

효제孝弟·충신忠信이 발하는 곳에서 알아차리고 일이 생겨난 뒤에라야 행할 일이 될 뿐이겠는가? 숨 한번 쉬고 눈 깜빡일 사이에 존심存心·양성養性하는 것[88]에서부터 삼천 가지 위의威儀와 삼백 가지 예의禮儀[89]에 이르기까지 모든 것이 안과 밖을 합하는 실제.[90] 행하는 데 힘을 쓰면 앎은 더욱 진보하고, 앎이 깊어지면 행함은 더욱 잘 될 것이다."

[45-1-26]

"如今一輩學者, 往往希慕高遠, 畢竟終無所得. 要之, 仁之實, 事親是也; 義之實, 從兄是也. 當於事親從兄之際, 踐履中體察之, 此最親切. 若升高必自下, 若陟遐必自邇, 須是下學而上達. 雖洒掃應對, 其中自有妙理. 至如禮經三百威儀三千, 在吾儒爲之, 雖若遲緩, 然爲之不已, 雖至聖人可也. 更當博觀伊洛議論, 涵泳於中, 使之自得. 且如聽人說他處, 市井如何, 山川如何, 比之親到, 氣象殊別."

(남헌 장씨가 말했다.) "지금 한 무리의 배우는 자들은 왕왕 고원한 것을 사모하다가 끝내 얻는 것이 없다. 요컨대 인仁의 실제는 부모父母를 섬기는 것이 이것이고, 의義의 실제는 형兄을 따르는 것이 이것이다.[91] 부모를 섬기고 형을 따를 때에 실천하는 가운데에서 몸소 살필 것이니, 이것이 가장 절실한 것이다. 높은 곳을 오를 때 낮은 곳에서 출발하듯, 먼 곳에 갈 때 가까운 데서 출발하듯, 반드시 하학下學상달上達해야 한다. 비록 물 뿌리고 비질하며 응하고 대답하는 것이라 할지라도 그 속에 자연히 묘한 이치가 있다. 삼백 가지의 경례經禮와 삼천 가지의 위의威儀 같은 것은 우리 유자儒者들이 할 일이니, 비록 더디고 느슨한 것 같더라도 쉬지 않고 실천하면 성인聖人의 경지에 이르는 것도 가능할 것이다. 여기에 더욱 이락伊洛二程의 논의를 널리 보고 그 속에 젖어들어 자득해야 한다. 예컨대 사람들이 말하는 소리를

---

88 숨 한번 … 것: 『正夢』「有德篇」에는 "말에는 (따라야 할) 가르침이 있고, 행동에는 (따라야 할) 법도가 있다. 낮에는 행함이 있고, 밤에는 얻음이 있다. 숨 쉴 동안에도 수양함이 있고, 눈 깜박일 순간에도 보존함이 있다. (言有敎, 動有法. 晝有爲, 宵有得. 息有養, 瞬有存.)"고 했다.

89 삼천 가지 … 禮儀: 『中庸』 제27장에 "크도다. 성인의 도여! … 가득 차고 남을 정도로 크도다! 禮儀(큰 절목의 예)가 삼백이고, 威儀(작은 절목의 예)가 삼천이로다.(大哉, 聖人之道! … 優優大哉! 禮儀三百, 威儀三千.)"라고 했다. 한편 『禮記』「禮器」에는 "예는 큰 것도 있고 작은 것도 있으며, 드러난 것도 있고 미세한 것도 있으니, 큰 것은 덜 수 없고, 작은 것은 보탤 수 없으며, 드러난 것은 가릴 수 없고 미세한 것은 키울 수 없다. 그러므로 經禮(큰 절목의 예) 삼백과 曲禮(세세한 절목의 예) 삼천이 그 극치는 하나이다.(禮有大有小有顯有微, 大者不可損, 小者不可益, 顯者不可揜, 微者不可大也. 故經禮三百, 曲禮三千, 其致一也.)"라고 했다.

90 안과 밖을 … 실제이다.: 『中庸』 제25장에서, "誠은 스스로 자기만을 이룰 뿐이 아니라 남을 이루어 주니, 자기를 이루는 것은 仁이고, 남을 이루어 주는 것은 智이다. 이는 性의 德이니, 內外를 합하는 道이다. 그러므로 때에 따라 조처하는 것의 마땅함이다.(誠者, 非自成己而已也, 所以成物也, 成己, 仁也; 成物, 知也. 性之德也, 合內外之道也. 故時措之宜也.)"라고 했다.

91 仁의 실제는 … 이것이다.: 『孟子』「離婁上」에 "仁의 실제는 어버이를 섬기는 것이고, 義의 실제는 형에게 순종하는 것이며, 智의 실제는 이 두 가지를 알아서 버리지 않는 것이고, 禮의 실제는 이 두 가지를 節文하는 것이며, 樂의 실제는 이 두 가지를 즐거워하는 것이다.(仁之實, 事親是也; 義之實, 從兄是也; 智之實, 知斯二者, 弗去是也; 禮之實, 節文斯二者是也; 樂之實, 樂斯二者.)"라고 했다.

듣고 저잣거리가 어떠한지 산천山川이 어떠한지 직접 가서 본 것과 비교해 보면 그 기상이 크게 다르다."

[45-1-27]
"責己須要備. 人有片善, 皆當取之. 古人之學, 只是爲己. 如晏平仲其事君臨政未必皆是, 然善與人交, 聖人便取之. 子產有君子之道四焉, 其不合道處想多. 只此四者, 便是吾之師. 責己而取人, 不惟養吾之德, 亦與人爲善也."[92]

(남헌 장씨가 말했다.) "자기를 책망하는 것은 반드시 완비되기를 요해야 한다. 다른 사람에게 한 가지의 좋은 것이라도 있다면 모두 마땅히 취해야 한다. 옛사람의 학문은 단지 위기지학爲己之學일 뿐이었다. 예컨대 안평중晏平仲은 임금을 섬기고 정치에 임하는 데 모든 것이 반드시 옳지는 않았지만, 남들과 잘 교제했으므로 성인이 그것을 취했다.[93] '자산子產은 군자의 도 네 가지를 갖추었다.'[94] 하니, 도에 합당하지 않은 것도 많았을 것으로 추측된다. 그러나 이 네 가지는 곧 나의 스승으로 삼아야 할 것이다. 자기를 책망하고 남에게서 취하는 것은 나의 덕을 기를 뿐만 아니라, 남의 선을 돕는 것이 된다."[95]

[45-1-28]
象山陸氏曰: "學者大病, 在於師心自用. 師心自用, 則不能克己, 不能聽言. 雖使羲黃唐虞以來羣聖人之言, 畢聞於耳, 畢熟於口, 畢記於心, 祗益其私, 增其病耳. 爲過益大, 去道愈遠, 非徒無益而又害之."[96]

상산 육씨象山陸氏陸九淵가 말했다. "배우는 자들의 큰 병통은 마음을 스승삼아 제멋대로 하는 데 있다.[97]

. . . .

92 『西山讀書記』 권25
93 남들과 잘 … 취했다. : 『論語』 「公冶長」에 "孔子가 말했다. '안평중은 남과 사귀기를 잘하는구나! 오래되어도 공경하니.'(子曰, '晏平仲善與人交! 久而敬之.')"라고 했다.
94 '子產은 군자의 … 갖추었다.' : 『論語』 「公冶長」에 "孔子가 자산을 평했다. '군자의 道가 네 가지 있었으니, 스스로 몸가짐이 공손하고, 윗사람을 섬기는 것이 공경스러우며, 백성을 기르는 데는 은혜롭고, 백성을 부리는 데는 의로웠다.'(子謂子產, '有君子之道四焉, 其行己也恭, 其事上也敬, 其養民也惠, 其使民也義.')"라고 했다.
95 자기를 책망하고 … 된다. : 『孟子』 「公孫丑上」에 순임금에 대하여 다음과 같이 설명한 내용이 있다. "밭 갈고 곡식을 심으며 질그릇 굽고 고기 잡을 때부터 황제가 되기까지 남에게서 취한 것 아닌 것이 없었다. 남에게서 취하여 善을 행하는 것은 남이 선을 하도록 도와주는 것이다. 그러므로 군자는 남이 善을 하도록 도와주는 것보다 더 훌륭함이 없는 것이다.(自耕稼陶漁, 以至爲帝, 無非取於人者. 取諸人以爲善, 是與人爲善者也. 故君子莫大乎與人爲善)"
96 『象山集』 권3 「與張輔之」
97 마음을 스승삼아 … 있다. : 『顏氏家訓』 권3 「勉學」에 "『書經』에 이르기를 '묻기를 좋아하면 넉넉하다.'고 했고, 『禮記』에 이르기를 '홀로 공부하면서 벗이 없으면 고루해지고 들은 것이 적다.'고 했다. 서로 절차탁마하여 밝게 일깨워 주어야 한다. 문을 닫고 글을 읽고 자기 마음을 스승으로 삼아 스스로 옳다고 하지만, 많은 사람들이 넓게 앉아 있는 곳에서 잘못되고 망신하는 사람이 많이 있음을 보았다.(書曰, '好問則裕', 禮云, '獨學而無友, 則孤陋而寡聞.' 蓋須切磋相起明也. 見有閉門讀書, 師心自是, 稱人廣坐, 謬誤羞失者多矣.)"라고 했다.

마음을 스승삼아 제멋대로 하면 자기의 사사로움을 극복할 수 없고 말을 알아듣지 못한다. 설사 복희伏
羲·황제黃帝·당요唐堯·우순虞舜 이래 모든 성인聖人의 말을 모두 귀로 듣고 모두 입으로 익숙하게 외우
고 모두 마음에 기억한다 하더라도, 단지 사사로운 마음만 늘어나 병통만을 키울 뿐이다. 잘못이 더욱
커질수록 도道에서 더욱 멀어지니 이는 단지 보탬이 없을 뿐만 아니라 오히려 해가 된다."

[45-1-29]

"爲學但當孜孜進德修業, 使此心於日用間, 戕賊日少, 光潤日著. 則聖賢垂訓, 向以爲盤根錯
節, 未可遽解者, 將渙然氷釋, 怡然理順, 有不加思而得之者矣."[98]

(상산 육씨가 말했다.) "학문을 하는 것은, 마땅히 부지런하게 덕德을 증진시키고 업業을 닦아서,[99] 이
마음으로 하여금 일상생활에서 본심을 해치는 것을 날로 줄이고, 빛과 윤나는 것을 날로 드러나게 할
뿐이다. 그렇게 된다면 성현이 내린 가르침 중 이전에는 얽히고 꼬여서 바로 이해하지 못했던 것이
장차 봄날 얼음 녹듯 스르르 풀리고 이치가 기쁘게 순통順通하여,[100] 생각을 보태지 않아도 얻는 것이
있을 것이다."[101]

[45-1-30]

"學者且當大綱思省. 平時雖號爲士人, 雖讀聖賢書, 其實何曾篤志於聖賢事業? 往往從俗浮沈,
與時俯仰, 徇情縱欲, 汨没而不能以自振. 日月逾邁, 而有泯然與草木俱腐之恥. 到此能有愧
懼, 大決其志, 乃求涵養磨礪之方. 若有事役, 未得讀書, 未得親師, 亦可隨處自家用力檢點, 見
善則遷, 有過則改. 所謂'心誠求之, 不中不遠.' 若事役有暇, 便可親書冊, 無不有益者."[102]

(상산 육씨가 말했다.) "배우는 자는 우선 큰 강령을 생각하고 살펴야 한다. 평소 비록 선비라고 불리며
성현의 글을 읽었더라도, 그 실상이 언제 성현의 일에 독실하게 뜻을 둔 적이 있었겠는가? 왕왕 세속世俗
을 따라 부침浮沈하고, 시세時勢에 따라 영합하며, 감정을 따르고 욕심을 부리는 일에 골몰하면 스스로
진작할 수가 없다. 세월은 빨리 흘러가니[103] 초목과 뒤섞여 함께 흔적 없이 썩어가는 것에 부끄러움이

---

98 『商山集』 권3 「與劉深甫」

99 德을 증진시키고 … 닦아서 : 『周易』「乾卦」에 "구삼효는 군자가 종일토록 힘쓰고 힘쓴다.(九三, 君子終日乾
乾.)"라고 하였고 『周易』「乾卦 · 文言傳」에 "군자는 德을 진전시키고 業을 닦는다.(君子進德修業.)"라고 했다.

100 봄날 얼음 … 順通하여 : 杜預(222~284)의 「春秋左氏傳序」에 "강과 바다가 대지를 잠기게 하고 단비가 만물
을 적시듯이, (의심이) 봄날 얼음 녹듯 스르르 풀리고 기쁘게 順通한 뒤에야 터득함이 된다.(若江海之浸,
膏澤之潤, 渙然氷釋, 怡然理順, 然後爲得也.)"라는 말이 있다.

101 생각을 보태지 … 것이다. : 『中庸』 제20장에 "성실한 것은 하늘의 道요, 성실히 하려는 것은 사람의 도이다.
성실한 것은 힘쓰지 않고도 도에 맞으며, 생각하지 않고도 알아서 조용히 도에 맞으니 성인이고, 성실히
하려는 자는 善을 택하여 굳게 잡는 자이다.(誠者, 天之道也, 誠之者, 人之道也. 誠者, 不勉而中, 不思而得,
從容中道, 聖人也, 誠之者, 擇善而固執之者也.)"라고 했다.

102 『商山集』 권3 「與曹挺之」

103 세월은 빨리 흘러가니 : 『書經』「秦誓」에 "내 마음의 근심은 세월이 흘러가 다시는 오지 않을 듯한 데 있다.

있어야 한다. 이에 이르러 부끄럽고 두려운 마음이 있어서 크게 그 뜻을 정할 수 있어야 비로소 함양하고 갈고 닦을 방법을 구하게 된다. 만약 맡은 일이 있어서 글을 읽지 못하거나 스승을 만나지 못하더라도 가는 곳마다 스스로 힘써 점검하여, 선한 것을 보면 옮겨가고 잘못이 있으면 고쳐야 한다. 이른바 '마음에서 정성스럽게 구하면 비록 딱 맞지는 못하더라도 멀지는 않다'[104]는 것이다. 일을 하다가 짬이 있을 때 서책을 가까이 한다면, 보탬이 되지 않음이 없을 것이다."

[45-1-31]
東萊呂氏曰 : "靜多於動, 踐履多於發用, 涵養多於講說, 讀經多於讀史. 工夫至此, 然後可久可大."[105]

동래 여씨東萊呂氏[呂祖謙]가 말했다. "정靜이 동動보다 많고, 실천이 발용發用(창출)보다 많으며, 함양이 강설보다 많고, 경전 읽는 것이 역사 읽는 것보다 많아야 한다. 공부가 이에 이른 후에 오래갈 수 있고 커질 수 있다."

[45-1-32]
問 : "人之格局卑者, 不知能進否?"
曰 : "中人以下, 固不可以語上. 然如人坐暗室, 久必自明, 若人果有志, 積以歲月之久, 亦自有見."
又問 : "必有所見, 然後能立否?"
曰 : "人之初學, 豈能一一自有所見? 須去下工夫, 工夫旣深, 其久乃有所見.[106]"[107]

물었다. "사람의 품격과 국량이 낮은 자도 진전할 수 있습니까?"
(동래 여씨가) 대답했다. "중등 인물 이하에게는 본래 높은 등급의 것을 말해 줄 수 없다.[108] 그러나 사람이 어두운 방에 앉아 있을 때, 시간이 지나면 반드시 저절로 눈이 밝아지는 것처럼, 만약 사람이 과연 뜻을 두어 오랜 세월을 쌓으면 또한 저절로 보이는 것이 있을 것이다."
또 물었다. "반드시 소견이 있은 후에 설 수 있는 것[109]입니까?"

....

(我心之憂, 日月逾邁, 若弗云來.)"라고 한 구절이 있다.

104 '마음에서 정성스럽게 … 않다.': 『大學』 전9장에 「康誥」에 이르기를 '갓난아기를 보호하듯이 한다.' 하였으니, 마음에서 정성스럽게 구하면 비록 딱 맞지는 못하더라도 멀지는 않을 것이다.(康誥曰, '如保赤子', 心誠求之, 雖不中不遠矣.)"라고 했다.

105 『東萊外集』 권6 「與葉侍郎」

106 工夫旣深, 其久乃有所見. : 『東萊外集』 권6 「己亥秋所記」에는 "工夫旣深且久乃有所見"으로 되어 있다.

107 『東萊外集』 권6 「己亥秋所記」

108 중등 인물 … 없다. : 『論語』 「雍也」에 "중등 인물 이상에게는 높은 등급의 것을 말해 줄 수 있으나, 중등 인물 이하에게는 높은 등급의 것을 말해 줄 수 없다.(中人以上, 可以語上 ; 中人以下, 不可以語上.)"라는 구절이 있다.

109 소견이 있은 … 것 : 『論語』 「爲政」 4장 "삼십에 섰다.(三十而立.)"라고 한 구절의 세주에, "주자가 말했다. '선다立는 것은 단단히 잡아 붙든다는 말이다. 세상의 모든 사물이 나를 동요시키지 못하니, 부귀·빈천·

대답했다. "사람이 처음 배울 때, 어떻게 하나하나 저절로 소견이 있겠는가? 모름지기 공부를 해야 하니, 공부가 깊어지고, 그것이 오래되어야 소견이 있게 될 것이다."

[45-1-33]

"爲學須先識得大綱模樣, 使志趣常在這裏. 到做工夫, 却隨節次做去. 漸漸行得一節, 又問一節, 方能見衆理所聚. 今學者病多在閑邊問人, 路頭尚不知. 大率問人, 須是就實做工夫處商量方是."[110]

(동래 여씨가 말했다.) "학문을 함에는 모름지기 먼저 대강大綱의 규모를 알아서 뜻이 항상 그 속에 있게 해야 한다. 공부를 할 때는 오히려 절차에 따라서 해 간다. 점차로 한 절목을 행하고 나서 또 한 절목을 묻는 식으로 해야, 비로소 모든 이치가 모이는 곳을 볼 수 있을 것이다. 요즘 배우는 자들의 병통은 대부분 시시한 것은 남에게 물으면서 본령은 오히려 알지 못하는 데 있다. 대저 남에게 물었다면, 반드시 실제로 공부할 자리를 헤아려보아야 비로소 옳을 것이다."

[45-1-34]

"凡勤學須是出於本心, 不待父母先生督責. 造次不忘, 寢食在念, 然後見功. 苟有人則作, 無人則輟, 此之謂爲父母先生勤學, 非爲己修, 終無所得."[111]

(동래 여씨가 말했다.) "'부지런히 배우는 것[勤學]'은 본심에서 나와야 할 것이지, 부모나 선생의 감독과 책려를 기다려야 하는 것이 아니다. 잠깐 사이에도 잊어버리지 말고, 잠자고 밥 먹는 사이에도 생각 속에 있어야 공효를 볼 수 있다. 사람이 있으면 하고 사람이 없으면 그만두는 것을 부모나 선생을 위해서 근학勤學하는 것이라 하니, 자기를 위해서 닦는 것이 아니라서 끝내 얻는 것이 없다."

[45-1-35]

"持養之久, 則氣漸和. 氣和, 則溫裕婉順, 望之者意消忿解, 而無招咈取怒之患矣. 體察之久, 則理漸明. 理明, 則諷導詳款, 聽之者心諭慮移, 而無起爭見卻之患矣. 更須參觀物理, 深察人情, 體之以身, 揆之以時, 則無偏蔽之失也."[112]

(동래 여씨가 말했다.) "지양持養(꼭 간직하여 기르는 것)을 오래하면 기氣가 점차 온화해진다. 기가 온화해지면 온유溫裕하고 완순婉順해져서, 바라보는 사람이 사의私意가 사라지고 화가 풀어지니, 거스름과 분노

무력이 나를 음탕하고 바꾸고 굽히지 못한다는 것이 이것이다. 서는 때에 이르면 발밑에 확고하게 밟고 있으니, 확실하게 지키고 있는 것과 같다.'(朱子曰, '立, 謂把捉得定. 世間事物皆動搖我不得, 如富貴貧賤威武, 不能淫移屈是也. … 到立時, 便是脚下已踏著了, 然猶是守住.')"라고 했다.

110 『東萊外集』권6「門人周公謹所記」
111 『敝帚藁畧』권2「論立身師法」
112 『東萊別集』권10「與學者及諸弟」

를 초래하는 근심이 없어진다. 체찰體察(몸소 살피는 것)을 오래하면 리理에 점차 밝아진다. 리에 밝아지면 말하고 인도하는 것이 자상하고 정성스러워, 듣는 사람이 마음으로 깨닫고 생각이 바뀌니, 싸움을 일으키고 배척을 당할 걱정이 없어진다. 게다가 사물의 리를 관찰하고 깊이 인정을 살펴, 몸으로 체찰하고 시의時宜를 헤아린다면, 치우치고 가려지는 잘못이 없을 것이다."

[45-1-36]

"持養察識之功, 要當並進. 更當於事事物物試驗學力. 若有窒礙齟齬處, 卽深求病源所在, 而鋤去之.[113]

(동래 여씨가 말했다.) "지양持養 공부와 찰식察識 공부는 마땅히 병행해야 한다. 다시 사사물물에서 배움의 힘을 시험해야 한다. 만약 막히거나 모순되는 곳이 있다면, 바로 그 병통의 근원이 있는 곳을 깊이 살펴서 제거해야 한다."

[45-1-37]

"士生於三代之後, 所見未必皆正人也, 所聞未必皆正言也. 一日暴之, 十日寒之, 其爲善難矣哉! 處此者有道, 善者以爲法, 不善者以爲戒. 善者以爲法, 是見其善而從其善也; 不善者以爲戒, 是因其不善而知其善也. 在人者雖有善不善之殊, 在我者一歸於善而已矣. 如此, 則所遇之人無非碩師, 所聽之言無非法語, 何入而不自得哉?"[114]

(동래 여씨가 말했다.) "삼대三代 이후에 태어난 선비라면, 만나는 사람마다 반드시 모두 바른 사람은 아니고 듣는 말마다 반드시 모두 바른 말도 아니다. 하루 햇볕을 쪼이고 열흘 동안 춥게 하니[115] 그 선善을 한다는 것은 어려운 일이리라! 여기에 처하는 데 방도가 있으니, 선한 것을 법으로 삼고 불선한 것을 경계로 삼는 것이다. 선한 것을 법으로 삼는다는 것은 선을 보고 그 선을 따르는 것이고, 불선한 것을 경계로 삼는다는 것은 그 불선으로 인하여 선을 아는 것이다. 다른 사람에게는 비록 선과 불선의 다름이 있다하더라도, 나에게는 한결같이 선한 것으로 귀결될 뿐이다. 이와 같다면 만나는 사람마다 큰 스승이 아님이 없고, 듣는 말마다 법이 되는 말이 아님이 없을 것이니, 어느 경우를 만나든 스스로 옳지 않겠는가?"

[45-1-38]

"凡見人有一行之善, 則當學之, 勿以其同時同處, 貴耳賤目焉."[116]

---

113 『東萊別集』 권10 「與學者及諸弟」
114 『東萊外集』 권6 「雜說」
115 하루 햇볕을 … 하니: 『孟子』「告子上」에 "비록 천하에 쉽게 생장하는 것이라 해도 하루 햇볕을 쪼이고 열흘 동안 춥게 한다면 생장할 수 있는 것이 없을 테니, 내가 임금을 만나는 것이 드물고, 내가 물러 나오면 임금 마음을 차갑게 만드는 자가 가니, 싹이 있은들 내가 어찌 할 수 있겠는가?(雖有天下易生之物也, 一日暴之, 十日寒之, 未有能生者也. 吾見亦罕矣, 吾退而寒之者至矣, 吾如有萌焉何哉?)"라고 했다.

(동래 여씨가 말했다.) "무릇 다른 사람이 하나의 선행을 하는 것을 보면 마땅히 배워야 할 것이지, 동시대 같은 곳이라는 이유로 (가벼이 여겨) 전해들은 옛것만 귀하게 여기고 지금 눈으로 보는 것은 하찮게 여기지 말아야 한다."[117]

[45-1-39]

"爲人立基址, 須是堅實, 旣堅實, 須是就充擴,[118] 所謂'士不可以不弘毅.'"[119]

(동래 여씨가 말했다.) "사람으로서 바탕을 세울 때는 반드시 견실하게 해야 하고, 견실하게 했다면 반드시 확충해야 하니, 이른바 '선비가 뜻을 넓고 굳세게 하지 않아서는 안 된다.'[120]는 것이다."

[45-1-40]

"爲學必須於平日氣稟資質上驗之. 如滯固者踈通, 顧慮者坦蕩, 智巧者易直, 苟未如此轉變, 要是未得力耳."[121]

(동래 여씨가 말했다.) "학문을 하는 것은 반드시 평소의 기품과 자질에서 증험해야 한다. 예컨대 막힌 자는 소통하고, 이리저리 재는 자는 평탄해지며, 꾀를 부리는 자는 솔직해져야 하니, 진실로 이와 같이 변화되지 못했다면 아직 힘을 얻지 못한 것이다."

[45-1-41]

"須要公平觀理,[122] 而撤戶牖之小 ; 嚴敬持身, 而戒防範之踪. 周密而非發於避就, 精察而不安於小成, 此病痛皆所素共點檢者耳.[123] 義理無窮, 才智有限, 非全放下, 終難湊泊. 然放下政自非易事也."[124]

(동래 여씨가 말했다.) "반드시 공평하게 이치를 보아서 창문과 같은 작은 소견은 없애야 하며, 엄숙하고

---

116 『敝帚藁畧』 권2 「논입신사법」
117 전해들은 옛것만 … 한다. : 張衡의 「東京賦」에 "안처선생은 말을 할 줄 모르는 사람인양 잠시 멍하니 있다가 이윽고 빙그레 웃으며 말했다. '손님께서 말하는 末學膚受는 귀로 듣는 것은 귀하게 여기고 눈으로 보는 것은 천하게 여기는 것이오.'(安處先生於是似不能言者, 憮然有間, 乃莞爾而笑曰, '若客所謂末學膚受, 貴耳而 賤目者也.')"라는 말이 있다.
118 須是就充擴 : 『東萊外集』 권6 「기해추소기」에는 "須是要充擴"으로 되어 있다.
119 『東萊外集』 권6 「기해추소기」
120 '선비가 뜻을 … 된다.' : 『論語』 「泰伯」에 "증자가 말했다. '선비는 도량이 넓고 뜻이 굳세지 않으면 안 된다. 책임이 무겁고 길이 멀기 때문이다.'(曾子曰, '士不可以不弘毅. 任重而道遠.')"라고 했다.
121 『東萊別集』 권10 「與陳君擧」
122 須要公平觀理 : 『東萊別集』 권10 「與陳君擧」에는 "要須公平觀理"로 되어 있다.
123 此病痛皆所素共點檢者耳. : 『東萊別集』 권10 「與陳君擧」에는 凡此病痛皆吾儕彼此所素共點檢者耳.(이 병통은 나와 피차가 모두 본래 함께 점검해야 하는 것이다.)"로 되어 있다.
124 『東萊別集』 권10 「與陳君擧」

공경스럽게 몸을 지켜서 규범을 넘는 것을 경계해야 한다. 두루 꼼꼼히 하되 화禍를 피하고 복福을 취하려는 생각을 해서는 안 되고, 정밀하게 살피되 작은 성취에 안주하지 말아야 하니, 이러한 병통은 모두 평소에 함께 점검해야 하는 일들이다. 의리는 무궁하고 재주와 지식은 한계가 있으니, (병통을) 완전하게 내려놓지 않으면 끝내 도에 머물기 어렵다. 그러나 내려놓는 것은 진실로 쉬운 일은 아니다."

[45-1-42]

"培養克治殊不可緩. 私意之根, 若尙有眇忽未去, 異日遇事接物, 助發滋養, 便張皇不可剪截, 其害非特一身也. 要須著實省察, 令毫髮不留乃善."[125]

(동래 여씨가 말했다.) "(본심을) 배양하고 (사욕을) 잘 다스리는 일은 결코 느슨하게 해서는 안 된다. 사사로운 뜻의 뿌리가 만약 조금이라도 제거되지 못하고 훗날 일이나 사물을 접했을 때 싹이 트고 길러지면, 커져서 잘라낼 수 없게 되니 그 해악이 한 몸에만 미치는 것이 아니다. 반드시 착실하게 성찰해서 (사욕을) 터럭만큼도 남아 있지 않게 해야 비로소 좋을 것이다."

[45-1-43]

"羣居以和肅爲上. 若爲學之志專, 則自無暇及他事."[126]

(동래 여씨가 말했다.) "함께 모여 있을 때는 온화하고 엄숙한 것이 최상이다. 학문을 하려는 뜻이 전일하다면, 저절로 다른 일에 미칠 겨를이 없을 것이다."

[45-1-44]

勉齋黃氏曰 : "靜處下工, 誠爲長策. 然居敬集義, 博文約禮, 皆不可廢. 朋友切磨, 固欲相觀而善. 然講習一事, 尤爲至切. 須將聖賢言語, 逐一硏究, 不可以爲非切己. 若不自此用工, 則義理不明, 生出無限病痛."[127]

면재 황씨勉齋黃氏[黃榦]가 말했다. "가만히 있을 때의 공부가 진실로 좋은 방책이다. 그러나 경敬에 거하며 의義를 쌓고,[128] 넓게 글을 보고 예로 요약하는 것도 모두 폐해서는 안 된다. 벗과 절차탁마切磋琢磨하

....

125 『東萊別集』 권10 「與陳君擧」
126 『東萊別集』 권10 「答潘叔度」
127 『勉齋集』 권15 「復陳師復寺丞」
128 義를 쌓고 : 『孟子』 「公孫丑上」에서 "'감히 묻겠습니다. 무엇을 浩然之氣라 합니까?' 맹자가 대답했다. '말하기 어렵다. 그 氣됨이 지극히 크고 지극히 강하니, 정직함으로써 잘 기르고 해침이 없으면, 호연지기가 천지 사이에 꽉 차게 된다. 그 氣됨이 義와 道에 짝이 되니, 이것이 없으면 굶주리게 된다. 이 호연지기는 義를 축적하여 생겨나는 것이지, 義가 갑자기 엄습하여 취해지는 것은 아니다. 행하고서 마음에 부족하게 여기는 바가 있으면 호연지기가 굶주리게 된다. 나는 그 때문에 告子가 아직 義를 알지 못했다고 말한 것이니, 이는 義를 밖이라고 여기기 때문이다.'('敢問何謂浩然之氣?' 曰, '難言也. 其爲氣也, 至大至剛, 以直養而無害, 則塞于天地之間. 其爲氣也, 配義與道 ; 無是, 餒也. 是集義所生者, 非義襲而取之也. 行有不慊於心, 則餒矣. 我故曰, 告子未嘗知義, 以其外之也.')"라고 했다.

는 것은 본래 서로 살펴보면서 선善을 하고자 함이다. 그런데 하나의 일을 강습하는 것은 더욱 지극히 절실한 것이 된다. 반드시 성현의 언어를 가지고 일일이 연구해야지, 자기에게 절실하지 않은 것으로 여겨서는 안 된다. 만일 이것으로부터 공부하지 않는다면 의리가 밝지 못해서 무한한 병통이 생겨난다."

[45-1-45]

"人能於虛靜處,[129] 認得分曉; 又於閒靜時, 存得純固, 此乃萬理之宅, 萬事之原. 看到惺惺處, 則於一二疑義合商量處, 肯細心磨講,[130] 則洞然無疑矣."[131]

(면재 황씨가 말했다.) "사람이 마음을 비우고 가만히 있을 때 분명하게 인식할 수 있고, 또 한가하고 가만히 있을 때 순수하고 확고하게 보존할 수 있다면, 이것이 곧 모든 이치의 집이요, 모든 일의 근원이다. 항상 깨어 있음을 알아서, 한두 군데 마땅하게 헤아려야 할 의심나는 곳에 마음을 세밀히 하여 수련하고 강론하면, 뻥 뚫린 듯 의심이 없을 것이다."

[45-1-46]

"致知持敬兩事相發. 人心如火遇木卽焚, 遇事卽應. 惟於世間利害得喪及一切好樂, 見得分明, 則此心亦自然不爲之動, 而所謂持守者始易爲力. 若利欲爲此心之主, 則雖是强加控制, 此心隨所動而發, 恐亦不易過也. 便使强制得下, 病根不除, 如以石壓草, 石去而草復生矣. 此不可不察也."[132]

(면재 황씨가 말했다.) "치지致知와 지경持敬 두 가지 일은 서로 촉발하는 것이다. 사람의 마음은 마치 불이 나무를 만나면 불타듯이 일을 만나면 반응한다. 오직 세상의 이해·득실과 일체의 즐거움에 대하여 견해가 분명하다면, 이 마음은 또한 저절로 그것에 의해 동요되지 않아서, 이른바 붙잡아 지킨다持守는 것이 비로소 쉽게 힘을 발휘한다. 만약 이욕利欲이 마음의 주인이 된다면 비록 힘써 제어하려 해도 이 마음이 그 움직임에 따라 발할 것이니 쉽게 막지 못할 것이다. 가령 힘써 제제했더라도 병의 뿌리가 제거되지 않으면, 마치 돌로 풀을 눌러놓지만 돌을 치우면 풀이 다시 나는 것과 같다. 이점을 살피지 않으면 안 된다."

[45-1-47]

"學問須是就險難窮困處試一過, 眞能不動, 方是學者. 人生最難克是利欲, 利欲之大, 是富貴貧賤. 吾夫子只許顏淵子路兩箇. 若是此處打一過,[133] 便教說得天花亂墜, 盡是閑話也."[134]

---

129 人能於虛靜處:『勉齋集』 권14 「答林公度」에는 "但區區之意, 欲長者且於虛靜處"로 되어 있다.

130 合商量處, 肯細心磨講:『勉齋集』 권14 「答林公度」에는 "合商量處, 不過十日之功, 肯細心磨講"으로 되어 있다.

131 『勉齋集』 권14 「答林公度」

132 『勉齋集』 권8 「與胡伯量書」

133 若是此處打一過:『勉齋集』 권13 「復甘吉甫」에는 "若是行處打不過"로 되어 있다.

134 『勉齋集』 권13 「復甘吉甫」

(면재 황씨가 말했다.) "배우는 자는 반드시 험난하고 곤궁한 데서 한번 시험해 보아서 정말로 동요하지 않을 수 있어야 비로소 배우는 자라고 할 수 있다. 사람이 살면서 가장 극복하기 어려운 것이 이욕利欲인데, 이욕의 큰 것은 바로 부귀와 빈천이다. 공자孔子는 안연顏淵과 자로子路 둘만을 허여했다.[135] 만약 이러한 곳에서 한번 겪어보고도 하늘에서 어지러이 떨어지는 꽃처럼[136] 청산유수처럼 말한다면 모두 한가한 말일 뿐이다."

[45-1-48]

"進道之要固多端. 且刊落世間利欲外慕,[137] 見得榮辱是非得失利害皆不足道. 只有直截此心, 無愧無懼, 方且見之動靜語黙皆是道理. 不然, 則浮湛出入, 渾殽膠擾, 無益於己, 見竊於人, 甚可畏也."[138]

(면재 황씨가 말했다.) "도道에 나아가는 요법은 본래 단서가 많다. 우선 세간의 이욕利欲과 외물에 대한 부러움을 떨쳐내면, 영욕과 시비, 이해와 득실이 모두 말할 것이 못 된다는 점을 알 수 있다. 단지 이 마음을 곧게 마름질하여 부끄러움이나 두려움이 없어야, 비로소 움직이고 가만있고 말하고 침묵하는 것이 모두 도리임을 알 수 있다. 그렇지 않으면 부침浮沈·출입出入이 뒤섞이고 어지러워서, 자기에게 보탬이 되는 것은 없고 남에게 들켜 버리니 매우 두려워할 만하다."

[45-1-49]

"爲學須隨其氣質,[139] 察其所偏與其所未至, 擇其最切者而用吾力焉. 譬如用藥, 古人方書, 亦言其大法耳, 而病證多端, 則亦須對證而謹擇之也."[140]

. . . .

135 孔子는 顏淵과 … 허여했다. : 『論語』「雍也」에 "공자가 말했다. '어질다, 顏回여! 한 그릇의 밥과 한 표주박의 마실 것으로 누추한 동네에 살고 있구나. 다른 사람들은 그 근심을 견디지 못하는데, 안회는 그 즐거움을 고치지 않는다. 어질다, 안회여!'(子曰, '賢哉, 回也! 一簞食, 一瓢飮, 在陋巷. 人不堪其憂, 回也不改其樂. 賢哉, 回也!')"라고 했다. 「公冶長」에는 "안연과 季路(子路)가 공자를 모시고 있었다. 공자가 말했다. '각자 너희들의 뜻을 말해보지 않겠는가? 자로가 말했다. '수레와 말과 가벼운 갖옷을 친구와 함께 쓰다가 해지더라도 유감이 없기를 원합니다.' 안연이 말했다. '잘하는 것을 자랑함이 없으며, 공로를 과시함이 없기를 원합니다.' 자로가 말했다. '선생님의 뜻을 듣기를 원합니다.' 공자가 말했다. '늙은이는 편안하게 해주고, 벗은 미덥게 해주며, 젊은이는 감싸주고자 한다.'(顏淵季路侍. 子曰, '盍各言爾志?' 子路曰, '願車馬衣輕裘, 與朋友共, 敝之而無憾.' 顏淵曰, '願無伐善, 無施勞.' 子路曰, '願聞子之志.' 子曰, '老者安之, 朋友信之, 少者懷之.')"라고 했다.

136 하늘에서 어지러이 … 꽃처럼: 『朱子語類』 권35, 79조목에 "무릇 다른 사람의 말을 하늘에서 어지러이 떨어지는 꽃처럼 한다 하더라도 나는 역시 믿지 않는다.(凡他人之言, 便做說得天花亂墜, 我亦不信.)"라는 말이 있으며, 『南嶽倡酬集』에 "天花亂落類瓊瑤, 遊賞行人覺路遙, 林畔殘枝猶被壓, 數聲珮玉偏靑霄."라고 한 林用中의 시가 있다.

137 且刊落世間利欲外慕: 『勉齋集』 권8 「復胡叔器書」에는 "且刊落世間許多利欲外慕"로 되어 있다.

138 『勉齋集』 권8 「復胡叔器書」

139 爲學須隨其氣質: 『勉齋集』 권8 「與胡伯量書」에는 "顧學者之爲學, 則亦須隨其氣質"로 되어 있다.

140 『勉齋集』 권8 「與胡伯量書」

(면재 황씨가 말했다.) "학문은 반드시 그 기질에 따라 그 치우친 것과 미진한 것을 살펴서, 가장 절실한 것을 골라 나의 힘을 써야 한다. 약을 쓰는 일에 비유하자면, 옛사람의 처방전은 그 큰 법을 말했을 뿐이니, 다양한 병의 증세 중에서 그 증상에 딱 맞추어 신중하게 택해야 하는 것과 같다."

[45-1-50]

"古先聖賢言學, 無非就身心上用功. 人心道心, 直內方外, 都未說近講學處. 夫子恐其識見易差, 於是以博文約禮對言, 博文先而約禮後, 博文易而約禮難. 後來學者專務其所易, 而常憚其所難, 此道之所以無傳. 須是如『中庸』之旨, 戒懼愼獨爲終身事業, 不可須臾廢離. 而講學窮理, 所以求其明且正耳. 若但務學而於身心不加意, 恐全不成學問也."[141]

(면재 황씨가 말했다.) "옛날 성현이 학문을 말한 것은 모두 몸과 마음에서 힘을 쓰지 않은 것이 없었다. 인심人心과 도심道心,[142] 내면을 곧게 하고 외면을 방정하게 하는 것[143] 등은 모두 자기 몸에 가까이 공부할 곳을 말한 것이 아니다. 공자는 식견이 쉽게 잘못될 것을 걱정하여 이에 박문博文과 약례約禮[144]를 상대로 하여 말했는데, 박문博文이 먼저이고 약례約禮가 다음이며, 박문은 쉽고 약례는 어렵다. 후대의 배우는 자들은 쉬운 것에만 힘쓰고 어려운 것은 꺼리기만 하니 이것이 도道가 전해지지 않은 까닭이다. 반드시 『중용』에서 말한 뜻처럼, 계신戒愼·공구恐懼와 신독愼獨[145]을 평생의 사업으로 삼아 잠시라도 폐하거나 떠나지 말아야 한다. 학문을 강론하고 이치를 궁구하는 것은 밝음과 바름을 구하려는 것일 뿐이다. 만일 배우는 것에만 힘쓰고 몸과 마음에 뜻을 두지 않으면, 전혀 학문을 이루지 못할 것이다."

[45-1-51]

"人之爲學, 但當操存涵養, 使心源純靜 ; 探賾索隱, 使義理精熟 ; 力加克制, 使私意不生. 三者並行而日勉焉, 則學進矣."

(면재 황씨가 말했다.) "사람이 학문을 하는 것은 다만 마음을 붙잡아 간직하고[146] 함양하여 마음의 근원

<hr />

141 『勉齋集』 권5 「與李敬子司直書」

142 人心과 道心 : 『書經』 「大禹謨」에 "인심은 위태롭고 도심은 은미하니, 정밀하게 하고 한결같이 해야 진실로 그 중도를 잡을 것이다.(人心惟危, 道心惟微, 惟精惟一, 允執厥中.)"라고 했다.

143 내면을 곧게 … 것 : 『周易』 「文言傳」에 "군자가 敬하여 내면을 곧게 하고 義하여 외면을 방정하게 하여, 경과 의가 확립되면 덕이 외롭지 않다.(直方大不習无不利.)'는 그 행하는 바를 의심하지 않는 것이다.(君子敬以直內, 義以方外, 敬義立而德不孤.)"라고 했다.

144 博文과 約禮 : 『論語』 「雍也」에 "공자가 말했다. '군자가 널리 글을 배우고 禮로써 요약한다면, 도에 어긋나지 않을 것이다.'(子曰, '君子博學於文, 約之以禮, 亦可以弗畔矣夫.')"라고 했다.

145 戒愼·恐懼와 愼獨 : 『中庸』 제1장에서 "道는 잠시도 떠날 수 없는 것이니, 떠날 수 있으면 도가 아니다. 이 때문에 군자는 그 보지 않는 것에도 경계하여 삼가고 그 듣지 않는 것에도 몹시 두려워한다. 은미한 것보다 더 잘 드러나는 것이 없고 미세한 것보다 더 잘 나타나는 것이 없으니, 군자는 홀로 있을 때를 삼간다.(道也者, 不可須臾離也, 可離非道也. 是故君子戒愼乎其所不睹, 恐懼乎其所不聞. 莫見乎隱, 莫顯乎微, 故君子愼其獨也.)"라고 했다.

을 순수하고 고요하게 하며, 심오한 이치를 탐구하고 숨겨진 의미를 찾아[147] 의리를 정밀하고 완숙하게 하며, 힘써 이겨내고 제어하여 사사로운 뜻을 생겨나지 못하게 하는 것이다. 세 가지를 병행하여 날마다 힘쓰면 학문은 진전할 것이다."

[45-1-52]

"爲學只要收拾身心, 勿令放逸, 如臨深淵, 如履薄冰, 如見大賓, 如承大祭. 蓋理義非由外鑠, 我固有之也. 此心放逸, 則固有之理, 先已昏惑紛擾而失其正矣. 便說得天花亂落, 亦於我何有干涉? 況亦未見心不純靜而能理明義精者. 理義無窮, 如登嵩華, 如涉溟渤, 且要根脚純實深厚, 然後可以承載. 初涉文義, 便有跳踉自喜之意, 又安能任重而致遠耶? 世間固有全不識學問, 而能質實厚重小心謹畏者, 不害爲君子. 亦有親師取友, 講明道義而輕獧浮薄者, 未免爲小人. 此等處皆後生所當別識. 先以戒謹厚重爲心, 然後可以言學也."

(면재 황씨가 말했다.) "학문을 하는 것은 단지 몸과 마음을 수습하여 방일放逸하게 하지 않게 하기를, 깊은 못가에 임하듯, 살얼음을 밟듯,[148] 큰 손님을 만나듯, 큰 제사를 받들 듯[149]하는 것이다. 의리義理는 외면으로부터 녹아드는 것이 아니라, 내가 본래 갖고 있는 것이다.[150] 이 마음이 방일하면, 본래 가지고 있는 리理가 먼저 어두워지고 미혹되고 어지러워져서 그 바름을 잃는다. 그렇다면 하늘에서 어지러이 떨어지는 꽃처럼 말을 잘한다고 한들 나에게 무슨 상관이 있겠는가? 더욱이 마음이 순수하고 고요하지 않으면서 리理에 밝고 의義가 정밀한 자는 아직 보지 못했다. 의리의 무궁함은 숭산嵩山과 화산華山을

----

146 마음을 붙잡아 간직하고: 『孟子』「告子上」에 "공자는 '잡으면 보존되고 놓으면 잃어서, 나가고 들어옴이 정한 때가 없으며, 그 방향을 알 수 없는 것은 오직 마음을 두고 말한 것일 것이다!'라고 했다.(孔子曰, '操則存, 舍則亡, 出入無時, 莫知其鄕, 惟心之謂與!')"는 구절이 있다.

147 심오한 이치를 … 찾아: 『易』「繫辭上」 11에 "그러므로 法과 象은 天地보다 더 큰 것이 없고, 變과 通은 四時보다 더 큰 것이 없고, 象을 드러내는 것은 日月보다 더 큰 것이 없고, 崇高함은 富貴보다 더 큰 것이 없고, 사물을 갖추어 쓰임을 지극히 하고 기물을 이루어 천하의 이로움으로 삼음은 聖人보다 더 큰 것이 없고, 심오한 이치를 탐구하고 숨겨진 의미를 찾으며 깊은 것을 찾아내고 먼 것을 이루어 천하의 吉凶을 정하며 천하의 힘써야 할 일을 이루는 것은 蓍龜보다 더 큰 것이 없다.(故法象莫大乎天地, 變通莫大乎四時, 縣象著明莫大乎日月, 崇高莫大乎富貴, 備物致用, 立成器以爲天下利, 莫大乎聖人, 探賾索隱, 鉤深致遠, 以定天下之吉凶, 成天下之亹亹者, 莫大乎蓍龜.)"라고 했다.

148 깊은 못가에 … 밟듯: 『詩經』「小雅·節南山之什·小旻」

149 큰 손님을 … 듯: 『論語』「顏淵」에 "仲弓이 仁에 대해 질문하니, 공자가 말했다. '문을 나갔을 때에는 큰 손님을 대하듯이 하며, 백성을 부릴 때에는 큰 祭祀를 받들 듯이 하고, 자신이 원하지 않는 것을 남에게 베풀지 말아야 한다. 이렇게 하면 나라에서도 원망함이 없으며, 집안에서도 원망함이 없을 것이다.'(仲弓問仁, 子曰, '出門如見大賓, 使民如承大祭, 己所不欲, 勿施於人. 在邦無怨 在家無怨.')"라고 했다.

150 義理는 외면으로부터 … 것이다: 『孟子』「告子上」에서 "인·의·예·지는 밖으로부터 나를 녹여서 들어오는 것이 아니라 내가 본래 가지고 있는 것이지만 사람들이 생각하지 못할 뿐이다. 그러므로 '구하면 얻고, 버리면 잃는다.'라고 했다.(仁義禮智, 非由外鑠我也, 我固有之也, 弗思耳矣. 故曰'求則得之, 舍則失之.')"라고 했다.

오르고, 명해溟海와 발해渤海를 건너는 것과 같으니, 우선 그 근본을 순수하고 알차고 깊고 두텁게 한 후에야 감당할 수 있다. 처음 글의 의미를 조금 알았다고 뛸 듯이 기쁜 마음이 든다면, 어떻게 무거운 짐을 지고 멀리까지 이를 수 있겠는가? 세간에는 전혀 학문을 모르고도 질박하고 중후하며 조심하고 삼갈 수 있는 사람이 본래 있으니, 군자라고 하기에 손색이 없다. 또한 스승을 가까이 하고 벗을 취해서 도의道義를 강론하지만 경박輕薄한 자도 있으니, 소인을 면치 못하는 사람이다. 이러한 것은 후대 사람들이 마땅히 구별해서 알아야 하는 것이다. 먼저 경계함과 삼감과 중후함을 마음으로 삼은 이후에 학문을 논할 수 있다."

[45-1-53]

"古人爲學, 大抵先於身心上用工. 如危微精一之旨, 制心制事之語, 敬勝怠義勝欲之戒, 無非欲人檢點身心, 存天理去人欲而已. 然學問之方, 難以人人口授, 故必載之方策 ; 而義理精微, 亦難以意見揣度, 故必參之聖賢. 故初學之法, 且令格物窮理考古驗今者. 蓋欲知爲學之方, 求義理之正, 使知所以居敬集義而無毫釐之差, 亦卒歸於檢點身心而已.

(면재 황씨가 말했다.) "옛 사람들의 학문은 대체로 먼저 몸과 마음에서 힘을 쓰는 것이다. '(인심은) 위태롭고 (도심은) 은미하니 정밀하게 살피고 한결같이 하라.'는 뜻151과, '일을 제재制裁하고 마음을 제재하라.'는 말152과, '경敬이 태만을 이기고, 의義가 욕심을 이긴다.'라는 경계153 등은 모두 사람이 몸과 마음을 점검하여 천리를 보존하고 인욕을 제거하게 하려는 것일 뿐이다. 그러나 학문의 방법은 사람마다 입으로 전해주기 어려우므로 꼭 방책에 실었고, 의리는 정미하여 자기 의견으로 헤아리기 어려우므로 반드시 성인을 참고했다. 그러므로 처음 공부하는 방법은 우선 격물格物·궁리窮理하고 옛것을 상고하여 오늘날에 증험해 보는 것이다. 무릇 학문하는 방법을 알아 의리의 바름을 구하고자 한다면, 거경居敬하고 집의集義하는 방법을 알아서 털끝만한 차이도 없게 해야 하는데, 이는 또한 결국 몸과 마음을 점검하는 데로 귀결될 뿐이다.

年來學者, 但見古人有格物窮理之說, 但馳心於辨析講論之間, 而不務持養省察之實. 所以辨析講論者, 又不原切問近思之意. 天之所以與我, 與吾之所以全乎天者, 大本大原漫不加省, 而尋行數墨, 入耳出口, 以爲卽此便是學問. 退而察其胸中之所存, 與夫應事接物, 無一不相

---

151 '(인심은) 위태롭고 … 뜻: 『書經』「大禹謨」

152 '일을 制裁하고 … 말: 『書經』「仲虺之誥」에서 "덕이 날로 새로워지면 萬邦이 그리워하고, 마음이 자만하면 九族이 마침내 離反할 것입니다. 王께서는 힘써 큰 덕을 밝혀서 백성들에게 中을 세우십시오. 義로 일을 制裁하고 禮로 마음을 制裁해야 후손들에게 넉넉함을 드리울 것입니다.(德日新, 萬邦惟懷 ; 志自滿, 九族乃離. 王懋昭大德, 建中于民. 以義制事, 以禮制心, 垂裕後昆.)"라고 했다.

153 '敬이 태만을 … 경계: 『大戴禮記』 권6 「武王踐阼」에서 "경건함이 태만을 이기는 자는 길하고, 태만함이 경건함을 이기는 자는 멸망한다. 의로움이 욕망을 이기는 자는 순조롭고, 욕망이 의로움을 이기는 자는 흉하다.(敬勝怠者吉, 怠勝敬者滅 ; 義勝欲者從, 欲勝義者凶.)"라고 했다.

背馳. 聖人教人, 決不若是."[154]

근래의 배우는 자들은 단지 옛 사람들에게 격물·궁리의 설이 있었다는 것만 알아서, 분석하고 강론하는 것에만 마음을 내달릴 뿐, 존양·성찰하는 실제에는 힘쓰지 않는다. 그리하여 분석하고 강론하는 것도 간절한 것을 묻고 가까운 것을 생각하는[155] 뜻을 추구하지 않는다. 하늘이 나에게 준 것과 내가 하늘에서 받은 것을 온전히 해야 하는 것에 대하여 큰 근본과 큰 근원은 소홀하여 살피지 않고, 글줄이나 찾고 문자나 헤아리며, 귀로 듣고 입으로 내뱉으면서, 이렇게 하는 것이 곧 학문이라고 여긴다. 나중에 그 가슴속에 품은 것과 일에 응하고 사물에 접하는 것을 살펴보면 한 가지도 위배되지 않는 것이 없다. 성인의 가르침은 결코 이와 같지 않다."

[45-1-54]

"留意講習, 若是實體之於心, 見吾一身之中實具此理, 操而存之, 實有諸己, 則不至流於口耳之學."

(면재 황씨가 말했다.) "뜻을 두고 강습하는데, 만일 실제로 마음에 체인하여, 내 한 몸에 실제로 이 이치가 갖추어져 있음을 알아서, 잡아서 보존하여 실제로 나에게 있게 한다면, 구이지학口耳之學[156]으로 흐르게 되지는 않을 것이다."

[45-1-55]

"今世知學者少, 都以易說了學問. 但能斂束身心, 便道會持敬; 但曉文義, 便道會明理. 俯視世之不學者, 旣有間, 仰觀昔者聖賢之言學條目, 又不過如此, 便道爲學都了, 不知後面都不是. 惟孔子全不如此, 逐日只見不足. 如曰'學而不厭, 誨人不倦', 乃曰'何有於我哉'; 如曰'德之不修, 學之不講', 乃曰'是吾憂也', 豈聖人不情之語哉? 此心直是歉然. 今之學者, 須當體得此心, 切實用功. 逐日察之念慮心術之微, 驗之出入起居之際, 體之應人接物之間, 眞箇無歉, 益當加勉. 豈可一說便了著?"

(면재 황씨가 말했다.) "지금 세상에는 학문을 아는 사람이 적으니 모두 학문을 쉽게 말해버리기 때문이다. 단지 몸과 마음을 거두어 검속할 수 있는 정도를 가지고 경을 할 수 있다고 말하고, 단지 글의 뜻을 아는 정도로 이치에 밝은 것이라고 한다. 세상의 학문하지 않는 자를 깔보는 것에 이미 잘못이

---

154 『勉齋集』 권17 「復饒伯興」

155 간절한 것을 … 생각하는: 『論語』 「子張」에 "널리 배우고 뜻을 독실히 하며, 간절한 것을 묻고 가까운 것을 생각하면, 인은 그 가운데 있다.(博學而篤志, 切問而近思, 仁在其中矣.)"라고 한 子夏의 말이 있다.

156 口耳之學: 『荀子』 「勸學篇」에 "군자의 학문은 귀로 들어가서 마음에 자리 잡혀서 온몸에 퍼져서 행동에 드러나니, 작은 말과 미미한 움직임도 한결같이 법칙이 될 만하다. 소인의 학문은 귀로 들어가서 입으로 나오니, 입과 귀의 네 촌 밖에 되지 않는데, 어찌 일곱 자가 되는 몸을 아름답게 할 수 있겠는가?(君子之學也, 入乎耳, 箸乎心, 布乎四體, 形乎動靜, 端而言, 蝡而動, 一可以爲法則. 小人之學也, 入乎耳, 出乎口, 口耳之閒則四寸, 曷足以美七尺之軀哉?)"라고 했다.

있고, 옛날 성현의 학문을 말한 조목을 우러러보는 것도 또한 이에 지나지 않으면서 학문이 모두 이루어 졌다고 하니, 그 뒤가 모두 잘못되었다는 것을 모른 것이다. 오직 공자孔子만은 전혀 이와 같지 않고 날마다 단지 부족함을 보았다. 예컨대 '배우면서 싫증내지 않고 남을 가르치기를 게을리 하지 않았다.'고 하고는 곧 '나에게 무엇이 있겠는가?'라고 했고,[157] '덕德이 닦이지 않음과 학문이 강講해지지 않음'을 말하고서 곧 '이것이 나의 근심이다.'라고 하였으니,[158] 성인聖人이 어찌 진정眞情이 아닌 말을 했겠는가? 이 마음이 다만 부족하게 여긴 것이다. 지금 배우는 자들은 모름지기 이 마음을 체득하여 절실하게 노력해야 할 것이다. 날마다 생각과 마음 씀의 미묘한 데서 살피고, 출입하고 기거하는 사이에서 징험하며, 사람을 대하고 사물에 접하는 사이에서 체험해서, 정말로 마음에 부족한 감이 없더라도 더욱 노력을 보태야 할 것이다. 어찌 한마디 말로 끝낼 수 있겠는가?"

[45-1-56]

問 : "'孟子才高, 學之無可依據. 學者當學顔子, 入聖人爲近, 有用力處.' 如何?"

曰 : "如博文約禮 · 克己復禮 · 不遷怒不貳過等, 皆用力處. 就務實切己下工, 所以入聖人爲近."

물었다. "(정자가) '맹자는 재기才氣가 높아서 그를 배우려고 해도 의거할 만한 것이 없다. 배우는 사람은 마땅히 안자顔子를 배워야 성인의 경지에 들어가는 것이 가깝고, 힘쓸 곳이 있다.'[159]고 한 말은 어떻습니까?" (면재 황씨가) 대답했다. "박문약례博文約禮 · 극기복례克己復禮와 노여움을 옮기지 않고 두 번 잘못을 저지르지 않는 것[160] 등이 모두 힘쓸 곳이다. 실제를 힘쓰고 자기에게 절실한 것을 공부하는 것이 성인의 경지에 들어가는 길에 가깝다."

[45-1-57]

問 : "濂溪曰, '聖希天, 賢希聖, 士希賢'一條."

曰 : "纔說爲學, 便以伊尹顔子並言, 若非爲己務實之論. 蓋人之心量, 自是有許多事, 不然則

---

157 '배우면서 싫증내지 … 했고 : 『論語』「述而」에 "공자가 말했다. '묵묵히 기억하고, 배우면서 싫어하지 않으며, 남을 가르치기를 게을리 하지 않는 것, 이 가운데 어느 것이 나에게 있겠는가?(子曰, '黙而識之, 學而不厭, 誨人不倦, 何有於我哉?)"라고 했다.

158 '덕이 닦이지 … 하였으니 : 『論語』「述而」에 "덕이 닦이지 않는 것과 학문이 강구되지 않는 것과 의로움을 듣고도 옮길 수 없는 것과, 선하지 않음을 고치지 못하는 것, 이것이 나의 근심이다.(德之不脩, 學之不講, 聞義不能徙, 不善不能改, 是吾憂也)"라고 했다.

159 '맹자는 才氣가 … 있다.' : 『河南程氏遺書』권2상

160 노여움을 옮기지 … 것 : 『論語』「雍也」에 "哀公이 '제자 가운데 누가 학문을 좋아합니까?' 하고 묻자, 공자가 대답했다. '顔回라는 자가 학문을 좋아하여 노여움을 남에게 옮기지 않고 잘못을 두 번 다시 저지르지 않았는데, 불행히도 명이 짧아 죽었습니다. 그리하여 지금은 없으니, 아직 학문을 좋아한다는 자를 듣지 못하였습니다.'(哀公問, '弟子孰爲好學?' 孔子對曰, '有顔回者好學, 不遷怒不貳過, 不幸短命死矣. 今也則亡, 未聞好學者也.')"라고 했다.

褊狹了. 然又不可不知輕重先後, 故伊尹曰志, 顏子曰學. 『大學』旣言明德, 便言新民, 聖賢無一偏之學."

염계濂溪[周敦頤]가 말한 '성인聖人은 하늘을 바라고, 현인賢人은 성인을 바라며, 선비는 현인을 바란다.'는 조목[161]에 대하여 물었다.

(면재 황씨가) 대답했다. "학문을 언급할 때 이윤伊尹과 안자顏子를 함께 말한 것은 얼핏 위기지학과 실제에 힘쓰는 논의가 아닌 것 같다. 대개 사람의 마음속에는 본래 많은 일이 있으니, 그렇지 않다면 편협한 것이다. 그러나 또한 경중과 선후를 몰라서는 안 되기 때문에 이윤은 지志라고 했고 안자는 학學이라 한 것이다. 『대학』에서 명덕明德을 말하고 나서 바로 신민新民을 말한 것이니, 성현에게는 한쪽으로 치우친 학문은 없다."

[45-1-58]
北溪陳氏曰: "道之浩浩, 何處下手? 聖門用工節目, 其大要亦不過曰致知力行而已. 致者, 推之而至其極之謂, 致其知者, 所以明萬理於心, 而使之無所疑也. 力者, 勉焉而不敢怠之謂, 力其行者, 所以復萬善於己, 而使之無不備也. 知不至, 則眞是眞非無以辨, 其行將何所適從? 必有錯認人欲作天理, 而不自覺者矣. 行不力, 則雖精義入神, 亦徒爲空言, 而盛德至善, 竟何有於我哉?

북계 진씨北溪陳氏陳淳가 말했다. "도道는 넓고 넓으니 어디에서부터 시작해야 할 것인가? 성인의 문하에서 힘을 쓴 절목의 그 큰 요법은 치지致知와 역행力行이라고 한 것에 지나지 않는다. 치致는 미루어서 그 극치에 이르는 것을 말하는 것이고, 앎을 지극히 하는 것은 마음에서 모든 이치를 밝혀서 의심되는 것이 없도록 하는 것이다. 힘씀力은 부지런히 하여 감히 태만하지 않는 것을 말하는 것이고, 실천에 힘쓰는 것은 자신에게 온갖 선을 회복하여 갖추어지지 않음이 없게 하는 것이다. 앎이 지극하지 못하면 진실로 옳은 것과 진실로 그른 것을 분변하지 못하니, 그 실천이 장차 어디를 좇아서 가겠는가? 분명 인욕人欲을 오인하여 천리天理로 여기고도 스스로 알지 못할 것이다. 실천에 힘이 붙지 않으면 비록 의를 정밀하게 하여 신묘한 경지에 들어간다[162] 하더라도 또한 한갓 공허한 말일 뿐이니, 그렇다면 성덕

....

161 '聖人은 하늘을 … 조목 : 『通書』「志學章」의 내용은 다음과 같다. "聖人은 하늘을 바라고, 賢人은 성인을 바라며, 선비는 현인을 바란다. 伊尹과 顏淵은 큰 현인이다. 이윤은 그 임금이 요임금이나 순임금처럼 되지 못한 것을 부끄러워했고, 한 사내라도 제 자리를 얻지 못한 것을 시장에서 매를 맞는 것과 같이 여겼다. 안연은 분노를 옮기지 않고 같은 잘못을 다시 저지르지 않았으며, 석 달 동안 仁을 떠나지 않았다. 이윤이 뜻한 것을 뜻으로 삼고, 안자가 배운 것을 배운다. (이윤과 안연의 경지를) 넘어서면 성인이고, 미치면 현인이다. 미치지 못하더라도 또한 아름다운 이름을 잃지는 않을 것이다.(聖希天, 賢希聖, 士希賢. 伊尹·顏淵, 大賢也. 伊尹恥其君不爲堯舜, 一夫不得其所, 若撻于市. 顏淵不遷怒, 不貳過, 三月不違仁. 志伊尹之所志, 學顏子之所學. 過則聖, 及則賢. 不及則亦不失於令名.)"
162 의를 정밀하게 … 들어간다 : 『周易』「繫辭下」 5장에 "의를 정밀하게 하여 신묘한 경지에 들어가는 것은 쓰임을 지극히 하는 것이다.(精義入神, 以致用也.)"라고 했다.

盛德과 지선至善[163]이 도대체 어떻게 나에게 갖추어지겠는가?

此『大學』明明德之功, 必以格物致知爲先, 而誠意正心修身繼其後 ; 『中庸』擇善固執之目, 必自夫博學審問愼思明辨而篤行之. 而顔子稱夫子循循善誘, 亦惟在於博我以文·約我以禮而已, 無他說也. 然二者, 亦非截然判先後爲二事. 猶之行者目視足履, 動輒相應, 蓋亦交進而互相發也. 故知之明, 則行愈遠 ; 而行之力, 則所知又益精矣.

이에 『대학』의 명덕明德을 밝히는 공부는 반드시 격물格物·치지致知를 먼저로 하고, 성의誠意·정심正心·수신修身을 그 뒤를 이었으며, 『중용』의 '선을 택하여 굳게 지킴[擇善固執]'의 조목은 반드시 박학博學·심문審問·신사愼思·명변明辨에서 시작하여 독실히 행하는 것[164]에 이른다. 그리고 안자가 공자를 '차근차근히 잘 이끌어 주었다.'고 칭한 것은 오직 '문文으로써 나를 넓히고 예禮로써 나를 집약해 주셨다.'는 것[165]일 뿐, 다른 말이 아니다. 그러나 두 가지는 또한 무 자르듯 선후가 나누어져 둘이 되는 것이 아니다. 걸어가는 자는 눈으로 보고 발로 땅을 딛는 것과 같이 움직임이 항상 호응하니, 또한 교대로 나아가고 서로 촉발하는 것이다. 그러므로 앎이 밝아지면 실천이 더욱 멀리까지 가고, 실천에 힘이 있으면 아는 것이 또 더욱 깊어진다.

其所以爲致知力行之地者, 必以敬爲主. 敬者主一無適之謂, 所以提撕警省此心使之惺惺, 乃心之生道, 而聖學所以貫動靜徹終始之功也. 能敬則中有涵養而大本淸明. 由是而致知, 則心

- - - - - - - - - - - - - - - - - - - -

163 盛德과 至善 : 『大學』 전3장에 "『詩經』에서 '저 淇水 모퉁이를 보니, 푸른 대나무가 무성하구나! 문채 나는 군자여, 잘라 놓은 듯하고, 간 듯하며, 쪼아 놓은 듯하고, 간듯하다. 엄밀하고 굳세며, 빛나고 점잖으니, 문채가 나는 군자여, 끝내 잊을 수 없다.' 하였으니, '잘라놓은 듯하고, 간 듯하며[如切如磋]'는 학문을 말한 것이고, '쪼아놓은 듯하고, 간듯하다.[如琢如磨]'는 스스로 행실을 닦음이고, 엄밀하고 군세며[瑟兮僩兮]는 마음이 두려워함이고, 빛나고 점잖으니[赫兮喧兮]는 겉으로 드러나는 威儀이고, 문채가 나는 군자여 끝내 잊을 수 없다는 것은 盛德과 至善을 백성이 능히 잊지 못함을 말한 것이다.(詩云, 瞻彼淇澳, 菉竹猗猗, 有斐君子, 如切如磋, 如琢如磨. 瑟兮僩兮, 赫兮喧兮, 有斐君子, 終不可喧兮. 如切如磋者, 道學也, 如琢如磨者, 自修也, 瑟兮僩兮者, 恂慄也, 赫兮喧兮者, 威儀也, 有斐君子終不可喧兮者, 道盛德至善, 民之不能忘也.)"라고 했다.

164 『中庸』의 선을 … 것 : 『中庸』 제20장에 "誠함은 天의 道이고, 誠하려고 하는 것은 사람의 도이다. 誠한 자는 힘쓰지 않고도 道에 맞으며, 생각하지 않고도 알아서 조용히 도에 맞으니, 성인이다. 誠하려고 하는 자는 善을 택하여 굳게 잡는 자이다. 이것을 널리 배우고, 자세히 물으며, 신중히 생각하고, 밝게 변별하며, 독실하게 실행해야 한다.(誠者, 天之道也 ; 誠之者, 人之道也. 誠者不勉而中, 不思而得, 從容中道, 聖人也. 誠之者, 擇善而固執之者也. 博學之, 審問之, 愼思之, 明辨之, 篤行之.)"라고 했다.

165 안자가 공자를 … 것 : 『論語』 「子罕」에 "顔淵이 크게 탄식하며 말했다. '(공자의 道는) 우러러 볼수록 더욱 높고 뚫을수록 더욱 견고하며, 바라볼 때는 앞에 있더니 홀연히 뒤에 있다. 夫子(孔子)께서 차근차근히 사람을 잘 이끌어 주어 문으로써 나의 지식을 넓혀주고 禮로써 나를 집약해 주었다. (공부를) 그만두려고 해도 그만둘 수 없어 이미 나의 재주를 다하니, (공자의 道는) 내 앞에 우뚝 서있는 듯하다. 비록 그를 따르려고 하지만 어디로부터 시작해야 할지 모르겠다.'(顔淵喟然歎曰, '仰之彌高, 鑽之彌堅 ; 瞻之在前, 忽焉在後. 夫子循循然善誘人, 博我以文, 約我以禮. 欲罷不能, 旣竭吾才, 如有所立卓爾. 雖欲從之, 末由也已.')"라고 했다.

與理相涵, 而無頑冥之患; 由是而力行, 則身與事相安, 而不復有扞格之病矣.

그 치지와 역행의 바탕이 되는 것은 반드시 경敬을 주主로 하는 것이다. 경은 주일무적主一無適을 말하는 것으로 이 마음을 일깨우고 경각시켜서 깨어 있게 하는 것이니, 곧 마음이 생기를 띠는 방도이자, 성학聖學의 동정動靜을 관통하고 시종始終을 꿰뚫는 공부이다. 경하면 마음속에 함양함이 있어서 큰 근본이 맑고 밝을 것이다. 이것으로 치지致知를 하면 마음과 리理가 서로를 품어서 완고하고 어두운 병통이 없고, 이것으로 역행力行하면, 몸이 일과 서로 편안하여 다시는 막히는 병통이 없을 것이다.

雖然, 人性均善, 均可與適道. 而鮮有能從事於斯者, 由其二病. 一則病於安常習故, 而不能奮然立志以求自拔; 二則病於偏執私主, 而不能谿然虛心以求實見. 蓋必如孟子'以舜爲法於天下, 而我猶未免爲鄕人者爲憂, 必期如舜而後已', 然後爲能立志; 必如顏子'以能問於不能, 以多問於寡, 有若無實若虛', 然後能爲虛心.[166] 旣能立志而不肯自棄, 又能虛心而不敢自是, 然後聖門用工節目, 循序而進, 日有惟新之益. 雖升堂入室, 惟吾之所欲而無所阻矣. 此又學者所當深自警也."[167]

비록 그렇기는 하지만 사람의 성性은 모두 똑같이 선한 것이므로 동일하게 도道에 나아갈 수 있다. 그런데도 여기에 따라서 매진하는 사람이 적은 것은 두 가지 결점에서 말미암기 때문이다. 하나는 일상을 편안히 여기고 옛것에 안주하는 결점이 있어서 분연하게 뜻을 세워서 스스로 빠져나오기를 구하지 못하는 것이고, 둘째는 치우친 것을 고집하고 사사로이 주장하는 결점이 있어서 활연하게 마음을 비워 실제를 알기를 구하지 못하는 것이다. 대개 반드시 맹자孟子의 '순임금은 천하의 법이 되었는데 나는 향인鄕人을 벗어나지 못한 것을 근심하여 반드시 순임금과 같이 되기를 기약한'[168] 이후에야 뜻을 세울 수 있으며, 반드시 안자가 '능력이 있는 사람으로서 능력이 없는 사람에게 묻고, 학식이 많으면서 적은 사람에게 물으며, 있어도 없는 것 같고, 꽉 차있어도 빈 것 같이 한'[169] 이후에야 마음을 비울 수 있다. 뜻을 세우고

166 然後能爲虛心. : 『北溪字義』「用工節目」에는 "然後爲能虛其心"으로 되어 있다.
167 『北溪字義』「用工節目」
168 '순임금은 천하의 … 기약한': 『孟子』「離婁下」에 "그러므로 군자는 죽을 때까지 하는 근심은 있어도, 하루아침의 걱정은 없는 것이다. 근심하는 것이란 있으니, 舜임금도 사람이며 나도 또한 사람인데, 순임금은 천하의 법이 되어 후세에 전해질 수 있었지만, 나는 鄕人을 면하지 못했으니, 이것이 근심스럽다. 무엇을 걱정하는가? 순임금처럼 되고자 할 뿐이다. 군자가 걱정하는 것은 없으니, 仁이 아니면 하지 않으며, 禮가 아니면 행하지 않는다. 만일 하루아침의 걱정이 있다 하더라도 군자는 걱정하지 않는다.(是故君子有終身之憂, 無一朝之患也. 乃若所憂則有之, 舜人也, 我亦人也, 舜爲法於天下, 可傳於後世, 我由未免爲鄕人也, 是則可憂也. 憂之如何? 如舜而已矣. 若夫君子所患則亡矣, 非仁無爲也, 非禮無行也. 如有一朝之患, 則君子不患矣.)"라고 했다.
169 안자가 '능력이 … 한': 『論語』「泰伯」에 "曾子가 말했다. '할 수 있는 사람으로서 못하는 사람에게 묻고, 학식이 많으면서 적은 사람에게 물으며, 있어도 없는 것 같고, 꽉 차있어도 빈 것 같으며, 자신에게 잘못을 범하여도 따지지 않는 것을 옛적에 내 벗이 일찍이 이 일에 종사하였었다.'(曾子曰, '以能問於不能, 以多問於寡, 有若無, 實若虛, 犯而不校, 昔者, 吾友嘗從事於斯矣.')"라고 했다.

나서 자포 자기하는 것을 꺼리고, 또 마음을 비우고서 감히 스스로만 옳다고 여기지 않은 이후에 성문聖門의 공부하는 절목을 순서를 따라 진행하면, 날로 새로워지는 유익함이 있을 것이다. 당堂에 오르고 방에 들어가는 것[170]이라 하더라도 내가 하고자 하는 대로 될 뿐 가로막는 것은 없다. 이것 또한 배우는 자들이 마땅히 깊이 경계해야 하는 것이다."

[45-1-59]

西山眞氏曰 : "學者觀聖人論人之得失, 皆當反而觀己之得失, 然後爲有補云."[171]

서산 진씨西山眞氏가 말했다. "배우는 자는 성인聖人이 사람들의 득실得失을 논한 것을 보고, 모두 돌이켜 자기의 득실을 보아야 하니, 그런 후에 도움이 되는 것이 있다."

[45-1-60]

"程子云, '涵養須用敬, 進學則在致知.' 蓋窮理以此心爲主. 必須以敬自持, 使心有主宰, 無私意邪念之紛擾, 然後有以爲窮理之基本. 心旣有所主宰矣, 又須事事物物各窮其理, 然後致盡心之功. 欲窮理, 而不知持敬以養心, 則私慮紛紜, 精神昏亂, 於義理必無所得. 知持敬以養心矣, 而不知窮理, 則此心雖淸明虛靜, 又只簡空蕩蕩底物事, 而無許多義理以爲之主, 其於應事接物必不能皆當. 釋氏禪學正是如此.

(서산 진씨가 말했다.) "정자程子程頤는 '함양涵養은 반드시 경敬공부를 통해서 해야 하며, 학문의 진전은 치지致知에 달려있다.'[172]고 했는데, 이치를 궁구하는 것은 이 마음을 주主로 삼기 때문이다. 반드시 경으로써 스스로 지켜야 하니, 마음에 주재하는 것이 있어서 사사로운 뜻과 삿된 생각의 어지러움이 없게 한 후에 궁리의 기본으로 삼을 것이 있다. 마음에 주재하는 것이 있고 또 사물마다 각각 그 이치를 궁구한 후에 마음을 다하는 공효가 지극해진다. 이치를 궁구하려 하면서도 경을 지켜서 마음을 기르는 것을 알지 못하면, 사사로운 생각이 어지러이 일어나고 정신이 혼란하여, 의리에 있어서 결코 소득이 없을 것이다. 경을 지켜서 본심本心을 기를 줄은 알고 이치를 궁구할 줄 모른다면, 이 마음이 비록 청명하고 고요하다 하더라도 단지 하나의 텅 비어 있는 것일 뿐, 수많은 의리義理의 주인이 될 수 없으니, 일에 응하고 사물을 접하는 것이 결코 모두 마땅하게 할 수 없다. 불교의 선학禪學이 바로 이와 같은

---

170 堂에 오르고 … 것: 『論語』「先進」에 "공자가 말했다. '由(子路)의 비파가락을 어찌 내 門에서 연주하는가?' 門人들이 子路를 공경하지 않았다. 공자가 말했다. '由는 堂에는 올랐고 아직 방에 들어오지 못했다.'(子曰, '由之瑟奚爲於丘之門?' 門人不敬子路. 子曰, '由也升堂矣, 未入於室也.')"라고 하였는데, 이에 대한 주자의 주에 "堂에 오르고 방에 들어감은 道에 들어가는 次序를 비유한 것이다. 자로의 학문이 이미 正大하고 高明한 경지에 이르렀지만, 다만 精微함의 깊은 부분까지는 들어가지 못했을 뿐이니, 한 가지 일의 실수를 가지고 바로 경홀히 해서는 안 됨을 말한 것이다.(升堂入室, 喩入道之次第. 言子路之學, 已造乎正大高明之域, 特未深入精微之奧耳, 未可以一事之失而遽忽之也.)"라고 했다.

171 『西山讀書記』 권25

172 '涵養은 반드시 … 달려있다.': 『河南程氏遺書』 권18

것이다.

故必以敬涵養, 而又講學審問愼思明辨以致其知, 則於淸明虛靜之中, 而衆理悉備. 其靜則湛然寂然而爲未發之中, 其動則泛應曲當而爲中節之和. 天下義理, 學者工夫, 無以加於此. 自伊川發出, 而文公又從而闡明之, 『中庸』尊德性道問學章, 卽此意也."[173]

그러므로 반드시 경으로써 함양을 하고, 또 학문을 강론하고 신중히 묻고 밝게 판단하여 그 앎을 지극히 하면, 청명하고 고요한 중에 모든 이치가 구비될 것이다. 가만히 있을 때는 담연하고 적연하여 미발未發의 중中이 될 것이고, 움직일 때는 널리 응하면서 낱낱이 마땅하여 중절中節의 화和가 될 것이다. 세상의 의리와 학자의 공부는 여기에 더 보탤 것이 없다. 이천伊川이 드러내었고 문공文公이 또 이어서 밝게 밝힌 것으로, 『중용』의 존덕성도문학尊德性道問學장[174]이 바로 이 뜻이다."

[45-1-61]

"學問之道有三, 曰省察也, 克治也, 存養也. 是三者不容以一闕也. 夫學者之治心, 猶其治疾然. 省察焉者, 視脉而知疾也; 克治焉者, 用藥以去疾也; 而存養者, 則又調虞愛護以杜未形之疾者也."[175]

(서산 진씨가 말했다.) "학문의 길은 세 가지가 있으니, 성찰省察과 극치克治와 존양存養이다. 이 세 가지는 하나라도 빼놓을 수 없다. 무릇 학자가 마음을 다스리는 것은 병을 다스리는 것과 같다. 성찰한다는 것은 맥을 짚어서 병을 아는 것이고, 극치한다는 것은 약을 써서 병을 없애는 것이며, 존양은 몸을 조섭하고 아껴서 아직 드러나지 않은 병을 막는 것이다."

[45-1-62]

"聖賢大道爲必當繇, 異端邪徑爲不可蹈, 此明趨向之要也. 非義而富貴, 遠之如垢污; 不幸而賤貧, 甘之如飴蜜, 志道而遺利, 重內而輕外, 此審取舍之要也. 欲進此二者, 非學不能. 學必讀書, 然書不可以汎讀, 先『大學』, 次『論』·『孟』, 而終之以『中庸』. 經旣明, 然後可觀史, 此其序也. 沈潛乎訓義, 反覆乎句讀, 以身體之, 以心驗之, 循序而漸進, 熟讀而精思, 此其法也.

----

173 『西山文集』 권30 「問學問思辨乃窮理工夫」
174 尊德性道問學장: 『中庸』 제27장에서 "위대하다, 성인의 道여! 충만하게 만물을 발육하여 높음이 하늘에 다했다. 넉넉히 크다. 禮儀가 3백 가지요, 威儀가 3천 가지이나, 그 사람을 기다린 뒤에 행해진다. 그러므로 '만일 지극한 덕이 아니면 지극한 도가 모이지 않는다.'고 말한 것이다. 그러므로 군자는 덕성을 높이고 학문을 말미암으니, 廣大함을 지극히 하고 精微함을 다 발휘하며, 高明을 끝까지 하고 中庸을 따르며, 옛것을 잊지 않고 새로운 것을 알며, 두터움을 돈독히 하고 禮를 높이는 것이다.(大哉, 聖人之道! 洋洋乎! 發育萬物, 峻極于天. 優優大哉! 禮儀三百, 威儀三千. 待其人而後行. 故曰'苟不至德, 至道不凝焉.' 故君子尊德性而道問學, 致廣大而盡精微, 極高明而道中庸. 溫故而知新, 敦厚以崇禮.)"라고 했다.
175 『西山文集』 권25 「送朱擇善序」

(서산 진씨가 말했다.) "성현의 큰 도道는 반드시 따라야 할 것이고, 이단의 삿된 길은 가서는 안 될 길이니, 이것이 추향趨向을 밝히는 요법이다. 의롭지 아니한 부귀는 때나 오물인양 멀리하고, 불행하게도 빈천한 것은 엿이나 꿀처럼 달게 받아들이며, 도에 뜻을 두고 이익을 멀리하며 내면을 중시하고 외면을 가볍게 여길 것이니, 이것이 취하고 버릴 것을 구별하는 요법이다. 이 두 가지를 진전시키려면 배움이 아니고서는 불가능하다. 배움에는 책을 읽는 것이 필요하지만, 책은 범연하게 읽어서는 안 되니, 『대학』을 먼저로 하고, 『논어』와 『맹자』를 그 다음으로 하고, 『중용』으로 마무리해야 한다. 경전에 밝아진 후에 역사서를 보아도 좋으니, 이것이 그 순서이다. 뜻풀이에 침잠하고 문장을 반복하여 몸으로 체득하고 마음으로 증험하며, 순서를 따라서 점진적으로 나아가고 완숙하게 읽고 정밀하게 생각할 것이니, 이것이 그 방법이다.

然所以維持此心而爲讀書之地者, 豈無要乎? 亦曰敬而已矣. 子程子所謂主一無適者, 敬之存乎中者也; 整齊嚴肅者, 敬之形於外者也. 平居齊慄如對神明, 言動酬酢不失尺寸, 則心有定主而理義入矣. 蓋操存固則知識明, 知識明則操存愈固. 子朱子之所以教人大略如此."[176]

그러나 이 마음을 유지하고 독서를 하는 바탕으로 삼는 것에 어찌 요법이 없겠는가? 역시 경敬일 뿐이다. 정자程子가 말한 주일무적主一無適은 경이 내면에 있는 것이고, 정제엄숙整齊嚴肅은 경이 밖으로 드러나는 것이다. 평소에 거처할 때 단정하게 하고 삼가기를 신명神明을 대하는 것처럼 하여 언행言行과 수작酬酢에 조금이라도 잘못하지 않는다면, 마음에 정해진 주인이 있어 의리가 들어올 수 있다. 마음을 잡아 보존함이 견고하면 앎이 밝아지고, 앎이 밝아지면 잡아 보존하는 것은 더욱 견고해진다. 주자朱子께서 사람을 가르친 것의 대략은 이와 같다."

[45-1-63]

潛室陳氏曰: "橫渠云, '未知立心, 患思多之致疑.'[177] 蓋立心, 持敬之謂. 先立箇主人翁了, 方做得窮理格物工夫."[178]

잠실 진씨潛室陳氏[179]가 말했다. "횡거는 '마음을 세울 줄 알지 못하여, 많은 생각이 의심을 일으킬까 걱정이다.'[180]고 하였는데, 마음을 세운다는 것은 경을 유지함을 말하는 것이다. 먼저 주인옹主人翁(마음의 주재자)을 세워야 비로소 궁리와 격물의 공부를 할 수 있다."

---

176 『西山文集』 권27 「送周天驥序」
177 患思多之致疑. :『張子全書』 권14 「性理拾遺」에는 "惡思多之致疑"로 되어 있다.
178 『木鍾集』 권10
179 陳埴: 자는 器之이고, 호는 木鐘이며, 세칭 潛室先生이라 했다. 송대 永嘉(현 절강성 溫州) 사람으로 通直郎을 역임했다. 어려서는 葉適에게 배우고 나중에는 주희에게서 배웠다. 저서는 『木鐘集』·『禹貢辨』·『洪範解』 등이 있다.
180 『張子全書』 권14 「性理拾遺」

[45-1-64]

問：“伊川云, ‘盡性至命, 必本於孝弟；窮神知化, 由通於禮樂.’ 不知孝弟何以能盡性至命, 不知禮樂何以能窮神知化.”

曰：“盡性至命, 窮神知化, 皆聖人事. 欲學聖人, 皆從實地上做起. 升高必自下, 陟遐必自邇, 此聖門切實之學. 積累之久, 將自有融液貫通處, 非謂一蹴便能.”[181]

물었다. “이천伊川은 ‘성性을 다하여 명命에 이르는 것[182]은 반드시 효제를 근본으로 삼아야 하며, 신령神靈함을 궁구하여 조화造化를 아는 것[183]은 예악에 달통하는 것에서 말미암아야 한다.’[184]고 하였습니다. 효제가 어떻게 성을 다하여 명을 지극히 할 수 있는 것인지 모르겠고, 예악이 어떻게 신령함을 궁구하여 조화를 알 수 있는 것인지 모르겠습니다.”

(잠실 진씨가) 대답했다. “성을 다하여 명을 지극히 하는 것과 신령함을 궁구하여 조화를 아는 것은 모두 성인聖人의 일이다. 성인을 배우려고 한다면 모두 실제의 자리에서 시작해야 한다. 높은 곳에 오르는 것은 반드시 아래에서 시작하고, 먼 곳에 가는 것은 반드시 가까운 데에서 출발해야 하니, 이것이 성인 문하의 절실한 학문이다. 쌓인 것이 오래되면 장차 저절로 융회하고 관통하는 곳이 있을 것이지, 한달음에 할 수 있는 것이 아니다.”

[45-1-65]

問：“明道以記誦博識爲玩物喪志, 如何?”

曰：“徒記誦該博而理學不明, 不造融會貫通處. 是逐其小者, 忘其大者. 反以無用之物, 累其空明之心, 是爲玩物喪志.”[185]

물었다. “명도는 외워서 암송하고 해박하게 아는 것을 ‘외물에 정신이 팔려서 뜻을 잃어버리는 것[玩物喪志]’이라 하였는데, 어떻습니까?”

(잠실 진씨가) 대답했다. “단지 외워서 암송하고 해박하기만 하고 리학理學에 밝지 않으면 융회·관통한 경지로 나아가지 못한다. 이는 작은 것을 쫓다가 큰 것을 잊어버리는 것이다. 오히려 쓸 데 없는 것을 가지고 텅 비어 밝은 마음을 얽어매는 것이니, 이것이 외물에 정신이 팔려서 뜻을 잃어버리는 것이다.”

181 『木鍾集』 권10
182 性을 다하여 … 것：『周易』「說卦傳」 1장에 “옛날에 聖人이 易을 지을 때에 神明을 그윽하게 밝혀 시초점을 생겨나게 하고, 하늘을 셋으로 하고 땅을 둘로 하여 수에 의존하며, 음양의 변함을 보아 괘를 세우고, 굳셈과 부드러움을 발휘하여 효를 생겨나게 하며, 도와 덕에 조화롭게 따르고 義를 궁구하며, 理를 궁구하고 性을 다하여 命에 이르렀다.(昔者聖人之作易也, 幽贊於神明而生蓍, 參天兩地而倚數, 觀變於陰陽而立卦, 發揮於剛柔而生爻, 和順於道德而理於義, 窮理盡性以至於命.)”라고 했다.
183 神靈함을 궁구하여 … 것：『周易』「繫辭下」 5장에 “이를 지난 이후는 혹 알지 못하니, 神靈함을 궁구하여 造化를 아는 것은 덕의 왕성함이다.(過此以往, 未之或知也, 窮神知化, 德之盛也.)”라고 했다.
184 ‘性을 다하여 … 한다.’：『二程粹言』 권하
185 『木鍾集』 권10

[45-1-66]

問: "明道謂‘學不言而自得者, 乃自得也 ; 有安排布置者, 皆非自得也.’ 安排布置, 須是見於施設, 以安排布置爲非自得, 如何?"

曰: "安排布置, 非是見於設施, 謂此心此理未到純熟兩忘地位, 必有營度計慮之勞, 逆施偸作之病. 纔到自得處, 則心便是口, 理便是心, 心與理忘, 口與心忘, 處處安行自在. 黙識心通, 不用安排布置也."[186]

물었다. "명도는 ‘배움은 말없이 자득하는 것이라야 곧 자득하는 것이고, (인위적으로) 안배하고 배치하는 것은 모두 자득이 아니다.’[187]라고 하였습니다. 안배하고 배치하는 것은 반드시 시행으로 드러나야 하는 것인데, 안배와 배치를 자득이 아니라고 한 것은 무엇 때문입니까?'

(잠실 진씨가) 대답했다. "안배와 배치는 시행에 드러나는 것이 아니니, (명도의 말씀은) 이 마음과 이 이치가 순수하고 익숙하여 두 가지를 잊어버리는 경지[188]까지 이르지 못하면, 반드시 경영하고 계산하는 수고로움과 이치를 거스르고 구차히 하게 하는 병이 있음을 말한 것이다. 자득한 경지에 이르기만 하면, 마음이 곧 말이고 이치가 곧 마음이라, 마음이 리를 잊어버리고, 말은 마음과 더불어 어느 곳에서든 편안한 행위가 저절로 있을 것이다. 묵묵히 알아서 마음이 통할 것이니, 안배하고 배치할 필요가 없다."

[45-1-67]

"記問之學, 雖博而有限, 中窒故也. 義理之學, 至約而無窮, 中明故也."[189]

(잠실 진씨가 말했다.) "외워서 질문에 대답하는 학문은 설사 넓더라도 한계가 있고, 마음이 막혀 있기 때문이다. 의리의 학문은 지극히 요약되지만 끝이 없다. 마음이 밝기 때문이다."

[45-1-68]

鶴山魏氏曰: "氣質之稟, 自非生知上知, 寧能無偏? 學則所以矯其偏而復於正也. 然今之學者有二. 鐺博以致約, 則欲革而就實. 故志爲之主, 愈欲則愈實, 愈久則愈明. 或者唯博之趨, 若可以謾世取榮. 然氣爲之主, 氣衰則志索, 於是有始銳而終惰, 始明而終闇者矣."[190]

학산 위씨鶴山魏氏[191]가 말했다. "기질의 품부는 생지生知나 상지上知가 아니고서야 어찌 치우침이 없겠는

----

186 『木鍾集』 권10
187 ‘배움은 말없이 … 아니다.’ : 『河南程氏遺書』 권10
188 두 가지를 … 경지 : 『莊子』 「大宗師」 2장에 "샘이 마르면 물고기들은 함께 땅위에 있으면서 서로 습기를 뿜어내고 거품으로 적셔주지만, 강과 호수에서 서로 잊고 사느니만 못하다. 요임금을 찬양하고 桀을 비난하는 것은 두 가지를 모두 잊고 道로 승화되는 것만 못하다.(泉涸, 魚相與處於陸, 相呴以濕, 相濡以沫, 不如相忘於江湖. 與其譽堯而非桀也, 不如兩忘而化其道.)"라는 말이 있다. 본문에서는 心과 理를 모두 잊는 것을 가리킨다.
189 『木鍾集』 권10
190 『鶴山集』 권76

가? 배움은 그 치우침을 바로잡아서 바름을 회복하는 것이다. 그러나 지금의 배움은 두 종류가 있다. 넓은 것으로부터 집약된 데에 이르면 화려함을 수렴하여 알찬 데로 나아갈 것이다. 그러므로 지志가 주인이 되면, 수렴할수록 더욱 알차지고 오래될수록 더욱 밝아진다. 어떤 사람은 오직 넓은 곳으로만 달려가는데, 이렇게 한다면 세상에 이름을 날리고 영예를 얻을 수는 있다. 그러나 기氣가 주인이 되면, 기가 쇠하면 지志도 다하게 되니, 이에 처음에는 예리하다가 끝에는 나태하게 되고, 처음에는 밝았다가 끝에는 어두워지는 경우가 있다."

[45-1-69]

雙峯饒氏曰 : "爲學之方, 其大略有四. 一曰立志, 二曰居敬, 三曰窮理, 四曰反身. 若夫趨向卑陋, 而此志之不立 ; 持養疎略, 而此心之不存 ; 講學之功不加, 而所知者昏蔽 ; 反身之誠不篤, 而所行者悖戾. 將見人欲愈熾, 天理愈微, 本心一亡, 亦將何所不至哉?"

쌍봉 요씨雙峯饒氏[192]가 말했다. "학문을 하는 방법은 그 대략이 네 가지가 있다. 첫째는 뜻을 세우는 것이고, 둘째는 경에 거하는 것이고, 셋째는 이치를 궁구하는 것이고, 넷째는 몸을 돌이켜보는 것이다. 만약 지향하는 곳이 비루하다면 이 뜻이 세워지지 않고, 지녀서 기르는 것이 소략하다면 이 마음이 보존되지 않으며, 강학講學의 노력을 들이지 않으면 아는 것이 어둡고 가려지고, 반성하는 정성이 독실하지 않으면 행하는 것이 어그러진다. 인욕人欲이 성해질수록 천리天理가 더욱 미미해진다는 사실을 알게 될 것이니, 본심이 한번 없어지면 또한 장차 어떤 짓이든 못하겠는가?"

[45-1-70]

"人之爲學, 莫先於立志. 立志之初, 當先於分別古今人品之高下, 孰爲可尊可慕而可法, 孰爲可賤可惡而可戒, 此入德之先務也. 此志旣立, 然後講學以明之, 力行以充之, 則德之進也, 浩乎其不可禦矣."

(쌍봉 요씨가 말했다.) "사람이 학문을 하는데 뜻을 세우는 것보다 먼저 할 것은 없다. 뜻을 세우는 초기에는 먼저 고금 사람들의 인품의 높고 낮음을 가지고, 누가 존경하고 숭모할 만하여 본받을 만한지, 누가 천하고 미워할 만하여 경계로 삼아야 할 것인지를 우선 분별해야 하니, 이것이 덕에 들어가는 데 먼저 힘써야 할 일이다. 이 뜻이 세워진 후에 강학을 해서 밝히고, 힘써 행하여 확충하면, 덕이 진전되는 것이 막을 수 없을 만큼 커질 것이다."

. . . . : . . . .

191 鶴山魏氏 : 魏了翁(1178~1237). 자는 華父이고 호는 鶴山이며, 邛州蒲江(현 사천성 소속) 사람이다. 시호는 文靖이다. 벼슬은 知漢州·知眉州 등 사천성 지역에서 17년간의 지방관을 거쳐 同簽書樞密院事와 資政殿大學士에 이르렀다. 그는 邵雍의 선천역학을 신봉하여 「河圖」와 「雒書」의 존재를 믿었으며 소옹이 말한 선천도도 옛날부터 있었을 것이라고 굳게 믿었다. 저술은 『周易要義』를 비롯한 『九經要義』가 있다.

192 雙峯饒氏 : 饒魯. 송나라 饒州 餘幹 사람이다. 자는 伯興이고 仲元이라고도 하며, 호는 쌍봉이다. 어릴 적에 황간에게서 배웠다.

[45-1-71]

"君子之學, 不守諸約, 則汎濫支離, 固無以爲體道之本 ; 不致其博, 則陋陋偏黨, 亦無以盡道體之全. 存養省察, 致知力行, 闕一不可."

(쌍봉 요씨가 말했다.) "군자의 학문은 집약된 데서 지키지 않으면 범범하고 지리해서 진실로 도道를 체득하는 근본이 될 수 없고, 그 넓음을 지극히 하지 못하면 편협하고 치우쳐서 또한 도체道體의 전체를 다할 수 없다. 존양存養과 성찰省察, 치지致知와 역행力行은 하나라도 빠뜨려서는 안 된다."

[45-1-72]

"誠之爲道, 無所不體. 自學者言之, 敬所以存心也, 敬立則內直 ; 義所以制事也, 義形則外方. 二者皆學者切己之事. 苟非有誠意以爲之, 則敬非眞敬, 而其爲敬也必疎畧 ; 義非實義, 而其爲義也必駁雜. 所謂不誠無物也."

(쌍봉 요씨가 말했다.) "성誠이라는 도道는 어느 곳에서도 골간骨幹이 되지 않음이 없다. 배우는 자로 말하면, 경敬은 마음을 보존하는 것이니 경이 확립되면 내면이 곧아지고, 의義는 일을 제재하는 것이니 의가 드러나면 외면이 방정해진다. 두 가지는 모두 배우는 자 자신에게 절실한 일이다. 진실로 성실한 뜻으로 하는 것이 아니면, 경은 참된 경이 아니어서 그 경은 분명 소략할 것이고, 의는 진실한 의가 아니어서 그 의는 분명 잡박할 것이다. 이른바 '성誠하지 않으면 물物이 없다.'[193]는 것이다."

[45-1-73]

"今之學者, 所以不能學爲聖賢者, 其大患在於無志, 其次在於無所守. 蓋人而無志, 則趨向卑陋, 不足與議高明光大之事業. 勉之以道義, 則曰難知難行 ; 期之以聖賢, 則曰不可企及, 不過終身汩汩爲鄕里之庸人而已, 何足與有爲哉? 人而無守, 則見利必趨, 見害必避. 平居非不粗知義理, 至於臨事則爲利欲所驅, 而有所不暇顧, 何足與有所立哉?"

(쌍봉 요씨가 말했다.) "지금의 배우는 자들이 배워서 성현이 되지 못하는 이유 중, 큰 병통은 뜻志이 없는 데 있고 그 다음은 지키는 것이 없는 데 있다. 사람으로서 뜻이 없으면 그 지향이 비루해져서 더불어 고명하고 광대한 일을 논하기에 부족하다. 도의를 힘쓰도록 하면 알기 어렵고 실천하기 어렵다고 하고, 성현을 기약하도록 하면 바라서 이룰 수 없다고 하면서, 종신토록 비실비실 향리의 평범한 사람에 지나지 않으니, 어찌 더불어 일을 할 만하겠는가? 사람으로서 지키는 것이 없다면, 이로운 것을 보고는 분명 쫓아갈 것이고, 해로운 것을 보면 분명 피할 것이다. 평소에 의리를 소략하게는 알지만 일에 임하여서는 이욕利欲에 몰려서 돌아볼 겨를도 없으니, 어찌 더불어 지킬 만하겠는가?"[194]

---

193 '誠하지 않으면 … 없다.' : 『中庸』 제25장에 "誠은 사물의 끝과 시작이니 誠하지 않으면 사물이 없다.(誠者, 物之終始, 不誠無物.)"라고 했다.

194 어찌 더불어 지킬 만하겠는가 : 『論語』 「子罕」 29장에 "함께 배울 수 있어도 함께 도에 나아갈 수 없고, 함께 도에 나아갈 수 있어도 함께 설 수 없으며, 함께 설 수 있어도 함께 권도를 행할 수 없다.(可與共學, 未可與適

[45-1-74]

“仁者天地生物之心, 而人得之以爲心, 義禮智信之理皆具於中, 而爲心之全德者也. 此雖人心之所固有, 然學者苟無存養體驗之功, 則氣質物欲有以蔽之, 而無以識其體之實有於己矣. 幸而有以識其體之實有於己矣, 然或不能博學於文, 講求義理以栽培之, 則如孤根獨立而無所壅培, 非特無以助其生長而使之進於盛大, 亦恐風霜彫摧, 而其根將不能以自存也.”

(쌍봉 요씨가 말했다.) “인仁은 천지天地가 만물萬物을 생겨나게 하는 마음으로서 사람이 받아서 마음으로 삼은 것이니, 의義·예禮·지智·신信의 리理가 모두 그 속에 갖추어져 있어 마음의 온전한 덕이 된다. 이것은 비록 사람의 마음에 본래 있는 것이기는 하지만, 배우는 자가 진실로 존양하고 체험하는 공부가 없으면, 기질과 물욕이 그것을 가려서 그 체體가 실제로 자기에게 있음을 알지 못한다. 다행히 그 체가 실제로 자기에게 있음을 알더라도, 혹 널리 글을 배우고 의리를 강구하여 길러내지 못하면, 마치 외뿌리가 홀로 뻗는데 북돋아 주지 않는 것과 같아서, 그 생장을 도와 무성하게 자라도록 하지 못할 뿐만 아니라, 바람과 서리에 시들고 꺾이어 그 뿌리가 장차 스스로도 보존할 수 없을 것이다.”

[45-1-75]

魯齋許氏曰: “凡爲學之道, 必須一言一句自求己事. 如六經『語』·『孟』中我所未能, 當勉而行之; 或我所行不合於六經『語』·『孟』中, 便須改之. 先務躬行, 非止誦書作文而已.”[195]

노재 허씨魯齋許氏許衡[196]가 말했다. “무릇 학문을 하는 방법은 반드시 한 말씀 한 구절을 스스로 자기의 일에서 구해야 한다. 예컨대 육경六經과 『논어』·『맹자』의 내용 중 내가 아직 하지 못하는 것은 마땅히 힘써서 실천해야 하고, 혹 나의 행위가 육경 및 『논어』·『맹자』의 내용과 맞지 않는 것이 있다면 반드시 고쳐야 한다. 먼저 몸소 실천하는 데 힘쓸 것이지, 책을 외우고 글을 짓는데 그칠 것이 아니다.”

[45-1-76]

臨川吳氏曰: “學者之於道, 其立志當極乎遠大, 而用功必循夫近小. 遠大者何? 究其源也. 近小者何? 有其漸也. 漸者自流遡源, 而不遽以探原爲務也. 道之有原, 如水之有原, 人之學道, 如禹之治水. 禹之治水也, 治河必自下流始, 兗州之功爲多, 而冀州次之. 河之外名川三百, 支川三千, 無所不理. 若畎若澮, 田間水道爾, 亦濬之以距于川, 其不遺近小也如是.

道; 可與適道, 未可與立; 可與立, 未可與權.)”라고 했다.

195 『魯齋遺書』권1 「語錄上」

196 許衡(1209~1281): 원대 河內 출신으로 이름은 衡이고 자는 仲平, 호는 魯齋다. 程朱學者로 魯齋先生이라고 불린다. 시호는 文正이다. 經學, 子史, 禮樂, 名物, 星曆, 兵刑, 食貨, 水利에 널리 통달했다. 특히 程朱의 학을 받들었다. 劉因과 함께 원의 두 大家라고 불렸다. 世祖 때 벼슬에 나아가 國子祭酒, 中書左丞을 지냈다. 阿哈馬特의 擅權을 논하고 관직을 떠났다. 가르치기를 잘하여 따라서 배우는 사람이 많았다. 저서에 『讀易私言』·『魯齋心法』·『魯齋遺書』가 있다.

임천 오씨臨川吳氏[吳澄][197]가 말했다. "배우는 자가 도道에 대해서, 그 입지立志는 마땅히 멀고 큰 곳까지 지극히 해야 하고, 그 노력은 반드시 가깝고 작은 것에서부터 따라야 한다. 멀고 큰 것은 무엇인가? 그 근원을 궁구하는 것이다. 가깝고 작은 것은 무엇인가? 점진적으로 하는 것이다. 점진적으로 하는 것은 흐름으로부터 근원을 거슬러 올라가는 것이지 급히 근원을 탐구하는 것을 힘쓰는 것이 아니다. 도에 근원이 있는 것은 물에 근원이 있는 것과 같으니, 사람이 도를 배우는 것은 우임금이 치수治水하는 것과 같다. 우임금의 치수治水는, 황하를 다스릴 때에는 반드시 하류에서 시작하였는데, 연주兗州에 들인 공력이 많고 기주冀州가 그 다음이었다.[198] 황하 외변의 명천名川 삼백 곳과 지천支川 삼천 곳을 다스리지 않음이 없었다. 밭도랑이나 봇도랑[199] 같은 것은 밭 사이의 물길일 뿐인데도, 준설하여 강에 도달하게 하였으니, 그 가깝고 작은 것을 빠뜨리지 않음이 이와 같았다.

聖門教人, 自庸言庸行之常, 至一事一物之微, 諄切平實, 未嘗輕以道之大原示人也. 仁道之大, 子所罕言, 聖人豈有隱哉? 三百三千之儀, 流分派別, 殆猶三千三百之川, 雖瑣細繁雜, 然無一而非道之用. 子貢之穎悟, 曾子之誠篤, 皆俟其每事用力, 知之旣徧, 行之旣周, 而後引之會歸于一以貫之之地. 無子貢曾子平日積累之功, 則一貫之旨不可得而聞也.

성인 문하에서 사람을 가르칠 때에 일상적인 말과 일상적인 행동[200]과 같은 부터 하나의 일 하나의 물건의 미미함에 이르기까지, 정성스럽고 절실하고 평이하고 알차게 하여 도의 큰 근원을 사람들에게

• •

197 吳澄(1249~1333). 자는 幼淸이고, 이른바 草廬先生으로 불린다. 宋元교체기 崇仁(현재 강서성) 사람으로 國子監司業·翰林學士를 역임했다. 시호는 文正이다. 그의 학문은 주로 주희와 육구연의 사상을 절충하는 경향이 있으며, 특히 주희 이래의 道統을 은연중에 자임하고 있다. 저서는 『學基』·『學統』·『書·易·春秋·禮記纂言』·『吳文正公集』·『孝經章句』 등이 있다.

198 우임금의 治水는 … 다음이었다. : 『書經』「禹貢」편에 "壺口山을 다스리고 梁山과 岐山을 다스렸다. 太原을 다스려 岳陽에 이르게 하며 覃懷에서 공적을 이루어 衡漳에 이르렀다.(旣載壺口, 治梁及岐. 旣修太原, 至于岳陽, 覃懷底績, 至于衡漳.)"고 하였고, 『集傳』에 "이제 살펴보건대, 旣載라고 말한 것은 冀州는 황제의 수도 땅이니, 우가 명을 받아 홍수를 다스리기 시작함에 마땅히 먼저 해야 하는 것이다. 壺口 등지를 경영하기 시작하여 黃河의 勢를 줄였으므로 旣載라고 말한 것이다. 그러나 우가 홍수를 다스려 공력을 베푼 순서는 모두 하류로부터 시작했다. 그러므로 다음은 兗州, 靑州, 徐州, 揚州, 荊州, 豫州, 梁州, 雍州의 순서였으니, 연주가 가장 지역이 낮으므로 먼저 하였고, 옹주가 가장 지역이 높으므로 홀로 뒤에 했다.(今按旣載云者, 冀州帝都之地, 禹受命治水所始, 在所當先. 經始壺口等處, 以殺河勢. 故曰旣載. 然禹治水施功之序, 則皆自下流始. 故次兗次靑次徐次揚次荊次豫次梁次雍. 兗最下故所先, 雍最高故獨後.)"라고 했다.

199 밭도랑이나 봇도랑 : 畎은 밭두렁 안쪽을 따라 판 밭도랑이고, 澮는 논밭 사이로 흐르는 물길인 봇도랑이다. 『字彙』「田部」에 "畎은 밭 안의 도랑이니 넓이 한 척, 깊이 한 척 되는 것을 畎이라고 한다.(畎, 田中溝廣尺深尺曰畎.)"라고 하였고, 『爾雅』「釋水」에 "물이 川으로 흘러들어가는 것을 谿라 하고, 谿로 흘러들어가는 것을 谷이라 하고, 谷으로 흘러들어가는 것을 溝라 하고, 溝로 흘러들어가는 것을 澮라 한다.(水注川曰谿, 注谿曰谷, 注谷曰溝, 注溝曰澮.)"라고 했다.

200 일상적인 말과 일상적인 행동 : 『周易』「乾卦·文言傳」에 "구이효에 말하기를 … 용의 덕으로 正中한 자이니, 일상적인 말을 미덥게 하고 일상적인 행동을 삼간다.(九二曰 … 庸言之信, 庸行之謹.)"라고 했다.

보여주는 것을 가볍게 한 적이 없었다. 인도仁道의 큰 것을 공자가 드물게 말하였지만, 성인이 어찌 숨긴 것이 있었겠는가? 삼백·삼천 가지 의례의 흐름이 나누어지고 지파가 갈라지는 것이 거의 삼천·삼백 곳의 강과 비슷하다. 비록 쇄세하고 번잡하지만 도의 용用이 아닌 것은 하나도 없다. 자공子貢의 영민함과 증자曾子의 성실함으로도 모두 매사에 노력하여, 앎이 두루 미치고 실천이 두루 된 이후에야, 그들을 이끌어서 일이관지一以貫之하는 경지201로 귀결시킬 수 있었다. 자공과 증자가 평소에 쌓은 공부가 없었다면, 일이관지의 뜻은 들을 수 없었을 것이다.

近世程子受學於周子, 太極一圖, 道之大原也. 程子之所手授而終身祕藏, 一語曾莫之及, 寧非有深慮乎? 朱子演繹推明之後, 此圖家傳人誦. 宋末之儒, 高談性命者比比, 誰是眞知實行之人? 蓋有不勝其弊者矣. 夫小德之川流, 道之派也 ; 大德之敦化, 道之原也. 未周徧乎小德, 而欲窺覘乎大德, 舍派而尋原者也. ”202

근세에 정자程子는 주자周子[周敦頤]에게서 수학受學했는데, 「태극도太極圖」는 도道의 큰 근원이다. 정자가 손수 전수받아 평생의 비장祕藏하였으나, 한마디도 언급한 적이 없는 것은 깊은 생각이 있어서가 아니겠는가? 주자朱子가 풀어내고 미루어 밝힌 후에 이 도圖가 집집마다 전해지고 사람마다 외우게 되었다. 송대 말기의 유자儒者들이 성性과 명命을 고원하게 담론한 자가 즐비했지만, 누가 참으로 알아서 성실히 실천한 사람이겠는가? 대개 그 폐단을 감당하지 못했다. 무릇 소덕小德의 천류川流는 도의 지파支派이고, 대덕大德의 돈화敦化는 도의 근원이다.203 소덕을 두루 살피지 못하면서 대덕을 엿보려는 것은 지파를 버리고 근원만 찾으려는 것이다.”

[45-1-77]

“所貴乎學者, 以其能變化氣質也. 學而不足以變化氣質, 何以學爲哉? 世固有率意而建功立業者矣, 亦有肆情而敗國殄民者矣. 彼其或剛或柔, 或善或惡, 任其氣質之何如, 而無復矯揉克治以成人. 學者則不如是, 昏可變而明也, 弱可變而强也, 貪可變而廉也, 忍可變而慈也, 學

---

201 一以貫之하는 경지 : 『論語』「里仁」에 “공자가 말했다. '參아! 내 道는 하나로 모든 것을 꿰뚫고 있다.' 증자는 '예!'라고 대답했다. 공자가 나가자 문인들이 물었다. '무슨 말입니까?' 증자가 대답했다. '선생님의 道는 忠恕일 뿐이다.'(子曰, '參乎! 吾道一以貫之.' 曾子曰, '唯!' 子出, 門人問, '何謂也' 曾子曰, '夫子之道, 忠恕而已矣.')”라는 대화가 있고, 「衛靈公」에는 “공자가 말했다. '賜(子貢)야, 너는 나를 많이 배워서 기억하고 있는 사람이라고 생각하느냐?' (자공이) 대답했다. '그렇습니다. 아닙니까?' (공자가) 말했다. '아니다. 나는 하나로 모든 것을 꿰뚫고 있다.'(子曰, '賜也, 女以予爲多學而識之者與?' 對曰, '然, 非與?' 曰, '非也, 予一以貫之.')”라는 대화가 있다.
202 『吳文正集』 권8 「姜河道原字說」
203 무릇 小德의 … 근원이다. : 『中庸』 30장에 “만물이 함께 길러져서 서로 침해하지 않고, 도가 함께 행하여져서 서로 어그러지지 않는다. 작은 덕은 내의 흐름이고 큰 덕은 조화를 두텁게 하는 것이니, 이것은 천지가 크게 되는 것이다.(萬物並育而不相害, 道並行而不相悖. 小德川流, 大德敦化, 此天地之所以爲大也.)”라고 했다.

之爲用大矣哉! 凡氣質之不美, 皆可變而美, 況其生而美者乎!"[204]

(임천 오씨가 말했다.) "배움을 귀하게 여기는 까닭은 기질을 변화시킬 수 있기 때문이다. 배워서 기질을 변화시키기에 부족하다면 왜 배우겠는가? 세상에는 본디 의도대로 공功과 업業을 일으켜 세운 자도 있고, 정情을 제멋대로 하여 나라와 백성을 망하게 한 자도 있다. 그들은 혹은 강하기도 혹은 약하기도 혹은 선하기도 혹은 악하기도 했는데, 그 기질대로 맡겨 둔 것일 뿐, 바로잡고 잘 다스려 인간됨을 이룸이 결코 없었다. 배우는 자는 이와 같지 않아서 어두운 것은 변화시켜 밝게 할 수 있고, 약한 것은 변화시켜 강하게 만들 수 있으며, 탐욕스러움은 변화시켜 청렴하게 할 수 있고, 잔인함은 변화시켜 자애롭게 할 수 있으니, 배움의 쓰임은 위대하다! 무릇 기질이 아름답지 않은 것은 모두 변화시켜 아름답게 할 수 있는데, 하물며 그 타고나면서 아름다운 자에게 있어서랴!"

[45-1-78]

"爲學而逐逐於欲, 役役於利, 汨没於卑污苟賤以終其身, 與彼不學者曾不見其少異. 是何也? 所學非吾所謂學也. 夫今之學者之學不過二端, 讀書與爲文而己矣. 讀書所以求作聖人之路逕, 而或徒以資口耳. 爲文所以述垂世之訓辭, 而或徒以眩華采. 如是而學, 欲以變化其氣質, 不亦難哉? 宜其愈學而無益, 雖皓首没世猶夫人也."[205]

(임천 오씨가 말했다.) "학문을 하면서 욕심만을 뒤쫓고 이익 얻기만 일삼으며 비루하고 천한 것에 골몰하여 그 생을 마친다면, 저 학문하지 않는 자와 조그마한 차이도 볼 수 없을 것이다. 왜 그런가? 배운 것이 내가 말하는 학문이 아니기 때문이다. 오늘날의 배우는 자들의 학문은 두 가지에 지나지 않는데, 책을 읽고 글을 짓는 것일 뿐이다. 책을 읽는 것은 성인聖人이 되는 길을 구하는 것인데, 어떤 이는 한갓 구이지학口耳之學의 바탕으로 삼을 뿐이다. 글을 짓는 것은 세상에 남길 교훈을 전하는 것인데, 어떤 이는 한갓 현란하고 화려하게 꾸밀 뿐이다. 이와 같이 배우면서 그 기질을 변화시키려한다면 어렵지 않겠는가? 당연히 학문을 할수록 도움이 되는 것이 없으니, 백발이 되어 죽더라도 여전히 그러한 사람일 뿐이다."

[45-1-79]

"勉生於不足, 不勉生於足. 不足則勉, 勉則進 ; 足則不勉, 不勉則止. 昔之聖賢, 兢兢業業, 孜孜汲汲, 不自足故也. 世之自以爲有餘者反是."[206]

(임천 오씨가 말했다.) "힘쓰는 것은 부족한 데서 생기고 힘쓰지 않는 것은 만족에서 생긴다. 만족하지 않으면 힘쓰고, 힘쓰면 진전되며, 만족하면 힘쓰지 않고, 힘쓰지 않으면 정체된다. 옛 성현이 조심조심 두려워하고[207] 부지런히 힘썼던 것은 스스로 만족하지 않았기 때문이다. 세상에 스스로 넉넉하다고 생각

. . . .
204 『吳文正集』 권27 「送方元質學正序」
205 『吳文正集』 권27 「送方元質學正序」
206 『吳文正集』 권53 「勉庵銘」

하는 자들은 이와 반대다."

[45-1-80]

"敏不敏, 天也 ; 學不學, 人也. 天者不可恃, 而人者可勉也. 蟹不如蚓, 駑可以及驥, 何也? 敏而不學, 猶不敏也 ; 不敏而學, 猶敏也. 夫子上聖也而好學, 顔子大賢也而好學, 古之人不恃其天資之敏也如此. 旣敏且學, 則事半而功倍."[208]

(임천 오씨가 말했다.) "영민하냐 아니냐는 타고난 것이고, 배우느냐 안 배우느냐는 사람의 일이다. 타고난 것은 믿을 만한 것이 아니고, 사람의 일은 힘쓸만한 것이다. 게는 지렁이와 같지 않지만, 노마駑馬는 준마駿馬가 될 수 있는 것은 무엇 때문이겠는가?[209] 영민하면서도 배우지 않으면 불민한 것과 같고, 불민하지만 배우면 영민한 것과 같다. 공자孔子는 상급의 성인聖人이면서도 배움을 좋아했고, 안자顔子는 큰 현인賢人이면서도 배움을 좋아했으니, 옛사람들이 타고난 자질의 영민함을 믿지 않았던 것이 이와 같다. 이미 영민하면서도 학문을 하면, 일은 반만 하더라도 공功은 배가 된다."[210]

<hr />

207 옛 성현이 … 두려워하고 : 『書經』 「虞書·皐陶謨」에 "안일과 욕심으로 제후를 가르치지 말고 삼가고 두려워 하소서. 하루 이틀 사이에도 기미가 만 가지나 됩니다. 모든 관직을 폐하지 마소서. 하늘의 일을 사람이 대신한 것입니다.(無敎逸欲有邦, 兢兢業業. 一日二日, 萬幾. 無曠庶官, 天工, 人其代之.)"라고 했다.

208 『吳文正集』 권7 「饒文饒字說」

209 게는 지렁이와 … 때문이겠는가? : 『荀子』 「勸學」에 "흙이 쌓여 산이 되면 바람과 비가 일어나고, 물이 모여 못이 되면 교룡과 용이 생겨나며, 선이 쌓여서 덕을 이루면 신명을 저절로 얻게 되고 성인의 마음이 갖추어진다. 그러므로 반걸음이 쌓이지 않으면 천리에 이를 수 없고, 작은 흐름이 모이지 않으면 강과 바다가 될 수 없다. 駿馬도 한번 뛰어서 열 걸음을 갈 수는 없으니 駑馬도 열 배의 힘을 들이면 된다. 공은 그만두지 않는 데 달려 있으니, 칼로 자르다 그만두면 썩은 나무도 자를 수 없고, 자르면서 그만두지 않으면 돌과 쇠도 자를 수 있다. 지렁이는 날카로운 발톱과 이빨, 강한 힘줄과 뼈는 없지만 위로는 티끌과 흙을 먹고 아래로는 흙탕물을 마시는데, 마음을 쓰는 것이 한결같다. 게는 여덟 개의 발과 두 개의 집게를 가졌지만 뱀장어 구멍이 아니면 의탁할 만한 곳이 없으니, 마음을 쓰는 것이 산만하기 때문이다. 그러므로 한결같은 뜻이 없는 자는 밝은 깨우침이 없으며, 정성스러운 노력이 없는 자는 뛰어난 업적을 이루지 못할 것이다.(積土成山, 風雨興焉, 積水成淵, 蛟龍生焉, 積善成德, 而神明自得, 聖心備焉. 故不積頤步, 無以至千里, 不積小流, 無以成江海. 騏驥一躍, 不能十步, 駑馬十駕. 功在不舍, 鍥而舍之, 朽木不折, 鍥而不舍, 金石可鏤. 蚓無爪牙之利, 筋骨之強, 上食埃土, 下飮黃泉, 用心一也. 蟹八跪而二螯, 非蛇蟺之穴, 無可寄託者, 用心躁也. 是故無冥冥之志者, 無昭昭之明, 無惛惛之事者, 無赫赫之功.)"라고 하였고, 「수신」에 "준마는 하루에 천 리를 가지만, 노마도 열배로 노력하면 또한 따라잡을 수 있다.(夫驥一日而千里, 駑馬十駕則亦及之矣.)"라고 했다.

210 일은 반만 … 된다. : 『孟子』 「公孫丑上」에 "지금 시대에 萬乘의 나라에서 仁政을 행하면 백성들이 기뻐하기를 마치 거꾸로 매달린 것을 풀어주는 것과 같을 것이다. 그러니 일은 옛사람의 반만 하고 공은 반드시 배가 될 것이니, 오직 지금 때가 그러하기 때문이다.(當今之時, 萬乘之國行仁政, 民之悅之, 猶解倒懸也. 故事半古之人, 功必倍之, 惟此時爲然.)"라고 한 맹자의 말이 있다.

學四 학 4

學四
학 4

存養 持敬附　보존과 함양¹ 지경을 덧붙였다.

[46-1-1]
程子曰 : "學之而不養, 養之而不存, 是空言也."²
정자가 말했다. "배우고 함양하지 않고, 함양하고서 보존하지 않는 것은 헛된 말이다."

[46-1-2]
"學在知其所有, 又養其所有."³
(정자가 말했다.) "배움은 본래 가지고 있는 것을⁴ 알고 또 본래 가지고 있는 것을 기르는 것에 있다."

[46-1-3]
"見之既明, 養之既熟, 泰然而行之, 其進曷禦焉."⁵
(정자가 말했다.) "식견이 밝아지고, 기름이 성숙해져서, 태연하게 행하니, 그 증진함을 어떻게 막겠는가?"

1　보존과 함양 : 이는 存心養性을 의미한다. 즉, 본심을 보존하고 性을 함양한다. 보존함과 함양함으로 풀이한다.
2　『二程粹言』권상
3　『河南程氏外書』권1
4　본래 가지고 … 것을 : '其所有'를 본래 가지고 있는 것으로 번역했다. 이는 性이 본래 가지고 있는 고유한 것을 의미한다. 仁義禮智를 말한다. 정이천은 이렇게 말하고 있다. "德性은 성의 고귀한 것을 말하니, 성은 선하다고 말하는 것과는 실제로 하나이다. 성의 덕은 성이 가지고 있는 것을 말한다.(德性者, 言性之可貴. 與言性善, 其實一也. 性之德者, 言性之所有.)"(『河南程氏遺書』권11)
5　『二程粹言』권상

[46-1-4]

"學至涵養其所得而至於樂, 則淸明高遠矣."[6]

(정자가 말했다.) "배움이 그 얻은 것을 함양하여 즐거워하는 경지에 이른다면, 청명淸明하고 고원高遠해질 것이다."

[46-1-5]

或曰 : "惟閉目靜坐爲可以養心?"

曰 : "豈其然乎? 有心於息慮, 則思慮不可息矣."[7]

어떤 사람이 물었다. "오직 눈을 감고 정좌하는 것만이 마음을 함양할 수 있습니까?"[8]

(정자가) 답했다. "어찌 그러하겠는가? 사려를 그치는 데에 마음을 두면 사려는 그칠 수가 없다."[9]

[46-1-6]

問 : "'君子存之', 如何其存也?"

曰 : "必有事焉而勿正, 心勿忘, 勿助長, 乃存之之道也."

물었다. "'군자는 보존한다.'[10]고 했는데 어떻게 그것을 보존합니까?"

(정자가) 말했다. "반드시 일삼음이 있되, 효과를 미리 기대하지 말고, 마음에서 일삼는 것을 잊지 말되[11]

· · · · · · · · · · · · · · · · · · · ·

6 『二程粹言』 권상

7 『二程粹言』 권하

8 마음을 함양할 … 있습니까? : 정이천이 정좌를 비판하는 말은 다음과 같다. "정좌하여 홀로 있는 것은 어렵지 않다. 넓은 곳仁에 자리하여 천하의 일들을 응대하는 것이 어렵다.(靜坐獨處不難. 居廣居應天下爲難.)"(『河南程氏遺書』 권7)

9 사려는 그칠 … 없다. : 『二程粹言』 권하에는 이런 말이 있다. "배우는 사람이 앎과 봄을 막고 사려를 멈추어 도를 행하면, 노자의 絶聖棄智에 빠지지 않으면 반드시 坐禪入定에 빠진다. 거울이 매우 밝으면 만물을 반드시 비추니 거울의 상도이다. 어찌 그것을 비추지 않게 할 수 있는가? 만물과 접촉하지 않을 수가 없으니 자극하면 반드시 반응한다. 앎과 봄을 막을 수가 없고, 사려는 그칠 수가 없다. 외부의 유혹이라는 근심을 없게 하려면 오직 안으로 주인이 있게 한 뒤에야 가능하다. 마음을 집중하는 것은 敬을 위주로 한다. 경을 주된 것으로 하는 것은 하나로 집중하는 것이다. 하나로 집중하지 못하면 둘 셋이 된다. 한 가지 일에 마음을 다잡으면 다른 일은 들어올 수 없다. 하물며 경을 주된 것으로 하는 것은 어찌하겠는가?(學者以屛知見, 息思慮爲道, 不失於絶聖棄智, 必流於坐禪入定. 夫鑑之至明, 則萬物畢照, 鑑之常也, 而奚爲使之不照乎? 不能不與萬物接, 則有感必應, 知見不可屛, 而思慮不可息也. 欲無外誘之患, 惟內有主而後可. 主心者, 主敬也. 主敬者, 主一也. 不一, 則二三矣. 苟繫心於一事, 則他事無自入. 況於主敬乎?)"

10 군자는 보존한다. : 『孟子』「離婁下」에 다음과 같이 되어 있다. "사람이 금수와 다른 것이 매우 적으니, 庶民들은 이것을 버리고, 군자는 이것을 보존한다. 舜임금은 여러 사물의 이치에 밝으시며, 人倫에 살피셨으니, 仁義를 따라 행하신 것이요. 仁義를 행하려고 하신 것은 아니었다.(人之所以異於禽獸者, 幾希, 庶民去之, 君子存之. 舜, 明於庶物, 察於人倫, 由仁義行, 非行仁義也.)"

11 잊지 말되 : 정이천은 이 구절에 대해서 이렇게 설명한다. "正은 의도를 두는 것이고, 忘하면 사물이 없다.(正

조장하지도 않는 것'[12]이 곧 본심을 보존하는 방도이다."

[46-1-7]

問 : "有言求中於喜怒哀樂未發之前可乎?"

曰 : "求則是有思也. 思則是已發也. 然則何所據依, 何以用功哉?"

曰 : "存養而已矣. 及其久也, 喜怒哀樂之發, 不期中而自中矣."[13]

물었다. "어떤 사람이 중中을 희노애락이 미발하기 전에 구한다고 말했는데 옳습니까?".

(정자가) 말했다. "구하려 한다면 이것은 사려가 있는 것이다. 사려했다면 이미 발한 것이다. 그렇다면 어느 것에 의거하겠으며, 어떤 것을 가지고 힘을 쓰겠는가?"

말했다. "보존하고 함양할 뿐이다. 그것이 오래되면 희노애락이 발할 때 중中을 기대하지 않고서도 저절로 중中을 이룬다."[14]

. . . .

是著意, 忘則無物.)"(『河南程氏遺書』11권) 이 구절에 대해 주희는『孟子集註』에서 이렇게 설명한다. "이것은 호연지기를 기르는 자는 반드시 義를 축적하는 것을 일삼되, 미리 효과를 기대하지 말고, 혹시라도 충만되지 못하면, 다만 그 일삼는 일을 잊지 말아야 하되, 그것이 자라나도록 조장하는 일을 억지로 하지 말아야 한다. 이것이 바로 의를 축적하여 호연지기를 기르는 법칙이다.(言養氣者必以集義爲事, 而勿預期其效, 其或未充, 則但當勿忘其所有事, 而不可作爲以助其長, 乃集義養氣之節度也.)"

12 조장하지도 않는 것 : 『孟子』「公孫丑」의 글이다. "그 氣됨이 지극히 크고 지극히 강하니, 정직함으로써 잘 기르고 해침이 없으면, 호연지기가 천지의 사이에 꽉 차게 된다. 그 기됨이 義와 道에 배합되니, 이것이 없으면 굶주리게 된다. 이 호연지기는 義理를 많이 축적하여 생겨나는 것이다. 義가 하루아침에 갑자기 엄습하여 취해지는 것은 아니니, 행하고서 마음에 부족하게 여기는 바가 있으면 굶주리게 된다. 내 그러므로 '告子가 일찍이 義를 알지 못한다.'고 말한 것이니, 이는 義를 밖이라고 하기 때문이다. 반드시 호연지기를 기름에 종사하고, 효과를 미리 기대하지 말아서 마음에 잊지도 말며 억지로 助長하지도 말아서, 宋나라 사람과 같이 하지 말아야 한다. 송나라 사람 중에 벼 싹이 자라지 못함을 안타깝게 여겨 뽑아놓은 자가 있었다. 그는 아무 것도 모르고 돌아와서 집안사람들에게 말하기를 '오늘 나는 매우 피곤하다. 내가 벼 싹이 자라도록 도왔다.' 하자, 그 아들이 달려가서 보았더니, 벼 싹은 말라 있었다. 천하에 벼 싹이 자라도록 억지로 助長하지 않는 자가 적으니, 유익함이 없다 해서 버려두는 자는 비유하면 벼 싹을 김매지 않는 자요, 억지로 助長하는 자는 벼 싹을 뽑아놓는 자이니, 이는 비단 유익함이 없을 뿐만 아니라, 도리어 해치는 것이다.(其爲氣也, 至大至剛, 以直養而無害, 則塞于天地之間. 其爲氣也, 配義與道, 無是, 餒也. 是集義所生者, 非義襲而取之也. 行有不慊於心, 則餒矣. 我故曰, 告子未嘗知義, 以其外之也. 必有事焉而勿正, 心勿忘, 勿助長也, 無若宋人然. 宋人, 有閔其苗之不長而揠之者, 芒芒然歸, 謂其人曰, 今日, 病矣. 予助苗長矣. 其子趨而往視之, 苗則槁矣. 天下之不助苗長者寡矣, 以爲無益而舍之者, 不耘苗者也, 助之長者, 揠苗者也. 非徒無益, 而又害之.)"

13 『二程粹言』 권하

14 저절로 中을 이룬다. : 『河南程氏遺書』18권에는 다음과 같은 말이 있다. "소계명이 물었다. '중의 도와 희노애락의 미발을 중이라고 하는 것과는 같습니까?' 답했다. '다르다. 희노애락의 미발은 중에 있다는 뜻이다. 하나의 중이라는 글자이지만 쓰임은 다르다.' 어떤 사람이 말했다. '희노애락의 미발하기 전에 중을 구하는 것이 옳습니까?' 답했다. '옳지 않다. 이미 희노애락이 미발하기 전에 구하려고 하는 생각을 했으니 또한 그것이 생각이다. 이미 생각했다면 이미 발현한 것이다.(생각과 희노애락은 마찬가지다.) 발현했다면 和라고 해야지 중이라고 말할 수 없다.' 또 물었다. '배우는 사람은 마땅히 희노애락이 발현할 때 힘써 조절하고 억제해야

[46-1-8]

“今志于義理而心不安樂者, 何也? 此則正是剩一箇助之長. 雖則心操之則存, 捨之則亡, 然而持之太甚, 便是必有事焉而正之也. 亦須且恁去. 如此者只是德孤. 德不孤, 必有鄰, 到德盛後, 自無窒礙, 左右逢其原也.”[15]

(정자가 말했다.) “지금 의리義理에 뜻을 두고서 마음이 편안하고 즐겁지 못한 것은 어째서인가? 이것은 바로 조장하려는 마음이 넘쳐서이다. 비록 마음을 잡으면 보존되고 놓으면 잃는다고는 해도, 잡으려는 것이 너무 심한 것은 반드시 일삼되 그 효과를 기대하는 것이다. 또한 반드시 이대로 해야 한다.[16] 잡으려는 것이 너무 심한 자는 단지 덕이 외롭다. 덕은 외롭지 않아 반드시 이웃이 있으니, 덕이 성대해진 뒤에 저절로 막힘이 없고, 하는 일마다 그 근원을 만나게 된다.”[17]

[46-1-9]

問[18] : “每常遇事, 即能知操存之意. 無事時如何存養得熟?”

. . . .

한다면, 미발할 때에는 어떻게 힘을 써야 합니까? 답했다. ‘희노애락이 미발하기 전에 다시 어떻게 구하겠는가? 평상시에 함양해야 옳다. 함양이 오래 되면 희노애락이 저절로 절도에 맞는다.’ 어떤 사람이 말했다. ‘미발의 중이 있으면 발현했을 때의 중이 있다.’ 말했다. ‘아니다. 이미 발현했을 때는 和이다. 발현하여 절도에 맞으면 중을 얻은 것이다. (時中과 같은 부류이다.) 단지 중과 화를 구분하여 말하면 화이다.’(蘇季明問, ‘中之道與喜怒哀樂未發謂之中, 同否?’ 曰, ‘非也. 喜怒哀樂未發是言在中之義. 只一箇中字, 但用不同.’ 或曰, ‘喜怒哀樂未發之前求中, 可否?’ 曰, ‘不可. 既思於喜怒哀樂未發之前求之, 又却是思也. 既思即是已發.(思與喜怒哀樂一般.) 纔發便謂之和. 不可謂之中也.’ 又問, ‘學者於喜怒哀樂發時固當勉強裁抑, 於未發之前當如何用功?’ 曰, ‘於喜怒哀樂未發之前, 更怎生求? 只平日涵養便是. 涵養久, 則喜怒哀樂自中節.’ 或曰, ‘有未發之中, 有既發之中.’ 曰, ‘非也. 既發時, 便是和矣. 發而中節, 固是得中.(時中之類.) 只爲將中和來分說, 便是和也.’)”

15 『河南程氏遺書』 권2상

16 이대로 해야 한다. : 『朱子語類』115 : 11에서 이렇게 말하고 있다. “이것도 저절로 분명하다. 단지 ‘이대로 해야한다.’는 한 구절이 이해하기 어렵다. 그 뜻은 다만 잡는 것이 너무 심하다고 해서 바로 놓아버린다고 말해서는 안 되니, 또한 반드시 이대로 잡고 가야 한다. 덕이 외롭다는 것은 이러한 도리가 있는 것이니, 그래서 의지할 수가 없고 쉽게 바깥의 사물이 침투하여 빼앗는다. 옳은 것이 적고 그른 것이 많기 때문이다. 옳은 것이 많고, 그른 것이 적으면 바깥의 사물이 침투하여 빼앗지 않게 된다. 덕이 성한 후에는 저절로 하는 일마다 그 근원을 만나게 된다.(這箇也自分明. 只有‘且恁地去’此一句難曉. 其意只是不可說道持之太甚, 便放下了, 亦須且恁持去. 德孤, 只是單丁有這些道理, 所以不可靠, 易爲外物侵奪. 緣是處少, 不是處多. 若是處多, 不是處少, 便不爲外物侵奪. 到德盛後, 自然‘左右逢其原’也.)”『近思錄集註』 권4에서 歸安 茅星來는 “恁이란 이대로이다. 위에서 지킨다持는 것을 가리켜 말했다. 잡는 것이 매우 심하면 안 되고, 손을 놓고 또한 반드시 이대로 지켜 나가야 한다.(恁, 如此也. 指上持字而言, 言不可以持之太甚, 便放下手, 亦須且如此持守去也.)”

17 그 근원을 … 된다. : 『孟子』 「離婁上」에 “군자가 깊이 나아가기를 道로써 하는 것은 자득하고자 해서이니, 자득하면 거하는 것이 편안하고, 거하는 것이 편안하면 이용함이 깊고, 이용함이 깊으면 좌우에서 취하여 씀에 그 근원을 만나게 된다. 그러므로 군자는 자득하고자 하는 것이다.(君子深造之以道, 欲其自得之也, 自得之則居之安, 居之安則資之深, 資之深則取之左右, 逢其原, 故君子, 欲其自得之也.)”라고 하였다.

曰 : "古之人耳之於樂, 目之於禮, 左右起居盤盂几杖有銘有戒, 動息皆有所養. 今皆廢此, 獨有理義之養心耳. 但存此涵養意, 久則自熟矣. 敬以直內, 是涵養意. 言不莊不敬, 則鄙詐之心生矣. 貌不莊不敬, 則怠慢之心生矣."[19]

물었다. "평상시에 일을 만났을 때 잡아 보존하는 뜻을 알 수 있습니다. 일이 없을 때는 어떻게 보존함과 함양함이 익숙하게 될 수 있습니까?"

(정자가) 말했다. "옛날 사람들은 귀로 음악을 듣는 때나 눈으로 예를 볼 때나, 전후좌우로 앉거나 서는 곳이나, 세숫대야와 사발, 안석과 지팡이에도 명銘이 있었고 계戒가 있어서, 움직이고 설 때에 모두 함양하는 것이 있었다. 지금은 모두 이것들이 없어졌으니 오직 의리義理의 마음을 기르는 것이 있을 뿐이다. 단지 이것을 함양하는 뜻을 보존하여, 오래되면 저절로 익숙하게 된다. 경敬하여 안을 곧게 하는 것이 함양이다. 말이 장중하고 경敬하지 않으면 비루하고 거짓된 마음이 생겨난다. 용모가 장중하고 경敬하지 않으면 게으르고 태만한 마음이 생겨난다."

[46-1-10]

"要修持他這天理則在德, 須有不言而信者, 言難爲形狀. 養之則須直不愧屋漏與愼獨, 這是簡持養底氣象也."[20]

(정자가 말했다.) "저 천리天理를 수양하여 지키려 한다면 덕에 달려있으니 반드시 말하지 않아도 미더움이 있어야 하는데[21] 말로는 형용하기가 어렵다. 그것을 배양하게 되면 모름지기 다만 방 깊은 곳에서도 부끄러움이 없고,[22] 혼자 있을 때를 삼가는 것이니,[23] 이것이 지키고 함양하는 기상이다."

....

18 『河南程氏遺書』에서는 問이 籲問으로 되어 있다.

19 『河南程氏遺書』 권1

20 『河南程氏遺書』 권2상

21 반드시 말하지 … 하는데: 『中庸章句』 33장에 "군자는 움직이지 않아도 경건하며, 말하지 않아도 신의가 있다.(君子, 不動而敬, 不言而信.)"라고 하였다.

22 방 깊은 … 없고: 『中庸章句』 33장에 『詩』에서 '네가 혼자 방안에 있는 것을 보니, 여기서도 방 깊은 곳에서 부끄럽지 않다.'고 했다. 그러므로 군자는 움직이지 않아도 경건하며, 말하지 않아도 신의가 있다.(詩云, 相在爾室, 尙不愧于屋漏, 故君子, 不動而敬, 不言而信.)"라고 하였다.

이에 대해 '屋漏'를 '방 서북쪽 귀퉁이(室西北隅也)'라고 하면서 주희는 다음과 같이 말하고 있다. "군자가 경계하고 조심하며 두려워하고 근심하는 것이 그러하지 않은 때가 없으니, 말하고 행동하려고 한 뒤에 경건하고 신의가 있는 것이 아님을 말했으니, 그 자신을 위하는 공효가 더욱 치밀하다.(言君子之戒謹恐懼, 無時不然, 不待言動而後敬信, 則其爲己之功, 益加密矣.)"

23 혼자 있을 … 것이니: 『大學章句』 6장에 다음과 같이 되어 있다. "그 뜻을 정성스럽게 한다는 것은 스스로 속이지 않는 것이니, 惡을 미워하기를 악취를 미워하는 것과 같이 하며, 善을 좋아하기를 好色을 좋아하는 것과 같이 하여야 하니, 이것을 스스로 만족한다고 이른다. 그러므로 군자는 반드시 그 혼자 있을 때를 삼간다.(所謂誠其意者, 毋自欺也, 如惡惡臭, 如好好色, 此之謂自慊, 故君子, 必愼其獨也.) 여기서 주희는 "獨이란 남이 알지 못하지만 자기 혼자 아는 것을 말한다.(獨者, 人所不知而己所獨知之地也.)"고 했다.

[46-1-11]

或謂張繹曰: "吾至於閒靜之地, 則洒然心悅, 吾疑其未善也." 繹以告程子.

程子曰: "然. 社稷宗廟之中, 不期敬而自敬, 是平居未嘗敬也. 使平居無不敬, 則社稷宗廟之中, 何敬之改修乎? 然則以靜爲悅者, 必以動爲厭. 方其靜時, 所以能悅靜之心, 又安在哉?"24

어떤 사람이 장역張繹25에게 말했다. "나는 한가롭고 고요할 때에 이르면 시원하게 마음이 기뻤으니, 나는 그것이 좋지 않은 것이 아닐까 의심했습니다." 장역이 이를 정자에게 말했다.

정자가 말했다. "그렇다. 사직과 종묘에 있을 때 경敬하려고 하지 않아도 저절로 경하게 되니, 이것은 평상시에 경하려 한 적이 없는 것이다. 만일 평상시에 경하지 않음이 없다면, 사직과 종묘에서 무슨 고칠 경이 있겠는가? 그렇다면 고요할 때 기뻐하는 것은 반드시 움직일 때 싫어하게 된다. 고요하게 될 때 고요함을 기뻐할 수 있는 마음은 또 어디에 있는가?"26

[46-1-12]

"德盛者物不能擾, 而形不能病. 形不能病, 以物不能擾也. 故善學者臨死生而色不變, 疾痛慘戚而心不動, 由養之有素也, 非一朝一夕之力也."27

(정자가 말했다.) "덕이 성대한 사람은 사물이 어지럽힐 수 없고, 형체가 병들게 할 수 없다. 형체가 병들게 할 수 없는 것은 사물이 마음을 혼란스럽게 할 수 없기 때문이다. 그러므로 잘 배운 사람은 죽고 사는 문제에 임해서도 얼굴색 하나 변하지 않고, 병들고 슬퍼도 마음이 동요하지 않으니, 이는 평소에 함양한 것이 있었기 때문이지, 일조일석의 힘으로 가능한 것이 아니다."

[46-1-13]

"心之躁者不熱而煩, 不寒而慄, 無所惡而怒, 無所悅而喜, 無所取而起, 君子莫大於正其氣. 欲正其氣, 莫若正其志, 其志既正, 則雖熱不煩, 雖寒不慄, 無所怒, 無所喜, 無所取, 去就猶是, 死生猶是, 夫是之謂不動心."28

(정자가 말했다.) "마음이 조급한 사람은 덥지 않아도 번열증煩熱症이 있고, 춥지 않아도 떨며, 미워할 것이 없는 데도 분노하고, 기뻐할 것이 없는데도 기뻐하고, 얻을 것이 없는 데도 일어나니, 군자는 그 기氣를 바르게 하는 것보다도 큰일은 없다. 그 기를 바르게 하려고 한다면, 그 지志를 바르게 하는 것보다 좋은 것은 없으니, 그 지志가 바르면 덥더라도 번열증이 없고, 춥더라도 떨지 않으며, 분노할 것이 없고,

....

24 『二程粹言』 권하

25 張繹: 張繹(1071~1108)은 字는 思叔으로 壽安東 七里店 사람이다. 北宋 시대 유명한 鄕賢이다. 程門의 高足 제자이다.

26 기뻐할 수 … 있는가?: 『性理大全』에서는 "方其靜時所以能悅, 靜之心又安在哉?"로 되어 있으나, 『二程粹言』 권하에서는 "方其靜時, 所以能悅靜之心, 又安在哉?"로 끊어 읽고 있다. 『二程粹言』에 따라 번역했다.

27 『河南程氏遺書』 권25

28 『河南程氏遺書』 권25

기뻐할 것이 없고, 취할 바가 없다. 나가고 물러나는 것에도 이와 같고, 죽고 사는 것에도 이와 같다. 이것을 부동심不動心이라고 한다."

[46-1-14]

"聖人不記事, 所以常記得. 今人忘事, 以其記事. 不能記事, 處事不精, 皆出於養之不完固."[29]
(정자가 말했다.) "성인은 일을 기억하려고 하지 않으니, 그래서 항상 기억한다. 지금 사람들이 일을 잊는 것은 그 일을 기억하려고 하기 때문이다.[30] 일을 기억할 수가 없고 일을 정밀하게 처리하지 못하는 것은 모두 함양이 완전·견고하지 못한 것에서 나온다."

[46-1-15]

問 : "獨處一室, 或行暗中, 多有憂懼何也?"
曰 : "只是燭理不明. 若能燭理, 則知所懼者妄, 又何懼焉? 有人雖知此, 然不免懼心者, 只是氣不充. 須是涵養久則氣充, 自然物動不得. 然有懼心, 亦是敬不足."[31]
어떤 사람이 물었다. "방 안에 홀로 있거나, 어두운 곳을 걸어갈 때 두려운 경우가 많은 것은 어째서입니까?"
(정자가) 답했다. "단지 리理를 밝히는 것이 분명하지 못하기 때문이다. 만약 리理를 밝힐 수가 있다면 두려운 것이 허망한 것이라는 점을 아니, 또 어째서 두려워하겠는가? 어떤 사람은 이것을 알고 있더라도 두려운 마음을 면하지 못하는데, 이는 기氣가 꽉 차지 못하기 때문이다. 반드시 함양을 오래하여 기氣가 꽉 차면 저절로 마음이 요동하지 않게 된다. 그런데도 두려워하는 마음이 있는 것은 또한 경敬이 부족하기 때문이다."

[46-1-16]

張子曰 : "正心之始, 當以己心爲嚴師, 凡所動作則知所懼. 如此一二年間, 守得牢固, 則自然

---

29 『河南程氏遺書』권3

30 기억하려고 하기 때문이다. : 葉采는 『近思錄集解』에서 이 구절에 대해 이렇게 설명한다. "성인은 일을 기억하려고 마음 쓰지 않으므로, 그 마음이 虛明하여 저절로 항상 기억한다. 지금 사람들은 마음을 억지로 써서 힘써 기억하려고 하므로 그 마음이 혼란해져서 더욱더 기억할 수 없다. 그러므로 일을 기억하는 데에 능하지 못하고, 일을 처리하는 데에 정밀하지 못한 것, 두 가지는 모두 함양이 두텁지 못한 것에서 나온다.(聖人無心記事, 故其心虛明, 自然常記. 今人著心强記, 故其心紛擾, 愈不能記. 然記事不能, 與處事不精, 二者, 又皆出於所養不厚.)" 주희는 이렇게 설명한다. "물었다. '성인은 일을 기억하려고 하지 않으니, 그래서 항상 기억한다. 지금 사람들이 일을 잊는 것은 그 일을 기억하려고 하기 때문이다.」라는 말은 무슨 말입니까?' 대답했다. '성인의 마음은 虛明하니, 그래서 이와 같을 수가 있다. 보통사람이 일을 기억하고 일을 잊는 것은 단지 의도를 두기 때문이다.'(問, 聖人不記事, 所以常記得, 今人忘事, 以其記事, 何也? 曰, 聖人之心, 虛明, 便能如此. 常人記事忘事, 只是著意之故.)"(『朱子語類』96 : 10)

31 『河南程氏遺書』권18

心正矣."[32]

장자張子(張載)가 말했다. "마음을 바르게 하는 시작은 마땅히 자신의 마음을 엄격한 스승으로 삼아서, 모든 움직이고 처리하는 일에 대해서 두려워할 점이 있다는 점을 알아야 한다.[33] 이렇게 1~2년 동안 지속해서 견고하게 지킬 줄 알면 저절로 마음이 바르게 된다."

[46-1-17]

"求心之始如有所得, 久思則茫然復失, 何也? 夫求心不得其要, 鑽研太甚則惑. 心之要, 只是欲平曠. 熟後無心, 如天簡易不已. 今有心以求其虛, 則是已起一心, 無由得虛. 切不得令心煩. 求之太切, 則反昏惑, 孟子所謂助長也. 孟子亦只言存養而已. 此非可以聰明思慮力所能致也."[34]

(장자가 말했다.) "마음을 구하는 시초에는 얻은 것이 있는 듯한데, 오래 사려하면 망연하게 다시 잃는 것은 어째서인가? 마음을 구하는 데에는 그 요체를 얻지 못하고, 단속하고 연마하는 것이 너무 심하면 미혹된다. 마음을 구하는 요체는 단지 평광平曠하려고 할 뿐이다.[35] 성숙된 뒤에는 무심無心하여, 하늘처럼 간략하고 쉬워 그침이 없다. 지금 마음을 두고 그 허虛를 구하려한다면 한 마음이 이미 일어나서 허를 얻을 이유가 없다. 마음을 번잡하지 않도록 한다. 너무 지나치게 절박하면 도리어 어둡고 미혹되니, 맹자가 말한 조장助長이다.[36] 맹자는 또한 단지 보존하고 함양하라고 말했을 뿐이다. 이것은 총명함과

. . . .

32 『張載集』「經學理窟 · 義理」

33 두려워할 점이 … 한다 : 歸安茅星來가 편찬한 『近思錄集註』卷4「存養」에는 다음과 같은 주희의 말이 있다. "잡고 지키는 요체는 분명 이 마음을 항상 스스로 정돈하는 것에 있다. 그러나 학문을 강구하지 못하고 理에 분명하지 않으면 또한 인욕을 천리로 착각하는 경우가 있으니, 또한 살피지 않을 수가 없다.(持守之要, 固貴此心常自整頓, 然學未講, 理未明, 亦有錯認人欲作天理者, 又不可以不察也.)"

34 『張載集』「經學理窟 · 氣質」

35 平曠하려고 할 뿐이다 : 淡若水는 『格物通』에서 平曠을 이렇게 설명하고 있다. "장재가 말하는 平曠이란 잊지도 않고 조장하지도 않는 사이이다. 이것을 얻으면 그 理를 얻고, 이것을 잃으면 그 리를 잃는다. 그러므로 망연하게 잃는 것을 잊는다고 하고 단속하고 연마하는 것이 너무 과한 것은 조장한다고 하니, 과하거나 미치지 못한 것일 뿐이다. 배우는 사람은 잊지도 말고 조장하지도 않는 사이에서 평광한 자연스런 기상이 저절로 드러난다.(張載所謂平曠, 即勿忘勿助之間也. 得此, 則得其理矣. 失此, 則失其理矣. 故茫然而失者, 謂之忘, 鑽研太過者, 謂之助, 過猶不及爾. 學者於勿忘勿助之間, 而平曠自然之氣象, 自見矣.)"

36 助長이다 : 『孟子』「公孫丑上」에 다음과 같이 되어 있다. "반드시 일삼되, 효과를 미리 기대하지 말아서 마음에 잊지도 말며 억지로 助長하지도 말아서, 宋나라 사람과 같이 하지 말아야 한다. 송나라 사람 중에 벼싹이 자라지 못함을 안타깝게 여겨 뽑아놓은 자가 있었다. 그는 아무 것도 모르고 돌아와서 집안사람들에게 말하기를 '오늘 나는 매우 피곤하다. 내가 벼싹이 자라도록 도왔다.' 하자, 그 아들이 달려가서 보았더니, 벼싹은 말라 있었다. 천하에 벼싹이 자라도록 억지로 助長하지 않는 자가 적으니, 유익함이 없다고 해서 버려두는 자는 비유하면 벼싹을 김매지 않는 자이고, 억지로 助長하는 자는 벼싹을 뽑아놓는 자이니, 이는 비단 유익함이 없을 뿐만 아니라, 도리어 해치는 것이다.(必有事焉而勿正, 心勿忘, 勿助長也, 無若宋人然. 宋人有閔其苗之不長而偃之者, 芒芒然歸, 謂其人曰, 今日, 病矣. 予助苗長矣. 其子趨而往視之, 苗則槁矣. 天下之不助苗長者

사려의 힘으로 미칠 수 있는 것은 아니다."

[46-1-18]

龜山楊氏曰 : "古之學者, 視聽言動無非禮, 所以操心也. 至於無故不徹琴瑟, 行則聞佩玉, 登車則聞和鸞, 蓋皆欲收其放心, 不使惰慢邪僻之氣得而入焉."[37]

구산 양씨龜山楊氏[楊時][38]가 말했다. "옛날에 배우는 사람은 보고 듣고 말하고 움직이는 것이 예가 아닌 것이 없었으니, 마음을 잡았기 때문이다. 별다른 사고가 없으면 금슬琴瑟을 치우지 않고[39] 걸어가면 패옥佩玉을 듣고, 수레를 타면 화란和鸞소리를 듣는 것[40]은 모두 그 흩어진 마음을 수렴하여 게으르고 교만하고 사특하고 편벽된 기가 들어오지 못하게 하려는 것이다."

[46-1-19]

延平李氏答朱元晦書曰 : "常存此心, 勿爲他事所勝, 卽欲慮非僻之念自不作矣. 孟子有夜氣之說, 更熟味之, 當見涵養處也. 於涵養處著力, 正是學者之要. 若不如此存養, 終不爲己物也."[41]

연평 이씨延平李氏[李侗][42]가 주원회朱元晦에게 답하는 편지에서 말했다. "항상 이 마음을 보존하여 다른

寡矣, 以爲無益而舍之者, 不耘苗者也, 助之長者, 揠苗者也, 非徒無益, 而又害之.)"

37 『龜山集』 권11 「語錄2・京師所聞」

38 龜山楊氏[楊時] : 楊時(1053~1135)이다. 자는 中立이고 호는 龜山이다. 북송 將樂(현 복건성 장락현) 사람이다. 程顥・程頤 형제에게 師事했는데, 특히 형 정호의 신임을 받았다. 그는 오래 살면서 二程(程顥・程頤)의 도학을 전하여 洛學(이정의 학파)의 大宗이 되었으며, 그 學系에서는 주희・張栻・呂祖謙 등 뛰어난 학자가 많이 배출되었다. 저서에 『龜山集』・『龜山語錄』・『二程粹言』 등이 있다.

39 별다른 사고가 … 않고 : 『禮記』「曲禮下」에 "군주는 별다른 사고가 없으면 옥을 몸에서 떼지 않고, 대부는 별다른 사고가 없으면 縣樂을 치우지 않고 사는 별다른 사고가 없으면 금슬을 치우지 않는다.(君無故玉不去身, 大夫無故不徹縣, 士無故不徹琴瑟.)"라고 하였다.

40 걸어가면 佩玉을 … 것 : 『禮記』「玉藻」, "옛날의 군자는 반드시 띠에 옥을 찼다. 오른쪽에는 높고 경쾌한 소리가 나는 옥을 차고, 왼쪽에는 낮고 무거운 소리가 나는 옥을 찼다. 빠른 걸음으로 나아갈 때는 采齊의 악곡에 박자를 맞추고, 천천히 걸어 갈 때에는 肆夏의 악곡에 박자를 맞추었다. 둥글게 돌아갈 때에는 規에 맞게 원을 그리고, 꺽어서 돌아갈 때에는 矩에 맞게 직각을 그린다. 앞으로 나아갈 때에는 몸을 조금 굽혀서 揖하는 듯이 하고, 뒤로 물러날 때에는 몸을 조금 치켜든다. 이처럼 돌고 꺾고 나가고 물러나는 것이 절도에 맞아야 옥소리가 아름답고 맑게 울린다. 그러므로 군자가 수레를 타고 있으면 수레에 단 방울소리가 들리며, 걸어가면 허리에 찬 옥소리가 울린다. 이런 까닭에 그릇되고 치우친 마음이 생기지 않는다.(古之君子, 必佩玉, 右徵角, 左宮羽, 趨以采齊, 行以肆夏, 周還中規, 折還中矩, 進則揖之, 退則揚之, 然後, 玉將鳴也. 故君子在車, 則聞鸞和之聲, 行則鳴佩玉, 是以非辟之心, 無自入也.)"

41 『延平答問』 丁丑年 6월26일 편지

42 延平李氏[李侗] : 李侗(1093~1163)이다. 자는 願中이고, 延平先生이라고 불린다. 송대 南劍州劍浦(현재 복건성 南平)사람으로 楊時・羅從彦과 함께 '南劍三先生'이라 불린다. 나종언에게서 二程의 학문을 배우고, 40여

일들이 이기지 못하게 하면, 욕심과 사려와 잘못된 것과 편벽한 사념이 저절로 일어나지 않는다. 『맹자』에는 야기夜氣에 관한 말이 있는데, 다시 자세하게 맛보아서 마땅히 함양하는 곳을 보아야한다. 함양하는 곳에 힘을 쓰는 것이 바로 배우는 것의 요체이다. 만약 이렇게 보존하고 함양하지 않으면 결국에는 자기 것이 되지 않는다."

[46-1-20]

"今之學者, 雖能存養知有此理, 然旦晝之間一有懈焉, 遇事應接擧處不覺打發機械, 即離間而差矣. 唯存養熟, 道理明, 習氣漸爾消鑠, 道理油然而生, 然後可進. 亦不易也."[43]

(연평 이씨가 말했다.) "오늘날 배우는 사람은 보존하고 함양하며 이 리理가 있는 줄은 알지만 새벽과 낮에 조금이라도 게으르게 되면, 일이 닥쳐 응접하고 처리하는 데에 자신도 모르게 습관적인 행동을 일으키니, 곧 틈이 생겨서 어그러진다. 오직 보존하고 함양하는 것이 익숙해지고 도리가 분명하게 되어, 습관적인 기운이 점차로 소멸되고 도리가 저절로 생겨난 뒤에야 증진될 수가 있다. 또한 쉽지 않다."

[46-1-21]

朱子曰 : "自古聖賢, 皆以心地爲本."[44]

주자가 말했다. "옛날부터 성현은 마음을 근본으로 했다."

[46-1-22]

"聖賢千言萬語, 只要人不失其本心."[45]

(주자가 말했다.) "성현의 천만마디 말들은 단지 사람이 그 본심本心을 잃지 말라는 것이다."

[46-1-23]

"古人言志帥心君, 須心有主張始得."[46]

(주자가 말했다.) "옛 사람들이 지志는 장수이고, 심心은 군주라고 했는데, 반드시 심에 주재가 있어야 비로소 얻는다."

[46-1-24]

"心若不存, 一身便無所主宰."[47]

. . . .

년 간 세속을 끊고 연구한 뒤에 '理一分殊' 등 이정의 학문을 주희에게 전수해 주었다. 저서는 『延平文集』이 있다.
43 『延平答問』庚辰年 7월 편지
44 『朱子語類』권12, 1조목
45 『朱子語類』권12, 2조목
46 『朱子語類』권12, 3조목

(주자가 말했다.) "만약 마음을 보존하지 못하면, 몸에는 주재하는 것이 없게 된다."

[46-1-25]
"纔出門便千岐萬轍, 若不是自家有箇主宰, 如何得是!"[48]

(주자가 말했다.) "문을 나서면 천만가지의 갈림길의 흔적이 있으니, 만약 자신에게 주재하는 것이 없다면 어떻게 옳게 처신할 수 있겠는가!"

[46-1-26]
"心在, 羣妄自然退聽."[49]

(주자가 말했다.) "마음이 있으면, 여러 가지 망령된 것들이 저절로 물러난다."

[46-1-27]
"人只有箇心, 若不降伏得, 更做甚麼人!"[50]　一云如何做得事成.[51]

(주자가 말했다.) "사람에게는 마음이 있는데, 만약 그 마음을 제압할 수 없다면 어떤 사람이 되겠는가!" 다른 판본에서는 어떻게 일을 이룰 수 있겠는가라고 되어있다.

[46-1-28]
"人只一心, 識得此心, 便無走作, 雖不加防閑, 此心常在."[52]

(주자가 말했다.) "사람은 단지 하나의 마음이다. 이 마음을 깨달아서 함부로 달려 나가지 않게 하면 막지 않더라도 이 마음은 항상 있다."

[46-1-29]
"人精神飛揚, 心不在殼子裏面, 便害事."[53]

(주자가 말했다.) "사람의 정精과 신神이 날아가서 마음이 껍데기 몸 안에 없으면, 일을 해치게 된다."

[46-1-30]
"未有心不定而能進學者. 人心萬事之主, 走東走西, 如何了得!"[54]

47　『朱子語類』 권12, 4조목
48　『朱子語類』 권12, 5조목
49　『朱子語類』 권12, 6조목
50　更做甚麼人! : 『朱子語類』에는 '更'자가 없이 "做甚麼人!"이라고 되어 있다.
51　『朱子語類』 권12, 7조목
52　『朱子語類』 권12, 8조목
53　『朱子語類』 권12, 9조목

(주자가 말했다.) "마음이 안정되지 않고서 학문을 증진시킬 수 있는 경우는 없다. 사람의 마음이 모든 일의 주인인데, 동쪽으로 가고 서쪽으로 가니, 어떻게 얻겠는가!"

[46-1-31]
"只外面有些隙罅便走了."
問: "莫是功夫間斷, 心便外馳否?"
曰: "只此心纔向外便走了."[55]
(주자가 말했다.) "바깥에 조금의 틈이 있어도 달아난다."
물었다. "공부에 단절이 있으면 마음이 달아나는 것이 아닙니까?"
(주자가 말했다.) "이 마음이 밖으로 향하기만 해도 달아난다."

[46-1-32]
"人昏時, 便是不明. 纔知那昏時, 便是明也."[56]
(주자가 말했다.) "사람이 어두울 때가 바로 밝지 못한 것이다. 그 어두운 것을 알 때가 곧 밝은 것이다."

[46-1-33]
"今人心聳然在此, 尙無惰慢之氣, 況心常能惺惺者乎? 故心常惺惺, 自無客慮."[57]
(주자가 말했다.) "지금 사람의 마음이 또렷이 여기에 있으면 게으르고 교만한 기는 없으니, 하물며 항상 마음이 밝게 깨어있을 수 있다면 어쩌겠는가? 그러므로 마음이 항상 밝게 깨어있으면 저절로 군더더기 사려는 없게 된다."

[46-1-34]
"人常須收斂箇身心, 使精神常在這裏, 似擔百十斤擔相似, 須硬著筋骨擔."[58]
(주자가 말했다.) "사람은 항상 반드시 자신의 몸과 마음을 거두어 단속하여 정신精神이 여기에 있도록 해서, 마치 열 근 백 근을 짊어진 듯해야 하니, 반드시 근육과 뼈를 다 써서 짊어져야 한다."

[46-1-35]
"大抵是且收斂得身心在這裏, 便已有八九分了. 却看道理有窒礙處, 却於這處理會. 爲學且

. . . .
54 『朱子語類』 권12, 10조목
55 『朱子語類』 권12, 11조목
56 『朱子語類』 권12, 12조목
57 『朱子語類』 권12, 14조목
58 『朱子語類』 권12, 26조목

要專一, 理會這一件, 便只且理會這一件. 若行時心便只在行上, 坐時心便只在坐上."

(주자가 말했다.) "대체로 몸과 마음을 거두어 단속해서 여기에 있으면, 8~9할은 있는 것이다. 도리를 보아 막히는 곳이 있으면 그곳에서 이해한다. 배움은 하나로 집중해야 하니, 하나를 이해하면 곧 또 하나를 이해해야 한다. 마치 걸을 때에 마음은 걷는 데에 있고, 앉아 있을 때에 마음은 앉아 있는 데에 있는 것과 같다."

[46-1-36]

"學者爲學未問眞知與力行, 且要收拾此心, 令有簡頓放處. 若收斂都在義理上安頓, 無許多胡思亂想, 則久久自於物欲上輕, 於義理上重. 須是敎義理心重於物欲, 如秤令有低昂, 即見得義理自端的, 自有欲罷不能之意. 其於物欲自無暇及之矣. 苟操舍存亡之間, 無所主宰, 縱說得亦何益?"[59]

(주자가 말했다.) "배우는 사람은 배우려고 할 때 진지眞知(진짜 알아야할 것)와 역행力行(힘써 행해야 할 것)을 묻지 않고, 마음을 수습하여 내려놓을 곳이 있게 하려고 한다. 만약 거두어 단속해서 모두 의리義理에 편안히 내려놓고, 수많은 쓸데없고 근거없는 생각들을 없게 한다면, 오래되어서 저절로 물욕物欲이 가벼워지고, 의리義理가 무거워진다. 반드시 의리의 마음이 물욕보다 중요하도록 해서, 마치 저울에 높낮이가 있는 것같이 하면, 저절로 분명하게 의리를 알게 되고, 그만두려 해도 그만둘 수 없는 뜻이 저절로 있게 된다.[60] 그러면 물욕에 저절로 미칠 틈이 없게 된다. 잡고 버리고 보존하고 잃는 사이에 주재하는 것이 없다면, 말해봐야 무슨 보탬이 있겠는가?"

[46-1-37]

"存得此心, 便是要在這裏常常照管. 若不照管, 存養要做甚麼用!"[61]

(주자가 말했다.) "이 마음을 보존하는 것은 여기에서 항상 비추어 관리하려는 것이다. 비추어 관리하지 못하면 보존하고 함양하여 어디에 써먹겠는가!"

[46-1-38]

"今於日用間空閑時, 收得此心在這裏截然, 這便是喜怒哀樂未發之中, 便是渾然天理. 事物

. . . .

59 『朱子語類』권12, 29조목
60 그만두려 해도 … 된다. : 『論語』자한, "안연이 크게 탄식하며 말하였다. '우러러볼수록 더욱 높고, 뚫을수록 더욱 견고하며, 바라보면 앞에 있더니 홀연히 뒤에 있다. 공자께서 차근차근히 사람을 잘 이끄시어 文으로 나의 지식을 넓혀주시고 禮로써 나의 행동을 단속하셨다. 그만두고자 해도 그만둘 수 없어 이미 나의 재주를 다하니, 내 앞에 우뚝 서있는 듯하다. 그래서 따르고자 하지만 어디로부터 시작해야 할지 모르겠다.'(顏淵, 喟然歎曰, '仰之彌高, 鑽之彌堅, 瞻之在前, 忽焉在後. 夫子循循然善誘人, 博我以文, 約我以禮, 欲罷不能, 旣竭吾才, 如有所立卓爾. 雖欲從之, 末由也已.')"
61 『朱子語類』권12, 38조목

之來, 隨其是非, 便自見得分曉. 是底便是天理. 非底便是逆天理. 常常恁地收拾得這心在, 便如執權衡以度物."[62]

(주자가 말했다.) "지금 평상시 한가로울 때, 이 마음을 여기에서 엄숙하게 수렴했다면, 이것은 『중용』에서 말하는 '희노애락이 아직 발하지 않은 중中[63]이고, 또 혼연한 천리天理이다. 사물이 올 때에 그 옳고 그름에 따르니, 저절로 분명하게 본다. 옳은 것은 천리이고 그른 것은 천리에 거스르는 것이다. 항상 그대로 이 마음을 수습하여 있게 하면 저울을 잡고서 사물을 헤아리는 것과 같다."

[46-1-39]

"人若要洗刷舊習都淨了, 却去理會此道理者無是理. 只是收放心把持在這裏, 便須有箇眞心發見, 從此便去窮理."[64]

(주자가 말했다.) "사람이 만약 옛 악습을 씻어서 모두 깨끗하게 하려는데, 이 도리를 이해하는 것을 떠나서는 그렇게 할 리가 없다.[65] 단지 흩어진 마음을 수렴하여 여기에 잡아 놓으면, 반드시 진심이 일어나니, 여기에서부터 이치를 궁리해 나간다."

[46-1-40]

"大槩人只要求箇放心, 日夕常照管令在. 力量旣充, 自然應接從容."[66]

(주자가 말했다.) "대체로 사람은 이 흩어진 마음을 구하려고 한다면 밤낮으로 항상 비추고 관리하여 있게 해야 한다. 역량이 충분하면, 저절로 응하고 접촉하는 데에 차분하게 된다."

[46-1-41]

"存心只是知有此身. 謂如對客, 但知道我此身在此對客."[67]

....

62 『朱子語類』 권12, 30조목
63 '희노애락이 아직 … 中': 『中庸集註』 1장에 다음과 같이 되어 있다. "희노애락이 未發한 것을 中이라 하고 발하여 모두 절도에 맞는 것을 和라 하니, 中이란 것은 천하의 큰 근본이요, 和란 것은 천하의 공통된 도이다. (喜怒哀樂之未發, 謂之中, 發而皆中節, 謂之和, 中也者, 天下之大本也, 和也者, 天下之達道也.)" 주희는 이렇게 주석을 달고 있다. "희노애락은 情이고, 이것이 미발한 것은 바로 性이니, 편벽되고 치우친 바가 없으므로 中이라 하며, 발하여 모두 절도에 맞는 것은 정의 올바름이니, 어그러지는 바가 없으므로, 和라고 한다. 大本은 하늘이 명하신 性이다. 천하의 이치가 모두 이로 말미암아 나오니, 道의 體이다. 達道는 성을 따르는 것이다. 천하와 고금에 함께 행하는 것이니, 道의 用이다.(喜怒哀樂, 情也, 其未發, 則性也, 無所偏倚故, 謂之中, 發皆中節, 情之正也, 無所乖戾故, 謂之和. 大本者, 天命之性. 天下之理, 皆由此出, 道之體也. 達道者, 循性之謂. 天下古今之所共由, 道之用也.)"
64 『朱子語類』 권12, 31조목
65 그렇게 할 … 없다: 『朱子語類考文解義』에서는 "옛 구습이 쉽게 완전히 제거되지 않았는데도, 만약 완전히 제거하여 학문을 하려고 한다면 이룰 수 없다.(舊習未易除盡, 若欲除盡而爲學則不可成.)"라고 한다.
66 『朱子語類』 권12, 32조목

(주자가 말했다.) "마음을 보존하는 것은 단지 이 몸이 있다는 것을 아는 것이다. 손님을 대하는 것처럼 하는 것을 말하니, 단지 이 내 몸이 여기서 손님을 대한다는 것을 아는 것이다."

[46-1-42]

"但操存得在時, 少間他喜怒哀樂, 自有一箇則在."[68]

(주자가 말했다.) "단지 잡고 보존하여 이 마음을 있게 했을 때, 조그마한 순간의 희노애락에도 저절로 하나의 법칙이 있다."[69]

[46-1-43]

"心存時少, 亡時多. 存養得熟後, 臨事省察不費力."[70]

(주자가 말했다.) "마음이 보존되는 때는 적고, 없어지는 때는 많다. 보존하고 함양하는 것이 성숙하게 된 뒤에, 일에 임하거나 살피고 관찰하는 데에 힘을 들이지 않는다."

[46-1-44]

"平日涵養之功, 臨事持守之力, 涵養持守之久, 則臨事愈益精明. 平日養得根本固善. 若平日不曾養得, 臨事時便做根本工夫, 從這裏積將去. 若要去討平日涵養幾時得!"

又曰 : "涵養之則, 凡非禮勿視聽言動, 禮儀三百威儀三千皆是."[71]

(주자가 말했다.) "평상시에 함양하는 공을 들이고, 일에 임하여 자신을 지키는 노력을 하여, 함양과 지키는 일이 오래되면 일에 임해서 더욱더 정밀하고 분명하게 한다. 평상시에 근본적인 것들을 함양하면 좋다. 만약 평상시에 함양하지 못하면, 일에 임했을 때 근본적인 공부를 하여 여기에서부터 축적해 나간다. 만약 평상시에 함양하려고만 한다면 어느 때에 얻겠는가!"

또 말했다. "함양의 법칙은 예가 아니면 보지도 말고 듣지도 말고 말하지도 말고 움직이지도 말라는 것이니, 3백 가지의 예의禮儀나 3천 가지의 위의威儀가 모두 그렇다."

[46-1-45]

"明底人便明了, 其他須是養. 養非是如何椎鑿用工, 只是心虛靜, 久則自明."[72]

(주자가 말했다.) "밝은 사람은 현명하지만, 그 밖의 사람은 반드시 수양해야 한다. 수양은 어떻게 천착해

. . . .

67 『朱子語類』 권12, 40조목
68 『朱子語類』 권12, 42조목
69 하나의 법칙이 있다. : 『朱子語類考文解義』에서는 "則은 법식이다. 잡고 보존하면 사물을 대응하는 법칙이 함양하는 그 가운데에 있다는 말이다.(則, 法式也. 言操存, 則應物之法, 已涵養在其中也.)"
70 『朱子語類』 권12, 43조목
71 『朱子語類』 권12, 44조목
72 『朱子語類』 권12, 45조목

서 공부할 것인가라는 문제가 아니라, 단지 마음을 비우고 고요하게 하는 것이니, 오래 지속하면 저절로 밝아진다."

[46-1-46]

問 : "靜中常用存養."

曰 : "說得有病. 一動一靜, 無時不養."[73]

물었다. "고요한 가운데에서 항상 보존하고 함양합니까?"

(주자가) 말했다. "그 말에 병통이 있다. 한 번 움직이고 한 번 고요함에 함양하지 않은 때가 없다."

[46-1-47]

"平居須是儼然若思."[74]

(주자가 말했다.) "평상시에 기거할 때는 반드시 엄숙하게 마치 사려하는 듯이 한다."

[46-1-48]

"須敬守此心, 不可急迫, 當栽培深厚. 栽只如種得一物在此, 但涵養持守之功, 繼繼不已, 是謂栽培深厚. 如此而優游涵泳於其間, 則浹洽而有以自得矣. 苟急迫求之, 則此心已自躁迫紛亂, 只是私己而已. 終不能優游涵泳以達於道."[75]

(주자가 말했다.) "'반드시 이 마음을 경건하게 지키되, 급박하게 해서는 안 되니, 마땅히 깊고 두텁게 재배해야 한다.'[76] 재배는 여기에 한 물건을 심는 것과 같으나, 단지 함양하고 지키려는 공력을 계속해서 그치지 말아야 하니, 이것을 깊고 두텁게 재배하는 것이라고 한다. 이렇게 하고 그 사이에서 넉넉하게 헤엄쳐 노닐면, 흠뻑 젖어들어 스스로 터득하는 것이 있게 된다. 그러나 급박하게 그것을 구하려 하면 이 마음은 이미 조급하고 혼란한 것이니 단지 사사로운 자기일 뿐이다. 결국에는 넉넉하게 헤엄쳐 노닐어서 도에 이를 수가 없다."

[46-1-49]

"大凡氣俗不必問, 心平則氣自和. 惟心鷹一事, 學者之通病. 橫渠云'顔子未至聖人, 猶是心

---

73 『朱子語類』 권12, 47조목
74 『朱子語類』 권12, 50조목
75 『朱子語類』 권12, 53조목
76 '반드시 이 … 한다.': 이 말은 정이천의 말이다. 『河南程氏遺書』 권2상에 "배우는 자는 반드시 이 마음을 경건하게 지키되, 급박하게 해서는 안 되니, 마땅히 깊고 두텁게 재배해야 한다. 그 사이에서 함양한 뒤에 스스로 터득할 수 있다. 단 급박하게 그것을 구하려 한다면 이것은 사사로운 자기일 뿐이니, 결국에는 도에 도달하기에 부족하다.(學者須敬守此心, 不可急迫, 當栽培深厚. 涵泳於其間, 然後可以自得. 但急迫求之, 只是私己, 終不足以達道.)"라고 되어 있다.

麤.' 一息不存, 即爲粗病. 要在精思明辨, 使理明義精, 而操存涵養無須臾離, 無毫髮間, 則天理常存, 人欲消去, 其庶幾矣哉?"[77]

(주자가 말했다.) "대체로 풍기와 습속은 반드시 물을 필요가 없으니, 마음이 평온하면 기는 저절로 조화롭다. 오직 마음이 거친 일이 배우는 자들의 일반적인 병통이다. 횡거가 말하기를 '안자는 성인聖人에 이르지 못했으니, 이것은 마음이 거친 것과 같다.'[78]고 했다. 한 순간에 보존하지 못하면 거친 병통이 된다. 요체는 정밀하게 사려하고 명확하게 분별하여 리理를 분명하게 하고 의義를 정밀하게 하는 데에 있으니, 잡고 보존하며 함양하는 데에 잠시라도 떨어지지 않아 털끝만한 틈새도 없으면, 천리天理가 저절로 보존되고 인욕이 없어지니 도道에 가까운 것이다."

[46-1-50]

"人能操存此心, 卓然而不亂, 亦自可與入道, 況加之學問探討之功, 豈易量耶?"[79]

(주자가 말했다.) "사람이 이 마음을 잡고 보존할 수 있으면, 도드라지게 혼란하지 않아서, 또한 저절로 도에 들어갈 수가 있다. 게다가 학문과 토론의 공을 덧붙인다면 어찌 쉽게 헤아리겠는가!"

[46-1-51]

"人心本明, 只被物事在上盖蔽了, 不曾得露頭面, 故燭理難. 且徹了盖蔽底事, 待他自出來行兩匣看. 他既喚做心, 自然知得是非善惡."[80]

(주자가 말했다.) "사람의 마음은 본래 밝으나 사물에 의해서 가려져서 본래 면목을 드러낼 수가 없기 때문에 리理를 밝히기가 어렵다. 그러니 우선 가려진 것을 없애버리고, 그것이 저절로 나오기를 기다려 양면으로 행하는 것을 살펴보아야 한다. 그것을 마음이라고 불렀으니, 저절로 시비와 선악을 알 수 있다."

[46-1-52]

"心須常令有所主, 做一事未了, 不要做別事. 心廣大如天地, 虛明如日月. 要閑, 心却不閑, 隨物走了. 不要閑, 心却閑, 有所主."[81]

---

77 『朱子語類』 권12, 54조목
78 『張載集』 「經學理窟·義理」에 "배움은 事理를 추구할 수 없으니, 마음이 거칠 뿐이다. 안자가 성인에 이르지 못한 것과 같은 것은 마음이 거친 것과 같다.(學不能推究事理, 只是心粗, 至如顏子未至於聖人處, 猶是心粗.)"라고 하였다. 이 말에 대해서 葉采는 『近思錄集解』에서 다음과 같이 설명한다. "안자는 3개월 뒤에 인을 어기지 않을 수 없는 자이니, 이것이 理를 살피는 것에 혹 조금이라도 정밀하지 못한 점이 있는 것이므로, 보존하는 것에 털끝만큼의 틈이 있는 것과 같다.(顏子, 不能不違仁於三月之後者, 是其察理, 猶或有一毫之未精, 故所存, 猶或有一毫之間斷.)"
79 『朱子語類』 권12, 55조목
80 『朱子語類』 권12, 56조목

(주자가 말했다.) "마음은 반드시 항상 주된 것이 있게 해서, 한 가지 일을 마치지 못했다면 다른 일을 해서는 안 된다. 마음은 넓고 큼이 천지와 같고, 텅 비고 밝음이 해와 달과 같다. 막으려 하면 마음은 막지 않고, 사물에 따라 달아난다. 한가롭고자 하지 않으면 마음은 오히려 한가로워 주장하는 것이 있게 된다."

[46-1-53]

"心得其正, 方能知性之善."[82]

(주자가 말했다.) "마음이 올바름을 얻어야 비로소 성性의 선함을 알 수 있다."

[46-1-54]

"學者工夫, 且去剪截那浮泛底思慮."[83]

(주자가 말했다.) "배우는 사람의 공부는 또한 이 둥둥 떠다니는 사려를 끊는 것이다."

[46-1-55]

"學者常用提省此心, 使如日之升, 則羣邪自息. 他本自光明廣大, 自家只著些子力去提省照管他便了. 不要苦著力. 著力則反不是."[84]

(주자가 말했다.) "배우는 사람은 항상 이 마음을 일깨워서 마치 해가 올라오는 듯이 한다면, 여러 사특한 생각들이 저절로 없어진다. 그것은 본래 빛나고 넓고 큰 것이니, 자신이 힘을 들여서 일깨워 그것을 비추고 관리하면 된다. 그러나 억지로 괴롭게 힘을 들여서는 안 되니, 억지로 괴롭게 힘을 들이면 반대로 그렇게 되지 않는다."

[46-1-56]

"大抵心體通有無, 該動靜, 故工夫亦通有無, 該動靜, 方無透漏. 若必待其發而後察, 察而後存, 則工夫之所不至多矣. 惟涵養於未發之前, 則其發處自然中節者多, 不中節者少. 體察之際, 亦甚明審, 易爲著力."[85]

(주자가 말했다.) "대체로 마음의 체體는 유有와 무無를 관통하고, 움직임과 고요함을 아우르므로, 공부 역시 유有와 무無를 관통하고, 움직임과 고요함을 아울러야, 비로소 투철하여 새는 것이 없다. 만약 반드시 그것이 발한 뒤에 살피려 해서, 살핀 뒤에 보존한다면, 공부가 이르지 못한 경우가 많다. 오직 미발未

---

81 『朱子語類』 권12, 58조목
82 『朱子語類』 권12, 60조목
83 『朱子語類』 권12, 62조목
84 『朱子語類』 권12, 24조목
85 『朱文公文集』 권43 「書・林擇之」

發 이전에 함양하면 그것이 발한 곳이 저절로 절도에 맞는 경우가 많고, 절도에 맞지 않는 경우가 적다. 체찰體察할 때 또한 매우 분명해지고, 힘을 쓰기가 쉽다."

[46-1-57]

問: "心要在腔子裏. 若慮事應物時, 心當如何?"

曰: "思慮應接, 亦不可廢. 但身在此, 則心合在此."

曰: "然則方其應接時, 則心在事上. 事去則此心亦合管著."

曰: "固是要如此."[86]

물었다. "마음은 텅 빈 몸 속에 있게 해야 한다.'[87]고 했는데, 만약 일을 사려하고 사물을 대응할 때, 마음은 마땅히 어떠해야 합니까?"

(주자가) 말했다. "사려하고 응접하는 일은 또한 없앨 수 없다. 다만 몸에 이것이 있으면 마음은 당연히 여기에 있다."

물었다. "그러면 그것을 이제 막 응접하려고 할 때라면, 마음은 일에 있지만, 일이 지나간 뒤라면 이 마음 역시 간섭하지 않습니까?"

(주자가) 대답했다. "분명 이렇게 해야 한다."

[46-1-58]

"人一箇心, 終日放在那裏去, 得幾時在這裏. 孟子所以只管教人求放心. 今人終日放去, 一箇身恰似箇無梢工底船, 流東流西, 船上人皆不知. 某嘗謂人未讀書, 且先收斂得身心在這裏, 然後可以讀書, 求得義理. 而今硬捉在這裏讀書, 心飛揚那裏去, 如何得會長進?"[88]

(주자가 말했다.) "사람은 하나의 마음인데 종일토록 저기에서 떨어져 나가 있으면 이쪽은 얼마나 있겠는가. 그래서 맹자가 사람은 그 흩어진 마음을 구하라고 가르쳤을 뿐이다. 오늘날 사람이 하루 종일 마음이 떨어져 나가 있어 하나의 몸이 마치 뱃사공이 없는 배가 동쪽으로 흐르고 서쪽으로 흘러도 배위의 사람들이 알지 못하는 것과 같다. 내가 일찍이 말하기를, 사람이 독서를 하기 전에 우선 먼저 몸과 마음을 여기에서 수렴해야만 독서를 하여 의리義理를 구할 수 있다. 지금 여기서 억지로 독서를 하려고 해도 마음은 저기서 날아다니니, 어떻게 멀리 발전할 수 있겠는가?"

---

86 『朱子語類』 권96, 13조목

87 '마음은 텅 … 한다.': 정이천의 말이다. 『河南程氏遺書』 권7과 『朱子語類』 권96, 12조목에는 다음과 같은 내용이 나온다. "마음은 텅 빈 곳에 있게 해야 한다.'고 했는데, 이는 마음에는 주재가 있어야 한다는 것이다. 지금부터 가슴 속의 혼란한 것을 끊고 敬으로 이치를 궁구한다.(心要在腔殼子裏. 心要有主宰. 繼自今, 便截胸中膠擾, 敬以窮理.)"

88 『朱子語類』 권96, 14조목

[46-1-59]

問 : "心如何得在腔子裏?"

曰 : "敬便在腔子裏."

又問 : "如何得會敬?"

曰 : "只管恁地衮做甚麼? 纔說到敬, 便是更無可說."[89]

물었다. "정이천은 '마음은 어떻게 해야 텅 빈 몸에 있을 수 있습니까.'고 했다."

(주자가) 답했다. "경敬하면 곧 텅 빈 몸에 있게 된다."

또 물었다. "어떻게 해야 경할 수 있습니까?"

(주자가) 답했다. "단지 그대로 흐르게 해야지 무엇을 하겠는가? 경을 말했으니 더 이상 말할 것이 없다."

[46-1-60]

"以敬爲主, 則内外肅然, 不忘不助而心自存. 不知以敬爲主而欲存心, 則不免將一箇心把捉一箇心, 外面未有一事時, 裏面已是三頭兩緒, 不勝其擾擾矣. 就使實能把捉得住, 只此已是大病, 況未必眞能把捉得住乎?"[90]

(주자가 말했다.) "경敬을 위주로 하면 안과 밖에 숙연하여 잊지도 않고 조장하지도 않아 마음이 저절로 보존된다. 경을 위주로 하는 것을 모르고서 마음을 보존하려고 하면, 한 마음이 한 마음을 잡으려고 하는 것을 면치 못하고, 밖에는 어떤 일도 있지 않을 때 마음 안에는 수 만 가지 잡생각이 들면서 그 어지러움을 감당하지 못한다. 실제로 잡아 머무르게 할 수 있다고 해도 이것은 이미 큰 병일 뿐인데, 하물며 반드시 진정으로 잡아서 머무르게 할 수 없는데야 더 말할 것이 있겠는가?"

[46-1-61]

"涵養本原之功, 誠易間斷. 然纔覺得間斷, 便是相續處. 只要常自提撕, 分寸積累將去, 久之自然接續, 打成一片耳. 講學工夫, 亦是如此. 莫論事之大小, 理之淺深, 但到目前, 即與理會到底, 久之自然浹洽通貫也."[91]

(주자가 말했다.) "본원을 함양하는 공부는 실로 틈새가 생겨 끊어지기 쉽다. 그러나 틈새가 생겨 끊어짐이 있음을 깨닫게 되면 그것이 곧 연속되는 곳이다. 단지 항상 스스로 깨어나서 조금씩 쌓아나가니, 오래 지속하면 저절로 연결되어서 하나의 덩어리가 될 것이다. 강학講學 공부 역시 이와 마찬가지이다. 일의 크고 작음과 리理의 얕고 깊음을 막론하고, 다만 눈 앞에 닥치는 즉시 철저히 이해하기를 오래 지속하면 자연히 푹 젖어들어 관통될 것이다."

· ·

89 『朱子語類』 권96, 15조목

90 『朱文公文集』 권31 「書 · 答張敬夫」

91 『朱文公文集』 권56 「書 · 答方賓王」

[46-1-62]

"今之人知求雞犬, 而不知求其放心, 固爲大惑. 然苟知其放而欲求之, 則即此知求之處, 一念
悚然, 是亦不待別求入處, 而此心體用之全已在是矣. 由是而持敬以存其體, 窮理以致其用,
則其日增月益, 自將有欲罷而不能者矣."[92]

(주자가 말했다.) "오늘날 사람들은 닭이나 개는 찾을 줄 알면서 흩어진 마음은 찾을 줄 모르는 것은
크게 미혹된 것이다. 그러나 진실로 그 흩어진 것을 알고서 그것을 구하려고 한다면, 이렇게 알고서
구하는 곳에서 한 생각으로 두려워할 것이니, 이것은 따로 들어갈 곳을 찾지 않더라도, 마음의 체용體用
전체가 이미 그곳에 있는 것이다. 이것을 통해 경敬을 지켜서 그 체體를 보존하고, 리理를 궁구하여
그 용用을 지극히 한다면, 날마다 더욱더 증진되고 덧붙여져서 저절로 그만 두고자 해도 그만 둘 수
없는 것이 있게 될 것이다."

[46-1-63]

"學者日用之間, 以敬爲主. 不論感與未感, 平日常是如此涵養, 則善端之發, 自然明著. 少有
間斷, 而察識存養, 擴而充之, 皆不難乎爲力矣."[93]

"배우는 자는 일상생활에서 경을 위주로 한다. 사물에 감응하거나 감응하지 않거나 막론하고, 평상시에
이렇게 함양하면, 선한 단서의 발현이 저절로 밝아진다. 작게나마 틈새의 단절이 있어서 찰식察識하고
존양存養하여 확충해 가면 모두 힘을 들이는 것이 어렵지 않게 된다."

[46-1-64]

"涵養須用敬, 進學則在致知. 無事時且存養在這裏, 提撕警覺, 不要放肆. 到講習應接時, 便
當思量義理."[94]

(주자가 말했다.) "정이천은 '함양하는 데에는 반드시 경敬을 쓰고, 학문을 증진시키는 것은 치지致知에
있다.'[95]고 했다. 일이 없을 때, 보존하고 함양하는 것이 여기에 있어, 일깨워 경각시켜야지 풀어져 있어
서는 안 된다. 강학하고 응접할 때에는 마땅히 의리를 생각해야 한다."

[46-1-65]

問 : "涵養須用敬, 涵養甚難, 心中一起一滅, 如何得主一?"

曰 : "人心如何教他不思? 如周公思兼三王以施四事, 豈是無思? 但不出於私則可."

曰 : "某多被思慮紛擾, 思這一事, 又牽走那事去. 雖知得, 亦自難止."

92 『朱文公文集』 권59 「書 · 答吳斗南」
93 『朱子語類』 권12, 117조목
94 『朱子語類』 권95, 169조목
95 『河南程氏遺書』 권18

曰 : "既知得不是, 便當絶斷了."[96]

물었다. "'함양은 반드시 경을 쓴다.'고 했는데, 함양은 매우 어려워, 마음속에 이 생각 저 생각이 일어났다 없어졌다 하는데 어떻게 하나로 집중할 수 있습니까?"

(주자가) 말했다. "사람의 마음이 어떻게 사려하지 않게 할 수 있겠는가? 예를 들어 '주공이 삼왕三王을 겸해서 4가지 일을 시행한다.'[97]고 했으니, 어찌 이것이 사려가 없는 것이겠는가? 단지 사사로움에서 나오지 않으면 된다."

물었다. "저는 사려가 혼란한 경우가 많아서 이 일을 생각하면서 또 저 일에 끌려들어갑니다. 알았다고 해도 또한 저절로 그치기 힘듭니다."

(주자가) 말했다. "그것이 옳지 않다는 점을 알았다면, 마땅히 끊어야 한다."

[46-1-66]

"涵養此心須用敬, 譬之養赤子, 方血氣未壯實之時, 且須時其起居飲食, 養之於屋室之中而謹顧守之, 則有向成之期. 纔方乳保, 却每日暴露於風日之中, 偃然不顧, 豈不致疾而害其生耶?"[98]

(주자가 말했다.) "이 마음을 함양하는 데에 반드시 경敬을 쓰는 것은 비유하자면 어린 아이를 기르는 것과 같다. 혈기가 아직 장성하지 못할 때는 반드시 그 기거하고 음식을 먹는 것을 때에 맞게 하고, 방안에서 아이를 기르면서 조심스럽게 살펴서 지키면, 성장하는 시기가 있다. 그렇다고 좀 자랐다고 해서 매일 바람과 햇볕이 있는 곳에 내놓고서 무심히 살피지 않으면, 어찌 병에 걸려 그 생명이 해롭지 않겠는가?"

[46-1-67]

問 : "伊川謂敬是涵養一事, 敬不足以盡涵養否?"

曰 : "五色養其目, 聲音養其耳, 義理養其心, 皆是養也."[99]

물었다. "정이천이 경敬은 함양의 일이라고 했는데, 경은 함양을 다하기에 부족하지 않습니까?"

(주자가) 답했다. "다섯 가지 색은 그 눈을 기르고 성음聲音은 그 귀를 기르며, 의리義理는 그 마음을 기르니, 모두 기르는 것이다."

[46-1-68]

"古人直自小學中涵養成就, 所以大學之道, 只從格物做起. 今人從前無此工夫, 但見大學以

• • • • • • • • • • • • • • • •
96 『朱子語類』 권95, 170조목
97 '주공이 三王을 … 시행한다.': 『孟子』「離婁上」에 "주공은 세 王을 겸해서 4가지 일을 시행할 것을 생각하되, 부합하지 않는 것이 있으면 우러러 생각해서, 밤으로 날을 이어, 다행히 터득하면 그대로 앉아 날이 새기를 기다렸다.(周公, 思兼三王, 以施四事, 其有不合者, 仰而思之, 夜以繼日, 幸而得之, 坐以待旦.)"라고 하였다.
98 『朱子語類』 권95, 171조목
99 『朱子語類』 권95, 172조목

格物爲先, 便欲只以思慮知識求之, 更不於操存處用力. 縱使窺測得十分, 亦無實地可據. 大抵敬字徹上徹下之意. 格物致知, 乃其間節次進步處耳."[100]

(주자가 말했다.) "옛 사람들은 『소학小學』에서 함양하고 성취하였으니, 그래서 『대학大學』의 도道는 다만 격물格物을 따라 한 것이다. 지금 사람들은 종전에는 이 『소학』의 공부가 없이 『대학』만 보고서 격물格物을 우선시하니, 다만 사려와 지식으로 그것을 구하려고 하고, 더욱이 잡아 보존해야 할 곳에 힘을 쓰지 않는다. 설령 충분히 헤아렸다 할지라도, 또한 의거할 만한 실제적인 곳이 없다. 대체로 경敬이라는 글자는 위와 아래를 모두 꿰뚫는 뜻이다. 격물格物과 치지致知는 그 사이의 절차이고 진보하는 곳일 뿐이다."

[46-1-69]

或謂人心紛擾時難把捉.

曰: "眞箇是難把持. 不能得久, 又被事物及閑思慮引將去. 孟子牛山之木一章, 最要看操之則存, 舍之則亡."

或又謂把持不能久, 勝物欲不去.

曰: "這箇不干別人事. 雖是難, 亦是自著力把持常惺惺不要做倒. 覺得物欲來, 便著緊不要隨他去, 這箇須是自家理會. 若說把持不得, 勝他不去, 是自壞了. 更說甚爲仁由己而由人乎哉?"

又曰: "把心不定, 喜怒憂懼四者皆足以動心."[101]

어떤 사람이 사람의 마음은 혼란할 때 파악하기 어렵다고 했다.

(주자가) 말했다. "실로 잡기가 어렵다. 오래 지속할 수 없으면, 또 사물에 의해서 사려가 막혀 휘둘린다. 『맹자』의 우산의 나무라는 한 장은[102] 잡으면 보존되고, 놓으면 잃는다는 점을 가장 잘 볼 수가 있다."

---

100 『朱文公文集』 권43 「書・答林擇之」

101 『朱子語類』 권118, 47조목

102 우산의 나무라는 한 장은: 『孟子』「告子上」, "牛山의 나무가 일찍이 아름다웠었는데, 大國의 郊外이기 때문에 도끼와 자귀로 매일 나무를 베어가니, 아름답게 될 수 있겠는가. 그 밤에 자라나는 것과 비와 이슬이 적셔주는 것에 싹이 나오는 것이 없지 않지만, 소와 양이 또 따라서 방목되므로, 이 때문에 저와 같이 거칠게 되었다. 사람들은 그 거칠게 된 것만을 보고는 일찍이 훌륭한 재목이 있은 적이 없다고 여기니, 이것이 어찌 山의 性이겠는가? 비록 사람에게 보존된 것인들 어찌 仁義의 마음이 없겠는가만 그 良心을 잃어버린 것이 또한 도끼와 자귀가 나무에 대해서 아침마다 베어 가는 것과 같으니, 이렇게 하고서도 아름답게 될 수 있겠는가? 밤에 자라나는 것과 새벽의 맑은 기운에 그 좋아하고 미워함이 남들과 서로 가까운 것이 얼마 되지 않는데, 낮에 하는 소행이 이것을 梏亡하니, 梏亡하기를 반복하면 夜氣가 족히 보존될 수 없고, 夜氣가 보존될 수 없으면 禽獸와 거리가 멀지 않게 된다. 사람들은 그 禽獸와 같은 행실만 보고는 일찍이 훌륭한 자질이 있지 않았다고 여기니, 이것이 어찌 사람의 實情이겠는가? 그러므로 만일 그 배양을 잘 얻으면 물건마다 자라지 못함이 없고, 만일 그 배양을 잃으면 물건마다 사라지지 않음이 없는 것이다. 공자가 '잡으면 보존되고 놓으면 잃어서, 나가고 들어옴이 정한 때가 없으며, 그 방향을 알 수 없는 것은 오직 사람의 마음을

어떤 사람이 또 파악하여 잡기를 오래 지속하지 못하면 물욕이 일어나 없어지지 않는다고 했다.

(주자가) 말했다. "이것은 다른 인간사를 간여하지 않는다. 어렵다고 하지만 또한 스스로 힘을 쓰고 잡으며, 항상 깨어있어서 놓치면 안 된다. 물욕이 일어난 것을 깨달으면 긴장하고 그것을 따라가서는 안 된다. 이것은 반드시 자신이 이해해야 한다. 만약 꽉 잡지 못하고 물욕을 이기지 못해 스스로 망쳐버린다고 말한다면, '인은 자기로부터 말미암지 타인으로부터 말미암겠는가?'[103]라는 말을 어떻게 할 수 있겠는가?'

또 말했다. "마음을 잡는 것이 안정되지 못하면, 희노애락 4가지가 모두 마음을 움직이기에 충분하다."

[46-1-70]

問: "心自不能把捉."

曰: "自是如此. 蓋心便能把捉自家. 自家却如何把捉得他? 唯有以義理涵養耳."[104]

물었다. "마음은 잡을 수 없습니다."

(주자가) 말했다. "분명 그러하다. 왜냐하면 마음은 자신을 잡을 수 있기 때문이다. 자신은 어떻게 그것을 잡겠는가? 오직 의리義理로 함양할 뿐이다."

[46-1-71]

問: "某平時所爲, 把捉這心敎定. 一念忽生, 則這心返被他引去."

曰: "這箇亦只是認敎熟. 熟了便不如此. 今日一念纔生, 有以制之. 明日一念生, 又有以制之, 久後便無. 此理只是這邊較少, 那邊較多, 便被他勝了. 如一車之火, 以少水勝之, 水撲處纔滅, 而火又發矣."[105]

물었다. "제가 평상시에 행하는 일에서 이 마음을 잡아서 안정시키려고 합니다. 한 생각이 홀연히 생겨나면 이 마음은 반대로 그것을 따라 가버립니다."

(주자가) 말했다. "이것도 역시 인식을 성숙하게 할 뿐이다. 성숙하게 되면 이러하지 않는다. 오늘 한

<hr>

두고 말한 것이다.'라고 했다.(牛山之木, 嘗美矣, 以其郊於大國也, 斧斤伐之, 可以爲美乎? 是其日夜之所息, 雨露之所潤, 非無萌蘗之生焉, 牛羊又從而牧之, 是以若彼濯濯也, 人見其濯濯也, 以爲未嘗有材焉, 此豈山之性也哉? 雖存乎人者, 豈無仁義之心哉, 其所以放其良心者, 亦猶斧斤之於木也, 旦旦而伐之, 可以爲美乎? 其日夜之所息, 平旦之氣, 其好惡與人相近也者幾希, 則其旦晝之所爲, 有梏亡之矣, 梏之反覆, 則其夜氣不足以存, 夜氣不足以存, 則其違禽獸不遠矣, 人見其禽獸也, 而以爲未嘗有才焉者, 是豈人之情也哉? 故苟得其養, 無物不長, 苟失其養, 無物不消, 孔子曰 '操則存, 舍則亡, 出入無時, 莫知其鄕, 惟心之謂與.')"

103 『論語』「顔淵」: "안연이 인을 묻자, 공자가 말했다. '자기를 극복하여 禮로 돌아가는 것이 인을 하는 것이니, 하루라도 자기를 극복하여 예로 돌아가면 천하가 仁을 인정하는 것이다. 仁을 하는 것은 자신으로부터 말미암지, 남으로부터 말미암겠는가?'(顔淵問仁, 子曰, '克己復禮爲仁, 一日克己復禮, 天下歸仁焉, 爲仁由己, 而由人乎哉?')"

104 『朱子語類』 권120, 35조목

105 『朱子語類』 권120, 54조목

생각이 생겨나면 제어하고, 내일 한 생각이 생겨나면 또 제어하여 오래 지속된 뒤에 없어진다. 이 리理는 이쪽 편에서는 비교적 적고 저쪽 편에서는 비교적 많아서, 이기게 된다. 예를 들어 수레에 불이 나면 적은 물로는 이길 수가 없지만, 물이 내려치면 불이 꺼지고, 불이 또 일어나는 것과 같다."

[46-1-72]
問: "學者於已發處用工, 此却不枉費心力."
曰: "存養於未發之前則可, 求中於未發之前則不可. 然則未發之前, 固有平日存養之功矣. 不必須待已發然後用工也."106
물었다. "배우는 사람은 이미 발한 곳에서 힘을 쓰니, 이것은 마음과 힘을 낭비하는 것이 아닙니까?"
(주자가) 답했다. "미발 이전에 보존하고 함양하는 것은 좋지만 미발 이전에서 중中을 구하는 것은 좋지 않다. 그러나 미발 이전에는 분명히 보존하고 함양하는 공이 있다. 반드시 이미 발현한 뒤에야 힘을 쓸 필요는 없다."

[46-1-73]
問: "涵養於未發之初, 令不善之端旋消則易爲力. 若發後則難制."
曰: "聖賢之論正要就發處制. 惟子思說喜怒哀樂未發謂之中. 孔孟教人多從發處說. 未發時固當涵養, 不成發後便都不管."
或云這處最難. 因舉橫渠戰退之說.
曰: "此亦不難. 只要明得一箇善惡. 每日遇事須是體驗, 見得是善, 從而保養取, 自然不肯走在惡上去."107
물었다. "미발의 초기에 함양하여 불선의 단서를 없애면 쉽게 힘을 쓸 수 있습니다. 만약 발현된 후에는 제어하기가 어렵습니다."
(주자가) 말했다. "성현의 논의는 바로 발현한 곳에서 제어하는 것이다. 오직 자사子思만이 희오애락이 미발한 것을 중中이라고 했다. 공자와 맹자는 사람들을 가르치는 데에 발현한 곳에서 말한 경우가 많다. 미발할 때에 실로 함양해야 하지만, 발현한 뒤에는 모두 관여하지 않는다고 해서는 안 된다."
어떤 사람이 이것이 가장 어렵다고 한 뒤에 횡거의 '싸워 물리친다.'는 말을 거론했다.
(주자가) 말했다. "이것 역시 어렵지 않지만, 하나의 선악을 밝혀야 한다. 매일 어떤 일들을 만나서 반드시 체험해야 한다. 이것이 선함을 알면 그것을 따라서 보호하고 길러서 취하면, 저절로 악함을 하려고 하지 않는다."

• • • • • • • • • • • • • • • • • • •

106 『朱子語類』 권12, 12조목
107 『朱子語類』 권113, 3조목

[46-1-74]

"聖人之心, 如明鏡止水. 天理純全者, 即是存處. 但聖人則不操而常存耳, 衆人則操而存之. 方其存時, 亦是如此, 但不操則不存耳. 存者, 道心也. 亡者, 人心也. 心, 一也, 非是實有此二心各爲一物不相交涉也. 但以存亡而異其名耳. 方其亡也, 固非心之本然,[108] 亦不可謂別是一箇有存亡出入之心, 却待反本還原, 別求一箇無存亡出入之心來換却. 只是此心, 但不存便亡, 不亡便存, 中間無空隙處. 所以學者必汲汲於操存, 而雖舜禹之間, 亦以精一爲戒也."[109]

(주자가 말했다.) "성인의 마음은 명경지수明鏡止水와 같아 천리가 순수하고 온전한 자이니, 이것이 바로 보존된 곳이다. 다만 성인은 잡지 않아도 항상 보존될 뿐이지만, 보통 사람은 잡아서 보존한다. 비로소 그것이 보존될 때에도 또한 이와 같으니, 다만 잡지 않으면 보존되지 않을 뿐이다. 보존되는 것은 도심道心이고, 없어지는 것은 인심人心이다. 마음은 하나이지, 실제로 이 두 가지 마음이 있어 각각 한 가지 사물이 되어 서로 교섭하지 않는 것은 아니다. 다만 보존되고 없어지면서 그 이름을 달리할 뿐이다. 없어지려고 할 때는 진실로 마음의 본연本然이 아니고, 또한 별도로 하나의 보존되거나 없어지고, 나가고 들어오고 하는 마음이라고 해서는 안 되며, 근본으로 되돌아가고 본원으로 돌아가기를 기다린다고 해도 안 되며, 별도로 하나의 보존되거나 없어지고 나가고 들어오는 것이 없는 마음을 구하여 바꾼다고 해서도 안 된다. 단지 이 마음은 보존하지 않으면 곧 없어지고, 없어지지 않으면 곧 보존되는 것일 뿐이니, 그 사이에 빈틈이 없다. 그러므로 배우는 사람들은 반드시 그것을 잡고 보존하기에 급급하니, 비록 순舜임금과 우禹임금 사이라 할지라도 또한 정일精一로 경계를 삼았던 것이다."[110]

[46-1-75]

問: "心思擾擾."

曰: "程先生云'嚴威整肅則心便一. 一則自無非僻之干.' 只緣整頓起處便是天理, 別無天理. 但常常整頓起, 思慮自一."[111]

물었다. "심사가 혼란합니다."

(주자가) 답했다. "정이천 선생이 '엄격하고 위엄있고 정제하고 엄숙하면 마음은 하나이다. 하나이면 저절로 잘못되고 편벽된 간섭이 없게 된다.'고 했다. 단지 행동거지를 정돈하면 곧 천리이니 따로 천리는 없다. 다만 항상 정돈해 나가면 사려는 저절로 하나가 된다."

---

108 『朱文公文集』에서는 "心之本然"으로 되어 있지 않고, "心之本, 然"으로 되어 있으나 『性理大全』의 표점을 따라 번역했다.

109 『朱子大全』 권40 「書·答何叔京」

110 경계를 삼았던 것이다. : 『書經』 「大禹謨」에 "인심은 위태하고 도심은 미묘하니, 오직 정밀하게 하고 오직 하나로 집중하여 그 中을 잡아라.(人心惟危, 道心惟微, 惟精惟一, 允執厥中.)"라고 하였다.

111 『朱子語類』 권120, 75조목

[46-1-76]

"求放心不須注解, 只日用十二時中常切照管, 不令放出, 即久久自見功效, 義理自明, 持守自固, 不費氣力也."[112]

(주자가 말했다.) "『맹자』의 '구방심求放心' 장에 대해서는 주해注解에 의지하지 않고,[113] 매일 24시간 항상 절실하게 비춰서 주관하고, 흩어지지 않도록 하면, 오래 지속되어서 저절로 그 공효가 드러나고, 의리義理가 분명해지고, 지수持守가 저절로 견고해져서, 기력氣力을 허비하지 않게 된다."

[46-1-77]

答胡季隨書曰: "近有問以放心求心者, 嘗欲別下一語云, 放而知求, 則此心不爲放矣. 此處間不容息. 如夫子所言克己復禮功夫要切處, 亦在爲仁由己一句也. 豈藉外以求之哉?"[114]

호계수胡季隨에게 답하는 편지에서 주자가 말했다. "근래에 흩어진 마음으로 마음을 구한다고 묻는 자가 있는데, 일찍이 한 마디 하려고 해서 말하기를 '흩어져서 구할 줄을 알면 이 마음은 흩어지지 않는다.' 이곳 사이가 조금의 틈도 용납하지 않는다. 마치 공자가 자기를 극복하고 예로 돌아가는 공부에서 가장 긴요한 곳은 또 '인을 자신으로부터 말미암는다.'는 한 구절에 있다. 어찌 밖에 의지하여 구하겠는가?"

[46-1-78]

答張敬夫書曰: "來喻所謂學者先須察識端倪之發, 然後可加存養之功, 則熹於此不能無疑. 蓋發處固當察識, 但人自有未發時, 此處便合存養. 豈可必待於發而後察, 察而後存耶? 且從初不曾存養, 便欲隨事察識, 竊恐浩浩茫茫無下手處, 而毫釐之差, 千里之謬, 將有不可勝言者. 此程子所以每言孟子才高, 學之無可依據, 人須是學顏子之學, 則入聖人爲近, 有用力處, 其微意亦可見矣. 且如灑掃應對進退, 此存養之事也. 不知學者將先於此而後察之耶, 抑將先察識而後存養也. 以此觀之, 則用力之先後, 判然可覩矣.

(주자가) 장경부에게 답하는 편지에 말했다. "보내신 편지에서 이른바 학자는 먼저 반드시 단서의 발현을 찰식察識한 뒤에 보존하고 함양하는 공부를 더할 수 있다고 하셨으니 저는 이것에 대해서 의심이 없을 수가 없습니다. 대저 발현하는 곳은 당연히 찰식해야 하지만, 단지 미발未發할 때가 있을 때, 이곳에서는 당연히 보존하고 함양해야 합니다. 어찌 반드시 발현하기를 기다린 후에 살피고, 살핀 후에 보존하겠습니까? 또한 처음부터 보존하고 함양하지 않고 바로 일이 일어난 것에 따라서 찰식하려고 한다면 드넓고 망망하여 손을 쓸 곳이 없게 될까 두렵고, 털 끝 만한 차이가 천리나 어긋나게 되는 오류가 되는 것을 말로 다할 수가 없는 것이 있을 것입니다. 이것은 정자程子가 매번 '맹자는 재주가 높지만

----

112 『朱文公文集』 권52 「書 · 答李叔文」

113 注解에 의지하지 않고: 이숙문이 '求仁'을 '求放心'의 뜻으로 해석했는데, 주희가 주해를 지나치게 의식하지 말라고 대답한 것이다.

114 『朱文公文集』 권53 「書 · 答胡季隨」

배움에 의거할 만한 것이 없다. 사람들은 반드시 안연의 학문을 배워야 성인의 경지에 들어서는 것이 가까워 힘을 쓸 곳이 있다.'115고 하는 것이니, 그 은미한 뜻을 또한 볼 수 있습니다. 또 물 뿌리고 쓸며 응대하고 나아가고 물러나는 일과 같은 것도 보존하고 함양하는 일입니다. 배우는 자들은 이것을 먼저 한 뒤에 찰식해야 하는지, 아니면 먼저 찰식하고 그 후에 보존하고 함양하는지를 잘 모릅니다. 이것으로 보면 힘쓸 곳의 선후를 분명하게 볼 수 있습니다.

來教又謂言靜則溺於虛無, 此固所當深慮. 若以天理觀之, 則動之不能無靜, 猶靜之不能無動也. 靜之不能無養, 猶動之不可不察也. 但見得一動一靜互爲其根, 敬義夾持不容間斷之意, 則雖下靜字, 元非死物. 至靜之中, 蓋有動之端焉. 是乃所以見天地之心者, 而先王之所以至日閉關. 蓋當此之時, 則安靜以養乎此爾. 固非遠事絕物, 閉目兀坐, 而偏於靜之謂. 但未接物時, 便有敬以主乎其中, 則事至物來, 善端昭著, 而所以察之者益精明爾. 伊川先生所謂却於已發之際觀之者, 正謂未發則只有存養, 而已發則方有可觀也. 周子之言主靜, 乃就中正仁義而言. 以正對中, 則中爲重. 以義配仁, 則仁爲本爾. 非四者之外, 別有主靜一段事也. 來教又謂熹言以靜爲本, 不若遂言以敬爲本, 此固然也. 然敬字工夫, 通貫動靜而必以靜爲本. 故熹向來輒有是語. 今若易爲敬, 雖若完全, 然却不見敬之所施有先有後, 則亦未得爲諦當也. 至如來教所謂要須動以見靜之所存, 靜以涵動之所本, 動靜相須, 體用不離, 而後爲無滲漏也. 此數句卓然意語俱到, 謹以書之座右, 出入觀省.''116

보낸 편지에서 또 고요함을 말하면 허무虛無에 빠진다고 말씀하셨는데, 이것은 분명히 깊이 생각해야 할 것입니다. 만약 천리天理로 본다면 움직임은 고요함이 없을 수 없으니, 마치 고요함은 움직임이 없을 수 없는 것과 같습니다. 고요함에 함양함이 없을 수 없는 것은 움직임에 찰식하지 않을 수 없는 것과 같습니다. 단지 한번 움직이고 한번 고요한 것이 서로 그것의 뿌리가 되니, 경敬과 의義로 잡아서 지키고 끊어지는 틈을 허용하지 않는 뜻이라면, 고요함이라는 글자를 놓더라도 원래 죽은 것이 아닙니다. 지극히 고요한 것 속에 움직임의 단서가 있습니다. 이것이 바로 천지의 마음을 본다는 것이고,117 선왕들이 동지날과 하지날에 문을 걸어 잠근 것입니다.118 이러한 때에는 편안하고 고요하게 해서 이것을 함양할

---

115 『河南程氏遺書』 권2상: "맹자는 재주가 높지만 배움에 의거할 만한 것이 없다. 사람들은 반드시 안연의 학문을 배워야 성인의 경지에 들어는 것이 가까워 힘을 쓸 곳이 있다.(孟子才高, 學之無可依據. 學者當學顏子, 入聖人爲近, 有用力處.)"

116 『朱文公文集』 권32 「書·答張欽夫」

117 바로 천지의 … 것이고: 『周易』 「復卦·象傳」, "復이 형통함은 剛이 돌아오기 때문이니, 움직여서 순함으로 행하기 때문에 '出入无疾朋來无咎'가 된 것이다. 그 道를 반복하여 7일 만에 와서 회복함은 하늘의 運行이고 가는 바를 두는 것이 이로운 것은 剛이 자라나기 때문이니, 復에서 天地의 마음을 볼 수 있다.(象曰, 復亨, 剛反, 動而以順行. 是以出入无疾朋來无咎. 反復其道七日來復, 天行也, 利有攸往, 剛長也, 復, 其見天地之心乎!)"

118 선왕들이 동지날과 … 것입니다.: 『周易』 「復卦·上傳」에 "우레가 땅 가운데 있음이 復이니, 先王이 이것을

뿐이지, 사물을 멀리하고 끊어버리며, 눈을 감고 꼿꼿하게 정좌하여, 고요함으로 치우치는 것을 말한 것이 아닙니다. 단지 아직 사물과 접촉하지 않았을 때 바로 경敬하면서 그 속에서 주재한다면, 일이 닥치고 사물이 이르더라도, 선한 단서는 밝게 드러나고, 찰식하는 것이 더욱 정밀하고 밝은 까닭일 뿐입니다. 이천선생이 '오히려 이미 발현할 때에 살핀다.'[119]고 한 것은 바로 아직 발현하지 않았을 때는 단지 보존하고 함양하는 것이고, 이미 발현했을 때 비로소 살펴 볼만한 것이 있는 것입니다. 주자周子(주돈이)가 말한 주정主靜은 바로 중정인의中正仁義를 가지고 말한 것입니다. 정正으로 중中을 짝하면 중中이 중요하고, 의義로 인仁을 짝하면 인은 근본일 뿐입니다. 이 4가지 외에 따로 주정主靜이라는 하나의 단계가 있는 것이 아닙니다. 보내신 편지에서는 또 제가 정靜을 근본으로 하고 있다고 하면서, 경敬을 근본으로 한다고 말하는 것보다는 못하다고 했는데, 이것은 분명 그러합니다. 그러나 경敬이라는 글자의 공부는 동정動靜을 관통하되, 반드시 정靜을 근본으로 하기 때문에, 저는 예전부터 거듭해서 이런 말을 했습니다. 지금 만약 경敬으로 바꾼다면, 비록 완전한 것 같지만, 그러나 오히려 경을 베푸는 것에 선후가 있다는 것을 알지 못하면, 역시 합당하지 못할 것입니다. 보내신 편지에서 움직임에서 고요함이 보존되는 것을 보아야 하고, 고요함에서 움직임의 근본을 함양해야 하니, 움직임과 고요함이 서로 의지하고, 체와 용이 떨어지지 않은 뒤에야 틈으로 새는 허점이 없다고 하셨습니다. 이 몇 구절은 탁월하게 뜻과 말이 함께 갖추어져 있으니, 삼가 그것을 적어 좌우명으로 하고 나가고 들어올 때마다 살필 것입니다."

[46-1-79]

"此心此性, 人皆有之, 所以不識者物欲昏之耳. 欲識此本根, 亦須合下且識得箇持養功夫次第而加功焉, 方始見得. 見得之後, 又不舍其持養之功, 方始守得. 蓋初不從外來只持養得便自著見. 但要窮理功夫互相發耳."[120]

. . . .

본받아 동짓날에 관문을 닫아 장사꾼과 여행자가 다니지 못하게 하며 임금은 사방을 시찰하지 않는다.(象曰, 雷在地中, 復, 先王, 以至日閉關, 商旅不行, 后不省方.)"라고 하였다.

119 『河南程氏遺書』 권18: "소계명이 물었다. '선생님이 『中庸』에서 희노애락이 미발한 것이 中이라는 것은 중에 있다는 의미라고 말씀하였는데 무슨 뜻인지 모르겠습니다.' 답했다. '단지 희노애락이 발현되지 않는 것이 中이다.' 물었다. '중은 형체가 없지는 않는데, 도라는 제목을 말해야 합니까?' 답했다. '아니다. 중에 어떤 형체가 있는가? 그러나 중이라고 하면 또 반드시 형상이 있다.' 물었다. '중에 있을 때에 귀는 듣지 않고 눈은 보지 않습니까?' 답했다. '귀가 듣지 않고 눈이 보지 않는다 해도 보고 듣는 理는 있어서 비로소 얻는다.' 물었다. '중은 때에 맞게 중이 있는 것입니까?' 답했다. '어느 때인들 중이 아니겠는가? 일로써 말하자면 때에 맞게 중이 있다. 도로 말하자면 어느 때인들 중이 아니겠는가?' 물었다. '분명 하는 것이 모두 중이지만, 4가지가 미발할 때에 보면, 고요할 때 본래 동일한 기상이 있지만, 일에 접촉했을 때는 또한 확연히 구별되니 왜 그렇습니까?' 답했다. '잘 보는 사람은 그러하지 않으니, 오히려 희노애락이 발현된 때에 살핀다.'(季明問, '先生說喜怒哀樂未發謂之中是在中之義, 不識何意?' 曰, '只喜怒哀樂不發, 便是中也.' 曰, '中莫無形體, 只是箇言道之題目否?' 曰, '非也. 中有甚形體? 然旣謂之中, 也須有箇形象.' 曰, '當中之時, 耳無聞, 目無見否?' 曰, '雖耳無聞, 目無見, 然見聞之理在始得.' 曰, '中是有時而中否?' 曰, '何時而不中? 以事言之, 則有時而中. 以道言之, 何時而不中?' 曰, '固是所爲皆中, 然而觀於四者未發之時, 靜時自有一般氣象, 及至接事時又自別, 何也?' 曰, '善觀者不如此, 却於喜怒哀樂已發之際觀之.')"

(주자가 말했다.) "이 마음과 이 성性은 사람들이 모두 가지고 있는데, 알지 못하는 까닭은 물욕이 어둡게 하기 때문일 뿐이다. 이 근본을 알고자 한다면 또한 반드시 우선 지니고 함양하는 공부의 순서를 알아서 공을 들여야 비로소 알 수 있다. 알게 된 뒤에는 또 그 지니고 함양하는 공부를 버리지 않아야 비로소 지킬 수 있다. 애초에 밖에서부터 온 것이 아니고, 단지 지니고 함양하면 곧 저절로 드러난다. 단지 리理를 궁구하는 공부와 함께 상호 간에 발전시켜야 할 뿐이다."

[46-1-80]

象山陸氏曰: "古先聖賢未嘗艱難其途徑, 支離其門戶. 夫子曰'吾道一以貫之', 孟子曰'夫道一而已矣', 曰'塗之人可以爲禹', 曰'人皆可以爲堯舜', 曰'人有四端而自不能者自賊者也', 人孰無心? 道不外索, 患在人戕賊之耳, 放失之耳. 古人教人, 不過存心, 養心, 求放心. 此心之良, 人所固有, 惟不知保養而反戕賊放失之耳. 有知其如此, 而防閑其戕賊放失之端, 日夕保養灌漑, 使之暢茂條達, 如手足之捍頭面, 則豈有艱難支離之事? 今日向學而又艱難支離遲回不進, 則是未知其心, 未知其戕賊放失, 未知所以保養灌漑. 此乃爲學之門, 進德之地. 得其門不得其門, 有其地無其地, 兩言而決耳."[121]

상산 육씨象山陸氏[陸九淵][122]가 말했다. "옛 성현은 그 삶의 길이 힘들어 어렵고 그 문호[門]戶가 지리支離했던 적이 없었다. 공자가 '나의 도는 하나로 꿰뚫었다.'[123]고 했고, 맹자는 '도는 하나일 뿐이다.'라고 했고, '길거리의 사람들은 우禹왕이 될 수 있다.'고 했고, '사람은 모두 요순堯舜이 될 수 있다.'[124]고 했고, '사람들은 사단을 가지고 있으면서도 스스로 행할 수 없다고 말하는 자는 자신을 해치는 자이다.'[125]라고

....

120 『朱文公文集』 권40 「書・答何叔京」

121 『象山集』 권5 「書・與舒西美」

122 象山陸氏[陸九淵] : 陸九淵(1139~1193)은 호가 象山이고 자는 子靜이다. 書齋 명은 存이라서 세상 사람들은 存齋先生이라 불렀다. 貴溪 龍虎山에 茅舍를 지어 강학했는데 그 산의 모양이 象과 같아서 自號가 象山翁이고 세상 사람들이 象山先生이라 불렀다. 江西 撫州市 金溪縣 陸坊青田村 사람이다. 心學의 개창자이다.

123 '나의 도는 … 꿰뚫었다.' : 『論語』「里仁」에 "공자가 '參아! 나의 道는 하나로 꿰뚫었다.'고 하니, 증자가 '예' 하고 대답하였다.(子曰, 參乎, 吾道, 一以貫之. 曾子曰, 唯.)"라고 하였다.

124 '사람은 모두 … 있다.' : 『孟子』「告子下」에 "曹交가 물었다. '사람은 다 堯舜이 될 수 있다 하니, 그러한 것이 있습니까?' 맹자가 말했다. '그렇다.'(曹交問曰, '人皆可以爲堯舜, 有諸?' 孟子曰, '然'.)"라고 하였다.

125 '사람들은 사단을 … 자이다.' : 『孟子』「公孫丑上」의 글이다. "사람들은 모두 사람을 차마 해치지 못하는 마음을 가지고 있다. 先王이 사람을 차마 해치지 못하는 마음을 두어, 사람을 차마 해치지 못하는 정사를 시행하셨으니, 사람을 차마 해치지 못하는 마음으로 사람을 차마 해치지 못하는 정사를 행한다면, 천하를 다스림은 손바닥 위에 놓고 움직일 수 있을 것이다. 사람들이 모두 사람을 차마 해치지 못하는 마음을 가지고 있다고 말하는 까닭은, 지금에 사람들이 갑자기 어린아이가 장차 우물로 들어가려는 것을 보고는 모두 깜짝 놀라고 惻隱해 하는 마음을 가지니, 이것은 어린아이의 부모와 교분을 맺으려고 해서도 아니며, 동네사람과 친구들에게 명예를 구해서도 아니며, 잔인하다는 악명을 싫어해서 그러한 것도 아니다. 이로 말미암아 본다면 惻隱之心이 없으면 사람이 아니며, 羞惡之心이 없으면 사람이 아니며, 辭讓之心이 없으면 사람이 아니며, 是非之心이 없으면 사람이 아니다. 惻隱之心은 仁의 단서요, 羞惡之心은 義의 단서요, 辭讓之心은

했으니, 사람 가운데 누가 이 마음이 없겠는가? 도는 밖에서 구할 수 없으니, 사람이 그것을 해치고 잃어버리는 것을 근심할 뿐이다. 옛 사람이 사람을 가르친 것은 마음을 보존하고 마음을 함양하며 잃어버린 마음을 구하는 것에 불과했다. 이 마음의 선량함은 사람이 본래 가지고 있는 것인데, 오직 보호하고 기를 줄 모르고 오히려 해치고 잃어버릴 뿐이다. 이러한 것을 알고서 그 해치고 잃어버리는 단서를 막아서, 매일 보호하고 기르고 물을 주어서, 무성하게 가지를 길러내기를 마치 팔과 다리로 얼굴을 막는 것같이 하면 어찌 어렵고 힘들며 지리한 일이 있겠는가? 오늘날 배움을 향하여 또 힘들고 어려우며 지리支離하여 드디어 나가지 못하는 것은 이 마음을 모르는 것이고, 그것을 해치고 잃는 것을 모르는 것이며, 보호하고 기르며 물주는 것을 모르는 것이다. 이것이 곧 학문의 문이며 덕을 증진시키는 경지이다. 그 문을 얻느냐 못하느냐, 그 경지가 있느냐 없느냐하는 두 가지 말에서 결단할 뿐이다."

[46-1-81]

勉齋黃氏曰: "靜養工夫, 且認得性情部分, 識得虛靈本體, 端居默養, 令根本完固, 則成性存存而道義自明矣."[126]

면재 황씨勉齋黃氏[黃榦][127]가 말했다. "고요할 때 함양하는 공부는 또한 성정性情의 부분을 깨닫고 허령虛靈한 본체를 깨달아, 단정하게 자리하여 묵묵히 함양하여, 근본을 단단하게 하면 본래 이루어진 성性이 끊임없이 보존되어 도의道義가 저절로 밝게 된다."[128]

. . . .

禮의 단서요, 是非之心은 智의 단서이다. 사람이 이 四端을 가지고 있는 것은 四體를 가지고 있는 것과 같으니, 사단을 가지고 있으면서도 스스로 仁義를 행할 수 없다고 말하는 자는 자신을 해치는 자이고, 자기 군주가 仁義를 행할 수 없다고 말하는 자는 군주를 해치는 자이다. 무릇 四端이 나에게 있는 것을 다 넓혀서 채울 줄 알면, 마치 불이 처음 타오르며 샘물이 처음 나오는 것과 같을 것이니, 만일 능히 이것을 채운다면 족히 四海를 보호할 수 있고, 만일 채우지 못한다면 부모도 섬길 수 없을 것이다.(人皆有不忍人之心. 先王有不忍人之心, 斯有不忍人之政矣, 以不忍人之心, 行不忍人之政, 治天下, 可運之掌上. 所以謂人皆有不忍人之心者, 今人乍見孺子將入於井, 皆有怵惕惻隱之心, 非所以內交於孺子之父母也, 非所以要譽於鄉黨朋友也, 非惡其聲而然也. 由是觀之, 無惻隱之心, 非人也, 無羞惡之心, 非人也, 無辭讓之心, 非人也, 無是非之心, 非人也. 惻隱之心, 仁之端也, 羞惡之心, 義之端也, 辭讓之心, 禮之端也, 是非之心, 知之端也. 人之有是四端也, 猶其有四體也. 有是四端而自謂不能者, 自賊者也, 謂其君不能者, 賊其君者也. 凡有四端於我者, 知皆擴而充之矣, 若火之始然, 泉之始達, 苟能充之, 足以保四海, 苟不充之, 不足以事父母.)"

126 『勉齋集』 권14 「書·答林公度」

127 勉齋黃氏[黃榦]: 黃榦(1152~1221)은 자는 直卿이고, 호는 勉齋이다. 송대 福州閩縣(현 복건성 福州) 사람으로 주희의 고족제자인 동시에 사위이다. 주희의 蔭補로 漢陽軍·安慶府 등의 관직을 역임하였다. 저서는 『書說』·『六經講義』·『勉齋集』 등이 있고, 『朱子行狀』을 집필했다.

128 본래 이루어진 … 된다. : 『周易』「繫辭上」에 "천지가 자리를 베풀면 易이 그 가운데 행해지니, 이루어진 性에 보존하고 보존하는 것이 道義의 문이다.(天地設位, 而易, 行乎其中矣, 成性存存, 道義之門.)"라고 하였는데, 주희는 이렇게 설명하고 있다. "천지가 자리를 베풀면 변화가 행해지는 것은 禮를 알고 性을 보존하여 道義가 나오는 것과 같다. '成性'은 본래 이루어진 性이고 '存存'은 보존하고 또 보존하는 것을 이르니 그치지 않는 뜻이다.(天地設位而變化行, 猶知禮存性而道義出也, 成性, 本成之性也, 存存, 謂存而又存, 不已之意也.)"

[46-2-1]

程子曰: "君子之遇事無巨細, 一於敬而已. 簡細故以自崇, 非敬也, 飾私智以爲奇, 非敬也. 要知無敢慢而已. 語曰, '居處恭, 執事敬, 雖之夷狄不可棄也.' 然則執事敬者, 固爲人之端也.¹²⁹ 推是心而成之, 則篤恭而天下平矣."¹³⁰ 以下論持敬

정자가 말했다. "군자가 일을 만나면 크고 작은 것에 상관없이 한결같이 경敬할 뿐이다. 아주 작은 일을 소홀히 하면서 스스로 크다 여기면 경敬이 아니고, 사사로운 지혜를 꾸며서 기책奇策으로 삼는 것은 경敬이 아니다. 감히 태만함이 없는 것을 알려고 할 뿐이다. 『논어』에서 '거처할 때 공손히 하며, 일을 할 때 공경히 해야 한다. 이것은 비록 오랑캐의 나라에 가더라도 버려서는 안 된다.'¹³¹고 했다. 그러나 일을 할 때 공경히 해야 하는 것은 사람이 되는 단서이다. 이 마음을 미루어 이룬다면 돈독하고 공손하게 되어 천하가 평화롭다." 이하 지경持敬에 대해 논했다.

[46-2-2]

"入道莫如敬. 未有能致知而不在敬者. 今人操心不定,¹³² 視心如寇賊而不可制, 不是事累心, 乃是心累事. 當知天下無一物是合少得者, 不可惡也."¹³³

(정자가 말했다.) "도에 들어가는 것은 경敬만한 것이 없다. 지知를 이룰 수 있으면서 경敬에 있지 않은 자는 없다.¹³⁴ 지금 사람들은 마음을 잡는 것이 안정되지 못하고, 마음을 보는 것을 도적처럼 해서 제어하지 못하니, 이것은 일이 마음을 얽매는 것이 아니라, 마음이 일에 얽매이는 것이다. 당연히 천하에 한 사물이라도 마땅히 없어야 할 것은 없으니, 미워해서는 안 된다는 점을 알아야 한다."¹³⁵

[46-2-3]

"學者先務, 固在心志. 有謂欲屏去聞見知思, 則是絶聖棄智. 有欲屏去思慮, 患其紛亂, 則是須坐禪入定. 如明鑑在此, 萬物畢照, 是鑑之常, 難爲使之不照. 人心不能不交感萬物, 亦難爲

129　固爲人之端也. : 『河南程氏遺書』에서는 '固爲仁之端也.'로 되어 있다.

130　『河南程氏遺書』 권4

131　'거처할 때 … 된다.' : 『論語』 「子路」, "번지가 仁을 묻자, 공자가 답했다. '거처할 때 공손히 하며, 일을 할 때 공경하며, 사람을 대할 때 충직하게 해야 한다. 이것은 비록 오랑캐의 나라에 가더라도 버려서는 안 된다.'(樊遲問仁, 子曰, '居處恭, 執事敬, 與人忠, 雖之夷狄, 不可棄也.)"

132　操心不定 : 『河南程氏遺書』에서는 '主心不定'으로 되어 있다.

133　『河南程氏遺書』 권3

134　敬에 있지 … 없다. : 葉采는 『近思錄集解』에서 이렇게 말한다. "경하지 않으면 마음이 혼잡하여 理를 살필 수가 없고 知에 이를 수가 없다.(非敬, 則心昏雜, 理有不能察, 而知有不能致.)"

135　당연히 천하에 … 한다. : 歸安 茅星來는 『近思錄集註』에서 다음과 같이 설명하고 있다. "하나의 사물이라도 마땅히 없어야 할 것은 없으니, 마땅히 그 사물에 접촉하여 그 理를 궁구하여 그 理의 당연함에 따라서 대응해야지 미워해서는 안 된다.(無一物是合少得者, 則當即物以窮其理, 而順其理之所當然, 以應之, 不可惡.)"

之不思慮. 若欲免此, 惟是心有主. 如何爲主? 敬而已矣. 有主則虛, 虛謂邪不能入. 無主則實, 實謂物來奪之. 今夫瓶罌有水實内, 則雖江海之浸無所能入, 安得不虛? 無水於内, 則停注之水不可勝注, 安得不實? 大凡人心不可二用. 用於一事, 則他事更不能入者, 事爲之主也. 事爲之主, 尚無思慮紛擾之患. 若主於敬, 又焉有此患乎? 所謂敬者, 主一之謂敬. 所謂一者, 無適之謂一. 且欲涵泳主一之義, 一則無二三矣. 言敬, 無如聖人之言, 易所謂敬以直内, 義以方外. 須是直内, 乃是主一之義. 至於不敢欺, 不敢慢, 尚不愧于屋漏, 皆是敬之事也."[136]

(정자가 말했다.) "배우는 사람이 가장 먼저 힘써야 할 것은 분명 심지心志에 있다. 어떤 사람은 보고 듣고 알고 사려하는 것을 막고자 한다고 하니, 이는 '성聖을 끊고 지혜를 버린다.'[137]는 것이고, 어떤 사람은 사려를 끊고자 하는데, 그 혼란이 걱정된다고 하니, 이는 좌선에 빠지는 것이다. 여기 밝은 거울이 있어서 모든 것이 비추면, 이것이 거울의 상도常道이니, 사물을 비추지 않게 하기는 힘들다. 사람의 마음은 만물과 교감하지 않을 수가 없으니, 또한 사려하지 않게 하기 어렵다. 이것을 면하고자 한다면, 오직 이 마음에 주인이 있어야 한다. 어떻게 하면 주인이 되는가? 경敬할 뿐이다. 주인이 있으면 텅 비고, 텅 빈 것은 사특함이 들어올 수가 없다. 주인이 없으면 꽉 차니, 꽉 찬 것은 사물이 와서 빼앗을 수 있다. 지금 항아리가 있는데 안에 물이 가득 차 있다면 강과 바다에 가라앉혀 놓을지라도 항아리에 물이 들어갈 수 없으니, 어찌 텅 비우지 않을 것인가? 안에 물이 없다면 멈추어 있는 물이 끊임없이 들어가니, 어찌 꽉 채우지 않을 수 있겠는가? 사람의 마음은 두 편에서 작용하지 않으니, 한 가지 일에 마음을 쓰면, 다른 일은 들어올 수가 없는 것은 그 일이 주인이 되기 때문이다. 일이 주인이 되면 사려가 어지러워지는 근심이 없으니, 경敬에 집중하면 또 어떻게 이러한 근심이 있겠는가? 경敬이라고 하는 것은 하나로 집중하는 것을 경이라고 한다. 하나라는 것은 어디로 가는 것이 없음을 하나라고 한다. 또한 하나로 집중하는 뜻을 함양하려고 하여, 하나가 되면 둘 셋은 없게 된다. 경敬이라고 하는 것은 성인의 말만한 것이 없다. 『역』에서 '경敬하여 안을 곧게 하고, 의義하여 밖을 바르게 한다.'[138]고 했는데, 반드시 안을 바르게 해야 하나로 집중하는 뜻이 된다. 감히 속이지 않고, 태만하지 않으며, 방 깊은 곳에서 부끄러움이 없어야 한다는 것 등은 모두 경敬의 일이다."

136 『河南程氏遺書』 권15
137 『老子』 19장: "聖을 끊고 지혜를 버리면 백성의 이익이 백배가 될 것이고, 인을 끊고 의를 버려야 백성이 자애와 효에 돌아올 것이다. 기교를 끊고 이익을 버리면 도적이 있지 않을 것이니, 이 세 가지는 말로 해서는 부족한 것이다. 그러므로 모든 백성에게 몸 둘 곳을 있게 하고, 소박한 것만 보게 하며, 질박한 것만 갖게 하고, 사사로움은 줄이고, 욕심을 적게 해야 한다.(絶聖棄智, 民利百倍, 絶仁棄義, 民復慈孝, 絶巧棄利, 盜賊無有, 此三者以爲文不足, 故令有所屬, 見素抱樸, 少私寡欲.)"
138 '敬하여 안을 … 한다.':『易』「坤卦・文言傳」, "直은 그 바름이요 方은 그 義이니, 군자가 敬하여 안을 곧게 하고 義로써 밖을 방정하게 하여, 敬과 義가 확립되면 德이 외롭지 않으니, '直方大不習无不利'는 그 행하는 바를 의심하지 않는 것이다.(直, 其正也, 方, 其義也, 君子敬以直内, 義以方外, 敬義立而德不孤, 直方大不習无不利, 則不疑其所行也.)"

[46-2-4]

"執事須是敬, 又不可矜持太過."[139]

(정자가 말했다.) "일을 집행하는 데에는 반드시 경敬해야 하지만 또 너무 지나치게 억지로 구속해서는 안 된다."

[46-2-5]

"嚴威儼恪, 非敬之道, 但致敬須自此入."[140]

(정자가 말했다.) "위엄있고, 엄숙한 것은[141] 경敬의 도리는 아니지만, 경에 이르기 위해서는 반드시 이곳으로부터 들어가야 한다."[142]

[46-2-6]

"敬而無失, 便是喜怒哀樂未發謂之中. 敬不可謂中, 但敬而無失, 即所以爲中也."[143]

(정자가 말했다.) "경하면서 잃음이 없는 것은 희노애락이 미발할 때를 중이라고 하는 것이다. 경이 중中이라고 말할 수 있지만, 경하면서 잃음이 없는 것은 중할 수 있는 까닭이다."[144]

• • • • • • • • • • • • • • •

139 『河南程氏遺書』 권3

140 『河南程氏遺書』 권15

141 위엄있고, 엄숙한 것은 : 『禮記』「祭儀」, "효자로서 깊은 사랑하는 마음을 가진 사람이면, 반드시 화순한 기운이 있어야 하고, 화순한 기운이 있는 사람이라면, 반드시 즐거워하는 얼굴빛이 있어야 하고, 즐거워하는 얼굴빛이 있는 사람이라면, 반드시 상냥한 얼굴빛이 있어야 한다. 효자는 부모를 모시는 마음을 귀한 옥을 잡는 것처럼 하고, 가득찬 그릇을 받드는 것같이 하여, 정성스럽고 조심하여, 감당하지 못하는 것같이 하며, 막 잃어버리지나 않을까 하여, 엄숙하여 위엄있고, 엄숙하여 공손한 것은 효자가 부모를 섬기는 방법은 아니다.(孝子之有深愛者, 必有和氣, 有和氣者, 必有愉色, 有愉色者, 必有婉容, 孝子如執玉, 如奉盈, 洞洞屬屬然, 如弗勝, 如將失之, 嚴威儼恪, 非所以事親也.)"

142 이곳으로부터 들어가야 한다. : 섭채는 『近思錄集解』에서 다음과 같이 설명한다. "경이 마음에 보존되면, 엄숙하여 위엄있고 엄숙하여 공손한 것이 겉으로 드러나는 것이니, 겉이 태만하면서 마음속이 敬할 수는 없다.(敬存於中, 嚴威儼恪, 著於外者, 然未有外貌弛慢而中能敬著.)"

143 『河南程氏遺書』 권2상

144 중할 수 … 까닭이다 : 섭채는 『近思錄集解』에서 이렇게 설명한다. "이 말은 靜하면서 敬을 위주로 하면 사물이 아직 교접하지 않았을 때 마음이 경을 주된 것으로 해서 치우치고 편벽된 것이 없으면 미발의 중이라는 것이다. 경은 중이 아니지만 경은 그 중을 기르는 것이다.(此言靜而主敬, 事物未交, 心主乎敬, 不偏不倚, 即所謂未發之中. 敬非中, 敬所以養其中也.)" 歸安 茅星來는 『近思錄集註』에서 이렇게 설명한다. "이는 배우는 사람들이 매번 中을 구하려고 하므로, 이것을 말해서 반드시 따로 구할 필요가 없다고 말한 것이다. 경하면 이 마음은 항상 혼연하게 중에 있으니 주재를 해서 스스로 사물에 의해 요란스럽게 되지 않으므로, 중이 되는 까닭이라고 했다.(此因學者, 每欲求中時, 故言此以見不必別求也. 敬則此心常渾然在中. 作主宰自, 不爲事物所擾亂, 故云即所以中.)"

[46-2-7]

"一不敬, 則私欲萬端生焉, 害仁此爲大."[145]

(정자가 말했다.) "조금이라도 경하지 못하면 사욕私欲의 수 만 가지 단서가 생기니, 인을 해치는 것에서 이것이 가장 크다."

[46-2-8]

"動容貌, 整思慮, 則自然生敬. 敬, 只是主一也. 主一, 則既不之東, 又不之西. 如此, 則只是中. 既不之此, 又不之彼. 如此, 則只是內. 存此則自然天理明. 學者須是將敬以直內, 涵養此意. 直內是本."[146]

(정자가 말했다.) "동작과 용모를 움직일 때에[147] 사려를 정제하면 저절로 경敬이 생겨난다. 경은 단지 하나로 집중하는 것이다. 하나로 집중하면 동쪽으로 가지 않고 또 서쪽으로 가지 않는다. 이렇게 한다면 단지 중일뿐이다. 이쪽으로 가지 않고 또 저쪽으로 가지 않는다. 이렇게 하면 단지 안에 있는 것이다.[148] 이것을 보존하면 저절로 천리天理가 밝혀진다. 배우는 사람은 반드시 경하여 안을 곧게 하고 이 뜻을 함양한다. 안을 곧게 하는 것이 근본이다."

[46-2-9]

或問: "燕處倨肆, 心不怠慢有諸?"

曰: "無之. 入德必自敬始. 故容貌必恭也, 言語必謹也. 雖然, 優游涵泳而養之可也. 拘迫則不能入矣."[149]

어떤 사람이 물었다. "한가한 곳에서 오만하고 방자하게 있으면서 마음이 태만하지 않았던 적이 있습니까?"

(정자가) 답했다. "없다. 덕으로 들어가는 것은 반드시 경敬으로부터 시작한다. 그러므로 용모가 반드시 공손하고 언어가 반드시 신중하다. 비록 그러할지라도 물에 젖듯이 익숙해져서 함양해야 좋다. 속박하면 들어갈 수 없다."

· ·

145 『二程粹言』 권상
146 『河南程氏遺書』 권15
147 동작과 용모를 … 때에: 『論語』 「泰伯」에 "군자가 도를 귀하게 여기는 것이 3가지이니, 용모와 모습을 움직일 때는 거칠고 포악함을 멀리하고, 안색을 바르게 할 때에는 성실함에 가깝게 하며, 말과 소리를 낼 때에는 비루함과 도리에 위배되는 것을 멀리해야 한다. 籩豆의 소소한 일은 담당하는 사람이 있다.(君子所貴乎道者三, 動容貌, 斯遠暴慢矣, 正顔色, 斯近信矣, 出辭氣, 斯遠鄙倍矣. 籩豆之事, 則有司存.)"라고 하였다.
148 이렇게 하면 … 것이다.: 歸安 茅星來는 『近思錄集註』에서 이렇게 설명한다. "동쪽으로 가지 않고 서쪽으로 가지 않으면 한 쪽으로 치우치지 않으므로 中이고 이쪽으로 가지 않고 저쪽으로 가지 않으면 외물에 의해서 요동하지 않으므로 단지 안에 있다고 한 것이다.(不之東不之西, 則不偏於一隅, 故云只是中. 不之此不之彼, 則不爲外物所動, 故云只是內.)"
149 『二程粹言』 권상

[46-2-10]

張子曰: "學者欲其進, 須敬其事則有立,[150] 有立則有成, 未有不敬而能立, 不立則安可望有成?"[151]

장자張子가 말했다. "배우는 사람이 덕의 증진을 원한다면, 반드시 일들을 경敬의 태도로 하면 세우는 것이 있고, 세우는 것이 있으면 이루는 것이 있다. 경하지 않고서 세울 수 있는 경우가 없으니, 세우지 않고서 어떻게 이룸을 희망하겠는가?"

[46-2-11]

上蔡謝氏曰: "敬是常惺惺法. 心齊是事事放下. 其理不同."[152]

상채 사씨上蔡謝氏[謝良佐][153]가 말했다. "경은 항상 성성惺惺하게 깨어있는 법이다.[154] 마음을 고르게 하는 것은 모든 일에서 마음을 내려놓는 것이다. 그 리理는 다르다."

[46-2-12]

問: "敬之貌如何?"

曰: "於儼若思時可見."

問: "學爲敬, 不免有矜持如何?"

曰: "矜持過當却不是. 尋常作事用心過當便有失. 要在勿忘勿助長之間耳."[155]

물었다. "경의 모습은 어떠합니까?"

(상채 사씨가) 답했다. "엄숙하기를 마치 사려하는[156] 듯할 때 볼 수 있다."

---

150 須敬其事則有立: 『張載集』에는 敬이라는 글자가 모두 欽으로 되어 있다. '敬'은 송 太祖 趙匡胤의 祖父의 이름이어서 기휘하여 '欽'으로 대용한 것이다.

151 『張載集』「經學理窟·義理」

152 『上蔡語錄』 권2

153 上蔡謝氏[謝良佐]: 謝良佐(1050~1103)를 말한다. 자는 顯道이고 蔡州의 上蔡 사람이다. 程顥와 程頤의 학문을 배웠고 游酢, 呂大臨, 楊時와 더불어 程門四先生이라고 불린다. 1085년 진사가 되어 知應城縣을 지냈다. 上蔡學派를 창시하여 심학의 터를 닦은 인물이며 湖湘學派의 鼻祖이다. 仁을 覺이나 生意로 해석하고, 誠을 實理로, 敬을 常惺惺으로, 窮理를 求是로 해석했다. 그의 주장은 선불교적 색채가 강하여 주희로부터 비판을 받았다.

154 경은 항상 … 법이다.: 주희는 『朱子語類』 17:13에서 이렇게 말하고 있다. "물었다. '상채가 「경은 항상 성성하게 깨어있는 것이다.」라고 했다. 이 말이 매우 정밀하다.' 답했다. '정자의 整齊嚴肅의 말보다 좋지 못하다. 왜냐하면 사람이 이렇게 할 수 있어서 그 마음이 여기 있는 것이 성성하게 깨어 있는 것이다. 그러나 외면에서 정제엄숙하면서 안으로 성성하게 깨어있지 못한 경우는 없다. 예를 들어 어떤 사람이 한순간에 외면에서 정제엄숙하면 한 순간에 성성하게 깨어 있지만, 한 순간에 놓아버리면 혼탁하고 나태해진다.'(問, '上蔡說,「敬者, 常惺惺法也.」此說極精切.' 曰, '不如程子整齊嚴肅之說爲好. 蓋人能如此, 其心卽在此, 便惺惺. 未有外面整齊嚴肅, 而內不惺惺者. 如人一時間外面整齊嚴肅, 便一時惺惺, 一時放寬了, 便昏怠也.')"

155 『上蔡語錄』 권2

물었다. "경敬하는 것을 배웠지만, 억지로 구속하는 것을 면할 수 없으니 어찌해야 합니까?"

(상채 사씨가) 답했다. "억지로 구속하는 것이 지나치면 당연히 옳지 않다. 평상시에 일을 하는 데에 마음을 지나치게 쓰면 과실이 있다. 잊지 말되 조장하지도 않는 사이에 있을 뿐이다."

[46-2-13]

問：“敬慎有異否?”

曰：“執輕如不克, 執虛如執盈, 慎之至也. 敬則愼在其中矣. 敬則外物不能易. 學者須去却不合做底事, 則於敬有功. 敬換不得. 方其敬也, 甚物事換得?”

因指所坐亭子曰：“這箇亭子須只喚做白岡院亭子, 却著甚底換得?”

曰：“學者未能便窮理, 莫須先省事否?”

曰：“非事上做不得工夫, 也須就事上做工夫. 如或人說動中有靜, 靜中有動, 有此理. 然靜而動者多, 動而靜者少, 故多著靜不妨. 人雖是卓立中塗, 不得執一邊.”[157]

물었다. "경敬과 신중함愼은 차이가 있습니까?"

(상채 사씨가) 말했다. "가벼운 것을 들었는데도 감당하지 못할 듯이 하고,[158] 텅 빈 것을 들었는데도 가득 찬 것을 들은 것처럼 하는 것은[159] 신중함의 지극함이다. 경하면 신중함은 그 가운데 있다. 경하면 외부의 사물이 바꿀 수 없다. 배우는 사람은 반드시 적합하지 않은 일들을 버린다면 경敬하는 데에 효과가 있다. 경은 바꿀 수가 없다. 경하게 되면 어떤 것이 바꿀 수 있겠는가?"

앉아 있는 정자亭子를 가리키며 말했다. "이 정자는 반드시 백강원 정자라고 해야지, 어떤 다른 것으로 부르겠는가?"

· · · · · · · · · · · · · · · · · · · ·

156 엄숙하기를 마치 사려하는 : 『禮記』「曲禮上」에 "敬하지 않는 것이 없으며, 엄숙하기를 마치 사려하는 듯이 하고, 말을 안정되게 한다면, 백성을 편안하게 할 수 있을 것이다.(毋不敬, 儼若思, 安定辭, 安民哉.)"라고 하였다.

157 『上蔡語錄』 권2

158 가벼운 것을 … 하고 : 『禮記』「曲禮下」의 글이다. "대체로 물건을 받드는 자는 가슴에 닿게 하고 물건을 드는 자는 띠에 닿게 한다. 천자의 그릇을 잡으면 가슴보다 위로하고 군주의 그릇을 들 때는 가슴과 평평하게 하고 대부의 그릇을 들 때에는 가슴보다 아래로 하며, 사는 띠보다 아래로 한다. 대체로 주군의 그릇을 들 때에는 가벼운 것을 가지고서도 이기지 못하는 것처럼 한다. 주군의 그릇을 잡을 때에는 폐백과 모난 구슬 둥근 구슬을 잡으면, 왼쪽 손을 위로잡고, 걷는 데는 발을 들지 않고, 수레바퀴처럼 발꿈치를 끌고 간다. 일어날 때에는 경쇠를 칠 때처럼 구부정하게 하여 佩玉을 드리운다. 군주의 패옥이 몸에 의지 했으면 신하의 패옥은 드리워져야 한다. 군주의 패옥이 드리워지면 신하의 패옥은 땅에 닿게 한다. 옥을 잡을 때는 그 꾸밈이 있는 자리일 때는 裼衣로 하고 꾸밈이 없는 자리일 때는 옷으로 덮는다.(凡奉者當心, 提者當帶, 執天子之器則上衡 國君則平衡, 大夫則綏之, 士則堤之. 凡執主器, 執輕如不克, 執主器, 操幣圭璧, 則尚左手, 行不擧足, 車輪曳踵, 立則磬折垂佩, 主佩倚, 則臣佩垂, 主佩垂, 則臣佩委, 執玉, 其有藉者則裼無藉者則襲.)"

159 텅 빈 … 것은 : 『禮記』「少儀」에 "執虛如執盈, 入虛如有人. 凡祭於室中堂上無跣, 燕則有之. 未嘗不食新."이라고 하였다.

물었다. "배우는 사람이 이치를 궁구하지 못하면 먼저 살필 일이 없는 것입니까?"

(상채 사씨가) 말했다. "일에서 공부를 하지 못하는 것도 아니고, 반드시 일에서 공부해야 하는 것도 아니다. 예를 들어 어떤 사람이 움직임 가운데 고요함이 있고, 고요함 가운데 움직임이 있다고 말하는 것처럼, 이러한 리理가 있다. 그러나 고요하면서 움직이는 것은 많지만, 움직이면서 고요한 것은 적으므로 고요함에 있는 경우가 많아도 상관없다. 사람은 우뚝이 중도에 서서 한쪽 편만을 고집해서는 안 된다."

[46-2-14]

或問: "正其衣冠, 端坐儼然自有一般氣象. 某嘗行之, 果如其說, 此是敬否?"

曰: "不如就事上尋, 便更分明. 事思敬, 居處恭, 執事敬, 若只是靜坐時有之, 却只是坐如尸也."[160]

어떤 사람이 물었다. "그 의관을 바르게 하여 단정하게 앉아서 엄숙한 것에는 저절로 같은 기상이 있다. 내가 그 말대로 시행해보니,[161] 과연 그 말과 같았으니, 이것은 경敬인가?"

(상채 사씨가) 말했다. "일에서 찾아서 더욱 분명한 것만 못하다. 일하는 데에 경敬을 생각하고, 거처하는 데에 공경하며, 일을 하는 데에 경敬하니,[162] 만약 단지 정좌할 때만 그러하다면, 시동처럼 앉아 있는 것과 같다."

[46-2-15]

和靖尹氏曰: "某初見伊川時, 教某看敬字. 某請益, 伊川曰, '主一則是敬.' 當時雖領此語, 然不若近時看得更親切. 祁寬問如何是主一? 曰, '敬有甚形影? 只收斂身心, 便是主一. 且如人到神祠中致敬時, 其心收斂, 更著不得毫髮事, 非主一而何?'"[163]

화정 윤씨和靖尹氏[尹焞][164]가 말했다. "내가 처음 이천 선생을 뵈었을 때 나에게 경敬이라는 글자를 가르쳤다. 내가 더욱 가르침을 청하자, 이천 선생이 말했다. '하나로 집중하는 것이 경이다.' 당시에 이 말을 깨달았지만 근래에 더욱 친절하게 본 것만 못하다. 기관祁寬이 어떤 것이 하나로 집중하는 것인지를

• •

160 『上蔡語錄』 권3

161 내가 그 … 시행해보니: 『上蔡語錄』에는 "某嘗以其說行之."로 되어 있다.

162 일을 하는 … 敬하니: 『論語』「子路」에 '번지가 仁을 묻자, 공자가 답했다. '거처할 때 공손히 하며, 일을 할 때 공경하며, 사람을 대할 때 충직하게 해야 한다. 이것은 비록 오랑캐의 나라에 가더라도 버려서는 안 된다.'(樊遲問仁, 子曰, '居處恭, 執事敬, 與人忠, 雖之夷狄, 不可棄也.)"라고 하였다.

163 『和靖集』 권7

164 和靖尹氏[尹焞]: 尹焞(1071~1142)의 자는 彦明・德充이고, 호는 三畏齋와 황제가 하사한 호인 和靖處士가 있으며, 시호는 肅公이다. 송대 洛陽(현 하남성 낙양) 사람으로 과거에 응시하지 않았으나, 천거에 의해 崇政殿說書 겸 侍講을 역임하였다. 어려서부터 程頤에게 사사하여 스승의 학설을 가장 돈독하게 이어받았다고 한다. 저서는 『論語解』・『孟子解』・『和靖集』 등이 있다.

묻자, 선생이 이렇게 말했다. '경에 어떤 형체와 그림자가 있겠는가? 단지 몸과 마음을 수렴하면 이것이 하나로 집중하는 것이다. 예를 들어 사람이 신사神祠에 이르러 경敬을 다할 때 그 마음을 수렴하여 털끝만한 일도 마음에 두지 않으니 하나로 집중하는 것이 아니고 무엇이겠는가?"

[46-2-16]

朱子曰 : "聖人相傳, 只是一箇字, 堯曰欽明, 舜曰溫恭, 聖敬日躋, 君子篤恭而天下平."[165]

주자가 말했다. "성인이 서로 전한 것은 단지 한 글자이다. 요堯는 '흠명欽明'[166]을 말했고, 순舜은 '온공溫恭'[167]을 말했고, '성경聖敬이 날로 올라가',[168] '군자는 공손함을 돈독히 하여 천하가 평화롭게 된다.'"[169]

[46-2-17]

"堯是初頭出治第一箇聖人, 尚書堯典是第一篇典籍, 說堯之德, 都未下別字, 欽是第一箇字. 如今看聖賢千言萬語大事小事, 莫不本於敬. 收拾得自家精神在此, 方看見道理盡. 看道理不盡, 只是不曾專一."

或云 : "主一之謂敬, 敬莫只是主一?"

曰 : "主一又是敬字注解. 要知事無小無大, 常令自家精神思慮盡在此. 遇事時如此, 無事時也如此."[170]

(주자가 말했다.) "요 임금은 최초로 나와서 나라를 다스린 첫 번째의 성인이다. 『상서尚書』「요전」이 바로 그 첫 번째의 전적인데, 요 임금의 덕을 말하면서, 다른 글자는 전혀 쓰지 않고, 공경한다는 뜻의 흠欽이라는 글자가 첫 번째이다. 지금 성현들의 수 천만가지 많은 말들을 보면, 큰일이나 작은 일을 막론하고 경敬에 근본하지 않은 것이 없다. 자기의 정신을 여기에서 수습해야, 그 도리를 완전히 볼

---

165 『朱子語類』권12, 69조목

166 欽明 : 『書經』「虞書・堯典」에 "옛 帝堯를 상고하건대, 공이 크니, 공경하고 밝고 문채롭고 생각함이 편안하고 편안하며 진실로 공손하고 능히 겸양하여, 광채가 四表에 입혀지며 상하에 이르렀다.(曰若稽古帝堯, 曰放勳, 欽明文思安安, 允恭克讓, 光被四表, 格于上下.)"라고 하였다.

167 溫恭 : 『書經』「虞書・舜典」에 "옛 帝舜을 상고하건대, 거듭하여 빛남이 帝堯에게 합하니, 깊고 명철하고 문채나고 밝으시며, 온화하고 공손하고 성실하고 독실하여, 그윽한 德이 올라가 알려지니, 帝堯가 마침내 직위를 명하셨다.(曰若稽古帝舜, 曰重華協于帝, 濬哲文明, 溫恭允塞, 玄德, 升聞, 乃命以位.)"라고 하였다.

168 '聖敬이 날로 올라가' : 『詩經』「頌・商頌・長發」에 "上帝의 命이 어그러지지 아니하여, 湯임금에 이르러 부합되니, 탕임금의 誕降이 늦지 않으시며, 聖敬이 날로 올라가, 하늘에 밝게 이름을 오래하고 오래하여 상제를 이에 공경하시니, 상제께서 명하셔서 九圍에 모범이 되게 하시니라.(帝命不違, 至于湯齊, 湯降不遲, 聖敬日躋, 昭假遲遲, 上帝是祗, 帝命式于九圍.)"라고 하였다.

169 '군자는 공손함을 … 된다.' : 『中庸』33장에 『詩經』에 이르기를 '드러나지 않는 덕을 여러 제후들이 본받는다.' 하였다. 이 때문에 군자는 공손함을 돈독히 하여 천하가 평화롭게 된다.(詩曰, 不顯惟德, 百其刑之, 是故, 君子篤恭而天下平.)"라고 하였다.

170 『朱子語類』권12, 70조목

수 있다. 도리를 완전하게 보지 못한 것은 단지 하나로 집중하지 못했기 때문이다."

어떤 사람이 말했다. "하나로 집중하는 것을 경敬이라 하니, 경은 하나로 집중하는 것이 아닙니까?"

(주자가) 말했다. "하나로 집중하는 것은 또 경이라는 글자를 주해注解한 것이다. 요컨대 크고 작은 일을 막론하고, 항상 자기의 정신과 사려를 모두 여기에 있게 해야 함을 알아야 한다. 일을 당했을 때에 이렇게 하고, 일이 없을 때에도 이렇게 해야 한다."

[46-2-18]

"敬字工夫, 乃聖門第一義. 徹頭徹尾, 不可頃刻間斷."[171]

(주자가 말했다.) "경敬이라는 글자의 공부는 성인 문하의 첫 번째 가르침이다. 철두철미하게 조금이라도 끊임이 없어야 한다."

[46-2-19]

"敬之一字, 眞聖門之綱領, 存養之要法. 一主乎此, 更無內外精粗之間."[172]

(주자가 말했다.) "경敬이라는 한 글자는 진정으로 성인 문하의 강령이고, 보존하고 함양하는 요체이다. 여기에 하나로 집중하면, 다시 안과 밖 그리고 정밀함과 거침의 차이가 없다."

[46-2-20]

"敬則萬理具在."[173]

(주자가 말했다.) "경敬하면 모든 리理가 갖추어져 있다."

[46-2-21]

"聖人言語, 當初未曾關聚. 如說出門如見大賓, 使民如承大祭等類, 皆是敬之目. 到程子始關聚說出一箇敬來教人. 然敬有甚物? 只如畏字相似, 不是塊然兀坐, 耳無聞目無見, 全不省事之謂. 只收斂身心, 整齊純一, 不恁地放縱便是敬.

(주자가 말했다.) "성인의 말들은 당초에 종합해서 말한 적이 없었다. 예를 들어 공자가 '문을 나가서는 큰 손님을 만난 것처럼 사람을 대하고, 백성을 부릴 때에는 큰 제사를 받드는 것처럼 한다.'[174]는 등의

• • • • • • • • • • • • • • • • • • • •

171 『朱子語類』 권12, 85조목

172 『朱子語類』 권12, 86조목

173 『朱子語類』 권12, 88조목

174 '문을 나가서는 … 한다.' : 『論語』 「顏淵」에 "仲弓이 仁을 묻자, 공자가 말했다. '문을 나갔을 때에는 큰손님을 만난 듯이 하며, 백성에게 일을 시킬 때에는 큰 祭祀를 받들 듯이 하고, 자신이 하고자 하지 않는 것을 남에게 베풀지 말아야 하니, 이렇게 하면 나라에 있어서도 원망함이 없으며, 집안에 있어서도 원망함이 없을 것이다.' 중궁이 말하였다. '제가 비록 불민하지만 청컨대 이 말씀을 종사하겠습니다.'(仲弓問仁, 子曰, 出門如見大賓, 使民如承大祭, 己所不欲, 勿施於人, 在邦無怨, 在家無怨. 仲弓曰, 雍雖不敏, 請事斯語矣.)"라

것은 모두 경敬의 조목이다. 정자程子에 이르러 비로소 관련된 것을 모아서 하나의 경敬을 말하여 사람들을 가르쳤다. 그러나 경敬은 어떤 것인가? 단지 두려워한다는 '외畏'자와 유사한 것이니, 흙덩어리처럼 홀로 우뚝 앉아서 귀로 듣는 것도 없고 눈으로 보는 것도 없이, 전혀 일을 살피지 않는 것을 말하는 것은 아니다. 단지 몸과 마음을 수렴하여, 가지런히 하고 순일하게 해서 방종하지 않게 하는 것이 바로 경敬이다.[175]

孔子之所謂克己復禮, 中庸所謂致中和, 尊德性, 道問學, 大學所謂明明德, 書曰'人心惟危, 道心惟微', 惟精惟一, 允執厥中. 聖賢千言萬語, 只是敎人明天理, 滅人欲. 人性本明, 如寶珠沉溷水中, 明不可見. 去了溷水, 則寶珠依舊自明. 自家若得知是人欲蔽了, 便是明處. 只是這上便緊緊著力主定一面格物. 今日格一物, 明日格一物, 正如游兵攻圍拔守, 人欲自消鑠去. 所以程先生說敬字只謂我自有一箇明底物事在這裏, 把箇敬字抵敵. 常常存箇敬在這裏, 則人欲自然來不得. 夫子曰, '爲仁由己, 而由人乎哉?' 緊要處正在這裏."[176]

공자가 '자신을 극복하고 예로 돌아온다.'[177]고 했고, 『중용』에서는 '중화中和에 이르고, 덕성을 존숭하고 학문을 말미암는다.'[178]고 했고, 『대학』에서 '명덕을 밝힌다.'[179]고 했고, 『서書』에서 '인심人心은 위태롭고, 도심道心은 은미하니, 오직 정밀하고 집중하여 중中을 잡는다.'[180]고 했다. 성현의 천만가지 말들은 단지 사람에게 천리를 밝히고 인욕을 멸하라는 것을 가르친 것이다. 사람의 성은 본래 밝으니, 마치 보배인 구슬이 흙탕물 속에 빠지면 밝아도 볼 수가 없는 것과 같다. 흙탕물을 없애면 보배인 구슬은

고 하였다.

175 이 단락은 『朱子語類』 권12, 75조목에 나온다.

176 이 단락은 『朱子語類』 권12, 71조목에 나온다.

177 '자신을 극복하고 … 돌아온다.': 『論語』「顔淵」에 "안연이 仁을 묻자, 孔子가 말했다. '자기의 사사로운 욕심을 이겨 禮에 돌아감이 仁을 하는 것이니, 하루 동안이라도 사사로운 욕심을 이겨 禮에 돌아가면 천하가 仁을 인정한다. 仁을 하는 것은 자기 몸에 달려 있으니, 남에게 달려있는 것이겠는가?(顔淵問仁, 子曰, '克己復禮爲仁, 一日克己復禮, 天下歸仁焉, 爲仁由己, 而由人乎哉?')"라고 하였다.

178 '中和에 이르고 … 말미암는다.': 『中庸』에 다음과 같이 되어 있다. "기뻐하고 노하고 슬퍼하고 즐거워하는 情이 발하지 않은 것을 中이라 이르고, 발하여 모두 節度에 맞는 것을 和라 이르니, 中이란 것은 천하의 큰 근본이요, 和란 것은 천하의 공통된 道이다. 中和에 이르면, 천지가 제자리를 편안히 하고, 萬物이 잘 生育될 것이다.(喜怒哀樂之未發, 謂之中, 發而皆中節, 謂之和, 中也者, 天下之大本也, 和也者, 天下之達道也. 致中和, 天地位焉, 萬物育焉.) … 그러므로 군자는 德性을 높이고 學問을 말미암으니, 廣大함을 지극히 하고 精微함을 다하며, 高明을 다하고 中庸을 따르며, 옛 것을 잊지 않고 새로운 것을 알며, 후함을 돈독히 하고 禮를 높이는 것이다.(故君子, 尊德性而道問學, 致廣大而盡精微, 極高明而道中庸, 溫故而知新, 敦厚以崇禮.)"

179 '명덕을 밝힌다.': 『大學』에 "大學의 道는 明德을 밝히는 것에 있고, 백성을 새롭게 함에 있으며, 지극한 선에 그치는 것에 있다.(大學之道, 在明明德, 在親民, 在止於至善.)"라고 하였다.

180 '인심은 위태롭고 … 잡는다.': 『書經』「虞書・大禹謨」의 글이다. "人心은 위태롭고, 道心은 은미하니, 오직 정밀하고 집중하여 中을 잡는다.(人心, 惟危, 道心, 惟微, 惟精惟一, 允執厥中.)"

옛날 그대로 본래 밝다. 자신이 만약 이 인욕이 가려있는 것을 알면, 곧 밝은 것이다. 단지 위로는 애써서 힘을 써서 안정시키고 한편으로는 격물格物한다. 오늘 하나의 사물을 격格하고 내일 또 하나의 사물을 격格하여 마치 유병游兵이[181] 포위하여 공격하고 지키는 것처럼 하면, 인욕이 저절로 없어진다. 그래서 정선생程先生은 경敬이라는 글자는 내가 본래 밝은 것을 여기에 가지고 있는 것이니 경으로 적을 맞선다고 했다. 항상 이 경을 여기에 보존하면 인욕이 저절로 오지 못한다. 공자가 '인을 행하는 것은 자기로부터 말미암지 남으로부터 말미암겠는가?'[182]라고 했으니, 중요한 곳은 바로 여기에 있다."

[46-2-22]

"聖賢言語, 大約似乎不同, 然未始不貫. 只如夫子言非禮勿視聽言動, 出門如見大賓, 使民如承大祭, 言忠信, 行篤敬, 這是一副當說話. 到孟子又却說求放心, 存心養性, 大學則又有所謂格物致知, 正心誠意, 至程先生又專一發明一箇敬字. 若只恁看, 似乎參錯不齊. 千頭萬緒, 其實只一理."

楊道夫曰: "泛泛於文字間, 祇覺得異, 實下工則貫通之理始見."

曰: "然. 只是就一處下工夫, 則餘者皆兼攝在裏. 聖賢之道如一室然, 雖門戶不同, 自一處行來便入得. 但恐不下工夫爾.[183]

(주자가 말했다.) "성현의 말은 대략 다른 듯하지만, 그러나 애초부터 일관되지 않았던 것은 아니다. 공자가 '예가 아니면 보지도 듣지도 말하지도 움직이지도 말라.'[184] 했고, '문을 나가서는 큰 손님을 만난 것처럼 사람을 대하고, 백성을 부릴 때에는 큰 제사를 받드는 것처럼 한다.'[185]고 했고, '말이 충직하고 미더우며 행실이 독실하고 경敬하다.'[186]고 했는데 이것은 당연한 말이다. 맹자에 이르러 또 '흩어진 마음

181 游兵이 : 유병이란 유동적인 작전의 소군대를 말한다. 『管子』 「幼官」에 "四機不明, 不過九日, 而游兵驚軍."라고 하였다.
182 『論語』 「顏淵」
183 『朱子語類』 권12, 72조목
184 '예가 아니면 … 말라.' : 『論語』 「顏淵」의 글이다. "안연이 '그 조목을 묻겠습니다.'라고 하자, 공자가 말했다. '禮가 아니면 보지 말며, 禮가 아니면 듣지 말며, 禮가 아니면 말하지 말며, 禮가 아니면 움직이지도 말라.' 안연이 말하였다. '제가 비록 불민하지만 청컨대 이 말을 종사하겠습니다.(顏淵曰, 請問其目. 子曰, 非禮勿視, 非禮勿聽, 非禮勿言, 非禮勿動. 顏淵曰, 回雖不敏, 請事斯語矣.)"
185 '문을 나가서는 … 한다.' : 『論語』 「顏淵」의 글이다. "仲弓이 仁을 묻자, 공자가 말했다. '문을 나갔을 때에는 큰손님을 만난 듯이 하며, 백성에게 일을 시킬 때에는 큰 祭祀를 받들 듯이 하고, 자신이 하고자 하지 않는 것을 남에게 베풀지 말아야 하니, 이렇게 하면 나라에 있어서도 원망함이 없으며, 집안에 있어서도 원망함이 없을 것이다.' 중궁이 말하였다. '제가 비록 불민하지만 청컨대 이 말씀을 종사하겠습니다.'(仲弓問仁, 子曰, 出門如見大賓, 使民如承大祭, 己所不欲, 勿施於人, 在邦無怨, 在家無怨. 仲弓曰, 雍雖不敏, 請事斯語矣.)"
186 『論語』 「衛靈公」: "말이 충직하고 미더우며 행실이 독실하고 敬하면 비록 오랑캐의 나라라 하더라도 행해질 수 있지만, 말이 충직하고 미덥지 못하고 행실이 독실하고 敬하지 못하면, 동네에서도 행해질 수 있겠는가? (言忠信, 行篤敬, 雖蠻貊之邦, 行矣, 言不忠信, 行不篤敬, 雖州里, 行乎哉!)"

을 구하라.'187 '본심을 보존하고 성性을 함양한다.'고 했고, 『대학』에서는 또 '격물치지格物致知'와 '정심성의正心誠意'를 말했으며, 정선생에 이르러 또 오로지 경敬이라는 글자를 밝혔다. 그대로 본다면 여러 가지가 섞여 가지런하지 않지만, 천 갈래 만 갈래 속에 사실은 하나의 도리만이 있을 뿐이다."

양도부楊道夫가 말했다. "문자 사이를 대충 보면 다른 것 같지만, 실제로 공부를 하면 관통하는 리理가 비로소 보입니다."

(주자가) 말했다. "그렇다. 단지 어떤 한 곳을 취하여 공부해 나가기만 하면, 다른 것은 모두 그 속에 아울러 포섭된다. 성현의 도는 마치 하나의 집과 같으니, 들어가는 문은 서로 다를지라도 한 곳으로 가면 집으로 들어갈 수 있다. 단지 공부를 하지 않는 것이 걱정일 뿐이다."

因歎敬字工夫之妙, "聖賢之所以成始成終者皆由此. 故曰修己以敬, 下面安人, 安百姓, 皆由於此. 只緣子路問不置, 故聖人復以此答之. 要之只是箇修己以敬, 則其事可了."

或曰: "自秦漢以來, 諸儒皆不識這敬字, 直至程子方說得親切, 學者知所用力."

曰: "程子說得如此親切了, 近世程沙隨猶非之, 以爲聖賢無單獨說敬字時, 只是敬親敬君敬長方著箇敬字, 全不成說話! 聖人說修己以敬, 曰, 敬而無失, 曰聖敬日躋, 何嘗不單獨說來? 若說有君有親有長時用敬, 則無君親無長之時, 將不敬乎?"188

인하여 경敬이라는 글자의 공부의 묘미에 대해 탄식했다. "성현이 처음을 이루고 끝을 이루는 것은189 모두 이 경으로 말미암은 것이다. 그러므로 '경敬으로 자신을 수양하라.'고 했고 그 아래 면에 '사람을 편안하게 한다.'는 것과 '백성을 편안하게 한다.'는 것도190 모두 이 경으로 말미암은 것이다. 자로가 질문을 그치지 않기 때문에 성인이 다시 이렇게 답한 것이다. 요컨대, 경敬으로 자신을 수양하면 그

. . . .

187 '흩어진 마음을 구하라.' : 『孟子』「告子上」, "(孟子께서 말씀하셨다.) '仁은 사람의 마음이고, 義는 사람의 길이다. 그 길을 버리고 따르지 않으며, 그 마음을 잃어버리고 찾을 줄을 모르니, 애처롭다. 사람이 닭과 개가 도망가면 찾을 줄을 알되, 마음을 잃고서는 찾을 줄을 알지 못하니 學問하는 방법은 다른 것이 없다. 그 흩어진 마음放心을 찾는 것일 뿐이다.'(仁, 人心也, 義, 人路也. 舍其路而不由, 放其心而不知求, 哀哉! 人有鷄犬放, 則知求之, 有放心而不知求, 學問之道, 無他, 求其放心而已矣.)"

188 『朱子語類』 권12, 73조목

189 처음을 이루고 … 것은: 『孟子』「萬章下」에 "공자를 集大成이라 이르는 것이니, 集大成이란 金으로 소리를 퍼뜨리고, 玉으로 거두는 것이다. 금으로 소리를 퍼뜨린다는 것은 條理를 시작함이고, 옥으로 거둔다는 것은 조리를 끝내는 것이니, 조리를 시작하는 것은 智의 일이요, 조리를 끝내는 것은 聖의 일이다.(孔子之謂集大成, 集大成也者, 金聲而玉振之也. 金聲也者, 始條理也, 玉振之也者, 終條理也, 始條理者, 智之事也, 終條理者, 聖之事也.)"라고 하였다.

190 『論語』「憲問」: "자로가 군자를 물으니, 공자가 말했다. '敬으로써 자신을 수양하는 것이다.' 자로가 물었다. '이와 같을 뿐입니까?' 공자가 답했다. '자신을 수양하여 사람을 편안하게 하는 것이다.' 자로가 다시 물었다. '이와 같을 뿐입니까?' 공자가 답했다. '자신을 수양하여 백성을 편안하게 하는 것이니, 자신을 수양하여 백성을 편안하게 하는 것은 堯舜도 오히려 부족하게 여겼다.'(子路問君子, 子曰, '修己以敬.' 曰, '如斯而已乎?' 曰, '修己以安人.' 曰, '如斯而已乎?' 曰, '修己以安百姓, 修己以安百姓, 堯舜, 其猶病諸.')"

일이 좋은 것이다."

어떤 사람이 물었다. "진秦·한漢이래로 여러 유자들은 모두 경敬이라는 글자를 몰랐는데 정자程子에 와서야 친절하게 말했으니, 배우는 자는 힘을 쓸 곳을 알게 되었습니다."

(주자가) 말했다. "정자가 이와 같이 친절하게 말했으나, 근세에 정사수程沙隨는 오히려 비난하여 성현은 단독적으로 경이라는 글자를 말한 적이 없었고, 단지 어버이를 공경하고 군주를 공경하고 윗사람을 공경하는 데에 경이라는 글자를 썼다고 했는데, 전혀 말이 되지 않는다! 성인이 경敬으로 자신을 수양한다고 말하고, 경하여 잃음이 없다고 하고, 성경聖敬이 날로 올라간다고 했으니, 어찌 단독으로 말하지 않았었는가? 만약 군주와 어버이와 윗사람이 있을 때 경敬한다면 군주가 없고 어버이가 없고 윗사람이 없을 때에는 경하지 않는 것인가?"

[46-2-23]

"敬之一字, 學者若能實用其力, 則雖程子兩言之訓猶爲剩語. 如其不然, 則言愈多, 心愈雜, 而所以病乎敬者益深矣."[191]

(주자가 말했다.) "경이라는 한 글자는 배우는 사람이 그 힘을 실제로 쓸 수 있다면 정자가 두 마디의 훈계일지라도 오히려 쓸데없는 말이 된다. 만약 그렇지 못하면, 말이 많으면 많을수록 마음은 더욱 혼잡해지고, 그래서 경敬에 괴로운 것이 더욱 심해질 것이다."

[46-2-24]

"敬不是萬慮休置之謂, 只要隨事專一謹畏不放逸耳.[192] 非專是閉目靜坐, 耳無聞目無見, 不接事物然後爲敬. 整齊收斂這身心不敢放縱便是敬. 嘗謂敬字似甚字, 恰似簡畏字相似."[193]

(주자가 말했다.) "경敬은 온갖 생각을 멈춘 것을 말하는 것이 아니라, 일에 따라 전일專一하게 하면서 삼가고 조심하여 방일하지 않는 것일 뿐이다. 오로지 눈을 감고 정좌하여 귀로 듣지 않고 눈으로 보지 않으며 사물을 접촉하지 않은 뒤에 경한 것이 아니다. 몸과 마음을 가지런히 하여 수렴해서 방종하지 않는 것이 경이다. 일찍이 경이란 어떤 글자와 비슷한지 생각하였는데 외畏라는 글자와 유사하다고 했다."

[46-2-25]

"敬只是收斂來, 程夫子亦說敬. 孔子說, 行篤敬, 敬以直內, 義以方外. 聖賢亦是如此, 只是工夫淺深不同. 聖賢說得好. 人生而靜, 天之性也. 感物而動, 性之欲也. 物至知知, 然後好惡形焉. 好惡無節於內, 知誘於外, 不能反躬, 天理滅矣."[194]

---

191 『朱文公文集』 권84 「跋 跋德本所藏南軒主一箴」
192 『朱文公文集』 권84 「書·答易簡」
193 『朱子語類』 권120, 34조목

(주자가 말했다.) "경은 단지 수렴하는 것이니, 정부자程夫子도 경을 말했다. 공자가 행실이 돈독하고 경하며, 경하여 안을 곧게 하고 의하여 밖을 바르게 한다고 했다. 성현 역시 이와 같으니, 단지 공부의 깊고 얕음이 다르다. 성현의 말이 좋다. '사람이 태어나 고요한 것이 하늘의 본성이고, 사물에 감하여 움직이는 것이 성性의 욕심이다. 사물이 이르면 지知를 알게 된 뒤에 좋고 싫음이 형성된다. 좋고 싫음이 안에서 절도가 없으면 지知가 밖에서 유혹되고, 몸에 돌이킬 수 없으면 천리가 없어진다.'195고 하였다."

[46-2-26]

"爲學則自有簡大要. 所以程子推出一簡敬字與學者說. 要且將簡敬字收斂簡身心, 放在模匣子裏面不走作了, 然後逐事逐物看道."196

(주자가 말했다.) "배우는 것에는 본래 큰 요체가 있다. 그래서 정자程子가 경이라는 글자를 이끌어 내어 배우는 사람에게 말했다. 경이라는 글자로 몸과 마음을 수렴하여 작은 상자에 놓아두고 도망가지 않게 한 뒤에 사물에 따라서 도를 본다."

[46-2-27]

"學固不在乎讀書, 然不讀書, 則義理無由明. 要知無事不要理會,197 無書不要讀. 若不讀這一件書, 便闕了這一件道理. 不理會這一事, 便闕這一事道理. 要他底須著些精彩方得. 然泛泛做又不得. 故程先生教人以敬爲本, 然後心定理明. 孔子言出門如見大賓, 使民如承大祭, 也是散說要人敬. 但敬便是簡關聚底道理.198 嘗愛古人說得學有緝熙于光明, 此句最好. 但心地本自光明, 只被利欲昏了. 今所以爲學者, 要令其光明處轉光明, 所以下緝熙字. 緝, 如緝麻之緝, 連緝不已之意. 熙, 則訓明字. 心地光明, 則此事有此理, 此物有此理, 自然見得. 且如人心何嘗不光明? 見他人做得是便道是, 做得不是便知不是, 何嘗不光明? 然只是纔明便昏了, 又有一種人自謂光明而事事物物元不曾照見, 似此光明亦不濟得事."199

(주자가 말했다.) "배움은 실로 독서讀書에 있지 않지만, 독서를 하지 않으면 의리義理를 밝힐 수가 없다. 일은 이해하지 않으면 안 되고 책은 읽지 않으면 안 된다는 점을 알아야 한다. 만약 이 책을 읽지 않으면 이 도리를 잃게 되고, 이 일을 이해하지 않으면 이 일의 도리를 잃게 된다. 그것을 알려면 반드시 정밀하

· · · · · · · · · · · · · · · · · · · ·

194 『朱子語類』권12, 77조목
195 '사람이 태어나 … 없어진다.': 『禮記』「樂記」의 글이다. "사람이 태어나 고요한 것이 하늘의 본성이고, 사물에 감하여 움직이는 것이 性의 욕심이다. 사물이 이르면 知를 알게 된 뒤에 좋고 싫음이 형성된다. 좋고 싫음이 안에서 절도가 없으면 知가 밖에서 유혹되어 몸에 돌이킬 수 없으면, 천리가 없어진다.(人生而靜, 天之性也, 感於物而動, 性之欲也. 物至知知, 然後好惡形焉. 好惡無節於內, 知誘於外, 不能反躬, 天理滅矣.)"
196 『朱子語類』권12, 78조목
197 要知無事不要理會: 『朱子語類』에는 "要之, 無事不要理會."로 되어 있다.
198 『朱子語類』권120, 34조목
199 『朱子語類』권12, 78조목

게 해야 얻게 된다. 그러나 대충하면 얻지 못한다. 그러므로 정선생程先生이 사람들을 가르쳐서 경敬을 근본으로 한 뒤에 마음이 안정되고 리理가 밝혀진다고 했다. 공자가 '문을 나가서는 큰 손님을 만난 것처럼 사람을 대하고, 백성을 부릴 때에는 큰 제사를 받드는 것처럼 한다.'[200]라고 한 것도 사람들이 경해야 한다고 말한 것이다. 단지 경은 관련된 것을 모은 도리이다. 옛 사람들이 '배움에 이어 밝혀서 광명함에 이르려 한다.'[201]고 말하는 것을 좋아하니, 이 구절이 가장 좋다. 그러나 마음은 본래 저절로 빛나는 것이니 단지 이욕利欲에 의해서 어둡게 될 뿐이다. 지금 배우는 사람이 그 빛나는 것을 더욱 빛나게 하려고 하여 그래서 '이어 밝힌다緝熙'는 글자를 쓴 것이다. 즙緝은 마를 길쌈한다는 즙이니, 계속 길쌈을 해서 그치지 않는다는 뜻이고, 희는 밝다는 글자이다. 마음이 빛나니 이 일에는 이 리理가 있고 이 물건에는 이 리理가 있어서 저절로 드러난다. 또한 사람의 마음이 어찌 빛나지 않았는가? 다른 사람들이 옳은 일을 하면 옳은 일을 했다고 하고, 그른 일을 하면 그른 것을 아니, 어찌 빛나지 않았는가? 그러나 밝은 것이 어둡게 되고, 어떤 사람이 스스로 빛난다고 하면서도 사물들을 비추어 보지 못하니, 이 빛나는 것이 또한 일을 제대로 처리할 수 없는 것이다."

[46-2-28]

"周先生只說一者無欲也. 然這話頭高, 卒急難湊泊. 尋常人如何便得無欲? 故伊川只說箇敬字, 教人只就這敬字上捱去, 庶幾執促得定, 有箇下手處. 縱不得, 亦不至失. 要之皆只要人於此心上見得分明, 自然有得爾. 然今之言敬者, 乃皆裝點外事, 不知直截於心上求功, 遂覺累墜不快活. 不若眼下於求放心處有功, 則尤省力也. 但此事甚易. 只如此提醒莫令昏昧, 一二日便可見效. 且易而省力, 只在念不念之間耳, 何難而不爲!"[202]

(주자가 말했다.) "주선생周先生[周濂溪]는 '하나는 욕심이 없는 것이다.'[203]라고 했다. 그러나 이 말은 고원하여 급작스럽게 이룰 수 없다. 보통 사람이 어떻게 욕심이 없을 수 있겠는가? 그러므로 정이천은 경敬을 말하여, 사람들이 이 경이라는 글자로 밀고 나가서 거의 안정을 이루어서 착수할 발판을 마련할 수 있게 했을 뿐이다. 설령 얻지 못하더라도 또한 잃는 것에는 이르지 않는다. 요컨대 모두 사람이 이 마음에서 분명하게 보려고 한다면 저절로 얻음이 있을 뿐이다. 그런데 지금 경을 말하는 사람은 모두 겉을 꾸미고, 마음에서 곧바로 공을 들일 줄을 몰라서, 얽매임을 느끼고 불쾌한 것이다. 눈앞에 흩어진 마음을 구하는 곳에 공부를 하면 더욱 노력이 줄어드는 것만 못하다. 단지 이 일은 매우 쉽다. 이와 같이 깨어나게 해서 어둡지 않게 하면 하루 이틀만에 효과를 볼 수 있다. 쉽고도 노력을 줄어들게 하는

200 『論語』 「顔淵」
201 '배움에 이어 … 한다.' : 『詩經』 「頌·周頌·閔予小子之什·敬之」 에 "나 小子가 총명하지 못하여 공경하지 못하나, 날로 나아가며 달로 진전하여, 배움이 이어 밝혀서 광명함에 이르려 하며, 이 맡은 짐을 도와주어, 나에게 드러난 덕행을 보여줄지어다. (維予小子, 不聰敬止, 日就月將, 學有緝熙于光明, 佛時仔肩, 示我顯德行.)"라고 하였다.
202 『朱子語類』 권12, 79조목
203 『通書』 「聖學」

것은 염두해 두느냐 두지 않느냐의 차이에 있을 뿐이니, 무엇을 어려워하여 하지 않는가!"

[46-2-29]

"敬字前輩多輕說過了. 唯程子看得重. 人只是要求放心. 何者爲心? 只是簡敬. 人纔敬時, 這心便在身上了."[204]

(주자가 말했다.) "경이라는 글자는 이전 선배가 모두 가볍게 말하였다. 오직 정자程子만이 중요하게 보았다. 사람은 단지 흩어진 마음을 구해야 한다. 어떤 것이 마음인가? 단지 경敬이다. 사람이 경敬할 때에 이 마음은 몸에 있다."

[46-2-30]

"人之爲學, 千頭萬緒, 豈可無本領? 此程先生所以有持敬之語. 只是提撕此心, 敎他光明, 則於事無不見, 久之自然剛健有力."[205]

(주자가 말했다.) "사람이 배우는 것은 천 가지의 단서이지만, 어찌 본령이 없겠는가? 이것은 정선생程先生이 경敬을 유지하라는 말을 한 까닭이다. 단지 이 마음을 일깨워 그것을 빛나게 하면 일에서 보지 못하는 것이 없어서, 오래되면 저절로 강건해져 힘이 있다."

[46-2-31]

"程先生所以有功於後學者, 最是敬之一字有力. 人之心性, 敬則常存, 不敬則不存."[206]

(주자가 말했다.) "정선생程先生이 후학자들에 공을 들인 것은 경이라는 한 글자에 가장 힘썼다. 사람의 심성心性은 경하면 항상 보존되고 경하지 않으면 보존되지 않는다."

[46-2-32]

"今人皆不肯於根本上理會. 如敬字只是將來說, 更不做將去. 根本不立, 故其他零碎工夫無湊泊處. 明道延平皆敎人靜坐, 看來須是靜坐."[207]

(주자가 말했다.) "지금 사람은 모두 근본적인 곳에서 이해하려고 하지 않는다. 예를 들어 경이라는 글자를 말하면서도 행하려고 하지 않는다. 근본이 서지 않으므로, 그밖에 소소한 공부들은 안정을 이룰 곳이 없다. 명도明道와 연평延平은 모두 사람들에게 정좌靜坐를 가르쳤다. 내가 보기에도 반드시 정좌해야 한다."

---

204 『朱子語類』 권12, 80조목
205 『朱子語類』 권12, 81조목
206 『朱子語類』 권12, 83조목
207 『朱子語類』 권12, 84조목

[46-2-33]

問 : "敬者德之聚."

曰 : "敬則德聚, 不敬則都散了."[208]

물었다. "경敬은 덕을 모으는 것이다."[209]

(주자가) 답했다. "경하면 덕이 모인다. 경하지 않으면 모두 흩어진다."

[46-2-34]

"只敬則心便一."[210]

(주자가 말했다.) "경하면 마음은 하나가 된다."

[46-2-35]

"敬只是此心自做主宰處."[211]

(주자가 말했다.) "경은 이 마음이 본래 주재하는 곳이다."

[46-2-36]

"敬是簡扶策人底物事. 人當放肆怠惰時, 纔敬便扶策得此心起. 常常會恁地雖有些放僻邪侈意思, 也退聽."[212]

(주자가 말했다.) "경은 사람을 지탱하는 것이다. 사람이 방자하고 태만할 때 경하면 이 마음을 지탱하여 일어난다. 항상 그렇게 하면 이 방자하고 편벽되고 사특하고 과시하는 뜻이 있더라도 물러난다."

[46-2-37]

"敬不是只恁坐地, 擧足動步, 常要此心在這裏"[213]

(주자가 말했다.) "경은 그대로 앉아 있는 것이 아니라, 걷고 움직일 때에도 항상 이 마음이 여기에 있게 해야 하는 것이다."

[46-2-38]

"敬且定下, 如東西南北各有去處, 此爲根本, 然後可明. 若與萬物並流, 則如眯目播糠, 上下

208 『朱子語類』 권12, 89조목
209 덕을 모으는 것이다. : 『春秋左傳』 「僖公 33년」 '晉人陳人鄭人伐許.' 조항
210 『朱子語類』 권12, 91조목
211 『朱子語類』 권12, 92조목
212 『朱子語類』 권12, 96조목
213 『朱子語類』 권12, 97조목

四方易位矣. 如伊川說聰明睿知皆由是出."

問：“敬中有誠立明通道理."

曰：“然."[214]

(주자가 말했다.) “경하여 안정된 것은 마치 동서남북이 각각 장소가 있지만 이것이 근본이 된 후에야 밝아질 수 있는 것과 같다. 만약 만물과 함께 흘러간다면 마치 겨를 뿌려서 사람의 눈을 혼란하게 하는 것과 같아서 상하사방의 위치가 바뀌게 된다.[215] 정이천이 ‘총명함과 깊은 지혜는 모두 여기에서 나온다.[216] 고 말한 것과 같다."

물었다. “경敬 가운데에 성誠이 서고 밝게 통하는 도리가 있습니다."

(주자가) 답했다. “그렇다."

[46-2-39]

“敬則天理常明, 自然人欲懲窒消治."[217]

(주자가 말했다.) “경하면 천리天理가 항상 밝아서, 저절로 인욕이 막히고 사라져서 다스려진다."

[46-2-40]

“人能存得敬, 則吾心湛然, 天理粲然, 無一分著力處, 亦無一分不著力處."[218]

(주자가 말했다.) “사람이 (본심을) 보존하여 경할 수 있다면, 나의 마음은 맑아지고 천리는 분명해져서, 조금도 힘을 들일 것이 없지만, 또 조금도 힘을 들이지 않을 것도 없다."

- - - - - - - - - - - - - - - - - - - -

214 『朱子語類』 권12, 118조목
215 상하사방의 위치가 … 된다. : 『莊子』 「天運」, “노자가 말했다. ‘대저 겨 가루가 눈에 들어가면 천지사방의 위치가 바뀌고, 모기나 등에가 살을 물면 밤새도록 잠을 이루지 못합니다. 대저, 인의는 참혹하게 참다가 끝내 분하게 만들므로 우리의 마음을 어지럽힘이 매우 큽니다. 선생은 천하가 순박함을 잃지 않게 해주십시오. 선생 역시 움직이는 바람처럼 사방을 다니시는데 덕을 모아 세우려는 것 같습니다. 그러나 그 또한 걸연하기가 큰 북을 짊어지고 죽은 자식을 찾아다니는 격이 아닙니까? 대저, 고니는 목욕을 하지 않아도 희고, 까마귀는 그을지 않아도 검습니다. 검고 흰 본래의 순박함은 말로 아무리 꾸민다 해도 본래에 미치지 못합니다. 명예의 참모습은 아무리 널리 알린다 해도 부족하며, 더욱 알리고 싶은 속성이 있습니다. 샘이 마르면 물고기는 땅 위에 모여 서로 숨을 내쉬어 축축하게 해주고 거품을 내어 적셔줍니다. 그러나 이런 행위가 아무리 아름답다고 해도 강호에서 서로 잊고 사는 것보다 못한 것입니다.’(老聃曰, ‘夫, 播糠眯目 則天地四方易位矣. 蚊蝱噆膚 則通昔不寐矣. 夫, 仁義憯然乃憒 吾心亂莫大焉. 吾子, 使天下無失其朴. 吾子亦放, 風而動, 總德而立矣. 又奚傑然 若負建鼓 而求亡子者耶? 夫, 鵠不日浴而白 烏不日黔而黑. 黑白之朴 不足以爲辯. 名譽之觀 不足以爲廣. 泉涸 魚相與處於陸 相呴以濕, 相濡以沫, 不若相忘於江湖.’)”
216 『河南程氏遺書』 권6
217 『朱子語類』 권12, 94조목
218 『朱子語類』 권12, 95조목

[46-2-41]

"心走作不在此便是放. 夫人終日之間如是者多矣. 博學審問謹思明辯力行, 皆求之之道, 也須是敬."[219]

(주자가 말했다.) "마음이 달아나서 여기에 없는 것이 곧 흩어진 것이다. 사람이 종일토록 이렇게 하는 경우가 많다. '넓게 배우고, 자세하게 묻고, 신중하게 생각하며, 분명하게 분별하고, 힘써 행한다.'[220]는 것은 모두 그것을 구하는 도이니 반드시 경해야 한다."

[46-2-42]

"持敬之說, 不必多言. 但熟味整齊嚴肅, 嚴威儼恪, 動容貌, 整思慮, 正衣冠尊瞻視此等數語, 而實加工焉, 則所謂直內, 所謂主一, 自然不費安排, 而身心肅然表裏如一矣."[221]

(주자가 말했다.) "경을 유지하는 말은 많이 말할 필요가 없다. 단지 '정제엄숙整齊嚴肅(몸가짐을 가지런히 하고 엄숙히 한다.)'[222]과 '엄숙하여 위엄있고, 엄숙하여 공손하다.'[223]와 '동작과 용모를 바르게 하고[224] 사려를 정제한다.'[225]와 '의관을 바로 하고 시선을 높이 둔다.'[226] 등의 말들을 깊이 음미하고 실제로 공을 들이면, '안을 바르게 한다.'[227]는 것과 '하나로 집중한다.'[228]는 것을 저절로 안배할 필요가 없이 몸과

· · · · · · · · · · · · · · · · · · ·

219 『朱子語類』 권12, 105조목
220 『中庸』 20장 : "넓게 배우며, 자세히 물으며, 신중히 생각하며, 밝게 분별하며, 독실하게 행하여야 한다.(博學之, 審問之, 愼思之, 明辨之, 篤行之.)"
221 『朱子語類』 권12, 106조목
222 『河南程氏遺書』 권15
223 '엄숙하여 위엄있고 … 공손하다.' : 『禮記』「祭儀」, "효자로서 깊이 사랑하는 마음을 가진 사람이면, 반드시 화순한 기운이 있어야 하고, 화순한 기운이 있는 사람이라면, 반드시 즐거워하는 얼굴빛이 있어야 하고, 즐거워하는 얼굴빛이 있는 사람이라면, 반드시 상냥한 얼굴빛이 있어야 한다. 효자는 부모를 모시는 마음을 귀한 옥을 잡는 것처럼 하고, 가득찬 그릇을 받드는 것같이 하여, 정성스럽고 조심하여, 감당하지 못하는 것같이 하며, 막 잃어버리지나 않을까 하여, 엄숙하여 위엄있고, 엄숙하여 공손한 것은 효자가 부모를 섬기는 방법은 아니다.(孝子之有深愛者, 必有和氣, 有和氣者, 必有愉色, 有愉色者, 必有婉容, 孝子如執玉, 如奉盈, 洞洞屬屬然, 如弗勝, 如將失之, 嚴威儼恪, 非所以事親也.)"
224 동작과 용모를 … 하고 : 『論語』「泰伯」에 "군자가 도를 귀하게 여기는 것이 3가지이니, 용모와 모습을 움직일 때는 거칠고 포악함을 멀리하고, 안색을 바르게 할 때에는 성실함에 가깝게 하며, 말과 소리를 낼 때에는 비루함과 도리에 위배되는 것을 멀리해야 한다. 籩豆의 소소한 일은 담당하는 사람이 있다.(君子所貴乎道者三, 動容貌, 斯遠暴慢矣, 正顔色, 斯近信矣, 出辭氣, 斯遠鄙倍矣. 籩豆之事, 則有司存.)"라고 하였다.
225 『河南程氏遺書』 권12
226 『張載集』「經學理窟·義理」
227 '안을 바르게 한다.' : 『易』「坤卦·文言傳」에 "直은 그 바름이요 方은 그 義이니, 군자가 敬하여 안을 곧게 하고 義로써 밖을 방정하게 하여, 敬과 義가 확립되면 德이 외롭지 않으니, '直方大不習无不利'는 그 행하는 바를 의심하지 않는 것이다.(直, 其正也, 方, 其義也, 君子敬以直內, 義以方外, 敬義立而德不孤, 直方大不習无不利, 則不疑其所行也.)"敬以直內, 義以方外.)"라고 하였다.
228 『河南程氏遺書』 권24 : "하나로 집중한다는 것은 경을 말한다. 하나는 誠을 말하고 집중한다는 것은 지향하

마음이 숙연하게 안과 겉이 하나처럼 된다."

[46-2-43]

問: "敬."

曰: "一念不存, 也是間斷. 一事有差, 也是間斷."[229]

물었다. "경에 대해서 묻습니다."

(주자가) 답했다. "하나의 생각이 보존되지 않아도 끊기고, 하나의 일이 어그러져도 끊긴다."

[46-2-44]

問: "敬何以用工."

曰: "只是內無妄思, 外無妄動."[230]

물었다. "경敬은 어떻게 힘을 씁니까?"

(주자가) 답했다. "안으로 망령된 사려가 없고 밖으로 망령된 행동이 없는 것이다."

[46-2-45]

問: "二程專教人持敬. 持敬在主一. 熟思之, 若能每事加敬, 則起居語嘿在規矩之內, 久久精熟, 有從心所欲不踰矩之理. 顏子請事四者, 亦只是持敬否?"

曰: "學莫要於持敬. 故伊川謂敬則無己可克, 省多少事. 然此事甚大, 亦甚難, 須是造次顚沛必於是, 不可須臾間斷, 如此方有功, 所謂敏則有功. 若還今日作, 明日輟, 放下了又拾起, 幾時得見效? 修身齊家治國平天下, 都少箇敬不得. 如湯之聖敬日躋, 文王小心翼翼之類皆是. 只是他便與敬爲一. 自家須用持著, 稍緩則忘了, 所以常要惺惺地. 久之成熟, 可知道從心所欲不踰矩. 顏子止是持敬."[231]

물었다. "이정二程은 오로지 사람들에게 경敬을 유지하는 것을 가르쳤습니다. 경을 유지하는 것은 하나에 집중하는 것에 달려 있습니다. 만약 모든 일에 경하게 되면, 앉거나 서거나 말하거나 침묵하는 것이 모두 법도 안에 있어서 오래 지속되어 정밀하고 익숙해지면, 마음을 따라 바라는 것이 법도를 벗어나지 않는 이치가 있게 됩니다. 안자가 따르겠다고 한 4가지도[232] 또한 경을 유지하는 것입니까?"

　　는 뜻이 있는 것이다.(主一者, 謂之敬. 一者, 謂之誠, 主則有意在.)"

229 『朱子語類』 권12, 103조목

230 『朱子語類』 권12, 104조목

231 『朱子語類』 12권, 74조목

232 안자가 따르겠다고 … 4가지: 『論語』「顏淵」에 "顏淵이 말했다. '그 조목을 묻겠습니다.' 공자가 말했다. '禮가 아니면 보지 말며, 예가 아니면 듣지 말며, 예가 아니면 말하지 말며, 예가 아니면 움직이지 않는 것이다.' 안연이 말하였다. '제가 비록 불민하지만, 청컨대 이 말씀을 따르겠습니다.'(顏淵曰, '請問其目.' 子

(주자가) 답했다. "배움은 경을 유지하는 것보다 중요한 것은 없다. 그러므로 정이천은 '경하면 극복할 사욕私欲이 없다.'²³³고 하였으니 얼마나 많은 일을 줄일 수 있겠는가. 이 일은 매우 크고 또 매우 어렵다. 반드시 위급하고 짧은 순간일지라도 경敬으로 해야 하고, 조금의 끊어짐도 없어야 하니, 그렇게 해야 비로소 공이 있어서, '민첩하여 공이 있다.'²³⁴는 것이다. 만약 오늘은 하고 내일 그치며, 내려놓고 또 다시 수습하면 어느 때에 효과를 보겠는가! 몸을 수양하고, 집안을 다스리고, 나라를 다스리며, 천하를 평정하는 것이 모두 조금도 경하는 것을 소홀히 해서는 안 된다. 예를 들어 탕왕의 '성경聖敬이 날로 올라가는'²³⁵ 것이나, 문왕의 '조심하고 공경하고 공경하는'²³⁶ 것은 모두 이런 것이다. 단지 그것은 경과 하나가 되는 것이다. 자신이 반드시 유지하려고 해야 한다. 조금만 느슨해져도 잊어버리니, 그래서 항상 깨어있어야 한다. 오래 되면 익숙하게 되어 '마음이 바라는 것을 따라도 모두 법도에서 벗어나지 않았다.'²³⁷는 경지를 알 수 있다. 안자는 단지 경을 유지했을 뿐이다."

[46-2-46]

問: "敬之一字, 初看似有兩體. 一是主一無適, 心體常存, 無所走作之意. 一是遇事小心謹畏, 不敢慢易之意. 近看得遇事小心謹畏, 是心心念念常在這一事上, 無多岐之惑, 便有心廣體胖之氣象. 此非主一無適而何? 動而無二三之雜者, 主此一也. 靜而無邪妄之念者, 亦主此一也. 主一盖兼動靜而言. 靜而無事, 惟主於往來出入之息耳. 未審然否?"

曰: "謂主一兼動靜而言是也. 出入之息, 此句不可曉."²³⁸

曰, '非禮勿視, 非禮勿聽, 非禮勿言, 非禮勿動.' 顏淵曰, '回雖不敏, 請事斯語矣.')"라고 하였다.

233 '경하면 극복할 … 없다.' : 『河南程氏遺書』 권15에 "경은 곧 예이니, 극복할 私欲이 없는 것이다.(敬卽便是禮, 無己可克.)"라고 하였다.

234 '민첩하여 공이 있다.' : 『論語』 「陽貨」에 "자장이 공자에게 인을 묻자, 공자가 말했다. '다섯 가지를 천하에 행할 수 있으면 인이다.' 자장이 다섯 가지를 청하여 다시 물으니, 공자가 말했다. '공손함, 너그러움, 믿음, 민첩함, 은혜이다. 공손하면 업신여김을 받지 않고, 너그러우면 여러 사람들을 얻게 되고, 믿음이 있으면 남들이 의지하게 되고, 민첩하면 공이 있게 되고, 은혜로우면 충분히 남들을 부릴 수 있게 된다.'(子張, 問仁於孔子, 孔子曰, '能行五者於天下, 爲仁矣.' 請問之, 曰, '恭寬信敏惠, 恭則不侮, 寬則得衆, 信則人任焉, 敏則有功, 惠則足以使人.')"라고 하였다.

235 '聖敬이 날로 올라가는' : 『詩經』 「商頌 · 長發」에 "上帝의 命이 어그러지지 아니하여, 湯임금에 이르러 부합되니, 탕임금의 誕降이 늦지 않으시며, 聖敬이 날로 올라가, 하늘에 밝게 이름을 오래하고, 오래하여 상제를 이에 공경하시니, 상제께서 명하셔서 九圍에 모범이 되게 하시니라.(帝命不違, 至于湯齊, 湯降不遲, 聖敬日躋, 昭假遲遲, 上帝是祗, 帝命式于九圍.)"라고 하였다.

236 '조심하고 공경하고 공경하는' : 『詩經』 「大雅 · 文王之什 · 大明」에 "이 문왕이 조심하고 공경하고 공경하여, 상제를 밝게 섬기시어 많은 복을 오게 하시니, 그 덕이 부정하지 아니하여 사방의 나라를 받으시니라.(維此文王, 小心翼翼, 昭事上帝, 聿懷多福, 厥德不回, 以受方國.)"라고 하였다.

237 '마음이 바라는 … 않았다.' : 『論語』 「爲政」에 "일흔 살에 마음에 하고자 하는 바를 따라도 法度에 넘지 않았다.(七十而從心所欲, 不踰矩.)"라고 하였다.

238 『朱子大全』 권58 「書 · 答徐居甫」

물었다. "경敬이란 한 글자를 처음에 두 가지의 체體가 있는 것처럼 보았습니다. 하나는 하나에 집중해서 옮기지 않으면, 마음의 체體가 항상 보존되어, 마음이 일어나 달아나는 것이 없다는 뜻입니다. 다른 하나는 일을 당하면 조심하여 삼가고 두려워하면서, 태만하거나 쉽게 여기지 않는다는 뜻입니다. 최근에 일을 당해서 조심하여 삼가고 두려워하는 것은 하나하나의 마음과 생각이 언제나 이 일에만 있어서, 여럿으로 갈라지는 미혹이 없어, '마음은 넓고 몸은 펴지는'239 기상이 있다는 것을 알게 되었습니다. 이것이 하나에 집중해서 옮겨가지 않는 것이 아니고 무엇이겠습니까? 마음이 움직이되 둘 셋의 잡념이 없는 것은 이 하나에 집중한 것입니다. 마음이 고요하되 사특하고 망령된 잡념이 없는 것 역시 이 하나에 집중한 것입니다. 하나에 집중한다는 것은 움직임과 고요함을 겸해서 말하는 것입니다. 고요하면서 일이 없다는 것은 오직 오고가며 나가고 들어오는 것이 그친 상태에 집중하고 있다는 것일 뿐입니다. 그러한지 알지 못하겠습니다."

(주자가) 답했다. "하나에 집중한다는 것은 움직임과 고요함을 겸해서 말한 것은 맞다. 나가고 들어오는 것이 그친 상태라는 구절은 이해할 수 없다."

[46-2-47]

問 : "主一."

曰 : "做這一事, 且做一事. 做了這一事, 却做那一事. 今人做這一事未了, 又要做那一事, 心下千頭萬緒."240

물었다. "하나에 집중한다는 것을 묻습니다."

(주자가) 답했다. "한 가지 일을 하고 또 한 가지 일을 한다. 한 가지 일을 끝내고 다시 한 가지 일을 한다. 오늘날 사람들은 한 가지 일이 끝나지 않았는데 또 다른 일을 하려고 하니, 마음에는 천만 가지 두서가 있다."

[46-2-48]

問 : "主一如何用工?"

曰 : "不當恁地問. 主一只是主一. 不必更於主一上問道理. 如人喫飯, 喫了便飽. 却問人如何是喫飯. 先賢說得甚分明, 也只得恁地說. 在人自體認取, 主一只是專一."241

물었다. "하나에 집중하는 것은 어떻게 공부를 합니까?"

(주자가) 말했다. "그렇게 질문해서는 안 된다. 하나에 집중하는 것은 단지 하나에 집중하는 것이니, 다시 하나에 집중하는 것에서 도리를 물을 필요가 없다. 마치 사람이 밥을 먹을 때 먹고 나서 배가

. . . .

239 '마음은 넓고 … 펴지는' : 『大學』 "富는 집을 윤택하게 하고, 덕은 몸을 윤택하게 하니, 마음이 넓어지고 몸이 펴진다. 그러므로 군자는 반드시 그 뜻을 진실하게 하는 것이다.(富潤屋, 德潤身, 心廣體胖, 故君子, 必誠其意.)"라고 하였다.

240 『朱子語類』 권96, 23조목

241 『朱子語類』 권96, 24조목

부른데, 사람에게 어떻게 밥을 먹느냐고 질문하는 것과 같다. 선현先賢이 말하는 것은 매우 분명해서 그렇게 말할 뿐이다. 사람에게서 스스로 체인하여 얻는 것이니, 하나에 집중하는 것은 전일專一이다."

[46-2-49]
問：“或人專守主一.”
曰：“主一亦是. 然程子論主一却不然. 又要有用, 豈是守塊然之主一? 呂與叔問主一, 程子云, ‘只是專一.’ 今欲主一, 而於事乃處置不下, 則與程子所言自不同.”242

물었다. “어떤 사람이 하나에 집중하는 것을 오로지 지킵니다.”
(주자가) 말했다. “하나에 집중하는 것도 옳다. 그러나 정자程子가 하나에 집중하는 것을 논한 것은 그렇지 않다. 또 힘을 쓰려고 하는데 어찌 우두커니 앉아서 아무것도 하지 않고 하나에 집중하는 것을 지키겠는가? 여여숙與叔[呂大臨]243이 하나에 집중하는 것을 물었을 때 정자는 ‘단지 전일專一하는 것이다.’라고 답했다. 지금 하나에 집중하려고 하면서 일에 대해서는 처리하지 않으려 하니, 정자가 말한 것과는 다르다.”

[46-2-50]
或謂：“主一不是主一事. 如一日萬機, 須要並應.”
曰：“一日萬機, 也無並應底道理, 須還他逐一件理會. 但只是聰明底人却見得快.”244

어떤 사람이 말했다. “하나에 집중하는 것은 한 가지 일에 집중하는 것이 아닙니다. 이것은 마치 하루 사이에도 기미가 만 가지나 되니245 반드시 모두 반응해야 하는 것과 같습니다.”
(주자가) 답했다. “하루 사이에 기미가 만 가지가 되더라도 모두 반응해야만 하는 도리가 없고 반드시 한 가지 일마다 이해해야 한다. 단지 총명한 사람만이 빠르게 도리를 본다.”

[46-2-51]
問：“閑邪則固一矣. 主一則更不消言閑邪.”
曰：“只是覺見邪在這裏要去閑他, 則這心便一了. 所以說道閑邪則固一矣. 既一則邪便自不

---

242 『朱子語類』 권96, 25조목
243 呂與叔[呂大臨]: 呂大臨(1040~1092)은 송대 학자이다. 자는 與叔이고, 당시 藝閣先生으로 불리었다. 藍田(현 섬서성 소속) 사람으로 『呂氏鄕約』을 쓴 呂大鈞의 동생이다. 처음에는 張載를 스승으로 모셨으나, 장재가 죽은 뒤 二程에게 배워 謝良佐·游酢·楊時와 함께 ‘程門四先生’이라 일컫는다. 太學博士·秘書省正字를 역임하였다. 저서는 『禮記傳』·『考古圖』 등이 있다.
244 『朱子語類』 권96, 26조목
245 하루 사이에도 … 되니 : 『書經』「虞書·皐陶謨」에 “안일과 욕심으로 제후를 가르치지 말고 삼가고 두려워하소서. 하루 이틀 사이에도 기미가 만 가지나 됩니다. 모든 관직을 폐하지 마소서. 하늘의 일을 사람이 대신한 것입니다.(無敎逸欲有邦, 兢兢業業. 一日二日, 萬幾. 無曠庶官, 天工, 人其代之.)”라고 하였다.

能入, 更不消說又去閑邪. 恰如知得外面有賊, 今夜須用防他, 則便惺了. 旣惺了, 不須更說防賊."[246]

물었다. "사특함을 막으면 진실로 하나가 됩니다. 하나로 집중하면 다시 사특함을 막는 것을 말할 필요가 없습니다."

(주자가) 답했다. "여기에서 사특함을 보고 그것을 막으려 한다면 이 마음은 곧 하나가 된다. 그래서 사특함을 막으면 하나로 된다고 했다. 하나로 되었다면 사특함은 들어갈 수가 없으니, 또 사특함을 막으라고 말할 필요가 없다. 마치 밖에 도둑이 있는 것을 알아서 그날 밤에 반드시 도둑을 방비하려면 깨어있어야 한다. 깨어있다면 다시 도적을 방비한다고 말할 필요가 없다."

[46-2-52]
或問: "閑邪主一如何?"

曰: "主一似持其志, 閑邪似無暴其氣. 閑邪只是要邪氣不得入, 主一則守之於內, 二者不可有偏, 此內外交相養之道也."[247]

어떤 사람이 말했다. "사특함을 막는 것과 하나로 집중하는 것은 무엇입니까?"

(주자가) 말했다. "하나에 집중하는 것은 그 지(志)를 지키는 것과 같고, 사특함을 막는 것은 그 기(氣)를 난폭하게 다루지 말라는 것이다.[248] 사특함을 막는 것은 사특한 기가 들어오지 못하게 하려는 것이고, 하나에 집중하면 안에서 지키니, 두 가지는 치우칠 수 없는 것이다. 이것은 안과 밖이 서로 길러주는 도이다."

[46-2-53]
問: "伊川云'主一之謂敬, 無適之謂一.' 又曰, '人心常要活, 則周流無窮而不滯於一隅.' 或者疑主一則滯, 滯則不能周流無窮矣. 切謂主一, 則此心便存. 心存則物來順應, 何有乎滯?"

曰: "固是. 然所謂主一者, 何嘗滯於一事? 不主一, 則方理會此事而心留於彼, 這却是滯於一隅."

• •

246 『朱子語類』 권96, 28조목
247 『朱子語類』 권96, 29조목
248 난폭하게 다루지 … 것이다. : 『孟子』「公孫丑上」에 "감히 묻겠습니다. '선생님의 不動心과 고자의 부동심을 들을 수 있겠습니까?' (맹자가 말했다.) '고자는 「말에 대해서 이해되지 못하거든 마음에 알려고 구하지 말며, 마음에 얻지 못하거든 기운에 구하지 말라.」고 했으니, 마음에 얻지 못하거든 기운에 구하지 말라는 것은 옳지만, 말에 이해되지 못하거든 마음에 알려고 구하지 말라는 것은 옳지 않다. 志는 氣의 장수이고, 氣는 몸에 꽉 차 있는 것이니, 志가 최고이고, 氣가 그 다음이다. 그러므로 말하기를 「그 志를 잘 잡고 또 그 氣를 난폭하게 다루지 말라.」고 했다.'(敢問, '夫子之不動心, 與告子之不動心, 可得聞與?' '告子曰, 「不得於言, 勿求於心, 不得於心, 勿求於氣」 不得於心, 勿求於氣, 可, 不得於言, 勿求於心, 不可, 夫志, 氣之帥也, 氣, 體之充也, 夫志至焉, 氣次焉. 故曰, 「持其志, 無暴其氣.」)"라고 하였다.

又問: "以大綱言之, 有一人焉, 方應此事未畢, 而復有一事至, 則當如何?"

曰: "也須是做一件了, 又理會一件. 亦無雜然而應之理. 但甚不得已則權其輕重可也."[249]

물었다. "정이천은 '하나로 집중하는 것은 경敬이라 하고, 어디로 가는 것이 없는 것을 하나라고 한다.'[250]라고 했고, 또 '사람의 마음은 항상 활발발活潑潑해야 하니 그러면 두루 흘러 넘쳐 끝이 없고 한 구석에 정체되지 않는다.'[251]고 했습니다. 어떤 사람이 하나로 집중하면 정체되고, 정체되면 두루 흘러 넘쳐 무궁할 수가 없다고 의심했습니다. 제가 생각하기에 하나로 집중하면 이 마음이 보존되고, 이 마음이 보존되면 사물이 와도 이치를 따라서 반응하니, 어째서 정체가 있겠습니까?"

(주자가) 말했다. "분명 그렇다. 그러나 하나로 집중하는 것이 어째서 한 가지 일에 정체하는 것이겠는가? 하나에 집중하지 못하면 이 일을 이해하고서 마음은 저기에 머무르니 이것은 한 구석에 정체되는 것이다."

또 물었다. "대강으로 말하자면, 한 사람이 있는데 이 일을 대응하는 것이 아직 끝나지 않았으나, 다시 한 가지 일이 닥치면 어떻게 해야 합니까?"

(주자가) 답했다. "반드시 한 가지를 끝마치고 또 한 가지를 이해해야 하니, 또한 잡스럽게 대응할 도리가 없다. 단지 아주 부득이할 경우라면 그 경중을 헤아리는 것이 옳다."

[46-2-54]

"人有躁妄之病者, 殆居敬之功有所未至. 故心不能宰物, 氣有以動志而致然耳. 若使主一不二, 臨事接物之際, 眞心現前, 卓然而不可亂, 則又安有此患哉? 或謂子程子曰, '心術最難執持, 如何而可?' 程子曰, '敬.' 又嘗曰, '操約者, 敬而已矣.' 惟其敬足以直內, 故其義有以方外. 義集而氣得所養, 則夫喜怒哀樂之發, 其不中節者寡矣.'

孟子論養吾浩然之氣以爲集義所生, 而繼之曰, '必有事焉而勿正, 心勿忘, 勿助長也.' 蓋又以居敬爲集義之本也. 夫必有事焉者, 敬之謂也. 若曰其心儼然常若有所事云爾. 夫其心儼然肅然常若有所事, 則雖事物紛至而沓來, 豈足以亂吾之知思? 而宜不宜可不可之幾已判然於胸中矣. 如此, 則此心晏然有以應萬物之變, 而何躁妄之有哉?"[252]

(주자가 말했다.) "사람에게 조급하고 망령된 병이 있는 것은 아마도 거경居敬의 공부가 지극하지 못한 점이 있기 때문이다. 그러므로 마음이 사물을 주재할 수 없고, 기氣가 지志를 움직여서 그렇게 된 것일 뿐이다. 만약 하나에 집중하여 둘로 분산되지 않게 하고, 일에 임하고 사물을 접할 때에 참된 마음이

....

249 『朱子語類』 권96, 39조목
250 '하나로 집중하는 … 한다.': 『河南程氏遺書』 권15의 글이다. "敬이라고 하는 것은 하나로 집중하는 것을 경이라고 한다. 하나라는 것은 어디로 가는 것이 없음을 하나라고 한다.(所謂敬者, 主一之謂敬. 所謂一者, 無適之謂一.)"
251 『河南程氏遺書』 권5
252 『朱文公文集』 권40 「書·答何叔京」

앞에 나타나서, 뚜렷하게 혼란시킬 수 없다면, 또 어찌 이런 병통이 있겠는가? 어떤 사람이 정자程子에게 '마음은 가장 잡고 있기가 어려운데, 어떻게 하면 되겠습니까?'라고 하자, 정자는 '경敬하라.'[253]라고 했고, 또 '잡고 단속하는 것은 경敬일 따름이다.'[254]고 했다. 오직 경이 충분히 마음을 곧게 할 수 있으므로 그 의義가 바깥을 반듯하게 할 수 있다. 의가 모이고 기氣가 길러질 수 있으면, 희로애락喜怒哀樂이 발현하여 절도에 맞지 않는 것이 적다.

맹자는 호연지기浩然之氣를 기르는 것을 논하면서 의義가 모여 생겨나는 것이라고 여겼으며, 계속해서 '반드시 일삼되, 효과를 미리 기대하지 말아서, 마음에 잊지도 말며 억지로 조장하지도 말라.'[255]고 했다. 이는 또한 거경居敬으로 의義를 모으는 근본으로 삼은 것이다. '반드시 일삼되'라고 한 것은 경敬을 말한 것이다. '그 마음이 엄숙하여 항상 일삼는 것이 있는 것 같이 하라.'고 말하는 것과 같을 뿐이다. 그 마음이 엄숙하여 항상 일삼는 것이 있는 것 같이 한다면, 비록 사물이 어지럽게 이르고 뒤섞여 올지라도, 어찌 나의 앎과 생각을 혼란스럽게 할 수 있겠는가? 마땅함과 마땅하지 않음, 가함과 가하지 않음의 기미가 이미 마음속에서 분명해질 것이다. 이렇게 하면 이 마음은 편안하게 만물의 변화에 대응할 수가 있을 것이니 무슨 조급하고 망령됨이 있겠는가?'

[46-2-55]

問 : "下手工夫."

曰 : "只是要收斂此心莫要走作. 若看見外面風吹草動去看覷他, 那得許多心去應他? 便也是不收斂."

問 : "莫是主一之謂敬?"

----

253 『河南程氏遺書』권22상
254 『河南程氏遺書』권11
255 '반드시 일삼되, … 말라.': 『孟子』「公孫丑」, "그 氣됨이 지극히 크고 지극히 강하니, 정직함으로써 잘 기르고 해침이 없으면, 호연지기가 천지의 사이에 꽉 차게 된다. 그 기됨이 義와 道에 배합되니, 이것이 없으면 굶주리게 된다. 이 호연지기는 義理를 많이 축적하여 생겨나는 것이다. 義가 하루아침에 갑자기 엄습하여 취해지는 것은 아니니, 행하고서 마음에 부족하게 여기는 바가 있으면 굶주리게 된다. 내 그러므로 '告子가 일찍이 義를 알지 못한다.'고 말한 것이니, 이는 義를 밖이라고 하기 때문이다. 반드시 호연지기를 기름에 종사하고, 효과를 미리 기대하지 말아서 마음에 잊지도 말며 억지로 助長하지도 말아서, 宋나라 사람과 같이 하지 말아야 한다. 송나라 사람 중에 벼 싹이 자라지 못함을 안타깝게 여겨 뽑아놓은 자가 있었다. 그는 아무 것도 모르고 돌아와서 집안사람들에게 말하기를 '오늘 나는 매우 피곤하다. 내가 벼 싹이 자라도록 도왔다.' 하자, 그 아들이 달려가서 보았더니, 벼 싹은 말라 있었다. 천하에 벼 싹이 자라도록 억지로 助長하지 않는 자가 적으니, 유익함이 없다 해서 버려두는 자는 비유하면 벼 싹을 김매지 않는 자요, 억지로 助長하는 자는 벼 싹을 뽑아놓는 자이니, 이는 비단 유익함이 없을 뿐만 아니라, 도리어 해치는 것이다.(其爲氣也, 至大至剛, 以直養而無害, 則塞于天地之間. 其爲氣也, 配義與道, 無是, 餒也. 是集義所生者, 非義襲而取之也, 行有不慊於心, 則餒矣. 我故曰, 告子未嘗知義, 以其外之也. 必有事焉而勿正, 心勿忘, 勿助長也, 無若宋人然. 宋人, 有閔其苗之不長而揠之者, 芒芒然歸, 謂其人曰, 今日, 病矣. 予助苗長矣. 其子趨而往視之, 苗則槁矣. 天下之不助苗長者寡矣, 以爲無益而舍之者, 不耘苗者也, 助之長者, 揠苗者也. 非徒無益, 而又害之.)"

曰:"主一是敬表德, 只是要收斂. 處宗廟只是敬, 處朝廷只是嚴. 處閨門只是和. 便是持敬."[256]
물었다. "공부를 시작하는 것을 묻습니다."
(주자가) 답했다. "단지 이 마음을 수렴하여 달아나지 않도록 하는 것이다. 만약 밖에 바람이 불고 풀이 흔들리는 것을 보고 좋아하면 어찌 허다한 마음으로 그것을 대응할 수 있겠는가? 이것도 수렴하지 않은 것이다."
물었다. "하나에 집중하는 것을 경이라고 하지 않습니까?"
(주자가) 답했다. "하나에 집중하는 것은 경敬의 별칭[257]이니, 단지 수렴해야 한다. 종묘에서는 단지 경하고 조정에서는 단지 엄격하며, 규문閨門에서는 화하는 것이다. 이것이 경을 유지하는 것이다."

[46-2-56]

問:"靜時多爲思慮紛擾."
曰:"此只爲不主一, 人心皆有此病. 不如且將讀書程課繫縛此心, 逐旋行去, 到節目處, 自見功效淺深. 大凡理只在人身中, 不在外面. 只爲人役役於不可必之利名, 故本原固有者日加昏蔽, 豈不可惜?"[258]
물었다. "고요할 때 사려가 혼란스럽게 요동하는 경우가 많습니다."
(주자가) 답했다. "이것은 단지 하나에 집중하지 못했기 때문이니, 사람의 마음은 모두 이러한 병통이 있다. 독서하고 공부하여 이 마음을 묶어 두는 것만 못하니, 점차로 진행해 나가다가 절목節目에 이르러서는 저절로 공효의 깊고 얕음을 본다. 대체로 리理는 사람의 몸에 있지 밖에 있지 않다. 단지 사람이 기필할 수 없는 이익과 명예에 얽매이기 때문에 본원의 고유한 것이 날로 어둡게 가려지니, 어찌 애석하지 않겠는가!"

[46-2-57]

問:"程子以敬教人, 自言主一之謂敬, 不之東又不之西, 不之此又不之彼, 如此則何時而不存? 故近日又稍體究禮樂不可斯須去身之說. 盖禮則嚴謹, 樂則和樂. 兩者相須而后能. 故明道先生既以敬教人, 又自謂於外事思慮儘悠悠. 又曰, '既得後, 便須放開. 不然却只是守.' 故謝子因之爲展托之論. 又恐初學勢雖把持, 未敢便習展托, 於斯二者, 孰從孰違?
曰:"二先生所論敬字, 須該貫動靜看方得. 夫方其無事而存主不懈者, 固敬也. 及其應物而酬酢不亂者, 亦敬也. 故曰, '毋不敬, 儼若思'. 又曰, '事思敬, 執事敬', 豈必以攝心坐禪而謂之敬哉? 禮樂固必相須. 然所謂樂者亦不過謂胷中無事而自和樂耳, 非是著意放開一路而欲其和

256 『朱子語類』 권118, 60조목
257 별칭: 表德을 번역한 말이다. 北齊 顏之推의 『顏氏家訓』「風操」에 "古者, 名以正體, 字以表德."이라는 말이 나오는데 표덕은 사람의 字나 별칭을 의미하게 되었다.
258 『朱子語類』 권118, 9조목

樂也. 然欲胸中無事, 非敬不能. 故程子曰, '敬則自然和樂', 而周子亦以爲禮先而樂後, 此可見也. 既得後須放開, 不然却只是守者, 此言既自得之後, 則自然心與理會, 不爲禮法所拘, 而自中節也. 若未能如此, 則是未有所自得, 纔方是守禮法之人爾. 亦非謂既自得之, 又却須放教開也."[259]

물었다. "정자程子는 경敬으로 사람을 가르쳤는데 스스로 하나로 집중하는 것을 경이라 하여, '동쪽으로도 가지 않고 서쪽으로도 가지 않으며, 이쪽으로도 가지 않고 저쪽으로도 가지 않는다.'[260]고 했으니, 이와 같이 하면 어느 때인들 보존하지 않겠습니까? 그러므로 근래에 또 '예와 악은 잠시라도 몸에서 떠나서는 안 된다.'[261]는 말을 몸소 연구했습니다. 예는 엄격하고 삼가는 것이고, 악은 조화롭고 즐거운 것입니다. 두 가지는 서로 의지한 뒤에야 능할 수 있습니다. 그러므로 명도明道 선생은 경敬으로 사람을 가르쳤고, 또 스스로 '그 밖의 일에 대해서는 사려하는 것이 여유로웠다.'[262]고 했고, 또 '이미 얻은 뒤에 곧 반드시 다시 개방해야 하니, 그렇지 않으면 단지 지키기만 할 뿐이다.'[263]고 했습니다. 그러므로 사자謝子(사량좌)[264]는 이것을 바탕으로 전탁展托[265]의 논의가 있습니다. 또 초학자는 기세를 잡아 지켰더라도 전탁展托에 익숙해져서는 안 됩니다. 이 두 가지에서 어떤 것을 따르고 어떤 것을 거스르겠습니까?"

답했다. "두 선생이 논한 경은 반드시 움직임과 고요함을 관통해서 보아야 얻을 수 있다. 아무런 일이

• •

259 『朱文公文集』 권45 「書・答廖子晦」. 이 문단은 원래 모두 요덕명의 글인데 구별해서 문답으로 만들었다.

260 『河南程氏遺書』 권15

261 '예와 악은 … 안된다.': 『禮記』「樂記」에 "군자가 말했다. '예와 음악은 잠시도 몸에서 떠나서는 안 되니, 음악을 지극히 하여 마음을 다스리면, 평이하고 정직하며 자애롭고 진실한 마음이 자연히 생기고, 평이하고 정직하며 자애롭고 진실한 마음이 생기면 즐겁고, 즐거워지면 편안해지고, 편안해지면 오래가고, 오래가면 자연스러워지고, 자연스러워지면 신묘하게 된다. 자연스러워지면 말하지 않아도 신뢰하고, 신묘하게 되면 분노하지 않아도 위엄이 있으니 즐거움에 이르러 마음을 다스리는 것이다.(君子曰, 禮樂, 不可斯須去身, 致樂以治心, 則易直子諒之心, 油然生矣, 易直子諒之心, 生則樂, 樂則安, 安則久, 久則天, 天則神. 天則不言而信, 神則不怒而威, 致樂以治心者也.)"라고 하였다.

262 '그 밖의 … 여유로웠다.': 『河南程氏遺書』 권15에 "배우는 데에 고통스럽기 때문에 마음을 잃는 지경에 이른다고 말하는 경우가 있다. 배움은 본래 마음을 치유하는 것인데, 어찌 반대로 마음을 해치는가? 나는 기가 본래 성치 않았다. 그러나 병에 걸리지 않을 수 있고 게으르지 않을 수 있었던 것은 生을 신중하게 하고 意를 함부로 하지 않았기 때문이다. 그 밖의 일에 대해서는 사려하는 것이 여유로웠다.(有謂因苦學而至失心者, 學本是治心, 豈有反爲心害? 某氣本不盛, 然而能不病, 無倦怠者, 只是一箇愼生不恣意. 其於外事, 思慮儘悠悠.)"라고 하였다.

263 『河南程氏遺書』 권3

264 謝子(사량좌): 謝良佐(1050~1103)의 자는 顯道이고 蔡州의 上蔡 사람이다. 程顥와 程頤의 학문을 배웠고 游酢, 呂大臨, 楊時와 더불어 程門四先生이라고 불린다. 1085년 진사가 되어 知應城縣을 지냈다. 上蔡學派를 창시하여 심학의 터를 닦은 인물이며 湖湘學派의 鼻祖이다. 仁을 覺이나 生意로 해석하고, 誠을 實理로, 敬을 常惺惺으로, 窮理를 求是로 해석했다. 그의 주장은 선불교적 색채가 강하여 주희로부터 비판을 받았다.

265 展托: 『河南程氏外書』 12권에는 이런 말이 있다. "명도가 처음 사상채를 보고서 사람들에게 말했다. '이 수재가 전탁하여 개방할 수 있다면, 장래에 희망할 만하다.'(明道初見謝, 語人曰, '此秀才展托得開, 將來可望.')"

없을 때 보존하고 주재하여 나태하지 않는 것이 경敬이다. 그러다가 사물에 반응하고 서로 주고받으며 혼란하지 않는 것도 경敬이다. 그러므로 '경하지 않는 것이 없으며, 엄숙하기를 마치 사려하는 듯한다.'[266]고 했다. 또 '일처리 하는 데에 경을 생각한다.'[267] '일을 할 때 경敬해야 한다.'[268]고 했으니, 어찌 반드시 마음을 잡고 좌선하는 것만을 경이라고 하겠는가? 예와 음악은 반드시 서로 의지한다. 음악이라고 하는 것은 또한 가슴속에 아무런 일이 없이 저절로 화평하고 즐거운 것을 말하는 것에 불과할 뿐이지, 의도를 가지고 마음을 개방하여 화평하고 즐거운 것을 욕망하는 것은 아니다. 그러나 가슴속에 아무런 일이 없게 하려고 하는 것은 경敬이 아니면 불가능하다. 그러므로 정자가 '경하면 저절로 화평하고 즐겁다.'라고 했고, 주자周子(주렴계) 역시 '예를 먼저 하고 음악은 다음이다.'[269]라고 했으니 이것을 알 수가 있다. '이미 얻은 뒤에 곧 반드시 다시 개방해야 하니, 그렇지 않으면 단지 지키기만 할 뿐이다.'라고 했는데, 이것은 스스로 얻은 후에는 저절로 마음과 리理가 합쳐져서 예법의 구애를 받지 않고 저절로 절도에 맞는다는 말이다. 만약 이렇게 할 수 없다면 스스로 얻지 못하고서 예법만 지키는 사람이 될 뿐이다. 이미 스스로 얻었다고 말할 수 없고, 또 반드시 개방하려고 한다."

[46-2-58]
問 : "敬而無失, 則不偏不倚斯能中矣."

曰 : "說得慢了. 只敬而無失, 便不偏不倚. 只此便是中."[270]

물었다. "경하면서 잃지 않으면 편벽되지 않고 치우치지 않으니, 이것이 중中입니다."

(주자가) 답했다. "말하는 것이 명확하지 않다. 경하여 잃지 않기만 하면 편벽되지 않고 치우치지 않는다. 단지 이렇게 하면 바로 중이다."

---

266 '경하지 않는 … 듯하다.' : 『禮記』「曲禮上」에 "敬하지 않는 것이 없으며, 엄숙하기를 마치 사려하는 듯이 하고, 말을 안정되게 한다면, 백성을 편안하게 할 수 있을 것이다.(毋不敬, 儼若思, 安定辭, 安民哉.)"라고 하였다.

267 '일처리 하는 … 생각한다.' : 『論語』「季氏」에 "군자는 9가지 사려가 있다. 봄에는 밝음을 생각하며, 들음에는 총명함을 생각하며, 안색은 온화함을 생각하며, 모습은 공손함을 생각하며, 말은 충직함을 생각하며, 일처리는 경건함을 생각하며, 의문에는 물음을 생각하며, 분함은 환난을 생각하며, 얻는 것을 보면 의로움을 생각한다.(君子有九思, 視思明, 聽思聰, 色思溫, 貌思恭, 言思忠, 事思敬, 疑思問, 忿思難, 見得思義.)"

268 '일을 할 … 한다.' : 『論語』「子路」에 "번지가 仁을 묻자, 공자가 답했다. '거처할 때 공손히 하며, 일을 할 때 공경하며, 사람을 대할 때 충직하게 해야 한다. 이것은 비록 오랑캐의 나라에 가더라도 버려서는 안 된다.'(樊遲問仁, 子曰, '居處恭, 執事敬, 與人忠, 雖之夷狄, 不可棄也.')"라고 하였다.

269 '예를 먼저 … 다음이다.' : 『通書』「禮樂」에 "예는 다스림이고 악은 조화이다. 예는 陰이고 악은 陽이다. 음양이 다스려진 뒤에 조화하니, 군주가 군주답고, 아버지가 아버지답고, 자식이 자식답고, 형이 형답고, 동생이 동생답고, 지아비가 지아비답고, 부인이 부인다워서 만물이 각각 그 이치를 얻은 뒤에 조화한다. 그러므로 예가 먼저이고 악이 다음이다.(禮, 理也, 樂, 和也. 禮, 陰也, 樂, 陽也. 陰陽理而後和. 君君臣臣父父子子兄兄弟弟夫夫婦婦, 萬物各得其理, 然後和. 故禮先而樂後.)"

270 『朱子語類』 권96, 8조목

[46-2-59]

問: "敬而無失, 莫是心純於敬. 在思慮則無一毫之不敬. 在事爲則無一事之不敬?"

曰: "只是常敬, 敬卽所以中."[271]

물었다. "경敬하여 잃음이 없는 것은 마음이 경敬에 순전하여 사려함에 털끝만한 불경이 없고 일을 함에 한 가지 일에도 불경이 없는 것이 아닙니까?"

(주자가) 답했다. "항상 경할뿐이다. 경은 중中이 되는 근거이다."

[46-2-60]

問: "和靖論敬以整齊嚴肅, 然專主於内. 上蔡專於事上作工夫, 故云敬是常惺惺法之類."

曰: "謝尹二說難分内外, 皆是自己心地工夫. 事上豈可不整齊嚴肅, 静處豈可不常惺惺乎?"[272]

물었다. "화정和靖尹焞[273]은 정제엄숙整齊嚴肅으로 경敬을 논했으나, 오로지 내면을 위주로 했다. 상채上蔡謝良佐[274]는 오로지 일에서 공부하였으므로, 경敬은 항상 깨어있는 종류[275]라고 했다."[276]

(주자가) 답했다. "사상채와 윤돈의 두 설명을 내면과 외면으로 나누는 것은 곤란하니 모두 자기 마음의 공부이다. 일에서 어찌 정제엄숙하지 않을 수 있으며, 고요한 곳에서 어찌 항상 깨어있지 않을 수 있겠는가?"

....

271 『朱子語類』권96, 9조목

272 『朱文公文集』「書·答鄭子上」

273 和靖尹焞: 尹焞(1071~1142)이다. 자는 彦明·德充이고, 호는 三畏齋와 황제가 하사한 호인 和靖處士가 있으며, 시호는 肅公이다. 송대 洛陽(현 하남성 낙양) 사람으로 과거에 응시하지 않았으나, 천거에 의해 崇政殿說書 겸 侍講을 역임하였다. 어려서부터 程頤에게 사사하여 스승의 학설을 가장 돈독하게 이어받았다고 한다. 저서는 『論語解』·『孟子解』·『和靖集』 등이 있다.

274 上蔡謝良佐: 謝良佐(1050~1103)이다. 자는 顯道이고, 시호는 文肅이며, 上蔡先生이라고 불리었다. 游酢·呂大臨·楊時와 함께 '程門四先生'이라 일컫고 상채학파의 시조가 되었다. 처음에 정호에게 배우다가 정호가 죽자 정이에게 배웠다. 송대 上蔡(현 하남성 소속) 사람으로 知應城縣을 역임하였다. 그는 우주의 근원적 理法을 직관적으로 파악하여 따른다는 정호학설을 이어받아 발전시켜서 남송 陸象山 心學의 선구가 되었다. 저서는 『論語解』·『上蔡語錄』 등이 있다.

275 敬은 항상 … 종류: 『上蔡語錄』권2에 "경은 항상 惺惺하게 깨어있는 법이다. 마음을 고르게 하는 것은 모든 일에서 마음을 내려놓는 것이다. 그 理는 다르다.(敬是常惺惺法. 心齊是事事放下. 其理不同.)"라고 하였다.

276 上蔡謝良佐는 … 했다.: 주희는 『朱子語類』권17, 13조목에서 이렇게 말하고 있다. "물었다. '상채가 「경은 항상 성성하게 깨어있는 것이다.」라고 했다. 이 말이 매우 정밀하다.' 답했다. '정자의 整齊嚴肅의 말보다 좋지 못하다. 왜냐하면 사람이 이렇게 할 수 있어서 그 마음이 여기 있는 것이 성성하게 깨어 있는 것이다. 그러나 외면에서 정제엄숙하면서 안으로 성성하게 깨어있지 못한 경우는 없다. 예를 들어 어떤 사람이 한순간에 외면에서 정제엄숙하면 한 순간에 성성하게 깨어 있지만, 한 순간에 놓아버리면 혼탁하고 나태해진다.'(問, '上蔡說, '敬者, 常惺惺法也.' 此說極精切.' 曰, '不如程子整齊嚴肅之說爲好. 蓋人能如此, 其心卽在此, 便惺惺. 未有外面整齊嚴肅, 而内不惺惺者. 如人一時間外面整齊嚴肅, 便一時惺惺, 一時放寬了, 便昏怠也.')"

[46-2-61]

問 : "主敬只存之於心, 少寬四體, 亦無害否?"

曰 : "心無不敬, 則四體自然收斂. 不待十分著意安排, 而四體自然舒適. 著意安排, 則難久而生病矣."[277]

물었다. "경敬을 위주로 하는 것은 단지 마음에서 보존하는 것이니 몸을 조금 느긋하게 해도 해롭지 않습니까?"

(주자가) 답했다. "마음이 경하지 않음이 없으면, 몸은 저절로 수렴되어 굳이 의도적으로 안배하지 않아도 몸은 저절로 편안하다. 의도를 안배하면 오래 지속하기 힘들어서 병이 걸린다."

[46-2-62]

"今所謂持敬, 不是將簡敬字做簡好物事樣塞放懷裏, 只要胷中常有此意, 而無其名耳."[278]

(주자가 말했다.) "지금 경을 지킨다고 하는 말은 경敬이라는 글자를 마치 좋은 물건인 양 가슴 속에 품고 있는 것이 아니라, 가슴속에 항상 이 뜻을 가지면서도 그 이름에 대한 의식이 없게 하는 것일 뿐이다."

[46-2-63]

問 : "持敬患不能久, 當如何下工夫?"

曰 : "某舊時亦曾如此思量, 要得一簡直截道理. 元來都無他法, 只是習得熟. 熟則自久."[279]

물었다. "경을 지킬 때에 오래 지속되지 못하는 것이 근심인데, 마땅히 어떻게 공부해야 합니까?"

(주자가) 답했다. "나도 옛날에 이와 같이 생각해서 하나의 분명한 도리를 얻었다. 원래 다른 방법이 없으니 오직 익숙하게 습관을 들이는 것이다. 익숙하게 되면 저절로 오래 지속된다."

[46-2-64]

問 : "先持敬, 令此心惺惺了方可. 應接事物何如?"

曰 : "不然."

又問 : "須是去事物上求?"

曰 : "不然. 若無事物時, 不成須去求簡事物來理會. 且無事物之時, 要你做甚麼?"[280]

물었다. "먼저 경敬을 지키고 이 마음을 항상 깨어나게 해야 좋습니다. 사물을 응접하는 것은 어떻습니까?"

277 『朱子語類』 권12, 107조목
278 『朱子語類』 권12, 110조목
279 『朱子語類』 권12, 112조목
280 『朱子語類』 권12, 114조목

(주자가) 답했다. "그렇지 않다."

또 물었다. "반드시 사물에서 구해야 합니까?"

(주자가) 답했다. "그렇지 않다. 만약 사물이 없을 때에는 반드시 사물에서 구하여 이해할 필요가 없다. 또한 사물이 없을 때 너는 무엇을 해야겠는가?

[46-2-65]

"動出時也要整齊, 平時也要整齊."

問: "乃是敬貫動靜."

曰: "到頭底人, 言語無不貫動靜者."[281]

(주자가 말했다.) "움직일 때에도 정제엄숙하고, 평상시에도 정제엄숙해야 한다."

물었다. "경은 움직임과 고요함에 관통되어 있습니다."

(주자가) 말했다. "지극한 경지에 이른 사람은 언어에 움직임과 고요함이 관통되지 않음이 없다."

[46-2-66]

問: "敬通貫動靜而言. 然靜時少, 動時多, 恐易得撓亂."

曰: "如何都靜得! 有事須著應. 人在世間, 未有無事時節. 若事至前而自家却要主靜, 頑然不應, 便是心都死了. 無事時敬在裏面. 有事時敬在事上. 有事無事, 吾之敬未嘗間斷也. 且如應接賓客, 敬便在應接上, 賓客去後, 敬又在這裏. 若厭苦賓客而爲之心煩, 此却是自撓亂, 非所謂敬也. 故程子說學到專一時方好. 蓋專一則有事無事皆是如此. 程子此段, 這一句是緊要處."[282]

물었다. "경敬은 움직임과 고요함을 관통하여 말합니다. 그러나 고요할 때는 적고, 움직일 때는 많으니, 쉽게 요란해지는 것이 근심입니다."

(주자가) 말했다. "어떻게 모두 고요할 수가 있겠는가! 일이 있으면 반드시 반응을 한다. 사람은 세상 속에 있어서 아무런 일이 없는 때가 없다. 만약 일이 눈앞에서 일어났는데 자신은 고요함을 지키려고 완고하게 그 일에 반응하지 않는다면, 그것은 마음이 모두 죽은 것이다. 일이 없을 때 경敬은 마음에 있고, 일이 일어났을 때 경敬은 일에 있다. 일이 있건 없건, 나의 경敬은 단절된 적이 없다. 또한 손님을 대접할 때 경敬은 대접하는 일에 있고, 손님이 간 뒤에 경敬도 여기에 있다. 만약 손님을 싫어하여 그것 때문에 마음이 괴롭다면, 이것은 스스로 요란한 것이지 경敬이라는 것이 아니다. 그러므로 정자程子는 '배움은 하나로 집중할 때 비로소 좋다.'[283]고 했다. 하나로 집중하면 일이 있건 없건 모두 이와 같을

---

281 『朱子語類』 권12, 115조목
282 『朱子語類』 권12, 116조목
283 『河南程氏遺書』 권18: "계명이 말했다. '저는 항상 사려가 안정되지 않아 근심입니다. 어떨 때 사려가 끝나지 않았는데 다른 일들이 생겨납니다. 어떻게 해야 합니까?' 답했다. '안 된다. 이것은 誠하지 못하기 때문이

수 있기 때문이다. 정자의 이 단락에서 한 구절이 중요한 것이다."

[46-2-67]

"近世學者之病, 只是合下欠却持敬工夫, 所以事事滅裂. 其言敬者又只說能存此心, 自然中理. 至於容貌詞氣, 往往全不加工, 又況心慮荒忽, 未必眞能存得耶? 程子言敬必整齊嚴肅, 正衣冠, 尊瞻視爲先, 又言未有箕踞而心不慢者. 如此乃是至論."[284]

(주자가 말했다.) "요즈음 배우는 사람들의 병통은 단지 경敬을 유지하는 공부가 원래 결핍되었을 뿐이다. 그래서 일마다 지리멸렬한 것이다. 경敬을 말하는 자는 또 '이 마음을 보존하면 저절로 리理에 맞는다고 말할 뿐이다. 그러나 용모나 말투에 이르러서는 왕왕 전혀 공부를 하지 않으니, 또한 하물며 마음의 생각이 어두워서 분명하지 못한데 반드시 진실로 보존될 수 있겠는가? 정자程子가 경敬은 반드시 '정제엄숙整齊嚴肅(몸가짐을 가지런히 하고 엄숙히 한다.)'[285]할 것과 '의관을 바로 하고 시선을 높이 두는'[286] 것을 우선시해야 한다고 말했고, 또 '다리 뻗고 앉아 있으면서 마음이 태만하지 않는 자는 없다.'[287]고 했다. 이와 같아야 지극한 논의이다."

[46-2-68]

答胡廣仲書曰: "敬之一字, 眞聖學始終之要. 向來之論, 謂必先致其知, 然後有以用力於此, 疑若未安. 蓋古人由小學而進於大學. 其於洒掃應對進退之間, 持守堅定, 涵養純熟, 固已久矣. 是以大學之序, 特因小學已成之功, 而以格物致知爲始. 今人未嘗一日從事於小學, 而曰必先致其知, 然後敬有所施, 則未知其以何爲主而格物以致其知也. 故程子曰, '入道莫如敬. 未有能致知而不在敬者.' 又論敬云, '但存此久之, 則天理明.' 推而上之, 凡古昔聖賢之言, 亦莫不如此者, 試考其言而以身驗之, 則彼此之得失見矣."[288]

(주자가) 호광중胡廣仲에게 답하는 편지에서 말했다. "경敬이라는 한 글자는 진실로 성학聖學의 처음과

다. 반드시 습관을 들여야 한다. 습관이 하나로 집중하면 좋다. 사려와 일처리에 얽매이지 않는 것이 모두 하나를 구하는 것이다.'(季明曰, '昞嘗患思慮不定. 或思一事未了, 佗事如麻又生. 如何?' 曰, '不可. 此不誠之本也. 須是智. 智能專一時便好. 不拘思慮與應事, 皆要求一.')

284 『朱文公文集』 권43 「書·答林擇之」
285 『河南程氏遺書』 권15권
286 『張載集』 「經學理窟·義理」
287 『河南程氏遺書』 18권: "물었다. '사람이 한가로울 때 몸이 태만하면서도 마음이 태만하지 않을 수 있습니까?' 답했다. '어떻게 다리 뻗고 앉아 있으면서 마음이 태만하지 않는 자가 있겠는가? 예전에 여여숙이 6월에 緱氏에 왔다. 한가로울 때 내가 살펴보았더니 반드시 그가 엄격하게 앉아 있는 것을 보았다. 가르침이 돈독하다고 할 수 있다. 배우는 사람은 반드시 공손하고 敬해야 한다. 다만 급박하게 구속해서는 안 되니 급박하게 구속하면 오래 갈 수가 없다.'(問, "人之燕居, 形體怠惰, 心不慢, 可否?' 曰, "安有箕踞而心不慢者? 昔呂與叔六月中來緱氏. 閒居中, 某嘗窺之, 必見其儼然危坐. 可謂教篤矣. 學者須恭敬. 但不可令拘迫, 拘迫則難久矣.")
288 『朱文公文集』 권42 「書·答胡廣仲」

끝이 되는 요체이다. 지난 번 논의에서 반드시 먼저 그 앎을 지극히 한 뒤에야 여기에 힘을 쓸 수 있다고 했는데 아마도 온당치 못한 듯하다. 대개 옛 사람들은 소학小學을 거쳐서 대학大學에 나아갔다. 물 뿌리고 마당 쓸고 응대하고 나아가고 물러나는 때에, 잡아 지키는 것이 굳고 안정되고, 함양하는 공부가 순수하고 익숙해지면 분명 오래 지속된다. 그래서 대학의 순서는 특히 소학에서 이미 이룬 공을 바탕으로 해서 사물을 탐구하고 앎을 지극히 하는 것을 시작으로 삼는다. 지금 사람들은 하루도 소학에 종사한 적이 없으면서, 반드시 먼저 그 앎을 지극히 한 뒤에라야 경敬을 베풀 곳이 있다고 말하니, 어떤 것을 위주로 삼아서 사물을 탐구하여 앎을 지극히 하는지를 모른다. 그러므로 정자程子는 '도道에 들어가는 데는 경敬만 한 것이 없다. 앎을 지극히 할 수 있으면서 경에 들지 않는 경우는 없다.'[289]라고 했다. 또 경敬을 논하면서 '다만 경敬을 오래도록 보존하면 천리天理가 저절로 밝아진다.'[290]고 했다. 미루어서 올라가면 옛 성현들의 말도 이와 같지 않은 것이 없다. 그 말을 상고하여 몸으로 체험해 보면, 지금 사람들의 말과 정자의 말의 득실得失을 알 수 있다."

[46-2-69]

問: "人如何發其誠敬消其欲?"

曰: "此是極處了. 誠只是去了許多僞, 敬只是去了許多怠慢. 欲只是要窒."[291]

물었다. "사람이 어떻게 그 성誠과 경敬을 발현하고, 그 욕심을 없앨 수 있습니까?"

(주자가) 답했다. "이것이 가장 지극한 경지다. 성誠은 수많은 거짓을 없애는 것이고, 경敬은 수많은 태만을 없애는 것이다. 욕심은 막아야 한다."

[46-2-70]

"誠敬寡欲, 不可以次序做工夫. 數者雖則未嘗不串, 然其實各是一件事. 不成道敬則欲自寡, 却全不去做寡欲底工夫, 則是廢了克己之功也. 但恐一旦發作, 又却無理會. 譬如平日慎起居節飲食養得如此了, 固是無病. 但一日意外病作, 豈可不服藥? 敬只是養底工夫. 克己是去病. 須是俱到, 無所不用其極."[292]

(주자가 말했다.) "성誠과 경敬과 욕심을 줄이는 것은 순서로 공부할 수는 없다. 여러 가지가 꿰어 있지 않은 적이 없지만, 그 실제는 각각 하나의 일이다. 경敬하면 욕심은 저절로 줄어들지만 그렇다고 욕심을

289 『河南程氏遺書』권3
290 '다만 敬을… 밝아진다.': 『河南程氏遺書』권15에 다음과 같이 되어 있다. "『易』에서 '敬하여 안을 곧게 하고, 義하여 밖을 바르게 한다.'고 했는데, 반드시 안을 바르게 해야 하나로 집중하는 뜻이 된다. 감히 속이지 않고, 태만하지 않으며, 방 깊은 곳에서 부끄러움이 없는 것에 이르는 것이 모두 敬의 일이다. 단 이것을 보존하여 함양하되, 오래되면 저절로 天理가 밝아진다.(易所謂, 敬以直內, 義以方外, 須是直內, 乃是主一之義. 至於不敢欺, 不敢慢, 尙不愧於屋漏, 皆是敬之事也. 但存此涵養久之, 自然天理明.)"
291 『朱子語類』권12, 121조목
292 『朱子語類』권12, 122조목

줄이는 공부를 해 나가지 않는 것도 말이 되지 않는다. 그러면 사욕私欲을 극복하는 공이 없어진다. 단지 사욕이 한번 일어나는 것을 두려워하고 또 이해함이 없는 것이다. 비유하면 평일에 기거하는 것을 조심하고 음식을 먹는 것을 조절하여 이와 같이 기르면 분명 병이 없다. 단지 어느 날에 의외에 병이 생기면 어찌 약을 복용하지 않을 수 있겠는가? 경은 단지 기르는 공부이다. 사욕私欲을 극복하는 것은 병을 제거하는 것이다. 반드시 힘써서 최선을 다하지 않으면 안 된다."

[46-2-71]

"敬如治田而灌溉之功. 克己則是去其惡草也."[293]

(주자가 말했다.) "경은 논밭을 만들어 물을 대는 공과 같다면, 사욕私欲을 극복하는 것은 그 논밭에 자란 잡초를 제거하는 것이다."

[46-2-72]

問: "持敬與克己工夫."

曰: "敬是涵養操持不走作, 克己則和根打倂了教他盡净."[294]

물었다. "경敬을 지키는 것과 사욕私欲을 극복하는 공부는 어떻습니까?"

(주자가) 답했다. "경敬은 함양하고 잡고 지켜서 마음이 달아나지 않게 하는 것이고, 사욕私欲을 극복하는 것은 뿌리까지 철저하게 쳐내서 그것을 깨끗이 하는 것이다."

[46-2-73]

問: "且如持敬, 豈不欲純一於敬? 然自有不敬之念, 固欲與己相反, 愈制則愈甚. 或謂只自持敬, 雖念慮妄發莫管他, 久將自定. 還如此得否?"

曰: "要之邪正本不對立. 但恐自家胸中無箇主. 若有主, 邪自不能入."[295]

물었다. "경敬을 지키는 것과 같은 것은 어찌 경에서 순일하게 하려고 하지 않습니까? 그러나 본래 경하지 않는 염두가 있어서 진실로 경하려는 자기와 서로 반대되어 제어하려고 하면 더욱 심하게 됩니다. 어떤 사람은 스스로 경을 지켜서, 염두와 사려가 함부로 일어나더라도 그것을 제어하지 말아야 하니, 오래되면 저절로 안정된다고 합니다. 이러하면 됩니까?"

(주자가) 답했다. "요컨대, 사특함과 올바름은 본래 대립하지 않는다. 단지 자신의 마음속에 주主가 없는 것을 근심한다. 만약 주主가 있다면 사특함은 저절로 들어올 수 없다."

• • • • • • • • • • • • • • • • • •
293 『朱子語類』 권12, 123조목
294 『朱子語類』 권12, 124조목
295 『朱子語類』 권12, 125조목

[46-2-74]

問 : "嘗學持敬, 讀書心在書, 爲事心在事, 如此頗覺有力. 只是瞑目靜坐時, 支遣思慮不去. 或云只瞑目時, 已是生妄想之端. 讀書心在書, 爲事心在事, 只是收聚得心, 未見敬之體."

曰 : "靜坐而不能遣思慮, 便是靜坐時不曾敬. 敬只是敬, 更尋甚敬之體? 似此支離, 病痛愈多, 更不做得工夫, 只了得安排杜撰也."[296]

물었다. "경敬을 지키는 것을 배웠습니다. 독서할 때 마음이 책에 있고, 일을 할 때 마음이 일에 있으니, 이와 같이 하면 어느 정도 힘을 느낄 수 있습니다. 그러나 눈을 감고 정좌할 때에는 사려를 떨쳐버릴 수 없습니다. 어떤 사람은 눈을 감기만하면 망령된 생각의 단서들이 생겨난다고 합니다. 독서할 때 마음은 책에 있고 일을 할 때 마음은 일에 있는 것은 단지 마음을 모아 집중하는 것이지 경의 체體를 볼 수 없습니다."

(주자가) 말했다. "정좌할 때 사려를 떨쳐버리지 못하는 것은 정좌할 때 경하지 않는 것이다. 경은 단지 경일뿐이지, 다시 어떤 경의 체體를 찾겠는가? 이것처럼 지리支離하면 병통이 더욱 많아지니, 다시 공부할 수 없고 단지 헛된 것을 안배여 꾸미는 것일 뿐이다."

[46-2-75]

大凡學者須先理會敬字. 敬是立脚去處, 常要自省得, 纔省得便在此. 或以爲此事甚難.

曰 : "患不省察爾. 覺得間斷, 便已接續, 何難之有. 操則存, 舍則亡, 只在操舍兩事之間. 要之只消一箇操字. 到緊要處, 全不消許多文字言語. 若此意成熟, 雖操字亦不須用."[297]

대체로 배우는 사람은 반드시 먼저 경敬을 이해해야 한다. 경敬은 근거를 삼아 나아갈 곳이라서 항상 스스로 살펴야만 하니, 살피면 바로 여기에 있다. 어떤 사람은 이러한 일이 가장 어렵다고 생각한다. (주자가) 말했다. "성찰하지 않음을 근심할 뿐이다. 단절되어 있음을 느꼈다면 곧 이미 접속된 것이니, 어떤 어려움이 있겠는가? 잡으면 보존되고 놓으면 잃으니, 잡고 놓는 두 가지 사이에 달려 있을 뿐이다. 요컨데 잡는다操는 한 글자가 필요할 뿐일 뿐이다. 중요한 데에 이르러서는 많은 문자언어가 전혀 필요하지 않다. 만약 이러한 뜻이 성숙해졌다면 잡는다는 글자도 쓸 필요가 없게 된다."

[46-2-76]

問 : "一向把捉, 待放下便覺恁衰颯, 不知當如何?"

曰 : "這箇也不須只管恁地把捉. 若要去把捉, 又添一箇要把捉底心, 是生許多事. 若知得放下不好, 便提掇起來便是敬."

曰 : "靜坐久之, 一念不免發動, 當如何?"

曰 : "也須看一念是要做甚麼事. 若是好事合當做底事, 須去幹了. 或此事思量未透, 須著思量

296 『朱子語類』 권12, 126조목
297 『朱子語類』 권12, 127조목

教了. 若是不好底事, 便不要做. 自家纔覺得如此, 這敬便在這裏."²⁹⁸

물었다. "계속해서 잡고 있다가 풀어놓으면 그대로 약해지는 것을 느끼는데 어떻게 해야할지를 모르겠습니다."

(주자가) 답했다. "이러한 경우도 단지 그대로 잡으려고만 해서는 안 된다. 만약 잡으려고 하면 또 잡으려고 하는 마음이 덧붙여져서 많은 일들이 생겨난다. 만약 내려놓는 것이 좋지 않음을 알면 곧 일깨우는 것이 바로 경敬이다."

물었다. "정좌하여 오래되면 하나의 사념이 일어나는 것을 피할 수 없으니 어떻게 해야 합니까?"

(주자가) 답했다. "반드시 하나의 사념이 어떤 일을 하려고 하는지를 보아야 한다. 만약 좋은 일이라서 당연히 해야 할 일이라면 반드시 해야 한다. 혹은 이 일에 대해 생각한 것이 투철하지 못했다면 헤아려서 투철하게 해야 한다. 만약 좋지 않은 일이라면 해서는 안 된다. 자신이 이렇다는 것을 느끼면 이 경敬은 바로 여기에 있다."

[46-2-77]

"敬莫把做一件事看, 只是收拾自家精神專一在此. 今看來學者所以不進, 緣是但知說道格物, 却於自家根骨上煞欠闕精神, 意思都恁地不專一, 所以工夫都恁地不精銳. 未說道有甚底事分自家志慮, 只是觀山玩水, 也煞引出了心, 那得似教他常在裏面好. 如世上一等閒物事, 一切都絶意雖似不近人情, 要之如此方好."²⁹⁹

(주자가 말했다.) "경을 별개의 일로 간주하지 말고, 단지 자신의 정신을 수습하여 여기에서 하나로 집중하는 것이다. 지금 배우는 사람들이 정진하지 못하는 까닭은 격물格物을 말할 줄만 알았지 정작 자신의 뼈 속에서는 정신과 생각이 매우 부족하여 모두 그렇게 하나로 집중하지 못하니³⁰⁰ 그래서 공부가 모두 그렇게 정밀하고 날카롭지 못하다. 어떤 일이 자신의 생각을 빼앗아 가는지 설명하지 못한 채 단지 산을 보고 물을 감상하기만 해도 관심이 마음을 빼앗기니, 어떻게 경이 항상 내면에 있게 할 수 있겠는가? 예를 들어 세상의 모든 한가한 일에 대해 일절 생각을 끊어버리는 것이 인정에 가깝지 않을 듯하지만 요컨대 이와 같아야만 비로소 좋을 것이다."

[46-2-78]

"敬有死敬, 有活敬. 若只守著主一之敬, 遇事不濟之以義辯其是非則不活. 若熟後, 敬便有義, 義便有敬. 靜則察其敬與不敬. 動則察其義與不義. 如出門如見大賓, 使民如承大祭, 不敬時如何? 坐如尸, 立如齊, 不敬時如何? 須敬義夾持循環無端, 則內外透徹."³⁰¹

. . . .

298 『朱子語類』 권12, 128조목
299 『朱子語類』 권12, 129조목
300 정신과 생각이 … 못하니 : 『性理大全』에서는 "煞欠闕精神, 意思都恁地不專一"로 되어 있는데, 『朱子語類』에서는 "煞欠闕, 精神意思都恁地不專一."로 되어 있다. 『朱子語類』를 따라서 번역했다.

(주자가 말했다.) "경敬은 죽은 경이 있고 살아 있는 경이 있다. 단지 하나에 집중하는 경을 지키고만 있다가 일에 닥쳐서 의義로 해결하지 못하거나 그 시비是非를 분별하지 못한다면 살아 있지 않다. 만약 익숙해진 뒤에 경하는 것이 곧 의義가 있고, 의義하면 곧 경이 있다. 고요하면 그 경하거나 경하지 않은지를 살필 수 있고, 움직이면 그 의義하고 의義하지 않은지를 살필 수 있다. 마치 '문을 나가서는 큰 손님을 만난 것처럼 사람을 대하고, 백성을 부릴 때에는 큰 제사를 받드는 것처럼 한다.'[302]는 것과 같으니 경하지 않은 때에 어떻게 하겠는가? '앉아 있기를 시동과 같이 하고, 서 있기를 단정히 한다.'[303]는 것과 같으니 경하지 않은 때에 어떻게 하겠는가? 반드시 경敬과 의義를 양쪽에 끼고서 순환하여 끝없이 해야 하면 안과 밖에 통한다."

[46-2-79]
"涵養須用敬, 處事須是集義."[304]

(주자가 말했다.) "함양할 때는 반드시 경敬을 쓰고, 일을 처리할 때는 반드시 의義를 모은다."

[46-2-80]
"敬義只是一事, 如兩脚立定是敬, 纔行是義. 合目是敬, 開眼見物便是義."[305]

(주자가 말했다.) "경敬과 의義는 한 가지 일이니, 예컨대 두 다리로 똑바로 서는 것이 경敬이고, 걷는 것이 의義이다. 눈을 감은 것이 경敬이고 눈을 뜨고 사물을 보는 것이 의義이다."

[46-2-81]
"方未有事時, 只得說敬以直內. 若事物之來, 當辨別一箇是非, 不成只管敬去. 敬義不是兩事."[306]

(주자가 말했다.) "일이 없을 때는 단지 경敬하여 안을 곧게 하라고 한다. 사물이 오면 마땅히 시비是非를 분별해야 하니, 단지 경敬해서만은 안 된다. 그러나 경敬과 의義는 두 가지 일이 아니다."

• • • • • • • • • • • • • • • • • •
301 『朱子語類』 권12, 130조목
302 '문을 나가서는 … 한다.' : 『論語』「顔淵」에 "仲弓이 仁을 묻자, 공자가 말했다. '문을 나갔을 때에는 큰 손님을 만난 듯이 하며, 백성에게 일을 시킬 때에는 큰 祭祀를 받들 듯이 하고, 자신이 하고자 하지 않는 것을 남에게 베풀지 말아야 하니, 이렇게 하면 나라에 있어서도 원망함이 없으며, 집안에 있어서도 원망함이 없을 것이다.' 중궁이 말하였다. '제가 비록 불민하지만 청컨대 이 말씀을 종사하겠습니다.'(仲弓問仁, 子曰, 出門如見大賓, 使民如承大祭, 己所不欲, 勿施於人, 在邦無怨, 在家無怨. 仲弓曰, 雍雖不敏, 請事斯語矣.)"라고 하였다.
303 『禮記』「玉藻」
304 『朱子語類』 권12, 131조목
305 『朱子語類』 권12, 132조목
306 『朱子語類』 권12, 133조목

[46-2-82]

"敬者守於此而不易之謂, 義者施於彼而合宜之謂."[307]

(주자가 말했다.) "경은 여기에서 지켜서 바꾸지 않는 것을 말하고, 의義는 저기에서 시행하여 마땅함에 합치된 것을 말한다."

[46-2-83]

"敬要回頭看. 義要向前看."[308]

(주자가 말했다.) "경敬은 고개를 돌려 보려고 하고, 의義는 앞을 똑바로 보려고 한다."

[46-2-84]

問: "讀大學已知綱目次第了. 然大要用工夫恐在敬之一字. 前見伊川說敬以直內, 義以方外處."

曰: "能敬以直內矣, 亦須義以方外. 能知得是非, 始格得物. 不以義方外, 則是非好惡不能分別, 物亦不可格."

又問: "恐敬立則義在其中, 伊川所謂弸諸中彪諸外是也."

曰: "雖敬立而義在, 也須認得實方見得. 今有人雖胸中知得分明, 說出來亦是見得千了百當, 及應物之時顛倒錯謬, 全是私意. 亦不知聖人所謂敬義處, 全是天理, 安得有私意?"[309]

물었다. "『대학』을 읽고서 강목綱目의 순서를 알았습니다. 그러나 대체로 공부하는 것은 경敬이라는 한 글자에 있습니다. 이전에 이천이 경敬하여 안을 곧게 하고 의義하여 밖을 바르게 하라는 말을 본 적이 있습니다."

(주자가) 말했다. "경敬하여 안을 곧게 할 수 있다면 또한 반드시 의義하여 밖을 바르게 할 수 있다. 시비是非를 알 수 있다면 비로소 사물을 격格할 수 있다. 의義로 밖을 바르게 하지 않으면 시비是非와 호오好惡를 분별할 수 없으니 사물 역시 격格할 수 없다."

또 물었다. "경敬이 세워지면 의義는 그 가운데 있으니 정이천이 '안에 충만하면 밖에는 문채가 난다.'고 한 것이 그것입니다."

(주자가) 말했다. "경敬이 세워져서 의義가 있더라도 반드시 진실하게 인식해야 비로소 볼 수 있다. 지금 어떤 사람이 마음속에서 분명하게 알고 있어서 말하면 또한 모든 것이 타당한데, 사물에 반응할 때는 뒤집어져서 잘못되어 모두 사사로운 뜻이다. 또한 알지 못하겠으나 성인이 말하는 경敬과 의義는 온전히 천리天理이니, 어찌 사사로운 뜻이 있겠는가?"

• • • • • • • • • • • • • • • • • • • •

307 『朱子語類』 권12, 134조목
308 『朱子語類』 권12, 135조목
309 『朱子語類』 권116, 38조목

[46-2-85]

問: “持敬.”

曰: “但因其良心發見之微, 猛省提撕, 使心不昧, 則是做工夫底本領. 本領旣立, 自然下學而上達矣. 若不察於良心發見處, 卽渺渺茫茫, 恐無下手處也.”[310]

물었다. “경을 지키는 것에 대해 묻습니다.”

(주자가) 말했다. “다만 양심이 발현하는 것이 은미하기 때문에 맹렬하게 반성하고 일깨워서, 이 마음이 어둡지 않게 한다면 이는 공부의 본령이다. 본령이 섰으면 자연스럽게 하학下學하여 상달上達한다. 만약 양심이 발현한 곳을 살피지 않는다면, 곧 아득하고 흐릿하여 손을 쓸 수 있는 곳이 없게 된다.”

[46-2-86]

問: “主一工夫兼動靜否?”

曰: “若動靜收斂心神在一事上, 不胡亂思想東去西去便是主一.”

又問: “由敬可以至誠否?”

曰: “誠自是眞實敬自是嚴謹. 如今正不要如此看, 但見得分曉了便下工夫做將去, 如整齊嚴肅, 其心收斂, 常惺惺數條無不通貫.”[311]

물었다. “하나로 집중하는 공부는 움직임과 고요함을 겸합니까?”

(주자가) 답했다. “만약 움직일 때와 고요할 때 심신心神을 한 가지 일에 모은다면 생각이 동쪽으로 갔다 서쪽으로 갔다 혼란하지 않으니, 이것이 곧 하나로 집중하는 것이다.”

또 물었다. “경敬을 통하여 성誠에 이를 수 있습니까?”

(주자가) 답했다. “성誠은 원래 진실한 것이고, 경敬은 원래 엄격하고 신중한 것이다. 지금 이렇게 보면 안 되고 단지 분명하게 보고서 공부를 해 나간다. ‘정제엄숙’이나 ‘그 마음을 수렴한다.’와 ‘항상 깨어있다.’는 몇 가지 말들은 관통하지 않음이 없다.”

[46-2-87]

或以此心不放動爲主敬之說.

曰: “主敬二字只恁地做不得, 須是內外交相養. 盖人心活物, 須是窮理.”[312]

어떤 사람이 이 마음이 흩어지거나 움직이지 않는 것을 주경主敬이라고 했다.

(주자가) 말했다. “주경主敬 두 글자는 그렇게 말할 수 없으니 반드시 안과 밖에 서로 교류하여 길러져야 한다. 사람의 마음은 살아 있는 것이니 반드시 리理를 궁구해야 한다.”

[46-2-88]

問：“敬先於知, 然知至則敬愈分明.”

曰：“此正如配義與道.”[313]

물었다. “경敬은 아는 것보다 먼저이니, 앎이 이르면 경敬은 더욱 분명합니다.”

(주자가) 답했다. “이것이 바로 ‘의義와 도道에 배합된다.’[314]고 하는 것이다.”

[46-2-89]

“以身驗之, 乃知伊洛拈出敬字, 眞是學問始終日用親切之妙. 近與朋友商量, 不若只於此處用力, 而讀書窮理以發揮之. 直到聖賢究竟地位, 亦不出此.”[315]

“몸으로 체험하고서야 이락伊洛[316]이 이끌어낸 경敬자가 참으로 학문의 시종始終과 일용의 친절한 묘임을 안다. 근래 벗들과 토론해 보니, 다만 이곳에 힘을 써서, 독서하고 궁리하여 발휘發揮하는 것만 같지 못하였다. 바로 성현의 궁극적 경지에 도달하는 것도 여기서 벗어나지 않는다.”

[46-2-90]

答何鎬書曰：“持敬之說甚善, 但如所諭, 則須是天資儘高底人, 不甚假修爲之力方能如此. 若顏曾以下, 尤須就視聽言動容貌辭氣上做工夫. 盖人心無形, 出入不定, 須就規矩繩墨上守定, 便自內外帖然. 豈曰放僻邪侈於內而姑正容謹節於外乎? 且放僻邪侈, 正與莊整齊肅相反. 誠能莊整齊肅, 則放僻邪侈決知其無所容矣. 既無放僻邪侈, 然後到得自然莊整齊肅地位, 豈容易可及哉? 此日用工夫至要約處, 亦不能多談. 請以一事驗之, 儼然端莊執事恭恪時, 此心如何? 怠惰頹靡渙然不收時, 此心如何? 試於此審之, 則知內外未始相離, 而所謂莊整齊肅者, 正所以存其心也.”

又曰：“此心操之則存, 而敬者所以操之之道也. 今乃於覺而操之之際, 指其覺者便以爲存而於操之之道不復致力. 此所以不惟立說之偏, 而於日用功夫, 亦有所間斷而不周也. 愚意竊謂正當就此覺處敬以操之, 使之常存而常覺, 是乃乾坤易簡交相爲用之妙. 若便以覺爲存而不加持敬之功, 則恐一日之間存者無幾何, 而不存者什八九矣.”[317]

313 『朱子語類』권140, 126조목

314 ‘義와 道에 배합된다.’: 『孟子』「告子上」에 “그 氣됨이 지극히 크고 지극히 강하니, 곧음으로 잘 기르고 해치지 않으면, 천지의 사이에 꽉 차게 된다. 그 기됨이 義와 道에 배합되니, 이것이 없으면 굶주리게 된다.(其爲氣也, 至大至剛, 以直養而無害, 則塞于天地之間. 其爲氣也, 配義與道, 無是, 餒也.)”라고 하였다.

315 『朱文公文集』 권53「書·答胡季隨」

316 伊洛: 程顥와 程頤의 理學을 말한다. 정씨 형제는 낙양 사람으로 이수와 낙수 사이에서 강학했기 때문에 이렇게 부르게 되었다.

317 『朱文公文集』(別集) 권2「何叔京」

하호何鎬에게 답한 편지에서 말했다. "경을 지키는 것에 대한 말들이 매우 좋지만 말한 것처럼 반드시 천부적인 자질이 매우 높은 사람은 수양의 노력을 거쳐서 이렇게 되는 것만은 아니다. 안자와 증자 이하의 사람들은 보고 듣고 말하고 움직이고 용모와 말투에서 공부해야만 한다. 사람의 마음은 형체가 없어 드나는 것이 일정하지 않아서 반드시 규범과 기준을 가지고 지키고 안정시켜야 안과 밖이 연결된다. 어찌 안에서는 흐트러지고 편벽되고 사특하고 오만한데 밖에서 용모를 바르게 하고 절도에 신중하겠는가? 흐트러지고 편벽되고 사특하고 오만한 것은 장중하고 정제되고 가지런하고 엄숙한 것과는 상반된다. 정중하고 정제되고 가지런하고 엄숙할 수 있다면 흐트러지고 편벽되고 사특하고 오만한 것은 결코 허용될 수 없음을 안다. 흐트러지고 편벽되고 사특하고 오만한 것이 없고 난 뒤에야 저절로 장중하고 정제되고 가지런하고 엄숙한 경지에 이를 수 있으니 어떻게 쉽게 이를 수 있겠는가? 이것이 일상생활에서 지극히 단속해야 할 곳이니 또한 많은 말을 할 수가 없다. 한 가지 일로 증명해보자면, 엄숙하게 단정하고 공경하며 조심스럽게 일을 처리할 때 그 마음은 어떠하겠는가? 나태하고 흐트러져서 수렴하지 않았을 때 이 마음은 어떠하겠는가? 이것을 잘 살펴보면 안과 밖은 서로 분리되지 않았고 장중하고 정제되고 가지런하고 엄숙한 것이라고 하는 것이 바로 그 마음을 보존하는 것임을 알 수 있다."

또 말했다. "이 마음을 잡으면 보존되니, 경敬은 마음을 잡는 방도이다. 지금 깨어서 그것을 잡았을 때 그 깨어있는 것을 가리켜서 곧 보존하여 그것을 잡는 방도에다 다시 힘을 쓰지 않는 것이다. 이것이 오직 학설로 세우는 편벽된 것만이 아니라 일생생활의 공부에서도 끊임이 있어 두루하지 않는 것이다. 내가 생각하건대 이 깨어있는 곳에서 경敬하여 본심을 잡고 있고 항상 보존하고 항상 깨어있도록 한다면, 이것이 곧 건곤乾坤의 이간易簡이[318] 서로 작용하는 신묘함이다. 만약 깨어있는 것을 보존하는 것이라고 생각하고 경敬을 지키는 노력을 하지 않는다면 하루 사이에 보존하는 순간이 거의 없고, 보존하지 못하는 경우가 8, 9할이 될 것이다."

[46-2-91]

劉黻因說學者先立心志爲難.

曰: "無許多事, 只是一箇敬. 徹上徹下, 只是這箇道理. 到剛健, 便自然勝得許多物欲之私."

溫公謂人以爲如制悍馬, 如斡盤石之難也. 靜而思之, 在我而已. 如轉戶樞, 何難之有?[319]

유불劉黻이 이어서 '배우는 사람은 먼저 마음과 뜻을 세우는 것이 어렵다.'고 말했다.

(주자가) 말했다. "많은 일들이 필요 없고, 단지 하나의 경敬이다. 철두철미하게 단지 이 도리일 뿐이다.

. . . .

318 乾坤의 易簡: 『周易』「繫辭上」, "乾의 도가 男이 되고 坤의 도가 女가 되었으니, 건은 큰 시작을 주도하고, 곤은 물건을 만들어 완성한다. 건은 쉬움으로써 주도하고, 곤은 간략함으로써 능하니, 쉬우면 알기 쉽고 간략하면 따르기 쉬우며, 알기 쉬우면 친함이 있고 따르기 쉬우면 功이 있으며, 친함이 있으면 오래할 수 있고 功이 있으면 크게 할 수 있으며, 오래할 수 있으면 賢人의 덕이고, 크게 할 수 있으면 賢人의 업이니, 쉽고 간략함에 천하의 이치가 얻어지니, 천하의 이치가 얻어짐에 그 가운데에 자리를 이루는 것이다.(乾道成男, 坤道成女, 乾知大始, 坤作成物. 乾以易知, 坤以簡能 易則易知 簡則易從, 易知則有親, 易從則有功, 有親則可久, 有功則可大, 可久則賢人之德, 可大則賢人之業, 易簡而天下之理得矣, 天下之理得而成位乎其中矣.)"

319 『朱子語類』 권118, 52조목

강건하게 되면 저절로 수많은 물욕物欲의 사사로움을 이겨낸다." 온공溫公이 말했다. '사람들은 사나운 말을 제어하는 것과 반석盤石을 옮기는 것처럼 어렵다고 생각한다. 고요하게 생각하는 것은 나에게 있을 뿐이다. 문지도리를 돌리는 것과 같은데 무슨 어려움이 있겠는가?

해제解題

성리대전 권38 「도통道統」·「성현聖賢」 해제

  권38 도통은 성현聖賢편으로 이루어졌는데, 총론總論, 공자孔子, 안자顔子, 증자曾子, 자사子思, 맹자孟子, 공맹문인孔孟門人을 다룬다.

  도통론道統論은 유가의 근본적인 사상적 전승 계통에 관한 이론이다. 유가의 도가 전승되고 전파되거나 변화하여 발전한 전후 과정의 맥락과 계통을 말한다. 도통은 세 가지 측면에서 의미를 가진다. 유학의 근본 이론이 발전하고 변화하는 과정이다. 둘째는 유학의 기본 이론이 전승된 체계를 말한다. 셋째는 유학 사상이 발전하고 전승된 기준이 되는 합리적인 근거이다.

  도통이라는 개념은 남송 시기 주희朱熹의 『중용장구서中庸章句序』와 이원강李元綱의 『성문사적도聖門事迹圖』에서 나왔다. 도통의 계보에 따르면, 요임금·순임금·우왕·탕왕·문왕·무왕·주공이 태어나서 도가 처음 행해졌고, 공자와 맹자가 태어나서 도가 비로소 밝아졌다. 공맹의 도를 주자周子·정자程子·장자張子가 계승하였고, 주자·정자·장자의 도를 주희가 계승하였다.

  주희는 도통론을 주장하였다. 그러나 주희의 이런 주장이 역사적 사실인가에 대한 의문을 제기하는 학자는 많다. 이는 역사적 사실이 아니라 주희가 구성해낸 이론일 뿐이라는 것이다. 피터 볼(Peter bol)은 그의 대표적인 저작인 『This culture of ours』라는 책에서 이런 의문을 제기하고 있다.

  도통道統의 문제는 역사적 사실이라기보다는 사대부들이 스스로 도통을 자임하면서 만들어낸 이론일 수도 있다는 점이다. 도통론이란 정치권력正統과 분리되어서 다른 권위道統를 추구했던 지식인의 행로로 읽을 수 있다. 주희에 의해서 도통은 하나의 중요한 이론이 되었고 유학의 핵심이 되었다. 이 도통론은 복합적인 학문적 내용을 가지고 있지만 동시에 정치 권력에 대항하여 도덕적 권위를 세우려 했던 지식인들의 이론적인 근거와 기준이라고 할 수 있다. 이러한 도통론은 하나의 정통적인 신념(orthodoxy)이라 할 수 있다. 하지만 다른 한편으로는 무비판적으로 받아들이는 신념이 될 때에는 독단적인 교조주의(dogmatism)가 될 수도 있다.

  다음은 성인聖人과 현인賢人에 대한 논의이다. 성인은 가장 이상화된 인간이다. 성인의 마음은 천지의 마음과 같다. 정자程子의 천지를 보면 성인을 알 수 있다는 말에 대해서 오히려 "성인을 보면 천치를 알 수 있다."(觀乎聖人, 則見天地.)고 말할 정도이다. 성인은 천지에 비견되는 사람이다. 면재 황씨는 성인은 또 그 빼어난 것 가운데 빼어난 것을 얻어서 가장 영험한 자라고 정의하고 천天을 계승하여 인도人道의 표준을 세우고 도통道統의 전수를 얻었으므로, 천지와 셋이 되어 화육을 도울 수 있고 인륜을 총괄해서 다스릴 수 있는 자라고 한다.

　다음은 공자에 대한 평가이다. 주돈이는 공자의 도가 높고 덕이 두터우며 교화가 끝이 없어, 실로 천지와 셋이 되고 사계절과 같이하는 사람이라고 평가한다. 주자는 공자가 세상을 어찌 할 수 없다는 것을 알았냐는 질문에 대해서 천하에 어떻게 할 수 없는 때는 없으니, 만약 벼슬을 할 만하면 벼슬을 하며, 할 수 없는 곳에 이르면 곧 그만둔다고 대답하여 공자도 벼슬을 할 만하면 했을 것이라고 한다.

　다음은 안자顏子이다. 안자는 아성亞聖이라 할 수 있다. 안자에게 유명한 것은 안빈낙도安貧樂道이다. 정자程子는 성인의 덕행은 말로 표현할 수 없지만 안자의 기상은 알 수 있다고 성인을 배우려고 한다면 또한 안자를 배워야한다고 주장한다.

　그러나 안자는 타고난 자질이 명민하고 배우는 힘이 정밀하고 민첩하여 성인의 말이라면 모두 깊이 이해하여 알았을 뿐이지 천하의 이치에 통한 사람은 아니었다고 평가한다. 그래서 "안자의 학문은 성·정性情에 대하여 공부를 집중한 것"(顏子之學, 莫是先於性情上著工夫)이라고 평가하기도 한다.

　결국 인간이 부귀해지면 애당초의 본심을 잃는 경우가 많은데 안자는 한 그릇의 밥과 한 표주박의 물을 마시면서도 본심을 잃지 않았으며 만종萬鐘과 같은 부귀함을 갖는다할지라도 이러한 삶을 살았을 것이다. 안자의 분수는 틀림없이 '입신入神의 경지'에는 아직 들어갈 수 없었으며 '정의精義의 경지'에도 아직 이르지 못하였다. 그러나 안자의 본래 뜻은 단지 성인이 되려는 것이다.

　다음은 증자曾子이다. 증자는 인품이 돈후하고 성실하며 몸소 실천하기 위한 학문을 했다. 그는 평생 효孝, 경敬, 신信, 양讓의 규범을 지키며 살았다. 증자의 사람됨은 돈후敦厚하고 질박하고 성실하며 그 학문은 오로지 몸소 실천하는 것을 위주로 했다. 그러므로 그는 진지하게 누적하고 오랫동안 힘을 기울여서 공자에게서 '하나로 관통하는 도'의 오묘함을 배울 수 있었다.

　그는 역책易簀으로도 유명하다. 정자程子는 증자의 이 일화를 이렇게 평가한다. "증자가 '자리를 바꿀易簀' 때 정도正道에 뜻을 둘 뿐이라고 한 것은 사려하려는 것이 없는 것이다. 이것은 '한 가지 일이라도 불의不義를 행하고, 한 사람이라도 죄 없는 이를 죽여서, 천하를 얻는 것은 모두 하지 않는다.'라고 한 것과 마음이 같다."(曾子易簀之際, 志於正而已矣, 無所慮也. 與'行一不義·殺一不辜而得天下, 不爲'者同心.)

　다음은 자사子思이다. 자사는 공자가 사망한 다음에 학맥이 끊어졌는데 그 계보 중에서 증자의 후예인 자사子思와 맹자가 그 정통성을 이어받았는데, 자사의 학문은 『중용』에 담겨있다. 증자처럼 자사도 대체로 강하고 굳센 측면을 지녀서 자신의 근본을 확립하였다.

　맹자는 제齊나라와 양梁나라 군주를 알현하여 의리義理를 개진하고 세상의 큰 강령을 제시해서,

동주東周시대 오패五霸의 폐단을 일소하였던 성인의 도를 계승한 인물이다. 그는 천명天命을 받아 세상에 나온 인재이고 도道를 명확히 터득했다. 장재는 "맹자는 성인에 비하면 여전히 거친 사람이다."라고 평가한다. 화정 윤씨和靖尹氏는 맹자를 『역易』에 정통精通한 사람으로 평가한다.

정자는 맹자를 공자와 안연과 비교하여 평가한다. "공자는 전적으로 명쾌한 사람이었고, 안자는 화락하고 평이平易한 사람이었으며, 맹자는 전적으로 웅변을 한 사람이었다."(孔子儘是明快人, 顔子豈弟, 孟子儘雄辯.)

공맹문인孔孟門人에서 자장子張은 바깥을 힘쓰는 사람이고, 자유子游는 고결하고 광활하여 자잘한 일을 달갑게 여기지 않는 사람이며, 자하子夏는 법도를 삼가 지키는 엄격하고 굳센 사람이다. 자공子貢은 특출 나게 영민하고 자하子夏는 신중하고 엄격하다. 공자의 문인 가운데 안자와 증자 다음으로 자공과 자하만이 학문적 진전이 많았다.

성리대전 권39 「제유 1諸儒一」 해제

제유諸儒는 성현의 도통을 잇는 송명시대 유학자들을 다루고 있다. 39권에서는 주자周子, 정자程子, 장자張子, 소자邵子를 다루고 있고, 40권에서는 정자程子 문인門人 나종언羅從彦, 이통李侗, 호안국胡安國을 다루고 있고, 41권에서는 주자朱子와 장식張栻을 다루며, 42권에서는 여조겸呂祖謙, 육구연陸九淵, 주자朱子 문인 진덕수眞德秀, 위화보魏華父, 허형許衡, 오징吳澄을 다루고 있다.

주돈이周惇頤(1017~1073)의 자는 무숙茂叔이고, 호는 염계濂溪이며, 원래 이름은 돈실惇實이었는데, 북송 제5대 황제인 영종英宗(1063~1067)의 옛 이름을 피하여 돈이惇頤로 이름을 고쳤다. 송대 도주 영도道州營道 사람으로 송대 신유학의 개조이다. 분녕주부分寧主簿, 지남창知南昌, 지침주知郴州, 지남강군知南康軍 등을 역임하였다. 이정二程의 스승이며, 주희의 형이상학체계에 큰 영향을 끼쳤다. 저서는 『태극도설太極圖說』, 『통서通書』「애련설愛蓮說」 등이 있다.

주돈이는 마음 속은 홀가분하고 시원스러웠으며, 평소 늘 고아한 뜻을 가지고 있었다. 여산廬山과 연화봉蓮華峯에서 자연을 즐기면서 의지해 우거寓居하며 염계濂溪라는 호를 지었다. 그는 천리를 밝히고 인욕을 억제할 것을 계도함으로써 도학의 전수를 지속했다. 특히 그는 태극과 음양과 오행의 깊은 이치를 상세히 밝혀서 천하의 중정中正 인의仁義를 행하는 자들에게 그것의 기원을 알 수 있도록 하였다.

그는 성학聖學의 핵심을 논하고 아래로부터 배우는下學 자들이 사사로움을 이겨 예를 회복함이 점차 위로 이를 수上達 있다는 것을 알도록 하였다. 그는 천하에 근본이 있음을 밝혀서 위정자가 마음을 정성스럽게 하고 몸을 단정히 할 것을 계도하였다. 이는 위로 공자의 천년의 학통을 계승했으며 아래로 하도낙서의 백대의 전수를 계승한 것이다.

이정二程 형제 가운데 정호程顥(1032~1085)의 자는 백순伯淳이고, 호는 명도明道이다. 송대 낙양洛陽 사람으로 아우 정이程頤와 함께 '이정二程'이라 불리운다. 태자중윤太子中允ㆍ감찰어사리행監察御史理行 등을 역임하였다. '천리체인天理體認'과 '식인識仁' 등의 사상은 육구연ㆍ왕양명 등의 '심학心學'체계에 영향을 끼쳤다. 저서는 『식인편識仁篇』, 『정성서定性書』, 『문집』 등이 있다. 현행 『이정집二程集』에는 부분적으로 이정의 글이 뒤섞여있는 곳이 있다.

정호의 기상과 용모는 청명하고 평화롭고 순정純正하며 온화함으로써 남의 말을 수용했으며 의를 결단할 때에는 확고했으며 사색하는 데에 정밀한 의리를 오묘하게 담았으며 말은 가까우면서도 깊이가 있었다.

정이程頤(1033~1107)의 자는 정숙正叔이고, 호는 이천伊川이다. 송대 낙양洛陽 사람으로서 형 정호程顥와 함께 이정二程이라 불린다. 15세 무렵에 형과 함께 주돈이에게 배운 적이 있으며, 18세에는 태학에 유학하면서 「안자호학론顔子好學論」을 지었는데 호원胡瑗이 그것을 경이롭게 여겼다고 한다.

벼슬은 비서성교서랑秘書省校書郎·숭정전설서崇政殿說書 등을 역임하였으나, 거의 30년을 강학에 힘 쏟아 북송 신유학의 기반을 정초하였다. 이정의 학문은 '낙학洛學'이라고 하며, 특히 정이의 학문은 주희에게 결정적으로 영향을 끼쳐 세칭 '정주학程朱學'이라고 하면 정이와 주희의 학문을 지칭한다. 저서는 『역전易傳』, 『경설經說』, 『문집文集』 등이 있다.

정이程頤는 『주역』에서는 이치에 따라 상象을 밝혀서 체와 용이 동일한 근원임體用一源임을 알았고, 『춘추』에서는 일을 실행하는 것을 보고 성인의 대용大用을 알았으며, 여러 경전과 『논어』 『맹자』에서는 그 은미한 뜻을 드러내어 인을 구하는 방도와 덕에 들어가는 순서를 알았다. 그는 『대학』, 『논어』, 『맹자』, 『중용』을 준칙으로 삼아 육경에 통달하였다. 사람에게 책을 읽고 이치를 궁구하여 그 뜻을 진실되게 하며 그 마음을 바르게 하고 그 몸을 닦게 하여 가정으로부터 국가와 천하에까지 미치도록 하였다.

장재張載(1020~1077)의 자는 자후子厚이고, 세칭 횡거선생橫渠先生이라고 한다. 송대 대양大梁 사람으로 거주지는 미현 횡거진郿縣橫渠鎭이었다. 1057년 진사에 급제했고 운암령雲巖令·숭정원교서崇政院校書 등을 역임하였다. 젊어서 병법을 좋아하여 범중엄에게 서신을 보냈다가 『중용』을 읽기를 권유받고, 얼마 뒤 『6경六經』에 전념하게 되었다. 특히 『역』과 『중용』을 중시하여 『정몽正蒙』, 『서명西銘』, 『역설易說』 등을 지었는데, 이로써 나중에 '관학關學'의 창시자가 되었다.

장재張載는 천지 속에서 마음을 가다듬고 백성의 규범을 만들고 맹자 이후의 성인의 학맥을 이으면서 세상의 이치를 밝히고자 했다. 배우는 사람들을 마음으로 감동시키고 학문을 터득하게 하였다. 신神을 궁구하여 조화를 알며 천天과 인人을 하나로 삼으며 크나큰 근본을 세워서 도교나 불교와 같은 이단을 배척하였다.

소옹邵雍(1011~1077)의 자는 요부堯夫이고, 호는 안락선생安樂先生이며, 소문산蘇文山 백원百源가에 은거하여 백원선생百源先生이라고도 불리었다. 시호는 강절康節이다. 송대 범양范陽 사람으로 만년에는 낙양洛陽에 거주하였는데, 이때 사마광司馬光·여공저呂公著·부필富弼 등이 그를 존경하여 함께 교류하면서 대저택을 증여하였다. 이지재李之才에게 도서선천상수학圖書先天象數學을 배웠다고 한다.

그는 도가사상의 영향을 받고 유가의 역철학易哲學을 발전시켜 독특한 수리철학數理哲學을 완성하였다. 역易이 음과 양의 2원二元으로서 우주의 모든 현상을 설명하고 있음에 대하여, 그는 음陰·양陽·강剛·유柔의 4원四元을 근본으로 하고, 4의 배수倍數로서 모든 것을 설명하였다. 그의 역학易學은 주희朱熹에게 큰 영향을 주었다. 저서는『황극경세皇極經世』,『이천격양집伊川擊壤集』,『어초문답漁樵問答』등이 있다.

소옹邵雍은 학문을 배우고 나서는 힘써 고원高遠한 것을 사모하였으며, 선왕의 일을 반드시 이룰 수 있다고 생각하였다. 그 학문이 더욱 노련해지고 그 덕이 더욱 밝아져서 고명高明한 데에 마음을 두고 천지의 운행변화와 음양의 줄어듦과 늘어남消長을 살펴서 만물의 변화에 통달하였다. 그의 학문의 핵심은『황극경세서』이고 그 화려함은 바로 시詩이다.

성리대전 권40 「제유 2諸儒二」 해제

    정자문인程子門人에는 많은 문인들이 소개되어 있다. 여대림呂大臨은 자는 여숙與叔이며, 당시 예각선생藝閣先生으로 불리었다. 송대 남전藍田(현 섬서성 소속) 사람으로 『여씨향약呂氏鄕約』을 쓴 여대균呂大鈞의 동생이다. 정자는 여대림呂大臨을 매우 돈독한 사람으로 평하고 여대균呂大鈞은 기개가 매우 굳세다고 평가한다.

    유초游酢(1053~1123)는 북송 건양建陽, 福建省 사람으로 자는 정부定夫·자통子通이고, 호는 치산鷹山·광평廣平이며, 시호는 문숙文肅이다. 형 유순游醇과 함께 학문과 행실로 알려져서 당시 지부구현知扶溝縣으로 있던 정호程顥의 부름을 받아 학사學事를 맡게 되었고, 그때부터 정호 형제를 사사하였다. 정자는 유초游酢와 양시楊時를 배우는데 영리하고 높은 재주를 갖춘 사람이라고 평한다. 임대절林大節은 비록 조금 노둔하지만, 질문한 것을 바로 몸소 잘 실행했던 사람이다.

    사량좌謝良佐(1050~1103)의 자는 현도顯道이고, 시호는 문숙文肅이며, 상채선생上蔡先生이라고 불리었다. 유초游酢·여대림呂大臨·양시楊時와 함께 '정문4선생程門四先生'이라 일컫고 상채학파의 시조가 되었다. 정자는 사량좌謝良佐에 대해서 많은 평가를 하는데 우리 도道에 희망이 있다고까지 극찬한다.

    윤돈尹焞(1071~1142)은 자가 언명彦明·덕충德充이고, 호는 삼외재三畏齋와 황제가 하사한 호인 화정처사和靖處士가 있으며, 시호는 숙공肅公이다. 어려서부터 정이程頤에게 사사하여 스승의 학설을 가장 돈독하게 이어받았다고 한다. 장역張繹(1071~1108)의 자字는 사숙思叔이다. 타고난 자질이 총명했으나 집안이 빈한하여 성장할 때까지 배우지 못하고 생계를 위해 시장에서 일하였다. 이후 발분하여 독서하고 정이程頤에게 나아가 공부하였다. 정이는 윤돈尹焞은 노둔하고, 장역張繹은 뛰어나다고 평가하면서 뛰어난 자는 지나칠 수 있지만, 노둔한 자는 끝내 지킴이 있다고 하면서 윤돈을 높이 평가한다.

    이후로 구산 양씨龜山楊氏, 하동 후씨河東侯氏, 상채 사씨上蔡謝氏 등이 정문제자에 대한 정자의 말과 다양한 일화를 가지고 제자들을 평가하고 있다. 예를 들어 하동 후씨河東侯氏는 명도明道선생이 사량좌를 조금 노둔하지만 성실하고 진지하다고 평가한 말을 인용하여 사량좌를 평가한다. 주로 양시, 윤돈, 사량좌를 평가하고 있다.

    나종언羅從彦은 양시楊時에게서 이정二程의 학문을 배우고, 이통李侗에게 전하여 주희朱熹에 이르렀다. 양시楊時·이통李侗과 함께 '남검삼선생南劍三先生'으로 불린다. 연평 이씨延平李氏 이통李侗

은 나선생은 어려서 심률선생審律先生 오국화吳國華를 따라 배웠고 후에 양귀산楊龜山을 뵙고는 과거에 배운 것이 잘못되었음을 알고 3일 동안 놀라 땀이 등을 적셨다는 일화를 소개한다.

주희는 "나선생은 엄하고 군세며 청렴한 점이 특히 두려워할만 하다."(羅先生嚴毅淸苦, 殊可畏.)라고 하여 깊이 사색하고 힘써 행하며, 도를 무겁게 자임한 사람이라고 평가한다. 주탄周坦은 나종언을 세상에 명예가 소문나기를 구하지 않았고 마음속과 포부가 작지 않았으니, 홀로 그 큰 것을 체득하였다고 평가한다.

이통李侗(1039~1163)은 남송시대의 학자로 자는 원중愿中이고 남검南劍 사람이다. 사람들이 연평延平 선생이라고 불렀다. 양시楊時, 나종언羅從彦, 주희朱熹와 더불어 '연평사현延平四賢'이라고 한다. 후에 물러나 은거하여 세상과 인연을 끊어 40여년 동안 가난하게 살면서 기쁘게 유유자적하였다.

주희는 후학을 대하여 문답할 때에는 밤낮으로 다하며 게으르지 않았고, 각 사람의 깊고 낮은 정도에 따라 각각 다르게 이끌었는데, 요체는 자기 자신을 되돌아보고 자득하여 성현의 경지에 들어갈 수 있게 하는 것이었다고 이통의 학문의 요체를 요약하고 있다.

주희는 이통이 경전을 읽는 법을 간단히 소개한다. 『논어』를 읽기 좋아했는데 스스로 도리를 밝혔을 뿐이고 『맹자』는 말이 잘 되어 있어 애독했다고 한다. 또 『춘추좌씨』를 읽기를 좋아하였다고 한다.

주희는 이통의 제문에서 이정二程선생에서 귀산龜山선생으로, 예장豫章선생에서 이통으로 이어지는 도통을 말하고 인仁과 효孝와 우정友과 공경弟이 마음속에서 깨끗하게 성誠으로부터 밝히고 맑음淸과 통달함通과 온화함和과 즐거움樂을 이루었다고 극찬한다. 또 고요히 산림에 은둔하여, 세상에서 아무도 나를 알아주는 사람이 없었지만, 넉넉하고 여유롭게 즐거이 생애를 마쳤다고 평가한다.

호안국胡安國은 자는 강후康侯이고 시호는 문정文定이다. 정이程頤를 사숙하고 무이학파武夷學派를 창시한 사람으로 유명하다. 『춘추春秋』에 조예가 깊어서 『춘추호씨전春秋胡氏傳』을 저술하였다.

사량좌는 호안국을 정대하기가 마치 엄동설한에 모든 풀들이 시들어 죽었는데, 소나무와 잣나무가 굳건하게 홀로 빼어난 것과 같다고 평가한다. 하동 후씨河東侯氏는 불의하면서 부귀한 것을 뜬 구름처럼 보는 사람은 호안국 뿐이라고 극찬한다.

주희도 호안국이 이락伊洛에게서 도를 전수받고, 『춘추』에 뜻을 두었다고 하고서 천리를 밝히고 사람의 마음을 바르게 했으며, 삼강을 떠받치고, 안색을 바르게 하고 말을 높게 하였으며, 경전에 근거하여 일을 논의했고, 강대하고 정직한 기상을 가진 사람이라고 평가한다.

호인胡寅(1098~1156)은 자는 명중明仲이며 학자들은 치당선생致堂先生이라고 불렀다. 호안국의 아들이다. 진회秦檜가 국정을 맡자 사퇴하고 형주衡州로 물러났다가, 진회가 죽은 후 복귀하였다.

주희는 호인胡寅을 논의할 때 재기가 뛰어나고, 인물이 대단하다고 평가하며 도리를 말할 때에는 그에게 미칠 수 있는 사람이 없었다고 극찬한다.

호굉胡宏(1102~1161)은 자는 인중仁仲이며 호는 오봉이며, 호안국胡安國의 아들이다. 양시楊時와 후중량侯仲良에게 배우다가, 아버지의 학문을 전승했다. 형산衡山 아래서 20여 년을 거처했으며, 장식張栻이 그를 스승으로 삼았다. 주희는 호굉이 사색을 좋아하였지만 사색을 지나치게 한 곳 역시 있었다고 하면서 그의 『지언知言』을 비판하고 있다. 주희는 호굉의 성性에 대한 관점을 치밀하게 비판한다.

장남헌은 호굉이 유유자적하게 남산南山 아래에서 20여년을 보낼 때 신명에 마음을 노닐기를 밤낮을 쉬지 않았다고 하면서 태극의 정밀하고 은미한 뜻을 연구하였고, 황제와 왕들이 제도를 만들어내던 근원을 궁구했다고 평가한다.

성리대전 권41 「제유 3諸儒三」 해제

주희朱熹(1130~1200)의 자는 원회元晦·중회仲晦이고, 호는 회암晦庵·회옹晦翁·고정考亭·자양紫陽·둔옹遯翁 등이다. 송대 무원婺源 사람으로 건양建陽에서 살았다. 스승 이통李侗을 통해 이정二程의 신유학을 전수받고, 북송 유학자들의 철학사상을 집대성하여 신유학의 체계를 정립하였다. 백록동서원白鹿洞書院을 재건했다.

만년에 이르러 정적政敵인 한탁주韓冑의 모함을 받아 죽을 때까지 정치활동이 금지되고 그의 학문이 거짓 학문으로 폄훼를 받다가 그가 죽은 뒤에 곧 회복되었다. 막내아들 주재朱在가 편찬한 『주문공문집朱文公文』(100권, 속집 11권, 별집 10권)과 여정덕黎靖德이 편찬한 『주자어류朱子語類』(140권)가 있다.

주자朱子는 어려부터 성현의 학문에 뜻을 두었다. 그의 학문은 리理를 궁구하여 그 앎을 지극히 하고 자신을 성찰하여 실질을 실천했다. 그는 경敬의 태도를 갖고서 그것을 실천하는 것을 모든 일의 시작과 끝으로 삼았다. 위재韋齋(朱松)로부터 중원中原 문헌의 전해진 것을 얻고, 하락학을 공부하여 성현이 남긴 뜻을 미루어 밝혔다.

『대학』과 『중용』을 읽고서 치지致知와 성의誠意의 경지를 힘써 노력했다. 비록 불교와 도교의 학문일지라도 반드시 그 근본을 궁구하였고 그 옳고 그름을 바로잡았다. 『주역』, 『시경』, 『중용』, 『대학』, 『논어』, 『맹자』를 모두 미루어 밝혔고 연역해 내었으며, 삼례三禮(주례, 의례, 예기)와 『효경』까지 미쳤고, 아래로 굴원屈原과 한유韓愈의 문장과 주돈이周敦頤, 이정二程, 소옹邵雍, 장재張載의 책들과 사마광司馬光의 역사서, 선현의 언행에 이르기까지 또 각각 논저한 뒤에 제왕帝王이 세상을 경륜하는 규모와 성현聖賢이 백성을 새롭게 하는 학문이 찬연하게 중흥하였다.

황간黃幹은 주자를 이렇게 평가한다. "선생은 어려부터 성현의 학문에 뜻을 두었다. 위재韋齋(朱松)로부터 중원中原 문헌의 전해진 것을 얻고, 하락河洛의 학문을 들어서 성현이 남긴 뜻을 미루어 밝혔다. 매일 『대학』과 『중용』을 읽고서 치지致知와 성의誠意의 경지를 힘써 노력했다. 선생은 어렸을 때에 이미 그 학설을 알고서 마음으로 좋아했다. 위재가 병이 나고 또 위급해지자 당부하여 말했다. '적계籍溪 호원중胡原仲, 호헌胡憲과 백수白水 유치중劉致中, 劉勉之과 병산屛山 유언충劉彦冲(劉子翬)은 나의 친구이다. 학문에 연원이 있어 내가 경외하는 사람이다. 내가 죽거든 너는 그들에게 가서 그들을 섬기고 그들의 말을 듣는다면 내가 죽어도 여한이 없겠다.' 선생은 고아가 되어 유지를 받들고 세 군자에게 고하고 학문을 배웠다. 당시 14세이니, 열정적으로 도를 구하는 뜻이 있어서, 성현의 경전 속에서 널리 구하였으며, 당시의 식견이 있는 선비와 두루 교제하였다. 비록 불교와 도교의 학문일지라도 반드시 그 귀결처를 궁구하였고, 그 시비를 바로잡았다."

장식張栻(1133~1180)은 자는 경부敬夫 · 흠부欽夫 · 낙재樂齋이고, 호는 남헌南軒이다. 송대 한주漢州 금죽錦竹 사람이다. 고종高宗, 효종孝宗 양 조정에서 승상丞相을 지낸 장준張浚의 아들로 지무주知撫州 · 지엄주知嚴州 · 호북안무사湖北安撫使 · 이부시랑겸시강吏部侍郞兼侍講 등을 역임하였다.

주희보다 세 살 어리지만 여조겸呂祖謙과 더불어 주희와 친구로 지냈으며, 후대에 이들 셋을 '동남삼현東南三賢'이라고 부른다. 스승 호굉胡宏으로부터 이어지는 호상학파胡湘學派를 정립하였으며, 그의 찰식단예설察識端倪說은 주희의 중화구설中和舊說을 확립하는데 중요한 역할을 하였다. 저서는 『남헌역설南軒易說』 · 『논어해論語解』 · 『맹자설孟子說』 · 『이천수언伊川粹言』 · 『남헌집南軒集』 등이 있다.

장식張栻은 사람됨은 호탕하고 명백하여 안과 겉이 투명했고 리理에 대한 조예造詣가 정밀하고 도에 대한 믿음도 돈독했다. 그는 허물 듣는 것을 즐거워하는 것과 의義를 실천하는 것에 용감한 것에 대해서는 또한 발분 노력하고 명확하게 결단하여 털끝만치도 지체하거나 인색한 뜻이 없었다. 그의 사상은 「논어설論語說」에 담겨있으며 그의 이론은 인욕과 천리의 관계, 성선性善과 양기養氣 등의 문제와 관련이 있다.

주자는 이렇게 평가한다. "경부의 식견은 탁월하여 미칠 수 없지만 사람들이 그와 교류하며 배우기를 오래하면 계속해서 마음을 열어주고 도움이 되는 것이 더욱 많았다. 다만 그 천부적인 자질이 명민하여 애초부터 등급을 거치지 않고 터득한 까닭에 지금 사람에게 말하는 것 또한 너무 고원한데서 오는 잘못이 많았다."

성리대전 권42 「제유 4諸儒四」 해제

여조겸呂祖謙(1137~1181)은 자가 백공伯恭이고 호는 동래선생東萊先生이다. 무주婺州 사람이다. 태학박사太學博士・비서랑秘書郎・직비각저작랑直秘閣著作郎 겸 국사원편수관國史院編修官을 역임했다. 주희朱熹・장식張栻과 더불어 동남3현東南三賢이라 한다. 절동학파浙東學派의 비조이다. 저서로는 『동래집東萊集』, 『여씨가숙독서기呂氏家塾讀書記』, 『동래좌전박의東萊左傳博議』 등이 있다.

여조겸呂祖謙은 총명하지만 문리文理에는 자세하지 못하고 태사공太史公(呂尙)의 학문을 숭상했다. 주자가 여조겸의 학문에 대해서 이렇게 평가한다. "백공은 역사에 대해서는 특별히 자세하지만 경서에서는 그다지 이해하지 못한다."

육구연陸九淵(1139년~1192년)은 자는 자정子靜, 호는 상산象山, 시諡는 문안文安이다. 무주撫州 금계현金谿縣 사람이다. 1172년에 진사가 되었으며, 이후 정안靖安현의 주부, 국자정國子正 등의 관리를 지냈다. 생애의 대부분은 학문을 가르치고 강의하는 데에 바쳤다. 『상산선생전집象山先生全集』이 있다.

주희는 "육자정陸子靜은 단지 하나의 마음을 한 편은 인심人心이고 한 편은 도심道心이라고 말했다. 이때는 오히려 말하는 데에 좋은 점이 있었다."(陸子靜說只是一心, 一邊屬人心, 一邊屬道心. 那時尙說得好在.)고 긍정적으로 평하지만 불교를 논할 때 육구연은 비슷한 점이 있다고 긍정하는 것을 강하게 비판하면서 불교와 유교는 근원이 다르다고 한다. 즉, "단지 그 근원이 다르다. 우리 유교는 만 가지 리理가 실제적이지만, 불교는 만 가지 리理가 모두 공허하다."(只彼源頭便不同. 吾儒萬理皆實. 釋氏萬理皆空.) 또한 육구연의 학설이 고자와 가깝다고 비판하고 있기도 하다.

주희는 육구연 학문의 병통을 이렇게 단적으로 표현하고 있다. "자정의 학문은 그의 천만가지 병통을 보면 단지 기품氣稟의 복잡함이 있음을 알지 못하고, 거칠고 악한 기를 모두 마음의 묘한 리理로 합당하게 하면 저절로 제거될 것이라고 하는 데에 있다."

주희는 "고원한 자들은 천지 밖을 말하고, 비천한 자들은 다만 세속의 일에 빠지기만 하니, 고원한 자는 불교나 도교에 들어가고 비천한 자는 관중管仲과 상앙商鞅으로 들어간다."고 하면서 육구연의 학설이 고원한 데에 빠져 실속이 없음을 비판하고 있다.

주자문인朱子門人에서는 채원정蔡元定, 황간黃榦, 진순陳淳, 정가학鄭可學, 채침蔡沈 등이 소개되어 있다. 채원정蔡元定(1135~1198)의 자는 계통季通이고, 세칭 서산선생西山先生이라 하였다. 송대 건양建陽(현 복건성 건양) 사람으로 주희를 경모하여 스승으로 받들었으나, 주희가 도리어 제자가 아닌 친구로 대우하였다.

그의 학문은 신유학뿐 아니라 천문·지리·악율樂律·역수歷數·병진兵陣 등에 뛰어났다. 특히 상수학象數學에 조예가 깊어 주희의『역학계몽易學啓蒙』저술에 참여한 것으로 알려진다. 말년에 주희와 함께 경원당금慶元黨禁의 표적이 되어 귀양을 가서 생을 마쳤다. 저서는『율려신서律呂新書』·『팔진도설八陣圖說』·『홍범해洪範解』등이 있다.

채원정에 대해서 주자는 이렇게 평가한다. "채신여蔡神與(蔡季通)는 널리 알고 힘써 암기 하며 고결하고 간결하며 활달하여 역상易象의 무늬와 지리地理의 학설에 통하지 않는 것이 없었다. 계통은 아버지의 뜻을 계승하여 배우고 실천한 여가에 더더욱 율력律歷에 정통하고, 토론하여 저서를 남겨 일가의 학설을 이루었다. 천고의 잘못된 것은 깨끗하게 일신하니 그 원류로 거슬러 올라가면 모두 법을 이룬 것이 있다."

정가학鄭可學(1152~1212)은 자는 자상子上이고 호는 지재持齋이다. 주희의 문인으로 수학했다. 오래되어 정밀함을 얻어 사방의 학자들이 찾아와 배웠다. 저서로는『춘추박의春秋薄儀』,『삼조북맹거요三朝北盟擧要』,『사설師說』등이 있다.

정가학鄭可學에 대해서 주희는 이렇게 말했다. "정자상鄭子上이『역』,『중용』을 말하는 것이 매우 자세하다. 인심人心과 도심道心을 논하는 학설이 옛날보다 더욱더 정밀하다."

채침蔡沈(1176~1230)은 자는 중묵仲黙이고, 호는 구봉九峰이다. 송대 건양建陽(현 복건성 건양) 사람으로 채원정의 셋째 아들이다. 어려서부터 가학을 이으면서 주희에게 배웠다. 경원당금慶元黨禁으로 부친과 스승이 화를 당하자 구봉에 은거하여, 스승과 부친의 유지를 받들어『서경집전書經集傳』과『홍범황극洪範皇極』을 저술하였다.

진덕수는 채침을 이렇게 평가한다. "중묵仲黙, 蔡沈은 어릴 적부터 문안을 드릴 때 예절을 지켜서 집에 들어가면 부모님의 교육을 가슴에 품고, 나가서는 회암晦庵을 따라 공부하였다. 회암이 만년에 여러 경서에 훈을 단 전傳들을 대략 갖추었으나, 오직『서경』은 하지 못하여 문하의 제생들을 둘러보고서 부탁할 수 있는 사람을 구하였으니 비로소 중묵에게 위촉했다. 홍범洪範의 수는 배운 자가 그 전한 것을 잃어버린 지 오래되었는데 서산西山이 홀로 마음에서 터득했다. 그러나 논하여 저술하는 데에는 미치지 못했는데 또한 '나의 책을 이룰 자는 오직 채침뿐이다.'라고 했다."

진덕수眞德秀(1178~1235)는 자는 희원希元·경원景元·경희景希이고, 호는 서산西山이며, 시호는 문충文忠이다. 송대 포성浦城(복건성 포성〈蒲城〉) 사람으로 1199년에 진사에 급제하여 태학정太學正·참지정사參知政事에 이르렀다. 어려서는 주희의 문인인 첨체인詹體仁에게 배우고, 스스로 '주희를 사숙하여 얻은 것이 있다'라고 하였다. 특히『대학』을 중시하여 '궁리·지경窮理·持敬을 강조하였다. 저서는『대학연의大學衍義』,『사서집편四書集編』,『독서기讀書記』,『문장정종文章正宗』,『당서고의

唐書考疑』,『서산문집西山文集』 등이 있다.

황간의 평가는 이렇다. "서산은 조정에서 여러 차례 높고 준엄한 말을 진언해서 대의大義를 힘써 지켰다. 공론公論이 이를 바탕으로 밝게 들어나니, 선한 부류들이 뛸 듯이 기뻐했다."

위화보魏華父(魏了翁, 1178~1237)는 남송의 학자이다. 자는 화보華父이고 호는 학산鶴山이다. 공주邛州 보강蒲江 사람이다. 경원慶元 5년(1199) 진사進士가 되었다. 관직은 단명전학사端明殿学士에 이르렀다. 가희嘉熙 원년元年(1237)에 죽었으니 향년 60세이고 시호는 문정文靖이다.『학산집鶴山集』, 『구경요의九經要義』『고금고古今考』,『사우아언師友雅言』 등이 있다.

그의 학문은 사물에 나아가서 의리를 밝히는 것이고, 몸을 반성하여 인仁을 구하는 것이다. 소학小學과 문예文藝의 자잘한 것을 살펴서 전례典禮와 회통會通의 거대한 것을 추론하였고, 평상시에 방 귀퉁이의 감춤을 근본으로 해서 천지의 귀신이 드러남을 지극히 확충하였다.

소암우씨邵庵虞氏는 이렇게 평가한다. "위화보의 학문은 사물에 나아가서 의리를 밝히는 것이고, 몸을 반성하여 인仁을 구하는 것이다. 소학小學과 문예文藝의 자잘한 것을 살펴서 전례典禮와 회통會通의 거대한 것을 추론하였고, 평상시에 방 귀퉁이의 감춤을 근본으로 해서 천지의 귀신이 드러남을 지극히 확충하였고, 엄격하여 조정에 서는 큰 절개는 평탄하고 험한 것 때문에 조금도 변하지 않았으며, 말을 세워 세상에 드리우는 것은 또 사람들을 새롭게 하기에 충분했으니, 거의 어그러지지 않았고 미혹되지 않은 사람이었기 때문이었다."

허형許衡(1209~1281)은 자는 중평仲平이고, 호는 노재魯齋이고 회주懷州 하내河內 사람이다. 도추로부터 이정자와 주희의 책을 얻어 공부했다. 원나라 때 대표적인 유학자이다. 경조제학京兆提學을 지냈으며, 즉위한 뒤에는 국자좨주國子祭酒에 임명되었다. 북쪽에 정주학을 전파한 공이 있다.『독역사언讀易私言』,『노재유서魯齋遺書』가 있다.

허형許衡의 학문은 주자의 말을 스승으로 삼아서 리理 궁리하여 그 앎에 이르고, 자신을 반성하여 실제를 실천하되 처음에는 그 집안에서 행하여 중도에 사람에게 미치었다. 그는『小學』과 四書로부터 강학하고 관통하는 것이 정밀해진 뒤에『주역』,『서경』,『시경』,『춘추』로 나아갔다.

오징吳澄(1249~1333)은 자는 유청幼淸이고 만년의 자는 백청伯淸이다. 어릴 때부터 총명하고 학문에 힘썼다. 송나라 말기에 향공鄕貢 시험을 치렀으나 송나라가 망하자 은거했다. 사람들은 초려草廬 선생이라고 불렀다. 병으로 서거했으니 향년 85세였다. 죽은 뒤에는 임천군공臨川郡公에 봉해졌고, 시호는 문정文正이다.『오문정공전집吳文正公全集』이 있다.

오징吳澄의 학문은『주역』,『서경』,『춘추』,『예기』의 모든 찬언纂言에 드러나고, 그 학문의 서술은 학문의 기초와 학문의 정통의 여러 책들에 나타나며, 깊은 조예는 소옹보다는 뛰어나지 못하지만, 그 저서와 문장들은 모두 세상에 유행했다.

개해서揭傒斯는 오징을 이렇게 평가한다. "선생은 육경을 연마하고 백 가지 성씨의 학설을 연구했으니 강령이 명백하고 조목이 잘 전개되어 마치 우禹왕의 치수 사업과 같았다. 군주의 정사를 위임받지는 못했지만 책을 쓰고 말을 확립하여 백세의 사표가 되니 또 어찌 하나의 재주와 하나의 기예가 얻은 것과 나란히 할 것인가? 그 학문의 연원은 『역』, 『서』, 『춘추』, 『예기』의 모든 찬언纂言에 드러나고, 그 학문의 서술은 학문의 기초와 학문의 정통의 여러 책들에 나타나며, 깊은 조예는 소자邵子; 邵雍보다는 뛰어나지 못하지만, 그 저서와 문장들은 모두 세상에 통행했다. 공이 은거할 때 초옥이 몇 간이었는데 정문헌공程文憲公이 지나가다가 이름하여 초려草廬라고 했다."

성리대전 권43 「학 1學一 : 소학小學, 총론위학지방總論爲學之方」 해제

『성리대전』 권43에서 권56까지는 학學에 대한 내용을 다루고 있다. 세부적인 목차를 살펴 보면 다음과 같다. 권43은 소학小學을 주로 다루고 권44, 권45는 학문을 하는 방도를 총괄적으로 논하는 총론위학지방總論爲學之方이다. 권46은 존양存養과 지경持敬을 다루고 권47은 존양存養, 지경持敬과 함께 정靜과 성찰省察을 다룬다. 권48은 지행知行과 언행言行 그리고 치지致知를 다룬다. 권49는 역행力行과 극기克己, 개과改過 및 처심입사處心立事의 문제를 다룬다. 권50은 역행力行과 이욕理欲과 의리義利 군자소인君子小人의 구별을 다루고 출처出處의 문제를 논하고 있다. 권51은 교인敎人을 다루며 권52는 인륜사우人倫師友의 문제를 다룬다. 권53은 독서법讀書法을 다루고 권54는 독서법讀書法 및 독제경법讀諸經法을 다루고 해경解經을 논하고 역사를 읽는 법을 논한다. 권55는 사학史學과 자학字學 및 과거지학科擧之學을 다룬다. 마지막으로 권56은 시詩와 문文을 논하고 있다.

권43은 '학學'에 대한 성리학자들의 평가를 수집한 내용이다. '학1學一'은 『소학小學』에 대해 말하고 있다. 『소학』은 유학의 도덕규범 중에서 매우 기본적이고 필수적인 내용들을 가려 뽑은 것으로서 유학 교육의 입문서 역할을 하는 책이다.

옛날에 소학에 들어가서는 예禮·악樂·사射·어御·서書·수數 등을 배우고, 17세에 대학大學에 들어간 후에 이치理를 배운다. 대학과 소학이 확연히 다른 두 가지는 아니다. 소학은 그 일事을 배우는 곳이고, 대학은 그 이치를 연구하지만 실은 다른 것이 아니다. 소학이 사친事親 등을 배워 실천하는데 주안점이 있다면, 대학은 이런 공부의 바탕 위에서 세밀하게 그 이치를 연구하는 데 초점이 있다.

주희는 옛사람들은 소학에서 어린 아이들을 성誠과 경敬으로 길러서 선한 단서가 발현되도록 했지만 『대학』 등의 일은 어린 아이가 유추할 수 없으므로, 다시 태학에 입학시켜 가르친 것이라고 한다.

주희는 소학이나 대학을 막론하고 가장 중요한 것은 경敬에 대한 공부라고 한다. 천명과 같은 어려운 문제는 어린 아이에게 가르칠 수는 없고 다만 쇄소응대灑掃應對 같은 것을 가르쳐야 한다고 한다. 또 서산西山 진씨眞氏와 노재魯齋 허씨許氏와 임천臨川 오씨吳氏 등의 말을 인용하여 어릴 때의 교육이 가진 중요성과 소학의 중요성을 말하고 있다.

두 번째는 학문하는 방법에 대한 총론總論爲學之方이다. 먼저 정이程頤는 학문하는 방법爲學의 근본을 말한다. 그것은 내면을 탐구하는 일이다. "내면에서 구하지 않고 외부에서 탐구하는 것은 성인의 학문이 아니다. 외부에서 탐구한다는 것은 무엇을 말하는가? 문장을 중심으로 삼는 것을 말한다. 학문이란 사람들이 근본에서 탐구하도록 하는 것이다. 근본에서 탐구하지 않고 말단에서 탐구하는 것은 성인의 학문이 아니다."(不求於內而求於外, 非聖人之學也. 何謂求於外? 以文爲主者 是也. 學也者, 使人求於本也. 不求於本而求於末, 非聖人之學也.)

또 정이는 학문을 닦는 중요한 방법 중의 하나로 스스로 탐구하는 일을 말한다. "학문은 스스로 터득함보다 귀중한 것이 없다. 터득함이 외부에서 온 것이 아니므로 스스로 터득함이라고 말하는 것이다."(學莫貴於自得. 得非外也, 故曰自得. 學而不自得, 則至老而益衰)." 학문을 통해서 자신을 발전시켜야 한다. 그러나 미리 자신의 한계를 설정하거나, 또는 스스로 만족하는 것을 가장 큰 문제로 여기고, 스스로 포기하는 것을 가장 큰 죄로 보고 있다. 원대한 목표를 세워 차근차근 단계를 밟아 나아가야 한다. 점진적인 과정이 중요하다. 자신의 역량을 헤아려 단계적으로 나아가는 점진적인 과정이 있어야 한다. 뜻만 크다고 하여서 일이 저절로 이루어지는 것은 아니기 때문이다.

정이는 학문이 궁극적으로 추구하여야 하는 목표를 말한다. 그것은 성인의 도이다. 많은 사람들은 문사에 빠지고 훈고에 끌리며 이단에 유혹되어 성인의 도를 추구하지 못한다. 왜 그러한가? 학문하는 이유를 박학다식에서 찾고 있기 때문이다. 정이는 이렇게 말한다.

"학문은 박식함을 귀중하게 여기지 않고 올바름을 귀중하게 여길 뿐이니, 올바르면 박식하다. 말은 문식文飾을 귀중하게 여기지 않고 마땅함을 귀중하게 여길 뿐이니, 마땅하면 문식이 난다." (學不貴博, 貴於正而已, 正則博. 言不貴文, 貴於當而已, 當則文.)

이 말은 학문의 선후가 어디에 있는가를 말하고 있다. 먼저 올바름과 마땅함을 추구하는 것이 우선이고, 올바름과 마땅함을 얻게 되면 박식함과 문식은 저절로 얻게 된다고 말한다.

정이를 이어 장재張載의 학문하는 방법에 대한 언설言說들을 정리하고 있다. 장재는 학문함을 통해서 기질氣質 변화의 문제에 대해 말한다. 우선 그는 학문하는 유익함을 스스로 기질을 변화시키는 데에서 찾고 있다. 장재는 "학문을 하는 커다란 유익함은 스스로 기질을 변화시킬 수 있다는 데에 있다"고 하였다.

"사람의 기질이 아름답거나 추악하며, 귀하거나 천하며, 일찍 죽거나 장수하는 이치는 모두 받은 바의 정해진 분수分數이다. 그러나 예컨대 기질이 추악한 사람이라도 배우면 바로 변화시킬 수 있다. 지금 사람들이 대부분 기질에 부림을 당하여 현명하게 되지 못하는 까닭은 배울 줄 모르기 때문이다."(人之氣質美惡, 與貴賤夭壽之理, 皆是所受定分. 如氣質惡者, 學卽能移. 今人所以多爲氣所使, 而不得爲賢者, 蓋爲不知學.)

사량좌謝良佐는 학문을 함은 좋고 나쁨의 선호나 선택이 아니라, 생존에 필수불가결한 요소로 보고 있다. 그는 "오늘날의 배움은 반드시 배고픔에 밥을 구하듯이, 추위에 옷을 구하듯이 해야 비로소 된다. 만일 그저 저것을 원하는 것이 이것보다 좋을 뿐이라면 안 된다."(今之學, 須是如飢之須食, 寒之須衣始得. 若只欲彼善於此則不得.)라고 하여 학문함의 절실함을 말하고 있다.

양시楊時는 학문에서 가장 중요한 것을 위기지학爲己之學이라고 말한다. 그는 위기지학을 마치 배고프고 목마를 때 먹고 마시는 것처럼 절실하게 구할 것을 말한다. 왜냐하면 "마시고 먹지 못하면 배고프고 목마름의 병해病害가 반드시 죽음에 이르고, 사람으로서 배우지 않는다면 자신의 본심本心을 잃어 사람이 될 수 없으니, 마땅히 절실히 구해야지, 소홀히 해서는 안 된다."고 말하는 것이다.

사마광司馬光은 마음을 다스리는 것이 배움의 핵심이라고 말한다. 그는 "배움은 마음을 다스리는 것을 구하는 것이다. 배움이 비록 많은들 마음이 다스려지지 않는다면, 어찌 배움이라고 하겠는가?"(學者所以求治心也. 學雖多而心不治, 安以學爲?)라고 하여 단순한 지식이 축적되어 있어도 마음을 다스리지 않으면 학문하는 의미는 사라진다는 말이다.

호굉胡宏은 학문함에 있어서 중요한 것은 대체大體에 뜻을 두는데 있다고 말한다. 이통李侗은 학문의 공부법에 대해 말하고 있다. 그는 단순한 지식의 이해나 의미 파악에만 머무르는 배움보다는 마음을 맑게 하는 징심澄心, 마음을 가라앉혀서 깊이 생각하는 침잠沈潛이나 정좌靜坐 등의 체인體認 공부에 힘을 쏟을 것을 말한다.

마지막은 주자朱子의 학문하는 방법에 대한 많은 내용으로 채워져 있다. 주자는 학문의 첫 걸음은 일상의 비근卑近으로부터 출발할 것을 주장한다. "학문을 함에 비근함을 싫어하지 않아야 한다. 낮고 가까울수록 공부가 더욱 알차고 터득함은 더욱 고원해진다. 그저 고원하기만 한 것은 이와 반대이니, 이 점을 살피지 않으면 안 된다."(爲學不厭卑近. 愈卑愈近則功夫愈實, 而所得愈高遠. 其直爲高遠者則反是, 此不可不察也.) 비근한 것 속에 들어있는 이치를 미루어 보면 포함되지 않는 것이 없고 관통하지 않는 것이 없기 때문이다.

학문함에 있어서 가장 중요한 것은 학문을 하는 자세와 태도이다. "학문을 할 때에는 기필코 삼가고 단정・엄숙하여 자신의 몸과 마음에서 공부를 해야 저절로 소득이 있을 것이다."라고 주자는 말한다. 이 때문에 주자는 학문함에 있어서 경敬의 중요성을 매우 강조한다. 그러므로 그는 "잃어버린 마음을 수습하는 것이야말로 긴요하고 절실하게 공부해야 할 곳이다."라고 한다. 즉 주자는 지경持敬과 독서를 학문함의 두 근간으로 보아 어느 하나도 버릴 수 없고, "그 둘은 서로 용用이 되므로 하나의 일일 뿐이다"라고 말한다.

주희는 학문과 사람의 자질의 관계에 대해 말하고 있다. 모든 사람이 같은 본성을 타고 난 것은 불변의 사실이지만, 실제 학문을 하는 데는 자질의 차이가 있을 수 있다고 하는 것은 누구나 가질 수 있는 의문이다. 주희는 매우 흥미로운 이야기를 하고 있다.

> "자질이 명민하나 배우지 않는 것은 바로 매우 명민하지 못한 것이다. 성인의 자질이 있으면 반드시 배우기를 좋아하고 반드시 아랫사람에게 묻는다. 만일 스스로 허술한데도 더 배우지 않고 더 묻지 않으면, 이미 수준이하인 것이다."(質敏不學, 乃大不敏. 有聖人之資, 必好學, 必下問. 若就 自家杜撰, 更不學更不問, 便已是凡下了.)

학문을 하는 목적은 성현이 되는 것인데 "세상 사람들은 대부분 성현을 높다고 여기고 자신을 낮다고 보기 때문에 나아가려들지 않는다." 그래서 주자는 입지立志의 중요성에 대해서 말하고 있다. 뜻을 세운다고 하여 다른 사람을 압도하는 어떤 거창한 것을 의미하는 것이 아니다. 주자는 "배우는 사람에게 가장 중요한 것은 뜻을 세우는 일이다. 이른바 뜻이라는 것은 요堯와 순舜을 배우는 것이다."라고 한다.

이후로 줄곧 주희는 위기爲己의 학문과 위인爲人의 학문을 구별하면서 남의 시선을 신경쓰면서 과시하려는 공부보다는 자신에게 절실한 공부를 하기를 권하고 있다.

성리대전 권44 「학 2學二 : 총론위학지방總論爲學之方」 해제

    권44 역시 권43에 이어서 학문을 닦는 방법을 말한다. 이 부분에서 주자가 특히 강조하고 있는 내용은 문제를 엄밀하게 세밀하게 이해하는 일의 중요성, 마음을 잡아 보존하는 공부와 독서를 통한 이치 연구의 중요함, 학문을 하는 방도, 학문하는데 있어서 마음을 보존하는 경敬의 중요성, 독서에서 궁리와 거경居敬이 가지는 중요성, 순서에 따른 정밀한 독서와 조용히 함영涵泳하는 즐거움이 있는 독서 방법 등에 대해 말하고 있다.

    주자는 학문은 "세밀할수록 더욱 광대하고 확실할수록 더욱 고명해진다."고 한다. 또한 주자는 "학문을 하는 것은 다만 지극한 정성으로 참고 오래하여 터득하지 못함이 없게 해야 하고, 별도로 계교를 부려서 앞에서 생각하고 뒤에서 따질 필요가 없다."고 하여 요령만을 부리는 태도에 대해 지적하고 있다. 이런 태도는 모두 자신의 몸에서 직접 체인하는 공부를 강조하기 위함이다.

> "학문을 하는 요점은 다만 착실하게 마음을 잡아 보존하고, 세밀하고 절실하게 체인하여 자기의 심신에서 이해해야 한다. 경솔히 자신을 드러내고 남의 논변을 끌어들여서, 맞대응에 힘을 소모하고 분리되어가는 공부는 절대로 피해야 한다."(爲學之要, 只在著實操存, 密切體認, 自己身心上理會. 切忌輕自表襮, 引惹外人辯論, 枉費酬應, 分却向裏工夫.)

    주자는 학문을 하는 방도爲學之道에 대해 말하고 있다. 우선 주자는 학문하는 방법에 있어서 별다른 방법이 있는 것이 아니고, 익숙하게 읽고 정밀하게 생각하는 숙독정사熟讀精思하는데 있음을 말한다. 학문을 하는 데 있어서 가장 중요한 것은 마음을 보존하는 것을 우선해야 하고, 또한 앎을 지극히 하는 것致知과 또 이것을 힘써 행하여야力行 하는데 이 중에서 어느 한 가지도 소홀이 할 수 없다는 점을 강조하고 있다.

    그러므로 주자는 학문을 하는데 있어서의 실천이라는 문제를 매우 강조한다. 학문하는 데 있어서 마음을 보존하는 경敬의 중요성에 대해 이야기하고 있다. 경敬을 박문약례博文約禮와 관련하여 말하기도 한다. 즉 "성현의 가르침은 박문약례 네 글자를 벗어나지 않는다. 박문은 당연히 많은 곳에서 구하고 널리 취하여 익숙하게 따지고 정하게 선택해야 비로소 푹 젖어 관통할 수 있고, 약례는 단지 경 한 글자로도 이미 충분하다."고 말하기도 한다.

    주자는 독서讀書에 있어서 궁리와 거경居敬이 가지는 중요성에 대해 말한다. 주자가 경을 강조한다고 하여서 독서 등의 궁리窮理를 가볍게 본다는 의미는 아니다. 오히려 그는 학문을 하는데 있어서 중요한 것은 궁리에 있지만 역시 마음과 의지의 굳건한 붙잡음이 없으면 지속적인 공부는 힘들기 때문이다.

주자는 독서의 과정을 무시하고 급박하게 사색에 빠지는 것에 대해서 비판한다. 여유 있게 독서하고 사색하면 부족한 점을 보충하고 이치를 깨달을 수 있지만, 대부분의 사람들은 독서를 할 때 빨리 이해하려고 서두를 가능성이 있다. 이치를 터득하기 위한 독서에서 가장 필요한 것은 단순한 지적 능력의 높고 낮음이 아니라, 성실한 태도를 견지하기 위한 마음을 바로잡는 경이 다시 강조될 수밖에 없다.

주자는 독서에 있어서 가장 중요한 것이 바로 지경持敬이라고 말한다. "독서는 진실로 폐기해서는 안 되지만, 역시 반드시 지경持敬과 입지立志를 우선으로 여겨야만 비로소 이런 바탕위에서 의리를 찾고, 일을 할 때에 드러낼 수 있다."(讀書固不可廢, 然亦須以主敬立志爲先, 方可就此田地上推尋義理, 見諸行事.) 올바른 마음과 입지가 바탕이 되어야 독서를 하는 목표를 충실히 이행할 수 있게 된다.

주자는 배움에 있어서 가장 중요한 것은 배우는 자의 뚜렷한 목적과 동기가 우선적으로 중요하다고 말한다. 이어서 공부하는 내용이 무엇인가에 대해 말하고 있다. 우선 그는 배우는 공부가 다른 어떤 요원한 것이 아니라 일상생활 속의 모든 곳에 있음을 말한다.

"배우는 공부는 일상생활 밖에 있지 않으니, 몸을 검속하는 것은 움직이거나 조용한데서, 말하거나 침묵하는 데서 하고, 집에 있을 때는 어버이를 섬기고 어른을 섬기는 데서 하고, 궁리는 독서와 강의에서 한다."(爲學工夫不在日用之外. 檢身則動靜語黙, 居家則事親事長, 窮理則讀書講義.)

이어서 주자는 공부하는 순서에 대해 말하고 있다. 주자는 단계적이고, 연속적인 학문의 축적을 통하여 이치를 통찰하여 분명하게 파악하는 문제에 대해 말하고 있다. 공부는 결코 단박에, 하루 아침에 이루어지는 것이 아니라 하루하루 축적함에 의해 깨닫게 되는 것이라고 말한다. 학문을 축적함에 있어서 가장 중요한 것이 바로 연속적인 꾸준함이다. 주자는 "오늘 한 가지 일을 알아도 되고, 한 가지 일을 행해도 되니, 다만 끊어지면 안 된다. 쌓기를 오랫동안 하면 스스로 이해하여 끝까지 해나갈 수 있다."라고 하여 연속적으로 꾸준함을 가지고 학문에 임할 것을 강조한다.

성리대전 권45 「학 3學三 : 총론위학지방總論爲學之方」 해제

　권45 역시 권44에 이어서 학문을 닦는 방법에 대한 주자의 말로 시작하고 있다. 이 부분에서 주자가 특히 강조하고 있는 내용들은 먼저 학문하는 방법은 다른 것이 아니라 자신의 몸을 주재하고, 방심放心을 구하는 것임을 말한다. 이어서 그는 함양涵養 공부에 대해서 말하고 있다. 또 경의 중요성과 주일主一 공부에 대해서 말하고 있다. 주자는 위기지학爲己之學의 중요성에 대해서도 몇 차례 말하고 있다.

　장남헌은 사람의 성性은 선하지만 배움이 필요함을 역설하고 배움의 순서에 대해서 말하고 존양存養의 중요성을 역설하고 있다. 또 그는 경敬과 주일主一 및 치지致知와 역행力行에 대해 말한다. 장남헌을 이어서 육상산陸象山, 여동래呂東萊의 말이 나온다. 여동래는 학문을 함에는 무엇보다 먼저 대강大綱을 알아서 대의를 파악함이 중요하고, 지양持養 공부와 찰식察識 공부의 중요성에 대해 말한다.

　황면재黃勉齋는 홀로 있을 때의 공부, 이욕利欲의 문제, 자신의 몸과 마음을 점검하는 것, 존양과 성찰의 중요성에 대해 말하고 있다. 진북계는 공부의 시작을 치지致知와 역행力行이라고 말하고, 이런 치지와 역행을 행하기 위해서 바탕이 되는 것은 바로 경이라고 말한다. 진서산眞西山과 진잠실은 경敬을 마음의 주재자라고 하여 배움에 있어서 경敬의 중요성에 대해 말한다. 이어서 노재 허씨魯齋許氏(許衡)와 임천 오씨臨川吳氏(吳澄)의 말이 보이는데 배움을 귀하게 여기는 까닭은 기질을 변화시킬 수 있기 때문이라고 말한다.

　주자는 함양涵養·치지致知·역행力行·지경持敬을 강조하면서 학문은 다른 것이 아니라 자신의 몸을 주재하고, 방심放心을 구하는 것임을 강조한다. "학문을 하는 큰 요점은 단지 방심放心을 구하는 데 있다. 이 마음이 흘러넘치는데 수습되지 않는다면, 무엇을 관할하는 것으로 삼을 것인가? 다른 공부는 모두 느슨해질 것이다."(爲學大要, 只在求放心. 此心流濫, 無所收拾, 將甚處做管轄處? 其他用工總閑慢.)

　이어서 함양涵養 공부와 경敬 공부 그리고 주일主一 공부에 대해서 말하고 있다. 이것은 모두 위기지학爲己之學의 중요성과 관련된다. "옛사람이 학문하는 것은 단지 위기지학일 뿐이었다. 성현이 사람을 가르치는 데는 윤리를 갖추었다. 학문은 마땅히 사람이 이해해야 할 일이니, 배우는 자는 반드시 자기에게 절실하게 해야 비로소 얻는 바가 있다. 지금 사람들은 학문을 남이 한바탕 훌륭한 말을 하는 것을 듣고 바로 깨우치는 것으로 알고 있다. 도리어 자기에게 절실한 공부는 전혀 한 적이 없고, 유유히 세월만 보내고 있으니 알 수 있는 것이 없다."(古人學問, 只是爲己而已. 聖賢敎人, 具有倫理. 學問是人合理會底事, 學者須是切己方有所得. 今人知爲學者, 聽人說一席好話, 亦解開悟. 到切己工夫, 却全不曾做, 所以悠悠歲月, 無可理會.)

때문에 학문하는 큰 단서는 성명性命의 본연을 회복하고, 성현의 극치에 나아가려는 데 있다. "자기의 본성本性대로 모두 실행에 나가서 성현의 지위에 이르지 않고서는 멈추지 않는다. 이와 같이 뜻을 세운다면 저절로 멈추지 못하며, 저절로 할 수 있는 공부를 다 할 것이다."(就自家性分上儘做得去, 不到聖賢地位不休. 如此立志自是歇不住, 自是儘有工夫可做.)

주자를 이어서 남헌장씨南軒張氏(張栻)의 말이 나온다. 장남헌은 일상으로부터 시작하는 배움의 순서에 대해서 말하고 의리義理를 강구하는 것은 마치 배고플 때 밥 먹고 목마를 때 물 마시는 것처럼 평상시의 일로 보아야 하지 고담준론高談峻論 식으로 말하는 것은 높은 곳에 매달려 있는 것을 더듬는 것이나 마찬가지이기 때문에 도道와는 거리가 멀다고 말한다.

그래서 하학下學과 상달上達의 문제와 관련하여 말한다. "높은 곳을 오를 때 낮은 곳에서 출발하듯, 먼 곳에 갈 때 가까운 데서 출발하듯, 반드시 하학상달해야 한다. 비록 물 뿌리고 비질하며 응하고 대답하는 것이라 할지라도 그 속에 자연히 묘한 이치가 있다."고 말한다. 요컨대 인仁의 실제는 부모父母를 섬기는 것이고, 의義의 실제는 다른 것이 아니라 형兄을 따르는 것이기 때문이다. 부모를 섬기고 형을 따르는 실천이 가장 절실한 것이다.

장남헌을 이어서 육상산陸象山의 말이 보인다. 육상산은 배우는 자들의 큰 병통은 사사로운 마음을 스승삼아 제멋대로 하는 데 있다고 말한다. 사사로운 마음을 스승삼아 제멋대로 하면 자기의 사사로움을 극복할 수 없고 말을 알아듣지 못한다. 그러므로 "설사 복희伏羲・황제黃帝・당요唐堯・우순虞舜 이래 모든 성인聖人의 말을 모두 귀로 듣고, 모두 입으로 익숙하게 외우고, 모두 마음에 기억한다 하더라도, 단지 사사로운 마음만 늘어나 병통만을 키울 뿐이다."

이어서 여동래呂東萊의 말이 나온다. 여동래는 지양持養(꼭 간직하여 기르는 것) 공부와 찰식察識(몸소 살피는 것) 공부의 중요성에 대해 말한다. "지양을 오래하면 기氣가 점차 온화해진다. 기가 온화해지면 온유溫裕하고 완순婉順해져서, 바라보는 사람이 사의私意가 사라지고 화가 풀어지니, 거스름과 노함을 초래하는 근심이 없어진다. 체찰을 오래하면 리理가 점차 밝아진다. 리가 밝아지면 말하고 인도하는 것이 자상하고 정성스러워, 듣는 사람이 마음으로 깨닫고 생각이 바뀌니, 싸우게 하고 배척당하는 근심이 없어진다."고 하여 사물의 리理를 관찰하고 몸으로 체찰하고 시의時宜를 헤아린다면, 치우치고 가려 버리는 잘못은 없을 것이 라고 말한다.

이어서 황면재黃勉齋의 말이 보인다. 황면재는 학문하는데 있어서 이욕利欲의 문제에 대해 말하고 있다. "학문하는 자는 반드시 험난하고 곤궁한 데서 한 번 시험해 보아 진실로 동요하지 않을 수 있어야 비로소 학자이다. 사람이 살면서 가장 극복하기 어려운 것이 이욕利欲인데, 이욕의 큰 것은 바로 부귀와 빈천이다."고 하였다. 그는 이욕을 어떻게 조절하느냐에 따라서 도道에 나아갈 수 있다고 말한다.

또한 존양과 성찰의 중요성에 대해 말한다. 그는 "근래의 배우는 자들은 단지 옛 사람들에게 격물·궁리의 설이 있었다는 것만 알아서, 분석하고 강론하는 것에만 마음을 내달릴 뿐, 존양·성찰하는 실제에는 힘쓰지 않는다."는 우려를 말하고 있다. 만약 실제로 마음에 체인하여, 내 한 몸에 실제로 이 이치가 갖추어져 있음을 알아서, 잡아서 보존하지 못하면 구이지학口耳之學으로 흐를 가능성이 크다고 말한다.

이어서 진북계陳北溪의 말이 나온다. 진북계는 공부의 시작을 치지致知와 역행力行이라고 말한다. 이런 치지와 역행을 행하기 위해서 바탕이 되는 것은 바로 경이다. "치지와 역행을 행하기 위해서 바탕이 되는 것은 반드시 경敬을 주主로 하는 것이다. 경은 주일무적主一無適을 말하는 것으로 이 마음을 일깨우고 경각시켜서 깨어 있게 하는 것이니, 곧 마음이 생기를 띠는 방도이자 성학聖學의 동정動靜을 관통하고 시종始終을 꿰뚫는 공부이다."라고 하여 경의 중요성에 대해 강조한다.

이어서 진서산眞西山의 말이 보인다. 진서산은 학문을 치료적治療的인 관점에서 말하고 있다. "학문의 길은 세 가지가 있으니, 성찰省察과 극치克治와 존양存養이다. 이 세 가지는 하나라도 빼놓을 수 없다. 무릇 학자가 마음을 다스리는 것은 병을 다스리는 것과 같다. 성찰한다는 것은 맥을 짚어서 병을 아는 것이고, 극치한다는 것은 약을 써서 병을 없애는 것이며, 존양은 몸을 조섭하고 아껴서 아직 드러나지 않은 병을 막는 것이다."라고 말한다.

쌍봉 요씨雙峯饒氏는 학문하는 방법에 대해 구체적으로 말하고 있다. 그는 학문을 하는 방법에는 대략 네 가지가 있다고 말한다. "첫째는 뜻을 세우는 것이고, 둘째는 경에 거하는 것이고, 셋째는 이치를 궁구하는 것이고, 넷째는 몸을 돌이켜보는 것이다."라고 하였다. 이 중에서도 참으로 중요한 것이 바로 뜻을 세우는 것이라고 말한다.

이어서 노재 허씨魯齋許氏(許衡)와 임천 오씨臨川吳氏(吳澄)의 말이 보인다. 임천 오씨는 배움을 귀하게 여기는 까닭은 기질을 변화시킬 수 있기 때문이라고 말한다. 배워서 기질을 변화시키지 못하면 배울 이유가 없다고 말한다. 배우는 자는 "어두운 것은 변화시켜 밝게 할 수 있고, 약한 것은 변화시켜 강하게 만들 수 있으며, 탐욕스러움은 변화시켜 청렴하게 할 수 있고, 잔인함은 변화시켜 자애롭게 할 수 있으니, 배움의 쓰임은 위대하다! 무릇 기질이 아름답지 않은 것은 모두 변화시켜 아름답게 할 수 있는데, 하물며 그 타고나면서 아름다운 자에게 있어서랴!"라고 말하고 있다.

만약 기질 변화라는 학문의 본래의 목적을 간과할 경우, 아무리 학문을 하여도 제자리라고 말한다. "오늘날의 배우는 자들의 학문은 두 가지에 지나지 않는데, 책을 읽고 글을 짓는 것일 뿐이다. 책을 읽는 것은 성인聖人이 되는 길을 구하는 것이거늘 어떤 이는 한갓 구이지학口耳之學의 바탕으로 삼을 뿐이고, 글을 짓는 것은 세상에 남길 교훈을 전하는 것이거늘 어떤 이는 한갓 현란하고 화려하게 꾸밀 뿐이다. 이와 같이 배우면서 그 기질을 변화시키려한다면 어렵지 않겠는가? 당연히 학문을 할수록 도움이 되는 것이 없으니, 백발이 되어 죽더라도 여전히 그 사람일 뿐이다."라고 말하고 있다.

성리대전 권46 「학 4學四 : 보존과 함양存養」 해제

권46에서는 '보존과 함양存養'의 문제에 대해 다루고 있다. '보존과 함양'이라는 말은 존심양성存心養性을 의미한다. 즉, 본심을 보존하고 성性을 함양하는 것을 말한다. 이 문제에 대해서 정자, 장재, 양귀산, 주자 등의 주장들이 기록되어 있다.

먼저 정자의 말이 보인다. 정자는 "배우고 함양하지 않고, 함양하고서 보존하지 않는 것은 헛된 말이다."(學之而不養, 養之而不存, 是空言也.)라고 하여 함양과 보존의 중요성을 말한다. 또 그는 "배움은 본래 가지고 있는 것을 알고 또 본래 가지고 있는 것을 기르는 것에 있다."고 하였다. 여기에서 말하는 '본래 가지고 있는 것'은 성性이 본래 가지고 있는 고유한 것 즉 인의예지仁義禮智를 말한다.

정자는 존양存養의 핵심을 "방 깊은 곳에서도 부끄러움이 없고, 혼자 있을 때를 삼가는 것"으로 말하고 이것이 바로 지키고 함양하는 기상이라고 말한다. 이 때문에 평소에 함양한 것이 많은 사람은 "죽고 사는 문제에 임해서도 얼굴색 하나 변하지 않고, 병들고 슬퍼도 마음이 동요하지 않으니, 이는 평소에 함양한 것이 있었기 때문이지, 일조일석의 힘으로 가능한 것이 아니다."라고 말한다. 함양을 오래하면 마음이 요동하지 않게 되고, 그런데도 두려워하는 마음이 생기는 것은 경이 부족하기 때문이라고 말한다.

연평이씨延平李氏(李侗)는 "항상 이 마음을 보존하여 다른 일들이 이기지 못하게 하면, 욕심과 사려와 잘못된 것과 편벽한 사념이 저절로 일어나지 않는다."(常存此心, 勿爲他事所勝, 即欲慮非僻之念自不作矣.)고 하여 "함양하는 곳에 힘을 쓰는 것이 바로 배우는 것의 요체이다. 만약 이렇게 보존하고 함양하지 않으면 결국에는 자기 것이 되지 않는다."고 말한다. 말하자면 이 마음을 보존하고 함양하는 것이 익숙해지고 도리가 분명하게 되어, 습기習氣가 점차로 소멸되고 도리가 저절로 생겨난 뒤에야 증진될 수가 있다는 것이다.

주자는 "만약 마음을 보존하지 못하면, 몸에는 주재하는 것이 없게 된다."라고 하여 마음이 우리 몸의 주재이고 군주君主임을 말하고 있다. 그는 사람의 마음이 모든 일의 주인이기 때문에 마음이 안정되지 않고서는 학문을 증진시킬 수 없다고 말한다. 이 때문에 그는 계속적으로 마음의 단속에 대해 말한다.

이어서 주자는 경敬을 통한 마음의 보존과 함양에 대해 말한다. 배움을 구하는 사람은 일상생활에서 경을 위주로 한다. 사물에 감응하거나 감응하지 않거나를 막론하고, 평상시에 이렇게 함양하면, 선한 단서의 발현이 저절로 밝아진다. 즉 마음을 잘 보존하여야 본원을 함양하는 공부가 연속된다고 말한다.

그러므로 주자는 "본원을 함양하는 공부는 실로 틈새가 생겨 끊어지기 쉽다. 그러나 틈새가 생겨 끊어짐이 있음을 깨닫게 되면 그것이 곧 연속되는 곳이다. 단지 항상 스스로 깨어나서 조금씩 쌓아나가니, 오래 지속하면 저절로 연결되어서 한 덩어리가 될 것이다."(涵養本原之功, 誠易間斷. 然纔覺得間斷, 便是相續處. 只要常自提撕, 分寸積累將去, 久之自然接續, 打成一片耳.)라고 말한다.

주자는 미발未發 시의 존양공부에 대해서도 말하고 있다. 그는 "발현하는 곳은 당연히 찰식해야 하지만, 단지 미발未發할 때가 있을 때, 이곳에서는 당연히 보존하고 함양해야 합니다. 어찌 반드시 발현하기를 기다린 후에 살피고, 살핀 후에 보존하겠습니까? 또한 처음부터 보존하고 함양하지 않고 바로 일이 일어난 것에 따라서 찰식하려고 한다면 드넓고 망망하여 손을 쓸 곳이 없게 될까 두렵고, 털끝만한 차이가 천리나 어긋나게 되는 오류가 되는 것을 말로 다할 수가 없는 것이 있을 것입니다."라고 하였다. 왜냐하면 아직 사물과 접촉하지 않았을 때 바로 경敬하면서 그 속에서 주재한다면, 일이 닥치고 사물이 이르더라도, 선한 단서는 밝게 드러나고, 찰식하는 것이 더욱 정밀하고 밝기 때문이다.

다음은 지경持敬에 대해서 말하고 있다. 정자는 경敬의 중요성에 대해서 끊임없이 말하고 있다. "군자가 일을 만나면 크고 작은 것에 상관없이 경敬에 집중할 뿐이다.", "도에 들어가는 것은 경만한 것이 없다." 등등이다. 경은 바로 안을 바르게 하여 하나로 집중하는 뜻을 가지고 있다. 감히 속이지 않고, 태만하지 않으며, 부끄러움이 없는 것에 이르는 것이 모두 경敬의 일이라고 할 수 있다. 배우는 사람은 반드시 경하여 안을 곧게 하고 뜻을 함양한다.

주자 또한 경敬을 강조한다. 그는 경의 개념에 대해 분명한 정의를 내리고 있다. 즉 몸과 마음을 수렴하여, 가지런히 하고 순일하게 해서 방종하지 않게 하는 것이 바로 경敬이라고 말한다. 그러나 불교에서 말하는 정좌와는 다르다. "경敬은 온갖 생각을 멈추고 있는 것을 말하는 것이 아니라, 일에 따라 전일專一하게 하면서 삼가고 조심하여 방일하지 않는 것일 뿐이다. 오로지 눈을 감고 정좌하여 귀로 듣지 않고 눈으로 보지 않으며 사물을 접촉하지 않은 뒤에 경한 것이 아니다. 몸과 마음을 가지런히 하여 수렴해서 방종하지 않는 것이 경이다."라고 분명하게 말하고 있다.

주자는 하나에 집중하는 것主一의 공부에 대해 말하고 있다. 주자는 "하나에 집중하는 것은 전일專一이다."라고 말한다. 하나에 집중하는 것은 그 지志를 지키는 것과 같고, 사특함을 막는 것은 사특한 기가 들어오지 못하게 하려는 것이라고 말한다.

윤화정尹和靖은 경敬을 정제엄숙整齊嚴肅으로, 사상채謝上蔡는 오로지 일에서 공부하였으므로,

경敬은 항상 깨어있는 것이라고 말했다. 이에 대해 주자는 "사상채와 윤돈의 설명은 안과 밖으로 구분되지만, 모두 자기 마음의 공부이다. 일에서 어찌 정제엄숙하지 않을 수 있으며, 고요한 곳에서 어찌 항상 깨어있지 않을 수 있겠는가?"라고 하여 두 사람을 종합하고 있다.

주자는 성誠과 경敬 및 사욕私欲을 극복하는 문제에 대해 말하고 있다. "이것이 가장 지극한 경지다. 성誠은 수많은 거짓을 없애는 것이고, 경敬은 수많은 태만을 없애는 것이다. 욕심은 막아야 한다." 주자는 "경은 논밭을 다스리고 물을 대는 공과 같고, 사욕私欲을 극복하는 것은 잡초를 제거하는 것이다."(敬如治田而灌溉之功. 克己則是去其惡草也.)라고 하여 농사짓는 것으로 비유하고 있다.

또 주자는 경敬과 의義의 관계에 대해 말하고 있다. "함양할 때는 반드시 경敬을 쓰고, 일을 처리할 때는 반드시 의義를 모은다." "경과 의는 한 가지 일이니, 예컨대 두 다리로 똑바로 서는 것이 경敬이고, 걷는 것이 의義이다. 눈을 감은 것이 경敬이고 눈을 뜨고 사물을 보는 것이 의義이다."(敬義只是一事, 如兩脚立定是敬, 纔行是義. 合目是敬, 開眼見物便是義.) 마지막으로 주자는 공부의 처음과 시작은 하나의 경에서 시작하여 끝맺는다는 점을 주장하면서 경의 중요성을 이렇게 강조하고 있다.

"몸으로 체험하고서야 정자程子가 이끌어낸 경敬자가 참으로 학문의 시종始終과 일용의 친절한 묘임을 안다. 근래 벗들과 토론하는 것이 다만 이곳에 힘을 써서, 독서하고 궁리하여 발휘發揮하는 것만 같지 못하였다. 바로 성현의 궁극적 경지에 도달하는 것도 여기서 벗어나지 않는다."(以身驗之, 乃知伊洛拈出敬字, 眞是學問始終日用親切之妙. 近與朋友商量, 不若只於此處用力, 而讀書窮理以發揮之. 直到聖賢究竟地位, 亦不出此.)

性理大全 研究飜譯 役割 分擔表

卷	書名/大主題	飜譯	校閱	潤文	解題
	序・表	金在烈			尹用男, 金暎鎬
1	太極圖	尹用男			郭信煥
2~3	通書	李哲承			郭信煥
4	西銘	李哲承			李基鏞
5	正蒙 1	李哲承			李基鏞
6	正蒙 2	金炯錫			李基鏞
7~13	皇極經世書	沈義用			洪元植
14~17	易學啓蒙	尹元鉉			李善慶
18~21	家禮	秋琦淵			李迎春
22~23	律呂新書	尹元鉉			李善慶
24~25	洪範皇極內篇	秋琦淵			李迎春
26~27	理氣	李致億			李致億, 金演宰
28	鬼神	尹元鉉			李致億, 金演宰
29~31	性理 1~3	尹元鉉			李致億, 鄭相峯
32~34	性理 4~6	沈義用	共同研究員 李忠九	鄭修卿	李致億, 鄭相峯
35~37	性理 7~9	金炯錫			李致億, 鄭相峯
38	道統・聖賢	尹元鉉			沈義用, 金演宰
39~40	諸儒 1~2	金炯錫			沈義用, 金演宰
41~42	諸儒 3~4	沈義用			沈義用, 金演宰
43~45	學 1~3	李致億			沈義用, 鄭炳碩
46~48	學 4~6	沈義用			沈義用, 鄭炳碩
49~50	學 7~8	金炯錫			沈義用, 鄭炳碩
51	學 9	金眩昊			沈義用, 池俊鎬
52~54	學 10~12	尹元鉉			沈義用, 池俊鎬
55~56	學 13~14	李忠九			沈義用, 池俊鎬
57~58	諸子	金在烈			李忠九, 李相益
59~64	歷代	金在烈			李忠九, 李相益
65	君道	金在烈			李忠九, 李相益
66~69	治道	金在烈			李忠九, 李相益
70	詩・文	金在烈			李忠九, 池俊鎬

性理大全 研究飜譯 研究陣

완역 성리대전 ❼

초판 인쇄 2018년 7월 15일
초판 발행 2018년 8월 10일

역 주 자 | 윤용남·이충구·김재열·윤원현·추기연
　　　　　이철승·심의용·김형석·이치억·김현경
펴 낸 이 | 하운근
펴 낸 곳 | 學古房

주　　　소 | 경기도 고양시 덕양구 통일로 140 삼송테크노밸리 A동 B224
전　　　화 | (02)353-9908 편집부(02)356-9903
팩　　　스 | (02)6959-8234
홈페이지 | http://hakgobang.co.kr/
전자우편 | hakgobang@naver.com, hakgobang@chol.com
등록번호 | 제311-1994-000001호

ISBN　　978-89-6071-767-1 94150
　　　　978-89-6071-760-2 (세트)

값 : 800,000원 (전10책)